ACCESO GRATIS *a la Lectura en la Nube*

Para visualizar el libro electrónico en la nube de lectura envíe junto a su nombre y apellidos una fotografía del código de barras situado en la contraportada del libro y otra del ticket de compra a la dirección:

ebooktirant@tirant.com

En un máximo de 72 horas laborales le enviaremos el código de acceso con sus instrucciones.

CONTRATACIÓN PÚBLICA GLOBAL:
VISIONES COMPARADAS

CONTRATACIÓN PÚBLICA GLOBAL:
VISIONES COMPARADAS

Directores

Dr. ENRIQUE DÍAZ BRAVO
Universidad Santo Tomás, Chile

Dr. JOSÉ ANTONIO MORENO MOLINA
Universidad de Castilla-La Mancha, España

tirant lo blanch
Valencia, 2020

© Enrique Díaz Bravo
José Antonio Moreno Molina

© TIRANT LO BLANCH
EDITA: TIRANT LO BLANCH
C/ Artes Gráficas, 14 - 46010 - Valencia
TELFS.: 96/361 00 48 - 50
FAX: 96/369 41 51
Email: tlb@tirant.com
www.tirant.com
Librería virtual: www.tirant.es
ISBN: 978-84-1336-727-9

Si tiene alguna queja o sugerencia, envíenos un mail a: *atencioncliente@tirant.com*. En caso de no ser atendida su sugerencia, por favor, lea en *www.tirant.net/index.php/empresa/politicas-de-empresa* nuestro procedimiento de quejas.

Responsabilidad Social Corporativa: http://www.tirant.net/Docs/RSCTirant.pdf

Autores

Albert Sanchez-Graells

PhD (Eur), LLB, BA (Hons); Professor of Economic Law,
Law School, University of Bristol, United Kingdom

Alejandro Román Márquez

Doctor en Derecho; Departamento de Derecho Administrativo e Instituto
Universitario de Investigación García Oviedo, Universidad de Sevilla, España

Antonio Miño López

Doctor en Derecho; Letrado de la Xunta de Galicia; Profesor (Asociado)
de Derecho Administrativo, Universidad de Vigo, España

Camilo Mirosevic Verdugo

Abogado, Magíster en Derecho; Profesor de Derecho Administrativo,
Universidad Central de Chile, Chile; Jefe de División Jurídica,
Contraloría General de la República de Chile

César Augusto Romero Molina

Doctor en Derecho, San Pablo CEU; Doctor en Derecho, UCLM; Abogado. Colombia

David Muñoz Pérez

Doctor en Derecho; Profesor Derecho Administrativo; Secretario del Departamento
de Derecho Público, Universidad Católica de Valencia "San Vicente Mártir", España

Enrique Díaz Bravo

Doctor en Derecho; Profesor de Derecho Administrativo y
Contratación Pública, Facultad de Derecho, Universidad Santo Tomás,
Chile. Asociado en Mackenna y Cruzat Abogados. Chile

Francisco Puerta Seguido

Doctor en Derecho; Profesor Contratado Doctor (Titular acreditado),
Facultad de Derecho, Universidad de Castilla-La Mancha, España

Graciela Lepe Uribe

Abogada; Magíster en Derecho; Subjefa División Jurídica,
Contraloría General de la República de Chile

Isabel Gallego Córcoles

Doctora en Derecho; Profesora Titular de Derecho Administrativo,
Universidad de Castilla-La Mancha, España

Isabel González Ríos

*Doctora en Derecho; Catedrática de Derecho Administrativo,
Universidad de Málaga, España*

Jaime Pintos Santiago

*Doctor en Derecho, Director del Título Propio de Especialista en
Contratos Públicos de la UDIMA; Abogado. España*

Javier Miranzo Díaz

*Doctor en Derecho; Investigador Postdoctoral en Derecho
Administrativo; Universidad de Castilla-La Mancha, España*

José Antonio Moreno Molina

*Doctor en Derecho; Catedrático de Derecho Administrativo
de la Universidad de Castilla-La Mancha, España*

Juan Carlos Medina Flores

*Abogado asociado del Estudio Echecopar, asociado a
Baker & Mckenzie International, Perú*

Juan Carlos Morón Urbina

*Doctorando en Derecho; Abogado, Magíster en Derecho Constitucional. Socio
en Estudio Echecopar, asociado a Baker & Mckenzie International, Perú*

Mª Ángeles González Bustos

*Doctora en Derecho; Profesora Titular de Derecho
Administrativo, Universidad de Salamanca, España*

Marcela Paz Radovic Córdova

*Abogada; Master in Science in Regulation de la Universidad London School
of Economics and Political Science; Directora de Radovic y Asociados SpA;
Profesora Magíster en Derecho Público, Universidad Santo Tomás, Chile*

Miguel Alejandro López Olvera

*Doctor en Derecho Administrativo; Investigador de Tiempo Completo Definitivo Titular
"B", Instituto de Investigaciones Jurídicas, Universidad Nacional Autónoma de México*

Patricia Valcárcel Fernández

*Doctora en Derecho; Profesora Titular (acr. a Catedrática) de
Derecho Administrativo; Universidad de Vigo, España*

Rafael Fernández Acevedo

*Doctor en Derecho; Profesor Titular de Derecho
Administrativo; Universidad de Vigo, España*

Roberto Correia da Silva Gomes Caldas

Doctor en Derecho Público; Profesor de Derecho Administrativo y Contratación Pública, Facultad de Derecho, Pontificia Universidad Católica de San Pablo, Brasil. Abogado en Brasil y Portugal

Roberto Galán Vioque

Doctor en Derecho; Profesor Titular, Facultad de Derecho, U. de Sevilla, España

Rodolfo Cancino Gómez

Doctor en Derecho; Profesor Investigador Tiempo Completo "C" Definitivo; Facultad de Derecho, Universidad Nacional Autónoma de México

Víctor Ríos Salas

Abogado, socio de Molina Ríos Abogados; Magíster en Derecho, Universidad Adolfo Ibáñez; Profesor Magíster en Derecho Público, Universidad Santo Tomás, Chile

Tabla de contenido

Sección Cuarta:
CONTRATACIÓN PÚBLICA VERDE E INNOVACIÓN

Sección Quinta:
INTEGRIDAD Y TRANSPARENCIA EN LA CONTRATACIÓN PÚBLICA

Sección Sexta:
REMEDIOS EN LA CONTRATACIÓN PÚBLICA

Presentación

La presente obra denominada *Contratación pública global: visiones comparadas*, es fruto de la colaboración de más de veinte profesoras y profesores de distintas universidades de Brasil, Chile, Colombia, España, México, Perú y Reino Unido.

El financiamiento para el desarrollo del libro ha sido posible gracias al concurso de edición de libros y textos disciplinarios (2018), convocado por la Vicerrectoría Académica, de Investigación y Postgrado de la Universidad Santo Tomás de Chile, adjudicándonos este proyecto en un régimen competitivo y con evaluación externa de pares.

Del mismo modo, esta obra colectiva es expresión del trabajo mancomunado de distintos profesores de Derecho Administrativo de la Universidad Santo Tomás y de la Universidad de Castilla-La Mancha, cuyos vínculos se vienen estrechando desde hace más de cinco años, tanto en ámbitos de postgrado como de investigación en Derecho Administrativo, y especialmente en contratación pública, y que son un resultado del convenio de colaboración académica suscrito en 2015, entre ambas instituciones, jugando un rol determinante para ello, el entonces Decano de la Facultad de Ciencias Sociales de Cuenta de la UCLM, Prof. Dr. José Mondéjar Jiménez, y el Decano de la Facultad de Derecho de la UST, Prof. Aníbal Rodríguez Letelier.

Asímismo, destacar y agradecer la participación de los alumnos-ayudantes de Derecho Administrativo de la Facultad de Derecho de UST, Andrea Maturana y Camilo Sánchez en el proceso de edición, y de la Coordinadora de la Dirección de Investigación Aplicada e Innovación de la UST, Ivonne Espinoza.

La temática principal, la contratación pública, es el marco articulador de la obra, que tiene un punto de partida desde Derecho comparado con análisis de distintos ordenamientos nacionales, en una disciplina que representa cerca del 12% del producto interno bruto en los países miembros de la OCDE[1], y que no obstante los diferentes ordenamientos jurídicos objeto de análisis, existe una serie de reglas y principios que articulan a esta cre-

---

[1] https://www.oecd.org/gov/contratacion-publica/

ciente disciplina de la contratación pública, lo que nos permite vislumbrar la existencia del denominado Derecho administrativo global[2].

Este libro colectivo pretende contribuir al estudio y difusión de esta rama del Derecho público, desde enfoques nacionales, supranacionales e internacionales, abordándola desde distintas ópticas sectoriales de desarrollo, con especial énfasis en los principios rectores de la contratación pública y en la jurisprudencia aplicable a cada caso.

De esta forma, el libro se ha organizado en seis secciones, recogiendo cada uno de los aportes de profesoras y profesores colaboradores, abordando las siguientes materias: Sección I, *Contratación pública internacional*; Sección II, *Competencia y contratación pública*; Sección III, *Contratación pública y colaboración público-privada*; Sección IV: *Contratación pública verde e innovación*; Sección V: *Integridad y transparencia en la contratación pública*, y, la Sección VI: *Remedios en la contratación pública*. Para los directores de la obra ha sido un honor contar con las colaboraciones de tan destacados juristas y profesionales.

Esperamos que esta contribución sea un aliento para el desarrollo de la contratación pública, y el ejercicio de buenas prácticas para garantizar los principios generales de esta disciplina, como son los principios de igualdad, no discriminación, transparencia y libre concurrencia, de modo de controlar en forma eficiente el gasto público y aumentar los estándares de buena administración, como grandes desafíos para el Estado democrático de Derecho.

En Cuenca, España, y, en Santiago de Chile, enero de 2020.

---

[2]   Kingsbury, B, Nico Krisch & Richard B. Stewart. *The Emergence of Global Administrative Law*. IILJ Working Paper 2004/1.

Sección Primera:
CONTRATACIÓN PÚBLICA INTERNACIONAL

PRINCIPIOS GENERALES DEL DERECHO DE LA CONTRATACIÓN PÚBLICA INTERNACIONAL

José Antonio Moreno Molina
Catedrático de Derecho Administrativo
Universidad de Castilla-La Mancha

I. Relevancia aplicativa e interpretativa de los principios generales de la contratación pública. La tendencia hacia un Derecho global de los contratos públicos

En la aplicación e interpretación del Derecho de los contratos públicos, tanto a nivel nacional como internacional, los principios generales desarrollan en la actualidad un papel muy relevante. Estos principios, basados en reglas de naturaleza constitucional como la igualdad, son en nuestros días el fundamento de toda la normativa pública sobre contratación y se caracterizan por su transversalidad, ya que alcanzan y se manifiestan en todas las fases contractuales, preparatorias y ejecutorias.

La jurisprudencia del Tribunal de Justicia de la Unión Europea (TJUE) en materia de contratos públicos resulta muy destacada en este sentido[1]. En su labor creadora, el Tribunal ha ido configurando todo un conjunto

---

[1] Puede verse la sentencia del Tribunal de Justicia de la Unión Europea de 20 de mayo de 2010, en el asunto T-258/06, Alemania contra Comisión.

de principios generales del Derecho administrativo[2], que han servido para interpretar el Derecho de la Unión Europea y para colmar las lagunas en él existentes.

Entre los principios generales de la contratación pública sobresale por encima de todos los demás el principio de igualdad y la prohibición de toda discriminación, que habrán de respetarse en todo caso y a lo largo del completo proceso selectivo. Pero junto al principio de igualdad y en íntima conexión con él se aplican en este ámbito los principios de publicidad, transparencia y concurrencia, notablemente reforzados con la reciente introducción de medios electrónicos y telemáticos en los procedimientos de licitación.

Además de estos principios, también se aplican hoy a la contratación pública otros como los de confidencialidad, motivación de las decisiones, economía, eficiencia y eficacia, la consecución de objetivos sociales y la protección del medio ambiente.

La doctrina administrativista lleva años llamando la atención sobre el proceso de desarrollo del Derecho administrativo global[3], que cada vez presenta un mayor impacto en los ordenamientos administrativos nacionales[4].

---

[2]   La exposición más amplia y documentada sobre el proceso de formación de estos principios se puede encontrar en SCHWARZE, J., *Europäisches…, op. cit.* (la versión inglesa del texto puede encontrarse en *European Administrative Law*, Oficina de Publicaciones Oficiales de las Comunidades Europeas y Sweet & Maxwell, Bruselas-Luxemburgo, 1992).

[3]   RODRÍGUEZ ARANA, J., "El Derecho Administrativo global: un derecho principal", *Revista Andaluza de Administración Pública*, n° 76 (2010), págs. 15-68; MIR PUIGPELAT, O., *Globalización Estado y Derecho (Las transformaciones recientes del Derecho administrativo)*, Civitas, Madrid, 2004; CRUZ ALLI, J., *Derecho administrativo y globalización*, Civitas, Madrid, 2004; BALLBÉ, M., "El futuro del derecho administrativo en la globalización: entre la americanización y la europeización, *RAP* n° 174 (2007); AAVV, *Derecho administrativo global. Organización, procedimiento, control judicial* (PONCE, J., coord.), Marcial Pons-INAP, Madrid, 2010; AAVV, *Las transformaciones del procedimiento administrativo* (BARNÉS, J., coord.), Global Law, Sevilla, 2006.

[4]   Ver Kingsbury, B.; Krisch, N. y Stewart, R. B., "The Emergence of Global Administrative Law", 68 *Law and Contemporary Problems*, 15 (Summer/Autumn 2005). Traducción al castellano del texto en inglés realizada por Paris, G. y Ricart, L., *LL. M. International Legal Studies*, Facultad de Derecho New York University. Texto disponible en: http://www.iilj.org/GAL/documents/ElsurgimientodelDerechoAdministrativoGlobal.pdfconsultado el 10 de octubre de 2018.

El Derecho administrativo global ha sido definido como "aquél que incluye los mecanismos, principios, prácticas y los acuerdos sociales que los respaldan y que promueven o que de otra forma afectan la *accountability* de los órganos globales administrativos, en particular asegurándose de que cumplan con los estándares adecuados de transparencia, participación, toma de decisiones razonada, y legalidad, y promoviendo la efectiva evaluación de las normas y decisiones que aprueban"[5].

Kingsbury recoge como fuentes primarias de este Derecho global los principios extraídos de los Derechos administrativos nacionales, los principios de sistema de la OMC y los principios de los tratados internacionales de contenido ambiental, además de las agencias intergubernamentales (Banco Mundial, ACNUR, Bancos de desarrollo) y agencias internacionales no gubernamentales (COI, Agencia Mundial Antidopaje, etc.), cuya actividad tiene eficacia frente a los particulares[6].

Pues bien, uno de los ámbitos que mejor reflejan en la actualidad el proceso de formación, desarrollo y consolidación de este Derecho administrativo global es, sin duda alguna, el de la contratación pública[7]. En efecto, los contratos públicos han sido objeto en los últimos años tanto de importante legislación y acuerdos internacionales, como de jurisprudencia de órganos con jurisdicción internacional que han fijado principios generales, y de actuaciones administrativas, entre otras, de solución de controversias entre Estados u otras partes en disputa[8].

En este sentido, pueden destacarse tanto el Acuerdo de Contratación Pública (en adelante, ACP) de la Organización Mundial del Comercio (OMC) y Ley Modelo de Naciones Unidas como las normas en la materia aprobadas por el Banco Mundial[9] y la OCDE[10].

---

[5]   KINGSBURY, B., "The Administrative Law Frontier In Global Governance", *ASIL proceedings 2005*, págs. 1 y ss.

[6]   KINGSBURY, B., "The Administrative Law...", *op. cit.*, págs. 4 y ss.

[7]   MORENO MOLINA, J. A., *Derecho global de la contratación pública*, Ubijus, Asociación Internacional de Derecho Administrativo, México, 2011.

[8]   Todos ellos elementos caracterizadores de la "gobernanza global", véase Stewart, R. B., "U.S. Administrative Law: A Model for Global Administrative Law?", *68 Law and Contemporary Problems*, 15 (Summer/Autumn 2005).

[9]   Las Normas de Procedimiento del Banco Mundial BP 11.00, se pueden encontrar en http://siteresources.worldbank.org/INTPROCURINSPA/Resources/bp1100Spanish.pdf, fecha de consulta 18 de septiembre de 2018.

[10]   En relación con la contratación pública, la OCDE se ha preocupado sobre todo de desarrollar instrumentos para combatir la corrupción y fomentar la integridad

Pero también se podrían señalar las disposiciones sobre contratación pública del Tratado de Libre Comercio suscrito entre México, los Estados Unidos de América y Canadá (TLCAN), el Acuerdo de Promociones Comerciales entre Estados Unidos y Colombia y el Acuerdo de Promoción Comercial Perú-Estados Unidos, así como el protocolo de contrataciones públicas del MERCOSUR[11]. En el continente africano pueden destacarse las reglas aprobadas por la Comunidad Económica y Monetaria del África Central (CEMAC). Todas estas normas y acuerdos no vienen sino a corroborar la tendencia hacia la formación de un Derecho común de la contratación pública.

II. La regulación de los principios en el Acuerdo de Contratación Pública de la Organización Mundial del Comercio

El ACP de la OMC[12] fue firmado el 15 de abril de 1994, al mismo tiempo que el Acuerdo por el que se establece la OMC, y entró en vigor el 1 de enero de 1996.

Se trata de uno de los acuerdos "plurilaterales" que figuran en el Anexo 4 del Acuerdo de Marrakech por el que se establece la OMC, lo que significa que no todos los Miembros de la Organización están obligados por él.

---

en el sector público. El sitio Web de la Unidad de Lucha contra la corrupción de la OCDE es.

www.oecd.org/daf/nocorruption/ (fecha de consulta 18 de marzo de 2018).

Para una visión general del desarrollo de este derecho internacional de la contratación pública puede acudirse a AAVV, "Overview of the Current Work of Key International Institutions in the Field of Public Procurement", *Public Procurement Law Review*, N° 6, 2006, páginas NA 161 a 204.

[11] Para el análisis de otros acuerdos internacionales en contratación pública resulta de interés acudir al documento elaborado por las secretarías de ALADI, COMUNIDAD ANDINA Y MERCOSUR en cumplimiento de los mandatos de la I Reunión de Jefes de Estado de la Comunidad Sudamericana de Naciones (Documento ALADI/MERCOSUR/CAN/15/2006, que puede consultarse en la dirección www.mercosur.int/msweb/SM/Documento%20Conjunto/Convergencia13-%20Compras%20del%20sector%20publico.pdf, fecha de consulta 4 de febrero de 2018).

[12] Son partes en el ACP Armenia, Canadá, la Unión Europea en relación con sus 28 Estados miembros, Hong Kong-China, Islandia, Israel, Japón, Corea, Liechtenstein, los Países Bajos en relación con Aruba, Noruega, Singapur, Suiza, Taipei Chino (Taiwán) y los Estados Unidos.

El objetivo del ACP es establecer un marco multilateral de derechos y obligaciones equilibrados en materia de contratación pública, con miras a conseguir la liberalización y la expansión del comercio mundial.

De esta forma, establece una serie de derechos y obligaciones entre sus Partes con respecto a sus respectivas leyes, reglamentos, procedimientos y prácticas nacionales en la esfera de dicha contratación.

El Acuerdo se basa en un enfoque de lista inclusiones para determinar el ámbito de aplicación. En el Apéndice I del ACP se enumeran las entidades sujetas de cada país. En el Anexo 1 del citado Apéndice figuran las entidades del gobierno central; en el Anexo 2 las de los gobiernos subcentrales, y en el Anexo 3 todas las demás entidades que realicen compras conforme al Acuerdo (incluyendo tanto empresas gubernamentales como aquéllas correspondientes a servicios públicos). Las entidades que se enumeran en los anexos están sujetas a las disposiciones del Acuerdo, en lo que respecta a sus compras de bienes y servicios si el valor de la compra sobrepasa unos umbrales determinados, que no son uniformes debido a que existen algunas diferencias entre los países signatarios; y si los bienes y servicios objeto de la compra no están exentos de la cobertura del ACP.

El proceso para la revisión del ACP tuvo dos importantes hitos, al llegarse a un primer acuerdo en 2006 y culminar las negociaciones el 15 de diciembre de 2011. La Decisión sobre los resultados de las negociaciones celebradas de conformidad con el párrafo 7 del artículo XXIV del ACP, se adoptó formalmente el 30 de marzo de 2012[13].

La nueva versión del ACP modificó tanto el Preámbulo, como los artículos I a XXIV y los Apéndices del Acuerdo de 1994[14].

El principal objetivo de la revisión del ACP ha sido impulsar una mayor liberalización y expansión del comercio internacional y mejorar el marco en que este se desarrolla.

El artículo IV del anexo del Protocolo por el que se modifica el ACP enuncia y define los principios generales, que sistematiza en 6 apartados

---

[13] Véase la página oficial de la OMC, http://www.wto.org/spanish/tratop_s/gproc_s/negotiations_s.htm, fecha de consulta 20 de marzo de 2014.
Sobre el proceso de renovación del acuerdo sobre contratación pública de la OMC véase Anderson, R. D., "Renewing the WTO Agreement on Government Procurement: Progress to Date and Ongoing Negotiations", *Public Procurement Law Review*, Issue 4 (2007).

[14] ARROWSMITH, S. y ANDERSON, R. D., *The WTO Regime on Government Procurement: Challenge and Reform,* Cambridge University Press, 2011.

referidos a: no discriminación, uso de medios electrónicos, ejecución de la contratación, normas de origen, compensaciones y medidas no específicas de la contratación.

La nueva regulación mejora notablemente en cuanto a sistemática y contenido a la anterior versión del ACP, que dedicaba el artículo III al principio de "Trato nacional y no discriminación" y el artículo IV a las "Normas de origen".

En primer lugar, el nuevo artículo IV sitúa al principio de no discriminación, que está en la esencia misma del propio ACP.

La definición del principio de no discriminación se recoge en el apartado 1 de precepto, que establece que "con respecto a cualquier medida relativa a las contrataciones cubiertas, cada Parte, incluidas sus entidades contratantes, concederá de forma inmediata e incondicional a los bienes y servicios de cualquier otra Parte y a los proveedores de cualquier otra Parte que ofrezcan bienes o servicios de cualquiera de las Partes, un trato no menos favorable que el trato que la Parte, incluidas sus entidades contratantes, concede a:

a) los bienes, servicios y proveedores nacionales; y

b) los bienes, servicios y proveedores de cualquier otra Parte.

En el apartado 2 del precepto se concreta que ninguna entidad contratante nacional dará a un proveedor establecido en su territorio un trato menos favorable que a otro proveedor establecido en dicho territorio en razón del grado de afiliación o propiedad extranjera; ni discriminará contra un proveedor establecido en su territorio en razón de que los bienes o servicios ofrecidos por dicho proveedor para una determinada contratación son bienes o servicios de cualquiera de las otras Partes.

En relación con el uso de medios electrónicos en los procedimientos de contratación, el ACP obliga a las entidades contratantes a asegurarse de que la contratación se lleve a cabo utilizando sistemas de tecnología de la información y programas informáticos, incluidos los relacionados con la autenticación y codificación criptográfica de información, que sean accesibles en general e interoperables con los sistemas de tecnología de la información y los programas informáticos accesibles en general.

Asimismo, las entidades contratantes mantendrán "mecanismos que aseguren la integridad de las solicitudes de participación y las ofertas, incluida la determinación del momento de la recepción y la prevención del acceso inadecuado" (letra b) del apartado 3 del artículo IV).

Por lo que se refiere a la ejecución de la contratación, se prevé la obligación de respetar la transparencia e imparcialidad de forma que sea compatible con el ACP, utilizando métodos tales como la licitación pública, la licitación selectiva y la licitación restringida. Se quieren evitar así, como señalan expresamente las letras b) y c) del apartado 4 del artículo IV, tanto los conflictos de intereses como las prácticas corruptas.

También contempla el precepto dedicado a los principios generales reglas sobre las normas de origen en las contrataciones cubiertas por el ACP, al prohibir que ninguna Parte aplique a los bienes o servicios importados de otra Parte o suministrados por otra Parte, unas normas de origen que sean diferentes de las que la Parte aplique en el mismo momento en el curso de operaciones comerciales normales a las importaciones o al suministro de los mismos bienes y servicios procedentes de la misma Parte.

Con respecto a las contrataciones cubiertas, ninguna Parte, incluidas sus entidades contratantes, solicitará, tendrá en cuenta, impondrá ni exigirá ninguna compensación.

Por último, hay una referencia a las medidas no específicas de la contratación en el apartado 7 del citado artículo IV. En concreto, se excepciona la aplicación del principio de no discriminación a los derechos aduaneros y cargas de cualquier tipo que se impongan a la importación o que tengan relación con la misma; al método de recaudación de dichos derechos y cargas; a otros reglamentos o formalidades de importación; ni a las medidas que afectan al comercio de servicios, que no sean las medidas que rigen las contrataciones cubiertas.

III. Los principios en la nueva Directiva de la Unión Europea sobre contratación pública y en la jurisprudencia del Tribunal de Justicia de la Unión Europea

La Directiva 2014/24/UE del Parlamento Europeo y del Consejo, de 26 de febrero de 2014, sobre contratación pública y por la que se deroga la Directiva 2004/18/CE[15], desde su primer considerando resalta la necesidad de respetar los principios generales en la adjudicación de contratos públicos por o en nombre de las autoridades de los Estados Miembros (una previ-

---

[15]   Véase GIMENO FELIÚ, J. M., "Novedades en la nueva Normativa Comunitaria sobre contratación pública", *Revista de estudios locales*, nº 161 (2013), págs. 15 a 44 y "Las nuevas directivas —cuarta generación— en materia de contratación pública. Hacia una estrategia eficiente en compra pública", *Revista Española de Derecho Administrativo*, nº 159 (2013), págs. 39 a 106.

sión similar recogía el apartado segundo de la exposición de motivos de la Directiva 2004/18/CE).

Se identifican estos principios con los reconocidos por "el Tratado sobre el funcionamiento de la Unión Europea y, en particular la libre circulación de mercancías, la libertad de establecimiento y la libre prestación de servicios y de los principios derivados de la misma, tales como el de la igualdad de trato, no discriminación, el reconocimiento mutuo, la proporcionalidad y la transparencia" y se hace alusión reiterada a los mismos a lo largo de toda la exposición de motivos de la Directiva 2014/24 (considerandos 12, 31, 40, 58, 68, 101, 114 y 136).

A través de una consolidada doctrina, el Tribunal de Justicia de la Unión Europea (TJUE) ha venido destacando en los últimos años de forma reiterada que la obligación de respeto de los principios de objetividad, imparcialidad y no discriminación en la adjudicación de los contratos públicos, que son la esencia de la regulación normativa de éstos, se extiende no sólo a los limitados contratos que caen dentro del ámbito de aplicación de las directivas comunitarias sobre contratación pública[16] —en base al cual se fundamenta la cuestionable categoría acuñada por la LCSP de contratos sujetos a regulación armonizada (artículos 13 y ss. TRLCSP)[17]—, sino también a todos los contratos que celebren los órganos de contratación sujetos a las directivas, ya que así lo exigen distintos preceptos de los tratados de

---

[16]   El artículo 4 de la Directiva 2014/24 fija el ámbito de aplicación de la misma estableciendo unos umbrales económicos. La directiva se aplicará a las contrataciones cuyo valor estimado, sin incluir el impuesto sobre el valor añadido (IVA), sea igual o superior a los umbrales siguientes:
(a) 5.186.000 EUR, en los contratos públicos de obras;
(b) 134.000 EUR, en los contratos públicos de suministro y de servicios adjudicados por autoridades gubernamentales centrales y los concursos de proyectos organizados por ellas; por lo que se refiere a los contratos públicos de suministro adjudicados por poderes adjudicadores que operen en el sector de la defensa, ese umbral solo se aplicará a los contratos relativos a los productos contemplados en el anexo III;
(c) 207.000 EUR, en los contratos públicos de suministro y de servicios adjudicados por poderes adjudicadores subcentrales y los concursos de proyectos organizados por los mismos;
(d) 750.000 EUR, en los contratos públicos de servicios sociales y otros servicios específicos enumerados en el anexo XVI.

[17]   MORENO MOLINA, J. A., "Un mundo para Sara. Una nueva categoría en el Derecho español de la contratación pública: los contratos sujetos a regulación armonizada", *Revista de Administración Pública* nº 178 (2009), págs. 175 a 213.

derecho originario, tal y como han sido interpretados por el propio Tribunal (STJUE de 13 de octubre de 2005, asunto C 458/03, Parking Brixen GMBH)[18].

Como ha declarado reiteradamente el TJUE, el principio de igualdad de trato de los licitadores, que constituye la base de las directivas relativas a los procedimientos de adjudicación de contratos públicos, implica una obligación de transparencia que permita garantizar su cumplimiento[19]. El principio de igualdad tiene el objetivo de favorecer el desarrollo de una competencia sana y efectiva entre las empresas que participan en una licitación pública, exige que todos los licitadores dispongan de las mismas oportunidades en la formulación de los términos de sus ofertas e implica pues que éstas se sometan a las mismas condiciones para todos los competidores[20].

Por lo que respecta al principio de transparencia, que constituye el corolario del principio de igualdad, tiene esencialmente por objeto garantizar que no exista riesgo de favoritismo y arbitrariedad por parte de la entidad adjudicadora[21]. Exige que todas las condiciones y modalidades del procedimiento de licitación estén formuladas de forma clara, precisa e inequívoca en el anuncio de licitación o en el pliego de condiciones, con el fin de que, por una parte, todos los licitadores razonablemente informados y normalmente diligentes puedan comprender su alcance exacto e interpretarlas de la misma forma y, por otra parte, la entidad adjudicadora pueda comprobar efectivamente que las ofertas presentadas por los licitadores responden a los criterios aplicables al contrato de que se trate[22].

La nueva Directiva recoge, por tanto, esta jurisprudencia en el frontispicio de la misma y advierte que se aplica para los contratos públicos que se sitúen tanto por debajo como por encima de los umbrales, sin perjuicio de que para estos últimos la propia norma europea coordine los procedimien-

---

18 Véase GIMENO FELIÚ, J. M., *La nueva contratación pública europea y su incidencia en la legislación española*, Civitas, 2006.

19 Sentencias del Tribunal de Justicia de 18 de noviembre de 1999, Unitron Scandinavia y 3-S, C-275/98, Rec. pág. I-8291, apartado 31; de 12 de diciembre de 2002, Universale-Bau y otros, C-470/99, Rec. pág. I-11617, apartado 91, y de 17 de febrero de 2011, no publicada en la Recopilación, apartado 38).

20 Sentencia del TJUE de 29 de abril de 2004, Comisión/CAS Succhi di Frutta, C-496/99 P, Rec. pág. I-3801, apartados 109 y 110.

21 Sentencia del Tribunal General de la Unión Europea de 31 de enero de 2013, asunto T-235/11, España contra Comisión Europea, apartado 48.

22 Sentencia "Succhi di Frutta", citada anteriormente, apartado 111.

tos de adquisición nacionales con el fin de que esos principios se lleve a la práctica.

En esta misma línea, hay que recordar la Comunicación interpretativa de la Comisión Europea de 23 de junio de 2006, sobre el Derecho comunitario aplicable en la adjudicación de contratos no cubiertos o sólo parcialmente cubiertos por las Directivas sobre contratación pública[23], cuya legalidad y conformidad con el Derecho europeo fue confirmada por la STJUE de 20 de mayo de 2010, en el asunto T-258/06, que resolvió el recurso de anulación contra la Comunicación por Alemania, al que se adhirieron como partes coadyuvantes Francia, Austria, Polonia, Países Bajos, Grecia, Reino Unido de Gran Bretaña e Irlanda del Norte y el Parlamento Europeo.

El Título I de la nueva Directiva se intitula "Ámbito de aplicación, definiciones y principios generales" y dedica su artículo 18 a los "Principios de la contratación" para establecer que "los poderes adjudicadores tratarán a los operadores económicos en pie de igualdad y sin discriminaciones, y actuarán de manera transparente y proporcionada. La contratación no será concebida con el objetivo de excluirla del ámbito de aplicación de la presente Directiva ni de restringir artificialmente la competencia".

Se considera por la propia Directiva que la competencia está artificialmente restringida cuando la contratación se haya concebido con la intención de favorecer o perjudicar indebidamente a determinados operadores económicos.

Al regular la selección de los participantes y la adjudicación de los contratos, el artículo 56 de la Directiva 2014/24 reitera que la adjudicación de los contratos se realizará basándose en los criterios previstos en los artículos 67 a 69, siempre que se cumpla, junto a otras condiciones que establece el propio precepto, "que la oferta haya sido presentada por un licitador que no esté excluido de conformidad con el artículo 57 y que cumpla los criterios de selección establecidos por el poder adjudicador de conformidad con el artículo 58 y, cuando proceda, las normas y los criterios no discriminatorios contemplados en el artículo 65".

En relación con la adjudicación de los contratos de servicios sociales y otros servicios específicos enumerados en el anexo XVI, a los que el Título III somete a un régimen de contratación particular, con un umbral más elevado de 750.000 euros, el artículo 76.1 de la Directiva establece que los Estados miembros pondrán en vigor las normas nacionales para la adjudi-

---

[23]   Diario Oficial nº C 179 de 01/08/2006.

cación de los contratos "con el fin de garantizar las autoridades contratantes cumplir con los principios de transparencia y de igualdad de trato de los operadores económicos".

Al principio de confidencialidad dedica la Directiva 2014/24 el artículo 21, en su doble vertiente que protege al licitador (apartado 1) y al poder adjudicador (apartado 2). Dispone así en primer lugar que, salvo disposición europea o nacional en contrario, y sin perjuicio de las obligaciones en materia de publicidad de los contratos adjudicados y de información a los candidatos y a los licitadores, el poder adjudicador no divulgará la información facilitada por los operadores económicos que estos hayan designado como confidencial, por ejemplo, los secretos técnicos o comerciales y los aspectos confidenciales de las ofertas.

Por su parte, el apartado 2 prevé que los poderes adjudicadores podrán imponer a los operadores económicos requisitos destinados a proteger el carácter confidencial de la información que los poderes adjudicadores proporcionen durante el procedimiento de contratación.

IV. El principio de integridad

El Preámbulo del Protocolo por el que se modifica el ACP destaca que la integridad y la previsibilidad de los sistemas de contratación pública son parte integrante de la gestión eficiente y eficaz de los recursos públicos, el desempeño de las economías de las Partes y el funcionamiento del sistema multilateral de comercio.

Al mismo tiempo, reconoce la importancia de disponer de medidas transparentes en materia de contratación pública, de llevar a cabo las contrataciones de forma transparente e imparcial y de evitar conflictos de intereses y prácticas corruptas, en consonancia con los instrumentos internacionales aplicables, tales como la Convención de las Naciones Unidas contra la Corrupción hecha en Nueva York el 31 de octubre de 2003[24], y ratificada tanto por España[25] como por la Unión Europea[26].

---

[24] Véase MEDINA ARNAIZ T., "EU Directives as Anticorruption Measures: Excluding Corruption-Convicted Tenderes from Public Procurement Contracts", *International Handbook of Public Procurement*, Florida, 2009, págs. 105 a 130.

[25] Instrumento de ratificación publicado en el BOE nº 171, de 19 de julio de 2006.

[26] Decisión del Consejo 2008/201/CE, de 25 de septiembre de 2008, sobre la celebración, en nombre de la Comunidad Europea, de la Convención de las Naciones

La citada Convención establece en su artículo 9 que cada Estado Parte, de conformidad con los principios fundamentales de su ordenamiento jurídico, adoptará las medidas necesarias para establecer sistemas apropiados de contratación pública, basados en la transparencia, la competencia y criterios objetivos de adopción de decisiones, que sean eficaces, entre otras cosas, para prevenir la corrupción. Esos sistemas, en cuya aplicación se podrán tener en cuenta valores mínimos apropiados, deberán abordar, entre otras cosas:

> "a) La difusión pública de información relativa a procedimientos de contratación pública y contratos, incluida información sobre licitaciones e información pertinente u oportuna sobre la adjudicación de contratos, a fin de que los licitadores potenciales dispongan de tiempo suficiente para preparar y presentar sus ofertas;
>
> b) La formulación previa de las condiciones de participación, incluidos criterios de selección y adjudicación y reglas de licitación, así como su publicación;
>
> c) La aplicación de criterios objetivos y predeterminados para la adopción de decisiones sobre contratación pública a fin de facilitar la ulterior verificación de la aplicación correcta de las reglas o procedimientos;
>
> d) Un mecanismo eficaz de examen interno, incluido un sistema eficaz de apelación, para garantizar recursos y soluciones legales en el caso de que no se respeten las reglas o los procedimientos establecidos conforme al presente párrafo;
>
> e) Cuando proceda, la adopción de medidas para reglamentar las cuestiones relativas al personal encargado de la contratación pública, en particular declaraciones de interés respecto de determinadas contrataciones públicas, procedimientos de preselección y requisitos de capacitación".

La Directiva de la Unión Europea 2014/24 plantea también diversas medidas para garantizar la integridad de los procedimientos de contratación pública, un objetivo también fundamental en la actualidad de nuestro Derecho y prácticas administrativas nacionales[27], para cuya mejor garantía se debe exigir el respeto en todo caso de los principios de igualdad, no discriminación, publicidad, transparencia y libre concurrencia.

Unidas contra la corrupción, publicada en el Diario Oficial L 287, de 29 de octubre de 2008.

[27]   Véase GIMENO FELIÚ, J. M., "La Ley de Contratos del Sector Público: ¿una herramienta eficaz para garantizar la integridad? Mecanismos de control de la corrupción en la contratación pública", *Revista Española de Derecho Administrativo*, nº 147 (2010), págs. 517-535 y MEDINA ARNÁIZ, T, "Las respuestas normativas al fenómeno de la corrupción en la contratación pública", *Diario La Ley*, nº 7382 (2010), págs. 1 a 20.

La importancia económica, política y social de la contratación pública, los intereses financieros en juego y la estrecha interacción entre los sectores público y privado hacen de este sector un ámbito peligrosamente expuesto a prácticas comerciales deshonestas, como el conflicto de intereses, el favoritismo y la corrupción.

La Directiva prevé medidas para prevenir los conflictos de intereses reales, posibles o percibidos, que aunque no conduzcan necesariamente a comportamientos corruptos, tienen un elevado potencial para influir indebidamente en las decisiones de contratación pública, con el efecto de falsear la competencia y poner en peligro la igualdad de trato de los licitadores[28].

En el artículo 24 se entiende por "intereses particulares" en un contrato público los intereses familiares, afectivos, económicos, políticos u otros intereses compartidos con los candidatos o los licitadores, incluidos los conflictos de intereses profesionales.

También se establecen medidas en la propuesta contra comportamientos ilícitos de los candidatos y licitadores, como los intentos de influir indebidamente en el proceso de toma de decisiones o de llegar a acuerdos con otros participantes para manipular el resultado del procedimiento. Estas actividades ilícitas infringen los principios básicos de la Unión Europea y pueden dar lugar a graves falseamientos de la competencia.

El artículo 57 de la Directiva recoge los motivos que pueden llevar a la exclusión de un operador económico de la participación en un procedimiento de contratación cuando hayan determinado que dicho operador ha sido condenado mediante sentencia firme por delitos relacionados con la corrupción.

En la regulación de las ofertas anormalmente bajas, la Directiva 2014/24 recoge también garantías para hacer más transparentes los procedimientos de contratación e impedir prácticas fraudulentas. Se profundiza así en la exigencia por parte de los poderes adjudicadores respecto a los operadores económicos para que expliquen el precio o los costes facturados. El poder adjudicador deberá verificar la información proporcionada consultando al

---

[28] Véase al respecto el Libro Verde de la Comisión sobre "la modernización de la política de contratación pública de la UE. Hacia un mercado europeo de la contratación pública más eficiente", COM (2011) 15 final, de 25 de enero de 2011, pág. 54, así como las respuestas a las consultas del Libro Verde dadas por los investigadores del Proyecto financiado por el Ministerio de Ciencia e Innovación (DER JURI 2009-12116), recogidas en la obra colectiva *Observatorio de contratos públicos 2010*, Civitas - Thomson Reuters, Cizur Menor (Navarra), 2011, págs. 505 y 506.

licitador. Solo podrá rechazar la oferta en caso de que los documentos aportados no justifiquen el bajo nivel de los precios o costes, teniendo en cuenta los elementos mencionados en el apartado 2 del artículo 69.

Por otra parte, también al establecer medidas de gobernanza en los contratos públicos, la Directiva 2014/24 obliga a los Estados miembros en su artículo 83 a velar por que la aplicación de las normas de contratación pública sea supervisada.

Cuando las autoridades o estructuras de supervisión detecten incumplimientos específicos o problemas sistémicos, por sus propios medios o por haber recibido información al respecto, estarán facultadas para señalar estos problemas a las autoridades de auditoría, órganos jurisdiccionales u otras autoridades, organismos o estructuras nacionales adecuados, como el defensor del pueblo, los Parlamentos nacionales o las comisiones parlamentarias.

Los resultados de estas actividades de supervisión se comunicarán también a la Comisión. Y la Directiva prevé que cada tres años, los Estados miembros presentarán a la Comisión un informe de supervisión que comprenda, si procede, información sobre las fuentes más frecuentes de aplicación incorrecta o de inseguridad jurídica, por ejemplo, los posibles problemas estructurales o recurrentes en la aplicación de las normas sobre la prevención, detección y notificación adecuada de los casos de fraude, corrupción, conflicto de intereses y otras irregularidades graves en la contratación.

En línea con estas medidas para luchar contra la corrupción, la vigente Ley española 9/2017, de Contratos del Sector Público (en adelante, LCSP 2017), lleva a cabo una nueva regulación de las prohibiciones de contratar que aumenta los casos de prohibición; modifica la competencia, el procedimiento y los efectos de una declaración de este tipo; y también transpone las denominadas por las directivas "medidas de autocorrección", de manera que determinadas prohibiciones de contratar bien no se declararán o bien no se aplicarán, según el caso, cuando la empresa hubiera adoptado medidas de cumplimiento destinadas a reparar los daños causados por su conducta ilícita, en las condiciones que se regulan en la LCSP 2017[29].

---

[29]   Véase RODRÍGUEZ-ARANA MUÑOZ, J., "Compliance y self-cleaning en la contratación pública (una aproximación europea)", *Revista Andaluza de Administración Pública*, nº 95 (2016), págs. 13 y ss., y MEDINA ARNÁIZ, T., "La necesidad de reformar la legislación sobre contratación pública para luchar contra la corrupción: las obligaciones que nos llegan desde Europa", *Revista Vasca de Adminis-*

Otra medida importante para garantizar el principio de integridad es la establecida en el apartado 5 del artículo 323 de la LCSP 2017 cuando prevé que en ningún caso podrán formar parte de las Mesas de contratación ni emitir informes de valoración de las ofertas los cargos públicos representativos ni el personal eventual. Sólo podrá formar parte de la Mesa personal funcionario interino únicamente cuando no existan funcionarios de carrera suficientemente cualificados y así se acredite en el expediente.

La misma prohibición recoge el apartado 4 del artículo 320 en relación con las Juntas de Contratación en la Administración del Estado: "En ningún caso podrán formar parte de las Juntas de Contratación ni emitir informes de valoración de las ofertas los cargos públicos representativos, los altos cargos, el personal de elección o designación política ni el personal eventual. Podrá formar parte de las Juntas de Contratación personal funcionario interino únicamente cuando no existan funcionarios de carrera suficientemente cualificados y así se acredite en el expediente".

V. Contratación pública estratégica y sostenible

Recogiendo la influencia del Derecho de la Unión Europea, la LCSP 2017 española trata de conseguir que se utilice la contratación pública como instrumento para implementar las políticas tanto europeas como nacionales en materia social, medioambiental, de innovación y desarrollo, de promoción de las PYMES, y de defensa de la competencia.

Entre los objetivos principales de las Directivas 2014/23 y 24 se encuentra impulsar un uso estratégico de la contratación pública y así proponen que los compradores utilicen mejor la contratación pública, elemento clave de las economías nacionales de la UE[30], en apoyo de objetivos sociales comunes como la protección del medio ambiente, una mayor eficiencia energética y en el uso de los recursos, la lucha contra el cambio climático, la pro-

---

tración Pública nº 104 (2016), monográfico sobre la lucha contra la corrupción política, págs. 77 y ss.

[30] Las autoridades públicas gastan cada año aproximadamente una quinta parte del PIB de la UE en la adquisición de obras, suministros y servicios (Informe especial del Tribunal de Cuentas Europeo nº 17/2016, "Las instituciones de la UE pueden hacer más para facilitar el acceso a su contratación pública", Luxemburgo, 2016 —informe presentado con arreglo al artículo 287, apartado 4, párrafo segundo, del TFUE—).

moción de la innovación[31], el empleo y la integración social y la prestación de servicios sociales de alta calidad en las mejores condiciones posibles[32].

La LCSP 2017 ha reforzado de forma notable la inclusión en los contratos públicos de consideraciones de tipo social, medioambiental y de innovación y desarrollo. Estas consideraciones podrán recogerse tanto al diseñarse los criterios de adjudicación, como criterios cualitativos para evaluar la mejor relación calidad-precio, o como condiciones especiales de ejecución, si bien su introducción está supeditada a que se relacionen con el objeto del contrato a celebrar, como exige la jurisprudencia del TJUE[33].

Por lo que se refiere a las condiciones especiales de ejecución, la Ley impone la obligación al órgano de contratación de establecer en el pliego al menos una de las condiciones especiales de ejecución de tipo medioambiental, social o relativas al empleo que se listan de forma muy detallada en el apartado 2 del artículo 200[34].

---

[31]   VALCÁRCEL FERNÁNDEZ, P. (2016), "Impulso de la compra pública para la innovación (CPI) a través de las distintas modalidades de contratación conjunta: análisis de casos", *Compra conjunta y demanda agregada en la contratación del sector público: un análisis jurídico y económico,* Aranzadi, Cizur Menor, págs. 349 y ss. y (2011) "Impulso decisivo en la consolidación de una contratación pública responsable. Contratos verdes: de la posibilidad a la obligación", *Actualidad Jurídica Ambiental,* n° 1, págs. 16 a 24.

[32]   ALONSO GARCÍA, C. (2015), "La consideración de la variable ambiental en la contratación pública en la nueva Directiva europea 2014/24/UE", *La Ley Unión Europea,* n° 26, págs. 5 y ss., y PERNÁS GARCÍA, J. (2011), *Contratación Pública Verde,* La Ley, Madrid, 2011 y (2012) "El uso estratégico de la contratación pública como apoyo a las políticas ambientales", en *Observatorio de políticas ambientales 2012,* Civitas, Cizur Menor, págs. 299-323.

[33]   Por todas, puede verse la sentencia del TJUE de 24 de enero de 2008, Lianakis, asunto C-532/06, ECLI:EU:C:2008:40.

[34]   Entre las consideraciones de tipo medioambiental el precepto contempla las que persigan la reducción de las emisiones de gases de efecto invernadero, el mantenimiento o mejora de los valores medioambientales que puedan verse afectados por la ejecución del contrato, una gestión más sostenible del agua, el fomento del uso de las energías renovables, la promoción del reciclado de productos y el uso de envases reutilizables, o el impulso de la entrega de productos a granel y la producción ecológica.

Las consideraciones de tipo social o relativas al empleo, podrán introducirse, entre otras, con alguna de las siguientes finalidades: contratar un número de personas con discapacidad superior al que exige la legislación nacional, favorecer la mayor participación de la mujer en el mercado laboral y la conciliación del trabajo y la vida familiar, garantizar la seguridad y la protección de la salud en el lugar de trabajo

En el ámbito medioambiental, se exigen certificados de gestión medioambiental a las empresas licitadoras como condición de solvencia técnica; y respecto de los temas sociales, se siguen regulando en la LCSP 2017 los contratos reservados a centros especiales de empleo o la posibilidad de reservar su ejecución en el marco de programas de empleo protegido, extendiéndose dicha reserva a las empresas de inserción y exigiéndoles a todas las entidades citadas que tengan en plantilla el porcentaje de trabajadores discapacitados que se establezca en su respectiva regulación.

Como importante medida en el ámbito de la discapacidad, se recoge como causa de prohibición de contratar con las entidades del sector público el no cumplir el requisito de que al menos el 2 por ciento de los empleados de las empresas de 50 o más trabajadores sean trabajadores con discapacidad, que había ya recogido la modificación del hasta ahora vigente TRLCSP por la Ley 40/2015, de 1 de octubre, del Régimen Jurídico del Sector Público.

En fin, con el ánimo de favorecer el respeto hacia los derechos humanos[35], y en especial hacia los derechos laborales básicos de las personas trabajadoras y de los pequeños productores de países en vías de desarrollo, se introduce la posibilidad de que tanto los criterios de adjudicación (art. 145.6 LCSP 2017) como las condiciones especiales de ejecución (art. 200.2 LCSP 2017) incorporen aspectos sociales del proceso de producción y comercialización referidos a las obras, suministros o servicios que hayan de facilitarse con arreglo al contrato de que se trate, y en especial podrá exigirse que dicho proceso cumpla los principios de comercio justo[36] que establece la Resolución del Parlamento Europeo sobre comercio justo y desarrollo (2005/2245(INI))[37].

---

y el cumplimiento de los convenios colectivos sectoriales y territoriales aplicables, y medidas para prevenir la siniestralidad laboral.

[35] Véase ACUÑA, F., "Las graves vulneraciones de Derechos Humanos como prohibición de contratar", http://www.obcp.es/index.php/mod.opiniones/mem.detalle/id.310/relcategoria.208/relmenu.3/chk.67a1bdf25093453e60c2662627e14b5a, fecha de consulta 12 de octubre de 2017.

[36] Puede verse al respecto MEDINA ARNÁIZ, T., "Comercio justo y contratación pública", en *Contratación pública estratégica* (coord. PERNAS GARCÍA, J. J.), Aranzadi, Cizur Menor, 2013, págs. 249-282.

[37] Téngase en cuenta también la Comunicación de la Comisión al Consejo y al Parlamento Europeo de 12 de febrero de 2004 titulada "Cadenas de productos básicos agrícolas, dependencia y pobreza - Propuesta de plan de acción de la UE" (COM 2004, 0089) y la Comunicación de la Comisión al Consejo de 29 de noviembre de 1999 sobre "Comercio justo" (COM 1999, 0619).

VI. Los principios de transparencia y no discriminación en la Ley Modelo sobre Contratación Pública de Naciones Unidas

Los principios de transparencia y la no discriminación en la contratación pública, en los que se basan tanto el ACP como la Directiva 2014/24, son también las reglas principales que pretende garantizar la Ley Modelo sobre la Contratación Pública de la Comisión de las Naciones Unidas para el Derecho Mercantil Internacional (CNUDMI).

La Ley Modelo fue aprobada por la CNUDMI en 1993[38], si bien en julio de 2011 se consensuó un nuevo texto que ha reemplazado al original, haciendo hincapié en el uso de comunicaciones electrónicas en la contratación pública.

La Ley tiene por finalidad servir de muestra o ejemplo a los distintos países para evaluar y modernizar su régimen y prácticas actuales de la contratación pública o para establecer un régimen legal en la materia de no disponer actualmente de uno.

La decisión de la CNUDMI[39] de formular un régimen modelo para la contratación pública se justificó, por tanto, en la inadecuación del régimen existente en algunos países, o en su simple inexistencia. De ello, es fácilmen-

---

[38] El texto de la "Ley Modelo" fue aprobado por la CNUDMI en su 26 periodo de sesiones, celebrado en Viena en 1993.
      Los antecedentes de esta norma se sitúan en el 19 período de sesiones de la CNUDMI, celebrado en 1986, cuando ésta decidió dar prioridad a la labor relativa a la contratación pública y encomendar esa labor al Grupo de Trabajo sobre el Nuevo Orden Económico Internacional. El Grupo de Trabajo inició su labor sobre este tema en octubre de 1988, examinando un estudio sobre la contratación pública preparado por la Secretaría. Finalmente, el Grupo elaboró un Proyecto de "Ley Modelo" sobre los contratos públicos de bienes y de obras, que pasó a la Comisión para su aprobación.

[39] La CNUDMI es un órgano de la Asamblea General de las Naciones Unidas establecido para fomentar la armonización y unificación del derecho mercantil internacional, con miras a eliminar los obstáculos innecesarios ocasionados al comercio internacional por las insuficiencias y divergencias del derecho interno de los países que afectan a ese comercio. En este sentido, la CNUDMI ha formulado durante los últimos 25 años convenios internacionales como la Convención de las Naciones Unidas sobre los Contratos de Compraventa internacional de mercaderías y el Convenio de las Naciones Unidas sobre el Transporte Marítimo de Mercancías ("Reglas de Hamburgo"), leyes modelo (como la de arbitraje comercial internacional), así como el Reglamento de Arbitraje y el Reglamento de Conciliación de la CNUDMI.

te constatable que resultan ineficiencias en el proceso de contratación, ciertas prácticas abusivas y la no obtención por el comprador público de una contrapartida adecuada por el desembolso de fondos públicos efectuado.

Si bien es común a todos los países la necesidad de que su régimen y prácticas de la contratación pública sean eficientes, ello se requiere especialmente en muchos Estados en desarrollo, así como en países cuyas economías se encuentran en transición. En estos Estados, una gran parte de la contratación está en manos del sector público y muchos de los contratos adjudicados son para proyectos que forman parte del propio proceso de desarrollo económico y social del país.

Pues bien, hacia estos países está principalmente dirigida la "Ley Modelo" sobre contratación pública. Además, ésta puede ayudar a remediar los inconvenientes que dimanan del hecho de que un régimen nacional inadecuado de la contratación pública crea obstáculos para el comercio internacional, al depender una parte importante de ese comercio de dicha contratación.

En consecuencia, el texto de la CNUDMI ha sido concebido como un instrumento destinado a sentar unas bases uniformes en el ámbito de los contratos públicos, susceptibles de servir de modelo a todos aquellos Estados que, por una u otra razón, carecen de una normativa y experiencia adecuadas en la materia. Ahora bien, es preciso advertir que la "Ley Modelo" no tiene naturaleza contractual ni aspira a convertirse en Tratado internacional, es decir, desde el punto de vista jurídico formal, carece de toda fuerza vinculante para los Estados; se trata tan sólo de un "modelo" susceptible de inspirar las legislaciones estatales[40].

En cuanto a su contenido, la "Ley Modelo" trata de significar los rasgos mínimos esenciales que deben caracterizar un régimen moderno de contratación pública. Sus objetivos principales son, en este sentido, desarrollar al máximo la competitividad del proceso de contratación, dar un trato equitativo a los proveedores y contratistas que se presenten a un concurso público de contratación y aumentar la transparencia y la objetividad. Por lo tanto, la norma circunscribe su radio de acción a las fases preparatorias y a la adjudicación de los contratos públicos, quedando fuera de su interés toda

---

[40] Este tipo de acuerdos son consideradas por la doctrina internacionalista como "Soft Law", esto es, se trata de conjuntos de normas que carecen de fuerza vinculante y que, sin embargo, tienden a influenciar la voluntad de aquellos a quienes se dirigen (SEIDL-HOHENVELDERN, I., "International Economic «Soft Law»", *Recueil des Cours, Académie de Droit International*, 1979-II, págs. 173 y ss.).

la problemática referida a la ejecución de los contratos (al igual que ocurre con el Derecho comunitario de la contratación pública). El régimen de la "Ley Modelo" va destinado básicamente a la contratación efectuada por "dependencias de la Administración pública y otras entidades o empresas del sector público" (artículo 2), y regula la contratación pública de bienes y de obras.

VII. El respeto de los principios generales como objetivo principal de las legislaciones reguladoras de los contratos públicos en América Latina

Una importante característica común a las legislaciones nacionales sobre compras públicas en América latina es su reconocimiento expreso de los principios generales que rigen en la materia y que desarrollan cada vez más una decisiva función interpretativa. Ante la enorme cantidad de normas legales y reglamentarias que en la actualidad regulan los contratos públicos, los principios generales de la contratación pública se presentan como un necesario elemento unificador.

Los principios deben aportar claridad y seguridad jurídica en la aplicación e interpretación del Derecho de los contratos. Están basados en reglas nacionales de naturaleza constitucional y deben ser hoy el fundamento de todo el Derecho público sobre contratos de las Administraciones públicas. Los principios generales de la contratación pública se caracterizan por su transversalidad, ya que alcanzan y se manifiestan en todas las fases contractuales, preparatorias y ejecutorias.

La Ley 30225 de 2014, de Contrataciones del Estado del Perú, establece que los principios generales de los contratos públicos "sirven de criterio interpretativo e integrador para la aplicación de la presente ley y su reglamento, y como parámetros para la actuación de quienes intervengan en dichas contrataciones".

La Ley peruana recoge y define de forma amplia los principios generales en su artículo 2 ("principios que rigen las contrataciones"), que hace referencia a los principios de libertad de concurrencia, libre acceso y participación de proveedores, igualdad de trato, transparencia, publicidad, competencia, eficacia y eficiencia, vigencia tecnológica, sostenibilidad ambiental y social, equidad y proporcionalidad.

En el mismo sentido, la ley de Panamá n° 22, de 27 de junio de 2006, que regula la Contratación Pública, el artículo 16 recoge los principios generales y señala al efecto que "las actuaciones de quienes intervengan en la contratación pública se desarrollarán con fundamento en los principios de eficiencia, eficacia, transparencia, debido proceso, publicidad, economía y responsabilidad, de conformidad con los postulados que rigen la función administrativa. Igualmente, les serán aplicables las normas que regulan la conducta de los servidores públicos, las reglas de interpretación de la contratación, los principios generales del derecho, las normas del derecho administrativo y las normas en materia civil y comercial que no sean contrarias a esta Ley".

La norma panameña recoge en su artículo 21 unas importantes reglas cuando declara que "en la interpretación de las normas sobre contratos públicos, de los procedimientos de selección de contratista, de los casos de excepción de procedimiento de selección de contratista y de las cláusulas y estipulaciones de los contratos, se tendrán en consideración los intereses públicos, los fines y los principios de esta Ley, así como la buena fe, la igualdad y el equilibrio entre las obligaciones y los derechos que caracterizan los contratos conmutativos".

Por su parte, la Ley Orgánica del Sistema Nacional de Contratación Pública del Ecuador de 2008 prevé en su artículo 4 que "para la aplicación de esta Ley y de los contratos que de ella deriven se observarán los principios de legalidad, trato justo, igualdad, calidad, vigencia tecnológica, oportunidad, concurrencia, transparencia, publicidad; y, participación nacional".

En el artículo 5 de la Ley ecuatoriana también se hace referencia a la función interpretativa de los principios en estos términos: "los procedimientos y los contratos sometidos a esta Ley se interpretarán y ejecutarán conforme los principios referidos en el artículo anterior y tomando en cuenta la necesidad de precautelar los intereses públicos y la debida ejecución del contrato".

La Ley de Compras Eficientes y Transparentes a Través de Medios Electrónicos de Honduras de 2014 dedica su artículo 4 a los principios generales, y así recoge y define los de transparencia y publicación, planificación, eficacia y buen gobierno, mejor valor del dinero, simplificación y economía del proceso.

Otro ejemplo de reconocimiento de los principios generales lo podemos encontrar en el ordenamiento jurídico colombiano, que expresamente consagra el artículo 23 de la Ley 80 de 1993 (transparencia, economía y responsabilidad) y desarrollan los artículos 24 a 26 de la Ley (junto a una importante jurisprudencia de la Corte Constitucional que los ha interpretado), remitiéndose para el resto de principios al resto del ordenamiento jurídico:

singularmente la Constitución Política de Colombia, el Código Civil y el Código Contencioso Administrativo.

Con la reforma introducida por la Ley 1150 de 2007 se buscó garantizar una mayor aplicación de los principios generales de la contratación a sectores de la actividad contractual pública anteriormente no plenamente sometidos, como era el caso de los contratos sometidos por el legislador a las reglas del derecho privado.

La Ley chilena N° 19.886, publicada el 30 de julio de 2003, de bases sobre contratos administrativos de suministro y prestación de servicios, declara en su artículo 1 que "los contratos que celebre la Administración del Estado, a título oneroso, para el suministro de bienes muebles, y de los servicios que se requieran para el desarrollo de sus funciones, se ajustarán a las normas y principios del presente cuerpo legal y de su reglamentación".

Si bien la norma chilena no enumera los principios generales, sí los reconoce y consagra en cuanto a sus exigencias a lo largo de toda la ley: así lo hace con los principios de igualdad, concurrencia, transparencia, sujeción a las bases y eficiencia.

Como ha declarado la jurisprudencia, uno de los objetos fundamentales de la Ley N° 19.886 consiste en garantizar "la transparencia de las operaciones contractuales de la Administración del Estado, estableciendo procedimientos uniformes y obligatorios que las entidades sujetas a su cumplimiento deben observar en la preparación y celebración de los contratos y el Sistema de Información, al que se debe otorgar gratuito y público acceso" (Dict. n°12.679/05).

Bibliografía

AAVV, *Las transformaciones del procedimiento administrativo* (BARNÉS, J., coord.), Global Law, Sevilla, 2006.

AAVV, *Derecho administrativo global. Organización, procedimiento, control judicial* (PONCE, J., coord.), Marcial Pons-INAP, Madrid, 2010.

AAVV, "Overview of the Current Work of Key International Institutions in the Field of Public Procurement", *Public Procurement Law Review*, n° 6, páginas NA 161 a 204, 2006.

ALLI, J., *Derecho administrativo y globalización*, Civitas, Madrid, 2004.

ANDERSON, R. D., "Renewing the WTO Agreement on Government Procurement: Progress to Date and Ongoing Negotiations", *Public Procurement Law Review*, Issue 4, 2007.

ARROWSMITH, S., *Government Procurement in the WTO*, La Haya (Holanda), Kluwer Law International, Studies in Transnational Economic Law, volumen 16, 2003.

BALLBÉ, M., "El futuro del derecho administrativo en la globalización: entre la americanización y la europeización", *RAP* n° 174, 2007.

DÍAZ BRAVO, E., "La Contraloría General de la República de Chile, como foro de tutela de la contratación pública", *Observatorio de los contratos públicos 2016* (coord. GIMENO FELIÚ), Aranzadi, Cizur Menor, 2017, págs. 597-624.

GIMENO FELIÚ, J. M., *La nueva contratación pública europea y su incidencia en la legislación española*, Civitas, Madrid, 2006.

GIMENO FELIÚ, J. M., *El nuevo paquete legislativo comunitario sobre contratación pública: de la burocracia a la estrategia (el contrato público como herramienta del liderazgo institucional de los poderes públicos)*, Aranzadi, Cizur Menor, 2014.

GONZÁLEZ GARCÍA, J., "Contratación pública en el Tratado de Libre Comercio entre la Unión Europea y Canadá (CETA)", http://www.obcp.es/index.php/mod. documentos/mem.descargar/fichero.documentos_3-CETA-contratacion-publica_ a42e6938%232E%23pdf/chk.3819594a9f80b2ae33ae795cbeec7025, 2016.

KINGSBURY, B., "The Administrative Law Frontier In Global Governance", *ASIL proceedings*, 2005.

MEDINA ARNAIZ T., "EU Directives as Anticorruption Measures: Excluding Corruption-Convicted Tenderes from Public Procurement Contracts", *International Handbook of Public Procurement*, Florida, 2009, págs. 105 a 130.

MIR PUIGPELAT, O., *Globalización Estado y Derecho (Las transformaciones recientes del Derecho administrativo)*, Civitas, Madrid, 2004.

MORENO MOLINA, J. A., *Contratos públicos: Derecho comunitario y Derecho español*, Mc-Graw Hill, Madrid, 1996.

MORENO MOLINA, J. A., *La reforma de la Ley de Contratos del Sector Público en materia de recursos*, Wolters Kluwer La Ley, Madrid, 2010.

MORENO MOLINA, J. A., *Derecho global de la contratación pública*, Ed. UBIJUS y Foro mundial de jóvenes administrativistas, México D. F. (México), 2011.

NIETO GARRIDO, E. y MARTÍN DELGADO, I., *Derecho administrativo europeo en el Tratado de Lisboa*, Marcial Pons, Madrid, 2010.

NIETO GARRIDO, E. y MARTÍN DELGADO, I. *European Administrative Law in the Constitutional Treaty*, Hart Publishing, Oxford, 2007.

PINTOS SANTIAGO, J., "El surgimiento inadvertido de un Derecho global de los contratos públicos como ámbito de formación y consolidación del Derecho administrativo global", *Contratación administrativa práctica: revista de la contratación administrativa y de los contratistas*, nº 128, 2013, págs. 66-69.

RAZQUIN LIZARRAGA, M. M., "La Jurisprudencia del Tribunal de Justicia de las Comunidades Europeas sobre contratación pública", *Justicia Administrativa*, nº 6, 2010.

RAZQUIN LIZARRAGA, M. M., *Contratos públicos y derecho comunitario*, Aranzadi, Pamplona, 1996.

RODRÍGUEZ ARANA, J., "El Derecho Administrativo global: un derecho principal", *Revista Andaluza de Administración Pública*, nº 76, 2010, págs. 15-68.

RODRÍGUEZ ARANA, J.; MORENO MOLINA, J. A.; JINESTA LOBO, E. y NAVARRO MEDAL, K., *Derecho internacional de las contrataciones administrativas*, Konrad Adenauer Stiftung, Programa Estado de Derecho para Latinoamérica, eds. Guayacan, San José (Costa Rica), 2011.

SCHWARZE, J., *Europäisches Verwaltungsrecht*, 2 vols., Nomos Verlagsgesellschaft, Baden-Baden, 1988.

SEIDL-HOHENVELDERN, I., "International Economic «Soft Law»", *Recueil des Cours, Académie de Droit International*, II, 1979.

STEWART, R. B., "U.S. Administrative Law: A Model for Global Administrative Law?", *68 Law and Contemporary Problems*, 15, 2005.

VALCÁRCEL FERNÁNDEZ, P., "Impulso de la compra pública para la innovación (CPI) a través de las distintas modalidades de contratación conjunta: análisis de casos", *Compra conjunta y demanda agregada en la contratación del sector público: un análisis jurídico y económico*, Aranzadi, Cizur Menor, 2016, págs. 349 y ss.

LA CONTRATACIÓN PÚBLICA EN EL NUEVO TRATADO DE LIBRE COMERCIO MÉXICO-ESTADOS UNIDOS-CANADÁ (T-MEC)

RODOLFO CANCINO GÓMEZ
Profesor Investigador
Facultad de Derecho
Universidad Nacional Autónoma de México (UNAM)

I. Introducción

México tiene firmados hasta ahora 13 trece tratados comerciales, donde destaca el Tratado Integral y Progresivo de Asociación Transpacífico (*Comprehensive and Progressive Agreement for Trans-Pacific Partnership-CPTPP*), o mejor conocido como el TPP 11, el cual tiene una estructura casi idéntica en materia de Contratación Pública con el nuevo texto final del Tratado entre México, Estados Unidos y Canadá (T-MEC).

La contratación pública internacional se encuentra tipificada en los capítulos específicos de compras o adquisiciones gubernamentales de los Tratados de Libre Comercio, en línea operativa a las mejores prácticas internacionales que dictan las organizaciones internacionales. Sin embargo, dada la aparición del neoproteccionismo en todos los ámbitos comerciales, particularmente en la contratación pública, se detecta un tratamiento preferencial a los proveedores nacionales discriminando y desplazando a los proveedores extranjeros, lo que distorsiona la especialización internacional y afecta los flujos de comercio, producción y precios de bienes y servicios. Es decir, la concesión de trato preferencial a los bienes, servicios y proveedores nacionales discrimina a los proveedores extranjeros y actúa, por tanto, como un obstáculo al comercio en este sector. Esos obstáculos no están abarcados por las normas multilaterales de la OMC, ya que la contratación pública está expresamente exenta de las principales disciplinas del sistema multilateral de comercio[1].

La motivación de estudiar la contratación pública, es porque se trata de un factor del desarrollo nacional para adquirir bienes y servicios a buenos precios y combatir las prácticas de colusión, entre otras prácticas corruptas. Además, la transversalidad de la contratación pública con otros temas dentro de los mismos tratados relativos a inversión extranjera, competencia económica, empresas comerciales del estado, normas de origen, normas técnicas, anticorrupción, entre otros, potencializa la necesidad de conocer a fondo sus implicaciones y efectos jurídicos del nuevo texto final del T-MEC, siempre y cuando sea ratificado por sus congresos nacionales para sustituir al actual Tratado de Libre Comercio de América del Norte (TLCAN), el cual continúa vivo jurídicamente desde 1994.

El Tratado de Libre Comercio de América del Norte (TLCAN), fue objeto de un proceso de renegociación profundo, dada las nuevas condiciones y competencias en los mercados, lo que ha implicado prácticamente una nueva estructura y un esquema operativo distinto. El texto final del nuevo acuerdo ya ha sido firmado por México, EE.UU. y Canadá (T-MEC), quedando pendiente la ratificación por parte de sus congresos nacionales. En el caso de México, ya fue aprobado por el Senado de la República para su promulgación en tanto las demás partes hagan lo conducente.

Para México, los tratados comerciales que contienen capítulos sobre compras gubernamentales se incorporan al sistema jurídico mexicano de manera directa. Forman parte del marco jurídico nacional. Son considerados (tratados) como leyes supremas, en un nivel equiparable a las leyes nacionales, a pesar de que los tratados no fueron sujetos a un proceso de creación de leyes, donde participan las dos cámaras que integran el Congreso de la Unión. Este mecanismo de incorporación permite, avala y autoriza que los tratados tengan aplicación preferente y efectiva sobre las leyes nacionales, donde existen riesgos evidentes de un conflicto de leyes producido por este criterio hegemónico y prevalente.

En este sentido, la Ley Adquisiciones, Arrendamientos y Servicios del Sector Público (LAASP) y la Ley de Obras Públicas y Servicios (LOPS) y toda la maquinaria jurídica especializada queda supeditada a las nuevas re-

---

[1]   *Ver,* Acuerdo General sobre Aranceles Aduaneros y Comercio (GATT), Artículo III, párrafo 8a, y del Acuerdo General sobre el Comercio de Servicios (AGCS), Artículo XIII, párrafo 1.

glas contenidas en los tratados, particularmente el artículo 28 de la LAASSP que considera las nuevas condiciones para la realización de las licitaciones internacionales abiertas o licitaciones bajo cobertura de tratados[2]. En cuanto a obra pública, se establece que cuando se trate de licitaciones internacionales abiertas, se debe demostrar que el precio de la oferta nacional considerado para la comparación entre las ofertas de bienes nacionales y la de bienes extranjeros es el precio del bien nacional menos el 15% sobre una base de igualdad de condiciones[3]. Sin embargo, este margen de preferencia (15%) no será aplicable a los bienes de origen nacional, para valorarlos frente a los bienes que integren ofertas de bienes de importación originarios de países parte de algún tratado comercial. Esto ejemplifica el tratamiento diferencial y preferencial que se le da a un tratado comercial internacional.

En consecuencia, el artículo 4 de la LAASSP y el artículo 5 de la LOAP, precisan que los procedimientos de contratación serán aplicables sin perjuicio de los *tratados,* por lo que la autoridad no puede optar ni siquiera por una licitación pública internacional, sino regular su actuación conforme a las reglas de operación establecidos en los capítulos de los tratados, siempre y cuando uno de los proveedores extranjeros ostenten la nacionalidad de uno de los países miembros del tratado comercial de que se trate.

II. Cobertura y alcance de la contratación pública en el T-MEC

El esquema de contratación pública internacional, indica que los proveedores están ubicados en un territorio distinto o son de nacionalidad extran-

---

[2] "Decreto por el que se expide la Ley de Asociaciones Público Privadas, y se reforman, adicionan y derogan diversas disposiciones de la Ley de Obras Públicas y Servicios Relacionados con las Mismas; la Ley de Adquisiciones, Arrendamientos y Servicios del Sector Público; la Ley de Expropiación; la Ley General de Bienes Nacionales y el Código Federal de Procedimientos Civiles", publicado en el D.O.F. el 16 de enero de 2012.

[3] Decreto por el que se reforman, adicionan y derogan diversas disposiciones de la Ley de Adquisiciones, Arrendamientos y Servicios del Sector Público, de la Ley de Obras Públicas y Servicios Relacionados con las Mismas, de la Ley Federal de Responsabilidades Administrativas de los Servidores Públicos y del Código Penal Federal", publicada en el D.O.F. el 28 de mayo de 2009; y "Reglas para la aplicación del margen de preferencia en el precio de los bienes de origen nacional, respecto del precio de los bienes de importación, en los procedimientos de contratación de carácter internacional abierto que realizan las dependencias y entidades de la Administración Pública Federal", publicado en el D.O.F. el 28 diciembre de 2010.

jera en relación directa al lugar donde se llevará a cabo la licitación bajo la conducción de una entidad gubernamental de un Estado Parte del Tratado Comercial de que se trate. La internacionalidad radica precisamente en esos signos distintivos: el lugar sede de la licitación es distinta al domicilio del proveedor, el proveedor es extranjero y la legislación aplicable sobre contratación es distinta a la nacionalidad del proveedor, lo que determina el idioma para desahogar cada una de las etapas del mencionado procedimiento. Esto es independiente a la solución de controversias ante un incumplimiento del contrato, que primeramente se sujetan a las instancias jurídicas nacionales, pero particularmente se circunscriben a las disposiciones que se estipulen de manera particular en el Tratado, regularmente se trata de un mecanismo ad hoc cuando exista incumplimiento o se presentan irregularidades en la ejecución del contrato, en este caso bajo el Capítulo 31 sobre Solución de Controversias del T-MEC.

El capítulo del TMEC se rige bajo los principios de no discriminación[4] y trato nacional, especifica los tipos de contratación, regula el procedimiento de contratación, la adjudicación del contrato y un mecanismo para resolver los conflictos o irregularidades que se pudieran presentar durante el procedimiento o en la adjudicación del contrato, tema este último al que le daremos relevancia porque es realmente el momento donde se presentan un sinnúmero de controversias comerciales[5]. El texto contiene una serie de disposiciones de carácter normativo que serán aplicables cuando se lleve a cabo una contratación cubierta por el Tratado, o sea que la mercancía, servicio o combinación de ambos estén contenidos en la Lista de cada uno de los países miembros, en este caso el Anexo 13-A, incorporando la utiliza-

---

[4]   El artículo 18 del Tribunal del Funcionamiento de la Unión Europea señala que "en el ámbito de aplicación de los Tratados, y sin perjuicio de las disposiciones particulares previstas en los mismos, se prohibirá toda discriminación por razón de la nacionalidad".

Al respecto téngase en cuenta la Directiva 2004/38/CE del Parlamento Europeo y del Consejo, de 29 abril 2004, relativa al derecho de los ciudadanos de la Unión y de los miembros de sus familias a circular y residir libremente en el territorio de los Estados miembros por la que se modifica el Reglamento (CEE) n° 1612/68 y se derogan las Directivas 64/221/CEE, 68/360/CEE, 72/194/CEE, 73/148/CEE, 75/34/CEE, 75/35/CEE, 90/364/CEE, 90/365/CEE y 93/96/CEE ("D.O.U.E.L." 30 abril).

[5]   GIMENO FELIÚ, J. M., "Las nuevas directivas —cuarta generación— en materia de contratación pública. Hacia una estrategia eficiente en compra pública", Revista Española de Derecho Administrativo n° 159 (2013), págs. 39 a 105.

ción de los medios electrónicos y un apartado específico para las Pequeñas y Medianas Empresas (PYMES)[6].

1. Cobertura

En el T-MEC, la contratación pública comprende la compra, alquiler o arrendamiento, con o sin opción a compra; contratos de construcción, operación y transferencia, y contratos de concesiones de obras públicas. La lista de México contenido en el anexo 13, no aplica a las adquisiciones por parte de Leche Industrializada (LICONSA) sobre bienes agrícolas adquiridos para programas de apoyo a la agricultura o bienes para la alimentación humana; asimismo no comprenden las compras de combustible y gas. El anexo 13 se integra por las siguientes secciones:

Sección A. Identifica a todas las Entidades del Gobierno Central que abarca a 23 entidades y dependencias del gobierno federal, con sus respectivos órganos desconcentrados o de cualquier otra naturaleza administrativa que pueden contratar, adquirir o arrendar por valores estimados que sean igual o excedan a un umbral de US$80,317 cuando se trate de mercancías y servicios; y/o de US$10,441,216 cuando se presten servicios de construcción.

Sección B. Se determinan otras 36 entidades, donde destacan las empresas productivas de Petróleos Mexicanos (PEMEX) y Comisión Federal de Electricidad (CFE) sujetos a un umbral de US$401,584 cuando se contraten mercancías y servicios; y de US$12,851,327 por servicios de construcción. Cabe señalar que para cualquier contratación todos los bienes y servicios están sujetos a un código de la Clasificación Federal de Abastecimiento (FSC).

Sección C. Cubre todas las mercancías que sean contratadas por las entidades listadas en las Secciones A y B antes referida, mediante los códigos de la Clasificación Federal de Abastecimiento. En cuanto a las contrataciones de la Secretaría de la Defensa Nacional y de la Secretaría de Marina se especifican sólo las mercancías que están cubiertas por ser un sector estratégico y de seguridad nacional.

Sección D. Se identifican los servicios que no están cubiertos por este capítulo de acuerdo con el Sistema de Clasificación Común, que sean contratados por las entidades listadas en las Secciones A y B. Es lo que se conoce en el lenguaje común de que se trata de una lista negativa, donde todo se puede contratar lo que no esté expresamente enlistado, salvo todos los servicios relacionados a mercan-

---

[6]   *Ver*. Comunicación de la Comisión, de 25 de junio de 2008, titulada "Pensar primero a pequeña escala" – "Small Business Act" para Europa: iniciativa en favor de las pequeñas empresas (COM(2008)0394) y la Resolución del Parlamento Europeo sobre la misma (SEC(2008)2102).
Con el fin de mejorar el acceso de las PYME a los contratos públicos, la Comisión publicó en 2008 el "Código europeo de buenas prácticas para facilitar el acceso de las PYME a los contratos públicos", en el que se apoya la Directiva 2014/24.

cías adquiridas por la Secretaría de la Defensa Nacional y la Secretaría de Marina que no se identifiquen están excluidos.

Sección E. Se cubren a todos los servicios de construcción contratados por las entidades listadas en las Secciones A y B[7], a menos que se especifique de otra manera en el Capítulo 13 (Contratación Pública) incluida esta Lista.

2. *Alcance de los contratos*

Es importante señalar que se exceptúan de este marco normativo las contrataciones con fines de reventa comercial por tiendas minoristas gubernamentales o conforme con préstamos de instituciones financieras regionales o multilaterales en la medida que condicionan la contratación conforme a sus propios procedimientos, respetando los requisitos de contenido nacional que se tenga en la legislación interna. Asimismo se consideran los contratos de transporte o de distribución que formen parte de otro contrato o sean conexos a un contrato principal tal como se presentan en las compras consolidadas bajo Acuerdos Marco. Dentro del T-MEC, México tiene una reserva sobre contratación pública que se llevará a cabo de la siguiente forma:

(a) el valor total de los contratos reservados no podrá exceder el equivalente en pesos mexicanos de US$2,328,000,000 en cada año calendario a partir de la fecha de entrada en vigor de este Tratado, que podrá ser asignado por todas las entidades, incluidas PEMEX y CFE;

(b) el valor total de los contratos en cualquier año no excederá del 10 por ciento del valor total de los contratos que pueden ser reservados conforme a este párrafo para ese año;

(c) ninguna entidad gobierno federal podrá reservar contratos en un año calendario con un valor superior al 20 por ciento del valor total de los contratos que puedan reservarse para ese año; y

(d) El valor total de los contratos reservados por PEMEX y CFE no podrá exceder el equivalente en pesos mexicanos de US$466,000,000 en cada año calendario[8].

---

[7]   Identificados en la División 51 de la Clasificación Central Provisional de Productos de las Naciones Unidas [*United Nations Provisional Central Product Classification (CPC Prov)*] de la http://unstats.un.org/unsd/cr/registry/regcs. asp?Cl=9&Lg=1&Co=51.

[8]   *Cfr.* T-MEC, Capítulo 13, Contratación Pública, Sección F: Notas Generales.

Se puede invocar la excepción por cuestiones de seguridad nacional que comprende también las contrataciones para salvaguardar materiales o tecnología nucleares, asimismo se otorga la facultad para que el gobierno mexicano pueda imponer un requisito de contenido nacional abajo del 40 por ciento para proyectos "llave en mano" o proyectos integrados mayores, intensivos en mano de obra, o 25 por ciento para proyectos "llave en mano" o proyectos integrados mayores, intensivos en capital[9].

III. Procedimiento de contratación

1. Bases de licitación

Las bases de licitación son los lineamientos y requisitos emitidos por la autoridad licitadora para integrar toda la documentación e información necesaria que constituyen la oferta y/o las propuestas técnicas y/o económicas de los productos y servicios, las cuales deben ser entregados en tiempo y forma por los proveedores, conforme a los términos y condiciones plasmados en dichas bases. Particularmente ahora se exigen otros requisitos sobre especificaciones técnicas, protección de datos, derechos de propiedad intelectual, lineamientos acerca de sustentabilidad ambiental, incluyendo la adecuación y respeto de las normas internacionales de calidad, la utilización de las tecnologías que reduzcan la emisión de gases con efecto invernadero y empujen la eficiencia energética u otros tipos de requerimientos que establezca la dependencia gubernamental.

En esta tesitura, la autoridad deberá asegurar la participación de cualquier parte interesada, conforme a los criterios de evaluación en el aviso de contratación o en las bases de licitación, es decir no puede discriminar una oferta, ni ejercer discrecionalidad.

De tal forma que si no cumpliera con estos lineamientos, se debe abrir un periodo de negociaciones con una fecha límite para concluirla, para analizar

---

[9]   "un proyecto "llave en mano" o proyecto integrado mayor significa, en general, un proyecto de construcción, suministro o instalación llevado a cabo por una persona de conformidad con el derecho otorgado por una entidad con respecto al cual:
(i) el contratista principal tiene la facultad de seleccionar a los contratistas generales o subcontratistas,
(ii) ni el Gobierno de México ni sus entidades financian el proyecto,
(iii) la persona asume los riesgos asociados con la no realización, y
(iv) la instalación estará operada por una entidad o a través de un contrato de compra de esa misma entidad".

ofertas nuevas o revisar aquellos aspectos que se solicitaron ser revisadas. Por tanto una dependencia o entidad gubernamental tiene la obligación de proporcionar las bases de licitación para atender en tiempo y forma cualquier solicitud para participar en una licitación, bajo la condición de que la información no conceda una ventaja hacia un proveedor en relación directa con sus competidores.

En este contexto las bases de licitación deben incluir información relativa a:

a) El procedimiento de contratación, cobertura y alcance; la cantidad de las mercancías o servicios a contratar. Si no se puede determinar la cantidad debe realizarse un estimado, requisitos a cumplir, incluyendo las especificaciones técnicas, certificación de conformidad, planos, dibujos o, materiales de instrucción; la dirección de la entidad a que deban enviarse las ofertas;

b) Condiciones para la participación, incluidas cualesquiera garantías financieras, información, y documentos que los proveedores deban presentar;

c) Los criterios en los que se fundamentará la adjudicación del contrato, incluyendo cualquier factor, diferente del precio, que se considerará en la evaluación de las ofertas y los elementos del costo que se tomarán en cuenta al evaluar los precios de las mismas, tales como los gastos de transporte, seguro e inspección y, en el caso de bienes o servicios de las otras Partes, los derechos de aduana y demás cargos a la importación, los impuestos y la moneda de pago;

d) Si las ofertas se abrirán públicamente, la fecha, hora, y lugar de la apertura;

e) Los términos o condiciones pertinentes a la evaluación de las ofertas; y cualquier fecha para la entrega de una mercancía o suministro de un servicio. *Al establecer cualquier fecha para la entrega de una mercancía o suministro de un servicio que se contrate, una entidad contratante tomará en consideración factores tales como la complejidad de la contratación, el alcance de la subcontratación anticipada y el tiempo realista requerido para la producción, despacho de almacén y transporte de mercancías desde el punto de suministro o para el suministro de servicios*[10];

---

[10]   TLCAN, Artículo 1013, Párrafo 1.
      Cfr. T-MEC Capítulo 13, Contratación Pública, Artículo 13.

A diferencia del TCAN, este nuevo capítulo no hace obligatorio establecer la fecha y hora del cierre de la recepción de ofertas y el plazo durante el cual éstas deberían permanecer vigentes para aceptación; y las personas autorizadas a asistir a la apertura de las ofertas. Si bien los términos de pago están implícitos dentro de los términos y condiciones de las bases de licitación, este nuevo Capítulo no es preciso en esos aspectos, así como en otras estipulaciones o condiciones. Sin embargo, ahora establece que se debe atender cualquier solicitud de información de un proveedor interesado cuando tenga dudas u observaciones, sin que ello constituya una ventaja sobre otros proveedores, eso a criterio de la autoridad adjudicadora.

2. Plazos dentro de las bases de licitación

Si previo a la adjudicación de un contrato, una entidad contratante modifica los criterios de evaluación o los requisitos establecidos en el aviso de contratación prevista o las bases de licitación proporcionadas a un proveedor participante, se deberá publicar o informar a todos los proveedores que estén participando en la contratación al momento de la modificación, enmienda, o reexpedición.

ACCIÓN/ENTIDAD	PLAZO OFERTAS	FECHA LÍMITE
Dar tiempo para preparar y presentar ofertas	Suficiente y razonable	La que se establezca para el cierre de la licitación
Considerar factores de complejidad de la compra, grado de subcontratación y tiempos para la transmisión ofertas	De acuerdo a sus propias necesidades de la entidad.	La que se establezca para la recepción de ofertas o de solicitudes para ser invitado a licitar
Licitación abierta	En promedio no más de 40 días a partir de la publicación de la convocatoria	No puede ser menor a 10 días
Licitación selectiva	No más de 40 días a partir de que la entidad contratante notifique a los proveedores que serán invitados a presentar ofertas, ya sea que emplee o no una lista de uso múltiple. No inferior a 25 días, a partir de la publicación de la convocatoria. En casos de urgencia no menos de 10 días.	
Por cuestiones de urgencia la entidad podrá reducir los plazos	10 días cuando menos a partir de la publicación de la convocatoria	
Licitaciones selectivas bajo lista de proveedores	Se pueden fijar de común acuerdo	Si no hay acuerdo se establecerá un plazo mínimo de 10 días cuando menos que permita presentar ofertas

Se evidencia que el futuro de la contratación será por medios electrónicos. De tal forma que se enfatiza dentro del texto del T-MEC que si en la licitación abierta o selectiva se utiliza la contratación electrónica, se pueden reducir los plazos hasta en cinco días, siempre y cuando el aviso se haya realizado por medios electrónico y las bases de licitación ya se encuentren disponibles por medios electrónicos desde la fecha de la publicación del aviso de contratación prevista. En México la contratación electrónica se lleva a cabo mediante el CompraNet[11], que administra los procedimientos de contratación, incluidos los procedimientos de adjudicación directa que deriven de un contrato marco. Sin embargo, dado que la Secretaría de Hacienda y Crédito Pública (SHCP), es ahora el órgano rector y responsable para promover la homologación de políticas, normas y criterios en materia de contrataciones públicas se hará cargo del CompraNet, el cual antes estaba bajo la coordinación de la Secretaría de la Función Pública (SFP)[12].

Asimismo para fortalecer el sistema de CompraNet, se acaba de incorporar un módulo denominado "Tienda Digital del Gobierno Federal", a través del cual se llevarán a cabo los procedimientos de contratación mediante el uso de catálogos electrónicos que contengan los bienes o servicios que se realicen bajo el formato de compras consolidadas o centralizadas donde una entidad o varias son responsables de la conducción de la licitación.

IV. Licitación selectiva

En este tipo de contratación, la dependencia gubernamental publicará un aviso que invite a los proveedores a presentar una solicitud de participación en una contratación cubierta por este Capítulo, dando toda la información a los proveedores calificados para que presenten una oferta, a menos que la entidad contratante haya establecido en el aviso de contratación prevista

---

[11]   Ver, Ley de Adquisiciones, Arrendamientos y Servicios del Sector Público artículo 2, fracción II.

[12]   Diario Oficial de la Federación, 31 de julio de 2019… "*Que en términos a los artículos 17 y 41, fracción XX de la Ley de Adquisiciones, Arrendamientos y Servicios del Sector Público (LAASP) y del artículo 14, párrafo tercero del Reglamento de la LAASP, en relación con el artículo Octavo Transitorio del Decreto por el que se reforman, adicionan y derogan diversas disposiciones de la Ley Orgánica de la Administración Pública Federal, corresponde a la Secretaría de Hacienda y Crédito Público coordinar las acciones necesarias con las dependencias y entidades para celebrar contratos marco, incluyendo, entre otras, su elaboración y celebración…*

una limitación al número de proveedores que permitirá ofertar en la licitación y los criterios o justificación para seleccionar el número restringido de proveedores.

En la contratación pública selectiva, a pesar de que se autoriza a limitar el número de invitados, el objetivo es que en cada licitación participe el mayor número de proveedores nacionales y de proveedores extranjeros pertenecientes a países miembros del TLCAN. La dependencia gubernamental realizará una selección de una lista permanente de proveedores calificados que pueden satisfacer sus necesidades, a los cuales les podrá invitar a participar en la licitación de una compra determinada bajo criterios de equidad y de oportunidad procesal. Cualquier proveedor de *motu proprio* podrá solicitar ante la entidad convocante participar en el procedimiento presentando una oferta determinada, donde la entidad le dará entrada, la tomará en cuenta y la valorará al igual que los demás participantes. El número de proveedores autorizados a participar sólo estará limitado por razones del funcionamiento eficiente del sistema de compras, por lo que si le fuese reclamado ese acto la dependencia deberá emitir las razones por las cuales no convocó o no admitió en la licitación a un proveedor específico.

En la lista permanente de proveedores calificados que elaboran y mantienen las entidades o dependencias gubernamentales, que serán útiles para los procedimientos de licitación selectiva, deberán: a) insertar anualmente y publicarse en un aviso que contiene una enumeración de todas las listas vigentes, incluidos sus encabezados, con relación a los bienes o servicios o categorías de bienes o servicios cuya compra se realice mediante las listas; (b) las condiciones que deban reunir los proveedores para ser incluidos en las listas y los métodos conforme a los cuales la entidad en cuestión verificará cada una de esas condiciones; y (c) el periodo de validez de las listas y las formalidades para su renovación"[13]

V. Licitación restringida

Siempre que no se use esta disposición con el propósito de impedir la competencia entre proveedores, para proteger a los proveedores nacionales o de forma tal que discrimine contra proveedores de la otra Parte, una entidad contratante podrá utilizar la licitación restringida

---

[13]   TLCAN Artículo 1010, Párrafo 6.

El Capítulo tiene una larga lista de supuestos en sentido negativo, por lo cuales resulta procedente este tipo de licitación, siempre y cuando ya se haya dado un aviso previo o girado invitación a ofertar:

"(i) no se presentaron ofertas o ningún proveedor solicitó participar,

(ii) no se presentaron ofertas que cumplan con los requisitos esenciales de las bases de licitación,

(iii) ningún proveedor satisfizo las condiciones para participar, o

(iv) las ofertas presentadas estuvieron coludidas, siempre que la entidad contratante no modifique sustancialmente los requisitos esenciales establecidos en los avisos o las bases de licitación;

(b) si la mercancía o el servicio sólo puede ser suministrado por un proveedor en particular y no existe una mercancía o servicio alternativo o un sustituto razonable por cualquiera de las siguientes razones:

(i) el requisito es para una obra de arte, ii) la protección de patentes, derechos de autor, u otros derechos exclusivos, o (iii) debido a la ausencia de competencia por razones técnicas;

(c) para entregas adicionales por el proveedor original o sus agentes autorizados, de mercancías o servicios que no fueron incluidos en la contratación inicial, si un cambio del proveedor para tales mercancías o servicios adicionales:

(i) no puede hacerse por razones técnicas tales como requisitos de intercambiabilidad o interoperabilidad con equipo, software, servicios o instalaciones existentes contratados conforme a la contratación inicial, o debido a condiciones conforme a las garantías originales del proveedor, y (ii) causaría inconvenientes importantes o una duplicación sustancial de los costos para la entidad contratante" (…)[14]

La licitación restringida es controversial porque cae en el terreno de la discrecionalidad y la evaluación subjetiva que se convierte en un caldo de cultivo para la colusión, el cohecho y otras prácticas corruptas. A veces se seleccionan a ciertos proveedores que, si bien compiten con otros dentro de mismo sector o subsector, estos no alcanzan el nivel de especialización requerido ni cuentan con la infraestructura tecnológica suficiente para competir. Por tanto, una licitación restringida queda en manos de pocos, sin estar sujetos a un procedimiento de contratación abierta y general.

Otro criterio que orilla a las dependencias llevar a cabo una licitación restringida es que por razones técnicas los bienes o servicios que se licitan sólo los puede suministrar un proveedor determinado, sin que existan otros que puedan suplir esa proveeduría con las mismas características que satisfagan las necesidades reales de la dependencia. Esto puede comprender entregas adicionales del proveedor inicial que si agotó el procedimiento de contratación previo, tales como partes, componentes, repuestos o servi-

---

[14]   T-MEC, Capítulo 13, Artículo 9.

cios continuos para materiales, servicios o instalaciones existentes, o como ampliación de materiales existentes, dado que para la dependencia gubernamental hacer un cambio de proveedor trae consigo mayores costos en la adquisición de equipos nuevos, incluyendo el software cuya adquisición haya sido por una licitación abierta o selectiva, o en otro tipo de situaciones que realmente compliquen la operación de la entidad gubernamental.

Aunque el esquema del procedimiento es aparentemente discriminatorio, se debe justificar bajo ese listado del T-MEC para que resulte procedente, garantizando la calidad, los principios de eficiencia e igualdad de condiciones, cuestiones de extrema urgencia, fuerza mayor o casos fortuitos que la dependencia no pueda prever y pueda subsanar mediante licitaciones abiertas o selectivas. En este rubro, se encuentran los productos básicos, las enajenaciones extraordinarias realizadas por empresas que no son proveedoras o por empresas en liquidación o bajo administración judicial. La adjudicación de los contratos por licitación restringida no debe contrariar el Principio de Trato Nacional y No Discriminación[15].

VI. Adjudicación del contrato

El T-MEC dimensiona a la adjudicación como un acto sencillo, desde una perspectiva administrativa, sin pensar que es donde verdaderamente empieza los problemas jurídicos para la instrumentación del contrato. De tal forma que en el Artículo 13.14 señala que la mejor oferta que se presenta en tiempo y cumpla con los requisitos establecidos en los avisos y bases de licitación se le adjudicará el contrato por la autoridad en el momento de la apertura de las propuestas. A menos que no medie el interés público para impedir la adjudicación de un contrato, se adjudicará el contrato al proveedor que la entidad contratante haya determinado que tiene las capacidades legal y financiera y las habilidades comerciales y técnicas para cumplir con los términos del contrato, ya sea que presente la oferta más ventajosa y si el precio es el único criterio, presente el precio más bajo dentro de la oferta.

---

[15] Capítulo 13, Artículo 13.4. Con respecto a una medida referente a una contratación cubierta, ninguna Parte, incluidas sus entidades contratantes, deberá:
(a) tratar a un proveedor establecido localmente de manera menos favorable que a otro proveedor establecido localmente sobre la base del grado de afiliación o propiedad extranjera; o (b) discriminar contra un proveedor establecido localmente sobre la base de que la mercancía o servicio ofrecido por ese proveedor para una contratación particular es una mercancía o servicio de la otra Parte.

El veredicto o fallo es el acto final del procedimiento de contratación, mediante el cual una entidad o dependencia gubernamental perteneciente a la Administración Pública Central o Federal, en sus diferentes niveles o formas de administración, declaran vencedor a uno o varios proveedores que agotaron satisfactoriamente el procedimiento. En este caso la adjudicación del contrato es en favor del licitante cuya propuesta resulte solvente porque reúne, conforme a los criterios de adjudicación establecidos en las bases de licitación, las condiciones legales, comerciales, financieras, técnicas y económicas requeridas por la convocante y garantiza satisfactoriamente el cumplimiento de las obligaciones respectivas; sin embargo es donde la autoridad deberá justificar su fallo ante una eventual reclamación de un tercero presunto afectado en la licitación.

A partir de la emisión del fallo se harán exigibles los derechos y obligaciones inherentes al modelo de contrato que se adjunta a la convocatoria, el cual deberá formalizarse jurídicamente dentro de un periodo preestablecido, a efecto de que los proveedores cumplan con las condiciones establecidas en su oferta. En algunos casos, las dependencias tienen a su disposición ofertas inferiores en precio que llaman la atención, pero que cumplen con todos los requisitos y condiciones de la convocatoria, lo cual es doblemente sorprendente, por lo que deberá contactar con el proveedor para confirmar si realmente puede cumplir con los términos del contrato a esos precios irrisorios, además podrá adjudicar el contrato a un proveedor que ya se le hayan asignados previamente otros contratos o condicionar la adjudicación a la poca experiencia previa del proveedor. Por cuestiones de interés público puede adjudicar el contrato a la oferta que contenga un precio más bajo o más ventajoso de acuerdo a los criterios de evaluación establecidos en la convocatoria. Por lo tanto, las adjudicaciones se circunscriben a los criterios y los requisitos esenciales establecidos en las bases de licitación, sin que ello implique la utilización de cláusulas relativas a opciones con objeto de eludir las disposiciones aplicables al procedimiento[16].

La dependencia gubernamental deberá informar en tiempo y forma a todos los proveedores participantes sobre la decisión tomada sobre los contratos adjudicados, por lo que a solicitud expresa de un proveedor que no le fue adjudicado el contrato, la dependencia explicará, fundará y motivará las razones por las cuales no fue elegida, en forma comparativa a las carac-

---

[16] *Ver.* MORENO MOLINA José Antonio, et al, CANCINO GÓMEZ Rodolfo, La Contratación Pública Internacional, Unión Europea-Mèxico, Reino Unido. Chartridge Books Oxford, 2018, págs. 178-181.

terísticas y ventajas de la oferta seleccionada, mencionando el nombre del proveedor ganador, a menos que la dependencia considere no divulgar esa información cuando fuere contraria al interés público, lesione los intereses comerciales de una persona en particular; o fuera en detrimento de la competencia leal entre proveedores.

Una entidad contratante después de la adjudicación de un contrato para una contratación cubierta, publicará con prontitud en una publicación designada oficialmente un aviso que contenga al menos la siguiente información:

(a) una descripción de la mercancía o servicio contratado;

(b) el nombre y la dirección de la entidad contratante;

(c) el nombre y dirección del proveedor adjudicatario;

(d) el valor del contrato adjudicado;

(e) la fecha de la adjudicación o, si la entidad contratante ya ha informado a los proveedores de la fecha de la adjudicación conforme al párrafo 1, la fecha del contrato; y;

(f) el método de contratación utilizado y, si se utilizó un procedimiento de conformidad con el Artículo 13.9 (Licitación Restringida), una breve descripción de las circunstancias que justificaron el uso de ese procedimiento[17].

VII. Garantía de la integridad de las prácticas de contratación

Este mecanismo es novedoso, positivo y congruente con las mejores prácticas internacionales. Sin duda, es una herramienta eficaz para prevenir, reducir y sancionar las prácticas corruptas. Es una nueva obligación de los países miembros del T-MC para adoptar e instrumentar los programas de cumplimiento en materia penal, civil o administrativas en contra de la corrupción, fraude y otros actos ilícitos en las contrataciones públicas. Esto necesariamente implica reforzar el marco jurídico para que de forma integral se adicionen dentro de este mecanismo los procedimientos ya existentes para inhabilitar, suspender o cancelar la participación de proveedores que se encuentran coludidos y se determine fehacientemente que participaron en actos de corrupción.

---

[17] Capítulo 13, Artículo 15.3.

La investigación administrativa debe ser de conformidad al derecho nacional donde se lleva a cabo la licitación. Debe iniciarse ante cualquier tipo de denuncia, imputación directa de otro participante dentro del procedimiento o la presentación de irregularidades o evidencias objetivas que presuman o demuestren que algún proveedor se encuentra involucrado en esos actos anómalos que colapsan el presupuesto público. La autoridad, en este caso la Secretaría de la Función Pública (SFP) debe ponderar la gravedad de los actos u omisiones del proveedor para determinar una eventual inhabilitación o suspensión, pero escuchando previamente al proveedor presuntamente afectado sobre la duración de la medida que va a imponer[18].

En este sentido, se debe proporcionar al proveedor extranjero:

(i) aviso razonable de que se inició el procedimiento, incluida una descripción de la naturaleza del procedimiento, una declaración de la autoridad conforme la cual se inició el procedimiento y las razones del procedimiento, y

(ii) una oportunidad razonable para presentar hechos y argumentos que apoyen su posición; y

(c) publicará y actualizará una lista de empresas y, sujeto a su ordenamiento jurídico, de personas físicas que hayan sido inhabilitadas, suspendidas o declaradas inelegibles[19].

Una cuestión sobresaliente de este apartado de integridad en la contratación, es la obligación en el establecimiento de políticas o procedimientos para abordar posibles conflictos de interés entre los agentes que participan en un procedimiento de contratación pública. Esto es realmente un reto, dado que México adolece de una normatividad fuerte y estricta en la materia, aún menos que se adapte a las nuevas prácticas y directivas internacionales para detener el tráfico de influencias. Esto impone una obligación a los Estados Miembros de asegurarse de que *los poderes adjudicadores tomen las medidas adecuadas para prevenir, detectar y solucionar de modo efectivo los conflictos de intereses que puedan surgir[20].*

---

[18] Capítulo 13, Artículo 17.
[19] Capítulo 13, Artículo 17.2.B.
[20] SEMPLE, A. "Classification, Conflicts of Interest and Change of Contractor: A critical Look at the Public Sector Procurement Directive". *European Procurement & Public Private Partnership Law Review (EPPPL)*, N° 3/2015, págs. 171-186 en pág. 182.

En consecuencia, la exclusión de un operador económico a causa de una situación de conflicto de intereses, sanciona a dicha empresa (impidiendo su participación en el procedimiento) por una situación que le es en cierto modo ajena. A estas particularidades habría que añadir los riesgos clásicos identificados en las exclusiones de licitadores, como la limitación de la competencia y la lesión al principio de libre concurrencia[21], que disminuyen la capacidad de eficiencia del procedimiento de contratación, e incluso el riesgo de que, a pesar de la exclusión, y dado que el conflicto reside en el empleado público, el comportamiento de éste pueda seguir siendo parcial para con el resto de licitadores puede, así, que una exclusión deba ir acompañada de la recusación de los empleados públicos en conflicto[22].

Quizá esta distinción entre conflictos de interés "estrictos" y aquellos derivados de participación previa en el contrato responda a la inspiración del legislador europeo en la tradición reguladora de conflictos de interés americana. En EEUU, la tradición jurídica en materia de contratación pública divide los conflictos de interés en dos tipologías, conflictos de interés personales y conflictos de interés organizacionales, refiriéndose los segundos, entre otros, a los generados por la participación de las empresas en alguna de las fases contractuales como asesor o prestador de servicios de poder adjudicador, regulándose históricamente de manera independiente[23].

Es un salto hacia adelante reglamentar dentro del T-MEC, la obligación de que los proveedores ganadores deban mantener y aplicar controles internos efectivos, conducirse con ética comercial e instrumentar programas de cumplimiento para prevenir y detectar la corrupción, el fraude y otros actos ilícitos. Esto conlleva para todas las partes en un contratación a la creación

---

[21] No debemos olvidar que, como afirma DÍEZ SASTRE, las normas europeas sobre contratos públicos siguen pivotando en torno a un objetivo fundamental de buen funcionamiento del mercado y de competencia entre los operadores económicos, DÍEZ SASTRE, S. "Formas y estructuras organizativas de la Administración de los contratos públicos en el mercado interior". En: GIMENO FELIÚ, J. M. (Dir.) *Observatorio de los contratos públicos 2014*. Cizur Menor (Navarra): Thomson-Reuters Aranzadi, 2015, pág. 63.

[22] PRIESS afirma que: a *member of the decision-making body of a contracting authority who has a special relationship to one of the bidders may, even after the exclusion of that bidder, not be totally impartial with regard to the remaining competitors.* PRIESS, H. J. "Distortions of competition…" *op. cit.* en pág. 162; DARLEY, R. G. "Personal conflicts of interest digest". *Public Contract Law Journal*, 20, 1991, págs. 302 y ss.

[23] TAYLOR, J. W. "Organizational conflicts of interest under the federal acquisition regulation". *Public Contract Law Journal*, 15, 1984, págs. 107.

de códigos éticos de conducta que guíen sus actuaciones *que aseguren la adecuada comprensión de sus responsabilidades y las normas éticas que rigen sus actividades*, que presupone es uno de los principales objetivos a seguir marcados por la doctrina y organismos internacionales en los últimos años[24].

En cuanto a los programas de cumplimiento (compliance) deben aplicarse no sólo a los ganadores de una licitación, sino debe ser extensivo a todos los participantes de un procedimiento de contratación. Esto programas tienen un carácter preventivo, regulatorio y sancionador no sólo en el ámbito administrativo sino también en el ramo penal[25]aplicables para los operadores económicos, cuya conductas pueden ser tipificadas como delitos, adicionalmente pueden caer en responsabilidades administrativas en franca violación a los artículos 24 y 25 de la Ley de Responsabilidades Administrativas. En fin, es un acierto la incorporación del Compliance dentro del T-MEC, que viene a prevenir y descubrir delitos de corrupción para que las empresas generen códigos de conducta, se conduzcan conforme a las mejores prácticas en total apego a la norma nacional e internacional.

Asimismo es importante y urgente la incorporación en nuestra legislación de una figura de denuncia (whistleblowing) no sólo para las empresas, sino

---

[24]   Véase, a modo de ejemplo: MARTÍNEZ MARTÍNEZ, M. "Capítulo de Cataluña". En European Anti-Corruption Office (OLAF) Y ESADE. *HERCULE II PRO-GRAMME. TRAINING, SEMINARS AND CONFERENCES PROPOSAL. Prevención del fraude en la política de cohesión 2014-2020: estudio comparado sobre el correcto cumplimiento e implementación de la normativa de la UE en el ámbito de la contratación pública por las autoridades de gestión y contratación.* Julio de 2015, págs. 83-85; ODCE. *La integridad en la contratación pública: Buenas prácticas de la A a la Z.* OCDE. Traducción: Instituto Nacional de Administración Pública. Edit. Instituto Nacional de Administración Pública. 2009, págs. 61-98

[25]   Código Nacional de Procedimientos Penales, Artículo 421. Las personas jurídicas serán penalmente responsables, de los delitos cometidos a su nombre, por su cuenta, en su beneficio o a través de los medios que ellas proporcionen, cuando se haya determinado que además existió inobservancia del debido control en su organización. Lo anterior con independencia de la responsabilidad penal en que puedan incurrir sus representantes o administradores de hecho o de derecho. El Ministerio Público podrá ejercer la acción penal en contra de las personas jurídicas con excepción de las instituciones estatales, independientemente de la acción penal que pudiera ejercer contra las personas físicas involucradas en el delito cometido. No se extinguirá la responsabilidad penal de las personas jurídicas cuando se transformen, fusionen, absorban o escindan. En estos casos, el traslado de la pena podrá graduarse atendiendo a la relación que se guarde con la persona jurídica originariamente responsable del delito (...)

también para los órganos adjudicadores, donde los empleados participantes o relacionados con el procedimiento tienen probablemente un mayor conocimiento de las relaciones de sus compañeros y las actividades desarrolladas por la entidad adjudicadora, y por tanto una mayor probabilidad de identificación de conflictos de interés y actividades corruptas en concreto, según un estudio, alrededor del 40% de las actividades fraudulentas detectadas en procedimientos de contratación lo son a través de denuncias de empleados de la entidad adjudicadora. De hecho, el estudio *Estimating the Economic Benefits of Whistleblower Protection in Public Procurement*, encargado por la Comisión Europea, revela que una eventual implantación de canales de denuncias o *whistleblowing* podrían, en efecto, reportar importantes beneficios económicos para las arcas públicas de aquellos sistemas legales que lo apliquen[26].

VIII. Solución de controversias

En términos generales se garantiza que exista un recurso de impugnación o reclamación cuando exista: i) una violación a las disposiciones de este capítulo o ii) existe incumplimiento de una dependencia gubernamental conforme a las disposiciones de este Capítulo y el proveedor no tiene derecho a impugnar conforme al derecho nacional. En ambas situaciones (violación o incumplimiento) la dependencia contratante del país miembro y el proveedor están obligados a buscar una solución mediante *consultas*.

La dependencia o entidad contratante dará entrada a la reclamación y la analizará de manera imparcial, oportuna y objetiva, sin que afecte la participación del proveedor en la licitación en curso o en futuras contrataciones. En este sentido, se evaluará la posibilidad de aplicar medidas correctivas de acuerdo al procedimiento administrativo judicial, según sea el caso.

Si un organismo distinto de la autoridad revisora analiza inicialmente una reclamación, se debe garantizar la instancia de apelación ante ese mismo órgano, para atender el objeto de la reclamación[27]. Si se demuestra que existe una violación o un incumplimiento se podrá limitar la compensación

---

[26]   COMISIÓN EUROPEA. *Estimating the Economic Benefits of Whistleblower Protection in Public Procurement*. Luxemburgo: Oficina de Publicaciones de la UE, 2017; PIGA, G. "A fighting chance against..." págs. 149-153.

[27]   T-MEC, Capítulo 13, Artículo 18.3.

por las pérdidas o daños sufridos, los costos en la preparación de la oferta o en la presentación de la reclamación, o en ambas.

Si bien de manera textual no se exige el establecimiento de tribunales especializados, subyace el razonamiento de que cada país miembro debe tener una autoridad revisora, ya sea administrativa o judicial imparcial e independiente de las dependencias o entidades contratantes, en este caso, debe ser independiente del Poder Ejecutivo. En conclusión, deben existir tribunales competentes para conocer a fondo todo el marco jurídico obeso, disperso y complejo de la contratación pública, ya que esto se complica aún más cuando estamos ante obligaciones internacionales conforme a tratados comerciales. En ese sentido el T-MEC señala que si la autoridad revisora no es un tribunal, sus procedimientos de revisión se deberán respetar los siguientes lineamientos:

a) se concederá a un proveedor tiempo suficiente para preparar y presentar una reclamación por escrito, que en ningún caso será inferior a 10 días a partir del momento en el que el fundamento de la reclamación fue conocido o razonablemente debería haber sido conocido por el proveedor;

b) una entidad contratante responderá por escrito a la reclamación del proveedor y proporcionará todos los documentos pertinentes a la autoridad revisora;

c) se otorgará a un proveedor que presente una reclamación una oportunidad para responder a la contestación de la entidad contratante antes de que la autoridad revisora tome una decisión sobre la reclamación; y

d) la autoridad revisora proporcionará su decisión sobre la reclamación de un proveedor de manera oportuna, por escrito, con una explicación del fundamento de la decisión[28].

Cuando esté en camino la resolución de una reclamación, no se suspenderán los derechos de participación de los proveedores. Esto es muy importante para que no exista una descalificación anticipada o se deje en estado de indefensión a los proveedores o estén en desventaja para agotar una instancia posterior que preserve la oportunidad en la contratación. Además existe la obligación de las dependencias y entidades gubernamentales de ceñirse a esta directiva para que en tanto resuelven, no se afecten los intereses de los participantes en una contratación pública.

---

[28] T-MEC, Capítulo 13, Artículo 25.

Cuando un asunto no se resuelva con oportunidad en esta instancia, se tendrá que someter la controversia comercial a Consultas[29], la cual se traduce en una instancia no jurisdiccional de carácter voluntario para dirimir el eventual conflicto, donde la parte lo solicitará por escrito estableciendo las razones de violación o incumplimiento, la identificación de la medida específica y una indicación de los fundamentos jurídicos de la reclamación de las disposiciones legales infringidas.

Si no se consigue un acuerdo satisfactorio para las partes, se tendrá que solicitar el establecimiento de un tribunal arbitral[30] compuesto por cinco árbitros que actuarán conforme a las disposiciones contenidas en el Capítulo 31 del T-MEC. A manera de ejemplo, México podría ser demandado cuando se exceda en un "*año determinado el valor total de los contratos que podrá reservar para ese año,*"[31]buscando un acuerdo sobre compensación mediante oportunidades adicionales de compras durante el siguiente año. Pero cualquier violación o incumplimiento que cause anulación o menoscabo a las ventajas otorgadas a los países miembros del T-MEC también pueden ser sometidos a este mecanismo de solución de controversias.

---

[29] T-MEC, Capítulo 31, Artículo 4, "Solución de Controversias". A menos que las Partes consultantes decidan algo diferente, celebrarán consultas a más tardar:
(a) 15 días después de la fecha de entrega de la solicitud para un asunto relativo a mercancías perecederas; o
(b) 30 días después de la fecha de entrega de la solicitud para todos los demás asuntos.

[30] T-MEC, Capítulo 31, Artículo 9. Composición del Panel.
1. Si hay dos Partes contendientes, los siguientes procedimientos aplicarán:
(a) El panel se integrará por cinco miembros.
(b) Las Partes contendientes procurarán decidir la designación del presidente del panel dentro de los 15 días de la entrega de la solicitud para el establecimiento del panel. Si las Partes contendientes no logran decidir la designación del presidente dentro de este plazo, la Parte contendiente, electa por sorteo, elegirá como presidente, dentro de cinco días, a un individuo que no sea ciudadano de esa Parte.
(c) Dentro de los 15 días de la elección del presidente, cada Parte contendiente seleccionará dos panelistas que sean ciudadanos de la otra Parte contendiente.
(d) Si una Parte contendiente no selecciona a sus panelistas dentro de ese plazo, esos panelistas se seleccionarán por sorteo entre los miembros de la lista quienes sean ciudadanos de la otra Parte contendiente.

[31] *Cfr.* T-MEC, Capítulo 13, Contratación Pública, Sección F: Notas Generales.

IX. Conclusiones

1. Aunque falta un largo trecho por recorrer para lograr la plena incorporación del nuevo T-MEC en las legislaciones nacionales, la mayoría de las disposiciones se replican dentro del TPP-11, el cual ya se encuentra en vigor. México ya está obligado a cumplimentar sus nuevos compromisos internacionales, principalmente en lo relativo al ciclo de las contrataciones pública bajo el TPP-11, por lo que cuando entre en vigor el T-MEC ya se tendrá la experiencia necesaria en la implementación de esos nuevas obligaciones que se traducen en tener mayor infraestructura técnica y administrativa, lograr la profesionalización del servicio público y la implantación de un marco jurídico integral para llevar a cabo la contratación pública mediante medios electrónicos.

2. El T-MEC confirma que el futuro de la contratación pública debe ser por medios electrónicos para reducir costos, reducir riesgos y reducir tiempos en la licitación sobre las bases de transparencia y no discriminación. Por tanto la infraestructura tecnológica debe estar a la vanguardia, asegurar la compatibilidad de los módulos que integran Compranet, en el caso de México; así como integrar una base de datos confiable derivado de la interoperabilidad e intercambio de información con los sistemas electrónicos de otras dependencias o entidades de la Administración Pública Federal o entes públicos de otros ámbitos de gobierno. Entre otras ventajas de la utilización de los medios electrónicos, es lograr una mayor eficacia en cuanto al nuevo modelo mexicano de compras consolidadas, que consiste en la centralización de las tareas administrativas de contratación más onerosas; así como buscar una mayor integración de los mercados de contratación en la región norteamericana, salvar las deficiencias en materia de información y fomentar una mayor participación, mediante el eventual incremento de la proveeduría extranjera que incentive el desarrollo económico.

3. Entre otros temas relevantes, destaca la instrumentación de los programas de cumplimiento (compliance) para erradicar la corrupción y tener mayor control legal sobre el ciclo de la contratación pública con una eventual vinculación entre el ámbito administrativo y penal para sancionar a las empresas que incumplan sus obligaciones en este tema.

4. Se reconoce la participación de las PYMEs para incentivar el crecimiento económico y el empleo, siempre y cuando sea conforme a me-

dios electrónicos y tecnologías de la comunicación. En algunos casos, de acuerdo el tamaño, diseño y estructura de la contratación pública, se podrá autorizar el uso de la subcontratación por PYMEs.

5. El marco jurídico mexicano, exige primero abrir una licitación internacional abierta, dejando en instancia posterior la contratación pública conforme a los tratados comerciales, en este caso el T-MEC, cuando en la realidad debe ser en orden inverso. Es más, dentro de una interpretación estricta, debe ser en orden preferencial, aún antes del mismo procedimiento de contratación nacional, conforme a una tesis aislada de la Suprema Corte de Justicia de la Nación que indica que los tratados comerciales están por encima jerárquicamente de la ley nacional, así como por disposición expresa de la principio de pacta sunt servanda de la Convención de Viena de 1969.

Bibliografía

ARROWSMITH, S. (edit.), *EU Public Procurement Law: An Introduction*. EU Asia Inter-University Network for Teaching and Research in Public Procurement Regulation, 2010.

BOVIS, C., *Public Procurement in the European Union*. Houndmills (Reino Unido) Palgrave Macmillan, 2005.

BOVIS, C., *EC Public Procurement: Case Law and Regulation*. Oxford: Oxford University Press, 2006.

BOVIS, C., "Judicial activism and public procurement". En: BOVIS, C. (ed.), *Research Handbook on EU Public Procurement*. Elgar, 2016.

CERRILLO I MARTÍNEZ, A., "Public transparency as a tool to prevent corruption" and *Preventing corruption and promoting good governance and public integrity*. Bruselas: Brulyant, 2017.

FABIÁN CAPARRÓS, E. A., "La corrupción de los servidores públicos extranjeros e internacionales (anotaciones para un derecho penal globalizado)". En: RODRÍGUEZ GARCÍA, N. y FABIÁN CAPARRÓS, E. A. *La corrupción en un mundo globalizado: análisis interdisciplinar*. Edit. Ratio Legis. Salamanca, 2004.

GIMENO FELIÚ, J. M., "Las nuevas directivas —cuarta generación— en materia de contratación pública. Hacia una estrategia eficiente en compra pública", *Revista Española de Derecho Administrativo* nº 159.

GONZÁLEZ GARCÍA, J. V., "Globalización económica, políticas públicas, política pública". En: GONZÁLEZ GARCÍA, J. V. *Globalización Económica y Estado*. HG Editores, 2015.

HODGSON, G. y JIANG S., "La Economía de la corrupción y la corrupción de la economía: una perspectiva institucionalista". *Revista de Economía Institucional*, volumen 10, Núm. 18. Bogotá. Enero-junio 2008, págs. 55-80. Disponible en: http://www.economia-institucional.com/pdf/No18/ghodgson18.pdf.

MORENO MOLINA J. A., et al, CANCINO GÓMEZ, R., *La Contratación Pública Internacional, Unión Europea-México*, Reino Unido. Chartridge Books Oxford, 2018.

PINTOS SANTIAGO, J., "Los acuerdos de libre comercio de la Unión Europea y el proteccionismo", *Contratación administrativa práctica*, n° 140, 2015.

PINTOS SANTIAGO, J., *La implantación de la administración electrónica y de la e-factura*, Wolters Kluwer, Madrid, 2017.

SEMPLE, A., "Classification, Conflicts of Interest and Change of Contractor: A critical Look at the Public Sector Procurement Directive". *European Procurement & Public Private Partnership Law Review (EPPPL)*, No. 3/2015.

TAYLOR, J. W., "Organizational conflicts of interest under the federal acquisition regulation". *Public Contract Law Journal*, 15, 1984.

VALCÁRCEL FERNÁNDEZ, P., "El recurso especial en materia de contratos públicos: en la senda del derecho a una buena Administración", *Las vías administrativas de recurso a debate*, AEPDA-INAP, Madrid, 2016.

LA IMPORTANCIA DEL PRINCIPIO DE PLANEACIÓN EN LA CONTRATACIÓN PÚBLICA CONFORME AL *SOFTLAW OCDE*[1]

César Augusto Romero Molina
Doctor en Derecho, Universidad San Pablo CEU-Madrid
Doctor en Derecho, Universidad de Castilla-La Mancha

I. Introducción

El principio de planeación reviste gran importancia dentro de los diferentes sistemas de contratación pública a nivel global, denotando así su amplio desarrollo dogmático específicamente en el *soflaw OCDE*, las doctrinas del Derecho anglosajón y Continental Europeo, remitiendo esta última cultura jurídica al derecho de la unión europea en materia de contratación pública esbozada en la Directiva 2014/24/UE del Parlamento Europeo y del Consejo, de 26 de febrero de 2014[2]. Es por ello que, desde el punto de vista teórico el principio de planeación ostenta un alto grado de importancia dentro de la contratación pública que tiene un origen en su propia definición, la cual, se presenta en este texto desde una óptica global y universal que permite su plena caracterización en el contexto internacional, ameritando la confrontación y análisis crítico de la planeación en contratación pública a partir de los estándares y recomendaciones emanados de la *OCDE*, por medio de su revisión actualizada, transdisciplinar y exhaustiva.

---

[1] Este artículo es un resultado de investigación perteneciente a la línea de investigación: contratación pública y sus principios generales de la UCLM.

[2] UNIÓN EUROPEA, Directiva 2014/24/UE del Parlamento Europeo y del Consejo de 26 de febrero de 2014 sobre contratación pública y por la que se deroga la Directiva 2004/18. CE postales (DOUE núm. 94, de 28 de marzo de 2014).

II. La justificación de un principio de planeación en la contratación pública

La planeación en la contratación pública ostenta el carácter de principio rector y se constituye como uno de los criterios fundamentales para mantener estable la ecuación financiera durante todas las etapas a las que se encuentran sometidos los contratos públicos, los cuales le permiten a la administración la adquisición de bienes y servicios necesarios para su operación y la satisfacción de las necesidades comunes a su cargo. Así las cosas, la planeación en la contratación administrativa reviste gran importancia a pesar de no encontrarse tipificado dentro de la mayoría sistemas de contratación pública a lo largo del mundo, donde se predica su existencia por fuera de un contexto normativo, sin que ello implique que deba desconocerse la aplicación e interpretación del mismo, pero siempre sin perder su trascendencia y actualidad. Lo anterior ha sido extensamente estudiado en el contexto comunitario de la unión europea, donde la planeación en materia de contratación pública juega un papel imprescindible[3].

La identificación del principio de planeación en la contratación pública se da en todas las etapas que implica llevar a cabo un contrato con el sector público, siendo el engranaje central[4] de los procesos contractuales que a diario efectúan, destacando especialmente que dicho principio se enmarca dentro de una función pública eficaz, eficiente y efectiva, lo que se traduce en procesos de contratación donde se eviten errores, sobrecostos y demás factores que pongan en riesgo la ecuación financiera del contrato público y el bien común de la administración y sus administrados, determinando así, que el principio de planeación en la contratación pública, según cada caso implique la elaboración por parte de la administración contratante de autorizaciones, estudios, diseños, proyectos requeridos, así como de pliegos de condiciones *previos*[5] a la firma del contrato.

La necesidad de tener procesos de planeación en la contratación pública persigue como finalidad *"identificar las diferentes etapas, insumos necesa-*

---

[3]   MORENO MOLINA, J. A.; PUERTA SEGUIDO, F.; PUNZÓN MORALEDA, J. y RAMOS PÉREZ OLIVARES, A.: Claves para la aplicación de la Directiva 2014/24/UE sobre contratación pública, Wolters Kluwer-El Consultor de los Ayuntamientos, Madrid, 2016, págs. 197 y ss.

[4]   Véase: RODRÍGUEZ AMAYA, Carlos Fernando. "El principio de planeación en la contratación estatal, un principio no tipificado". Revista vía iuris 20 (2016).

[5]   Véase: MATALLANA CAMACHO, Ernesto. "Manual de contratación de la administración pública". Reforma de la Ley 80 (2015): 369.

rios, responsables, posibles riesgos, entre otros aspectos que permitan una mayor eficacia y eficiencia de cualquier proceso en la esfera de la actividad contractual privada y pública"[6] y en este sentido, afirmó el Consejo de Estado colombiano que la planeación *es uno de los principios más importantes que informan de la actividad contractual y cuyo cumplimiento resulta obligatorio por parte de las entidades del estado*[7] donde se busca como resultado final que la ecuación económica del contrato estatal no pierda su equilibrio. Es por esta razón que el principio de planeación en la contratación pública, desde la óptica jurisprudencial del Consejo de Estado colombiano, prescribe que principio es posible determinar los siguientes aspectos relevantes en la contratación:

(i)   *La verdadera necesidad de la celebración del respectivo contrato;*

(ii) *Las opciones o modalidades existentes para satisfacer esa necesidad y las razones que justifiquen la preferencia por la modalidad o tipo contractual que se escoja;*

(iii) *Las calidades, especificaciones, cantidades y demás características que puedan o deban reunir los bienes, las obras, los servicios, etc., cuya contratación, adquisición o disposición se haya determinado necesaria, lo cual, según el caso, deberá incluir también la elaboración de los diseños, planos, análisis técnicos, etc;*

(iv) *Los costos, valores y alternativas que, a precios de mercado reales, podría demandar la celebración y ejecución de esa clase de contrato, consultando las cantidades, especificaciones, cantidades de los bienes, obras, servicios, etc., que se pretende y requiere contratar, así como la modalidad u opciones escogidas o contempladas para el efecto;*

---

6   RODRÍGUEZ AMAYA, Carlos Fernando. "El principio de planeación en la contratación estatal, un principio no tipificado". Revista vía iuris 20 (2016).

7   Colombia. Consejo de estado, Sección Tercera. Sentencia Rad. 14854 (C.P. Mauricio Fajardo Gómez; 29 de agosto de 2007). Como se cita en: MATALLANA CAMACHO, Ernesto. "Manual de contratación de la administración pública". Reforma de la Ley 80 (2015): 373. "El principio de planeación hace referencia al deber de la entidad contratante de realizar estudios previos adecuados (estudios de prefactibilidad, factibilidad, ingeniería, suelos, etc.), con el fin de precisar el objeto del contrato, las obligaciones mutuas de las partes, la distribución de los riesgos y el precio, estructurar debidamente su financiación y permitir a los interesados diseñar sus ofertas y buscar diferentes fuentes de recursos. (Corte Constitucional colombiana" véase: Colombia. Corte Constitucional, Sentencia C-300/2012 (M.P. Jorge Ignacio Pretelt Chaljub; 25 de abril de 2012).

(v)   La disponibilidad de recursos o la capacidad financiera de la entidad contratante, para asumir las obligaciones de pago que se deriven de la celebración de ese pretendido contrato;

(vi) La existencia y disponibilidad, en el mercado nacional o internacional, de proveedores, constructores, profesionales, etc., en condiciones de atender los requerimientos y satisfacer las necesidades de la entidad contratante;

(vii) Los procedimientos, trámites y requisitos de que deban satisfacerse, reunirse u obtenerse para llevar a cabo la selección del respectivo contratista y la consiguiente celebración del contrato que se pretenda celebrar[8].

Así las cosas, el principio de planeación en la contratación pública se erige dentro de los sistemas de contratación pública a nivel global donde se ha comprobado que dicho principio verdaderamente hace referencia a un verdadero *mandato de optimización*[9] que se traduce en un "insumo de vital importancia por todos los aspectos que envuelve y que se deben desarrollar a fin de poder cumplir, a cabalidad, los fines de la contratación estatal"[10] por lo que puede deducirse que la planeación en los procesos contractuales del sector público es una de las expresiones de la función pública que debe predicar una administración eficiente. Por otro lado, el principio de planeación en la contratación pública reviste gran importancia dentro de las actuaciones de la administración ya que permite otorgar garantías respecto

---

8   Colombia. Consejo de estado, Sección Tercera. Sentencia Rad. 14287 (C.P. Mauricio Fajardo Gómez; 31 de agosto de 2006) reiterada en: Colombia. Consejo de estado, Sección Tercera. Sentencia Rad. 14854 (C. P Mauricio Fajardo Gómez; 29 de agosto de 2007). Como se cita en: MATALLANA CAMACHO, Ernesto. *"Manual de contratación de la administración pública"*. Reforma de la Ley 80 (2015): 373. *"el mismo emerge con obviedad de los deberes, la diligencia, el cuidado, la eficiencia y la responsabilidad con que ha de conducir sus actuaciones todo administrador público a quien se le confía el manejo de dineros y recursos que en modo alguno le pertenecen, que son de carácter oficial, que han de destinarse a la satisfacción del interés general, en desarrollo de las funciones y precisas competencias atribuidas a la respectiva entidad, con miras al cumplimiento de los fines estatales y la satisfacción del interés general"*.

9   Véase: ROBERT ALEXY, (individual) Sistema Jurídico, Principios Jurídicos Y Razón Práctica [título original] Edición digital a partir de Doxa: Cuadernos de Filosofía del Derecho. Alicante: Biblioteca Virtual Miguel de Cervantes, 2001., págs. 139-151.

10 RODRÍGUEZ AMAYA, Carlos Fernando. "El principio de planeación en la contratación estatal, un principio no tipificado". Revista vía iuris 20 (2016).

de la *legalidad* de los contratos, específicamente en su etapa precontrac-tual[11] *"ya que se debe contar con los estudios previos requeridos para la realización de cualquier tipo de obra que la administración necesite, y es que la necesidad de conocer con antelación a la realización de cualquier tipo de proyecto que emprenda la administración como lo son los diseños, planos del proyecto son indispensable para saber el monto de la inversión, y determinar el procedimiento de selección que debe cumplirse, esto con base en impedir que se pongan en riesgo los recursos públicos, puesto que de no contar con los documentos técnicos tampoco se conocerá el alcance del pro-yecto y fácilmente podría incurrirse en una contratación por un mayor valor del que realmente se requiere invertir en el respectivo proyecto"*[12].

En consonancia con lo anterior, la aplicación del principio de planeación en la contratación pública en palabras del Consejo de Estado Colombiano tiene las siguientes implicaciones:

> De acuerdo con el deber de planeación, los contratos del Estado "deben siem-pre corresponder a negocios debidamente diseñados, pensados, conforme a las necesidades y prioridades que demanda el interés público; en otras palabras, el ordenamiento jurídico busca que el contrato estatal no sea el producto de la improvisación ni de la mediocridad (…) "La planeación se vincula estrechamente con el principio de legalidad, sobre todo en el procedimiento previo a la forma-ción del contrato (…) Pero además ese parámetro de oportunidad, entre otros fi-nes, persigue establecer la duración del objeto contractual pues esta definición no sólo resulta trascendente para efectos de la inmediata y eficiente prestación del servicio público, sino también para precisar el precio real de aquellas cosas o ser-vicios que serán objeto del contrato que pretende celebrar la administración (…) De otro lado, el cumplimiento del deber de planeación permite hacer efectivo el principio de economía, previsto en la Carta y en el artículo 25 de la Ley 80 de 1993, porque precisando la oportunidad y por ende teniendo la entidad estatal un conocimiento real de los precios de las cosas, obras o servicios que constitu-yen el objeto del contrato, podrá no solamente aprovechar eficientemente los re-cursos públicos sino que también podrá cumplir con otro deber imperativo como es el de la selección objetiva (…) Así que entonces en este caso se estará en pre-sencia de un contrato con objeto ilícito porque se está contraviniendo las normas imperativas que ordenan que los contratos estatales deben estar debidamente

---

[11]   *La cual, Implica que la gestión contractual del Estado debe estar precedida por el desarrollo de los estudios, análisis, diseños y demás gestiones que permitan definir con certeza las condiciones del contrato a celebrar y del proceso de selección per-tinente, con el fin de que la necesidad que motiva la contratación sea satisfecha en el menor plazo, con la mayor calidad y al mejor precio posible.*

[12]   César Augusto ROMERO MOLINA, José Antonio MORENO MOLINA, Prin-cipios de la Contratación Pública en la Jurisprudencia Tribunal de Justicia de la Unión Europea Consejo de Estado Colombiano. Grupo Editorial Ibáñez, primera Edición. (2015).

César Augusto Romero Molina

planeados para que el objeto contractual se pueda realizar y finalmente se pueda satisfacer el interés público que envuelve la prestación de los servicios públicos[13].

En este sentido, el principio de planeación cumple una función integradora con otros principios generales de la contratación pública tales como los de legalidad, publicidad, moralidad, eficiencia, eficacia, entre otros, de modo que sin la existencia del principio de planeación se generaría una incorrecta aplicación de la actividad contractual del Estado[14] situación que en palabras del Consejo de Estado Colombiano hace que la eficacia de todos los principios que rigen la contratación pública, en especial los principios de transparencia y el de economía, dependan en buena medida de que se cumpla con los deberes de planeación y de selección objetiva[15]. De la misma manera, Romero C. (2015) afirma al respecto que:

> *La ausencia de planeación ataca la esencia misma del interés general, con consecuencias gravosas y muchas veces nefastas, no sólo para la realización efectiva de los objetos pactados, sino también respecto del patrimonio público, que en últimas es el que siempre está involucrado en todo contrato estatal, desconociendo en consecuencia fundamentales reglas y requisitos previos dentro de los procesos contractuales; es decir, en violación del principio de legalidad[16].*

Así las cosas, los elementos característicos y que delimitan el principio de planeación en la contratación pública comprenden desde el punto de vista operativo los siguientes aspectos:

– **Aspectos contractuales de planeación que permiten una buena gestión de la entidad estatal contratante.** Existen algunos aspectos que

---

13   Colombia. Consejo de estado, Sección Tercera. Sentencia Rad. 27315 (C.P. Jaime Orlando Santofimio Gamboa; 24 de abril de 2013). En concordancia con Colombia. Consejo de estado, Sección Tercera. Sentencia Rad. 14287 (C.P. Mauricio Fajardo Gómez; 31 de agosto de 2006).

14   *"La ausencia de planeación afecta la eficacia, la eficiencia, la igualdad e incluso al objeto del proceso, generando una afectación al interés público que se persigue con ocasión del contrato".* RODRÍGUEZ AMAYA, Carlos Fernando. "El principio de planeación en la contratación estatal, un principio no tipificado". Revista vía iuris 20 (2016).

15   (Relatoría del Consejo de Estado, 2012, pág. 9). Como se cita en: RODRÍGUEZ AMAYA, Carlos Fernando. "El principio de planeación en la contratación estatal, un principio no tipificado". Revista vía iuris 20 (2016).

16   César Augusto ROMERO MOLINA, José Antonio MORENO MOLINA, Principios de la Contratación Pública en la Jurisprudencia Tribunal de Justicia de la Unión Europea Consejo de Estado Colombiano. Grupo Editorial Ibáñez, primera Edición. (2015), pág. 141.

se gestan durante la etapa precontractual y que determinan un adecuado desarrollo de la fase ejecutoria del contrato público sin mayores contratiempos, sobrecostos y situaciones que pudieron preverse con anterioridad a su celebración y firma y, que terminarían causando perjuicios al contratista y a la entidad contratante, sustentando así que durante la fase precontractual se delimiten algunas características que permitan que la materialización de los objetos contractuales convenidos se enmarquen dentro de criterios objetivos y eficientes.

- *Diseño de los planes de compras.* Este elemento precontractual prescribe en orden de prioridad cada uno de los bienes y servicios que requiere la administración durante un determinado periodo de tiempo. El plan de compras puede decirse que tiene una naturaleza presupuestaria[17] en el sentido de que prescribe la ordenación de gasto público ya sea que se trate este de inversión o funcionamiento y es así como el Plan de Compras es el reflejo de las necesidades de las entidades públicas que se priorizan de acuerdo con el presupuesto asignado para cada vigencia y que se traducen en la contratación de bienes y servicios[18].

- *Los Estudios previos.* Los cuales constituyen uno de los elementos precontractuales que permiten determinar la viabilidad de los objetos que se pretenden contratar y el grado de necesidad y justificación de la misma. En consecuencia, no puede realizarse ningún tipo de proceso contractual con la administración, si la misma no cuenta con estudios previos que sustenten su realización y "se entiende por lo tanto que los estudios previos son la sustentación material de todas las decisiones que justifican el negocio que la administración pretende celebrar para satisfacer las necesidades de la comunidad, no se trata entonces de una exigencia formal de simple trámite dentro de la secuencia de antecedentes de la selección del contratista, por el contrario es una de las más importantes

---

[17] "El Plan de adquisiciones de bienes, servicios y obra pública de las entidades y particulares que manejan recursos públicos, independientemente del rubro presupuestal que se afecte, ya sea de funcionamiento o de inversión" César Augusto ROMERO MOLINA, José Antonio MORENO MOLINA, Principios de la Contratación Pública en la Jurisprudencia Tribunal de Justicia de la Unión Europea Consejo de Estado Colombiano. Grupo Editorial Ibáñez, primera Edición. (2015), pág. 144.

[18] Id.

exigencias de fondo de todo el proceso, ya que por medio de ella se da cumplimiento al principio de moralidad administrativa"[19].

• *Identificación de riesgos*. La identificación de riesgos es un aspecto precontractual que reviste gran importancia dentro de los procesos de planeación contractual que debe observarse por parte de la administración contratante y que deben ser *previstos* y advertidos durante la fase precontractual a los contratistas[20]. En este sentido, la gestión de los riesgos durante la ejecución de un contrato público implica para los extremos contractuales el diseño e implementación de mecanismos preventivos, *detectivos* y correctivos de potenciales inseguridades que pongan en crisis los recursos públicos[21] y el real cumplimiento de los objetos contractuales pactados[22].

---

[19] César Augusto ROMERO MOLINA, José Antonio MORENO MOLINA, Principios de la Contratación Pública en la Jurisprudencia Tribunal de Justicia de la Unión Europea Consejo de Estado Colombiano. Grupo Editorial Ibáñez, primera Edición. (2015), pág. 141.

[20] El riesgo es concebido como toda circunstancia de vulnerabilidad, con probabilidad real de ocurrencia, susceptible de producir un daño o distorsionar los resultados esperados y sobre el cual se puede incidir, minimizando su impacto, a diferencia de las nociones de caso fortuito o fuerza mayor, sobre las cuales no es posible intervenir. La conciencia del riesgo permite adicionalmente revelar de manera más precisa los costos reales que asumen las partes en la gestión contractual. César Augusto ROMERO MOLINA, José Antonio MORENO MOLINA, Principios de la Contratación Pública en la Jurisprudencia Tribunal de Justicia de la Unión Europea Consejo de Estado Colombiano. Grupo Editorial Ibáñez, primera Edición. (2015), pág. 157.

[21] Lo cual en palabras del profesor GIMENO FELIÚ, permite lograr un "sistema jurídico más estable y eficaz, que, desde la necesaria simplificación, evite la dispersión normativa y permita una gestión eficiente de los recursos públicos. GIMENO FELIÚ, J. M., El nuevo paquete legislativo comunitario sobre contratación pública: de la burocracia a la estrategia (el contrato público como herramienta del liderazgo institucional de los poderes públicos), Aranzadi, Cizur Menor, 2014, págs. 39 y ss. Véase también: GIMENO FELUI, J. M., "Las nuevas directivas —cuarta generación— en materia de contratación pública. Hacia una estrategia eficiente en compra pública", Revista Española de Derecho Administrativo, n° 159 (2013), págs. 39 a 106.

[22] Alfonso Carlos LLAMAS FOLIACO. Gestión de riesgos del proponente en la contratación pública los riesgos empresariales o de mercado que realentizan el desarrollo en América Latina. Editorial ediciones de la U. (2018).

- *Fijación del precio del contrato.* La fijación del precio del contrato es uno de los aspectos más importantes dentro de los procesos de planeación contractual del sector público, toda vez que el valor proyectado debe corresponder a la realidad y gozar de gran exactitud, de tal forma que se establezcan valores que sean insuficientes o en su defecto excesivos para la materialización de los objetos contractuales pactados. Desde el punto de vista de la planeación una vez fijado el precio del contrato debe evitarse en lo posible que el mismo se afecte implicando sobre costos o lo que puede ser peor, que los dineros públicos representen una ganancia exorbitante para el contratista siendo la misma objeto de desviaciones en favor de la corrupción. Del mismo modo debe guardarse una relación proporcional entre el precio pactado y la calidad de lo esperado durante la ejecución y la finalización del contrato público, máxime cuando el precio constituye uno de los elementos esenciales del mismo.

- *Fijación de plazos.* Al igual que la fijación de precios, los plazos estipulados deben guardar estrecha relación respecto del objeto contractual pactado, el precio convenido y la calidad esperada de los mismos, los cuales deberán materializarse dentro de los intervalos de tiempo que para tal efecto fueron estipulados en el contrato público, sin contratiempos, retrasos o demoras injustificadas.

- *Estructuración de la financiación del contrato.* La disponibilidad de recursos públicos tendientes a financiar la función pública contractual debe diseñarse con arreglo a garantizar un total cumplimiento del deber de pago que tiene la administración respecto de sus contratistas. Es así como lo pretendido desde los procesos de planeación contractual del sector público sobre el tema, demandan de la administración disponibilidad en cuanto a la asignación, disposición y ordenación de los gastos que para tal efecto implica el pago de un determinado contrato estatal dentro de una relación de prestaciones recíprocas entre los extremos de la relación contractual.

- *Los pliegos de condiciones y el estudio de las ofertas de los interesados.* Los pliegos de condiciones contienen todos los requerimientos que establece la entidad contratante y que deben observarse por parte de los interesados en participar dentro de un determinado contrato público. Es por medio del pliego de condiciones por medio del cual se regirá de forma definitiva, la preparación, celebración y ejecución del contrato estatal[23].

Así las cosas, los elementos precontractuales que permiten una adecuada gestión por parte de la entidad estatal contratante constituyen las estipulaciones iniciales que deberán observarse con el fin de lograr que los objetos contratados no tengan mayores inconvenientes, sobrecostos y retrasos injustificados que pudieron preverse durante la gestación y justificación, así como de la realización de estudios y análisis previos que sustentan la suscripción potencial de un contrato público.

- *Aspectos extracontractuales de planeación que permiten mantener la estabilidad de la ecuación financiera del contrato público.* En palabras de Romero C. (2015) puede determinarse respecto de la estabilidad de la ecuación y equilibrio financiero de un contrato público, que:

> *El principio de planeación conlleva al perfeccionamiento del contrato administrativo es de suponer que existe un adecuado equilibrio económico, de las prestaciones económicas que el contratista se ha comprometido a cumplir y el precio que por la ejecución del contrato la administración ha decidido abonarle. Por lo tanto, una planeación demuestra ser exitosa cuando la ejecución y terminación de la obra contratada no le sobrevienen mayores costos. Por lo tanto, este principio es indefectiblemente el más importante de todos ya que es este la base para que todo lo que versa sobre el tema, se logre a total cabalidad, como su nombre lo indica la planeación versa sobre las directrices, sobre las cuales se establecen las estrategias y se puede discernir entre varias alternativas, todo esto en con el objetivo de desarrollar metas económicas, políticas, y sociales, a favor de la comunidad, de acuerdo con Terry y Franklin, autores de principio de la administración; es seleccionar información y hacer suposiciones respecto al futuro para formular las actividades necesarias para realizar los objetivo organizacionales, es la etapa del proceso administrativo donde se deben identificar los objetivos a lo-*

---

[23] Se considera un pliego de condiciones como un conjunto de cláusulas y documentos, elaborados unilateralmente por el licitante, que especifican el objeto a contratar, las pautas que regirán el procedimiento de selección, los derechos y obligaciones de las partes y el mecanismo a seguir en la preparación y ejecución del contrato. Véase: Consejo de Estado [C. E.], Sala de lo Contencioso Administrativo, Sección Tercera, diciembre 3, 2007, C. P: Ruth Stella CORREA PALACIO, Expediente 2003-0014-01-24715 como se cita en César Augusto ROMERO MOLINA, José Antonio MORENO MOLINA, Principios de la Contratación Pública en la Jurisprudencia Tribunal de Justicia de la Unión Europea Consejo de Estado Colombiano. Grupo Editorial Ibáñez, primera Edición. (2015), pág. 157.

grar, definir las prioridades y determinar los medios a utilizar así como la correcta utilización o aplicación de estos en el lograr el fin esperado[24].

- *Equilibrio económico del contrato público.* la suscripción de un contrato de cualquier naturaleza implica la convención de prestaciones recíprocas entre los extremos contractuales, de lo cual no son ajenos los contratos del sector público, lo cual, en palabras de Díaz E. (2016) implica que: *debe existir un equilibrio económico de las prestaciones que impida un enriquecimiento sin causa a favor de este, ya que por lo general, la Administración se encontrará en una situación de ventaja frente a los particulares, ello, por cuanto aquella ostenta potestades exorbitantes que la sitúan en una posición de negociación mejorada*[25] situación que dentro de la óptica jurisprudencial del Consejo de Estado Colombiano conlleva a lo siguiente:

  El equilibrio económico del contrato corresponde a la ecuación contractual que surge una vez las partes celebran el negocio jurídico, de conformidad con la cual las prestaciones a cargo de cada una de las partes se miran como equivalentes a las de la otra. Así, el contratista cuya propuesta fue acogida por la administración, considera que las obligaciones que asume en virtud del contrato que suscribe, resultan proporcionales al pago que por las mismas pretende recibir, toda vez que al elaborar dicha oferta, ha efectuado un análisis de costo-beneficio, fundado en los estudios y proyecciones que realizó en relación con los factores determinantes del costo de ejecución de las prestaciones a su cargo y la utilidad que pretende obtener a partir de la misma. (…) Una vez las partes suscriben el contrato, éste se convierte en ley para ellas y se torna obligatorio su cumplimiento en los términos pactados, de acuerdo con el principio pacta sunt servanda (art. 1602, CC), lo que no descarta que situaciones extraordinarias, posteriores a la celebración del contrato, imprevistas e imprevisibles, ajenas a las partes (en el caso de la teoría de la imprevisión) o imputables a una actuación legal de la contratante (en el caso del hecho del príncipe), puedan alterar la ecuación financiera del mismo en forma anormal y grave, de tal manera que sin imposibilitar su ejecución, la hagan mucho más onerosa para la parte afectada, en lo que se conoce como el rompimiento del equilibrio económico del contrato, caso en el cual, en virtud del principio rebus sic stantibus, surge el deber de restablecerlo, bien sea mediante una indemnización integral de perjuicios, en el caso del hecho del príncipe, en el cual la afectación de la ecuación contractual proviene de una medida de ca-

---

24 César Augusto ROMERO MOLINA, José Antonio MORENO MOLINA, Principios de la Contratación Pública en la Jurisprudencia Tribunal de Justicia de la Unión Europea Consejo de Estado Colombiano. Grupo Editorial Ibáñez, primera Edición. (2015), pág. 157.

25 DÍAZ BRAVO, Enrique, y Rodríguez Letelier, Aníbal. Contratos administrativos en Chile: principios y bases, RIL editores, 2016.

rácter general proferida por la misma persona de derecho público contratante, o llevando al contratista a un punto de no pérdida (art. 5º, Ley 80/93), mediante el reconocimiento de los mayores costos en los que incurrió, por hechos imprevistos e imprevisibles para las partes[26]

- *Prohibición de enriquecimiento sin justa causa a favor de la administración.* Dentro de la ecuación financiera de un contrato público el principio general de enriquecimiento sin justa causa cimienta el equilibrio económico respecto de las prestaciones recíprocas pactadas entre los extremos contractuales y que en palabras de Díaz E. (2016): *busca evitar que tanto la Administración como los particulares se enriquezcan sin una justa causa de Derecho que justifique dicho enriquecimiento, por lo que el mismo carecería de fundamento o antecedente jurídico de sustento, y ello, llevaría aparejada la disminución del patrimonio del otro contratante[27].*

- *Indemnización de perjuicios en caso de ruptura de la estabilidad financiera del contrato público.* Una vez que se quebranta la ecuación financiera del contrato público se hace necesaria la intervención judicial con el propósito de *restablecer* los derechos del extremo contractual perjudicado[28]. Así las cosas, el deber de planeación implica que dichas situaciones que rompen con la estabilidad económica y financiera de la relación contractual no sucedan o en caso de que se den, las mismas hayan sido previstas y/o corregidas. Es por esta razón, que la inobservancia de los procesos de planeación contractual en el sector público acarrea una potencial responsabilidad patrimonial de la administración respecto de sus contratistas[29]. Al respecto manifiesta Díaz, E. (2016) que *"El principio del*

---

[26]   Consejo de Estado [C. E.], Sala de lo Contencioso Administrativo, Sección tercera. Sentencia Rad. 20912 (C.P. Danilo Rojas Betancourth; 27 de marzo de 2014).

[27]   DÍAZ BRAVO, Enrique y RODRÍGUEZ LETELIER, Aníbal. Contratos administrativos en Chile: principios y bases, RIL editores, 2016.

[28]   "La prestación determinada le corresponde el adecuado precio establecido al inicio. Si bien circunstancias sobrevenidas durante la ejecución del contrato tras su celebración pueden alterar ese equilibrio económico, y como consecuencia pueden hacer surgir la obligación jurídica de restablecerlo" Villalba Pérez como se cita en: DÍAZ BRAVO, Enrique y RODRÍGUEZ LETELIER, Aníbal. Contratos administrativos en Chile: principios y bases, RIL editores, 2016.

[29]   Véase, por ejemplo: Colombia. Consejo de estado, Sección Tercera. Sentencia Rad. 14287 (C.P. Mauricio Fajardo Gómez; 31 de agosto de 2006) reiterada en: Colombia. Consejo de estado, Sección Tercera. Sentencia Rad. 14854 (C. P Mauricio Fajardo Gómez; 29 de agosto de 2007).

equilibrio económico del contrato y la correlativa obligación de indemnizar los perjuicios producto de su afectación, son resultado de una reacción del ordenamiento jurídico tendiente a aminorar la desigualdad entre las partes contratantes donde una de ellas, la Administración, se encuentra en una posición de privilegio que se manifiesta por las facultades exorbitantes de que es titular y puede ejercer en cualquier momento, siempre bajo el supuesto del interés público"[30].

Así las cosas, dentro de la configuración normativa de los diferentes sistemas de contratación pública, el principio de planeación reviste gran importancia en lo referente a la toma de decisiones propias de la función pública contractual del Estado bajo el pleno conocimiento de las condiciones que pueden poner en potencial riesgo un determinado contrato público, implicando así contratiempos y sobrecostos que pueden romper con el equilibrio financiero y económico de la relación contractual en detrimento de alguna de sus partes intervinientes.

III. El principio de planeación en el soflaw OCDE en materia de contratación pública

Los estándares y recomendaciones OCDE en materia de contratación pública obedecen a una serie de estudios multidisciplinares y diagnósticos realizados por la mencionada organización de cooperación internacional respecto de las realidades de los ordenamientos y legislaciones internas de sus países miembros y no miembros. En este sentido el softlaw OCDE[31]

---

[30] DÍAZ BRAVO, Enrique y RODRÍGUEZ LETELIER, Aníbal. Contratos administrativos en Chile: principios y bases, RIL editores, 2016, "tienen una contrapartida a favor del contratista: el mantenimiento del equilibrio económico del contrato, que consiste en la compensación económica a través de las técnicas del factum principis, la teoría del riesgo imprevisible, y la revisión de precios, que son excepciones al principio de riesgo y ventura del contratista y refuerzan la posición y defensa del contratista" véase: Rolando PANTOJA BAUZÁ, Tratado de Derecho Administrativo. Derecho y administración del Estado, vol. I, Santiago de Chile: Abeledo Perrot, 2010, pág. 64.

[31] *"La Organización para la Cooperación Económica Europea (OCDE) se estableció en 1948 para ejecutar el Plan Marshall financiado por los Estados Unidos para la reconstrucción de un continente devastado por la guerra. Al hacer que los gobiernos individuales reconocieran la interdependencia de sus economías, allanó el camino para una nueva era de cooperación que iba a cambiar el rostro de Europa.*

en materia de contratación pública evidencia de manera no expresa en sus contenidos temáticos la existencia del principio de planeación como eje fundamental y rector de la contratación administrativa.

En términos de un sistema de contratación pública que predique integridad en su estructura jurídica, es preciso aludir que la OCDE cuenta con estándares claros sobre una adecuada gobernanza pública contractual que inevitablemente ha de observar la aplicación de criterios de planeación en los procesos contractuales del sector estatal. Observando como fuente primaria, la Recomendación de 2015 del Consejo de Contratación Pública[32].

Respecto del principio de planeación en la contratación pública dentro de los numerosos estudios OCDE, es de destacar que la misma, se ha enfocado en los aspectos contractuales que permiten una adecuada gestión por pare de las entidades estatales contratantes, destacando específicamente elementos relativos a las etapas *contractuales* de un determinado contrato público, pero siempre conservando su tendencia de lograr a nivel mundial sistemas de contratación pública que observen criterios de transparencia y

---

Alentados por su éxito y la perspectiva de llevar adelante su trabajo en un escenario global, Canadá y los Estados Unidos se unieron a los miembros de la OECE en la firma de la nueva Convención de la OCDE el 14 de diciembre de 1960. La Organización para la Cooperación y el Desarrollo Económico (OCDE) nació oficialmente El 30 de septiembre de 1961, cuando entró en vigor el Convenio. Otros países se unieron, comenzando con Japón en 1964. Hoy, 36 países miembros de la OCDE de todo el mundo se reúnen regularmente para identificar problemas, analizarlos y analizarlos, y promover políticas para resolverlos. El historial es sorprendente. Estados Unidos ha visto que su riqueza nacional casi se ha triplicado en las cinco décadas desde la creación de la OCDE, calculada en términos del producto interno bruto por habitante. Otros países de la OCDE han visto progresos similares, y en algunos casos incluso más espectaculares. Así también, los países que hace unas décadas eran todavía jugadores menores en el escenario mundial. Brasil, la India y la República Popular de China se han convertido en nuevos gigantes económicos. Los tres, con Indonesia y Sudáfrica, son socios clave de la Organización y contribuyen a su trabajo de manera sostenida y global. Junto con ellos, la OCDE reúne en su cuadro 39 países que representan el 80% del comercio y la inversión mundiales, lo que le otorga un papel fundamental para hacer frente a los desafíos que enfrenta la economía mundial". Vease: OCDE. Acerca de: historia. Disponible en: http://www.oecd.org/about/history/ (2018).

[32]   OCDE. Recomendación de 2015 del Consejo de Contratación Pública. Disponible en: https://www.oecd.org/gov/ethics/OCDE-Recomendacion-sobre-Contratacion-Publica-ES.pdf (2015).

lucha contra la corrupción[33]. El softlaw OCDE en materia de contratación pública se enmarca en diversas temáticas donde se ha evidenciado la existencia del principio de planeación en la contratación pública, destacando especialmente, las siguientes áreas:

- Evaluación y eficiencia
- Innovación
- Integridad

En cuanto a los procesos de evaluación y eficiencia de la contratación pública dentro del softlaw OCDE es pertinente hacer mención a: *"la gran suma de recursos públicos, por lo tanto, el dinero de los contribuyentes, que se gasta en la contratación pública no solo requiere una buena administración, sino también su realización de manera eficiente. En la búsqueda de ganancias de eficiencia, los gobiernos continuamente desarrollan, implementan y revisan sus sistemas de adquisición y diversos mecanismos y herramientas"*[34]. En este sentido, vale la pena destacar al respecto que el manejo de la productividad y la eficiencia en todo el ciclo de contratación pública, incluida y su consecuente evaluación, debe tener en cuenta, lo siguiente:

- *Los gobiernos buscan continuamente aumentar la eficiencia del sistema de contratación pública adoptando nuevas herramientas y mecanismos y revisándolos.*

- *La agregación de la demanda a menudo a través del establecimiento de organismos de compra centrales permite ganancias de eficiencia. Existen diversos instrumentos de contratación que se aplican de acuerdo con las especificidades de las necesidades de los poderes adjudicadores y de los bienes y servicios.*

- *Los sistemas de compras electrónicas son cada vez más transaccionales y abarcan todo el ciclo de compras públicas, por lo que contribuyen a aumentar no solo la transparencia sino también la eficiencia de los sistemas de compras públicas.*

- *Para evaluar adecuadamente la eficiencia y la eficacia del sistema y las políticas, es esencial contar no solo con datos, sino también con su*

---

[33]   Recomendación del Consejo de la OCDE para combatir la colusión en la contratación pública * Aprobada por el Consejo el 17 de julio de 2012 [C(2012)115 - C(2012)115/CORR1 - C/M(2012)9].

[34]   OCDE. *Efficiency and Evaluation*. (Traducción libre del autor). Disponible en: http://www.oecd.org/gov/public-procurement/efficiency-evaluation/ (2018).

metodología de recopilación y evaluación, por ejemplo, mediante el desarrollo de un conjunto de indicadores de desempeño[35].

Es preciso indicar que respecto de lo prescrito por la OCDE en materia de eficiencia y evaluación de la contratación pública se identifican algunos criterios característicos del principio de planeación, destacando positivamente elementos como: la revisión de herramientas y mecanismos, las necesidades de la administración respecto de bienes y servicios, la transparencia en las compras públicas, la toma de datos, su recopilación y las metodologías empleadas para tal fin, aspectos que en palabras del mencionado organismo de cooperación internacional permiten el diseño de indicadores de desempeño, claro está bajo criterios de planeación del sector público durante cada una de las etapas del ciclo contractual. Por otro lado, en cuanto a la innovación dentro de la contratación pública es preciso afirmar que la OCDE ha determinado que *"la contratación pública ofrece un enorme mercado potencial para productos y servicios innovadores. Utilizado estratégicamente, puede ayudar a los gobiernos a impulsar la innovación tanto a nivel nacional como local y, en última instancia, mejorar la productividad y la inclusión"[36].* En este sentido, hay que destacar positivamente que dentro de las 9 acciones OCDE para promover la innovación en la contratación pública, se encuentra la acción No. 7 relativa a *"Emprender la gestión de riesgos y medir el impacto para reducir posibles pérdidas y daños, y aumentar la confianza"[37].*

Es posible afirmar que, dentro de la innovación en la contratación pública, bajo los estándares OCDE la gestión de riesgos constituye uno de los factores que deben observar los distintos países dentro de sus sistemas de contratación pública, evidenciando así uno de los factores característicos de

---

[35] Id.

[36] OCDE. *Public procurement for innovation.* (Traducción libre del autor). Disponible en: http://www.oecd.org/gov/public-procurement/innovation/ (2018). *El 81% de los países de la OCDE han desarrollado estrategias o políticas para apoyar bienes y servicios innovadores a través de la contratación pública. mientras que Solo el 39,4% de los países de la OCDE están midiendo los resultados de su apoyo a bienes y servicios innovadores a través de la contratación pública.* (Traducción libre del autor).

[37] Anne Müngersdorff. PUBLIC PROCUREMENT FOR INNOVATION: GOOD PRACTICES AND STRATEGIES OECD SURVEY RESULTS AND FRAMEWORK (traducción libre del autor) Public Procurement Unit Public Governance and Territorial Development Directorate Forum on Procurement for Innovation 5 October 2016 - Paris véase también: OECD (2017), Public Procurement for Innovation: Good Practices and Strategies, OECD Public Governance Reviews, OECD Publishing, Paris, https://doi.org/10.1787/9789264265820-en.

la aplicación del principio de planeación que permiten una buena gestión por parte de las entidades públicas contratantes. Por otro lado, la integridad en la contratación pública bajo la perspectiva OCDE no es ajena a evidenciar dentro de sus prescripciones, características propias del principio de planeación y de sus consecuentes procesos durante las diferentes etapas del ciclo contractual del sector público, no obstante, afirma el precitado organismo de cooperación internacional que *"la contratación pública es una de las actividades gubernamentales altamente vulnerables a la corrupción. Los intereses financieros en juego, el volumen de transacciones y la interacción estrecha entre los sectores público y privado en la adjudicación de contratos públicos, todos representan riesgos para la integridad"*[38].

Así las cosas, la integridad desde la perspectiva OCDE demarca muchas características relativas al principio de planeación en la contratación pública, el cual se evidencia *"en todas las fases del ciclo de contratación pública (fases de licitación previa, licitación y posterior a la adjudicación). Sin embargo, cada fase puede ser propensa a hallazgos específicos de riesgos de integridad"*[39]. Es por ello, que una planeación contractual exitosa dentro del sector público permite reducir los índices de deficiencia respecto de factores que cuantifican la *integridad*[40], evidenciar riesgos potenciales de

---

[38]   OCDE. *Integrity in public procurement*. (Traducción libre del autor). Disponible en: http://www.oecd.org/gov/public-procurement/integrity/ (2018). En este sentido vale la pena destacar sobre la integridad en la contratación pública que: *Se ha estimado que el 10-30% de la inversión en un proyecto de construcción financiado con fondos públicos puede perderse por mala gestión y corrupción (CoST, 2014) Además, Más de la mitad de los casos de soborno en el extranjero ocurrieron para obtener un contrato de contratación pública (OCDE, Foreign Bribery Report 2014) mientras que Más de 3 de cada 10 empresas que han participado en una licitación pública dicen que la corrupción les impidió ganar (Flash Eurobarómetro 428, 2015).* Id. (Traducción libre del autor).

[39]   Id.

[40]   OCDE. Public Procurement Webpage on Integrity. (Traduccion libre del autor). Disponible en: http://www.oecd.org/governance/procurement/toolbox/principles-tools/integrity/ (2018). *Dentro de las recomendaciones tendientes a garantizar la integridad en la contratación pública es de resaltar, las siguientes:*
– *Exigir altos estándares de integridad para todas las partes interesadas en el ciclo de adquisición (marcos de integridad o códigos de conducta).*
– *Implementar herramientas generales de integridad del sector público y adaptarlas a los riesgos específicos del ciclo de adquisiciones según sea necesario.*
– *Desarrollar programas de capacitación para la fuerza laboral de adquisiciones.*
– *Desarrollar requisitos para controles internos, medidas de cumplimiento y programas anticorrupción para proveedores, incluido el monitoreo adecuado.*

corrupción y malas disposiciones de recursos públicos que siempre implica la contratación de bienes y servicios por parte de las entidades estatales.

Es por ello, que puede comprobarse que la integridad en la contratación pública OCDE, tiene una estrecha relación con el principio general de planeación, donde este último cumple una función integradora entre varios principios, tal como se afirmó en la primera parte de este escrito, y es por ello que específicamente debe tenerse en cuenta que la integración temática entre planeación e integridad en la contratación pública prescribe el análisis de la gestión de riesgos asociados a la corrupción y el diseño de pliegos de condiciones que reduzcan el "aparejo de ofertas" en los contratos con el sector público.

No obstante de lo anterior, en materia de planeación de la contratación pública se destacan las recomendaciones y estándares establecidos para los países miembros y no miembros respecto de la constitución de un verdadero proceso paso a paso de planeación de los contratos estatales en este sentido es pertinente manifestar que OCDE (2016) prescribió al respecto las siguientes recomendaciones:

> *1. Provide leadership: Creating the steering committee The first step is to create the steering committee, to include all relevant stakeholders to co-ordinate all activities as well as the strategy.*
>
> *2. Identify the issues: Assessing the public procurement workforce This diagnostic step is necessary to assess the current needs in terms of institution capacity, staff competency and the education system.*
>
> *3. Establish perspective: Identifying the goals The steering committee should identify and prioritise the goals in terms of people and institutions, professionalising the procurement function and jobs.*
>
> *4. Seek solutions: Finding the appropriate training solutions The strategy recommends different types of training in terms of duration, institutions and format, depending on the needs.*
>
> *5. Design the programme: Drafting the strategic action plan The strategic action plan should include scheduled objectives, actions, and timeframe, while identifying the beneficiaries of the actions.*
>
> *6. Include training: Drafting the training action plan The training action plan will depend on the needs, and should focus on training solutions for designated individuals and institutions.*
>
> *7. Remember resources: Financing the strategy The financing is a key step for the success of the implementation of the strategy. The steering committee should consider different options and models from internal and external donors.*
>
> *8. Monitor the results: Learning and adapting The last step is important to identify best practice*[41].

---

[41]   OCDE. Roadmap: How to Elaborate a Procurement Capacity Strateg. http://www.oecd.org/gov/public-procurement/publications/Roadmap-Procurement-Capacity-Strategy.pdf (2016).

Para finalizar, es posible determinar que el *softlaw OCDE* en materia de contratación pública ostenta dentro de sus estándares y recomendaciones elementos característicos del principio de planeación permitiendo comprobar su aplicabilidad en un ámbito global-internacional y su existencia bajo un campo de estudios multidisciplinar que abarca el análisis de los contratos públicos bajo la perspectiva jurídica, política y económica justificando su importancia como principio rector y eje fundamental de la contratación administrativa.

IV. Conclusiones

La importancia del principio de planeación encuentra plena aplicabilidad a nivel global a partir de su desarrollo dogmático y conceptual, así como en las recomendaciones y estándares OCDE sobre contratación pública, estableciendo que la planeación de los contratos estatales se caracteriza por la existencia de aspectos y elementos que permiten una buena gestión pública contractual enmarcada en bases de buena gobernanza pública, buen aprovechamiento de los recursos públicos, y legalidad en cada una de las etapas del ciclo de contratación administrativa, donde se busca evitar y/o corregir sobrecostos, retrasos injustificados y potenciales riesgos financieros, operativos y de corrupción, mediante la toma de decisiones en favor del bien común y del cabal cumplimiento de los objetos contractuales convenidos, los cuales en ningún caso deben menoscabar ni quebrantar el equilibrio económico de la relación contractual.

En este sentido, la planeación en la contratación pública al ostentar la naturaleza jurídica de principio rector tendiente a la debida y cumplida gestión del ciclo público contractual se constituye como una referencia obligada para la administración y sus contratistas quienes en todo caso deberán evaluar, gestionar y prevenir riesgos con la capacidad suficiente para alcanzar la materialización de los objetos contractuales subvencionados mediante una determinada modalidad de contrato público. Así las cosas, los procesos de compras públicas de bienes y servicios se cobijan bajo una obligatoria presencia de planeación con estrictos estándares de estabilidad jurídica y económica, constitutivos de buenas prácticas[42] aceptadas dentro

---

[42]   Tal como se ha expuesto en: MORENO MOLINA, J. A., Hacia una compra pública responsable y sostenible: Novedades principales de la Ley de contratos del sector público 9/2017 INAP (2018). Véase también: MORENO MOLINA, J. A., "La

del denominado paradigma de la contratación pública socialmente responsable, lo cual se encuentra ampliamente relacionado con otros principios de la contratación pública aceptados a nivel internacional, tales como la integridad, la eficiencia y la transparencia de la gestión al momento de la suscripción de contratos públicos.

Bibliografía

Libros y publicaciones periódicas

DÍAZ BRAVO, E., y RODRÍGUEZ LETELIER, A., *Contratos administrativos en Chile: principios y bases*, RIL editores, 2016.

GIMENO FELIÚ, J. M., "Las nuevas directivas —cuarta generación— en materia de contratación pública. Hacia una estrategia eficiente en compra pública", *Revista Española de Derecho Administrativo*, nº 159, 2013, págs. 39 a 106.

GIMENO FELIÚ, J. M., *El nuevo paquete legislativo comunitario sobre contratación pública: de la burocracia a la estrategia (el contrato público como herramienta del liderazgo institucional de los poderes públicos)*, Aranzadi, Cizur Menor, 2014, págs. 39 y ss.

LLAMAS FOLIACO, A. C., *Gestión de riesgos del proponente en la contratación pública los riesgos empresariales o de mercado que realentizan el desarrollo en América Latina*. Editorial ediciones de la U, 2018.

MATALLANA CAMACHO, E., "Manual de contratación de la administración pública". *Reforma de la Ley* 80: 369, 2015.

MORENO MOLINA, J. A., "La cuarta generación de directivas de la Unión Europea sobre contratos públicos", en AAVV (dir. GIMENO FELIÚ, J. M., coord. BERNAL BLAY, M. A.), *Observatorio de Contratos Públicos 2012*, Aranzadi, Cizur Menor (Navarra), 2013, págs. 115 a 163.

MORENO MOLINA, J. A., *Hacia una compra pública responsable y sostenible: Novedades principales de la Ley de contratos del sector público 9/2017*.

MORENO MOLINA, J. A.; PUERTA SEGUIDO, F.; PUNZÓN MORALEDA, J. y RAMOS PÉREZ OLIVARES, A., *Claves para la aplicación de la Directiva 2014/24/UE sobre contratación pública*, Wolters Kluwer-El Consultor de los Ayuntamientos, Madrid, 2016.

MÜNGERSDORFF, A., PUBLIC PROCUREMENT FOR INNOVATION: GOOD PRACTICES AND STRATEGIES OECD SURVEY RESULTS AND FRAMEWORK (traducción libre del autor) *Public Procurement Unit Public Governance and Territorial Development Directorate Forum on Procurement for Innovation* 5 October 2016 - Paris, 2016.

OCDE, Acerca de: historia. Disponible en: http://www.oecd.org/about/history/, 2018.

OCDE, Efficiency and Evaluation. (Traducción libre del autor). Disponible en: http://www.oecd.org/gov/public-procurement/efficiency-evaluation/, 2018.

_____

cuarta generación de directivas de la Unión Europea sobre contratos públicos", en AAVV (dir. GIMENO FELIÚ, J. M., coord. BERNAL BLAY, M. A.), Observatorio de Contratos Públicos 2012, Aranzadi, Cizur Menor (Navarra), 2013, págs. 115 a 163.

OCDE, Integrity in public procurement. (Traducción libre del autor). Disponible en: http://www.oecd.org/gov/public-procurement/integrity/, 2018.

OCDE., Public procurement for innovation. (Traducción libre del autor). Disponible en: http://www.oecd.org/gov/public-procurement/innovation/, 2018.

OCDE, Public Procurement Webpage on Integrity. (Traduccion libre del autor). Disponible en: http://www.oecd.org/governance/procurement/toolbox/principlestools/integrity/, 2018.

OCDE, Recomendación de 2015 del Consejo de Contratación Pública. Disponible en: https://www.oecd.org/gov/ethics/OCDE-Recomendacion-sobre-Contratacion-Publica-ES.pdf, 2015.

OCDE, Roadmap: How to Elaborate a Procurement Capacity Strateg. http://www.oecd.org/gov/public-procurement/publications/Roadmap-Procurement-Capacity-Strategy.pdf, 2016.

OECD, Public Procurement for Innovation: Good Practices and Strategies, OECD Public Governance Reviews, OECD Publishing, Paris, https://doi.org/10.1787/9789264265820-en, 2017.

OCDE, Recomendación del Consejo de la OCDE para combatir la colusión en la contratación pública * Aprobada por el Consejo el 17 de julio de 2012 [C(2012)115 - C(2012)115/CORR1 - C/M(2012)9].

PANTOJA BAUZÁ, R., *Tratado de Derecho Administrativo. Derecho y administración del Estado*, vol. I, Santiago de Chile: Abeledo Perrot, 2010, pág. 64.

ROBERT, A. (individual), *Sistema Jurídico, Principios Jurídicos y Razón Práctica* [título original] Edición digital a partir de Doxa: Cuadernos de Filosofía del Derecho. Alicante: Biblioteca Virtual Miguel de Cervantes, 2001, págs. 139-151.

RODRÍGUEZ AMAYA, C. F., "El principio de planeación en la contratación estatal, un principio no tipificado". *Revista vía iuris* 20, 2016.

ROMERO MOLINA, C. A. y MORENO MOLINA, J. A., *Principios de la Contratación Pública en la Jurisprudencia Tribunal de Justicia de la Unión Europea Consejo de Estado Colombiano*. Grupo Editorial Ibáñez, primera Edición, 2015.

Fuentes jurídicas

Unión Europea

Directiva 2014/24/UE del Parlamento Europeo y del Consejo de 26 de febrero de 2014 sobre contratación pública y por la que se deroga la Directiva 2004/18. CE postales (DOUE núm. 94, de 28 de marzo de 2014).

Colombia

Jurisprudencia

Colombia. Consejo de estado, Sección Tercera. Sentencia Rad. 14287 (C.P. Mauricio Fajardo Gómez; 31 de agosto de 2006)

Colombia. Consejo de estado, Sección Tercera. Sentencia Rad. 14854 (C.P. Mauricio Fajardo Gómez; 29 de agosto de 2007).

Colombia. Consejo de estado, Sección Tercera. Sentencia Rad. 27315 (C.P. Jaime Orlando Santofimio Gamboa; 24 de abril de 2013).

Colombia. Corte Constitucional, Sentencia C-300/2012 (M.P. Jorge Ignacio Pretelt Chaljub; 25 de abril de 2012)

Consejo de Estado [C. E.], Sala de lo Contencioso Administrativo, Sección Tercera, diciembre 3, 2007, C. P: Ruth Stella Correa Palacio, Expediente 2003-0014-01-24715

Consejo de Estado [C. E.], Sala de lo Contencioso Administrativo, Sección tercera. Sentencia Rad. 20912 (C.P. Danilo Rojas Betancourth; 27 de marzo de 2014.

LA INTERPRETACIÓN JURÍDICA EN MATERIA DE CONTRATACIÓN PÚBLICA BAJO LOS ESTÁNDARES CONVENCIONALES Y CONSTITUCIONALES

Miguel Alejandro López Olvera

Investigador
Instituto de Investigaciones Jurídicas
Universidad Nacional Autónoma de México

SUMARIO: I. Introducción. II. La interpretación administrativa. III. Competencia para interpretar normas administrativas. IV. Métodos de interpretación. 1. Aspectos generales. 2. Interpretación exegética. 3. Interpretación conjunta. 4. Interpretación sistemática. 5. Interpretación gramatical. 6. Interpretación concordada. 7. Interpretación conforme a la exposición de motivos. 8. Interpretación teleológica. 9. Interpretación histórica. 10. Interpretación auténtica. V. Derechos humanos, interés público e interpretación administrativa. VI. Reglas generales o jurisprudencia administrativa?

I. Introducción

La idea de escribir el presente artículo nació después de pensar de las múltiples interrogantes y dudas que surgen de la lectura de varios artículos contenidos en una diversidad de leyes y regulaciones en materia de contratación pública.

Por ejemplo, los artículos 7 de la Ley de Adquisiciones, Arrendamientos y Servicios del Sector Público, así como el 8 de la Ley de Obras Públicas y Servicios Relacionados con las Mismas, disponen:

Artículo 7. La Secretaría [de Hacienda y Crédito Público], la Secretaría de Economía y la Secretaría de la Función Pública, en el ámbito de sus respectivas competencias, estarán facultadas para **interpretar** esta Ley para efectos administrativos.

Artículo 8. La Secretaría [de Hacienda y Crédito Público], la Secretaría de Economía y la Secretaría de la Función Pública, en el ámbito de sus respectivas competencias, estarán facultadas para **interpretar** esta Ley para efectos administrativos.

Entonces, como podemos apreciar, estas y otras disposiciones abren la posibilidad para que sean interpretados tanto las leyes como los diferentes reglamentos en materia de contratación pública.

Y las interrogantes que podemos plantear, de inició, son: ¿a quién faculta la ley o la regulación, a la dependencia, a cualquier servidor público o a un órgano en específico?, ¿qué autoridad es la facultada para interpretar la ley o la regulación específica?, ¿qué método o métodos se deben utilizar para interpretar la ley o la respectiva regulación?, ¿la interpretación se realiza caso por caso o en abstracto?, ¿qué principio debe de guiar la interpretación, el de legalidad o el pro persona?, ¿a quienes obliga el criterio de interpretación?, entre otras muchas que contestaremos en el desarrollo del presente artículo.

La interpretación administrativa, en general, y respecto de la contratación pública en específico, es un tema poco o nada estudiado por parte de la doctrina. La mayor parte de la bibliografía se enfoca en la interpretación que hacen los órganos jurisdiccionales respecto de las normas jurídicas.

Es un tema de la mayor relevancia, pues se trata de garantizar el principio de seguridad jurídica en materia de contrataciones públicas. Pero, además, hay que señalar que también otros órganos encargados de la resolución de conflictos en materia contractual, tienen facultades para interpretar la ley o las regulaciones respectivas, como lo explicamos a continuación.

Como veremos en seguida, algunas leyes de naturaleza administrativa así como los diferentes reglamentos interiores y manuales de organización de las dependencias y organismos de la administración pública federal, les otorgan competencia, a diferentes órganos administrativos, para interpretarlas.

Los temas que abordaremos entonces, se enfocarán a definir el concepto jurídico de "interpretación administrativa"; también destacaremos algunas problemáticas respecto de la facultad de diferentes dependencias y órganos de la administración pública federal para interpretar las leyes o regulaciones en materia de contrataciones públicas; otro de los temas será el relativo a los métodos que podría utilizar el interprete; la problemática se vuelve compleja cuando están en juego aspectos como el interés público y los derechos humanas, punto que abordamos en otro de las secciones de este trabajo; y por último, nos referiremos al tema de la creación de criterio por medio de disposiciones generales.

II. La interpretación administrativa

Prácticamente todas las normas jurídicas son susceptibles de interpretación por parte de quien las lee o de quien las aplica en un caso concreto.

Y es que los órganos encargados de elaborar los diferentes tipos de normas jurídicas (Congresos u órganos administrativos) redactan dichas normas en términos generales, es por ello, que dichas normas, en muchas ocasiones, necesitan ser interpretadas, pues presentan problemas de vaguedad, ambigüedad, antinomias, lagunas, entre muchos otros.

La vaguedad, explica Riccardo Guastini[1], concierne al significado, y por tanto a la semántica, de los vocablos y de los sintagmas. La ambigüedad, señala el mismo autor, a su vez, puede depender del significado de los vocablos y de los sintagmas (ambigüedad semántica), de la sintaxis de los enunciados (ambigüedad sintáctica), o del contexto en que se usan los enunciados (ambigüedad pragmática).

Por su parte, el concepto de antinomia y de laguna se puede caracterizar sumariamente como sigue

a) Existe una antinomia siempre que dos normas conectan a un mismo supuesto de hecho dos consecuencias jurídicas diversas e incompatibles, de modo que se dan controversias susceptibles de soluciones conflictivas.

b) Existe una laguna cuando no hay alguna norma que conecte una consecuencia jurídica cualquiera a un determinado supuesto de hecho, de modo que se producen controversias no susceptibles de solución alguna[2].

Y es que tanto el legislador ordinario como los órganos de la administración pública facultados para expedir la normativa secundaria redactan dichas normas en términos generales, es por ello, que dichas normas, en muchas ocasiones, necesitan ser interpretadas.

Como toda obra humana, la del legislador es susceptible de incurrir en imperfecciones, como la de expedir disposiciones total o parcialmente contrarias o contradictorias, para su aplicación a un mismo supuesto fáctico de las relaciones humanas, con lo que se suscitan los llamados conflictos normativos o antinomias jurídicas, reveladoras de inconsistencias que, mien-

---

[1]   GUASTINI, Riccardo, "Problemas de interpretación", en *ISONOMÍA. Revista de Teoría y Filosofía del Derecho*, México, núm. 7, octubre de 1997, pág. 123.
[2]   *Idem.*

tras no las corrija su autor, requieren de una solución satisfactoria de los operadores jurídicos[3].

En el caso de las dependencias y organismos de la administración pública federal, las propias leyes les otorgan la facultad de interpretarlas.

Entre la interpretación y la aplicación del derecho existe un vinculo indisoluble, ya que es imposible aplicar un precepto, sea o no lo suficientemente claro, sin antes determinar la norma jurídica expresa[4].

Y en materia de contrataciones públicas, desde el propio texto constitucional existen conceptos que generan muchas dudas al momento de aplicarlas al caso concreto o de realizar la contratación respectiva. Por ejemplo, en el artículo 134 de la Constitución federal, se señalan conceptos como "mejores condiciones para el Estado", "proposiciones solventes", "licitaciones idóneas", entre muchos otros, sin que el legislador determine claramente cual es el alcance de esos conceptos jurídicos.

El vocablo "interpretación", es definido por el *Diccionario de la Lengua Española* como la "acción y efecto de interpretar". A su vez, el vocablo interpretar, se define como la acción de "explicar o declarar el sentido de una cosa, y principalmente el de textos faltos de claridad"[5].

En ese sentido, podemos decir que la actividad interpretativa de los textos normativos tiene como finalidad descifrar, "atribuir sentido o significado a un determinado fragmento del lenguaje"[6].

Por lo tanto, al momento de poner en función la actividad interpretativa se proyecta como finalidad explicar el significado del objeto interpretado, mismo que es denominado como producto de la actividad interpretativa. En sentido estricto, explica Jorge Ulises Carmona Tinoco, "interpretación" se emplea para referirse a la atribución de significado a una formulación

---

3   Tesis aislada I.4o.C.261 C, *Semanario Judicial de la Federación y su Gaceta*, Novena Época, Cuarto Tribunal Colegiado en materia Civil del Primer Circuito, t. XXXI, febrero de 2010, pág. 2790.

4   CARMONA TINOCO, Jorge Ulises, *La Interpretación Judicial Constitucional*, México, Instituto de Investigaciones Jurídicas-Comisión Nacional de Derechos Humanos, 1996, pág. 36.

5   *Diccionario de la Lengua Española*, Real Academia Española, 20a ed., 1984, pág. 782.

6   GUASTINI, Riccardo, *Estudios sobre la interpretación jurídica*, trad. de María Gascón y Miguel Carbonell, México, 9ª ed., UNAM-Porrúa, 2010, pág. 2.

normativa en presencia de dudas o controversias en torno a su campo de aplicación[7].

Asimismo, como explicamos antes, diferentes leyes facultan expresamente a las dependencias y algunos organismos de la administración pública para "para interpretar esta Ley para efectos administrativos".

También los reglamentos interiores de las dependencias de la administración pública federal facultan a órganos internos específicos para "Resolver las dudas que se susciten sobre la interpretación o aplicación del presente Reglamento o, sobre los casos no previstos en el mismo"[8].

Naturalmente, existe una gran variedad de textos jurídicos sujetos a la interpretación; por ejemplo, leyes, reglamentos, contratos, testamentos, sentencias, actos administrativos, entre otros. [...] En concreto, cuando se habla de interpretación de fuentes del derecho (textos normativos, formulaciones de normas), como casi siempre sucede, "interpretar" significa clarificar el "contenido" o el campo de aplicación de una norma[9].

La interpretación de la ley debe de constituir un elemento que haga más sencilla la aplicación del derecho, denotando todas y cada una de las imprecisiones y oscuridades que a veces el legislador ha omitido explicar.

La interpretación jurídica administrativa es aquella que se realiza por los órganos que integran clarificando los preceptos legales que carecen del lenguaje común y tienen características técnicas en el ámbito y para los efectos administrativos.

En la organización de la administración pública federal, las secretarías de estado y órganos administrativos tienen facultad para hacer valer las normas jurídicas, luego entonces para su exacta aplicación, hacen uso de la interpretación que dentro del sistema en estudio, se denomina interpretación administrativa de las normas jurídicas vigentes, atribución que está regulada en las leyes federales y sus respectivos reglamentos que especifican al funcionario facultado para llevar a cabo la actividad interpretativa. Cabe mencionar que la interpretación se hará únicamente para los efectos administrativos, es decir, que el ámbito de aplicación no se extenderá a autoridades funcionalmente fuera de la administración pública.

---

[7]   Ibidem, nota 2, págs. 3 y 4.
[8]   Véase la fracción XXIV, del artículo 5 del Reglamento Interior de la Secretaría de Educación Pública.
[9]   GUASTINI, Riccardo, *op. cit.* nota 2, pág. 3.

Sobre la interpretación administrativa, Jorge Ulises Carmona Tinoco, apunta:

Este tipo de interpretación es la que realizan preponderantemente los órganos que integran el Poder Ejecutivo, cuando aplican las normas constitucionales que los sustentan y a su vez delimitan el alcance de su actividad.

Para cumplir con el principio de legalidad, los órganos que integran el Poder Ejecutivo deben interpretar indirectamente la Constitución; por lo general, su interpretación se dirige hacia los preceptos que consagran dicho principio[10].

Este tipo de interpretación que realizan las autoridades adscritas a las dependencias y organismos de la administración pública federal se le denomina administrativa y los criterios surgidos de dicha actividad interpretativa son la denominada jurisprudencia administrativa, y en el caso que nos ocupa, jurisprudencia administrativa en materia de contrataciones públicas.

III. Competencia para interpretar normas administrativas

Nos preguntábamos en la introducción de este trabajo: ¿a quién faculta la ley o la regulación, a la dependencia, a cualquier servidor público o a un órgano en específico?, ¿qué autoridad es la facultada para interpretar la ley o la regulación específica?

Lo que sucede es que la ley o la regulación solo señala la facultad para interpretarla, pero sabemos que es necesario que esa facultad se refleje en una ley orgánica o en el respectivo reglamento interior.

Al momento que surge una duda o controversia en torno al campo de aplicación de algún texto jurídico, la actividad interpretativa hace su función, llevándose a cabo por un sujeto que goce de la facultad interpretativa para hacerlo, utilizando métodos de interpretación para obtener el significado del texto interpretado.

Los textos jurídicos que carezcan de claridad pueden ser interpretados por sujetos que tengan la facultad interpretativa, dicha atribución debe estar expresamente señalada en una norma vigente de acuerdo a la materia de que se trate, de otro modo, la interpretación tendrá un vicio en el origen, la falta de competencia para realizar la actividad interpretativa.

---

[10]   CARMONA TINOCO, Jorge Ulises, *op. cit.* nota 5, pág. 96.

Sin embargo, ese no es el único problema que surge de la facultad de interpretar leyes o regulaciones en materia de contrataciones públicas.

En México, no existe un único órgano dentro del Poder Ejecutivo encargado de interpretar las leyes de naturaleza administrativa. Esta importante actividad, tanto el legislador como los diferentes reglamentos interiores, la dejan en manos de diferentes dependencias y organismos de la administración pública federal, lo que ocasiona disparidad de criterios al momento de aplicar la ley.

Dentro de la doctrina internacional, Agustín Gordillo[11] ha considerado estudiar a los órganos del estado haciendo un ejercicio conceptual enfocando en la diferencia que existe entre órgano jurídico y el órgano físico, el primero se caracteriza por tener implícito un cúmulo de competencias, la norma jurídica que las contiene, dentro de la cual se encuentran las facultades delegadas para que sean ejecutadas en el ámbito administrativo, por su parte, el segundo tipo de órgano se refiere a la persona física denominada funcionario público, sujeto facultado ejercer las funciones que el órgano jurídico le ha encomendado a realizar.

Lo que interesa en el presente estudio es comprender la función realizada por los órganos que forman parte de la Administración Pública Federal, de dichas atribuciones radica la facultad que tienen algunos de ellos para interpretar las leyes, reglamentos y demás normas jurídicas que la propia administración expida según sean las exigencias de gobernabilidad.

Con lo cual, tenemos que, en el caso específico de las contrataciones públicas, las leyes, tanto la de Adquisiciones, Arrendamientos y Servicios del Sector Público, así como la de Obras Públicas y Servicios Relacionados con las Mismas, le otorgan la facultad para interpretarlas, a la Secretaría de Hacienda y Crédito Público, a la Secretaría de Economía y a la Secretaría de la Función Pública, en el ámbito de sus respectivas competencias.

Sin embargo, en el caso de la Secretaría de Hacienda y Crédito Público, en su Reglamento Interior[12] no se le otorga la facultad de interpretar en específico esas leyes a un órgano determinado.

Al Procurador Fiscal de la Federación, se le otorgan facultades para "Establecer el criterio de la Secretaría cuando unidades administrativas de la

---

[11]   Ver GORDILLO, Agustín, *Tratado de derecho administrativo. Tomo I. Parte General*, 9ª ed., México, Porrúa, 2004, págs. 383 y 384.

[12]   Artículo 10, fracciones VIII y XII, del Reglamento Interior de la Secretaría de Hacienda y Crédito Público.

misma emitan opiniones contradictorias en aspectos legales; y como órgano de consulta interna de ésta, establecer la interpretación a efectos administrativos de las leyes y disposiciones en las materias competencia de la propia Secretaría y los criterios generales para su aplicación, obligatorios para dichas unidades administrativas", así como para "Interpretar a efectos administrativos y resolver los asuntos relacionados con todas aquellas leyes que confieran alguna atribución a la Secretaría, en las materias que no estén expresamente asignadas por este Reglamento a otras unidades administrativas de la misma", pero no para interpretar las leyes antes mencionadas.

En el caso de la Secretaría de Economía, en su Reglamento Interior[13] tampoco se le otorga la facultad de interpretar en específico esas leyes a un órgano determinado.

Al Abogado General, se le otorgan facultades para "Interpretar para efectos administrativos las disposiciones jurídicas en las materias competencia de la Secretaría, así como establecer criterios generales de observancia obligatoria para las unidades administrativas de la misma Dependencia".

Es decir, que tenemos un problema importante de competencia, en virtud de que existe la facultad genérica en las leyes, pero en los reglamentos interiores no hay una atribución específica al respecto.

Así que, en términos formales y administrativos, esas autoridades no podrían interpretar las leyes de Adquisiciones, Arrendamientos y Servicios del Sector Público, ni la de Obras Públicas y Servicios Relacionados con las Mismas, pues habría un vicio de competencia.

Por lo que corresponde a la Secretaría de la Función Pública, en su Reglamento Interior[14] sí le otorga la facultad de interpretar en específico esas leyes a un órgano determinado.

A la Unidad de Normatividad de Contrataciones Públicas, se le otorgan facultades para "Interpretar para efectos administrativos la Ley de Adquisiciones, Arrendamientos y Servicios del Sector Público, la Ley de Obras Públicas y Servicios Relacionados con las Mismas, así como las demás disposiciones jurídicas que regulan esas materias y que sean competencia de la Secretaría".

A la Dirección General Adjunta de Normatividad de Obras Públicas, se le otorgan facultades para "Elaborar y proponer al Titular de la Unidad de

---

[13]   Artículo 9, fracción VI, del Reglamento Interior de la Secretaría de Economía.
[14]   Artículos 51, fracción II, 52, fracción I, 53, fracción I, 54, fracciones I y VII, del Reglamento Interior de la Secretaría de la Función Pública.

Normatividad de Contrataciones Públicas los proyectos de normas de carácter general en materia de obras públicas y servicios relacionados con las mismas, así como los criterios de interpretación de la Ley de Obras Públicas y Servicios Relacionados con las Mismas y de las demás disposiciones jurídicas que regulan esas materias y que sean competencia de la Secretaría".

Por su parte, a la Dirección General Adjunta de Normatividad de Adquisiciones, le corresponde "Elaborar y proponer al Titular de la Unidad de Normatividad de Contrataciones Públicas los proyectos de normas de carácter general en materia de adquisiciones y arrendamientos de bienes muebles y de contratación de servicios, así como los criterios de interpretación de la Ley de Adquisiciones, Arrendamientos y Servicios del Sector Público y de las demás disposiciones jurídicas que regulan esas materias y que sean competencia de la Secretaría".

Y por último, a la Dirección General Adjunta de Apoyo en Contrataciones Públicas, le corresponde:

Elaborar, opinar o proponer al Titular de la Unidad de Normatividad de Contrataciones Públicas los proyectos de disposiciones y criterios de interpretación en materia de Contrataciones Públicas de carácter internacional, relacionados con el ámbito de competencia de la Secretaría.

Compilar, clasificar y sistematizar las opiniones normativas y criterios de interpretación emitidos por la Unidad de Normatividad de Contrataciones Públicas.

Con lo cual, a diferencia de las secretarías de Hacienda y Crédito Público, y de Economía, a la Secretaría de la Función Pública, el Reglamento Interior si le otorga la facultad específica a diferentes unidades y órganos para interpretar las disposiciones de las leyes mencionadas.

Así que, en términos formales y administrativos, esa autoridad si puede interpretar las leyes de Adquisiciones, Arrendamientos y Servicios del Sector Público, ni la de Obras Públicas y Servicios Relacionados con las Mismas, pues es la autoridad competente.

Sin embargo, como sabemos, el 31 de noviembre de 2018, se reformó la Ley Orgánica de la Administración Pública Federal, y se le otorgó la facultad en materia de contrataciones públicas, a la Secretaría de Hacienda y Crédito Público, con lo cual, la Secretaría de la Función Pública ya no es la dependencia facultada para llevar a cabo dicha actividad interpretativa de las leyes. Es necesario actualizar los tres reglamentos interiores y armonizar toda la legislación en materia de contrataciones públicas, tanto a nivel federal como a nivel municipal.

Al respecto, comenta Fernando Gómez de Lara:

La [Secretaría de Economía] debe de interpretar los aspectos relativos a las contrataciones al amparo de los tratados de libre comercio que tienen capítulo de compras gubernamentales. La [Secretaría de Hacienda y Crédito Público] es responsable de interpretar los aspectos presupuestales relacionados con la contratación. A la [Secretaría de la Función Pública] le corresponden las implicaciones procedimentales o sea prácticamente toda la norma[15].

Pero además de lo anterior, tanto la Ley Federal de Procedimiento Contencioso Administrativo como la Ley Orgánica del Tribunal Federal de Justicia Administrativa establecen que el Tribunal Federal de Justicia Administrativa es competente para interpretar las normas en materia de contrataciones públicas.

Con lo cual, ya tenemos dos órganos que tienen competencia para interpretar las mismas normas, entonces surge la pregunta: ¿qué criterio es el que prevalece? ¿El de la autoridad administrativa o el del Tribunal?

La idea de la interpretación es dar seguridad jurídica. Establecer el criterio obligatorio para el futuro. Pero tantas autoridades interpretando el mismo precepto, lo que hace es crear más inseguridad jurídica.

Y también señalar que los tribunales federales pueden interpretar las leyes tomando como parámetro el texto de la Constitución y los derechos humanos. Así, tenemos no una ni dos autoridades facultadas para interpretar las leyes en materia de contrataciones públicas, sino que contamos con una diversidad de órganos y servidores públicos. Ya que en algunos casos la interpretación la hace un órgano unipersonal y en otros casos son órganos colegiados, como sucede con el Tribunal Federal de Justicia Administrativa o los tribunales colegiados o las salas de la Suprema Corte de Justicia de la Nación.

---

[15]   GÓMEZ DE LARA, Fernando, *Cómo aplicar correctamente la Ley de Adquisiciones, Arrendamientos y Servicios del Sector Púbico y su Reglamento*, México, Tirant lo Blanch, 2018, pág. 68.

IV. Métodos de interpretación

1. *Aspectos generales*

Como lo hemos venido señalando, las diferentes leyes y regulaciones que otorgan facultades de interpretación a las autoridades administrativas en materia de contrataciones públicas son omisas en señalar cómo se realizará la interpretación de la ley o regulación o contrato administrativo.

Nos preguntábamos en la introducción de este artículo: ¿qué método o métodos se deben utilizar para interpretar la ley o la respectiva regulación?

La forma en la que algunas dependencias y organismos de la administración pública federal interpretan la ley es a través de diferentes tipos de regulaciones como puede ser un acuerdo o un criterio general.

Pero no señalan un método o métodos específicos, entonces la interpretación es totalmente arbitraria, al no existir un método cierto, oficial y formal que deba utilizar la autoridad administrativa para realizar la interpretación de la ley o de la regulación.

Consideramos que es importante que el legislador señale claramente por medio de qué mecanismos las dependencias y organismos de la administración pública federal deben de realizar la actividad interpretativa, a efecto de que dicha interpretación sea congruente con todo el sistema jurídico interno.

Jorge Ulises Carmona Tinoco señala que "Los distintos métodos de interpretación pueden identificarse a lo largo de un espectro que en uno de sus extremos tiene a la llamada voluntad del legislador y en el otro los términos de la ley"[16]

La labor del intérprete es labor de búsqueda, de investigación, de averiguación, de aclaración, de desentrañamiento. El hecho o la expresión se interpretan para buscar, desentrañar, descubrir lo que uno u otra significan. En su más simple manifestación esta tarea se identifica con el entendimiento o comprensión de lo interpretado[17].

A continuación, mencionamos algunos de los métodos que podría utilizar el interprete de la ley o la regulación en materia de contrataciones

---

[16]   CARMONA TINOCO, Jorge Ulises, *op. cit.* nota 5, pág. 22.
[17]   HERNÁNDEZ, Octavio A., *Personas capacitadas para interpretar la ley. Comentario a una resolución judicial*, México, [S.P.I.], pág. 49.

públicas. Estos métodos los ha explicado tanto la doctrina como el Poder Judicial federal.

2. Interpretación exegética

Es una de las formas más antiguas para interpretar la ley, en pocas palabras, busca la intención del legislador, y es ésta la que se debe respetar, ya que según este método, el legislador nuca se equivoca, una vez encontrada dicha intención es tal y cual como debe interpretarse la ley.

En el caso de las regulaciones, se puede acudir a los Considerandos que se publican conjuntamente en el *Diario Oficial de la Federación*.

3. Interpretación conjunta

Se lleva a cabo haciendo una interpretación simultánea de dos o más preceptos jurídicos una misma norma, o dos o más fracciones de un mismo ordenamiento jurídico, valorando los elementos esenciales para comprender el sentido de las disposiciones jurídicas y aplicarlas correctamente a un caso concreto.

El principio de coherencia normativa concibe al sistema jurídico como un todo unitario, en el que las partes se encuentran en plena armonía, y su aplicación individual o conjunta concurre vigorosamente al cuidado y fortalecimiento de los valores tutelados por ellas, y a la satisfacción óptima de los fines perseguidos[18].

4. Interpretación sistemática

Este método de interpretación permite interpretar la ley atendiendo a las conexiones de la misma pero con la totalidad del ordenamiento jurídico del cual forma parte.

Utilizado para establecer el sentido y alcance del precepto analizado en relación con las otras disposiciones de la ley, como parte de un todo. Esto es, haciendo un análisis comparativo entre los artículos que conforman la norma jurídica interpretada.

---

[18]   Tesis aislada I.4o.C.261 C, *Semanario Judicial de la Federación y su Gaceta*, Novena Época, Cuarto Tribunal Colegiado en materia Civil del Primer Circuito, t. XXXI, febrero de 2010, pág. 2790.

Es aquella que toma como apoyo la congruencia que guardan entre sí los elementos gramaticales e históricos necesarios para lograr el resultado buscado, no dejándose de observar la taxatividad o concreción de la norma, cuestiones exigidas a los órganos legislativos.

5. Interpretación gramatical

Permite establecer el o los sentidos y alcances de la ley haciendo uso del tenor de las propias palabras de la ley, es decir, al significado de los términos y frases de que se valió el legislador para expresar y comunicar su pensamiento, mismo que se plasma en las normas jurídicas.

La interpretación gramatical o letrista de las leyes es un método que si bien no debe proscribirse por el intérprete, sólo ha de aplicarse en relación con el método sistemático, según el cual el entendimiento y sentido de las normas debe determinarse en concordancia con el contexto al cual pertenecen, pues fraccionar el contexto (Capítulo, Título, Libro), de un ordenamiento jurídico para interpretar los artículos que lo configuran en forma aislada y literal, sólo trae como resultado, en muchos casos, la inaplicabilidad de unos en relación con otros, porque el legislador al elaborar las leyes puede emplear la técnica de la llamada regla general y de los casos especiales y en estas condiciones al interpretar un artículo que contenga un caso especial en relación con la regla general, podría traer como consecuencia la inoperancia de la misma o viceversa[19].

6. Interpretación concordada

Consiste en hacer una relación de preceptos legales, estableciendo la explicación de cada uno de ellos respecto a un caso concreto que se pretende resolver aplicando la ley, para lo que se necesita que ambos artículos coincidan en su ámbito aplicativo.

---

[19]   Tesis Aislada, *Semanario Judicial de la Federación*, Octava Época, Tercer Tribunal Colegiado en Materia Administrativa del Primer Circuito, t. III, Segunda Parte-1, enero a junio de 1989, pág. 420.

7. Interpretación conforme a la exposición de motivos

Se apoya en el espíritu de la ley, es decir, en las ponencias y consideraciones hechas sobre ella, porqué y para qué fue creada la norma jurídica, quedando definido el sentido de aplicación de la norma interpretada de acuerdo a su esencia o razón para la cual fue creada.

Independientemente de los diversos sistemas para interpretación de la ley, que se clasifican por su origen, en auténtico, doctrinario y judicial, siendo el primero de ellos, el que tiene prioridad sobre los dos restantes, por provenir de propio órgano legislativo, puesto que los dos últimos se dejan para los estudiosos del derecho y para los tribunales encargados de su aplicación, respectivamente.[...][20].

8. Interpretación teleológica

Utilizado con el objeto de determinar las causas y los fines que tuvo el legislador para crear la norma, esto es, que busca las razones fundamentales y esenciales que motivaron al creador de la norma jurídica a escribirla, y en consecuencia sea aplicada[21].

9. Interpretación histórica

Se utiliza para investigar cuales fueron los propósitos del legislador en la época en la que se expidió la norma a interpretar. Como sabemos, las circunstancias en las que se expide una determinada ley pueden ser muy diferentes a las circunstancias que se dan en el futuro, y no corresponder a la época en la que nació.

10. Interpretación auténtica

Lo que marca la pauta en una interpretación jurídica, según la doctrina, es la búsqueda de la intención del legislador, éste es un sujeto facultado para crear normas jurídicas. Por lo tanto, se interpreta de acuerdo a la voluntad

---

[20]   Tesis Aislada, *Semanario Judicial de la Federación*, Séptima Época, Tribunal Colegiado en Materia Penal del Tercer Circuito, t. 205-216 Sexta Parte, pág. 294.

[21]   Tesis aislada I.4o.A.438 A, *Semanario Judicial de la Federación y su Gaceta*, Novena Época, Cuarto Tribunal Colegiado en Materia Administrativa del Primer Circuito, t. XX, octubre de 2004, pág. 2363.

pura del legislador, cuando se toma en cuenta que el legislador tiene la razón, no se equivoca y sin considerar los efectos de la aplicación normativa que será consecuencia de la interpretación realizada de acuerdo a la auténtica voluntad del mismo.

La interpretación auténtica de las normas legales no es una facultad de modificación o derogación de aquéllas, aunque siga el mismo trámite legislativo que para la norma inicial, sino que establece su sentido acorde con la intención de su creador. La naturaleza del proceso interpretativo exige que el resultado sea la elección de una de las alternativas interpretativas jurídicamente viables del texto que se analiza, pues en cualquier otro caso se estaría frente al desbordamiento y consecuente negación del sentido del texto original.

Además, las posibilidades de interpretación de la norma original no pueden elaborarse tomando en cuenta solamente el texto aislado del artículo que se interpreta, pues éste es parte de un conjunto de normas que adquiere un sentido sistémico en el momento en que los operadores realizan una aplicación. Así, la interpretación auténtica tiene dos limitaciones: a) Las posibilidades semánticas del texto tomado de manera aislada, elaborando una serie de alternativas jurídicamente viables para el texto a interpretar; y, b) Esas posibilidades iniciales, pero contrastadas con el sentido sistémico del orden jurídico a aplicar para el caso concreto, tomando en cuenta no sólo las normas que se encuentran en una posición horizontal a la interpretada —artículos del mismo ordenamiento en el cual se encuentra el que se interpreta— sino también aquellas normas relevantes de jerarquía superior o vertical —Constituciones Federal y Local—, y los principios y valores en ellas expresados, establecidos por la jurisprudencia de la Suprema Corte de Justicia de la Nación[22].

V. Derechos humanos, interés público e interpretación administrativa

Otro punto muy importante a destacar en materia de interpretación de las normas jurídicas, es la reforma constitucional en materia de derechos humanos de junio de 2011, que señaló, en el artículo 1, segundo párrafo, de la Constitución Política de los Estados Unidos Mexicanos, que "Las normas

---

[22] Tesis de jurisprudencia P./J. 87/2005, Pleno, Semanario Judicial de la Federación y su Gaceta, Novena Época, t. XXII, julio de 2005, pág. 789. RUBRO: INTERPRETACIÓN AUTÉNTICA DE LA LEY. SUS LÍMITES.

relativas a los derechos humanos se interpretarán de conformidad con esta Constitución y con los tratados internacionales de la materia favoreciendo en todo tiempo a las personas la protección más amplia".

Es en esta disposición, en donde descansa la facultad general para todas las autoridades del país que tengan competencia para interpretar las normas jurídicas, para que realicen dicha actividad de conformidad con las disposiciones de la Constitución y de los tratados internacionales en materia de derechos humanos.

También, tanto los tribunales locales como los tribunales internacionales, en especial la Corte Interamericana de Derechos Humanos, ha desarrollado, a través de su jurisprudencia, importantes principios y criterios interpretativos, que en la actualidad también son obligatorios para la administración pública, tanto local como federal.

Respecto de las leyes que son expedidas por el Congreso de la Unión, estas facultan, en términos generales, a diferentes dependencias y organismos de la administración pública federal para que interprete las disposiciones de la ley, sin especificar que órgano en concreto de la dependencia facultada será el encargado de realizar dicha actividad, como lo explicamos líneas arriba.

Al respecto, podemos destacar lo que ha señalado la Corte Interamericana de Derechos Humanos, en el sentido que:

Ninguna disposición de ésta puede ser interpretada en el sentido de "limitar el goce y ejercicio de cualquier derecho o libertad que pueda estar reconocido de acuerdo con las leyes de cualquiera de los Estados partes o de acuerdo con otra convención en que sea parte uno de dichos Estados"[23].

La referencia al método de interpretación que utiliza la Corte en los casos sujetos a su conocimiento, y que desde luego ha empleado en el *Caso Raxcacó Reyes*, como en oportunidades previas, permite recordar que *pro personae* constituye, en fin de cuentas, un método de indagación del sentido último de las disposiciones jurídicas en el campo que ahora interesa, para los fines de la aplicación no jurisdiccional o jurisdiccional de aquéllas, y en este sentido es un "principio de interpretación" ampliamente acreditado, pero al mismo tiempo significa un criterio riguroso para la elaboración de

---

[23]   Principio *pro homine* establecido de acuerdo al artículo 29.b de la Convención Americana de Derechos Humanos.

las disposiciones que nacional e internacionalmente se expidan sobre esta materia, y en tal virtud es también un "principio de regulación"[24].

Los tratados de derechos humanos se inspiran en una noción de garantía colectiva, de manera que no establecen obligaciones vis a vis entre los Estados, sino que determinan la obligación de los Estados de respetar y garantizar los derechos contenidos en tales instrumentos a todos los seres humanos.

Toda interpretación de los instrumentos internacionales de derechos humanos debe atender al principio *pro homine*, es decir, éstos deben ser interpretados de la manera que más favorezca al ser humano [...]

El Derecho Internacional de los Derechos Humanos, en aplicación del principio *pro homine*, otorga mayor prevalencia a la norma que proyecte una protección a la dignidad humana (que reconozca más ampliamente los derechos humanos), con independencia de la fuente de origen de la obligación que se trate. Por ello, el ordenamiento jurídico de un Estado tiene validez en cuanto sea congruente con los derechos humanos de las personas[25].

Es importante destacar estos criterios, en virtud de que la Suprema Corte de Justicia de la Nación, ya reconoció que las personas morales también son sujetos de derechos humanos. Y como sabemos, la mayor parte de las contrataciones públicas se da a través de personas morales.

También debemos destacar que otro concepto que puede entrar en colisión al momento de interpretar las leyes respectivas es el de "interés público", con lo cual, se puede crear un conflicto importante, ya que mientras la administración pública debe velar por el interés público, las empresas velarán por sus derechos e intereses.

Pero a la par del principio pro persona, también el texto de la Constitución señala que las normas se interpretarán conforme a la Constitución, lo que significa, según la Segunda Sala de la Suprema Corte de Justicia de la Nación, que:

La aplicación del principio de interpretación de la ley conforme a la Constitución Política de los Estados Unidos Mexicanos exige del órgano jurisdiccional optar por aquella de la que derive un resultado acorde al Tex-

---

24　Voto razonado del juez Sergio García Ramírez en el Caso Raxcacó Reyes vs. Guatemala. Sentencia del 15 de septiembre de 2005, párrafo 13.

25　Opinión consultiva OC-18/03 de 17 de septiembre de 2003, solicitada por los Estados Unidos Mexicanos. Condición jurídica y derechos de los migrantes indocumentados.

to Supremo, en caso de que la norma secundaria sea oscura y admita dos
o más entendimientos posibles. Así, el Juez constitucional, en el despliegue
y ejercicio del control judicial de la ley, debe elegir, de ser posible, aquella
interpretación mediante la cual sea factible preservar la constitucionalidad
de la norma impugnada, a fin de garantizar la supremacía constitucional y,
simultáneamente, permitir una adecuada y constante aplicación del orden
jurídico[26].

VI. Reglas generales o jurisprudencia administrativa?

Al inicio de este trabajo, nos preguntábamos: ¿la interpretación se realiza caso por caso o en abstracto?

Los tribunales, tanto nacionales como internacionales, crean los criterios
jurisdiccionales a partir de los casos particulares que van llegando derivado
de los conflictos entre personas o entre personas y los órganos del Estado.
Es decir, la jurisprudencia se crea, en esos casos, a partir de los casos particulares.

Pero en el caso de la facultad de interpretar leyes administrativas por
parte de órganos administrativos, la ley no es clara, no señala como debe de
hacerse esa interpretación, con lo cual, la interpretación sobre los alcances
de la interpretación queda sujeta a interpretación, lo que pudiera sonar gracioso, pero es una omisión en la que incurrió el legislador, que crea muchos
problemas de seguridad jurídica. Al respecto, comenta Fernando Gómez de
Lara:

También con fundamento en esta disposición la [Secretaría de la Función
Pública] emite opiniones normativas interpretando esta Ley, su Reglamento
y demás disposiciones jurídicas aplicables a esta materia, ahora bien, es una
pena que las contestaciones que da esta autoridad, a las preguntas que le
formulan los servidores públicos que tienen dudas sobre alguna aplicación
normativa, suelen ser vagas o no llegan a ser realmente orientadoras, esto
me parece una falta absoluta de cumplimiento a la obligación planteada en
este artículo. Estas opiniones, de conformidad con el reglamento interior de
la [Secretaría de la Función Pública], corresponde atenderlas a la UNCP[27].

---

[26]   Tesis de jurisprudencia 2a./J.176/2010, *Semanario Judicial de la Federación y su
       Gaceta*, Segunda Sala, Novena Época, t. XXXII, diciembre de 2010, pág. 646.
[27]   GÓMEZ DE LARA, Fernando, *op. cit.* nota 12, pág. 68.

Lo que en realidad se traduce en una reglamentación de la Ley, del reglamento o de la regulación, lo cual le corresponde a otros órganos administrativos como al presidente de la República o al secretario de Estado respectivo.

Además, otro problema muy importante, es la falta de publicidad y de metodología para crear la jurisprudencia administrativa en materia de contrataciones públicas, lo cual, también es una grave violación a la seguridad jurídica.

Sección Segunda:
COMPETENCIA Y CONTRATACIÓN PÚBLICA

COMPETITION LAW AND PUBLIC PROCUREMENT

ALBERT SANCHEZ-GRAELLS
Professor of Economic Law
University of Bristol Law School[1]

ABSTRACT: The interaction between competition law and public procurement has been gaining visibility in recent years. This contribution claims that these two bodies of EU economic law mainly intersect at two points, or in two different dimensions. Firstly, they touch each other at the need to tackle anticompetitive practices (or bid rigging) in public tenders. This has attracted significant attention in terms of the enforcement priorities of competition authorities and led to recent regulatory developments in the 2014 EU public procurement Directives aimed at increasing the sanctions for bid riggers. Secondly, competition and public procurement cross again at the need to avoid publicly-created distortions of competition as a result of the exercise of buying power by the public sector, or the creation of regulatory barriers to access public procurement markets. This second intersection has been less explored and the development of regulatory solutions has been poor in both the fields of EU competition law and EU public procurement law. Moreover, the protection of the "public mission" implicit in the public procurement activity led the CJEU to deform the concept of undertaking in a way that can distort EU *antitrust* enforcement beyond public procurement markets. This contribution assesses these issues and stresses the possibilities for a better integration of competition considerations in public procurement through the principle of competition embedded in the 2014 Directives.

KEYWORDS: Public procurement, competition, bid rigging, buying power, undertaking, FENIN doctrine.

JEL CODES: K21, K23, H57

---

[1] This paper builds upon a previous version presented at the Newcastle Law School Spring 2014 *Seminar Series on "The Intersections of Antitrust: Competition Law and…"*, as well as at the *Workshop on "Intersections of Antitrust"* jointly held by Newcastle University and LSE in London on 15 September 2015. I am thankful to participants in those sessions, and particularly to Dr Jonathan Galloway, Dr Francesco De Cecco and Dr Sylvia De Mars, for their comments. The standard disclaimer applies. I have explored the intersection between these two areas of EU economic law in more detail in A Sanchez-Graells, *Public Procurement and the EU Competition Rules*, 2nd edn (Oxford, Hart, 2015), where the interested reader will find further arguments and references.

I. Introduction

The interaction between competition law and public procurement has been gaining visibility in recent years[2], and this interaction starts to be recognised as an important factor in the development of EU economic law in both areas. The purpose of this contribution is to reflect upon selected issues that show how such interaction is uneven and asymmetrical, and how the enforcement of *antitrust* prohibitions in the public procurement field is driving forward some developments, while creating distortions or deformations of pre-existing case law and core competition concepts in other areas. With that analytical goal in mind, this contribution claims that these two bodies of EU economic law mainly intersect at two points, or in two different dimensions[3].

Firstly, they touch each other at the need to tackle anticompetitive practices (or bid rigging) in public tenders. This has been clearly emphasised in

---

[2]   For general discussion, see SE WEISHAAR, *Cartels, Competition and Public Procurement. Law and Economics Approaches to Bid Rigging* (Cheltenham, Edgar Elgar, 2013). See also A SANCHEZ-GRAELLS, *Public Procurement and the EU Competition Rules*, 2nd edn (Oxford, Hart, 2015).

[3]   There is another important area of interaction between procurement and State aid. However, it would be overly ambitious to try to address those issues in addition to the topics covered in this contribution. Consequently, the analysis is limited to core *antitrust* prohibitions. For discussion, see S SCHOENMAEKERS, W DEVROE and N PHILIPSEN (eds), *State Aid and Public Procurement in the European Union*, Ius Commune Europaeum 131 (Intersentia, Cambridge/Antwerp/Portland, 2014). See also Commission Staff Working Document, *Guide to the application of the European Union rules on state aid, public procurement and the internal market to services of general economic interest, and in particular to social services of general interest* [SWD(2013) 53 final/2] ec.europa.eu/competition/state_aid/overview/new_guide_eu_rules_procurement_en.pdf accessed 05.06.2018.

multiple fora and in numerous occasions. The OECD July 2012 *Recommendation on Fighting Bid Rigging in Public Procurement*[4], or the European Commission's 2011 *Green Paper on the Modernization of EU Public Procurement Policy*[5], are but paramount examples of the relevance of tackling this pervasive problem in public procurement. Indeed, the need to reduce the level of collusion in procurement markets has attracted significant attention in terms of the enforcement priorities of competition authorities and led to recent regulatory developments in the 2014 EU public procurement Directives aimed at increasing the sanctions for bid riggers[6]. This first intersection shows a picture of harmonious interaction of both sets of EU economic law and the willingness of the CJEU to facilitate their mutual reinforcement. Section II looks in detail at this first point of intersection between public procurement and competition law.

Secondly, competition and public procurement cross again at the need to avoid publicly-created distortions of competition as a result of the exercise of buying power by the public sector, or the creation of regulatory barriers to access public procurement markets. As has also been stressed many times, the "*starting point for achieving best value for money in government procurement is a regulatory framework that is based on the principle of competition and that submits public spending to the adherence to competitive procurement methods*"[7]. However, this second intersection has been

---

[4]   OECD, *Recommendation on Fighting Bid Rigging in Public Procurement* [C(2012)115] oecd.org/competition/cartels/fightingbidrigginginpublicprocurement.htm accessed 05.06.2018.

[5]   Green Paper on the Modernization of EU Public Procurement Policy [COM(2011)15 final] eur-lex.europa.eu/LexUriServ/LexUriServ.do?uri=COM:2011:0015:FIN:EN:PDF accessed 05.06.2018. The Commission stressed that "*it is vital to generate the strongest possible competition for public contracts awarded in the internal market. Bidders must be given the opportunity to compete on a level-playing field and distortions of competition must be avoided*", 4.

[6]   Generally, see A SANCHEZ-GRAELLS, "Competition Infringements and Procurement Blacklisting" (2017) 1 *Competition Law Journal* 39-46. See also ibid, "Prevention and Deterrence of Bid Rigging: A Look from the New EU Directive on Public Procurement", in G Racca & C Yukins (eds), *Integrity and Efficiency in Sustainable Public Contracts* (Brussels, Bruylant, 2014) 171-198; and ibid, "Public Procurement and Competition: Some Challenges Arising from Recent Developments in EU Public Procurement Law", in C Bovis (ed) *Research Handbook on European Public Procurement* (Cheltenham, Edward Elgar, 2016) 423-451.

[7]   UNCTAD, Intergovernmental Group of Experts on Competition Law and Policy, *Competition Policy and Public Procurement* (2012) unctad.org/meetings/en/SessionalDocuments/ciclpd14_en.pdf accessed 05.06.2018.

less explored and the development of regulatory solutions has been poor in both the fields of EU competition law and EU public procurement law, showing the ugly face of their interaction.

In particular, this contribution submits that the protection of the "public mission" implicit in the public procurement activity led the Court of Justice of the European Union (CJEU) to deform the concept of undertaking in a way that can distort EU *antitrust* enforcement beyond public procurement markets[8]. By engaging in an economically unsound analysis of the purchasing function and not giving proper relevance to the distortive effects that public procurement can have in competitive market dynamics, the CJEU abandoned its prior theory of divisibility of activities for the purposes of competition law enforcement. This unduly extended the immunity traditionally reserved to core activities demonstrating proper *ius imperium* to commercial State interventions, and is currently showing worrying signs of further extension in the context of e-procurement[9]. The CJEU has subsequently followed similar lines of reasoning outside the public procurement arena[10], thus increasing the effects of such distortion. Although there are some signs of potential partial correction of this situation[11], this second intersection of competition and procurement law remains rather unsatisfactory. Section III substantiates these claims.

Finally, after having assessed the two areas of interaction mainly from a competition law perspective, section IV stresses the possibilities for a better integration of competition considerations in public procurement through the principle of competition embedded in the 2014 Directives[12]. Some brief conclusions close the discussion in section V.

---

[8] Judgments in *FENIN v Commission*, C-205/03 P, EU:C:2006:453; and in *Selex Sistemi Integrati v Commission*, C-113/07 P, EU:C:2009:191.

[9] Even if primarily concerned with State aid issues not thoroughly covered in this contribution (n 3), see the Judgment of the Court of First Instance of 28 September 2017 in *Aanbestedingskalender & Others v Commission*, T-138/15, EU:T:2017:675. This case was under appeal at the time of writing; see case C-687/17 P.

[10] Judgment in *Compass-Datenbank*, C-138/11, EU:C:2012:449.

[11] *Cfr* Judgment in *EasyPay and Finance Engineering*, C-185/14, EU:C:2015:716. For discussion, see A Sanchez-Graells and Ignacio Herrera Anchustegui, "Revisiting the concept of undertaking from a public procurement law perspective - A discussion on EasyPay and Finance Engineering" (2016) 37(3) *European Competition Law Review* 93-98.

[12] Directive 2014/24/EU of the European Parliament and of the Council of 26 February 2014 on public procurement and repealing Directive 2004/18/EC [2014] OJ L94/65, Art. 18(1).

II. First Intersection: the Fight Against Collusion or *Bid Rigging* in Procurement

Collusion is one of the main threats for the integrity of public procurement processes[13], and this is a *malaise* that will never be completely cured because of the intrinsic characteristics of public procurement regulation, and in particular the transparency that they create[14]. In that regard, it has been repeatedly stressed that "[t]*he formal rules governing public procurement can make communication among rivals easier, promoting collusion among bidders. While collusion can emerge in both procurement and «ordinary» markets, procurement regulations may facilitate collusive arrangements*"[15]. Thus, it is not surprising that a large number of cartel cases prosecuted in recent years have taken place in public procurement settings[16], and that the

---

13   Together with corruption; see OECD, *Policy Roundtable on Collusion and Corruption in Public Procurement* (2010) oecd.org/competition/cartels/46235884.pdf accessed 05.06.2018.

14   K-M HALONEN, "Disclosure rules in EU public procurement: Balancing between competition and transparency" (2017) 16(4) *Journal of Public Procurement* 528-553. See also A SANCHEZ-GRAELLS, "The Difficult Balance between Transparency and Competition in Public Procurement: Some Recent Trends in the Case Law of the European Courts and a Look at the New Directives" (2013) University of Leicester School of Law Research Paper No. 11 ssrn.com/abstract=2353005 accessed 05.06.2018. ibid, "Transparency and competition in public procurement: A comparative view on a difficult balance", in K-M Halonen, R Caranta & A Sanchez-Graells (eds), *Transparency in EU Procurements: Disclosure within public procurement and during contract execution*, vol 9 European Procurement Law Series (Cheltenham, Edward Elgar, forthcoming).

15   OECD, *Policy Roundtable on Public Procurement: Role of Competition Authorities* (2007) 7 oecd.org/competition/cartels/39891049.pdf, accessed 05.06.2018. Generally, see RC MARSHALL and LM MARX, *The Economics of Collusion. Cartels and Bidding Rings* (London, MIT Press, 2012). See also A Heimler, "Cartels in public procurement" (2012) 8(4) *Journal of Competition Law & Economics* 849.

16   KL HABERBUSH, "Limiting the Government's Exposure to Bid Rigging Schemes: A Critical Look at the Sealed Bidding Regime" (2000-2001) 30 *Public Contract Law Journal* 97, 98; and RD ANDERSON and WE KOVACIC, "Competition Policy and International Trade Liberalisation: Essential Complements to Ensure Good Performance in Public Procurement Markets" (2009) 18 *Public Procurement Law Review* 67. For a description of cartel activity related to US procurement markets, see WE KOVACIC et al, "Bidding Rings and the Design of Anti-Collusive Measures for Auctions and Procurements" in N Dimitri et al (eds), *Handbook of Procurement* (Cambridge, CUP, 2006) 381, 381-88 and 407. For an update on cases, see A SANCHEZ-GRAELLS, "Public Procurement: A 2014 Updated Overview of

main focus of antitrust enforcement in the public procurement setting lies with bid-rigging and collusion amongst bidders[17].

These clear insights led the OECD to adopt its July 2012 *Recommendation on Fighting Bid Rigging in Public Procurement*, which prompts its Members to "*assess the various features of their public procurement laws and practices and their impact on the likelihood of collusion between bidders. Members should strive for public procurement tenders at all levels of government that are designed to promote more effective competition and to reduce the risk of bid rigging while ensuring overall value for money*". The *OECD Recommendation* also includes a set of guidelines to help governments improve public procurement by fighting bid rigging[18]. As the OECD materials stress, in simple terms, instances of bid rigging in public procurement markets are textbook examples of cartels. Thus, the enforcement of the prohibition in Article 101(1) TFEU against undertakings that collude to alter the outcome of a tender for a public contract does not present any particular difficulties[19].

In this area of interaction of competition and public procurement rules in the fight against bid rigging, it is interesting to observe how EU public procurement rules have been recently reformed to create increased space for converging enforcement. One of the ways in which the incentive to collude derived from increased transparency in a public procurement setting can be partially neutralised or counterbalanced is by raising the potential

---

EU and National Case Law" (2014) *e-Competitions*, N° 40647, lra.le.ac.uk/bitstream/2381/31486/6/article_40647.pdf accessed 05.06.2018.

[17] For an overview of enforcement activities and advocacy materials on this topic, see the Procurement webpage of the International Competition Network Cartel Taskforce, internationalcompetitionnetwork.org/working-groups/current/cartel/awareness/procurement.aspx accessed 05.06.2018.

[18] OECD, *Guidelines for Fighting Bid Rigging in Public Procurement - Helping Governments to Obtain Best Value for Money* (2009) oecd.org/daf/competition/cartels/42851044.pdf accessed 05.06.2018.

[19] One of the most well-known recent examples is the lifts and elevators cartel. Case COMP/E-1/38.823 - PO/Elevators and Escalators [2008] OJ C75/19. The fines gave rise to significant litigation before the General Court (see cases, T-138/07, T-141/07, T-142/07, T-144/07, T-145/07, T-146/07, T-147/07, T-148/07, T-149/07, T-150/07, T-151/07, T-154/07) but they have been finally upheld by the CJEU. See *eg* Judgment in *Schindler Holding and Others v Commission*, C-501/11 P, EU:C:2013:522.

sanctions for competition infringers[20]. In that regard, creating *specific sanctions* for bid riggers in the public procurement setting increases the cost of engaging in collusion and, consequently, can reduce the prevalence of bid rigging. This is what the system of procurement suspension and debarment generally pursues by allowing contracting authorities to exclude bidders that have been previously convicted for bid rigging offences, or that engage in collusion in a specific tender[21]. When contracting authorities can exclude bidders that have breached competition law from the tender for a public contract, the financial interest at stake for any undertaking to participate in bid rigging raises significantly. These potential economic losses should significantly increase the incentive of tenderers to refrain from colluding[22], particularly in sectors where public buyers accumulate a significant volume of purchases.

Under the previous generation of EU procurement Directives, the possibility to exclude or disqualify competition law infringers was not explicit and there were some doubts about the possibility to prevent participation of undertakings previously sanctioned for competition infringements on the basis of their consideration as "offences against professional conduct"[23]. Consequently, this tool to strengthen compliance with competition law in the public procurement setting has so far been used only in a limited manner in EU law. Interestingly, the possibility to exclude competition law infringers from public procurement tenders was finally upheld by the CJEU in a recent Judgment[24]—and, more importantly, it has also been explicitly recognised by Directive 2014/24. Under the rules of this new EU public

---

[20] The argument is quite straightforward. For a general framework, see AM POLINSKY and S SHAVELL, "The Theory of Public Enforcement of Law" in ibid (eds), *Handbook of Law and Economics*, Vol. 1 (Amsterdam, Elsevier, 2007) 403 and ff.

[21] For an overview of the situation under US law, see KM MANUEL, *Debarment and Suspension of Government Contractors: An Overview of the Law Including Recently Enacted and Proposed Amendments* (Washington: DC, Congressional Research Service, 2008).

[22] See RP MCAFEE and J MCMILLAN, *Incentives in Government Contracting* (Toronto, Toronto University Press, 1987) 111 and 150.

[23] I submitted that it was possible and that the concepts of "offence concerning professional conduct" or "professional misconduct" should be interpreted to include all kinds of practices prohibited by competition laws; A SANCHEZ-GRAELLS, *Public Procurement and the EU Competition Rules*, 1st edn (Oxford, Hart, 2011) 253-55.

[24] Judgment in *Generali-Providencia Biztosító*, C-470/13, EU:C:2014:2469, paras 34 to 39.

procurement Directive, it is now explicitly allowed to exclude undertakings both for previous and contemporaneous instances of bid rigging. The conditions for such exclusion are discussed below.

1. Exclusion of Tenderers Engaged in Contemporaneous Bid Rigging

As indicated in the explanatory memorandum of the 2011 Proposal for a new EU Directive, it "*contain*[ed] *a specific provision against illicit behaviour by candidates and tenderers, such as* [...] *entering into agreements with other participants to manipulate the outcome of the procedure* [which] *have to be excluded from the procedure. Such illicit activities violate basic principles of European Union* [law] *and can result in serious distortions of competition*"[25]. In the final text of Directive 2014/24, Article 57(4)(d) creates a new (limited) ground for the exclusion of infringers of competition law[26]. According to that provision, contracting authorities may exclude or may be required by Member States to exclude from participation in a procurement procedure any economic operator "*where the contracting authority has sufficiently plausible indications to conclude that the economic operator has entered into **agreements with other economic operators aimed at distorting competition**"*[27]. Moreover, it must be highlighted that, according to Article 57(5) of Directive 2014/24, where undertakings are affected by any of the grounds for discretionary qualification established in Article 57(4), contracting authorities can exclude operators at any time during the procedure "*in view of acts committed or omitted either before or during the procedure*". Some of the relevant aspects of the disqualification regime will still need to be designed at national level, though (art. 57(7) dir 2014/24), which may impact on the effectiveness of this provision. This is particularly relevant in terms of the maximum length of the exclusion, which in the absence of a final judgment determining it, is limited to three years from the date of the relevant event in the cases referred to in Article 57(4). The

---

[25]   Proposal for a Directive on public procurement [COM(2011)896 final] http://eur-lex.europa.eu/legal-content/EN/ALL/?uri=CELEX:52011PC0896   accessed 05.06.2018.

[26]   S ARROWSMITH, *The Law of Public and Utilities Procurement. Regulation in the EU and the UK*, Vol. 1, 3rd edn (London, Sweet & Maxwell, 2014) 1267-68.

[27]   This creates the difficulty of interpreting whether the agreement to distort competition needs to be tender-specific or if the provision can be interpreted more widely to include all instances of bid-rigging and, more generally, any involvement in illegal cartel behaviour. The latter is my preferred interpretation.

CJEU has clarified that *"Article 57(7) of Directive 2014/24 must be interpreted as meaning that, where an economic operator has been engaged in conduct falling within the ground for exclusion referred to in Article 57(4) (d) of that directive, which has been penalised by a competent authority, the maximum period of exclusion is calculated from the date of the decision of that authority"*[28].

The possibility to exclude undertakings that have *"entered into agreements with other economic operators aimed at distorting competition"* could generate some doubts as to the possibility to apply Article 57(4)(d) of Directive 2014/24 in relation with violations of competition that are not connected with the tender at hand or, more generally, with other types of infringements of competition law (covered by arts. 101 and 102 TFEU)— which has been interpreted as now being expressly excluded by the wording of Article 57(4)(d)[29], in what is in my opinion a criticisable restriction of the disqualification mechanism.

Indeed, it is worth noting that the drafting of Article 57(4)(d) deviates from that of Article 101(1) TFEU in significant ways, given that it only mentions agreements between undertakings (but not concerted practices or collective decisions and recommendations) and it only refers to those that *"aim at distorting competition"*[30], whereas article 101(1) TFEU covers all those that *"have as their object or effect the prevention, restriction or distortion of competition"*, hence making the subjective element of intention irrelevant. However, this cannot be interpreted as an intended restriction of the scope of application of the ground for exclusion in Article 57(4)(d) as compared to that of Article 101(1) TFEU[31], which would make no sense[32], and in any case would be contrary to the supremacy of the latter and the duty of sincere interpretation imposed by Article 4(3) TFEU. In this regard, even if the interpretation of the grounds for exclusion must be carried out in a restrictive manner (as already stressed repeatedly by the CJEU), that interpretation must still comply with the general rules under EU law and the systematic interpretation requirements derived from the principle of com-

---

[28]   Judgment in *Vossloh Laeis*, C-124/17, EU:C:2018:855, paragraph 42.
[29]   H-J PRIESS, "The rules on exclusion and self-cleaning under the 2014 Public Procurement Directive" (2014) 23 *Public Procurement Law Review* 112, 119.
[30]   ibid.
[31]   *Cf.* ibid.
[32]   Even PRIESS (n 29) 119, despite advocating for the indicated interpretation of the provision, acknowledges that *"it could be concluded that the provisions have a different scope of application - although this makes little sense"* (emphasis added).

petition embedded in Article 18(1) of Directive 2014/24. Consequently, in order not to devoid Article 101(1) TFEU of its *effet utile* and to ensure the consistency of the system, it is submitted that the only rational and acceptable interpretation of the ground for exclusion in Article 57(4)(a) is to make it at least cover *all conduct that would be prohibited under article 101(1) TFEU*, clarifying at the same time that bid rigging being a very serious restriction of competition *by object*, it can (almost) never be exempted under Article 101(3) TFEU[33]. However, even this interpretation of the exclusion rule would fall short from ensuring that the public procurement system totally supports the effectiveness of EU competition law.

In this vein, it must be stressed that even if the new Directive increases legal certainty in some cases, there is still a need for a further developed suspension and debarment system in EU public procurement rules. Moreover, given the optional terms in which Article 57(4) of the new rules is drafted (which could result in some or all Member States not applying the ground for disqualification of bid-riggers), such open regulation at EU level can give rise to different regimes across different Member States and, consequently, might facilitate strategic behaviour by infringing undertakings - thereby reducing deterrence. In my view, a stricter and uniform system of suspension and debarment of competition law infringers would contribute to strengthening the pro-competitive orientation of the public procurement system and to limiting privately-created distortions of competition[34].

2. A More General Ground to Exclude Competition Law Infringers

Indeed, despite the existence of the new rules just discussed, there may be good reasons to extend the competition-related exclusion grounds beyond that limited situation (ie, to undertakings that have violated competition rules, but not in relation to the contract being tendered, or in forms not

---

[33]   On the significant discussion on prohibitions of restrictions by object and restriction by effect and its implications, see CI Nagy, "The Distinction between Anti-competitive Object and Effect after Allianz: The End of Coherence in Competition Analysis?" (2013) 36(4) *World Competition* 541-64. See also Commission Staff Working Paper, *Guidance on restrictions of competition "by object" for the purpose of defining which agreements may benefit from the De Minimis Notice* (SWD(2014) 198 final) ec.europa.eu/competition/antitrust/legislation/de_minimis_notice_annex.pdf accessed 05.06.2018.

[34]   SANCHEZ-GRAELLS (n 2) 470-74.

covered by any possible interpretation of art. 57(4)(d) dir 2014/24)[35]. This can be done on the basis of Article 57(4)(c) of Directive 2014/24, which allows for exclusion *"where the contracting authority can demonstrate by appropriate means that the economic operator is **guilty of grave profes-sional misconduct, which renders its integrity questionable**"*[36]. This has received explicit endorsement by the CJEU in a recent Judgment, where it clarified that:

> the concept of "professional misconduct", for the purposes of that provision, covers all wrongful conduct which has an impact on the professional credibility of the operator at issue and not only the infringements of ethical standards in the strict sense of the profession to which that operator belongs ... In those circumstances, the commission of an infringement of the competition rules, in particular where that infringement was penalised by a fine, constitutes a cause for exclusion recital 101.
>
> In the preamble to Directive 2014/24, adopted after the material time [for the purposes of that given case] ... states that contracting authorities should be able to exclude economic operators, inter alia, for serious professional misconduct, such as infringement of the competition rules, as such misconduct may render an economic operator's integrity questionable, [which] shows that the cause for exclusion referred ... above is considered to be justified in the light of EU law[37].

Hence, it is submitted that all kinds of anti-competitive behaviour should be of relevance from a public procurement perspective[38], and that *the con-*

---

[35] Arrowsmith also considers that "[i]*n the absence of an explicit provision, conduct that violates formal competition law rules ... would be ground for exclusion any-way under the general grave professional misconduct provision*"; ARROWSMITH (n 26) 1267.

[36] Against this possibility, see PRIESS (n 29) 119, who argues that "*contracting au-thorities may not rely on the general fall-back provision for exclusion in art. 57(4) lit. c. The legislator has exhaustively governed the grounds for exclusion in that regard, as it chose to limit the grounds for exclusion only to agreements which are aimed at distorting competition and not to cover the same conduct as art. 101(1) TFEU*" and, if his logic is brought to its extremes, also of Article 102 TFEU. In my view, this argument based on a *lex specialis derogat generalis* approach is faulty because all exclusion grounds in Article 57(4) are discretionary and, consequently, Member States could decide to use one (eg 57(4)(c)) without the other (57(4)(d)), in which case the restriction would no longer exist. More generally, even if both are adopted by the Member States, it would be contrary to the principle of supremacy for the Directive to try to restrict the scope and effectiveness of a Treaty provision and, in particular, Article 101(1) TFEU, which has direct effect.

[37] *Generali-Providencia Biztosító*, EU:C:2014:2469, paras 35 and 37.

[38] Along the same lines, PA TREPTE, *Regulating Procurement. Understanding the Ends and Means of Public Procurement Regulation* (Oxford, OUP, 2004) 117 fn 154.

cept of *"grave professional misconduct, which renders the undertaking's integrity questionable"* should be interpreted to include all kinds of practices prohibited by competition laws [not captured by art. 57(4)(d)]; maybe with the only *exception* of those cases where it can be proven by the undertaking that the breaches of competition law being considered are irrelevant in the specific public procurement setting[39].

To sum up, and except in highly unlikely circumstances, it is submitted that all breaches of competition law —within or outside of a public procurement setting— should qualify as grave professional misconduct, which renders the undertaking's integrity questionable and, consequently, should be considered to meet the requirements of either paragraphs (c) or (d) of Article 57(4) of Directive 2014/24. Hence, according to the rules specified by Member States in that respect (art. 57(5)), contracting authorities may be able to take them into account in order to disqualify the undertakings concerned from a given tendering procedure —unless their irrelevance can be proven, or the undertakings can benefit from the possibility to self-clean under Article 57(6) of that Directive—. Indeed, worryingly, the possibility for economic operators to self-clean and avoid exclusion through the adoption of organisation and personnel measures as per Article 57(6) of Directive 2014/24 can erode the effectiveness of these provisions, in particular in the context of leniency applications connected to previous infringements of EU competition law that could justify exclusion under Article 57(4)(d)[40].

However, in my opinion, given the direct relevance of taking into account previous violations of competition law as grounds for the exclusion of potential bidders for the preservation of undistorted competition —particularly in markets where public procurement is especially relevant— and the general pro-competitive obligation imposed on Member States in the design of the national legislation that transposes the EU public procurement directives, all Member States should adopt express rules allowing for the exclusion of potential bidders on the basis of breaches of competition law, both as instances of contemporary bid-rigging (art. 57(4)(d)) and/or more generally as an instance of grave professional misconduct, which renders

---

[39] By analogy, see Judgment in *Mikhaniki*, C-213/07, EU:C:2008:731, para 69; *Assitur* C-538/07, EU:C:2009:317, para 30; and Opinion of AG Mazák in *Assitur*, C-538/07, EU:C:2009:71, para 44. However, discharging such a burden of proof will be almost impossible for the violators concerned.

[40] Opinion in *Vossloh Laeis*, EU:C:2018:316. The CJEU clarified that this is not the case and that leniency applicants need to disclose significant information to contracting authorities. See Vossloh Laeis (n 28).

the undertaking's integrity questionable (art. 57(4)(c))—and such exclusion should not be deactivated on the basis of self-cleaning measures unless they clearly address all concerns and there is evidence that the undertaking is not unduly benefitting from the immunity resulting from leniency programmes in a way that annuls its incentives to avoid future infringements of EU competition law[41]. By not doing so, it is argued that Member States would be limiting the full effectiveness of the competition principle —and, indirectly, of the competition rules of the TFEU— and, consequently, would be in breach of EU law.

* * * * *

The discussion in this section has shown how competition and public procurement law are well aligned regarding their common aim of fighting bid rigging or privately-created distortions of competition. The enforcement of the *antitrust* prohibition in Article 101(1) TFEU in a public procurement setting is particularly straightforward and competition authorities rank the persecution of bid rigging offences high in their enforcement agendas. Moreover, EU public procurement rules in Article 57 of Directive 2014/24 provide contracting authorities with the possibility to exclude from any given tender undertakings engaged in contemporary bid rigging or previously sanctioned for competition law infringements. The CJEU has clarified that *"the commission of an infringement of the competition rules, in particular where that infringement was penalised by a fine, constitutes a cause for exclusion"*. This can contribute to increase sanctions for anticompetitive behaviour in the public procurement setting and partially offset the incentives for collusion that derive from the transparency of public procurement markets. This first intersection thus shows a picture of generally harmonious interaction of both sets of EU economic law and the willingness of the CJEU to facilitate their mutual reinforcement. The following section turns towards a second area of intersection where both sets of rules are not equally well coordinated and where public procurement may have had a negative influence in the development of *antitrust* law.

---

[41]   On a related note, concerning the negative effects of leniency programmes in terms of deterrence, see O ODUDU and A SANCHEZ-GRAELLS, "The interface of EU and national tort law: Competition law", in P Giliker (ed), *Research Handbook on EU Tort Law* (Cheltenham, Edward Elgar, 2017) 154-183.

III. Second Intersection: the Need to Reign in the Exercise of Public Buying Power and Current Regulatory Shortcomings

Given the volume of market power that public buyers exercise[42], it is generally accepted that public procurement activities can alter market dynamics. More importantly, public procurement regulation or the ensuing administrative practices can seriously distort competition in a number of ways[43]. Such distortions of competition would not be in the public interest in the long term, and public procurement activities need to ensure that market competition remains healthy and vibrant[44]. This obvious economic reality lends the question of whether competition rules can be applied to the public buyer in those instances in which its conduct restricts or distorts competition. As this section develops, unfortunately, the CJEU has excluded the possibility of applying the "core" *antitrust* prohibitions of Articles 101 and 102 TFEU to the public buyer. It is submitted that this creates a very significant regulatory shortcoming from the perspective of a pro-competitive public procurement system[45].

1. General Approach to Application of Articles 101 and 102 TFEU to the Public Sector

Whereas the EU "core" competition rules aimed at undertakings are based on open-ended standards that cover almost every kind of private anti-competitive behaviour, those same rules have been applied in a restrictive manner to curbing public behaviour that can have a negative impact on market dynamics. In general terms, EU antitrust rules are addressed to "undertakings" and do not apply directly to Member State activities. However, in order to generate a level playing field between public and private competitors, and as a matter of principle, EU competition rules aimed at

---

[42]　Generally, Ignacio HERRERA ANCHUSTEGUI, *Buyer Power in EU Competition Law* (Paris, Concurrences, 2018).

[43]　See *eg* •econ for the OFT, *Assessing the Impact of Public Sector Procurement on Competition* (2004) dotecon.com/assets/images/oftmain.pdf accessed 05.06.2018.

[44]　SL SCHOONER, "Commercial Purchasing: The Chasm between the United States Government's Evolving Policy and Practice" in S Arrowsmith and M Trybus (eds), *Public Procurement: The Continuing Revolution* (The Hague, Kluwer Law International, 2003) 137.

[45]　This section is an abridged version of Sanchez-Graells (n 2) 135-142. References have been omitted.

undertakings apply *equally* to private and to public undertakings that carry on activities of an industrial or commercial nature. Consequently, they are not applicable to the exercise of *public powers*. The distinction between conducting an economic activity and the exercise of public powers cannot be made in general terms, but needs to take into account the particular circumstances of the case. Where, according to such specific circumstances, the state is found to be carrying on economic activities of an industrial or commercial nature by offering goods or services in the market, the instrumental entity (be it comprised in the public administration, be it a publicly-held corporation, or otherwise) will be considered an "undertaking" for the purposes of Articles 101 and 102 TFEU. On the contrary, where the activities of the state imply the exercise of public powers —that is, where the activities in question are connected by their nature, their aims and the rules to which they are subject with the exercise of powers which are typically those of a public authority, the state unit or entity will not be considered an "undertaking" for the purposes of EU competition law, and it will not be subject to the "antitrust" rules. In this regard, the fact that private entities (also) develop a given activity will be considered an important indication that it does not imply the exercise of public powers and, consequently, that it can be described as a business or economic activity. It is most important to note that all the activities carried out by a given entity do not need to be analysed together, and the EU competition rules are applicable to the economic activities of an entity which can be severed from those in which it engages as a public authority (this will be a key point in the analysis that follows below).

As a general criterion, the differentiation between commercial or economic activity and the exercise of public powers seems fit for the purpose of identifying the type of public conduct that should be subjected to EU competition rules, as it excludes their application in the case of *sovereign* activities of the state, but subjects all other activities to the basic rules governing market activities and competition amongst undertakings. At this point, it should seem possible to subject public procurement activities to the "core" competition rules of the TFEU, since it can be argued that they are of a clear commercial or economic nature —or, at least, are hard to conceptualise as the exercise of public powers. However, the specific interpretation of the concept of "undertaking"—and, more specifically, of the requirement to conduct an "economic activity", significantly condition the consistency of the case law of the CJEU with this general criterion, and restrain the ability of Articles 101 and 102 TFEU to directly address publicly-generated distortions of competition in the public procurement field.

In general terms, EU case law has adopted a *functional or anti-formalistic approach* to the concept of "undertaking", and has developed criteria that have broadened its scope in order to cover any entity engaged in an economic activity, irrespective of its legal status and the way in which it is financed. The concept of undertaking, therefore, has been developed and further refined around its two basic elements: "entity" and "economic activity". Both have been developed in very general terms. The concept of "entity'" has been interpreted broadly, so as to include both natural and legal persons, as well as state bodies and other public entities. The inclusion of public bodies, public enterprises and other state units in the concept of "entity"—and, consequently, in the concept of "undertaking" for the purposes of EU competition law, is not controversial. Therefore, it is important to underline that, for our purposes, the concept of "undertaking" is largely dependent on the prerequisite of the carrying out of an economic activity; or, to put it more clearly, the concept of "undertaking" is dependent on the twin concept of "economic activity".

Over the years, the EU Courts have developed case law that determines that an "economic activity" *involves the participation of the undertaking in a market or the development of the activity in a market context* —ie, an activity will be considered "economic" when it is developed under market conditions. According to this case law, the pursuit of profit by a public body, or the existence of (sufficient) competition between the public body and private undertakings, will exclude the consideration that the activity is developed in the general interest or otherwise as the result of the exercise of public powers *as such*. In turn, this will determine that, for the purposes of Articles 101 and 102 TFEU, the activity being developed is of an "economic" nature and, hence, the public body will be considered an "undertaking" and will be subject to the requirements and restrictions of "antitrust" rules.

Generally, thus, it can be deduced from the case law that the applicability of EU competition rules to (public) "undertakings" could seem to be granted in all cases where a body governed by public law develops an "economic activity" in market conditions or, put otherwise, when the public entity *participates or interacts in the market*. Public procurement activities should be covered by this broad conception of economic activity because they are activities developed in the market-or, put differently, through which the public buyer *interacts* with other agents in the market. However, as will now be seen, procurement activities constitute a particular instance where the case law has departed from the functional approach just described.

2. The Approach to Purchasing Activities As Such: A Departure from the General Functional Approach to the Concept of "Economic Activity"

Notwithstanding the general functional approach to the concepts of undertaking and economic activity systematically applied in EU case law and in a rather surprising *formalistic twist*, the EU Courts have developed a string of case law that excludes the direct applicability of competition rules to procurement or purchasing activities by adopting what, in my opinion, can be seen as an *exceedingly narrow and non-functional (sub-)concept of "economic activity"*.

According to this case law, procurement activities are not to be considered "economic" activities in and by themselves —even if they are developed under market conditions and clearly represent an instance of participation in the market or market interaction by the public buyer. Rather, according to this case law, the nature of these purchasing activities must be determined according to whether or not the *subsequent use* of the purchased goods amounts to an "economic" activity. In the words of the CJEU.

> *there is no need to dissociate* the activity of purchasing goods from the subsequent use to which they are put in order to determine the nature of that purchasing activity ... the nature of the purchasing activity must be determined according to whether or not the subsequent use of the purchased goods amounts to an economic activity[46]; or
>
> *it would be incorrect*, when determining whether or not a given activity is economic, *to dissociate* the activity of purchasing goods from the subsequent use to which they are put... the nature of the purchasing activity must therefore be determined according to whether or not the subsequent use of the purchased goods amounts to an economic activity[47].

This position of the EU judicature is technically flawed and barely motivated[48]. The bold statements that "*it would be incorrect, when determining whether or not a given activity is economic, to dissociate the activity of purchasing goods from the subsequent use to which they are put*" or that "*there*

---

[46] *FENIN*, EU:C:2006:453, para 26 (emphasis added).

[47] *Selex*, EU:C:2009:191, paras 102 and 114 (emphasis added).

[48] See: V KORAH, *An Introductory Guide to EC Competition Law and Practice*, 9th edn (Oxford, Hart Publishing, 2007) 228, who regretted the sparsity of the *FENIN* case law. For a very strong and well-argued criticism, see W-H ROTH, "Comment: Case C-205/03 P, *Federación Española de Tecnología Sanitaria (FENIN) v Commission*", (2007) 44 *Common Market Law Review* 1131-42.

is no need to *dissociate the activity of purchasing goods from the subsequent use to which they are put in order to determine the nature of that purchasing activity*", reflect pure value considerations that are not supported by any economic rationale or other plausible justification. The CJEU could have taken the opposite approach for exactly symmetrical reasons —ie that there is a need to dissociate the purchasing and the subsequent activities for analytical purposes, or that it would be incorrect to determine the nature of the purchasing activity according to the subsequent use to which the goods or services sourced are put. If so, their approach would be equally unconvincing and insufficiently motivated. However, there are stronger economic justifications to support the latter approach than the position adopted by the CJEU —since economic theory has shown that purchasing activities can generate negative competition effects and, consequently, merit independent appraisal. Moreover, such diametrically opposed approach would have been more consistent with the general approach to apply separate analysis to severable economic and non-economic activities.

In other terms, according to the *FENIN-Selex* case law, procurement that is *ancillary* to a non-economic activity does not by itself qualify as "economic activity" for the purposes of Articles 101 and 102 TFEU. Hence, all procurement activities conducted by public buyers that do not develop a subsequent or "downstream" economic activity (but carry on an activity of a social nature or otherwise in the public interest) are deemed insufficient to qualify as economic activities for the purposes of EU competition law — and, consequently, the public buyer will not be considered an "undertaking" and will not be subject to the prohibitions of Articles 101(1) and 102 TFEU. This finding departs substantially from the previous general criteria related to the *functional* definition of economic activity for the purposes of articles 101 and 102 TFEU[49].

It is submitted that, while generally holding that EU competition rules apply equally to private and to public undertakings, in the particular case of purchasing activities, the CJEU has departed from its general *functional approach*, has significantly eroded and reduced the scope of antitrust rules as regards public sector activities, and has generated an important differ-

---

[49] The CJEU adopted a more nuanced approach in the non-procurement case of *EasyPay*, EU:C:2015:716. As argued elsewhere (n 11), this creates some space for the direct enforcement of competition rules to specialised procurement entities, such as centralised purchasing bodies regulated by Article 37 of Directive 2014/24/EU. However, this does not significantly detract from the analysis developed in the main text.

ence in the scope of the "antitrust" rules applicable to public and private undertakings —as *only the activities of public undertakings as offerors of goods or services in the market are subject to competition rules*. All other commercial activities of the public sector that do not qualify *per se* as "economic activities" (notably, public procurement) are off-bounds for "antitrust" rules— unless they are "attracted" to its scope of application by the subsequent development of economic activities by the same undertaking. This excessively formalistic approach (hardly compatible with most basic economic considerations) generates an important gap in the EU competition law system. Moreover, it creates a significant inconsistency between, on the one hand, the assessment of "detachable" economic and non-economic activities carried out by a public entity and, on the other hand, the assessment of "un-detachable" or ancillary economic activities carried simultaneously or in support of non-economic activities carried out by that public entity (see further discussion below).

This jurisprudence of the CJEU has exclusively focused on one side of the commercial activities exercised by the state: that of the state acting as an *offeror* of goods or services in the market. To be sure, this is an activity where subjection of the state's commercial activities to competition rules is essential to guaranteeing that competition in the market is not distorted and that public and private undertakings compete on an equal footing. However, in a departure from the general functional approach to the concept of undertaking, *commercial activities of the state as buyer have not only received significantly less attention, but have been automatically left outside the scope of EU competition rules— apparently for no good, substantial reason*. This type of public commercial activity has significant potential for distorting competition in the market —but has nonetheless been set free from the constraints of competition rules by a formalistic twist in the case law of the EU judicature. Consequently, the current jurisprudential approach to the economic activities of the public sector from a competition standpoint neglects an important sector of activity (that of the market behaviour of the public buyer) and gives way to undeterred competition-distorting public procurement practices.

In view of this perceived short-coming, which prevents the direct application of the "core" competition rules to the public buyer in those instances in which the latter does not carry on subsequent or downstream "economic" activities, it seems that the interaction between public procurement and competition rules is not positive in this second dimension, particularly because the special deference shown by the CJEU towards the protection of the "public mission" implicit in the public procurement activity has created a significant deformity in the concept of undertaking that can extend the difficulties in the enforcement of core EU *antitrust* prohibitions beyond the field of public procurement.

3. The Deformation or Twist Resulting from the Public Procurement Antitrust Exemption

In my view, the implications of the *formalistic* approach to public procurement activities adopted by the CJEU that deformed or twisted the generally functional approach to the concept of economic activity —and, thus, of undertaking— for the purposes of the enforcement of the EU *antitrust* prohibitions are quite negative. The main *deformation* of the pre-existing test in the case law of the CJEU can be appreciated by contrasting the *FENIN-Selex* case law with the previous approach to the assessment of severable economic and non-economic activities by public undertakings. In that regard, the case law of the CJEU was clear in emphasising that not all the activities carried out by a given entity need to be analysed together, and that the EU competition rules "*are applicable to the* [economic] *activities of an entity which can be severed from those in which it engages as a public authority*"[50]. Thus, the CJEU created the possibility to apply a differentiated and still functional approach to each set of activities.

Conversely, the particular approach adopted by the CJEU in its *FENIN-Selex* case law in the public procurement area came to erode this general approach and create its mirror image by stressing that if any given "*economic activity cannot be separated from the exercise of its public powers, the activities exercised by that entity as a whole remain activities connected with the exercise of those public powers*"[51]. And the trouble of that approach is that the reasons on which the CJEU relied did not really clarify where the impossibility of giving differentiate treatment to the several activities carried out by the public buyer rested. Thus, it came to create a significant inconsistency between, on the one hand, the assessment of "detachable" economic and non-economic activities carried out by a public entity —as per the traditional approach— and, on the other hand, the assessment of "un-detachable" or ancillary economic activities carried simultaneously or in support of non-economic activities carried out by that public entity.

---

[50]   Judgments in *Commission v Germany*, C-107/84, EU:C:1985:332, paras 14-15; and *Aéroports de Paris v Commission*, C-82/01 P, EU:C:2002:617.
[51]   *Selex*, EU:C:2009:191, para 72 et seq.

More recently, the CJEU formulated a third test that may have sought to provide an intermediate approach to the detachability of ancillary activities linked to other activities governed by the principle of national solidarity and entirely non-profit-making, such as the provision of payment services within national social security systems. According to this test, *"in order to avoid classification as an economic activity, that [ancillary] activity must, by its nature, its aim and the rules to which it is subject, be **inseparably connected** with the national pensions system"*[52]. Currently, then, the extent to which activities will be considered economic or not depending on their inseparable connection or ancillary character is subject to a range of tests that seem to span from a strict to an extremely lenient approach, without a clear indication of the level of analysis to be adopted by the Court. The problem with this situation is that the option between considering certain activities as detachable or ancillary seems to be exercised by the CJEU without a clear indication of the ultimate reasons or justifications for the different approach followed in different cases.

Indeed, beyond public procurement, this approach to determining quite lightly that economic activities are ancillary and inseparable from the public powers exercised by a given public entity has been replicated in other areas of public intervention in the economy, in a way that in my opinion diminishes the economic soundness of the case law. This was particularly clear in *Compass-Datenbank*[53], where the CJEU has adopted an economically unsound approach towards the definition of "economic activity" by finding that:

> In the light of the entirety of that case-law [remarkably, including a reference to *Selex*], it must be observed that a data collection activity in relation to undertakings, on the basis of a statutory obligation on those undertakings to disclose the data and powers of enforcement related thereto, falls within the exercise of public powers. As a result, such an activity is not an economic activity.
>
> Equally, an activity consisting in the maintenance and making available to the public of the data thus collected, whether by a simple search or by means of the supply of print-outs, in accordance with the applicable national legislation, also does not constitute an economic activity, since the maintenance of a database containing such data and making that data available to the public *are activities which cannot be separated from the activity of collection of the data.* The collection of the data would be rendered largely useless in the absence of the

---

[52]   *EasyPay*, EU:C:2015:716, para 40, emphasis added.
[53]   Judgment in *Compass-Datenbank*, C-138/11, EU:C:2012:449.

maintenance of a database which stores the data for the purpose of consultation
by the public[54].

In my view, this reasoning falls again in the defect (or misleading argument) of pegging an activity that is clearly economic (ie maintenance
and exploitation of the database) to a non-economic activity (creation of
the database by mandatory disclosure and reporting) and considering them
non-separable despite the fact that there is no technical or economic hur-
dle to do so. It is quite telling that the CJEU does not provide any reasons
for the finding that the creation of the database and its ulterior economic
exploitation *"are activities which cannot be separated"*. Some additional
facts or arguments on the inseparability of the activities would have been
extremely desirable in order to understand the reasoning behind the CJEU's
decision in *Compass-Datenbank* —which, in my opinion, results exclusively from the hands-off approach the CJEU has been keeping for too long in
connection with the antitrust treatment of public undertakings. In short, in
my opinion, the position of the CJEU in *Compass-Datenbank* simply defies
the economic rational underlying the functional approach towards the concept of undertaking in the previous case law. If "economic activities" are not
properly identified (as in *FENIN*, *Selex* and, now, *Compass-Datenbank*),
the concept of "undertaking" becomes too narrow and leaves unchecked
public activities that raise significant competition law concerns.

* * * * *

This section has shown how the interaction between public procurement
and competition law is not positive when their intersection derives from the
need to reign in publicly-generated distortions of competition. For some
reason, the application of the core *antitrust* prohibitions to what may seem
as a clearly economic activity carried out by the public sector was excluded
by the CJEU in an absolute manner. The reasons for such exclusion are not
at all clear, but the protection of the "public mission" implicit in the public
procurement activity seems to have led the CJEU to deform the concept
of undertaking in a way that can distort EU *antitrust* enforcement beyond
public procurement markets. As discussed, the creation of an *exceedingly
narrow and non-functional (sub-)concept of "economic activity"* when it
comes to the assessment of inseparable economic and non-economic activities carried out by the public sector is a negative legacy that is now

---

[54]   Ibid, paras 40 and 41 (emphasis added). See also Judgment in *Manni*, C-398/15,
EU:C:2017:197, para 43.

extending beyond the area of public procurement law. Thus, this is an area that should be revisited in the future and where a better coordination of the competition and public procurement rules should be attempted.

IV. Using the Principle of Competition in Directive 2014/24 to Improve Consistency of Competition and Public Procurement Law

Beyond the issues discussed in previous sections, it is worth stressing that Directive 2014/24 has created further scope for the integration of competition considerations in the assessment of the behaviour of the public buyer through the consolidation of a principle of competition amongst the general principles of EU public procurement law[55]. It is submitted that a functional interpretation of this principle can minimise the effects of the regulatory gap created by the case law of the CJEU that prevents the direct application of *antitrust* prohibitions on the public buyer (above, section III)[56].

The pro-competitive approach to the design of the EU public procurement system has resulted in Article 18(1) of Directive 2014/24, whereby "[t]*he design of the procurement shall not be made with the intention ... of artificially narrowing competition*"[57]. For the purposes of interpreting what the *general principle of competition* means in the public procurement setting, it is interesting to stress that Directive 2014/24 has aimed to codify the principles coined by the CJEU in its case law. In that regard, the principle of competition was already clearly embedded in the previous generations of public procurement Directives and, despite some terminological confusion and the fact that Advocates General were more prone to refer to it than

---

[55] For discussion of the principle, see A SANCHEZ-GRAELLS, "A Deformed Principle of Competition? - The Subjective Drafting of Article 18(1) of Directive 2014/24", in GS Olykke & A Sanchez-Graells (eds), *Reformation or Deformation of the EU Public Procurement Rules in 2014* (Cheltenham, Edward Elgar Publishing, 2016) 80-100.

[56] For extended discussion, see A SANCHEZ-GRAELLS, "Some Reflections on the «Artificial Narrowing of Competition» as a Check on Discretion in Public Procurement", in X Groussot, J Hettne & S Bogojevic (eds), *Law and Discretion in EU Public Procurement*, IECL Series (Oxford, Hart, forthcoming) ssrn.com/abstract=3125304 accessed 05.06.2018.

[57] Some of the interpretative difficulties and challenges that the principle creates are not relevant for the purposes of this contribution and, consequently, will not be discussed in detail. For discussion of this reform and an initial attempt to interpret the principle, see Sanchez-Graells (n 2) 207-14.

the CJEU itself, it is possible to *decant* a relatively clear-cut content for this principle from the pre-2014 case law.

According to its most elaborated construction so far[58], the competition principle embedded in the EU public procurement directives might seem to be multi-faceted and could potentially fulfil at least three protective purposes. First, it would be aimed at relations between undertakings themselves and would require that there exists parallel competition between them when they participate in the tendering for public contracts (as discussed above, section II). Second, it would be concerned with the relationship between the contracting authorities and the tendering undertakings, in particular in order to avoid abuses of a dominant position —both by undertakings against the contracting authorities (*ie* through the exercise of market or "selling" power) and, reversely, by contracting authorities against public contractors (through the exercise of buying power). Third, the principle of competition would be designed to protect competition as an institution.

Even if that approach is to be shared in general terms and the competition principle embedded in the EU public procurement directives is to be conceived of as an independent principle[59], and spelled out in broad terms, a closer examination seems to indicate that, of the three stated functions of the competition principle in the public procurement arena, only the latter is of distinguishing relevance. This is so because the other two stated functions of the competition principle are neither more nor less than the standard application of EU competition rules in the public procurement setting. Therefore, *only what has been termed "protection of competition as an institution" constitutes the proper content for the competition principle embedded in EU public procurement law*. By "protection of competition as an institution", direct reference is made to the general objective of the TFEU of guaranteeing a system ensuring that competition in the internal market is not distorted and, more generally, to the ensuing general principle of competition[60].

---

58   Opinion of AG Stix-Hackl in *Sintesi*, C-247/02, EU:C:2004:399, paras 34-40.
59   Opinion of AG Léger in *ARGE*, C-94/99, EU:C:2000:330, para 95 fn 36.
60   It is submitted that the principle of competition in public procurement is a specific enunciation of the eponymous general principle of EU law —see *Waste oils*, 240/83, EU:C:1985:591, para 9.

Such a reference should currently be interpreted in relation to Article 3(3) TEU, Article 3(1)(b) TFEU and Protocol (27) TFEU[61]—ie, EU public procurement directives should be conceived of and configured as a body of rules developed on the basis of the principle of undistorted competition in the internal market. Or, more clearly, it is submitted that *the competition principle embedded in the EU public procurement directives is no more and no less than a particularisation, or specific enunciation, of the more general principle of competition in EU law.* In this way, the relevance of the competition principle in the field of public procurement is stressed, since its inclusion amongst the basic principles of public procurement regulation seems to imply the existence of a stronger link of this body of regulation to this general principle of EU law than in the case of other regulatory bodies.

Placing the principle of competition at the basis of the EU public procurement rules reinforces its importance. The justification for this emphasis of the principle of competition in the sphere of public procurement can be found in the fact that EU public procurement rules were developed right from the beginning on the basis of the clear finding that they were necessary to create competition in a setting that initially suffered from an almost complete lack of it. Therefore, the clear competition objective guiding public procurement rules and the ensuing obligation of contracting authorities to *protect* competition as an institution —if not to *develop* competition in the public procurement field— was synthesised in the principle of competition embedded in EU public procurement directives, and now consolidated in Article 18(1) of Directive 2014/24.

It is worth emphasising that the competition principle has two dimensions. In its *positive dimension*, public procurement rules are guided by a fundamental competition principle in that they are designed to abolish protectionist purchasing practices by Member States that result in a segmentation of the internal market and, consequently, to foster transnational competition for public contracts, as well as increased domestic competition for the same contracts. This has been the "classical" or "narrow" conception of the competition requirements and goals of EU public procurement rules —which has read the requirement to open public procurement up to competition as strictly requiring an increase in the number of bidders, mainly due to increased cross-border competition. This view is intrinsically related to non-discrimination requirements (particularly as regards dis-

---

[61]   See: *British Airways*, C-95/04 P, EU:C:2007:166, paras 106 and 143.

crimination on the grounds of nationality), and presents a strong link with the objective of market integration that has constantly informed the design and enforcement of the EU public procurement directives. However, this positive approach to the competition principle does not comprise all its implications in the public procurement arena, since the principle requires promotion of undistorted competition in public procurement, not merely fostering bidders' participation.

Possibly of a greater relevance —although so far less explored— is the *negative dimension* of the competition principle embedded in EU public procurement directives. From this perspective, competition requirements should be understood as determining that public procurement rules have to be designed and implemented in such a way that existing competition is not distorted[62]. In other words, it is submitted that public procurement rules cannot generate distortions in the dynamic competitive processes that would take place in the market in their absence. Or, even more clearly, public procurement rules must not distort competition between undertakings. This fundamental competition principle embedded in the public procurement directives could be defined or phrased in these terms: *public procurement rules have to be interpreted and applied in a pro-competitive way, so that they do not hinder, limit, or distort competition. Contracting entities must refrain from implementing any procurement practices that prevent, restrict or distort competition.*

This mandate must be considered a well-defined obligation to all Member States' contracting authorities, and not a mere programmatic declaration of the EU public procurement directives. As has been rightly stressed, the evolution of the EU directives on public procurement has progressively reduced the area of discretion left to Member States[63], and consequently the general principles and mandates contained in the EU public procurement directives should suffice to constrain effectively Member States' purchasing behaviour, or to substantiate a declaration of their breach of EU law if they behave otherwise. Hence, from this negative perspective, public procurement rules and practices need to be measured with the yardstick of the competition principle to ensure that they do not result in restrictions of competition or, in other terms, that they do not generate the effects that

---

[62]   See Opinion of AG Poiares Maduro in *Commission v Greece*, C-250/07, EU:C:2008:734, paras 11 and 17.

[63]   See: S ARROWSMITH, "The Past and Future Evolution of EC Public Procurement Law: From Framework to Common Code?" (2005-2006) 35 *Public Contract Law Journal* 337, 338 and 352 and ff.

competition law seeks to prevent. In the end, as was clearly stated, *"the principle of competition is designed to protect competition as an institution"*[64].

In view of all the above, the consolidation of the principle of competition in Article 18(1) of Directive 2014/24 should be welcome. Regardless of the interpretative difficulties that its precise wording may create, in my view, it is the main tool in the post-2014 procurement toolkit. The principle of competition prohibits contracting authorities from engaging in practices that artificially narrow down competition and comes to establish a rebuttable presumption of competition-restrictive procurement based on a *reasonable objective assessment of the concurring circumstances*, so that the consequences and effects of the way in which the procurement procedure is designed and carried out by the contracting authority can determine their unlawfulness. In other words, the test to determine whether specific procurement practices are compliant with the principle of competition in Article 18(1) of Directive 2014/24 or not (and, in that case, need to be amended or abandoned by contracting authorities), requires an assessment of whether the restriction of competition created by the contracting authority can be *justified on objective grounds and whether the restriction of competition is strictly proportionate* to the alternative aim pursued by the contracting authority, always bearing in mind that the main goal of the procurement exercise is to create competition so that the contracting authority obtains the works, goods or services it requires in the best possible (market) conditions and that market agents can exploit any existing competitive advantages in the setting of the internal market[65].

Therefore, the consolidation of the principle of competition in the EU public procurement rules opens the door for interaction of both sets of rules beyond the direct application of *antitrust* prohibitions in instances of *bid rigging* (section II) and the limitations for their direct application to the public buyer despite its aptitude to create distortions of competition in the market (section III).

---

[64] Opinion of AG Stix-Hackl in *Sintesi*, C-247/02, EU:C:2004:399, para 36.
[65] *Bundesdruckerei*, C-549/13, EU:C:2014:2235, para 34.

V. Conclusions

This contribution has focused on the main areas of intersection between competition law and public procurement. Firstly, it has identified how their intersection in relation to privately-created restrictions of competition is smooth. Despite the fact that public procurement rules create scenarios particularly prone to collusion, the existing enforcement mechanisms seem adequate. The core *antitrust* prohibitions are easily enforced in the public procurement setting and tackling *bid rigging* in public procurement ranks high in the enforcement agendas of competition authorities. Moreover, public procurement rules have incorporated the possibility of excluding competition law infringers from tenders for public contracts, thus increasing the sanctions potentially derived from collusion in public procurement markets. Overall, then, this first intersection shows a picture of harmonious interaction of both sets of EU economic law and the willingness of the CJEU to facilitate their mutual reinforcement.

Secondly, the discussion has turned to the intersection of competition law and public procurement in relation to publicly-created restrictions of competition. The analysis has shown that there is no actual interaction in this context and that the CJEU has adopted the opposite strategy of preventing enforcement of the core *antitrust* prohibitions against the public buyer. In particular, the analysis has shown how the protection of the "public mission" implicit in the public procurement activity led the CJEU to deform the concept of undertaking in a way that can distort EU *antitrust* enforcement beyond public procurement markets. By engaging in an economically unsound analysis of the purchasing function and not giving proper relevance to the distortive effects that public procurement can have in competitive market dynamics, the CJEU abandoned its prior theory of divisibility of activities for the purposes of competition law enforcement. This unduly extended *antitrust* immunity to commercial State interventions. And this case law is now prompting further developments beyond the area of public procurement. Thus, this is an area that should be revisited in the future and where a better coordination of the competition and public procurement rules should be attempted.

Finally, the analysis has stressed the possibilities for a better integration of competition considerations in public procurement through the principle of competition consolidated in Article 18(1) of Directive 2014/24, which is designed to protect competition as an institution and, consequently, can alleviate some of the shortcomings identified in the second area of interaction.

Overall, this contribution has shown how the interaction between competition law and public procurement is uneven and asymmetrical, and how the enforcement of *antitrust* prohibitions in the public procurement field is driving forward some developments concerning privately-created restrictions of competition, while creating distortions or deformations of pre-existing case law and core competition concepts in other areas related to publicly-created distortions.

PRÁCTICAS ANTICOMPETITIVAS EN EL ÁMBITO DE LOS ENCARGOS A MEDIOS PROPIOS

Antonio Miño López
Doctor en Derecho
Profesor Asociado Derecho Administrativo
Universidad de Vigo

SUMARIO: I. Medios propios y encargos. II. Exención de las normativas de contratación pública y de defensa de la competencia. III. Responsabilidades de los entes y operadores presentes en el encargo. 1. Responsabilidad de ambas partes por simulación del encargo. 2. Responsabilidad del medio propio y del ente encomendante en la ejecución de la encomienda. 3. Responsabilidades en las relaciones verticales ascendente y descendente. 4. Responsabilidad del medio propio como operador económico en el mercado. IV. Títulos de imputación de la responsabilidad *antitrust* a los diversos actores. Bibliografía.

El tratamiento doctrinal y jurisprudencial de los encargos a medios propios se ha desarrollado casi en exclusiva desde la perspectiva del Derecho de la contratación pública. Pero su importancia teórica y su aplicación práctica generalizada trascienden con mucho de esta disciplina. El hecho es que esta figura supone reservar la gestión y ejecución de determinada actividad o sector a una entidad vinculada o dependiente de un poder adjudicador y, con ello extraerlas de las reglas del mercado, pero sin ajustarlas a ningún procedimiento de contratación pública.

En consecuencia, la ejecución de una obra pública, la provisión de suministros o la prestación de servicios públicos a través de los encargos a medios propios implica prescindir tanto de la competencia en el mercado como de la competencia por el mercado. La primera es ínsita al comercio (privado) y la segunda a la contratación pública. Ambas son reemplazadas por su némesis: la asignación directa de las prestaciones a un operador vinculado al ente encomendante.

La eliminación total de la competencia pone a los encargos a medios propios bajo el foco del Derecho de la Competencia. Al fin y al cabo, los sistemas económicos occidentales son de corte liberal o socio-liberal, por lo que constitucionalizan la libertad de empresa —basada en la competencia entre los operadores económicos— y la participación pública en mayor o menor grado en una economía de mercado. En el espacio europeo, este modelo se traduce en el establecimiento del mercado interior, el cual "*implicará un espacio sin fronteras interiores, en el que la libre circulación de mercancías, personas, servicios y capitales esté garantizada*", en palabras del artículo 26.2 del Tratado de Funcionamiento de la Unión Europea (TFUE).

El principio de competencia está relacionado con las libertades fundamentales de prestación de servicios y de libre establecimiento. El TFUE lo define de forma negativa, al prohibir, en cuanto violaciones del mismo, tanto las prácticas colusorias ("*todos los acuerdos entre empresas, las decisiones de asociaciones de empresas y las prácticas concertadas que puedan afectar al comercio entre los Estados miembros y que tengan por objeto o efecto impedir, restringir o falsear el juego de la competencia dentro del mercado interior*") como los abusos de posición de dominio ("*la explotación abusiva, por parte de una o más empresas, de una posición dominante en el mercado interior o en una parte sustancial del mismo*").

En definitiva, el modelo comunitario impone a los Estados miembros el deber de garantizar la aplicación de las libertades fundamentales y de la competencia. Este deber presenta una vertiente positiva, plasmada en la normativa, decisiones y actos administrativos y actuaciones materiales, y otra negativa, consistente en evitar que las instituciones públicas y los operadores económicos adopten medidas contrarias a dichas libertades y a la competencia. Los encargos a medios propios sustituyen a los mecanismos competitivos de compra pública para la provisión de bienes y servicios y excluyen así a los operadores económicos privados en favor de entidades públicas adscritas a los poderes adjudicadores compradores.

Esta forma de autoprovisión hunde sus raíces en las tradiciones legislativas de los Estados miembros, pero entró en discusión con la normativa europea en la medida en la que esta fue profundizando en la aplicación de las libertades de establecimiento y de prestación de servicios. Tuvo que ser la jurisprudencia del TJUE la que convalidase los encargos y estableciese sus límites, en relación con la contratación pública. La Directiva 2014/24, de contratos públicos, acogió la doctrina del TJUE en su artículo 32 y su regulación fue incorporada por las leyes internas de los Estados miembros.

En los epígrafes sucesivos se describe brevemente el limitado régimen de responsabilidad *antitrust* de todas las partes intervinientes en los encargos a medios propios. El epígrafe 1 ofrece unas notas muy breves sobre el régimen jurídico de los encargos. El epígrafe 2 explica que la regla general es la exención de esta figura de la aplicación de las normativas de contratación pública y de defensa de la competencia. Sin embargo, dicho principio general admite excepciones. Tanto los medios propios como sus proveedores y subcontratistas e incluso los poderes adjudicadores encomendantes son susceptibles de incumplir la normativa de defensa de la competencia y ser sancionados por la comisión de prácticas colusorias o abusivas (epígrafe 3). Dichas infracciones se producen en cuatro casos: cuando el encargo es un negocio simulado (epígrafe 3.1); en la ejecución de la encomienda, por mor de las relaciones del servicio técnico con otros operadores (epígrafe 3.2); en las relaciones verticales que mantiene el medio propio con sus proveedores y subcontratistas (epígrafe 3.3); y en aquellas ocasiones en las que el servicio técnico no actúa en ejecución del encargo sino como operador de mercado (epígrafe 3.4). Por último, el apartado 4 sintetiza los títulos de imputación de la responsabilidad *antitrust* a los diversos actores.

I. Medios propios y encargos

La autoprovisión de obras, suministros o servicios por las Administraciones públicas no es un fenómeno particularmente novedoso en España, pues se regula ya en la Ley de Contratos del Estado[1]. Sí ofrece mayor novedad que la dotación se instrumente a través de los denominados medios propios o servicios técnicos, a través de las denominadas (impropiamente) encomiendas de gestión y más correctamente, encargos.

En sentido estricto, la doctrina del encargo a medios propios (también denominada encomienda de gestión o *in house providing*) debe su origen y desarrollo a la jurisprudencia reiterada del Tribunal de Justicia de la Unión Europea, desde la sentencia *Teckal* (1999)[2]. La figura del *in house providing* no fue recogida por las Directivas de contratos de 2004. Su incorporación a la legislación española tuvo lugar a través de la Ley 30/2007, de 30 de octubre, de Contratos del Sector Públicos. El desarrollo a nivel comunitario se hizo esperar hasta la Directiva 2014/24. Su artículo 12 dispone que

---

[1]   Decreto 923/1965, de 8 de abril, por el que se aprueba el texto articulado de la Ley de Contratos del Estado.

[2]   STJUE, de 18 de noviembre de 1999, C-107/1998, *Teckal*. La Jurisprudencia comunitaria ha continuado incansablemente el desarrollo de la figura. Los casos se suceden: *Stadt Halle y RPL Lochau, Coname, Comisión/Austria, Parking Brixen* (2005), *Carbotermo y Consorzio Alisei* (2006), *Asemfo* (2007), *Coditel, Mantua* (2008), *Sea Srl y Comune di Ponte Nossa* (2009), *Econord* (2012).

los encargos quedan excluidos de la aplicación de la normativa contractual si reúnen de forma acumulada los siguientes requisitos: a) que el poder adjudicador ejerza sobre el medio propio (*aka* servicio técnico) un control análogo al que ejerce sobre sus propios servicios; b) que más del 80% de las actividades de esa persona jurídica se lleven a cabo en el ejercicio de los cometidos que le han sido confiados por el poder adjudicador que la controla o por otras personas jurídicas controladas por dicho poder adjudicador, y c) que no exista participación directa de capital privado en la persona jurídica controlada; salvo excepción prevista por la ley nacional.

La LCSP de 2017 incorpora un cuarto requisito: la condición de medio propio personificado deberá reconocerse expresamente en sus estatutos o actos de creación, previa conformidad o autorización expresa del poder adjudicador y verificación por este de que el servicio técnico cuenta con medios personales y materiales apropiados para la realización de los encargos de conformidad con su objeto social[3].

II. Exención de las normativas de contratación pública y de defensa de la competencia

El encargo a medios propios implica que un poder adjudicador ejecuta de manera directa las prestaciones propias de los contratos del sector público valiéndose de otra persona jurídica vicaria (el medio propio o servicio técnico). Lo cual supone:

1. la inaplicación de la normativa de contratos públicos;

2. la extracción del mercado de la provisión de un bien o servicio y

3. la consiguiente supresión de la competencia en la oferta (por y en el mercado) para dicha actividad respecto de un cliente público[4]; es decir,

---

3   El artículo 32.4 LCSP regula los medios propios de varios poderes adjudicadores.

4   La RTDC *Tragsa 1*, Expte. R 255/1997, emplea entre otros argumentos para desestimar la denuncia contra TRAGSA por vulneración de los arts. 1 y 6 de la Ley 16/1989, de Defensa de la Competencia que las actividades encomendadas a esta empresa "*no están dentro del mercado ni, por tanto, del marco de la competencia aunque existan empresas oferentes de los mismos servicios, pues TRAGSA ni puede elegir estos trabajos ni se puede negar a realizarlos como medio que es en este caso de las respectivas Administraciones Autónomas*".

4. la pérdida de un cliente público y la reducción del mercado para los operadores económicos.

5. La inaplicación de la normativa de defensa de la competencia a la relación jurídica establecida entre el poder adjudicador y el medio propio.

Una vez que un poder adjudicador decide sustituir la contratación por el encargo a un medio propio es probable que jamás convoque una nueva licitación[5]. Este riesgo es multiplicable por el número de entidades contratantes existentes en España. Por otra parte, algunos clientes públicos ostentan el dominio sobre el mercado de demanda.

Si se añade que el modelo de operaciones *in house* se ha generalizado en todas las Administraciones públicas españolas, el riesgo de los encargos para los principios que presiden la acción económica de los poderes públicos (igualdad, publicidad, transparencia, competencia, eficiencia, idoneidad, necesidad y proporcionalidad, etc.) en términos de política de competencia es palmario[6]. La normativa de transparencia ha procurado traer a conocimiento público los encargos que se formalicen[7]. Por su parte, tanto la ley 40/2015, de régimen jurídico del sector público como la LCSP de 2017 han reducido la opacidad de esta figura, siguiendo la doctrina de la Comisión europea y del Tribunal de Cuentas. A pesar de que los encargos no son propiamente contratos públicos, la LCSP ha incluido entre los actos objeto de recurso especial en materia de contratación pública a la formalización de encargos a medios propios en los casos en que estos no cumplan los requisitos legales (artículo 442.e) LCSP).

---

[5]   La legítima preocupación de los operadores por la pérdida de mercados causada por los encargos a medios propios se manifestó en las sentencias del caso *Tragsa* (STJUE de 19 de abril de 2007, C-295/05 y STS, Sala C-A, Sec. 3ª, de 30 de enero de 2008, Rec. Casación. 548/2002). Una síntesis de los argumentos se encuentra en *"El abuso en la utilización de las encomiendas de gestión"*, Asociación Española de Empresas de Consultoría, marzo, 2012.

[6]   Una crítica acerada al uso expansivo de los medios propios se encuentra en AMOEDO SOUTO, Carlos, *Tragsa. Medios propios de la Administración y huida del Derecho Administrativo*, Barcelona, Atelier, 2004.

[7]   El artículo 8 de la Ley de Transparencia, Acceso a la Información Pública y Buen Gobierno (Ley 19/2013) dispone que se publicarán las encomiendas de gestión que se firmen, con indicación de su objeto, presupuesto, duración, obligaciones económicas y las subcontrataciones que se realicen con mención de los adjudicatarios, procedimiento seguido para la adjudicación y a su importe.

El riesgo de esta figura se traslada también para la política de defensa de la competencia. Ante su carácter exento a la acción sancionadora, las autoridades de defensa de la competencia centran su labor en medidas de promoción. En el ámbito de la promoción general ha resultado particularmente oportuno el informe de la extinta CNC relativo a los medios propios y a las encomiendas de gestión, imprescindible para entender los efectos perversos de estas figuras en términos de política de competencia[8]. En el plano de la promoción especial, la autoridad nacional emite informes previos a la formalización de las encomiendas de gestión en el sector público estatal[9].

Los encargos a medios propios son relaciones pseudo-verticales entre un ente principal y otro subordinado. La ausencia de carácter negocial significa que no son contratos ni convenios de colaboración, sino actos administrativos dictados unilateralmente por el poder adjudicador. Al derivar de una relación vertical no pueden conformar un cártel; al ser unilaterales, no conforman acuerdos colusorios entre no competidores[10]; al ser actos administrativos autorizados por la LCSP, constituyen excepciones legales a la aplicación del derecho sancionador de la competencia; pero sí cabe su impugnación ante la jurisdicción contencioso-administrativa, al amparo del artículo 4.2 LDC.

La ejecución de un encargo ajustada estrictamente a su normativa constituye un ejemplo de conducta exenta por ley (artículo 4.1 LDC), intocable para los procedimientos de investigación instados por las autoridades de defensa de la competencia[11]. En su Informe sobre las encomiendas, la CNC señaló que, desde la perspectiva del Derecho de la competencia, la principal

---

[8]   CNC, *Los medios propios y las encomiendas de gestión: implicaciones de su uso desde la óptica de la promoción de la competencia»*, 2013.

[9]   En la página web de la CNMC, ver https://www.cnmc.es/expedientes/170169.

[10] La imposibilidad legal de que actos administrativos unilaterales sean acuerdos en el sentido del artículo 1 LDC se desarrolla en la RCNMC, de 20 de febrero de 2014, Expte. 25 can 02-11/13, *Ingenieros técnicos de obras Públicas-habilitación*, F.J. 3°.

[11] Así lo recordó el Consello Galego da Competencia en su Resolución R 7/2014, de 27 de enero de 2015, Expediente S 5/2014, *Encomienda de gestión del servicio de protección radiológica en hospitales del Servizo Galego de Saúde*, apartado 15. En su serie de resoluciones sobre TRAGSA, el TDC defendió la aplicación de la exención legal a las encomiendas de gestión. En su Resolución de 13 de marzo de 1998, Expte R 273/1997, *Tragsa 7*, sostuvo que "*la calificación jurídica procedente es la de considerar que se trata del supuesto de obras ejecutadas directamente por la Administración, contemplado en el artículo 153 de la LCAP. En tales casos, es la norma la que restringe la competencia y las prácticas realizadas al amparo de*

característica de los encargos a medios propios es "*su carácter directo, es decir, su sustracción de los procedimientos de licitación pública, y por tanto de la concurrencia*". Añadió que la falta de concurrencia innata a esta figura motivó que las autoridades de defensa de la competencia incoasen procedimientos de investigación. Pero todos ellos fueron archivados o sobreseídos, en vía administrativa y judicial "*en atención a la naturaleza interna de la relación entre las entidades públicas participantes*"[12].

Los límites de los encargos a medios propios en relación con el Derecho de defensa de la competencia fueron testados en un caso ya clásico, *Tragsa*, conducido ante la justicia europea y la española. El caso se inició por el Tribunal de Defensa de la Competencia, cuya resolución fue impugnada ante la Audiencia Nacional y su sentencia recurrida ante el Tribunal Supremo español (TS). Este planteó tres cuestiones prejudiciales al Tribunal de Justicia de la Unión Europea (TJUE), centradas en dos problemas: la compatibilidad de los encargos con la normativa la normativa de defensa de la competencia (artículo 86.1 del Tratado de al Comunidad Europea (TCE) y con la de contratación del sector público[13]. El TJUE resolvió sobre el primero de ellos y reconoció que los encargos a medios propios son compatibles con las Directivas de contratación pública siempre que reúnan los requisitos fijados por el propio Tribunal en *Teckal* y repetidos en sucesivas sentencias. Dichos requisitos estaban presentes en Tragsa, dado que las autoridades públicas de las que es medio propio instrumental y servicio técnico "*ejercen sobre esta empresa un control análogo al que ejercen sobre sus propios servicios y, por otra parte, dicha empresa realiza lo esencial de su actividad con estas mismas autoridades*"[14].

---

aquélla no pueden ser perseguidas ni sancionadas porque tienen amparo legal", pág. 5.

[12] Resolución de 30 de abril de 1996 (Expte. R 148/96); Resolución de 30 de diciembre de 1997 (Expte. R 255/97); Resolución de 26 de enero de 1998 (Expte. R 269/97); Resolución de 28 de enero de 1998 (Expte. R 270/97); Resolución de 5 de febrero de 1998 (Expte. R 272/97); Resolución de 13 de marzo de 1998 (Expte. R 273/97); Resolución de 30 de marzo de 1998 (Expte. R 267/97); Resolución de 30 de abril de 1998 (Expte. R 266/97).

[13] En aquella época, Directivas 92/50/CEE del Consejo, de 18 de junio de 1992, *sobre coordinación de los procedimientos de adjudicación de los contratos públicos de servicios*, 93/36/CEE del Consejo, de 14 de junio de 1993, *sobre coordinación de los procedimientos de adjudicación de contratos públicos de suministro*, y 93/37/CEE del Consejo, de 14 de junio de 1993, *sobre coordinación de los procedimientos de adjudicación de los contratos públicos de obras*.

[14] STJUE de 19 de abril de 2017, C-295/05, *Asemfo*, 65 y fallo.

Sin embargo, la sentencia no se pronunció sobre la primera cuestión prejudicial. Según su criterio, el artículo 86.1 TCE (hoy artículo 106 TJUE) carece de carácter autónomo y debe ser interpretado en relación con otros preceptos del Tratado; en el caso en cuestión, conjuntamente con el artículo 82 TCE (artículo 102 TJUE), relativo a un posible abuso de posición de dominio de Tragsa. El Tribunal rechazó resolver sobre la vulneración de ambos preceptos porque la resolución de remisión no contenía indicaciones precisas sobre la existencia de una posición dominante, sobre su explotación abusiva por parte de Tragsa ni sobre la repercusión de dicha posición dominante en el comercio entre los Estados miembros[15].

El caso volvió al Tribunal Supremo, quien, en su sentencia de casación acogió la posición de la Corte comunitaria sobre la relación entre encargos y normativa de contratación pública. Pero se vio obligado a pronunciarse sobre la primera cuestión prejudicial, sin contar con el criterio del TJUE. La sentencia, que cuenta con dos votos particulares (V.P.) orienta su deliberación a responder a la pregunta siguiente: ¿la conformidad de los encargos a medios propios está supeditada a que se utilicen en casos singulares y justificados o cabe generalizar la figura, sin más límites a su aplicación que los establecidos en la doctrina Teckal?

La posición mayoritaria, expresada en el fundamento jurídico quinto de la sentencia respalda la generalización, con base en el pronunciamiento del TJUE. El tenor literal no deja lugar a dudas:

> "No cabe desconocer que el Tribunal de Justicia era sabedor de que el régimen jurídico de TRAGSA permite a ésta intervenir de forma relevante —aunque no se hubiese acreditado— que ostentara una posición dominante incondicionada en el sector económico agrícola y forestal en el que se configura como medio propio de la Administración, y que llegó a la conclusión que dicho régimen no planteaba problemas desde la perspectiva de la inaplicación a la misma del régimen comunitario de contratación pública y como consecuencia de ello, a considerar innecesario dar respuesta a la tercera pregunta, como hemos visto en el anterior fundamento de derecho. Esta posición del Tribunal de Justicia hace que debamos ahora desestimar también estos dos motivos, pues sin duda la consecuencia fundamental del régimen jurídico de TRAGSA no es, como parece entender la actora, que el mismo suponga por si mismo ostentar una posición dominante y abusiva, sino la inaplicación del referido régimen ordinario de contratación pública y, consiguientemente, la afectación que ello supone de la competencia en el sector al dejar fuera del mercado una parte relevante del mismo. De esta manera, si se llega a la conclusión de que el régimen de TRAGSA es conforme con el derecho comunitario, ello supone admitir la falta de trascendencia en el caso concreto de reducir el mercado afectado desde el punto de vista de la competencia, con

---

[15]   *Asemfo*, 40-42.

independencia de la mayor o menor justificación de la intervención pública en dicho sector".

Por el contrario, ambos V.P., sostuvieron que lo procedente era plantear una segunda cuestión prejudicial que obligase al TJUE a pronunciarse sobre la extensión y límites de los encargos y la posibilidad de que concentren un mercado en manos de un medio propio, sustituyendo la contratación pública y expulsando a todos los operadores económicos que hasta entonces actuaban como adjudicatarios. El primero de los V.P. (Magistrado Sr. Espín Templado) propuso la redacción de una futura cuestión prejudicial:

> *"¿Es compatible con el artículo 86 del Tratado CE, en relación con el 12, el 43 y el 49 del mismo texto legal, una regulación nacional que configura un medio propio de la Administración con competencias para intervenir en un sector del mercado sin limitación de ningún género —como la necesaria presencia de un interés público relevante, razones de necesidad o urgencia o ausencia de iniciativa privada—, de tal forma que dicho sector económico o un porcentaje significativo del mismo queda fuera de la posibilidad de que las empresas comunitarias accedan al mismo mediante los sistemas de contratación administrativa, cuando dicho mercado está abierto a la concurrencia comunitaria en otros países de la Unión?"*

Adviértase que el texto propuesto no se reduce a una pregunta desnuda sobre la admisión indiscriminada de los medios propios. Incluye además la expresión de los perjuicios hipotéticos que dicha postura podría llegar a causar al mercado y al modelo europeo de contratación pública. El V.P. entiende que la regulación de los encargos se haría *"sin limitación de ningún género"* si los únicos elementos decisorios para evaluar su legalidad son los establecidos en *Teckal*. Pero el V.P., va más allá, hasta el punto de proponer criterios de admisibilidad muy específicos y mensurables (*"razones de necesidad o urgencia o ausencia de iniciativa privada"*).

La segunda parte de la propuesta de cuestión preliminar insiste sobre los riesgos de los encargos indiscriminados y la necesidad de límites, pero ya no sitúa como punto de referencia al Derecho europeo de la Competencia (artículo 86 TCE) sino a la normativa comunitaria de contratación pública:

> *¿Admiten las directivas comunitarias sobre contratación pública su inaplicación mediante la creación libre y discrecional de cualquier medio propio, aunque no medie un interés público relevante que requiera la intervención directa de la Administración, razones de necesidad o urgencia, ausencia de iniciativa privada u otro fundamento análogo?".*

Cabe concluir que para el redactor del V.P. el pronunciamiento del TJUE en *Tragsa* sobre la compatibilidad de los encargos con el sistema europeo de contratación pública no es definitivo que el Tribunal de Justicia. Por lo tanto, le requiere para que vuelva a hacerlo, tomando en consideración criterios no contemplados en *Teckal* y que restringirían la aplicación de esta figura.

Desgraciadamente, el Tribunal Supremo no atendió a las observaciones de los dos magistrados discrepantes y no planteó una cuestión preliminar. De haberlo hecho, quizás el TJUE se hubiera ratificado por completo su doctrina anterior. Pero también podría haberla matizado y reducido el ámbito de aplicación de los encargos. En cualquier caso, la Directiva 2014/24 decidió el asunto a nivel legislativo y político. Los Estados miembros y el Consejo quisieron, la Comisión estimó y el Parlamento Europeo aprobó la no imposición de límites a los encargos ajenos a los plasmados en la doctrina *Teckal*. El riesgo de hipotética generalización de los encargos y la salida de la iniciativa privada de completos sectores (obras públicas, ciertos suministros y servicios) es teóricamente posible. Cabe imaginar que un Estado miembro o algunas de sus entidades regionales o locales creen sociedades mercantiles a las que asignen la realización de todas sus obras públicas o la provisión de ciertos bienes y servicios. Hasta la fecha, no se ha observado la consumación de ese riesgo en niveles que atenten contra la viabilidad de los sistemas de contratación pública a nivel estatal.

A pesar de que los encargos a medios propios estén exentos de la aplicación de la normativa de defensa de la competencia y no quepa imponer a las partes sanción por prácticas anticompetitivas, lo cierto es que causan restricciones reales a la competencia. En su Informe sobre medios propios y encomiendas de gestión, la CNC hizo un detallado análisis de estas restricciones y de sus consecuencias

La primera limitación consiste en el cierre del mercado a posibles licitadores. Los encargos suponen obstáculos para la entrada de otros oferentes para satisfacer las mismas necesidades suplidas a través del encargo. Cuando una Administración opta por esta última solución, el acceso a la prestación quedaría cerrado para todos los oferentes distintos del medio propio, lo que limita la capacidad de éstos para ofertar sus productos o servicios a un ente del sector público, que en muchas ocasiones puede ser un importante demandante de los mismos. Por lo tanto, la decisión de satisfacer la demanda de aprovisionamiento mediante un encargo elimina la posibilidad de celebrar una licitación pública y con ello la competencia en la provisión de la obra, bien o servicio en cuestión.

Un segundo grupo de restricciones se resumen en el "cierre dinámico del mercado". Una de ellas es asignar a medios propios encomiendas "marco", comprensivas de multitud de prestaciones a lo largo de un periodo amplio, normalmente plurianual, cuya ejecución no necesariamente se puede anticipar en el momento de la encomienda. En muchos casos, estas prestaciones ni siquiera guardan relación entre sí. Otra es la fijación de plazos muy amplios para la duración de las encomiendas e incluso prorrogables, lo que incrementa el efecto de la restricción a competir. Estos plazos se erigen como barreras de entrada para nuevos operadores que ven imposibilitado su acceso al mercado.

Otros perjuicios para la competencia derivan de la tradicional opacidad de los encargos a medios propios, traducida en la ausencia de publicidad, transparencia y en la necesaria centralización de la información. La vigente LCSP ha tratado de poner coto a este problema estableciendo el deber de publicidad en las plataformas de contratación. En concreto, el artículo 32 establece en su apartado 6 que: a) el medio propio personificado deberá haber publicado en la Plataforma de Contratación correspondiente su condición de tal; respecto de qué poderes adjudicadores la ostenta; y los sectores de actividad en los que, estando comprendidos en su objeto social, sería apto para ejecutar las prestaciones que vayan a ser objeto de encargo; b) El encargo deberá ser objeto de formalización en un documento que será publicado en la Plataforma de Contratación correspondiente en los supuestos previstos en la ley. El documento de formalización establecerá el plazo de duración del encargo.

Otros efectos negativos de la competencia derivan de la comparación con la contratación pública. El primero de ellos es la ausencia de "*learning effects*". Como señala el informe de la CNC, la interacción entre oferta y demanda que se desarrolla en las licitaciones públicas permite que los oferentes pujen para resultar adjudicatarios de la oferta, en un proceso que conduce a mejoras en relación con las condiciones de partida. La encomienda de gestión se debe ejecutar con arreglo a las instrucciones fijadas unilateralmente por el encomendante y su retribución se fijaría partiendo de tarifas aprobadas por aquél. Esta falta de interacción reduce las posibilidades de eliminar o reducir las asimetrías de información que enfrenta el órgano de contratación en su relación con los proveedores. Esta información será menos contrastable directamente con la realidad del mercado que la que revela la dinámica competitiva de la licitación.

III. Responsabilidades de los entes y operadores presentes en el encargo

A pesar de lo señalado por la justicia europea y española en *Tragsa*, la inmunidad de los encargos a la acción investigadora de las autoridades de defensa de la competencia no es absoluta. Los encargos pueden generar infracciones anticompetitivas tanto en los medios propios como en los poderes adjudicadores[16].

1. *Responsabilidad de ambas partes por simulación del encargo*

En primer lugar, cuando el negocio ha sido configurado como un encargo, pero en realidad no lo es porque carece de todos o de alguno de los requisitos citados en el artículo 12 de la Directiva 2014/24 (artículos 32 y 33 LCSP), precisar su verdadera naturaleza jurídica exige "levantar el velo" de su aparente carácter unilateral y definir de qué negocio jurídico se trata[17]. Caben dos posibilidades: que se trate de un convenio de colaboración (si prima el elemento "cooperación") o de un contrato (si juega el binomio prestación/contraprestación).

En ambos casos, no puede descartarse por principio que la aparente encomienda sea un acuerdo colusorio. El servicio técnico es un operador económico pleno y se halla sometido a la LDC en cuanto proveedor de bienes o servicios a una Administración. El cliente público será corresponsable de la práctica restrictiva, sin que pueda ampararse en la doctrina *FENIN/SELEX* para justificar su impunidad[18]. Y ello, porque alzar el velo no transmuta a la

---

[16]   MIÑO LÓPEZ, Antonio, "Prácticas anticompetitivas en la contratación del sector público", en BENEYTO, José María y MAILLO, Jerónimo (Dir.), *Tratado de Derecho de la Competencia*, Unión Europea y España, Capítulo 38, 2ª ed. Bosch, 2017.

[17]   Cuando el origen de la encomienda sea un acto unilateral, la eventual resolución de la autoridad de competencia que declare la nulidad del negocio (artículo 1.2 LDC) exigirá para su efectividad la previa revisión de oficio de dicho acto por parte de la Administración encomendante. En este sentido, AYMERICH CANO, Carlos "Corrupción y contratación pública: análisis de las nuevas Directivas europeas de contratos y concesiones públicas"; Conferencia pronunciada en el IX Seminario Internacional de Contratación Pública, Facultad de Derecho, Universidad de Vigo, 17 de octubre de 2014.

[18]   El hecho de que la celebración del contrato sí constituya una actividad económica para el adjudicatario no influye en absoluto a la hora de decidir si el ente contratante opera o no como empresa. La Comisión, el TPI y el TJUE coincidieron al afirmar que "*lo que caracteriza al concepto de actividad económica es la acción*

encomienda en un verdadero contrato público, al no haberse observado el procedimiento previsto en la normativa de contratación del sector público ni haberse respetado los requisitos de igualdad, publicidad, transparencia y competencia. Estimar que el negocio jurídico es un convenio de colaboración tampoco impide la aplicación del Derecho de la Competencia. Las autoridades de competencia han sancionado por colusorios los convenios de colaboración que ligan a entidades públicas con empresas privadas.

Probablemente, el supuesto más significativo de convenio objeto de sanción es *SESCAM*. En dicha resolución, la CNC declaró la existencia de una conducta restrictiva de la competencia prohibida por el artículo 1 de la Ley 16/1989 de Defensa de la Competencia (LDC), de la que serían autores el Servicio de Salud de Castilla-La Mancha (SESCAM) y el Consejo de Colegios Oficiales de Farmacéuticos de Castilla-La Mancha, consistente en acordar que los Colegios Oficiales de Farmacéuticos de Castilla-La Mancha establecerán, entre las oficinas de farmacia que lo deseen, turnos rotatorios para el suministro directo a los centro socio sanitarios públicos y privados de la prestación farmacéutica incluida en el Sistema Nacional de Salud. El acuerdo sancionado, lejos de mejorar la prestación farmacéutica directa a los centros socio sanitarios de Castilla-La Mancha la empeoraba, en la medida en que limitaba la libertad de elección de los centros y la libertad de empresa de las farmacias que, por ello, no tendrán incentivos en mejorar la calidad del servicio que prestan a los centros socio sanitarios, en perjuicio directo de la atención farmacoterapéutica que deben recibir los pacientes ingresados en los centros sociosanitarios[19]. La Audiencia Nacional consideró incuestionable que la conducta enjuiciada restringía la competencia en un mercado ya de por si restringido, lo que impedía afirmar que no existe afección significativa del mercado[20].

---

de ofrecer productos o servicios en un mercado determinado, y no la actividad de compra en cuanto tal. (…) Por consiguiente, no procede disociar la actividad de compra de un producto del uso posterior que se dé a éste para apreciar la naturaleza de tal actividad de compra, y que el carácter económico o no del uso posterior del producto adquirido determina necesariamente la naturaleza de la actividad de compra". STJUE de 11 de julio de 2006, C-205/03 P, *Federación Española de Empresas de Tecnología Sanitaria (FENIN)*, 24-27. El desarrollo de la excepción es completado por la STJUE de 26 de marzo de 2009, C-113/07, *SELEX Sistemi Integrati/Comisión*, 80, 82, 88, 91, 92 y 96, *inter alia*.

[19]   RCNC de 14 de abril de 2009, Expte. 639/08 *Colegio Farmacéuticos Castilla-La Mancha*.

[20]   SAN de 6 de junio de 2012, Rec. 283/2009, F.J. 4°.

La Resolución del Tribunal de Defensa de la Competencia de la Comunidad de Madrid de 20 de mayo de 2010, expediente SANC 02/10, *Colegio Oficial de Farmacéuticos de Madrid*, no sancionó el convenio celebrado por el Servicio Regional de Bienestar Social de la Comunidad Autónoma de Madrid y el citado colegio oficial consistente en el establecimiento por parte del COF y el SRBS de un sistema de turnos entre las oficinas de farmacia acogidas a éste. La resolución entendió que el convenio no estableció un reparto territorial del mercado dentro de cada zona básica de salud, ni afectaba a la competencia efectiva del mercado[21].

La labor fundamental de una autoridad de defensa de la competencia para valorar si la asignación al medio propio es un encargo consiste en examinar si concurren todos o falta alguno de los requisitos establecidos de forma acumulativa para que exista esta figura. Así lo hizo la Autoridad Vasca en *Obras Públicas Álava (Arabako Lanak)*[22]. Arabako Lanak, S.A., inicialmente un medio propio de la Diputación de Álava pasó a serlo conjuntamente también de 44 ayuntamientos de la provincia a los que la Diputación cedió una acción por cada entidad local. Los Ayuntamientos adquirieron en conjunto el 0,01% del capital social.

La resolución apreció que la firma de un contrato de donación demostraba que las administraciones públicas implicadas habían actuado como empresas. Y concluyó que la conducta de las entidades públicas infringió el artículo 1 LDC, por dos motivos. En primer lugar, la encomienda carecía de dos requisitos esenciales: falta de precisión del régimen de las encomiendas en los estatutos de Arabako Lanak y la inexistencia de control análogo, por no haber una norma legal que amparase a aquella sociedad como medio propio de las entidades locales (a diferencia de Tragsa). Partiendo de lo anterior, la resolución "levantó el velo" del acto de cesión. Se trataba en realidad de un contrato de donación concertado entre entidades no competidoras, colusorio por objeto y por efecto, pues reservó al medio propio ciertos servicios que los ayuntamientos contrataban hasta la adquisición de las acciones de Arabako Lanak.

Dicho acuerdo produjo el efecto de falsear la competencia respecto de los servicios de redacción de proyectos y dirección facultativa de obras y

---

[21]   Resolución del Tribunal de Defensa de la Competencia de la Comunidad de Madrid de 20 de mayo de 2010, expediente SANC 02/10, *Colegio Oficial de Farmacéuticos de Madrid*. La resolución fue anulada por el Tribunal Superior de Justicia de Madrid en STSJCM 564/212, de 11 de julio.

[22]   RAVC, de 11 de noviembre de 2015, Expte. 7/2013, *Obras públicas Álava*.

coordinación de seguridad y salud en los municipios y concejos alaveses citados. En primer lugar, sustrajo del mercado las actividades de redacción del proyecto constructivo en las encomiendas y las labores de dirección facultativa de obras y coordinación de seguridad y salud de las encomiendas. En segundo lugar, el medio propio aplicó un precio idéntico (el 6% de cada certificación) por diferentes servicios de dificultad muy diversa. Además, considerando el doble papel de Arabako Lanak —como prestador de servicios y cómo poder adjudicador de las obras— el sistema de pago generó un desincentivo a la contratación eficiente, ya que los ingresos de la empresa pública eran tanto más elevados cuanto mayor era el precio de adjudicación de la licitación de ejecución de la obra. Dicho de otro modo, cuanto más barata era la oferta, menos dinero cobraba Arabako Lanak, lo que redujo el incentivo de contratar para la ejecución de la obra a las empresas más eficientes.

2. Responsabilidad del medio propio y del ente encomendante en la ejecución de la encomienda

El servicio técnico es un operador económico en la ejecución de la encomienda y, por ello, susceptible de incurrir en responsabilidad *antitrust*. Conviene insistir en que dicha responsabilidad no deriva de sus relaciones con el ente encomendante, carentes de todo carácter negocial y enmarcadas en el ámbito de las instrucciones administrativas de obligado cumplimiento. La posible responsabilidad deriva de las relaciones jurídico-económicas que el servicio técnico entable con terceros en la implementación del encargo.

Así ocurre cuando los medios propios operan en un mercado en competencia real o potencial con otros operadores económicos privados. El ejemplo más palmario es el encargo a un medio propio de la prestación de un servicio susceptible de ser desarrollado por otras empresas[23]. En este caso,

---

[23] Los encargos cuyo objeto es la prestación de servicios públicos municipales se hallan en la base de la doctrina europea sobre esta figura. Quizás el ejemplo más destacado sea *Parking Brixen* (STJUE de 13 de octubre de 2005, C-458/8). En aplicación del artículo 22 de la Ley n° 142/1990, el municipio de Brixen (Región Autónoma de Trentino-SüdTirol, Italia) encomendó la gestión de determinados servicios públicos locales de su competencia a Stadtwerke Brixen, empresa propiedad de dicho municipio. Según el artículo 1 de sus estatutos, Stadtwerke Brixen estaba dotada de personalidad jurídica y de autonomía empresarial. Su función específica consistía en la prestación unitaria e integrada de servicios públicos locales. Con arreglo al artículo 2 de dichos estatutos, Stadtwerke Brixen tenía por objeto,

el medio propio incurrirá en abuso de posición de dominio cuando impida o someta a precios excesivos el acceso a las infraestructuras a empresas domiciliadas fuera del término municipal.

El objetivo del servicio técnico es monopolizar el mercado en el que ejecuta la encomienda, expulsar a sus rivales e impedir la entrada de otros nuevos (*foreclosure*). Para ello, tal como se apuntó en el párrafo precedente, puede impedir a sus competidores el acceso a la infraestructura municipal (denegación de acceso), someterla a condiciones económicas, técnicas o de otro tipo equivalentes al boicot (denegación constructiva) o imponer condiciones diferentes de forma injustificada (discriminación).

Aunque el abuso de posición de dominio parece la práctica anticompetitiva más probable en un medio propio, no cabe descartar la comisión de prácticas colusorias; en particular, acuerdos con sus competidores. El contexto es idéntico al citado en los dos párrafos precedentes: el objeto del encargo es la prestación de un servicio (público, de interés (no) económico general) o la ejecución de una actividad cuyos destinatarios son todos los ciudadanos de un ámbito territorial o un sector específico de ellos. En tales casos, el medio propio puede buscar por medios anticompetitivos no abusivos el objetivo de cerrar el mercado a sus competidores. Por ejemplo, pactando con sus homólogos en otros territorios el reparto geográfico de los mercados, o la división de ciertos clientes entre ellos. Cuando el acuerdo incluye otras medidas como la compartimentación explícita de los clientes, la denegación de acceso, la coordinación de los precios (tarifas) que cada uno cobrará a los usuarios, o cualquier otra medida de efecto equivalente, el objetivo final del reparto se ve favorecido.

En principio, la vulneración de la normativa de defensa de competencia no se imputa al poder adjudicador por el acto de creación del medio propio o por la asignación directa del servicio. Quien incurrirá en prácticas anticompetitivas será el servicio técnico a la hora de ejecutar la encomienda, dado que posee personalidad jurídica propia, capacidad de obrar y autonomía en la toma de decisiones. Sin embargo, al amparo de la sentencia dictada por el Tribunal Supremo en *Funerarias Baleares* cabe exigir responsabilidad *antitrust* a la Administración creadora del medio propio cuando actúa de forma contraria a la competencia para originar o garantizar la posición de mercado de aquel. La sentencia define como operador económico a aquel poder adjudicador que actúa en el mercado a través de un ente sometido al

---

en particular la gestión de aparcamientos y edificios de aparcamientos, así como la realización de todas las actividades conexas».

Derecho Privado en competencia con operadores privados. El poder adjudicador no puede ampararse en su condición de regulador ni en el ejercicio de su *imperium* para eximirse de su responsabilidad por las acciones anticompetitivas de su medio propio.

En concreto, la sentencia observa que una administración pública puede ser sometida a la exigencia de responsabilidad por vulneración de la normativa de competencia cuando concurren ciertos requisitos: el ente público opera "entre bambalinas", respaldando por vía normativa o administrativa los comportamientos anticompetitivos ejecutados materialmente por un ente sujeto a derecho privado y dedicado a la realización de actividades mercantiles en el mercado.:

> *"Para resolver si, por encima o por debajo de las apariencias, una determinada actuación de una Administración pública se inserta en el ámbito de los actos de imperium (esto es, en el marco de sus prerrogativas de poder), resulta sin duda pertinente el hecho de que aquella Administración intervenga también, de modo simultáneo, como operador económico —aunque lo haga bajo una determinada fórmula de personificación instrumental— en el correspondiente mercado liberalizado de servicios, abierto a la concurrencia. (…). La actuación del Ayuntamiento de Palma de Mallorca (…) no correspondía a sus prerrogativas de poder público «neutral» sino a la defensa de los intereses de la empresa municipal con la que él mismo operaba en el mercado de servicios funerarios (…)".*

Este "respaldo activo" por parte del ente público encomendante no sólo tiene un efecto favorecedor de la actividad del medio propio. También causa un efecto anticompetitivo: busca garantizar el monopolio del operador público y excluir del mercado o miniaturizar la competencia procedente de los operadores de mercado rivales. Este doble efecto justificaría la "transmutación" de la responsabilidad del ente encomendante, la cual no es de naturaleza administrativa, exigible ante los tribunales de lo contencioso-administrativo, sino *antitrust*, como la de cualquier operador económico; aunque supeditada a que un operador económico real (el medio propio) ejecutase las conductas anticompetitivas tipificadas en la normativa de defensa de la competencia.

> *"(…) Lo cual determina, en suma, que su conducta lo fuera a título de agente u operador en el mercado, agente que en este caso se prevalía de su condición privilegiada para limitar la competencia"*[24].

---

[24] STS de 14 de junio de 2013, Sala de lo Contencioso-Administrativo, Rec. 3282/2010, F. J. 8º.

La asignación de responsabilidad a un poder público (encomendante), fundamentada en la creación de un operador económico (medio propio) que actúa como *proxy* es el mayor hito del Derecho español en la imputación de responsabilidad antitrust a las administraciones públicas hasta que la sentencia del TS en *Uva y Vino de Jerez* la admitió de forma directa e inmediata[25].

3. *Responsabilidades en las relaciones verticales ascendente y descendente*

El servicio técnico está sujeto a la normativa de defensa de competencia respecto de los contratos que celebre con proveedores y subcontratistas de bienes y servicios para desarrollo y ejecución del encargo. Unos y otros no son partes del encargo, que liga exclusivamente al ente encomendante y al medio propio. Por ello, no participan de la exención a la normativa de la competencia asociada a la encomienda.

En sus relaciones verticales a nivel ascendente (con los proveedores) y descendente (con los subcontratistas), el servicio técnico es una empresa *strictu sensu*: un operador económico que desarrolla actividades económicas. Además, asume la posición de adquirente y poder adjudicador, al reunir las características previstas en el artículo 2.1.1) y 3) de la Directiva 2014/2024[26]. También son empresas los proveedores y subcontratistas.

En consecuencia, los negocios que aquel celebre con estos deberán ajustarse a la normativa de contratos del sector público[27]. Si dichos contratos reúnen los requisitos de las prácticas colusorias o abusivas, están sujetos a investigación y sanción por las autoridades de defensa de la competencia, en aplicación de la normativa homónima, nacional y europea.

---

[25] STS de 18 de julio de 2016, Sala de lo Contencioso-Administrativo, Rec. 2946/2013, F.J. 4°.

[26] Artículo 2.1. "*A los efectos de la presente Directiva, se entenderá por: 1) «Poderes adjudicadores»: el Estado, las autoridades regionales o locales, los organismos de Derecho público o las asociaciones formadas por uno o varios de dichos poderes o uno o varios de dichos organismos de Derecho público. (...); 3) «Poderes adjudicadores subcentrales»: todos los poderes adjudicadores que no sean las autoridades, órganos u organismos estatales*".

[27] La subcontratación generalizada ha sido criticada en numerosos pasajes del Informe de la CNC sobre los medios propios y las encomiendas de gestión, *Informe*, págs. 33 y ss.

A efectos de exigir responsabilidad *antitrust*, cabe diferenciar dos supuestos: los contratos firmados por el ente encomendante con proveedores y/o subcontratistas; y los acuerdos celebrados entre varios proveedores o varios subcontratistas.

Como se anticipó, los contratos del ente encomendante con proveedores o subcontratistas son relaciones de naturaleza vertical, puesto que se desarrollan entre niveles diferentes del proceso de producción y distribución. Si se demostrase su carácter anticompetitivo, lo serían en concepto de restricciones verticales. Frente a las horizontales (cárteles, en particular), las de carácter verticales no son nunca conductas anticompetitivas *per se*. Es decir, el mero hecho de ejecutarlas no equivale a la comisión de una infracción a la normativa de Derecho de la Competencia. Tampoco son infracciones por objeto. No basta con acreditar que la conducta posee un grado de nocividad suficiente para la competencia (en el mercado), atendiendo al contenido de sus disposiciones, a los objetivos que pretende alcanzar y al contexto económico y jurídico en el que se integra[28].

En realidad, el Reglamento de restricciones verticales (RRV) establece, como principio general, que *"el artículo 101, apartado 1, del Tratado no se aplicará a los «acuerdos verticales»"*[29]. Es decir, dicho artículo no se aplicará a las restricciones verticales presentes en este tipo de acuerdos, pero sí a las prácticas colusorias de tipo horizontal que pudiesen derivar de ellos. El artículo 4 RRV prevé una serie de restricciones verticales inasumibles para el Derecho de la Competencia y, por lo tanto, sancionables (cláusulas negras). Sin embargo, los supuestos contemplados son difícilmente a las relaciones verticales de los medios propios puesto que establecen fundamentalmente limitaciones a las ventas que los miembros del acuerdo vertical hagan a terceros clientes o usuarios finales. En la ejecución del encargo, el servicio técnico no verifica una venta —entendida como negocio jurídico bilateral— al ente encomendante, sino que cumplen una orden o instrucción de ineludible ejecución. Cuando el medio propio obre fuera del ámbito de la encomienda cabrá acudir al artículo 4 RRV si incurriese en alguna de las conductas descritas en el mismo. Para el caso de que las cláusulas negras se produjesen en el ámbito de las relaciones entre medios propios y proveedores/subcon-

---

[28]   Sentencia del Tribunal de Justicia de la Unión Europea de 20 de enero de 2016, C-373/14 P, *Toshiba Corporation*.

[29]   Artículo 2.1 del Reglamento (UE) 330/2010 de la Comisión, de 20 de abril de 2010, *relativo a la aplicación del artículo 101, apartado 3, del Tratado de Funcionamiento de la Unión Europea a determinadas categorías de acuerdos verticales y prácticas concertadas*.

tratistas es preciso que se demuestren sus efectos anticompetitivos reales; es decir, sus perjuicios tangibles contra los bienes jurídicos protegidos por el artículo 101 TFUE y sus correlatos nacionales.

Un segundo tipo de prácticas colusorias posibles en el ámbito de las relaciones verticales del medio propio con sus proveedores o subcontratistas posee, paradójicamente, naturaleza horizontal. Supone en la adopción de acuerdos o en la implementación de prácticas concertadas entre varios proveedores del servicio técnicos o entre varios de sus subcontratistas. Para ambas categorías, el servicio técnico es un operador económico con el que aquellos entablan operaciones comerciales onerosas, bilaterales y recíprocas *(do ut des);* consistentes, respectivamente, en la suministración de insumos necesarios para la ejecución del encargo y en la ejecución de partes autónomas de este.

Las relaciones jurídicas del medio técnico con el segundo término subjetivo —sea un proveedor o un subcontratista— está determinadas por la naturaleza propia de aquel. En Dado que los servicios técnicos son poderes adjudicadores (al amparo del artículo 3.3.d) LCSP), los contratos que celebren con sus proveedores o subcontratistas estarán sometidos al régimen jurídico establecido por la LCSP (Título I, Libro III). Esto implica que la preparación y adjudicación de los contratos sometidos a regulación armonizada se regirán por las mismas normas aplicables a los contratos administrativos (artículo 317 LCSP). Si no fuesen de regulación armonizada, la sujeción al régimen ordinario es menos estricta, en función de su valor estimado (artículo 318 LCSP). En ambos casos, los efectos y extinción se regirán por normas de derecho privado, aunque el artículo 319 LCSP hace algunas remisiones a la normativa de contratos del sector público. Incluso en el caso de que algún medio técnico no tuviese la condición de poder adjudicador, sus compras se sujetan parcialmente a dicha ley (artículos 321 y 322, Título II, Libro III).

Varios proveedores (o subcontratistas) pueden pactar el resultado de los procedimientos de contratación convocados por el medio propio, a través de cualquiera de las fórmulas colusorias existentes. Por ejemplo, acordar que será uno de los licitadores quien presentará la proposición económica más baja, mientras que los demás harán ofertas artificialmente más elevadas, a sabiendas de que serán excluidas (*cover bidding*). Pueden presentarse en uniones temporales de empresas innecesarias, concentrando la oferta en uno o dos grupos de operadores, a pesar de ser capaces de formular ofertas individualmente. O boicotear colectivamente el procedimiento de contratación, con el objetivo de que el medio propio altere en su favor las condiciones económicas y/o técnicas. Estratégicamente, cabría que se repartiesen sucesivas licitaciones, rotando entre ellos los contratos a través de alguna fórmula (rotación).

La comisión de prácticas abusivas por proveedores o subcontratistas posee características interesantes. Es sabido que, a la hora de conceptuar como abusivo el comportamiento de un operador dominante, es precisa la previa delimitación del mercado a considerar (de producto, geográfico y temporal). También que dicha conducta no será considerada como anticompetitivo cuando la posición del cliente en el mercado de demanda es capaz de anular los efectos del abuso (*countervailing buyer power*). Partiendo de que uno o varios proveedores ostentan posición de dominio —individual o colectiva— cabe la posibilidad de que intenten ejercerla abusivamente sobre un servicio técnico con especial poder sobre el mercado de la demanda: dominio, superdominio o monopsonio. Esta situación no es descartable en sectores copados por clientes públicos (Sanidad, Defensa, etc.,). Debe reseñarse que no es imprescindible que esta preponderancia del mismo cliente público se produzca en todo el territorio nacional. También puede darse en ámbitos geográficos más restringidos respecto de productos o servicios cuyo adquirente único o (super-) mayoritario es una entidad pública regional o local.

El comportamiento abusivo del proveedor o subcontratista dominantes admite cualquiera de las modalidades conocidas en el Derecho de la Competencia. Sin embargo, se adivina cierta proclividad a su plasmación en tres categorías: discriminación (de precios), denegación de suministro o de acceso y precios excesivos. Dado que estos u otros tipos de abuso se ejercitan contra un cliente, su carácter no es exclusionario sino explotativo. Tienen por objeto extraer del medio propio la mayor cantidad de rentas posible y, en ocasiones, limitar la calidad y condiciones técnicas de la prestación a niveles simplemente aceptables.

La discriminación explotativa ha sido construida por la doctrina y las autoridades de defensa de la competencia y su supuesto de hecho es idéntico de la discriminación de segundo grado (la ejercida por un operador dominante sobre empresas que operan otros mercados (conexos). Pero la conducta es considerada como un abuso de posición dominante de naturaleza explotativa, al amparo del artículo 101.1 a) TFUE o 2.2 a) LDC. Las diferencias entre una y otra figura no están muy claras en las resoluciones. Pero pueden hallarse en que en la discriminación explotativa, los operadores del mercado aguas abajo, clientes del dominante, no son rivales entre sí. Y, desde luego, no compiten con la dominante, sea en el mercado donde este ejerce posición de dominio, sea en un mercado conexo. Dichos clientes son destinatarios finales, cuya posición económica (*welfare*) se ve perjudicada por la acción del contratista dominante. En el contexto de este estudio, esta figura implica que el proveedor o subcontratista dominante exigen a un medio propio unas condiciones económicas o técnicas diferentes a las que establece para otros clientes, sean estos medios propios u operadores en mercados ordinarios. Se trata de una fórmula adaptativa a las condiciones del mercado y a la mayor o menor preponderancia relativa del proveedor/subcontratista respecto de sus clientes[30].

No toda diferencia de precios o elementos técnicos es discriminatoria. En la discriminación exclusionaria, las condiciones desiguales impuestas por el operador dominante han de colocar *"a unos competidores en situación desventajosa frente a otros"* (artículo 2 LDC). En la explotativa, supone colocar a unos clientes finales en mejor o peor posición relativa en función de las diferentes condiciones de venta. Esta posición relativa no repercute en futuras operaciones comerciales puesto que el perjudicado por la conducta es el cliente final. Pero sí genera pérdidas de eficiencia económica y de bienestar en el destinatario discriminado. Cuando este es un ente del sector público cuyo objeto es implementar políticas públicas y satisfacer intereses generales, los perjuicios se proyectan al tesoro público y a los ciudadanos.

La denegación al medio propio del suministro de insumos o del acceso a productos reclamados para la ejecución del encargo. La normativa de contratación pública diferencia entre la negativa a participar en el procedimiento (convocado por el medio propio) y su abandono. En relación con la negativa inicial, la LCSP no impone a ningún empresario la participación en los procedimientos de contratación pública. Incluso en el supuesto más extremo, que el mercado esté monopolizado por una sola empresa, esta es libre de presentar una oferta o de abstenerse. La inexistencia de una obligación legal de participación significa que la LCSP carece de sanción contra la no presentación de ofertas. Respecto de la negativa sobrevenida, el artículo 62.2 del todavía vigente Reglamento General de la Ley de Contratos de las Administraciones Públicas (RGLCAP) prevé que *"el reconocimiento por parte del licitador de que su proposición adolece de error, o inconsistencia que la hagan inviable, tendrán la consideración de retirada injustificada de la proposición"*. A estas causas debe añadirse la ausencia de toda motivación en la "huida" del licitador. Las consecuencias de la retirada injustificada son: a) incautación de la garantía provisional (si se hubiese exigido); b) exigencia de indemnización de daños y perjuicios (si se hubiesen causado);

---

[30]   MIÑO LÓPEZ, Antonio, *Defensa de la competencia en la contratación del sector público*, Thomson-Reuters Aranzadi, 2019 (en edición).

c) imposición de una prohibición de contratar, siempre que en la retirada "hubiese mediado dolo, culpa o negligencia" (artículo 71 LCSP)[31].

Cuando la negativa no se produce durante la licitación sino en la ejecución del contrato, este comportamiento equivale a su renuncia o al incumplimiento total o sustancial del contrato público sin causa suficiente. La reacción de la normativa de contratación pública consiste en la resolución del negocio jurídico (artículo 211 LCSP), acompañada de la pérdida de la garantía definitiva, la indemnización de daños y perjuicios (artículo 213 LCSP) y la imposición de una prohibición de contratar (artículo 71.2.c) LCSP). Desde la perspectiva del Derecho de la competencia, la conducta será un abuso denegatorio, cuando reúna los requisitos exigidos para la ruptura injustificada de relaciones comerciales (*termination*). A saber: 1) el comportamiento se puede caracterizar correctamente como finalización de las relaciones comerciales; 2) el contratista público es dominante en el mercado; 3) es probable que la denegación tenga un efecto negativo sobre la competencia; 4) la denegación no está justificada objetivamente o por eficiencias[32].

Por último, la imposición de precios excesivos al medio propio tiene un límite muy específico en el Derecho de la contratación pública: el presupuesto de licitación. Cualquier oferta económica que exceda del mismo será rechazada de plano. Algo semejante ocurre cuando el procedimiento escogido es el contrato menor. En este caso, es la propia LCSP estableció explícitamente los límites: "*contratos de valor estimado inferior a 40.000 euros, cuando se trate de contratos de obras, o a 15.000 euros, cuando se trate de contratos de suministro o de servicios*" (artículo 118.1 LCSP).

4. Responsabilidad del medio propio como operador económico en el mercado

La noción amplia de empresa es doctrina común en el Derecho europeo y, por difusión, en los ordenamientos jurídicos de los Estados miembros. Empresa es cualquier operador que participa en la intermediación de bienes y servicios en el mercado, con independencia de su régimen jurídico, organización y forma de financiación[33]. Por lo tanto, el medio propio se comporta como un operador económico ordinario al desarrollar activida-

---

[31]   Idem ant.
[32]   *Discussion Paper*, 218.
[33]   STJCE de 23 de abril de 1991, C-41/90, *Höfner y Elser*.

des económicas fuera del ámbito de las encomiendas de gestión. En tal caso, está sujeto al Derecho de la Competencia en sus relaciones comerciales con los entes del sector privado y con otros entes del sector público diferentes al encomendante.

El servicio técnico está legitimado para mantener relaciones comerciales con otros poderes adjudicadores y entes del sector privado en los términos fijados por su normativa legal o estatutaria. La concesión legal de capacidad para comerciar muestra que los fundamentos de esta figura son falaces, al menos en tres extremos. En primer lugar, el legislador europeo no considera a los servicios técnicos como meros apéndices personificados de los entes encomendantes, unidos de forma inescindible y exclusiva al tronco común. En segundo lugar, su singularidad no estaría justificada únicamente por razones de eficiencia, de continuidad histórica o de disponibilidad de medios materiales y personales. En tercer lugar, las restricciones a la competencia provenientes de los encargos a medios propios no se circunscriben de forma interna o pasiva a la competencia por el mercado (en relación con su alternativa, la contratación pública); también pueden extenderse de forma activa a la competencia en el mercado.

La concertación de relaciones *ad extra* encuentra su límite en el 20% del volumen de actividad del medio propio, tal como han establecido los artículos 12.3 b) de la Directiva 2014/24 y 32.2.b) LCSP. Ambos preceptos incluyen entre las condiciones constitutivas de aquel *"que más del 80% de las actividades de esa persona jurídica se lleven a cabo en el ejercicio de los cometidos que le han sido confiados por los poderes adjudicadores que la controlan o por otras personas jurídicas controladas por los mismos poderes adjudicadores"*. La LCSP establece las reglas del cálculo porcentual. Dentro de un marco temporal definido (los tres ejercicios anteriores al de formalización del encargo), cita dos factores a considerar: *"el promedio del volumen global de negocios y los gastos soportados por los servicios prestados al poder adjudicador en relación con la totalidad de los gastos en que haya incurrido el medio propio por razón de las prestaciones que haya realizado a cualquier entidad"*. La mención explícita de ambos criterios los convierte en seguros para la obtención del objetivo perseguido y, por ello, en no prescindibles y no substituibles, salvo justificación cumplida de su imposible empleo. Tan sólo en este último caso debiera ser admitido *"cualquier otro indicador de actividad que sea fiable"*. Aquel medio propio que no hubiese alcanzado los tres años por razones de creación o de reorganización, deberá justificar su actividad conforme a los criterios ordinarios respecto de su período de existencia. Cara al futuro, *"será suficiente con justificar que el cálculo del nivel de actividad se corresponde con la realidad, en especial mediante proyecciones de negocio".*

El riesgo de comportamientos anticompetitivos *ad extra* de los servicios técnicos se ejemplifica en sus abusos de posición dominante en aquellos mercados donde los entes encomendantes conforman toda o gran parte de la demanda. Como consecuencia de ello, el medio propio copa el mercado de la oferta. Los clientes privados que subsistan en los márgenes del mercado carecen de *countervailing buyer power* para negociar buenas condiciones con el servicio técnico. Este puede incurrir en prácticas abusivas de varios tipos: negativas de suministro o acceso (*refusal to supply or to deal*), precios excesivos, compresión de márgenes (*margin squeeze*) o imposición de condiciones discriminatorias respecto del cliente encomendante. En todos estos casos, las autoridades de defensa de la competencia han de prescindir en su análisis de la condición de medio propio. Los comportamientos citados proceden de un operador económico habilitado para actuar en el mercado dentro de los márgenes del 20% del volumen de actividad. Si incurriese en ellos, ha de ser investigado y sancionado como cualquier otro operador económico.

Los comportamientos abusivos citados, u otros en los que el medio propio pudiere incurrir, carecen de naturaleza exclusionaria, puesto que no van dirigidos a expulsar del mercado a competidores del servicio técnico. Su objetivo es endurecer las condiciones, perjudicar o echar del mercado a sus clientes del sector privado. Por ello, se trata de abusos de posición de dominio de naturaleza explotativa (*exploitative abuses*), enmarcados en los artículos 102 a) del Tratado de Funcionamiento de la Unión Europea (TFUE) y 1.2.a) LDC.

En *Fábrica Nacional de Moneda y Timbre*, la Dirección de Investigación de la CNC concluyó que la FNMT ostenta el monopolio de los servicios mayoristas de validación de certificados emitidos por la propia Fábrica (mercado aguas arriba)[34]. Estos servicios constituyen un insumo esencial para prestar servicios de validación de los certificados emitidos por otros operadores, tanto públicos como privados (mercado aguas abajo). La prestación de servicios mayoristas de validación de certificados de la FNMT que constituiría un mercado de producto relevante diferenciado en sí mismo, en el que la FNMT tiene el monopolio, como única entidad que en última instancia tiene capacidad para validar sus propios certificados. Esta

---

[34]   RCNC, de 24 de enero de 2011, Expediente S/0096/08, *Fábrica Nacional de Moneda y Timbre*.

circunstancia permitiría establecer que la FNMT disponía de una posición de dominio en este mercado mayorista, sin necesidad de entrar a valorar si la FNMT poseía una posición de dominio en los mercados de expedición y validación minorista de certificados, a pesar de que en los mismos la FNMT tenía una presencia significativa. Al negarse a suministrar los servicios mayoristas, la FNMT habría incurrido en abuso de posición de dominio por denegación de acceso (*refusal to supply*), contraria al artículo 2 LDC.

Tras haber solicitado la finalización de este expediente mediante el procedimiento de terminación convencional, la FNMT presentó ante la CNC una serie de compromisos dirigidos a crear un sistema de servicios mayoristas de validación de los certificados de la FNMT, mediante el sistema de validación específico (OCSP), y establecer un régimen de precios mayoristas que incluía un diferencial respecto a los precios minoristas. Para ello, la FNMT se comprometió a incorporar dicho servicio mayorista al tráfico jurídico en un plazo de seis meses desde la aprobación de la terminación convencional, adoptando asimismo un contrato tipo para estos servicios y procediendo a su divulgación pública. La FNMT se comprometió también a no adoptar medidas en relación con el precio minorista que impida el desarrollo del mercado mayorista de validación. A este objetivo responde la adopción de un modelo de contrato tipo y un sistema de precios minoristas para los servicios de validación de los certificados de la FNMT.

La responsabilidad por la comisión de prácticas anticompetitivas en el mercado se imputa directamente el medio propio. Este se comporta como un operador económico ordinario cuando desarrolla actividades económicas fuera del ámbito de las encomiendas de gestión. Lo exige también el hecho de tener personalidad jurídica propia, así como órganos de dirección y administración plenamente competentes para adoptar decisiones comerciales. Otra razón fundamental para la asunción de responsabilidad *antitrust* radica en que el servicio técnico goza de autonomía orgánica y funcional plena para adoptar las decisiones sobre el 20% de la actividad ajena a los encargos de su(s) ente(s) encomendante(s). A *contrario sensu*, cuando el medio propio se limite a implementar en sus operaciones de mercado la voluntad del ente encomendante, la responsabilidad es imputable a este. Pero para ello es necesario que el encomendante o los órganos superiores del sector público concernido adopten medidas normativas o decisiones administrativas. O que den al servicio técnico instrucciones expresas que este no pueda ignorar, condicionar o matizar. Es decir, que lo conviertan en un medio propio en sus operaciones de mercado. Para ello basta con que se cumpla la primera condición prevista en los artículos 12.3 a) de la Directiva y 32.3.a) LCSP. Es decir, que el encomendante "*ejerza sobre el ente destinatario de los mismos un control, directo o indirecto, análogo al que ostentaría sobre sus propios servicios o unidades, de manera que el primero pueda ejercer sobre el segundo una influencia decisiva sobre sus objetivos estratégicos y decisiones significativas".*

IV. Títulos de imputación de la responsabilidad *antitrust* a los diversos actores

En los epígrafes anteriores se estudió como los encargos a medios propios son considerados exentos de la aplicación de la normativa de defensa de la competencia siempre que reúnan los requisitos establecidos en el artículo 12 de la Directiva 2014/24 (y en las correspondientes legislaciones nacionales). También se advirtió que dicha exención no es absoluta y se describieron diferentes escenarios en los que los participantes en el encargo pueden incurrir en conductas anticompetitivas. Ahora toca especificar en que títulos jurídicos cabe fundamentar dicha responsabilidad.

El supuesto aparentemente más claro es el de las relaciones internas entre el poder adjudicador y el medio propio. Tal como se indicó más arriba, la exención de la aplicación de la normativa de competencia tiene un fundamento múltiple. En primer lugar, los encargos a medios propios son relaciones pseudo-verticales entre un ente principal y otro subordinado. En segundo lugar, la ausencia de carácter negocial significa que no son contratos ni convenios de colaboración, sino actos administrativos dictados unilateralmente por el poder adjudicador. En tercer lugar, al derivar de una relación (pseudo-) vertical no pueden conformar un cártel. En cuarto lugar, al ser unilaterales, no conforman acuerdos colusorios entre no competidores. En quinto lugar, al ser actos administrativos autorizados por la LCSP, constituyen excepciones legales a la aplicación del derecho sancionador de la competencia; pero sí cabe su impugnación ante la jurisdicción contencioso-administrativa, al amparo del artículo 4.2 LDC. En sexto lugar, aplicando por analogía la doctrina *FENIN*, la posición del poder adjudicador encomendante es la de un comprador, pero no es un operador económico, ni la compra es una actividad económica, puesto que los bienes obtenidos del adjudicatario (en el caso de la contratación pública) o del medio propio (en el caso de los encargos) no "re-entran" en el mercado, sino que se emplean para la ejecución de políticas públicas, a título de destinatario final.

El medio propio está sometido a la normativa de defensa de la competencia y asumirá responsabilidad antitrust por sus conductas en dos supuestos. En primer lugar, cuando el encargo carece de los requisitos legales y no satisface los límites *Teckal*. En tal caso, se trata de un negocio simulado, que encubre un convenio de colaboración o una operación de compraventa (*SESCAM*, *Arabako Lanak*). En segundo lugar, aunque el encargo haya sido correctamente construído pero en su ejecución el servicio técnico concurre con otros operadores con los que alcanza acuerdos colusorios o abusa de su poder de mercado. Así puede acontecer cuando el objeto de la encomienda es la prestación de un servicio público o de otra actividad en la que también participan empresarios privados (tanatorios, centros deportivos, etc). En este segundo caso, la responsabilidad —en concepto de operador económico— se extenderá al poder adjudicador encomendante si adoptó medidas que provocan, favorecen, protegen o garantizan las medidas colusorias o abusivas adoptadas por el medio propio (*Funerarias Baleares*).

La justificación de la responsabilidad *antitrust* de proveedores y subcontratistas no ofrece mayores problemas. Sus relaciones jurídicas con el medio propio configuran operaciones mercantiles, por lo que son operadores económicos y están sometidos al Derecho de defensa de la Competencia. Los acuerdos dentro de cada categoría y las conductas unilaterales son enjuiciables conforme a los *tests* de las prácticas colusorias o del abuso de posición de dominio. Si tales conductas se observasen contrarias a los artículos 101 y 102 TFUE (artículos 1 y 2 LDC), pueden y deben ser sancionados.

Este mismo argumento es aplicable al medio propio cuando ejecuta operaciones económicas dentro del límite máximo del 20% de su volumen total de negocios. Las múltiples singularidades de los medios propios lo son tan sólo y en la medida que actúen como tales. Cuando exceden de sus límites (simulación) o cuando no actúen como servicios técnicos son empresas y asumen una responsabilidad ordinaria en términos del Derecho de la Competencia.

Por último, queda todavía por precisar el impacto que tendrá la doctrina *Uva y Vino de Jerez* sobre la asignación de responsabilidad *antitrust* en el ámbito de los medios propios. Esta doctrina, postulada por la Comisión Nacional de los Mercados y de la Competencia y adoptada por el TS español en la sentencia homónima, desvincula la autoría de la conducta anticompetitiva de la realización de actividades económicas y de la consideración de empresa como operador económico que realiza actividades económicas. La sentencia fue muy explícita cuando afirmó que:

> *"(...) en el ámbito del Derecho de la competencia opera un concepto amplio y funcional de empresa, de manera que lo relevante no es el estatus jurídico económico del sujeto que realiza la conducta sino que su conducta haya causado*

o sea apta para causar un resultado económicamente dañoso o restrictivo de la competencia en el mercado"[35].

Para esta doctrina, la empresa, a efectos del Derecho de la Competencia, no se define por su denominación, estructura, organización o realización de actividades mercantiles sino por su capacidad para provocar perjuicios a la competencia. Un concepto tan amplio incluye a las administraciones y públicas y, por lo tanto, a los poderes adjudicadores encomendantes. No es descartable que, en determinados casos, la responsabilidad *antitrust* imputable a los servicios técnicos sea extensible a sus entes encomendantes en la medida en que su acción o inacción sea hábil para restringir la competencia en el mercado; y, por lo tanto, más allá de los límites establecidos por el propio TS en *Funerarias Baleares*.

Bibliografía

ABRIL FERNÁNDEZ, E., RUBIO HERNÁNDEZ-SAMPELAYO, G., "¿Cuándo puede sancionarse a las Administraciones Públicas por conductas anticompetitivas?", en RECUERDA GIRELA, Miguel Ángel (Dir.), *Anuario de Derecho de la Competencia 2017. Problemas prácticos y actualidad del Derecho de la Competencia*, Thomson Reuters Civitas, 2017, págs. 66-68.

AEC (Asociación Española de Empresas de Consultoría), *El abuso en la utilización de las encomiendas de gestión*, marzo, 2012 (https://www.consultoras.org/documentos-e-informes-aec/abuso-utilizacion-encomiendas-gestion).

AMOEDO SOUTO, C., *Tragsa. Medios propios de la Administración y huida del Derecho Administrativo*, Barcelona, Atelier, 2004.

AYMERICH CANO, C., "Corrupción y contratación pública: análisis de las nuevas Directivas europeasde contratos y concesiones públicas"; Conferencia pronunciada en el *IX Seminario Internacional de Contratación Pública*, Facultad de Derecho, Universidad de Vigo, 17 de octubre de 2014.

CNC, *Los medios propios y las encomiendas de gestión: implicaciones de su uso desde la óptica de la promoción de la competencia*, 2013.

LILLO ÁLVAREZ, C., "La normativa de competencia: su aplicación a la Administración Pública", en *Gaceta Jurídica de la Unión Europea y de la Competencia*, n° 22, julio/agosto, 2011, págs. 22-33.

MARCOS FERNÁNDEZ, F., "¿Puede sancionarse a las Administraciones Públicas cuando no actúan como operador económico si restringen la competencia o promueven conductas anticompetitivas?", *INDRET*, enero, 2018.

MARCOS FERNÁNDEZ, F., "Tribulaciones autonómicas frente a las restricciones públicas de la competencia (II)", en el blog *Competencia y Regulación*, 8 de marzo de 2016,

---

[35] En realidad, esta frase ya figura en la sentencia de casación al caso *SESCAM*, STS de 9 de marzo de 2015, Rec. de casación 3528/2012, F.J. 2°.

http://derechocompetencia.blogspot.com.es/2016/05/tribulaciones-autonomicas-frente-las.html.

MARCOS FERNÁNDEZ, F. (2008-2009), "¿Pueden las administraciones públicas infringir la Ley de Defensa de la Competencia cuando adquieren bienes o contratan servicios en el mercado?: Comentario a la resolución de la Comisión Nacional de Competencia, de 14 de abril de 2009 (639/08, Colegio Farmacéuticos Castilla-La Mancha)", *Actas de derecho industrial y derecho de autor*, Tomo 29, 2008-2009, págs. 839-866.

MARCO COLINO, S., *Vertical Agreements and Competition Law: A Comparative Study of the EU and US Regimes*, Bloomsbury Publishing, 2010.

MIÑO LÓPEZ, A., *Defensa de la competencia en la contratación del sector público*, Thomson-Reuters Aranzadi, 2019 (en edición).

MIÑO LÓPEZ, A., "Prácticas anticompetitivas en la contratación del sector público", en BENEYTO, José María y MAILLO, Jerónimo (Dirs.), *Tratado de Derecho de la Competencia*, Unión Europea y España, Capítulo 38, 2ª ed. Bosch, 2017.

MOLL FERNÁNDEZ-FIGUARES, L., *Los encargos a medios propios en la legislación actual*, Reus, 2017.

VAN WEERT, K. y CHRISTIAN, G., "Cartel facilitators Beware —AC AC— Treuhand Spurs Competition Authorities into Action", *Global Competion Policy*, agosto, 2009.

VILALTA REIXACH, M., *Encomienda de gestión: entre la eficacia administrativa y la contratación pública*, Thomson-Reuters, 2010.

Sección Tercera:
CONTRATACIÓN PÚBLICA Y COLABORACIÓN PÚBLICO-PRIVADA

LA COLABORACIÓN PÚBLICO-PRIVADA EN EL DESARROLLO DE INFRAESTRUCTURAS VIARIAS. EL CASO ESPAÑOL Y EL BALANCE EUROPEO: UNA EXPERIENCIA MEJORABLE

Francisco Puerta Seguido
Doctor en Derecho
Profesor Derecho Administrativo
Universidad de Castilla-La Mancha

SUMARIO: I. El planteamiento de la cuestión. II. "De las cuentas de la lechera" o el fracaso empresarial en la explotación de las infraestructuras y su pretensión de restaurar el equilibrio financiero de los contratos. III. El impacto de la crisis en la contratación en general y en los contratos de concesión de obras en particular. 1. En la contratación administrativa en general. 2. En los contratos de concesión de obras en particular. IV. Breve referencia a la CPP en el ámbito de la Unión Europea. V. A modo de conclusiones. Bibliografía.

I. El planteamiento de la cuestión

La Organización para la Cooperación y el Desarrollo Económico (OCDE) define las asociaciones público-privadas (APP) como acuerdos contractuales a largo plazo entre el gobierno y un socio del sector privado donde el último financia y presta un servicio público usando un activo de capital y compartiendo los riesgos asociados. Esta amplia definición demuestra que las APP pueden diseñarse para lograr una amplia variedad de objetivos en diversos sectores, como el transporte, la vivienda social, sector de las TIC y la asistencia sanitaria, y pueden estructurarse adoptando diferentes modelos.

Las asociaciones público-privadas (APP) aprovechan el sector público y el privado para proporcionar bienes y servicios que habitualmente suministra el sector público, a la vez que flexibilizan las rigurosas restricciones presupuestarias que se aplican al gasto público.

La forma más común de APP es el contrato de "diseño, construcción, financiación, mantenimiento y explotación"[1]. Aquí se encargan al socio del sector privado todas las fases del proyecto, desde el diseño a la construcción, la explotación y el mantenimiento de la infraestructura, incluida la recaudación de fondos. Esta perspectiva a largo plazo se conoce como el "enfoque de vida útil".

El desarrollo por parte de los poderes públicos de relevantes infraestructuras de transporte de personas y bienes se ha convertido en un elemento estratégico para alcanzar la denominada cohesión económica y social y ha sido utilizado por los diferentes Gobiernos como un instrumento necesario para superar situaciones de atraso económico y desigualdad en el desarrollo regional.

En España buena parte de esas importantes infraestructuras han sido ejecutadas a través de los denominados Planes de modernización, estatal y autonómicos, que han requerido la movilización de los recursos públicos, nacionales y europeos, disponibles y afectos a estas finalidades, incluidos los fondos europeos de la Agenda 2000, y, además, han demando una imprescindible participación de la iniciativa privada en la financiación de las infraestructuras públicas. Participación privada que contribuiría a mantener el objetivo de nuestro país de convergencia económica según los compromisos asumidos en el marco europeo y que ha utilizado intensamente uno de los instrumentos jurídicos puestos al servicio de esos objetivos, el contrato de concesión de obra pública.

Ese ánimo de implicar decididamente a la iniciativa privada en la financiación de tan ingente volumen de infraestructuras demandaba un marco jurídico estable y eficiente y, por ello, en el año 2002 el Consejo de Ministros aprobó el Proyecto de Ley Reguladora del Contrato de Concesión de Obras Públicas y dejó expedito el camino para su tramitación parlamentaria. La Ley 13/2003, de 23 de mayo, siguiendo el criterio del Consejo de Estado, introdujo un nuevo Título V en el Libro II del Real Decreto Legislativo 2/2000, de 16 de junio, y reguló el contrato típico de concesión de obras públicas. Se remozaba con ello el marco jurídico integrado por la vieja Ley

---

[1]   Las tres categorías principales de APP son: a) concesiones, donde habitualmente los usuarios finales del servicio pagan directamente al socio del sector privado, sin ninguna remuneración (o reducida) procedente del sector público; b) empresas conjuntas, o APP institucionales, donde tanto el sector público como el privado se convierten en accionistas de una tercera empresa; c) APP contractuales, donde la relación entre las partes está regida por un contrato.

8/1972, de 10 de mayo, todavía vigente, que regula el proceso de construcción, conservación y explotación de autopistas en régimen de concesión y la Orden de 20 de noviembre de 1965, por la que se creó la denominada Comisión Promotora de Autopistas con la finalidad de otorgar licencias de construcción y explotación de autopistas a entidades privadas y en régimen de concesión administrativa.

Posteriormente la necesidad de acomodar nuestro ordenamiento jurídico en esta materia a la normativa comunitaria impulsó las reformas en materia contractual llevadas a cabo con la aprobación de la Ley 30/2007, de 30 de octubre, de contratos del Sector Público y sus modificaciones posteriores, después recopiladas en el texto refundido aprobado con el Real Decreto Legislativo 3/2011. Hoy, ya concluido el proceso de transposición de las Directivas 23 y 24/2014 con la aprobación de la Ley 9/2017, de 8 de noviembre, se mantiene la figura y se completa su desarrollo legal con las mismas pretensiones.

La reforma legal fue aprovechada para regular la complejidad económica y social que entraña la tarea de desarrollar las grandes infraestructuras públicas integrando lo jurídico, lo técnico y lo económico en un instrumento único capaz de proporcionar credibilidad, eficiencia y seguridad jurídica a fórmulas de colaboración que se basan en una destacada participación de la financiación privada. Esa necesaria colaboración privada contaba además con los avales de la propia Organización para la Cooperación y el Desarrollo de Europa, que en su Informe "Urban Infrastructure: Finance and Management" (1991) había reconocido que "las inversiones públicas en materia de infraestructuras eran un sustituto directo de la inversión privada" y constituían "una opción generalizada en la medida en que los instrumentos de gestión y financiación privadas son minusvalorados, malinterpretados o, sencillamente, desconocidos" y de la Comisión de las Comunidades Europeas que, en su Informe "Réseaux Transeuropeé" (1993), declaró que "los mecanismos de financiación extrapresupuestaria estaban llamados a cumplir, a buen seguro, una función adicional y complementaria respecto a los sistemas tradicionales de financiación pública, exclusiva y directa".

Se sumó, con ello, nuestro ordenamiento a la tendencia actual centrada en la prestación indirecta de servicios, reforzando el papel del sector privado en la realización de actividades tradicionalmente reservadas al sector público, y a la paralela reducción del papel del Estado y las Administraciones Públicas, orientado esencialmente al control de dicha prestación. Mediante las concesiones, por tanto, el Estado otorga una actividad propia de su ámbito a una empresa privada (denominada por ello sociedad concesionaria), que se encarga de gestionar esa actividad bajo tutela administrativa, con todas las consecuencias que, a la postre, pudieran derivarse de la misma, algunas de las cuales serán abordadas en el desarrollo de este breve estudio.

Esta tendencia se justifica, además, por la escasez de recursos financieros públicos con origen en la política de restricciones presupuestarias asumidas en nuestro país con ánimo de reducir el déficit público. Esta práctica está mucho más acentuada en los países de nuestro entorno comunitario y ha merecido una valoración positiva por parte de las Instituciones Europeas. Conviene recordar aquí que la Comisión Europea publicó un Libro Verde sobre la colaboración público-privada y el derecho comunitario en materia de contratación pública y concesiones. Además, el Libro Blanco de 2011 sobre el transporte[2] de la Comisión animaba a los Estados miembros, entre otras cosas, a utilizar más las APP, a la vez que reconocía que no todos los proyectos eran adecuados para la utilización de este mecanismo.

Más recientemente el Tribunal de Cuentas de la Unión Europea ha destacado en un informe especial[3] denominado "Asociaciones público-privadas en la UE: Deficiencias generalizadas y beneficios limitados" las ventajas de esta colaboración público-privada. Señala el Tribunal que las APP se establecen principalmente para lograr beneficios potenciales en comparación con otros métodos de contratación tradicionales. Entre estos beneficios se incluyen los siguientes:

a) el cumplimiento anterior de un programa planificado de inversión de capital, dado que las APP pueden proporcionar una financiación adicional importante para complementar las partidas presupuestarias tradicionales;

b) la posibilidad de aumentar la eficiencia en la ejecución de proyectos al realizar con más rapidez los proyectos individuales;

c) la posibilidad de compartir riesgos con el socio del sector privado y de optimizar los costes a lo largo de su vida útil;

d) la posibilidad de unos niveles de mantenimiento y servicio mejores que los de los proyectos tradicionales mediante un enfoque de vida útil;

e) la posibilidad de combinar conocimientos especializados del sector público y del privado de la manera más efectiva posible para desarrollar

---

2   COM (2011) 144 final de 28 de marzo de 2011, Libro Blanco de la Comisión, "Hoja de ruta hacia un espacio único europeo de transporte: por una política de transportes competitiva y sostenible", pág. 28.

3   El Informe Especial, presentado con arreglo al artículo 287 TFUE, apartado 4, párrafo segundo, puede consultarse en https://www.eca.europa.eu/Lists/ECADo-cuments/SR18_09/SR_PPP_ES.pdf.

una evaluación de proyectos exhaustiva y lograr un alcance óptimo del proyecto.

f) Además, el marco contable de la UE (SEC 2010) permite que la participación pública en las APP, en determinadas condiciones, sea registrada como partidas fuera de balance. Esto incentiva su utilización reforzando el cumplimiento de los criterios de convergencia del euro, también conocidos como criterios de Maastricht.

Como bien señala el Dictamen del Consejo de Estado nº 3375/2001, emitido, con carácter urgente, en el expediente relativo al Anteproyecto de Ley reguladora de la Concesión de Obras Públicas, han sido las necesidades de la Administración en orden a la dotación de infraestructuras y los condicionamientos de orden macroeconómico los que han propiciado una reconsideración de las fórmulas de gestión y financiación de las obras públicas. A nadie le cabe duda alguna de la importancia que hoy tienen las fórmulas de colaboración público-privada para el desarrollo de infraestructuras y para la prestación de los servicios públicos necesarios en una sociedad desarrollada, la denominada PPP (Public-Private Partnership), en sus diversas modalidades, es el instrumento elegido por los Gobiernos y las Administraciones Públicas para el diseño del proyecto, la construcción y explotación de infraestructuras de todo orden.

Como se ha puesto de manifiesto las bondades de la fórmula CPP o PPP no sólo residen en la posibilidad de construir y explotar las infraestructuras minimizando el gasto público, la buena relación calidad-precio, su efecto sobre la contabilidad pública y la inexistencia de impacto en la deuda pública, constituyen razones poderosas que han impulsado decididamente esa colaboración público-privada.

II. "De las cuentas de la lechera[4]" o el fracaso empresarial en la explotación de las infraestructuras y su pretensión de restaurar el equilibrio financiero de los contratos

El diseño inicial, sin embargo, no ha respondido a la expectativa por él generada y las explotaciones empresariales de esas grandes infraestructuras

---

[4]   El dicho se refiere a un conocido relato del fabulista Félix de Samaniego (1745-1801), que narra la historia de una lechera que va a vender su leche al mercado y por el camino va pensando cómo invertir el dinero que le den, primero comprando

han resultado deficitarias y han precipitado una extinción de los contratos administrativos de concesión que habían sido concertados con esa finalidad de captar la financiación privada para su construcción y de articular su amortización mediante los rendimientos obtenidos con la explotación de las infraestructuras.

La falta de rentabilidad de las concesiones de autopistas encuentra su explicación no sólo en la delicada situación económica a la que nos hemos referido, y que sin duda ha generado notables diferencias entre la intensidad media diaria de los tráficos previstos y los que realmente se han producido, sino también en otros factores que han influido, considerablemente, en la generación de la actual situación, la carga, también gravosa, que han representado los justiprecios expropiatorios, muy por encima de los costes calculados por este concepto, las modificaciones afrontadas en la ejecución de las obras civiles proyectadas y, en no menor medida, la calidad de las carreteras rápidas y gratuitas que ofrece nuestra red viaria, en algunos casos en paralelo al trazado de las autopistas de peaje, han dado la puntilla a un modelo cuyo fracaso generará importantes consecuencias, algunas de las cuales abordo en el desarrollo de esta ponencia.

A nadie se le oculta que, actualmente, la fórmula que ha servido para ejecutar y explotar las más importantes infraestructuras viarias de nuestro país atraviesa hoy "un desierto" marcado por la crisis de liquidez de los colaboradores y por las dificultades que, también, padece el sector financiero y que han encarecido la financiación de esas infraestructuras haciendo inviables proyectos que no pasan de ser meras ofertas sin posible realización.

No debemos olvidar en este diagnóstico panorámico que algún peso debemos atribuir a las decisiones políticas, y las técnicas que las sustentaron, que no pasarán a la historia por ser un buen ejemplo en el cálculo de los riesgos que generan estos grandes proyectos.

La insolvencia de los concesionarios ha abierto un nuevo frente, primero judicial después legal, con el que las Administraciones Públicas concedentes y expropiantes no contaban en el diseño de este potente, también fracasado en los casos a los que nos referimos, modelo de colaboración público-privada.

---

huevos, que darán pollos, que cambiará por un cochino, que venderá para comprar un ternero......en estas el cántaro se cae al suelo y "adiós leche, dinero, huevos, pollos, lechón vaca y ternero".

Las empresas concesionarias han tratado de amortiguar los efectos de este desastre económico promoviendo, con desigual resultado, los instrumentos previstos en nuestro ordenamiento jurídico para restaurar el equilibrio financiero de los contratos. A modo de antídoto frente a las consecuencias ilimitadas que pudiera provocar el principio de riesgo y ventura, se encuentran los instrumentos o las técnicas que garantizan el denominado principio de equilibrio económico de la concesión, bien sea considerando los mismos entre las prerrogativas y derechos de la Administración o como un derecho del concesionario al mantenimiento del equilibrio económico de la concesión, en la forma y con la extensión prevista en la LCSP.

Con ese carácter bifronte era regulado el principio del equilibrio económico-financiero de la concesión en el art. 258 del TRLCSP y en el 270[5] de

---

5   El artículo 270 establece:
1. El contrato de concesión de obras deberá mantener su equilibrio económico en los términos que fueron considerados para su adjudicación, teniendo en cuenta el interés general y el interés del concesionario, de conformidad con lo dispuesto en el apartado siguiente.
2. Se deberá restablecer el equilibrio económico del contrato, en beneficio de la parte que corresponda, en los siguientes supuestos:
a) Cuando la Administración realice una modificación de las señaladas en el artículo 262.
b) Cuando actuaciones de la Administración Pública concedente, por su carácter obligatorio para el concesionario determinaran de forma directa la ruptura sustancial de la economía del contrato.
Fuera de los casos previstos en las letras anteriores, únicamente procederá el restablecimiento del equilibrio económico del contrato cuando causas de fuerza mayor determinaran de forma directa la ruptura sustancial de la economía del contrato. A estos efectos, se entenderá por causas de fuerza mayor las enumeradas en el artículo 239.
En todo caso, no existirá derecho al restablecimiento del equilibrio económico financiero por incumplimiento de las previsiones de la demanda recogidas en el estudio de la Administración o en el estudio que haya podido realizar el concesionario.
3. En los supuestos previstos en el apartado anterior, el restablecimiento del equilibrio económico del contrato se realizará mediante la adopción de las medidas que en cada caso procedan. Estas medidas podrán consistir en la modificación de las tarifas establecidas por la utilización de las obras, la modificación en la retribución a abonar por la Administración concedente, la reducción del plazo concesional, y, en general, en cualquier modificación de las cláusulas de contenido económico incluidas en el contrato. Asimismo, en los casos previstos en la letra b) y en el último párrafo del apartado 2 anterior, y siempre que la retribución del concesionario proviniere en más de un 50 por ciento de tarifas abonadas por los usuarios, podrá

la nueva Ley 9/2017, que impone (deberá dice el precepto) la necesidad de mantener el equilibrio económico en los términos que fueron considerados para la adjudicación del contrato de concesión de obras públicas, teniendo en cuenta el interés general y el interés del concesionario.

Por ello la Administración deberá restablecer el equilibrio económico del contrato, en beneficio de la parte que corresponda, en los supuestos tasados en el precepto y, también, cuando causas de fuerza mayor determinaran de forma directa la ruptura sustancial de la economía del contrato.

Es importante destacar que el precepto impide, en todo caso, el restablecimiento del equilibrio económico financiero por incumplimiento de las previsiones de la demanda recogidas en el estudio de la Administración o en el estudio que haya podido realizar el concesionario.

Nuestro ordenamiento jurídico, siguiendo la estela del nuevo Derecho Europeo, véanse el considerando n° 18, y el art. 5.1.b)[6,] pone su acento en el denominado "riesgo operacional" como elemento esencial del contrato de concesión de obra pública. El art. 14.4 de la Ley 9/2017 transpone las previsiones de las Directivas de la Unión y señala que "4. El derecho de explotación de las obras, a que se refiere el apartado primero de este artículo, deberá implicar la transferencia al concesionario de un riesgo operacional en la explotación de dichas obras............ abarcando el riesgo[7] de demanda o el de suministro, o ambos.

Se considerará que el concesionario asume un riesgo operacional cuando no esté garantizado que, en condiciones normales de funcionamiento, el

---

prorrogarse el plazo de la concesión por un período que no exceda de un 15 por ciento de su duración inicial.

[6]   (…) la característica principal de una concesión, el derecho de explotar las obras (o los servicios), implica siempre la transferencia al concesionario de un riesgo operacional de carácter económico que supone la posibilidad de que no recupere las inversiones realizadas ni cubra los costes que haya sufragado para explotar las obras (o los servicios) adjudicados en condiciones normales de funcionamiento, si bien parte del riesgo siga asumiéndolo el poder o entidad adjudicador. La reglamentación de la adjudicación de concesiones mediante normas específicas no estaría justificada si el poder adjudicador o la entidad adjudicadora aliviase al operador económico de cualquier posible pérdida garantizando unos ingresos mínimos que sean iguales o superiores a las inversiones y los costes que el operador económico deba asumir en relación con la ejecución del contrato.

[7]   Se entiende por riesgo de demanda el que se debe a la demanda real de las obras o servicios objeto del contrato y riesgo de suministro el relativo al suministro de las obras o servicios objeto del contrato, en particular el riesgo de que la prestación de los servicios no se ajuste a la demanda.

mismo vaya a recuperar las inversiones realizadas ni a cubrir los costes en que hubiera incurrido como consecuencia de la explotación de las obras que sean objeto de la concesión. La parte de los riesgos transferidos al concesionario debe suponer una exposición real a las incertidumbres del mercado que implique que cualquier pérdida potencial estimada en que incurra el concesionario no es meramente nominal o desdeñable".

La gravedad de la situación generada por la insolvencia empresarial de los concesionarios de autopistas de peaje ha propiciado una intensa intervención de los poderes públicos y del legislador que ha sido insuficiente para frenar las negativas consecuencias que el fracaso empresarial en la explotación de las infraestructuras ha generado.

El contexto de crisis que ha sacudido a nuestro país en la última década nos ha obligado a plantear la necesidad de renovar las normas que, desde el derecho mercantil y administrativo, amortiguan y ordenan los efectos que genera el fracaso económico de los proyectos empresariales y la incidencia que el mismo tiene en la satisfacción de los intereses generales y públicos que orientan la actividad de las Administraciones públicas.

En ese escenario se desenvuelven también las frecuentes declaraciones de concurso de acreedores en que incurren contratistas habituales de las Administraciones Públicas que, sumidos en la insolvencia económica, frustran las finalidades públicas que motivaron los contratos administrativos de los que resultaron adjudicatarios.

No debe minimizarse el hecho de que muchos de esos contratistas insolventes lo son por el sistemático incumplimiento de las obligaciones de pago por parte de las Administraciones con las que contrataron. La importancia del problema ha llevado a las Administraciones autonómicas y al Gobierno central a diseñar planes de pago a proveedores que alivien, siquiera parcialmente, los graves efectos que la situación descrita está provocando en nuestra economía doméstica.

III. El impacto de la crisis en la contratación en general y en los contratos de concesión de obras en particular

1. En la contratación administrativa en general

Debemos recordar en este momento que el apartado 1 del art. 67 de la Ley Concursal establece que "los efectos de la declaración de concurso sobre los contratos de carácter administrativo celebrados por el deudor con

Administraciones públicas se regirán por lo establecido en su legislación especial", quedando sujetos "los contratos de carácter privado celebrados por el deudor con Administraciones públicas", en cuanto a los efectos de la declaración de concurso a lo establecido en esa Ley Concursal, tal y como dispone el apartado 2 del precepto.

Por tanto, y esto nos parece lo más acertado, el papel del derecho mercantil queda reducido, en lo que ahora nos interesa, a la declaración formal del concurso (auto del Juzgado de lo Mercantil competente), a la calificación del concurso (culpable o fortuito) y a la apertura de la fase de liquidación, en su caso, dejando que el Derecho Administrativo regule la entraña de la cuestión, los efectos de esa declaración de concurso en los contratos administrativos, y que la Administración pública aplique su derecho, el administrativo, a la hora de decidir la suerte del contrato administrativo que ha suscrito con el contratista, ahora insolvente. Sin duda alguna la remisión expresa a la legislación de contratos del Sector público que la legislación mercantil lleva a cabo es tributaria, y manifestación, de la condición de potentior personae que se predica de la Administración pública, de su potestad de autotutela, y de la encomienda constitucional, ineludible, de servir con objetividad los intereses generales. (art. 103 CE). El estatus singular del sujeto que nos ocupa, la Administración pública, es reconocido sin reservas por la propia Ley concursal que, en el apartado tercero de su artículo 1, señala que "no podrán ser declaradas en concurso las entidades que integran la organización territorial del Estado, los organismos públicos y demás entes de derecho público".

El RDL 6/2010 modificó, ligeramente, la LCSP con la clara vocación de dar continuidad a los contratos administrativos adjudicados a contratistas en situación de concurso, siempre que dicha situación no comprometiese la posibilidad de cumplir las prestaciones básicas del contrato y de satisfacer la finalidad del mismo. En lo concreto, modificó el art. 208.5 LCSP. La regla fue llevada después al art. 225 del TRLCSP (RDL 3/2011). Debemos recordar en este momento a qué dedicaba el TRLCSP, con carácter general, los arts. 223, 224 y 225.

El art. 223 de la LCSP enumeraba, entre las causas de resolución del contrato administrativo, letra b) del precepto, "la declaración de concurso o la declaración de insolvencia en cualquier otro procedimiento".

En el 224 se exponían las posibilidades de actuación de la Administración pública contratante ante la eventualidad de la declaración del concurso, imponiendo la ley la resolución del contrato administrativo cuando se acuerde "la apertura de la fase de liquidación, en el concurso, o la declaración de insolvencia en cualquier procedimiento" (224.2), y diseñando como potestativa esa misma facultad, la de resolver el contrato, "mientras no se haya producido la apertura de la fase de liquidación del concurso" y siempre que, a juicio de la Administración, "el contratista prestare las garantías suficientes para su ejecución" (224.5).

El régimen jurídico se completaba con las previsiones que sobre los efectos de la resolución del contrato establecía el art. 225 que, referido al incumplimiento en términos generales como causa de resolución del contrato, señalaba que "cuando el contrato se resuelva por incumplimiento culpable del contratista, éste deberá indemnizar a la Administración los daños y perjuicios ocasionados. La indemnización se haría efectiva, en primer término, sobre la garantía que, en su caso, se hubiese constituido, sin perjuicio de la subsistencia de la responsabilidad del contratista en lo que se refiere al importe que exceda del de la garantía incautada" (225.3). En todo caso, añadía el 225.4, "el acuerdo de resolución contendrá pronunciamiento expreso acerca de la procedencia o no de la pérdida, devolución o cancelación de la garantía que, en su caso, hubiese sido constituida. Sólo se acordará la pérdida de la garantía en caso de resolución del contrato por concurso del contratista cuando el concurso hubiera sido calificado como culpable".

De lo expuesto se deduce que las situaciones que podían plantearse con arreglo al TRLCSP, producida la declaración formal de la situación de concurso, eran básicamente dos:

1. Que en el procedimiento concursal se haya dictado el auto que declara el concurso pero no se haya producido la apertura de la fase de liquidación. En ese caso la declaración del concurso no es causa automática de resolución y la Administración contratante podrá:

– O bien iniciar de oficio, o a instancia del contratista, el procedimiento de resolución del contrato.

– O bien continuar con el contrato, siempre que el contratista prestare las garantías de continuidad suficientes a juicio de aquella para su ejecución (art. 224.5 del TRLCSP).

El propio precepto calificaba la facultad de la Administración contratante de potestativa, luego quedaba a juicio y discreción de la misma, aunque medie petición del concursado, el acuerdo de iniciación del oportuno procedimiento y la decisión de resolver el contrato.

2. La segunda situación posible se centraba en la posibilidad de que el Juzgado de lo Mercantil competente haya dictado auto acordando la aper-

tura de la fase de liquidación de la empresa contratista. En este caso, ope legis, la Administración estaba obligada a resolver el contrato administrativo (art. 224.2 del TRLCSP). El auto del órgano judicial competente se convertía en causa de resolución del contrato sin que la Administración pública contase con margen de apreciación alguno. No se trata, como señala Del Guayo, de una causa automática de resolución, por cuanto también hace falta un procedimiento administrativo, con audiencia del contratista, para hacerla efectiva.

El régimen jurídico aprobado con la Ley 9/2017 es sensiblemente distinto. Los preceptos que los conforman disponen lo siguiente:

– el artículo 211 (Causas de resolución) *señala que* "Son causas de resolución del contrato:

b) La declaración de concurso o la declaración de insolvencia en cualquier otro procedimiento.

.........En los casos en que concurran diversas causas de resolución del contrato con diferentes efectos en cuanto a las consecuencias económicas de la extinción, deberá atenderse a la que haya aparecido con prioridad en el tiempo".

– Por su parte el artículo 212 de la nueva ley, con una técnica legislativa mejorable, distingue, al efecto de determinar si procede o no la resolución del contrato, entre:

a) La declaración de insolvencia en cualquier procedimiento........., que dará siempre lugar a la resolución del contrato" y, en consecuencia el órgano de contratación, de oficio o a instancia del contratista, en su caso, siguiendo el procedimiento que en las normas de desarrollo de esta Ley se establezca, debe resolver el contrato cuando el órgano judicial o administrativo declare su insolvencia en cualquier procedimiento.

b) Y la de declaración en concurso del contratista, supuesto en el que el apartado quinto del precepto deja en manos de la Administración la facultad de decidir, potestativamente, sobre la continuidad del contrato si razones de interés público así lo aconsejan, siempre y cuando el contratista prestare las garantías adicionales suficientes para su ejecución.

Señala el precepto que, en todo caso, se entenderá que son garantías suficientes:

a) Una garantía complementaria de al menos un 5 por 100 del precio del contrato, que deberá prestarse en cualquiera de las formas contempladas en el artículo 108[8].

b) El depósito de una cantidad en concepto de fianza, que se realizará de conformidad con lo establecido en el artículo 108.1, letra a), y que quedará constituida como cláusula penal para el caso de incumplimiento por parte del contratista.

– En cuanto a los efectos de la resolución, el art. 213 mantiene el régimen jurídico del TRLCSP y señala que "3. Cuando el contrato se resuelva por incumplimiento culpable del contratista le será incautada la garantía y deberá, además, indemnizar a la Administración los daños y perjuicios ocasionados en lo que excedan del importe de la garantía incautada". Quedan, por tanto, los efectos de la resolución del contrato administrativo a expensas de la calificación del incumplimiento que, tratándose de la declaración de concurso, queda en manos del Juez de lo Mercantil, pues al órgano judicial, y no a la Administración contratante, corresponde determinar el carácter

---

[8]   a) En efectivo o en valores, que en todo caso serán de Deuda Pública, con sujeción, en cada caso, a las condiciones establecidas en las normas de desarrollo de esta Ley. El efectivo y los certificados de inmovilización de los valores anotados se depositarán en la Caja General de Depósitos o en sus sucursales encuadradas en las Delegaciones de Economía y Hacienda, o en las Cajas o establecimientos públicos equivalentes de las Comunidades Autónomas o Entidades locales contratantes ante las que deban surtir efectos, en la forma y con las condiciones que las normas de desarrollo de esta Ley establezcan, sin perjuicio de lo dispuesto para los contratos que se celebren en el extranjero.
b) Mediante aval, prestado en la forma y condiciones que establezcan las normas de desarrollo de esta Ley, por alguno de los bancos, cajas de ahorros, cooperativas de crédito, establecimientos financieros de crédito y sociedades de garantía recíproca autorizados para operar en España, que deberá depositarse en los establecimientos señalados en la letra a) anterior.
c) Mediante contrato de seguro de caución, celebrado en la forma y condiciones que las normas de desarrollo de esta Ley establezcan, con una entidad aseguradora autorizada para operar en el ramo. El certificado del seguro deberá entregarse en los establecimientos señalados en la letra a) anterior.
2. Cuando así se prevea en los pliegos de cláusulas administrativas particulares, la garantía definitiva en los contratos de obras, suministros y servicios, así como en los de concesión de servicios cuando las tarifas las abone la administración contratante, podrá constituirse mediante retención en el precio. En el pliego de cláusulas administrativas particulares se fijará la forma y condiciones de la retención.
3. La acreditación de la constitución de la garantía definitiva podrá hacerse mediante medios electrónicos.

culpable o fortuito del concurso y condicionar, en base a esa calificación, los efectos de la resolución del contrato.

Adviértase que la nueva regulación no apareja la resolución necesaria del contrato a la apertura de la fase de liquidación del concurso por el Juez de Lo Mercantil. Hemos de entender, por tanto, que la concurrencia del interés público que lo aconseje y la aportación de las garantías adicionales a las que se refiere el artículo 212.5 serán suficientes para que la Administración acuerde la continuidad del contrato, incluso, cuando el Juez de lo Mercantil haya declarado esa apertura de esa fase de liquidación. Facultad o posibilidad inviable a la luz de la anterior LCSP[9].

A nuestro juicio el recurso a esta facultad, la de resolver el contrato, debería ejercerse con carácter restrictivo. Ello no sólo por la conveniencia de aplicar el principio básico de conservación, en lo posible, de la actividad administrativa, también la contractual, sino, además, por la conveniencia de mantener la actividad empresarial dependiente, en muchos casos de manera sustancial, de la contratación administrativa.

---

[9]   Téngase en cuenta que el concurso se calificará como fortuito o como culpable. La última calificación se reserva a aquellos casos en los que en la generación o agravación del estado de insolvencia hubiera mediado dolo o culpa grave del deudor, o de sus representantes legales, administradores o liquidadores.

La ley formula el criterio general de calificación del concurso como culpable y la continuación enuncia una serie de supuestos que, en todo caso, determinan esa calificación, por su intrínseca naturaleza, y otra de supuestos que, salvo prueba en contrario, son presuntivos de dolo o culpa grave, por constituir incumplimiento de determinadas obligaciones legales relativas al concurso.

Si el preceptivo informe de la administración concursal y el dictamen del Ministerio Fiscal coincidieran en la calificación del concurso como fortuito, se archivarán las actuaciones sin más trámites. En otro caso, la calificación como culpable se decidirá tras un contradictorio, en el que serán partes el Ministerio Fiscal, la administración concursal, el deudor y todas las personas que pudieran resultar afectadas por la calificación.

La oposición se sustanciará por los trámites del incidente concursal. La sentencia que califique el concurso como culpable habrá de determinar las personas afectadas y, en su caso, las declaradas cómplices; impondrá a todas aquéllas la inhabilitación para administrar bienes ajenos y para representar a cualquier persona, sanción que será temporal, durante un período de dos a 15 años; les impondrá, asimismo, la pérdida de cualquier derecho que tuvieran como acreedores concursales o de la masa y la condena a devolver los bienes y derechos que indebidamente hubieren obtenido del deudor o recibido de la masa activa, más la de indemnizar los daños y perjuicios causados.

Sin duda alguna lo que más preocupa, desde la óptica del interés público, es la posibilidad de que sea el propio contratista insolvente el que se niegue, incluso, a dar continuidad al cumplimiento del contrato aun cuando la Administración contratante y la administración concursal, consideren viable el cumplimiento del mismo y el contratista esté, objetivamente, en condiciones de prestar garantías suficientes de cumplimiento. Bastará con no prestar las garantías adicionales suficientes exigidas por el art. 212.5 para la ejecución imposibilitando, con ello, que la Administración pueda optar por dar continuidad a la relación contractual.

No resulta descabellado pensar que el contratista puede pretender la apertura de la fase de liquidación para resolver el contrato administrativo sin ofrecer alternativa de continuidad alguna, incluso, y antes de la propia declaración del concurso, podría tratar de encubrir incumplimientos contractuales previos enmascarando los mismos como si de una situación concursal se tratase para beneficiarse de los efectos que su apreciación como causa de resolución del contrato puede proporcionarle. Debe recordarse aquí que la resolución del contrato administrativo por la declaración del concurso del contratista supondrá, en la mayoría de los casos, la devolución de la garantía constituida y su integración en la masa activa del concurso, ya que sólo se acordará la pérdida de la garantía en caso de resolución del contrato por concurso del contratista cuando el concurso hubiera sido calificado como culpable (art. 225.4 TRLCSP. La nueva Ley no dice nada al respecto pero no puede ser otra la consecuencia). En ese caso, el contratista pierde la garantía sin que le quepa margen de apreciación a la Administración actuante.

Cuestión clave, por tanto, es plantear si la resolución del contrato administrativo por la declaración del concurso, con independencia de su calificación como fortuito o culpable, es equiparable, o no, al incumplimiento culpable del contratista al que hacía referencia el art. 213.3 de la LCSP (225.3 TRLCSP). De ser así, el contratista concursado deberá indemnizar a la Administración los daños y perjuicios ocasionados con cargo, en primer término, a la garantía constituida y sin perjuicio de la subsistencia de la responsabilidad del contratista en lo que se refiere al importe que exceda del de la garantía incautada.

Como puede apreciarse, de la interpretación literal y extensiva de la regla contenida en el art. 225.4 del ya derogado TRLCSP se deducía que la legislación en materia de contratación administrativa condiciona la apreciación del carácter culpable de la resolución contractual, y por ende el destino de las garantías contractuales, a lo que se determine en el auto judicial que califique el concurso con ocasión de la apertura de la pieza de calificación del mismo. Sólo cuando el auto califique el concurso como culpable, de conformidad con lo previsto en los arts. 163 y ss. de la Ley Concursal, se podría invocar la decisión judicial para acordar la resolución del contrato administrativo por incumplimiento culpable del contratista y con la obligación, por ello, de indemnizar a la Administración los daños y perjuicios ocasionados y determinados por la Administración contratante en ejercicio de la prerrogativa reconocida en el art. 210 de TRLCSP, "Sólo se acordará —decía literalmente el precepto— la pérdida de la garantía en caso de resolución del contrato por concurso del contratista cuando el concurso hubiera sido calificado como culpable", obviamente esta calificación únicamente puede llevarla a cabo el Juzgado de lo Mercantil competente.

Si por el contrario se califica como fortuito, la Administración contratante vendrá obligada a devolver la garantía al concursado para su inmediata integración en la masa activa del concurso y no procederá, ante la imposibilidad de imputar al contratista la resolución del contrato por incumplimiento culpable del mismo, la determinación de indemnización alguna por los daños y perjuicios producidos en esa situación.

Con la nueva Ley parece que la determinación de la continuidad del contrato no se vincula a la fase en la que se encuentre el concurso, de manera que, declarado el mismo y durante su tramitación, es la Administración la que tiene en su mano decidir la continuidad del contrato y exigiendo la prestación de esas garantías adicionales. Asimismo y como prerrogativa genérica el art. 190 LCSP establece que "Dentro de los límites y con sujeción a los requisitos y efectos señalados en la presente Ley, el órgano de contratación ostenta la prerrogativa de interpretar los contratos administrativos, resolver las dudas que ofrezca su cumplimiento, modificarlos por razones de interés público, declarar la responsabilidad imputable al contratista a raíz de la ejecución del contrato, suspender la ejecución del mismo, acordar su resolución y determinar los efectos de esta".

Igualmente, el órgano de contratación ostenta las facultades de inspección de las actividades desarrolladas por los contratistas durante la ejecución del contrato, en los términos y con los límites establecidos en la presente Ley para cada tipo de contrato. En ningún caso dichas facultades de inspección podrán implicar un derecho general del órgano de contratación a inspeccionar las instalaciones, oficinas y demás emplazamientos en los que el contratista desarrolle sus actividades, salvo que tales emplazamientos y sus condiciones técnicas sean determinantes para el desarrollo de las prestaciones objeto del contrato. En tal caso, el órgano de contratación deberá justificarlo de forma expresa y detallada en el expediente administrativo.

Advertimos, no obstante, la existencia de un evidente conflicto de intereses, público y privado, que tiene difícil solución. No cabe duda que, declarado el concurso, en muchos casos el interés público resulta más protegido si se califica como culpable y se asegura, con ello, la indemnización de cualquier daño o perjuicio producido, al menos hasta el valor de la garantía ya constituida.

Por otro lado, y en clara contradicción, los intereses privados del concurso aconsejan, desde lo mercantil, la calificación del mismo como fortuito con la doble finalidad de recuperar para la masa activa del concurso la garantía constituida para responder del cumplimiento del contrato administrativo (que con su resolución perderá su finalidad) y de evitar la fijación de indemnización alguna en favor de uno de los acreedores privilegiados que acechan el patrimonio del contratista. Esta es la idea que late y sustenta la opinión crítica de quienes consideran que la desigualdad de trato que genera el privilegio de la Administración en los contratos administrativos debe ser cuestionada en beneficio del interés general que radica en el fomento de la continuidad de aquellas empresas que se encuentran en situación concursal. Una vez más se impone "la necesaria consideración del ordenamiento como un todo, abandonadas ya las siempre convencionales rigideces que pretenden imponer tajantes barreras entre ramas del ordenamiento".

2. En los contratos de concesión de obras en particular

La nueva ley no enumera "la declaración de concurso o la declaración de insolvencia en cualquier otro procedimiento" entre las causas específicas de resolución del contrato de concesión de obras, a ese efecto se remite (artículo 279, Ley 9/2017) a las previstas con carácter general en el art. 211. El TRLCSP sí se refería en su art. 269 singularmente a esta causa.

Más allá de esta precisión no hay diferencias en el régimen jurídico dispuesto para la resolución del contrato de concesión de obras, de manera que, "En los supuestos de resolución por causa imputable a la Administración, esta abonará en todo caso al concesionario el importe de las inversiones realizadas por razón de la expropiación de terrenos, ejecución de obras de construcción y adquisición de bienes que sean necesarios para la explotación de la obra objeto de la concesión, atendiendo a su grado de amortización. Al efecto, se aplicará un criterio de amortización lineal. La cantidad resultante se fijará dentro del plazo de tres meses, salvo que se estableciera otro en el pliego de cláusulas administrativas particulares.

En los casos en que la resolución se produzca por causas no imputables a la Administración, el importe a abonar al concesionario por cualquiera de las causas posibles será el que resulte de la valoración de la concesión, determinado conforme a lo dispuesto en el artículo 281 (artículo 280. Efectos de la resolución)".

Debe tenerse en cuenta que el régimen jurídico de la resolución del contrato de concesión de obras fue sustancialmente modificado por la Ley 40/2015, de 1 de octubre. La Disposición final novena (Modificación del Texto Refundido de la Ley de Contratos del Sector Público, aprobado por Real Decreto Legislativo 3/2011, de 14 de noviembre) dio nueva redacción a los apartados 1 y 3 del artículo 271 e introdujo el art. 271 bis (Nuevo proceso de adjudicación en concesión de obras en los casos en los que la resolución obedezca a causas no imputables a la Administración) y el art. 217 ter (Determinación del tipo de licitación de la concesión de obras en los casos en los que la resolución obedezca a causas no imputables a la Administración), hoy arts. 280, 281 y 282 de la Ley 9/2017. Estas previsiones entraron en vigor de inmediato, a los veinte días de la publicación de la Ley 40/2015, y no transcurrido un año como establecía la Ley con carácter general.

Como ya se ha dicho actualmente las empresas concesionarias de las nuevas autopistas están ya en una irreversible situación de insolvencia empresarial y buena parte de ellas en la fase final de los procesos concursales desencadenados por su insolvencia. Ello llevó a sus bancos acreedores a intentar negociar un plan de rescate consensuado con los Ministerios de Fomento y Hacienda cuyos pilares principales eran los siguientes:

a) La creación de una nueva empresa, 100% pública, de carreteras, de manera que el sector privado no tendría participación alguna en ella. Este plan inicial otorgaba también a las constructoras una participación del 20% en la sociedad que aglutinaría a las autopistas, si bien en la propuesta final estas empresas se vieron obligadas a renunciar a este paquete. De esta forma, los grupos que construyeron las autopistas y actualmente los gestionan —ACS, Abertis, FCC, Ferrovial, Sacyr y OHL— daban por perdido parte del capital que pusieron en las sociedades concesionarias de las autopistas.

b) En esa propuesta el Estado se quedaría con el 100% del capital, aplicando una quita del 50% a la deuda.

El plan presentado por Fomento para rescatar a las autopistas en situación de insolvencia empresarial con la creación de una sociedad pública que integraría estos activos no satisfizo por igual a todos los afectados. Mientras que la gran banca española (Banco Santander,

BBVA, La Caixa, Banco Popular, Sabadell y Bankia) sí estaba dispuesta a aceptar quitas propuestas por el Gobierno de hasta el 50%, la patronal de las grandes constructoras (SEOPAN), dueñas de la mayoría de las concesionarias en concurso de acreedores, se opuso a esta solución.

c) La nueva sociedad de capital 100% público que integraría los activos reconocería, entonces, un pasivo de 3.600 millones de euros, dividido en dos partes: una deuda de 2.400 millones de euros con bancos y constructoras y otra de 1.200 millones con los propietarios de los terrenos expropiados para la construcción de las autopistas.

La primera de estas partidas sería titulizada y colocada en un bono a 30 años con aval del Estado y con una rentabilidad del 1%. Los bancos recibirían una rentabilidad anual de unos 24 millones de euros. Cantidad muy inferior a la que paga el mercado por una emisión a este plazo. Al dilatar, además, el pago hasta dentro de tres decenios, el impacto en el déficit público actual sería muy limitado, sólo el coste de los intereses.

La segunda parte de la deuda, los justiprecios resultantes de las expropiaciones, incluidos los intereses por ellos devengados, debían ser pagados por las administraciones expropiantes, y no por los beneficiarios de las expropiaciones, sobre la base de su responsabilidad subsidiaria y como exigencia derivada de la necesidad de satisfacer la garantía constitucional que representa la indemnización prevista en el artículo 33.3 de la Constitución Española.

La negativa de los concesionarios hizo inviable la solución propuesta y los procesos concursales siguieron su curso hasta concluir con la resolución de los contratos de concesión de obra.

La dimensión del problema generado por la insolvencia empresarial de los contratistas de las concesiones y la necesidad de proponer una solución de conjunto que pudiera dar continuidad a la explotación de las infraestructuras llevó, como ya se ha dicho, a una compleja negociación entre el Estado, sus contratistas, constructoras, entidades financieras y acreedores por títulos diversos. El Estado propuso un convenio-tipo que recibió los inmediatos reveses judiciales impidiendo que esa propuesta se convirtiese en el último intento para evitar la resolución de los contratos como desenlace final de los procesos concursales en los que estaban inmersos los concesionarios.

La solución impuesta por el Estado, previa negociación fracasada con los concesionarios de autopistas y buena parte de los acreedores que su construcción y explotación han generado, había depositado fundadas esperanzas en la propuesta de convenio, tipo y de conjunto[10], que la Sociedad Estatal de Infraestructuras de Transporte Terrestre S.A.[11] (Ministerio de Fomento), en virtud de lo previsto en la Disposición adicional segunda ter[12] de la Ley 22/2003, de 9 de julio, Concursal, formalizó ante alguno de los Juzgados Mercantiles que valoraron los concursos de las concesionarias de autopistas. Adviértase, por las consecuencias que ello puede tener para el

---

[10]   La propuesta de convenio a la que nos referimos no era más que la manifestación escrita de solución propuesta por el Estado para hacer frente a la situación de concurso de acreedores de las sociedades concesionarias de autopistas, con el objetivo de mantener el servicio público a los ciudadanos en dichas infraestructuras. La Abogacía del Estado ya ha comunicado su intención, de conformidad con lo previsto en la Disposición Adicional Segunda Ter de la Ley Concursal, de solicitar la acumulación de los procesos concursales relativos a empresas concesionarias de la Administración cuando se formulen propuestas de convenio que afecten a todos ellos. Entiende por ello que debe presentar propuestas de convenio en los distintos procesos concursales relativos a las empresas concesionarias afectadas y solicitar, después, la acumulación de los distintos procedimientos concursales afectados según lo previsto en la Disposición Adicional Segunda Ter de la Ley Concursal.

[11]   SEITTSA es una sociedad mercantil estatal creada por Acuerdo del Consejo de Ministros del 29 de julio de 2005, al amparo del artículo 166.2 de la Ley 33/2003, de 3 de noviembre, del Patrimonio de las Administraciones Públicas, y fue constituida el 30 de noviembre de 2005, siendo el Estado el titular del 100% de su capital social.

[12]   El artículo único.1.10 del Real Decreto-ley 11/2014, de 5 de septiembre, de medidas urgentes en materia concursal, modificó la Ley concursal y la Disposición adicional segunda ter, bajo el epígrafe "Régimen especial aplicable a las situaciones de insolvencia de las empresas concesionarias de obras y servicios públicos, o contratistas de las administraciones públicas", estableció que "En los concursos de empresas concesionarias de obras y servicios públicos o contratistas de las administraciones públicas, se aplicarán las especialidades que se hallen establecidas en la legislación de contratos del sector público y en la legislación específica reguladora de cada tipo de contrato administrativo.

Asimismo, en estos concursos se acordará la acumulación de los procesos concursales ya iniciados cuando se formulen propuestas de convenio que afecten a todos ellos, pudiendo ser presentadas las propuestas de convenio por las administraciones públicas, incluidos los organismos, entidades y sociedades mercantiles vinculadas o dependientes de ellas. Podrá condicionarse la aprobación de la propuesta de convenio presentada en cada uno de los procedimientos concursales a la aprobación de las propuestas de convenio presentadas en los restantes procedimientos concursales acumulados según lo establecido en esta disposición.

La competencia para la tramitación de los concursos acumulados a los que se refiere esta disposición se regulará conforme al artículo 25 bis.3 de la presente ley".

conjunto del acuerdo, que las propuestas de convenio presentadas por la Sociedad Estatal condicionaron su eficacia a la aprobación de todas ellas, en virtud de lo dispuesto respectivamente en la Disposición Adicional Segunda Ter[13] y el artículo 101.2 de la LC.

En síntesis, la propuesta de convenio formalizada por la Sociedad Estatal de Infraestructuras de Transporte Terrestre S.A. se puede resumir en los siguientes términos:

- SEITTSA adquiere la unidad productiva de las concesionarias asumiendo la explotación[14] de las autopistas de peaje y extinguiéndose, con ello, el régimen concesional.

- Como contraprestación, la Sociedad Estatal asume el pago, total o parcial, de los créditos a los acreedores, proponiendo a ese efecto medidas diversas[15] en función de la naturaleza de los créditos.

---

[13] Bajo el título "Régimen especial aplicable a las situaciones de insolvencia de las empresas concesionarias de obras y servicios públicos, o contratistas de las Administraciones Públicas", la recientemente introducida Disposición adicional segunda ter de la Ley 22/2003, de 9 de julio, Concursal, después de su modificación por el artículo único, apartado 21, de la Ley 9/2015, de 25 de mayo, de medidas urgentes en materia concursal, señala que "En los concursos de empresas concesionarias de obras y servicios públicos o contratistas de las Administraciones Públicas, se aplicarán las especialidades que se hallen establecidas en la legislación de contratos del sector público y en la legislación específica reguladora de cada tipo de contrato administrativo.

Asimismo, en estos concursos se acordará la acumulación de los procesos concursales ya iniciados cuando se formulen propuestas de convenio que afecten a todos ellos, pudiendo ser presentadas las propuestas de convenio por las Administraciones Públicas, incluidos los organismos, entidades y sociedades mercantiles vinculadas o dependientes de ellas. Podrá condicionarse la aprobación de la propuesta de convenio presentada en cada uno de los procedimientos concursales a la aprobación de las propuestas de convenio presentadas en los restantes procedimientos concursales acumulados según lo establecido en esta disposición".

[14] SEITTSA asumirá la explotación en virtud de un convenio con el Ministerio de Fomento suscrito de conformidad con lo previsto en el artículo 158 de la Ley 13/1996, de 30 de diciembre de Medidas Fiscales, Administrativas y del Orden Social.

[15] Las medidas previstas en la propuesta de convenio en lo que al pago de acreedores se refiere son diversas y de alcance bien diferente, así el Ministerio de Fomento pagará el 100% de los justiprecios expropiatorios que hayan sido reconocidos en sentencia firme condenatoria en el plazo de seis meses a partir de la aprobación de la última de las propuestas de convenio presentadas para las concesionarias de autopistas y sociedades holding mencionadas; se propone el pago del 100% de los créditos de los Ayuntamientos, también en el plazo de seis meses desde la aproba-

– La propuesta de convenio de acreedores planteada por el Estado ante los Juzgados de Lo Mercantil competentes implica que todos los acreedores[16] renuncian de forma expresa a reclamar al Estado cualquier tipo de indemnización, compensación, deuda, en relación con el contrato de concesión, y se comprometen a retirar de forma inmediata cualquier tipo de reclamación ya presentada en contra del Estado en relación con el contrato de concesión. Finalizan, además, los contratos de financiación, y todos los contratos relacionados al efecto, y las entidades financieras renunciarán, en el momento de la aprobación de los convenios, a los contratos de apoyo de los accionistas (garantías) otorgados bajo los contratos de financiación en aquellas concesiones en las que existiesen.

La propuesta de convenio-tipo de acreedores elaborada por el Gobierno de España como una solución conjunta al problema de las autopistas de peajes inmersas en procesos concursales inició un camino sin retorno orientado a un final, el de la resolución de los contratos de concesión de obras que articularon la colaboración privada para la construcción y explotación de las autopistas, que, por todos los medios, el Estado ha intentado evitar sin éxito en su pretensión. El Juzgado de Lo Mercantil nº 2 de Madrid abrió "una espita" por la que se adivinaba una solución final que distaba de la pretensión estatal y ponía a las Administraciones públicas concedentes ante un escenario de responsabilidad patrimonial derivada de las resoluciones contractuales que se presenta como irremediable y de difícil asunción en esta coyuntura económica en incipiente recuperación. Mediante auto[17], dic-

---

ción de la última de las propuestas de convenio, y el 100% de la deuda contraída con el Canal de Isabel II; también se pagará el 100% del crédito pendiente en favor de numerosas empresas por ejecución de obras, suministro de bienes o prestación de servicios; para el crédito a favor de las Radiales UTE se propone una quita del 55,1055%; el crédito ordinario de la AEAT se capitalizará en SEITTSA; para el pago del crédito con las entidades financieras se propone una quita del 50,9778% y lo asume SEITTSA mediante un instrumento financiero con un plazo de vencimiento de 30 años.

[16] Las entidades financieras, las empresas constructoras, los accionistas de las sociedades concesionarias, expropiados y cualquier otro acreedor.

[17] El pronunciamiento del Magistrado no deja margen de maniobra al Estado proponente e, invocando la Sentencia de la Sección 28 de la Audiencia Provincial de Madrid de 12 de marzo de 2010, señala que: *"Es cierto que el artículo 114.1 de la Ley Concursal no establece distinciones cuando afirma que, presentada la propuesta de convenio, si el juez aprecia algún defecto debe otorgar al proponente la posibilidad de subsanarlo. Pero una cosa es subsanar un defecto y otra, por ejemplo, presentar un convenio que incumple las condiciones de tiempo por estar*

tado por el Juzgado con fecha seis de febrero de dos mil quince, en el procedimiento concursal de inversora de Autopistas de Levante, S.L. y Autopista Madrid Levante Concesionaria Española, S.A.U., se deja sin efecto la fase de convenio acordada considerando que las propuestas presentadas por el Abogado del Estado, adolecen de una serie de defectos[18] que "hacen invia-

---

presentado fuera de plazo o por incurrir en prohibición de contenido que, por su propia naturaleza, son insubsanables en la medida en que, en el primer caso, ya no puede presentarse la propuesta en plazo o, en el segundo, cuando la subsanación exija presentar una propuesta distinta a la inicialmente formulada". Son muchas las deficiencias que presentan las propuestas de convenio planteadas por el Abogado del Estado, en nombre de SEITTSA, algunas especialmente relevantes como la falta de aprobación previa por el Consejo de Ministros, o cuando menos del Delegado del Gobierno en las Sociedades Concesionarias de Autopistas Nacionales de Peaje, exigida por la Ley 8/1972, de 10 de mayo, de construcción, conservación y explotación de autopistas en régimen de concesión, la Ley 13/2003, de 23 de mayo reguladora del contrato de concesión de obras públicas y la Ley 47/2003, de 26 de noviembre, General Presupuestaria, sin que baste la autorización del Director General de Carreteras, al necesitar un régimen presupuestario, económico-financiero, de contabilidad, intervención y de control financiero del sector público estatal y sin que se observen en las propuestas presentadas los requisitos y trámites legales previos necesarios, ya que las propuestas presentadas, implican la extinción del régimen concesional. Especialmente contundente se muestra el auto cuando señala que fuera de su competencia y *"erigiéndose en una forma de ente jurisdiccional con facultades de disposición sobre litigios y de determinación definitiva de la composición de las masas pasivas, que no tienen amparo legal alguno y expresamente prohibido por el artículo 100 de la Ley Concursal",* dice el Magistrado, se propone una modificación de los textos definitivos del listado de acreedores afirmando la existencia de duplicidad de créditos en los concursos acumulados y tramitados conjuntamente y sin tener en cuenta la resolución de los incidentes concursales que fueron planteados, sin que se espere a la resolución de los recursos de apelación pendientes, ni utilizar las medidas que la propia Ley Concursal brinda, sin que quepa proponerse por tanto quitas del 100%, o lo que es lo mismo, la supresión de créditos reconocidos y sin perjuicio de que no se ha solicitado autorización de superación de límites de quitas al no estar en el supuesto de la Disposición Transitoria 1ª, 2ª del RDL 11/2014, de 5 de septiembre, además de las vulneraciones del artículo 134 de la Ley Concursal respecto al tratamiento de determinados créditos y en concreto a los subordinados.

[18] Además de los ya mencionados, sin duda alguna los más importantes para sustanciar el rechazo de la propuesta, el auto analiza otras deficiencias de las propuestas, así reprocha la vulneración del derecho de audiencia, al asumir una cesión o asunción de la unidad productiva, de los representantes de los trabajadores y en contra de lo previsto en el artículo 100 de la Ley Concursal; las propuestas de convenio presentadas están condicionadas para su efectividad al cumplimiento de una serie de autorizaciones administrativas posteriores que aún no se han producido; en

ble su admisión a trámite" y algunos de los cuales resultan insubsanables. Se cuestiona, además, la posibilidad de cumplimiento de los planes de pago y de viabilidad, "desde el mismo momento en que existen créditos contra la masa vencidos y todavía no abonados", además de entender que se comprometerá "financiación externa para el pago de créditos y cuya firma no se adjunta con las propuestas presentadas".

Abrió, por ello, la fase de liquidación y, sin perjuicio de la posible impugnación de su decisión, colocó los contratos de concesión de obras afectados en el ámbito de aplicación del, entonces vigente, art. 224.2 del TRLCSP, obligando a la Administración concedente a resolver el contrato con las consecuencias previstas en el art. 271 del Real Decreto Legislativo 3/2011. En la misma línea, aunque calificando los defectos como subsanables y sin adoptar, de momento, el acuerdo de apertura de la fase de liquidación concursal y en espera de la reacción del Gobierno[19], el Juzgado de Lo Mercantil número seis de Madrid, estimando parcialmente el recurso de reposición formulado por Banco Espirito Santo, S.A., sucursal en España, y de Espirito Santo Investment, PLC, ha dictado auto de veintisiete de febrero de dos mil

---

las propuestas de convenio se incluyen una serie de renuncias por parte de acreedores y concursada que escapan de la facultad de disposición de la proponente y por consiguiente deberían estar suscritas por los afectados de conformidad con el artículo 99 de la Ley Concursal. Además de las ya mencionadas, todas estas tachas justifican, algunas de las cuales son insubsanables a juicio del Magistrado, justifican la apertura de la fase de liquidación con sus graves consecuencias para la Administración pública concedente, el Estado.

[19]   Recuérdese que el art. 31.1 de la Ley 8/1972, de 10 de mayo, de construcción, conservación y explotación de autopistas en régimen de concesión, establece que "...*La cesión hecha a un tercero requerirá el previo consentimiento del Gobierno y habrá de ser total...*": asimismo la DA 31ª del Real Decreto Legislativo 3/2011, de 14 de noviembre, por el que se aprueba el texto refundido de la Ley de Contratos del Sector Público, dispone que "...*Será necesaria la autorización del Consejo de Ministros para la celebración y, en su caso, modificación y resolución de los contratos de concesión de autopistas de competencia estatal...*". Por último el art. 158 de la Ley 13/1996, de 30 de diciembre señala que "...*Uno. Se autoriza al Consejo de Ministros a constituir una o varias sociedades estatales de las previstas por el artículo 6.1.a) del texto refundido de la Ley General Presupuestaria, aprobado por Real Decreto legislativo 1091/1988, de 23 de septiembre, cuyo objeto social sea la construcción y/o explotación de las carreteras estatales que al efecto determine el propio Consejo de Ministros. Dos. Las relaciones entre la Administración General del Estado y las sociedades estatales a las que se refiere el apartado anterior se regularán mediante los correspondientes convenios, previo informe favorable del Ministerio de Economía y Hacienda que habrán de ser autorizados por el Consejo de Ministros...*".

quince requiriendo a SEITTSA para que, en el plazo de dos meses contados de fecha a fecha desde esa resolución subsane los defectos y omisiones[20] que impiden admitir la propuesta de convenio formulada por SEITTSA.

El camino sin retorno, al que antes nos referíamos, se abrió y la resolución de los contratos se presentó como un destino casi inevitable para el Estado, con consecuencias muy gravosas para las arcas públicas y con una relación de incógnitas difíciles de despejar si, final y necesariamente, las infraestructuras quedaban en manos del Estado y, como no puede ser de otra manera, se garantizaba la continuidad de su explotación.

El rescate de las concesiones ha sido inevitable y ha generado el fin anticipado de las concesiones afectadas y, en su caso, de los contratos de gestión asociados a la explotación principal, de manera que las infraestructuras han revertido al Estado para hacerse cargo de su explotación con la obligación de que la Administración concedente indemnice al concesionario en los términos legalmente previstos.

Una vez más el coste, elevadísimo, del rescate deja pendiente la satisfacción de la RPA en la idea de que el valor de la concesión permitiría afron-

---

[20] El auto se convierte en un interminable requerimiento para que SEITTSA subsane los siguientes defectos y omisiones: a) aporte documento o documentos que contenga acuerdo de autorización del Consejo de Ministros para que la sociedad pública adquiera el régimen concesional de las siguientes autopistas titularidad del Estado y explotadas en régimen concesional afectadas; b) emita deuda en forma de instrumentos financieros por plazo de 30 años por el importe necesario para hacer pago completo de las deudas asumidas por el adquirente de las concesiones a través de su propuesta de convenio; c) explote, en régimen de concesionario, las citadas infraestructuras; d) autorice a la concursada a dejar de cumplir los extremos y términos de la concesión administrativa, una vez aprobado judicialmente el convenio; e) para que el Ministerio de Fomento pueda capitalizar en el accionariado de SEITTSA los importes crediticios de cualquier calificación reconocidos a favor de Aquel en los listados definitivos; f) aporte autorización del Consejo de Ministros y/o del Ministerio de Hacienda para la emisión por SEITTSA de tales instrumentos financieros en cuantía suficiente para atender el pago de la totalidad de los créditos asumidos dentro de los seis meses siguientes a la aprobación judicial del último de los convenios; g) modifique las quitas y esperas ofertadas a los acreedores subordinados de la propuesta, para hacerla coincidir con la oferta contractual realizada a los acreedores ordinarios, dentro de los de su misma clase; h) concrete el instrumento o instrumento financiero con que se realizará el pago a los acreedores, esto es, denominación, nacionalidad, valor nominal y de mercado, cotización, rendimientos, subyacentes, negociabilidad y mercado de negociación, duración, así como cualesquiera otras circunstancias que afecten a la identidad del instrumento y su valoración y rendimientos.

tar la misma y las nuevas concesiones darían continuidad a la explotación de las infraestructuras. Sin embargo el tiempo pasa y no se vislumbra una solución definitiva de este problema, que recobra su actualidad ante los recientes rumores de gravar el uso de las autovías, hasta ahora gratuitas, con la finalidad de enjugar las consecuencias económicas del fracaso de este proceso de colaboración público-privada. El globo sonda lanzado para pulsar la opinión pública ha provocado una inmediata reacción que ha permitido al Gobierno valorar el riesgo de una solución como la pretendida, el coste político de una medida como esta invita a demorar, una vez más, la solución de un problema que, desde el punto de vista económico, empeora y crece como si de una bola de nieve se tratase.

IV. Breve referencia a la CPP en el ámbito de la Unión Europea

La situación de la CPP ha sido analizada recientemente por el Tribunal de Cuentas de la Unión Europea en el informe especial[21] al que nos hemos referido, intitulado "Asociaciones público-privadas en la UE: Deficiencias generalizadas y beneficios limitados".

Después de analizar el proceso de colaboración público-privada en el período de 1990 a 2016, el Tribunal ha constatado que en la UE han alcanzado la fase de cierre financiero 1.749 CPP, por un valor total de 336.000 millones de euros. La mayoría de las APP se han ejecutado en el ámbito del transporte, que en 2016 representó un tercio de las inversiones de todo el año, por delante de la atención sanitaria y la educación. El mercado de APP de la UE se concentra sobre todo en el Reino Unido, Francia, España, Portugal y Alemania, que ejecutaron proyectos equivalentes al 90% de todo el mercado a lo largo de ese período, mientras que algunos Estados miembros ejecutaron numerosos proyectos de APP, como el Reino Unido, con más de 1.000 proyectos de APP por valor de casi 160.000 millones de euros durante dicho período, seguido de Francia con 175 APP por valor de casi 40.000 millones de euros, 13 de los 28 Estados miembros ejecutaron menos de cinco proyectos de APP.

---

[21]   El Informe Especial, presentado con arreglo al artículo 287 TFUE, apartado 4, párrafo segundo, puede consultarse en https://www.eca.europa.eu/Lists/ECADocuments/SR18_09/SR_PPP_ES.pdf.

Sin entrar en el detalle del Informe, dada la brevedad de nuestra aportación a este trabajo, podemos concentrar la valoración del modelo en el ámbito europeo en las siguientes conclusiones:

- Las APP han propiciado que los poderes públicos adquirieran relevantes infraestructuras mediante un único procedimiento, pero han aumentado el riesgo de competencia insuficiente y, por ende, han colocado a los poderes adjudicadores en una posición de negociación más débil.

  Habitualmente las APP requieren que el socio del sector privado financie toda la construcción y que posteriormente el socio del sector público o los usuarios hagan el reembolso durante el período operativo del contrato, que normalmente dura más de 20 años y con frecuencia puede extenderse hasta los 30. Esto permite al socio del sector público iniciar de inmediato la construcción de toda la infraestructura, y así acelerar la finalización y consecución de todos los beneficios que se derivan de la infraestructura en su conjunto.

- En algunos casos la ejecución de los proyectos ha sufrido demoras considerables.

  Señala el Tribunal que los proyectos de obras tradicionales pueden dividirse en lotes con el fin de atraer a más licitadores, sin embargo los proyectos de APP requieren un tamaño mínimo a efectos de justificar el coste de la contratación y facilitar las economías de escala necesarias para aumentar la eficiencia del funcionamiento y del mantenimiento. Sin embargo, la gran envergadura de los proyectos CPP reducen el grado de competencia, dado que son pocas las empresas que cuentan con los recursos financieros para presentar ofertas. En los contratos de valor muy elevado, solamente un pequeño número de operadores, quizás apenas uno[22], pueden ofrecer todos los productos y servicios solicitados, lo que podría colocar al poder adjudicador en una posición de dependencia.

  La demora trae, también, causa de la complejidad de este tipo de proyectos, en los que se ha de negociar sobre aspectos relativos a la

---

[22] Hubo prueba de ello en, por ejemplo, el caso de la autopista central en Grecia, cuyos costes totales previstos ascendieron a 2.375 millones de euros. De las cuatro empresas invitadas a presentar una oferta, dos lo hicieron, pero solamente se evaluó una oferta en la fase final de la contratación. La evaluación de dos licitadores como mínimo habría colocado al socio del sector público en una mejor posición de negociación para lograr unas condiciones contractuales más ventajosas.

ejecución de las infraestructuras, la financiación, la explotación y el mantenimiento, incluidos los indicadores y los sistemas de medición del rendimiento que no suelen formar parte de la contratación pública tradicional. El Tribunal destaca que, en un tercio de los doce proyectos auditados, con una duración de 5 a 6,5 años, han sufrido retrasos considerables.

Se han producido, además, demoras adicionales en el marco de las APP debido a la necesidad del socio del sector privado de recaudar fondos para la financiación del proyecto, por la frecuencia de los conflictos judiciales y por la utilización de estudios preparatorios incompletos, o por la existencia de marcos jurídicos inadecuados para las concesiones a escala nacional y de la UE.

– A pesar de que los proyectos de infraestructuras ejecutados a través de una APP suelen aumentar la eficiencia, terminando la construcción del proyecto de forma puntual y dentro del presupuesto, ante la pretensión del socio del sector privado de finalizar las obras de construcción según lo previsto en su contrato, iniciar los pagos por disponibilidad o cánones de utilización y evitar los aumentos de costes por los que suele asumir el riesgo, la mayoría de las APP auditadas han sido objeto de ineficiencias[23] considerables en forma de retrasos durante la construcción e importantes aumentos de los costes[24].

– Otra de las importantes deficiencias del modelo se centra en que los análisis previos a la ejecución de los proyectos de CPP se habían basado en escenarios excesivamente optimistas en lo que se refiere a la futura demanda y utilización de la infraestructura prevista, lo que ha

---

[23] En total, siete de los nueve proyectos completados (con costes de proyectos agregados de 7.800 millones de euros) sufrieron demoras que oscilaron entre dos y 52 meses. Además, fue necesaria una cantidad adicional de casi 1.500 millones de euros en fondos públicos para completar las cinco autopistas auditadas en Grecia y España, de los cuales la UE proporcionó alrededor del 30% (correspondiente a 422 millones de euros). El Tribunal considera que esta cantidad se ha gastado de manera ineficiente por lo que respecta a la consecución de los beneficios potenciales.

[24] En el caso español, los contratos de autopistas se renegociaron poco después de la firma del contrato, debido a modificaciones necesarias en las obras previstas, lo que provocó aumentos de costes de aproximadamente 300 millones de euros, que debía asumir el socio público. El coste de la autopista A-1 se incrementó en un 33% (158 millones de euros), retrasando dos años el proyecto, mientras que la autopista C-25 experimentó un incremento del 20,7% (143,8 millones de euros) y retrasos de 14 meses.

provocado índices de utilización de los proyectos de hasta el 69% (TIC) y del 35% (autopistas) por debajo de las previsiones, sin tener en cuenta el riesgo pendiente de grave infrautilización de las autopistas tras su finalización. El hecho, además, de que de que los pagos puedan repartirse a lo largo de un período de 20-30 años reduce la presión por optimizar el alcance del proyecto con arreglo a las necesidades reales y, por tanto, aumenta el riesgo de que las entidades del sector público se comprometan en proyectos de infraestructuras mayores de lo necesario o que no podrían permitirse de otro modo.

– Otra de las causas que ha influido en este fracaso del proceso de colaboración público-privado ha sido la deficiente preparación de los expedientes de proyectos que sostienen esas contrataciones y que han generado retrasos atribuibles al socio público y debidos, por ejemplo, a la aparición y necesaria retirada de hallazgos arqueológicos; a la necesidad de obtener los permisos medioambientales; o la de llevar a cabo expropiaciones de terrenos necesarios para la infraestructura, etc.

Las buenas prácticas de gestión prevén que se efectúen análisis comparativos entre las distintas opciones de contratación con el fin de seleccionar la que ofrezca la mejor relación calidad-precio. En la mayoría de proyectos fiscalizados, se eligió la opción de la APP sin ningún análisis comparativo previo de opciones alternativas[25] y sin lograr demostrar, por lo tanto, que se trataba de la opción que maximizaba la relación calidad-precio y protegía el interés público. A ello se une la práctica habitual de las administraciones públicas consistente en valorar estos proyectos atendiendo a los análisis efectuados por los prestamistas, cuyos objetivos pueden ser muy diferentes.

– No menos relevante en la crítica del modelo CPP ha sido el inadecuado reparto de los riesgos que generan estos proyectos, el equilibrio óptimo entre el traslado del riesgo y la compensación para la parte que lo asuma, es un factor fundamental para el éxito de una APP.

El Tribunal señala que la distribución de riesgos entre los socios públicos y privados fue por lo general inadecuada, incoherente e in-

---

[25] Todos los proyectos de autopistas fiscalizados en Grecia y España— no se basó en ningún análisis comparativo, que habría aportado elementos cuantitativos y consideraciones sobre la optimización de los recursos adicionales como base para la decisión sobre la opción de contratación. Además, en uno de los nueve proyectos, se ha denegado al Tribunal el acceso a la documentación pertinente.

eficaz, mientras que los elevados índices de remuneración (hasta el 14%) que ofrece el capital de riesgo de los socios privados no siempre reflejaban los riesgos asumidos.

En otros casos ha habido una asignación del riesgo inadecuada y ha sido el socio privado el que ha asumido riesgos excesivos cuando el socio del sector público le transfiere la totalidad del riesgo de demanda[26], aunque no podía ejercer influencia alguna en la demanda del tráfico, provocando con ello un aumento del riesgo de quiebra para el socio privado y, por ende, costes adicionales y una relación calidad-precio inferior para el socio público.

La larga duración de los contratos favorece la obsolescencia tecnológica. De las CPP se espera que maximicen sus beneficios combinando y aprovechando las ventajas respectivas de los conocimientos especializados del sector público y privado. De este modo, se espera que generen una calidad de infraestructura y servicios adicional y que proporcionen incentivos para hallar soluciones innovadoras en la prestación de servicios públicos. Sin embargo se toparon con un problema común al que se enfrentan las APP en el ámbito de las nuevas tecnologías, donde la elección de las soluciones tecnológicas más adecuadas constituye un factor clave para la ejecución satisfactoria de contratos a largo plazo. El compromiso con una tecnología y una ejecución determinadas durante todo el tiempo, habitualmente prolongado, que abarca un contrato de APP expone a los proyectos a un riesgo considerable de obsolescencia tecnológica, que implicaría inevitablemente una reducción de los ingresos tan pronto como se encuentre disponible una nueva tecnología.

---

[26] El TCE menciona el caso de la autopista A-1 en España, en este proyecto se transfirieron el riesgo de demanda y el riesgo de disponibilidad al socio privado, habida cuenta de que la remuneración del proyecto se basaba en peajes en sombra pagados por el socio público, ajustados para incluir bonificaciones o penalizaciones por la calidad del mantenimiento de la infraestructura. Si bien los niveles de tráfico fueron considerablemente inferiores a las expectativas, la calidad del mantenimiento (facilitada por los bajos niveles de tráfico) generó bonificaciones que contrarrestaron todas las pérdidas del socio privado derivadas del riesgo de demanda. Por tanto, pese a que el socio privado asumió todos los riesgos, en la práctica no sufrió casi ningún perjuicio financiero, mientras que el socio público estaba contractualmente obligado a abonar importes considerablemente superiores a fin de garantizar el mantenimiento pendiente de una autopista infrautilizada.

- El marco institucional y jurídico aún no es el adecuado para los proyectos de APP financiados por la UE. El desarrollo de estos proyectos requiere una legislación adecuada en materia de APP, unidades de asesoramiento de APP para apoyar la ejecución de los proyectos, contratos tipo, modelos para análisis comparativos y mecanismos de funcionamiento adecuados para facilitar la aplicación de todos estos sistemas, así como estrategias adecuadas para la utilización de las APP como parte de la política de inversión general.

  Del análisis realizado se deduce que, en España en particular, no se cuenta con un departamento específico o unidad de APP para respaldar la ejecución de los proyectos de APP fiscalizados, por tanto, las APP no podían beneficiarse de cláusulas contractuales modelo, orientación y herramientas a nivel central. Los proyectos de APP españoles tampoco se sometieron a ningún análisis comparativo con otras opciones de contratación o a ninguna otra evaluación específica de la relación calidad-precio adaptada a los proyectos de APP.

- Tampoco los Estados Miembros han aprovechado las oportunidades de financiación que la UE pone a su disposición, muy pocos Estados miembros han ejecutado sistemáticamente APP con ayuda de la UE.

- A nadie se le oculta que otra de las finalidades de las CPP es registrarlas fuera del balance financiero de la administración pública, desplazando los costes del presupuesto de capital a los presupuestos operativos anuales para años venideros. La ventaja reside en que la proporción de deuda relacionada con la APP no se tiene en cuenta a efectos del cumplimiento de los criterios de Maastricht. Este tipo de prácticas aumentan los riesgos de efectos colaterales negativos que pueden menoscabar la relación calidad-precio, por ejemplo, un enfoque sesgado hacia los proyectos de APP, acuerdos desequilibrados de distribución del riesgo y costes más elevados para el socio del sector público.

V. A modo de conclusiones

El informe llevado a cabo por el Tribunal de Cuentas de la Unión Europea concluye con un conjunto de recomendaciones cuya puesta en práctica debe contribuir a mejorar el resultado de los proyectos abordados con el modelo de CPP. Se pueden resumir en las siguientes:

– No se debe promover un uso intensivo y generalizado de las APP hasta que se subsanen los problemas detectados y se apliquen satisfactoriamente las recomendaciones realizadas en el informe. En particular, se deben mejorar los marcos institucionales y jurídicos y la gestión de los proyectos y aumentar la seguridad de que la elección de la opción de la APP es la que ofrece la mejor relación calidad-precio.

– Se debe minimizar el impacto financiero de los retrasos y las renegociaciones sobre el coste de las APP asumido por el socio público. Los Estados miembros deben proponer disposiciones contractuales generales que limiten el importe de los posibles costes adicionales que deba pagar el socio público; evaluar cualquier renegociación de contrato anticipada para garantizar que los costes consiguientes soportados por el socio del sector público estén debidamente justificados y sean conformes a los principios de optimización de los recursos.

– La selección de la opción de la APP debe basarse en análisis comparativos sólidos para concluir que es la mejor opción de contratación.

– Los Estados Miembros deben establecer políticas y estrategias claras para las APP que definan con claridad la función que se espera que desempeñen en sus políticas de inversión en infraestructuras, con miras a identificar los sectores en los que las APP resulten más idóneas y a establecer posibles límites en cuanto su utilización eficaz.

– Hay que incrementar la transparencia y garantizar que las APP puedan financiarse eficazmente con fondos de la UE. Los Estados miembros deben mejorar la transparencia mediante la publicación de listas periódicas de proyectos de APP, que incluyan datos suficientes y significativos sobre los activos financiados, sus compromisos futuros y el tratamiento de sus balances financieros, manteniendo la protección de datos comercialmente sensibles.

Concluimos señalando que queda mucho camino por andar en esta fórmula contractual basada en la colaboración de socios públicos y privados. Las malas experiencias locales y las posibilidades de mejora apuntadas por el Tribunal de Cuentas Europeo no deben servir sino para corregir las deficiencias apuntadas y apostar por proyectos CPP eficientes, muchas de nuestras grandes infraestructuras serían inviables, o se dilatarían en el tiempo, si la colaboración público-privada no respondiese al objetivo de captar un capital privado necesario para su ejecución y explotación. Vayamos en la línea apuntada y aprovechemos ya la experiencia acumulada para seguir captando los beneficios de esta fórmula contractual.

Bibliografía

ASENCIO PASCUAL, C., "El concurso de acreedores de la sociedad concesionaria", en *Revista de Derecho Concursal y Paraconcursal*, núm. 16, 2012.

BARRERO GONZÁLEZ, E., "La incidencia de la Ley en los contratos administrativos", en AA.VV., en *Estudios sobre la Ley concursal: libro homenaje a Manuel Olivencia*, Marcial Pons, Madrid, 2005.

CABREJAS GUIJARRO, M. del M., "Concurso voluntario. Comunicación previa: efectos", *CEFLEGAL*, núm. 107, Dic., 2009.

CARLÓN RUIZ M., "Las administraciones públicas ante el fenómeno concursal: algunas reflexiones al hilo de la nueva ley", *Revista de Administración Pública*, núm. 164, mayo-agosto, 2004.

CERVERA MARTÍNEZ, M., "La resolución de los contratos en el concurso", *Cuadernos Digitales de Formación, núm. 23, Encuentro de la Sala Primera del Tribunal Supremo con magistrados/as de lo mercantil*, Consejo General del Poder Judicial, 2011.

CHINCHILLA MARÍN, C., "La insolvencia del contratista de las administraciones públicas", *Revista Vasca de Administración Pública*, núm. 69, 2004.

DEL GUAYO CASTIELLA, I., *Contratos del sector público y concurso de acreedores*, Ed. La Ley, Madrid, 2011.

DEL GUAYO CASTIELLA, I., "Algunas respuestas a la crisis desde la legislación de contratos del sector público", en *Actas del VI Congreso de la Asociación Española de Profesores de Derecho Administrativo Palma de Mallorca (El Derecho público de la crisis económica. Transparencia y sector público. Hacia un nuevo derecho administrativo)*, 11 y 12 de febrero de 2011, Coord. Avelino Blasco Esteve, Ed. Instituto Nacional de Administración Pública, Madrid, 2012.

DÍAZ ECHEGARAY, J. L., *Manual práctico de Derecho concursal*, Ediciones Experiencia, S.L., Barcelona, 2012.

DÍAZ FERNÁNDEZ, J., "La reciente modificación del régimen de resolución de los contratos administrativos en caso de concurso del contratista a través del RDL 6/2010, de 9 de abril, de medidas para el impulso de la recuperación económica y el empleo: ¿cambio normativo o consolidación de un criterio ampliamente mantenido?", *Contratación Administrativa Práctica*, Nº 101, Sección Reflexiones, octubre, Ed. LA LEY, LA LEY 10688/2010.

DÍAZ LEMA, J. M., "Contratos públicos *versus* contratos administrativos: ¿es conveniente mantener la duplicidad de la Ley de contratos del sector público?", *REDA*, nº 141, 2009.

DOMÍNGUEZ ALONSO, A. M., y MORENO MOLINA, J. A., "La invalidez de los contratos públicos", en *La Contratación Pública. Instituciones Básicas: Concepto y Fundamentos*, Ed. CEFIG, Lima (Perú), 2013.

ETXARANDIO HERRERA, E., *Manual de Derecho Concursal*, Ed. La Ley, Madrid, 2009.

FERNÁNDEZ TORRES, I., "Concurso y contratos con el sector público en el marco Real Decreto 3/2009 y de la nueva Ley de Contratos con el Sector Público", *Revista de Derecho Concursal y Paraconcursal*, núm. 11, Sección Varia, Segundo semestre de 2009.

GALLEGO CÓRCOLES, I., "La renuncia al contrato por parte del empresario", en *Observatorio de contratos públicos 2012*, Ed. Thomson Reuters Aranzadi, 2013.

GARCÍA-TREVIJANO GARNICA, E., "La resolución de los contratos en la ley 30/2007, de contratos del sector público", *Revista Española de la Función Consultiva*, núm. 14, julio-diciembre, 2010, pág. 166. Conferencia impartida en las XI Jornadas de la Función Consultiva organizadas en Murcia los días 21 al 24 de octubre de 2009.

GIMENO FELIÚ, J. M., *Novedades de la ley de contratos del sector público de 30 de octubre de 2007 en la regulación de la adjudicación de los contratos públicos*, Ed. Cívitas-Thomson Reuters, Cizur Menor (Navarra), 2010.

GIMENO FELIÚ, J. M., "La Ley de Contratos del Sector Público: una norma en movimiento", *Actualidad Jurídica Aranzadi*, núm. 799/2010 (Tribuna), Editorial Aranzadi SA, Pamplona, 2010.

GUTIÉRREZ GILSANZ, A., "La liquidación concursal anticipada", *RDM*, nº 274, 2009.

GARCÍA VILLAVERDE, R., "La nueva administración judicial de empresas embargadas", *Cuadernos de Derecho y Comercio*, nº 34, 2001.

LINARES GIL, M. I., "Concurso de acreedores y contratación administrativa tras el Rea Decreto-ley 6/2010", *Revista de Derecho Concursal y Paraconcursal*, núm. 14, 2011.

OGANDO DELGADO, M. A., "Efectos sobre el deudor de la declaración del concurso", en *Estudios sobre la nueva legislación concursal*, Thomson-Aranzadi, Cizur Menor (Navarra), 2006.

MORENO MOLINA, J. A. y PLEITE GUADAMILLAS, F., *Texto Refundido de la Ley de Contratos del Sector Público*, Ed. La Ley, Las Rozas (Madrid), 2012.

MUÑOZ VILLARREAL, A., "El requisito de probar la insolvencia del deudor", en *Noticias Jurídicas*, 03/ 2012, http://noticias.juridicas.com/articulos/50-Derecho%20Mercantil/201203-3272725429425.html, (última entrada 1/08/13).

PALAO UCEDA, J., *La insolvencia inminente y el sistema concursal preventivo*, Ed. Editorial Bosch, Barcelona, 2013.

PULGAR EZQUERRA, J., "El presupuesto objetivo del concurso de acreedores", en *El concurso de acreedores (Adaptado a la ley 38/2011, de 10 de octubre, de reforma de la ley Concursal)*, Dirección Juana Pulgar Ezquerra, Ed. La Ley, Las Rozas (Madrid), 2012.

PUNZÓN MORALEDA, J. y PUERTA SEGUIDO, F., "Procesos concursales y contratación pública", *Revista Española de Derecho Administrativo núm. 161*, Edit. Civitas-Thomson Reuters, Pamplona, 2014.

RODRÍGUEZ ACHÚTEGUI, E., "Algunos pasos para mejorar la situación del concursado en fase de cumplimiento del Convenio", *Revista Aranzadi Doctrinal* núm. 4/2010 (Comentario), Ed. Aranzadi, SA, Pamplona, 2010.

RODRÍGUEZ ESCANCIANO, S., "Las relaciones de trabajo ante la novación del concesionario de obra pública", *Diario La Ley*, Nº 6797, Sección Doctrina, 10 de octubre, Año XXVIII, Ref. D-214, Ed. La Ley 2010.

RAMOS PÉREZ-OLIVARES, A., "Las consecuencias de la declaración de concurso de acreedores de licitadores y contratistas públicos", *Contratación Administrativa Práctica*, núm. 121, Sección Reflexiones, del 1 Sep. al 31 Dic. 2012.

SOLAZ SOLAZ, E., *Enciclopedia jurídica*, La Ley, Madrid, 2009.

TEROL GÓMEZ, R., "Reformas puntuales de la Ley de contratos del sector público en el contexto de las medidas de 2010 contra la crisis económica, el fomento del empleo y otros objetivos", en obra colectiva *El nuevo marco de la contratación pública*, Dirigida por Luciano Parejo Alfonso y Alberto Palomar Olmeda, Ed. BOSCH, Barcelona 2012.

MODIFICACIONES NORMATIVAS E INSTITUCIONALES NECESARIAS PARA UN MEJOR DESARROLLO DE LAS OBRAS PÚBLICAS EN CHILE, EN UN CONTEXTO DE COLABORACIÓN PÚBLICO PRIVADA

Víctor Ríos Salas
Socio en Molina Ríos
Profesor Magíster en Derecho Público
Universidad Santo Tomás

I. Introducción

El desarrollo de la infraestructura de un país no es posible ni menos eficiente si no se cuenta con una institucionalidad adecuada para sostener su impulso y desarrollo. El Estado debe contar con herramientas eficientes para poder contar con información completa y confiable que le permita definir las necesidades de infraestructura, y con ello establecer planes de largo plazo. Sin eso, no resulta serio ni correcto definir políticas permanentes de desarrollo.

Basta considerar que, en Chile, desde que se decide impulsar una obra pública y hasta que ésta se materializa, transcurren usualmente no menos de entre 8 y 10 años. Es decir, se superan ampliamente los períodos de duración de los Gobiernos de turno y sus respectivos planes de obras, lo cual hace evidente que en materia de obras públicas se requieren planes y políticas de largo plazo, de manera que los proyectos claves se sostengan en el tiempo y en general no se revisen sustantivamente según vayan cambiando las prioridades temporales de las distintas administraciones del Estado.

Al no existir una entidad oficial que permita reunir información de la infraestructura crítica faltante, resulta difícil —además de inadecuado— fijar las prioridades en infraestructura sin contar con información confiable y actualizada. El Gobierno y sus Ministerios, que son los que en definitiva están llamados a definir las necesidades en infraestructura en sus respectivas áreas, no siempre actúan debidamente coordinados, lo que se traduce en que, en algunos casos, se opte por proyectos incompletos o infra dimensionados.

De igual modo, no existe actualmente una evaluación social integrada en la planificación de proyectos de infraestructura pública: integrar caminos con medios de transporte y centros urbanos; visión integral de la logística, puertos, aeropuertos, carreteras, corredores bioceánicos; definición de modos de transporte de carga: camiones, ferroviarios; vías de acceso con desarrollo de ciudades, etc.

Se requiere establecer una entidad técnica, transversal, independiente y autónoma, que revise y actualice las necesidades de infraestructura pública, considerando su dimensión social y la planificación territorial de los centros urbanos e industriales, que contemple e integre todos los proyectos sectoriales del Estado en el largo plazo, y conforme a ello, proponga al Presidente de la República los proyectos concretos a desarrollarse, así como las políticas públicas en materia de infraestructura, en un entorno de cooperación público privada.

En definitiva, el desarrollo de las obras públicas requiere mejoras tanto institucionales como normativas, en el contexto de una cooperación y asociación público privada.

No obstante, durante el último tiempo se han venido levantando críticas transversales al sistema de contratación con el Estado en materia de obras públicas en Chile, que incluso se han traducido en la inédita decisión de algunas constructoras y actores relevantes de la industria de no seguir participando en licitaciones en tanto no exista una reingeniería profunda en dicho sistema de contratación. Lo anterior da cuenta de un problema estructural, que se arrastra por años.

Existen varias causas que inciden decisivamente en esta materia: un marco normativo anticuado; diferencias sustantivas en los criterios técnicos que en un proyecto aplican la Contraloría General de la República y el Ministerio de Obras Públicas, "MOP", (a pesar de que por ley ello le corresponde únicamente al MOP); y una suerte de paralización —bastante entendible por lo demás— de los funcionarios públicos por temor a los juicios sumarios y de cuentas que la Contraloría instruye iniciar en su contra.

No estamos en presencia de un problema meramente económico, sino de uno mucho más profundo, de carácter normativo e institucional, que impone la urgente necesidad de modernizar esta industria y sus actores, especialmente en los roles que le cabe a cada uno.

En efecto, las políticas públicas en este importante sector de la economía no podrán prosperar sin antes hacer una profunda revisión de todos estos aspectos, que permita a la autoridad política recuperar el rol articulador y técnico que le corresponde de manera exclusiva, y en el que la Contraloría, sin dejar de fiscalizar, limite su actuación a la revisión de la legalidad de los actos de la administración.

Ese balance, que debe ser el reflejo de una natural y sana colaboración de todas las partes de un proyecto, propio de una industria madura, debe ser siempre una cuestión central y del máximo interés del Estado, para lo cual también se requiere la colaboración de los contratistas, pero existiendo reglas claras y ciertas, de manera que los conflictos se resuelvan a tiempo, se evite que los plazos se extiendan innecesariamente y las obras se posterguen, encarezcan o judicialicen.

En este contexto, resulta muy valiosa la iniciativa que recientemente se ha implementado entre el MOP, el Instituto de la Construcción y la Cámara Chilena de la Construcción, mediante un plan piloto que contempla un Mecanismo de Resolución Temprana de Controversias, lo cual ha sido también validado por la Contraloría General de la República.

Sin duda que esta iniciativa está en la senda correcta y esperamos sea el primero de muchos pasos que se den en esta materia. Sin este esfuerzo mancomunado, con mirada de Estado y con políticas públicas de largo plazo, no será posible sacar adelante los proyectos que se requieren para volver a tener mayores tasas de inversión en el sector, recuperar la productividad perdida y ponernos al día para revertir el creciente déficit de infraestructura de nuestro país.

II. Mejoras Institucionales

Existen muchas áreas del Estado en materia de obras públicas en las cuales se hace necesario rediseñar el respectivo marco institucional, de manera de que las políticas públicas y los proyectos y obras en las que se traducen, se implementen y desarrollen en un contexto regulatorio eficiente, claro y transparente, permitiendo la activa participación de los entes públicos y privados, con miras a cumplir exitosamente los objetivos comunes e individuales propuestos para cada cual, con pleno respeto del interés público.

Revisemos algunas áreas en las que en nuestra opinión se requiere un mejor y renovado marco institucional para el desarrollo de las obras públicas.

1. Mejoras en la Institucionalidad de Control

Los proyectos de ingeniería que desarrolla el MOP, los Servicios de Salud, entre otros, muchas veces no son completos, están desactualizados, se emiten con normas ya antiguas, especialmente en los de edificación pública, y esos defectos recién se descubren en la etapa de construcción de la obra, y cuando aparecen esos problemas, ya es tarde, se alargan los plazos y por tanto suben los costos que finalmente alguien termina pagando.

Como veremos, la normativa que rige las obras públicas, en muchos aspectos es anticuada, requiere modernización, pues no contempla mecanismos que permitan adaptarse con rapidez a los cambios que requieren los usuarios finales durante la ejecución de una obra, para recoger las nuevas necesidades que se van demandando.

La burocracia en esto juega su papel, lo cual hace que las obras se demoren más de lo razonable, y al no haber definiciones a tiempo, se generan sobre costos que podrían evitarse con una actuación conjunta más oportuna.

La falta de flexibilidad administrativa y normativa termina provocando las mismas malas prácticas que se quieren evitar: La rigidez en la reglamentación de Obras Públicas (especialmente el Reglamento para Contratos de Obras Públicas) unida a la siempre estricta supervisión de la Contraloría (como corresponde) es una combinación que hace ya años tiene prácticamente paralizada a la administración pública.

Y ello, porque la actuación de los funcionarios públicos, en vez de estar enfocada en sacar adelante los proyectos, está más bien orientada a resguardarse personalmente de posibles sumarios que pueda iniciar la Contraloría en su contra por medio del juicio de cuentas.

Está muy bien que la Contraloría ejerza su rol fiscalizador, eso es inobjetable, el problema es que, de conformidad al artículo 111 del DFL 850 la opinión del Ministro de Obras Públicas prevalece por sobre la del Contralor, facultad que en la práctica no se ejerce.

Este tipo de falencias, más las propias del RCOP, hace que no tomen decisiones a tiempo, muchas veces por temor a la responsabilidad administrativa y personal, y todo eso atrasa y desvirtúa los proyectos.

Muchas veces ocurre que cuando los técnicos avizoran que los proyectos necesitan incorporar cambios para subsanar defectos de proyecto, ya es tarde, existiendo el riesgo de que se paguen compensaciones por conceptos distintos a los reales, con lo cual se pueden terminar disfrazando pagos adicionales, siendo una posible fuente de malas prácticas.

En definitiva, se requiere un replanteamiento de los roles y del alcance de las funciones de cada cual, de manera que el interés fiscal esté bien resguardado, pero que al mismo tiempo los proyectos no se entraben por cuestiones burocráticas. Y para ello, es fundamental mantener las decisiones técnicas dentro del ámbito del MOP.

2. En materia de institucionalidad ambiental

El marco institucional ambiental no siempre está funcionando adecuadamente, lo cual, de paso, genera incertidumbres y trabas burocráticas a las iniciativas y proyectos de infraestructura, públicos y privados, alargando los plazos de tramitación y generando por ende sobre costos innecesarios.

Desde ya, y si bien hay avances, en esos procesos no se incorporan factores como la consulta ciudadana previa ni la compatibilidad territorial —de manera de ir generando un ordenamiento territorial vinculante— que anticipadamente establezca la aptitud o incompatibilidad de desarrollar ciertos proyectos en determinadas áreas geográficas, con lo cual se evitaría mucha discusión posterior y otorgaría mayor certeza a las iniciativas futuras.

Por otra parte, no parece adecuado que los propios concesionarios / constructores de obras públicas sean en definitiva los encargados de llevar adelante y gestionar ambientalmente los proyectos de las obras públicas del Estado vía concesiones.

En nuestra opinión, el Estado de Chile es quien debiera efectuar dichas evaluaciones, por tratarse de proyectos de obras públicas, y una vez desarrollados, entregarle al constructor el proyecto de ingeniería con sus efectos ambientales debidamente evaluados y sus medidas de mitigación correctamente definidas en base al interés público del proyecto en su conjunto, no solo en una órbita de ingeniería y construcción.

Es decir, establecer en los proyectos de interés público, que la evaluación ambiental de los proyectos será de cargo del Estado de Chile, a través del ministerio correspondiente, y no de los propios concesionarios / constructores que los van a ejecutar. Ello, porque la evaluación ambiental gestionada por un privado normalmente no recibe toda la colaboración institucional necesaria acorde a los plazos y necesidades que el proyecto requiere, conforme a las prioridades definidas por el Estado.

En dichos procedimientos, debieran también contemplarse herramientas para medir alternativas a los proyectos presentados, como existe en muchos otros países. (comparativa de diseños, tecnología, ambiental, etc)

Uno de los aspectos más relevantes es también la necesidad de implementar criterios de ordenamiento territorial preestablecidos, de manera de diseñar previamente el destino de los terrenos, dando a los "Planes Regionales de Ordenamiento Territorial" de la ley orgánica de Gobiernos Regionales, el carácter de obligatorios y vinculantes. Con ello, se planifica oportunamente y se otorga mayor certeza jurídica y claridad a los interesados y a la comunidad en general.

3. En materia de evaluación social de proyectos

En la medida que se avanza en el desarrollo de nueva infraestructura, se requiere actualizar las metodologías de evaluación social de proyectos, para mejorar la captura tanto de costos como de beneficios y externalidades que no se cuantifican.

Se debe evitar la arbitrariedad en definiciones que afectan la valorización de los precios sociales. Hay que abrirse a evaluaciones de costo eficiencia, por ejemplo, en restauración de edificación patrimonial, obras de emergencia u obras que están al final de su vida útil, como la reposición de puentes.

El Ministerio de Desarrollo Social ha abandonado un criterio muy práctico; si la infraestructura existente es socialmente rentable y, ante una catástrofe es socialmente óptimo reponerla, no debiese ser necesario pasar por el circuito como si fuera un proyecto nuevo.

De igual modo, se requiere incorporar el efecto cambio climático, en las metodologías de evaluación. En tal sentido Ministerio de Desarrollo Social debiese generar alianzas con los distintos Servicios, jugando un rol participativo, en lugar de rechazar las iniciativas por ausencia de metodología.

Para ello, se requiere mantener un panel de expertos en permanente revisión de las metodologías.

Para desarrollar proyectos de largo plazo o declarados de interés estratégico, se debe extender su duración en el BIP, que hoy se encuentra limitada de 5 años.

Cuando cambia la normativa sectorial, actualmente se exige la reevaluación completa de los proyectos, lo cual por cierto aumenta el costo de la pre-inversión, pues en muchos casos se deben reiniciar los estudios.

En el caso de Inmuebles Patrimoniales deteriorados por desastres o emergencias, se debe adoptar un criterio especial que permita intervenirlos una sola vez y de forma definitiva, en lugar de actuar por emergencia con una conservación y posteriormente con la restauración (lo cual encarece su restauración y tiene un riego mayor).

Se necesita una mayor determinación para facilitar la reposición de más de 150 puentes. Hoy se insiste en que deben ingresar al SNIP, siguiendo las normas tradicionales (no es razonable si la vida útil ha expirado y requieren su reemplazo).

Se ha incorporado crecientemente el requisito de realizar la mecánica de suelos en etapa de perfil, ello puede ser una ventaja o no, pero aumenta el costo de los proyectos. Se debe evaluar en cada caso, ya que no es deseable cuando las alternativas de localización se están evaluando. Debiese quedar en el MOP la facultad de definir que estudios son necesarios en cada etapa.

4. *En materia de Espacios Públicos y Movilidad Urbana*

En Chile el 90% de sus habitantes viven en zonas urbanas y 8 ciudades de nuestro país tienen ya más de 250.000 habitantes, por lo que resulta fundamental concentrar esfuerzos y criterio de planificación para resguardar la calidad de vida de quienes habitan en centros urbanos.

La acción pública debe enfocarse a los espacios públicos y parques, y en una adecuada distribución del territorio y sus diferentes usos de suelo, terminando con la segregación social que afecta a nuestras ciudades.

Actualmente es posible percibir una cierta descoordinación e improvisación en el diseño e implementación de las políticas públicas en materia de centros urbanos.

Para ello, parece recomendable comenzar con la instalación de un Gobierno de la Ciudad, Metropolitano, como un ente coordinador de las políticas públicas en la región Metropolitana, especialmente el diseño y construcción de infraestructura para la ciudad de Santiago y mega centros urbanos del país.

En ese mismo sentido, parece también oportuno entregar a los gobiernos locales y municipios las facultades suficientes y necesarias para que estos puedan diseñar políticas públicas de inversión en las grandes ciudades.

5. En materia de Recursos Hídricos

Sin duda que el agua es un elemento fundamental para las actividades humanas y productivas, en cantidad que sea suficiente para el desarrollo del país, con pleno respeto del medio ambiente.

Las características y la geografía de Chile hacen que la distribución del agua en su territorio sea extremadamente desigual, pues si bien es abundante en la zona sur austral, y bastante bien abastecida en la zona centro sur, es escasa en la zona Norte y Metropolitana.

Es indudable, además, que el calentamiento global impactará severamente la zona centro y sur del país, con mayores temperaturas, provocando mayor evaporación, la cota de temperatura estará más alta y en consecuencia habrá menos nieve, reducción de glaciares, etc., lo cual se estima traerá más lluvias intensas en el Norte, un 40% menos de precipitaciones en la zona Sur y un 30% menos en la Zona Austral.

Los organismos técnicos internacionales especializados, ya han confirmado que Chile se encuentra entre los países con mayor estrés hídrico del mundo y, por tanto, resulta evidente que deben implementarse desde ya las obras públicas que sean pertinentes para intentar paliar dichos efectos adversos que pueden ser devastadores para la población, la agricultura y por ende para todo el ciclo productivo y alimentario.

El agua que se utiliza o consume en Chile corresponde aproximadamente al 16% del agua total disponible por año, el 84% restante se pierde, se vierte en ríos y llega al mar sin ser consumida. En la zona norte, además, hay gran cantidad de agua subterránea que no se utiliza. (se extrae solo el 2% de la recarga anual de aguas subterráneas)

El 96% de los glaciares se encuentra en la zona sur austral, aun cuando todos los glaciares han disminuido considerablemente, por causa del cambio climático.

Del total de agua que se utiliza o consume, un 6,1% se destina al consumo humano solamente. Del resto, un 81% se destina al sector agrícola, un 6% a la minería, un 6,7% al sector industrial y menos del 1% al sector forestal.

Siendo el agua un recurso escaso y crítico para el consumo humano y para el desarrollo de las actividades productivas del país, se requiere implementar una serie de obras y políticas acordes a los tiempos y necesidades actuales.

Para que ello sea posible, desde ya se requiere establecer un sistema de información confiable, sobre fuentes de agua disponibles y el uso que se hace de ellas, generando un registro público de los derechos de agua, nacional y por cuenca. Se deben incorporar a todos los usuarios de las cuencas, definiendo los requerimientos hídricos por cuenca, definiendo prioridades de consumo.

Parece también necesario establecer un plan de inversiones por cuenca, un programa de embalses, y una carretera hídrica para transportar agua desde el Sur hacia el sector centro norte, sobre la base de que los usuarios deben pagar por las inversiones que se realicen para transportar agua desde donde se encuentra o genere hasta donde se utilice.

Para ello, deben someterse a evaluación social los proyectos en que se considere conveniente subsidiar la construcción de infraestructura para generar o transportar agua dulce.

En las zonas desérticas o semidesérticas la Gran Minería se puede abastecer de fuentes no terrestres, con plantas desalinizadoras, como de hecho ya han comenzado a hacerlo.

6. Mejoras en materia de Puertos y Logística

La importancia de los puertos en el transporte de carga es fundamental, si se considera que el 96% de la carga total de Chile en importaciones y exportaciones se mueven a través de los puertos.

En Chile existen 92 puertos y terminales de carga de los cuales 61 de ellos son de propiedad privada, y 31 son de propiedad del estado. De los puertos privados hay 17 de ellos que permiten el acceso al uso público.

En los últimos 25 años la carga vía puertos se triplicó en nuestro país, pasando a más de 40.000.000 de toneladas anuales.

Si bien los puertos chilenos son los más eficientes de Latinoamérica, aún estamos muy distantes de los países desarrollados de la OCDE, habiendo pasado en los últimos años desde el lugar 34 al lugar 63 del ranking mundial, demostrando una enorme pérdida relativa de competitividad.

Asimismo, es necesario integrar de mejor forma los puertos a los corredores logísticos y modos complementarios de transporte, de manera de mejorar las relaciones con su entorno y hacerlos más eficientes.

Para que ello sea posible, parece necesario instaurar una entidad coordinadora de todas las entidades públicas que tengan relación con la operación de puertos y redes logísticas, que proponga las políticas públicas que se orienten a obtener una mayor competencia y competitividad de los puertos y su logística, determinando y reservando los terrenos necesarios para la expansión de los puertos y su respectiva logística.

III. Mejoras Normativas al Reglamento para Contratos de Obras Públicas

Actualmente, la gran mayoría de los proyectos de obras públicas se ejecutan en plazos significativamente mayores a los inicialmente planificados, lo que conlleva mayores costos y un creciente grado de judicialización de parte de los contratistas en contra del Ministerio de Obras Públicas.

Lo anterior, no se explica en deficiencias de ingeniería (que seguirán presentándose, pues ello resulta inherente a este sector de actividad); ni en falta de atribuciones administrativas de los Inspectores Fiscales (pues las poseen suficientemente) ni tampoco en un exceso de intromisión de la Contraloría General de la República (la que finalmente sólo cumple con ejercer sus facultades fiscalizadoras, supervisando el cumplimiento de Bases de Licitación y Reglamentos)

La verdadera razón que actualmente entraba el desarrollo eficiente y terminación en plazo de los proyectos de obras públicas, está en la falta de decisión oportuna de los Inspectores Fiscales para resolver aquellas materias o inconvenientes técnicos que ordinariamente se presentan durante la ejecución de una obra, falta de decisión que usualmente está motivada por evitar incurrir en posibles responsabilidades administrativas y en su patrimonio personal, especialmente si de ello se derivan sumarios administrativos o juicios de cuenta instruidos por la propia Contraloría General de la República.

La causa de esta verdadera parálisis en la toma oportuna de decisiones por parte de los Inspectores Fiscales —lo cual termina postergando y sobre costeando los proyectos— es la falta de actualización normativa del Decreto Supremo N° 75 MOP, que contiene el Reglamento de Contratos de Obras Públicas, cuyas normas no solo carecen de un tratamiento orgánico adecuado, sino que además parten de una premisa equívoca para este sector de la industria: que los proyectos de ingeniería son perfectos y completos, y que por tanto, las modificaciones de proyecto para adaptarse eventualmente a una realidad de terreno distinta de la prevista en el proyecto, en la práctica es inadmisible, pues genera responsabilidad para el MOP.

El razonamiento que en tal sentido hace el Reglamento, así como la ambigüedad y falta de claridad de sus diferentes normas, no se condice con un Estado moderno, ni menos con las normas y prácticas internacionales en materia de proyectos de ingeniería y construcción.

Es precisamente esa ambigüedad y falta de claridad de las normas del Reglamento citado lo que permite a la Contraloría General de la República interpretarlo de un modo restrictivo y también equívoco, impidiendo que los Inspectores Fiscales actúen con criterio técnico, reemplazando el interés público que debiese primar en todo proyecto, por la defensa y resguardo personal de los intereses del Inspector Fiscal respectivo, quien se ocupa más bien en evitar ser sancionado por un proyecto defectuoso, que en adaptarlo a tiempo a las circunstancias reales verificadas en terreno.

Lo anterior, lleva además a que, en aquellos casos en los que existe urgencia y necesidad de avanzar en sacar adelante un proyecto específico, se implementen malas prácticas, disfrazando modificaciones de proyecto, compensaciones y ajustes de precio, por obras nuevas o partidas extraordinarias inexistentes, trastocando aún más la realidad de la obra.

Ante lo planteado, resulta urgente buscar los mecanismos para poder volver a situar en los proyectos el interés público comprometido, de manera que éstos sean gestionados de manera oportuna y eficiente, en costo y plazo.

Para ello, es necesario que, haciendo uso de la facultad reglamentaria del Presidente de la República, se actualice el Reglamento para Contratos de Obras Públicas, DS N°75, incorporándole normas modernas en materia de contratación, pudiendo para ello utilizarse los modelos de contratos FIDIC o similares, de amplia aceptación en la industria internacional.

Ello, pondría a Chile en situación de liderazgo en la región, dotándolo de un marco normativo apropiado y que evitaría las ambigüedades en su interpretación, todo lo cual haría que en las decisiones de los Inspectores Fiscales prevalezca siempre el mérito técnico, poniendo el interés del proyecto por sobre el interés personal de los intervinientes en una obra pública.

Dicha actualización normativa permitiría además que la Contraloría General de la República dirigiera su fiscalización a los aspectos relacionados con la legalidad y sujeción a las Bases, dejando en manos del Ministerio de Obras Públicas la interpretación de los aspectos eminentemente técnicos en un contrato de obra pública, como de hecho lo establece la ley orgánica del Ministerio de Obras Públicas, pero que actualmente no se aplica.

Veamos a continuación algunas de las materias tratadas en el Reglamento y que usualmente son objeto de controversia o de interpretaciones contradictorias, y que, por lo mismo, requieren precisiones y mejoras.

1. *Aumentos de cantidades y obras extraordinarias*

El Reglamento para Contratos de Obras Públicas establece que las especificaciones técnicas y los planos deben ser necesarios y suficientes para que los contratistas puedan estimar los precios unitarios y las cantidades objeto del Contrato. En este sentido, el inciso 2º del artículo 2º del Reglamento señala lo siguiente: "Quedarán incluidas en el contrato todas las obras contempladas en las especificaciones técnicas y en los planos correspondientes; estos antecedentes deberán ser los necesarios y suficientes para estimar los precios unitarios y las cantidades. En los documentos de licitación se establecerá el calendario de entrega de toda aquella eventual información que por su naturaleza no pueda ser entregada antes de la adjudicación, la que en ningún caso deberá ser tal, que afecte la estimación de precio y cantidades, así como la responsabilidad del MOP en caso de incumplir con dicho cronograma de entrega".

De esta manera, para determinar cada uno de los precios unitarios del Contrato y evaluar y presentar sus ofertas, los licitantes, actuando de buena fe, deben considerar como correcta y fidedigna la información que se les entrega en los planos y en las especificaciones técnicas del proyecto, de manera que la entrega de antecedentes incompletos, insuficientes y/o erróneos podrá alterar sustantivamente la forma en que el Contratista definió ejecutar el Contrato.

Es por ello que, si se modifican las características de las obras contenidas en los antecedentes del proyecto, acordándose nuevas obras o extraordinarias, le dará derecho al contratista a ser compensado en plazos y/o económicamente.

El Reglamento para Contratos de Obras Públicas regula lo relativo a las variaciones de obra, primeramente, en sus definiciones del artículo 4 del mismo. El numeral "33)" del artículo 4 del citado Reglamento define al aumento o disminución de obras como la "modificación de las cantidades de obras indicadas por el Ministerio en los documentos de la licitación".

A su vez, el numeral "34)" del mismo artículo define a las Obras Nuevas o Extraordinarias del siguiente modo, distinguiendo según el tipo de contrato: "En contrato a serie de precios unitarios: Las obras que se incorporen o agreguen al proyecto para llevar a mejor término la obra contratada, pero cuyas características sean diferentes a las especificadas o contenidas en los antecedentes que sirven de base al contrato. En contrato a suma alzada: Las obras que se incorporen o agreguen al proyecto para llevar a mejor término la obra contratada". Finalmente, el número "35)" define a la modificación de obras como "El reemplazo de parte de las obras contenidas en el proyecto del Ministerio por obras nuevas o extraordinarias"

Las variaciones o modificaciones de obras requieren de ciertas formalidades previas para hacerse efectivas y tener validez administrativa y contractual. En efecto, salvo excepciones contempladas en el mismo Reglamento, dichas modificaciones requieren de una resolución administrativa de carácter previo y el consentimiento de la otra parte para su perfeccionamiento, debiendo acordarse un precio y un plazo para su ejecución.

El Reglamento para Contratos de Obras Públicas confirma ese criterio con motivo de la modificación de obras previstas, la ejecución de obras nuevas o extraordinarias, y el empleo de materiales no considerados, al señalar que toda modificación del objeto del contrato requiere del consentimiento previo de ambas partes del contrato. Así, el artículo 105 inciso primero de dicho Reglamento señala que "en estos casos deberá convenirse con el contratista los precios teniendo en consideración, cuando concierna, lo señalado en el inciso 2° del artículo anterior y los plazos que procedan".

Una primera dificultad que se ve usualmente en la práctica dice relación con la errada aplicación y entendimiento del concepto de suma alzada, que hace necesario una mejor determinación en el Reglamento. En efecto, muchas veces existe la creencia, por cierto, equivocada, de que todas las obras y actividades constructivas están incluidas en el contrato de construcción a suma alzada, y que éstas son todas de cargo del contratista. Ello no es así, pues el contratista ha asumido en este tipo de contratos la ejecución completa de una obra, pero en relación al proyecto entregado por el mandante, de modo que si por cualquier razón el proyecto cambia o es modificado, de igual manera se modifica el alcance de lo contratado.

Resulta claro que, en los contratos a suma alzada, será obra extraordinaria aquella obra que no se encuentra contemplada en el proyecto original entregado por el mandante y que sirvió de base para que el licitante presentara su oferta y se fijara el precio del contrato. Sin embargo, la discusión suele darse más allá de la obra contratada, extendiéndola a los métodos constructivos y a la actividad constructiva necesaria para ejecutar la obra contratada. En efecto, puede ocurrir que la obra en sí misma y como un todo resultante del proceso constructivo, no experimente variaciones en relación a aquella proyectada originalmente, pero que sí deban ser modificados los métodos o procedimientos constructivos necesarios para ejecutar la obra, así como la actividad constructiva que deba desplegar el contratista para su materialización.

Una segunda dificultad que suele verse en la práctica dice relación con la determinación de los mayores plazos asociados a las obras extraordinarias. Un primer plazo dice relación con el tiempo en que el mandante, con o sin la colaboración del contratista, tardará en definir la obra extraordinaria desde el punto de vista de su definición de ingeniería. Este primer plazo podrá afectar o no la ruta crítica del programa, en la medida que la actividad que la determina, por sobre la cual pasa la ruta crítica, se paralice o suspenda a la espera de la definición de ingeniería de dicha obra extraordinaria. Si ese efecto se produce, entonces el contratista tendrá derecho a extensión de plazo, y al pago de los costos de paralización y de mayor permanencia en obra, más gastos generales. Esos sobre costos son indirectos, producto de la paralización del proyecto a causa de la espera por la definición de la obra extraordinaria, pero también podrán afectar la producción de los costos y recursos directos, al afectarlos por paralización o hacerlos más improductivos.

Un segundo plazo, distinto al anterior, tiene relación con el plazo de ejecución de la obra extraordinaria, esto es, el tiempo en que se demora su ejecución propiamente tal. Dicho plazo, que también generará un costo indirecto al que tendrá derecho el contratista, se producirá en la medida que la ejecución de una obra extraordinaria en particular provoque un impacto en el programa de trabajo contractual y desplace sus fechas asociadas al plazo general de la obra.

En la práctica, suelen confundirse ambos plazos, y por ende la clasificación de los recursos asociados a su pago, existiendo la tendencia de asociar la totalidad de ellos a la ejecución de la obra extraordinaria propiamente tal, lo cual es incorrecto y no tiene asidero ni técnico ni legal. En efecto, los sobre costos por extensión del plazo del programa por causa de la indefinición de la obra extraordinaria, corresponden a una indemnización por mayor plazo y permanencia en obra por causa de una modificación del proyecto; en tanto que los segundos corresponden al pago de sobre costos, pero no por modificación de proyecto, sino que por el impacto que ha tenido en el plazo y en el programa la ejecución de la obra extraordinaria propiamente tal. Ambos conceptos corresponden a una indemnización de sobre costos indirectos, en tanto que el costo de la obra extraordinaria propiamente tal, cuyo valor es adicional al precio del contrato, obedece a un sobre costo directo, por mayor obra contratada. Ello, sin perjuicio del posible efecto adverso que tales situaciones pueden llegar a tener sobre la productividad de los recursos directos de la obra, según se ha dicho.

Una tercera dificultad que suele verse en la práctica, dice relación con el origen y formalización de las obras extraordinarias y aumentos de obras, pues los artículos 102, 104 y 105 del Reglamento establecen que dichos aumentos y obras extraordinarias deben tener su origen en una resolución del MOP. Sin embargo, en la práctica, en la gran mayoría de los casos es el propio contratista el que descubre e informa a su mandante la necesidad de ejecutar alguna obra extraordinaria, presentando la correspondiente Nota de Cambio. Pero ello a veces es rechazado por el Mandante asilándose en que sólo el MOP puede dar origen a ellas, lo cual resulta bastante incomprensible, más aún en el contexto de una sana y necesaria colaboración entre las partes, no existiendo ningún inconveniente en que sea el contratista el que le presente al MOP tales propuestas de notas de cambio, que luego den origen a la correspondiente resolución.

Este tipo de situaciones sustantivas requieren por cierto ser recogidas y clarificadas por el Reglamento.

Ahora bien, definido que sea, según los artículos y criterios ya señalados, que nos encontramos en presencia de una obra nueva o extraordinaria, deberán las partes determinar su precio, para lo cual deberán recurrir al artículo 105 del mismo Reglamento, señalando al efecto que éste debe convenirse con el contratista y que, a falta de acuerdo, se pagarán al contratista los gastos directos comprobados más un 30% de esos valores para compensar gastos y utilidades.

En este aspecto existen usualmente controversias entre las partes, con motivo de la interpretación que se da entre ellas, sobre si las partidas de precios unitarios se encuentran o no verdaderamente comprendidas en el itemizado de los precios ofertados, frente a la exigencia del mandante de ejecutar una gran cantidad de obras adicionales con un precio que había sido ofertado para obras menores.

En efecto, suele ocurrir que una partida con su respectivo precio haya sido cotizada para una actividad constructiva simple y/o de bajo volumen de obra, según los antecedentes del proyecto licitado, y luego entonces el mandante exija obras adicionales o extraordinarias relevantes, obligando al contratista a que le suministre el servicio o actividad al mismo precio ofertado, no obstante que en definitiva se trate por ejemplo de una actividad constructiva más costosa o compleja, por diversos factores o complejidades propias de la obra, que no se encuentran reflejados verdaderamente en el itemizado original de la propuesta.

En estos casos, el Reglamento debiese permitir que el contratista pueda plantear nuevos precios, puesto que en realidad la partida no es exactamente la misma, debiendo las partes promover un acuerdo entre ellas, de manera que el Contratista no sea perjudicado por tener que aplicar una partida que en el contexto de la obra fue presupuestada para una actividad diferente y en otro momento del progreso del proyecto.

De este modo, cuando las obras nuevas o extraordinarias a ejecutar tienen verdaderamente características distintas a las indicadas en el proyecto, la Administración no puede imponer al contratista que las ejecute a los mismos precios unitarios del contrato, debiendo pactarse nuevos precios. Si lo hiciere, estaría vulnerando la buena fe contractual, alterando la conmutatividad del contrato, y generando un enriquecimiento indebido para el Estado, todo lo cual además vulneraría normas expresas del Reglamento para Contratos de Obras Públicas, según lo hemos relacionado.

La solución normativa para este tipo de situaciones es que, de no existir acuerdo entre las partes, se aplique el inciso tercero del artículo 105 del Reglamento, es decir, que se ejecuten las obras a precio de gastos directos comprobados más un 30% de gastos generales y utilidades.

Disminución de cantidades de obra en los contratos a suma alzada y en los contratos a serie de precios unitarios.

2. Disminuciones de obras o cantidades

Así cómo es posible aumentar cantidades de obras, en los contratos a serie de precios unitarios es también procedente disminuir cantidades de obra. La materia se encuentra regulada en el artículo 102 del Reglamento, que en lo medular dispone que "el Ministerio podrá disminuir las cantidades de obras contempladas, reduciendo al mismo tiempo el plazo de ejecución de la obra, si procede de acuerdo al programa de trabajo, teniendo derecho el contratista a una indemnización igual al 10% de la disminución que resulte de la liquidación final de los aumentos y disminuciones parciales de obras, a menos que la disminución derive de las causales de término anticipado que señala el artículo 151".

De este modo, más allá de confirmar la facultad que tiene la Administración de ordenar disminuciones de cantidades de obra en los contratos a serie de precios unitarios, surge en consecuencia la obligación del Estado de indemnizar al contratista con un monto que debe ser equivalente al 10% de la disminución de dichas cantidades. Ahora bien, por el tenor del artículo citado, dicha indemnización procederá únicamente al momento de efectuarse la liquidación final del contrato, debiendo contabilizarse para ello todos los aumentos y disminuciones parciales de obras.

Si bien el artículo 102 no establece que dichas materias deben ser objeto de un acuerdo entre las partes, pues la disminución de cantidades de obra obedece a una potestad que detenta la Administración, nos parece necesario que se clarifique que la fijación de la indemnización y el efecto en el plazo que produce dicha disminución sí deben ser objeto de acuerdo entre las partes, pues en definitiva se trata de una modificación de elementos esenciales del contrato de construcción, y que como tales deben contar con el acuerdo de ambas partes.

La disminución de obras también procede en los contratos a suma alzada, pero en dicho caso, para que sean procedentes, deberá tratarse de modificaciones del proyecto contratado, en la medida que la disminución comprenda partidas o porcentajes de ellas que sean perfectamente determinadas y valorizadas. Ello también debiese ser recalcado.

A diferencia de la disminución de una cantidad de obra en un contrato de serie de precios unitarios, en los contratos a suma alzada se podrán disminuir obras entonces, pero en la medida que sea posible aislar el efecto de la disminución con respecto al precio total del contrato, identificando con toda precisión las partidas disminuidas, o un porcentaje de ellas.

Siendo ello posible, se disminuirá la partida asociada a la disminución, rebajando su valor del precio del contrato, como un todo o bien en la proporción que corresponda al porcentaje disminuido, siguiendo en todo caso lo que dispongan las respectivas bases administrativas en esta materia.

Además, para el caso de disminuciones de obras en contratos a serie de precios unitarios, y conforme a lo previsto en el mismo artículo 102 del Reglamento, se deberá proceder a reducir el plazo de ejecución de la obra, en la medida que ello proceda de acuerdo al programa de trabajo.

En este aspecto suelen presentarse dificultades, pues en algunos casos, el MOP ha interpretado que la disminución de obras o cantidades necesariamente deben descontarse los gastos generales asociados a las partidas descontadas, aun cuando no se descuente el plazo. Con dicho criterio se desconoce la dependencia que el gasto general tiene de plazo reflejado en el Programa de Trabajo.

En efecto, junto con reducirse la cantidad de obra de un contrato a serie de precios unitarios, se deberá efectuar un análisis del programa de trabajo y de cómo éste se ve afectado por la reducción de dichas obras que serán sustraídas del contrato. Si fuere del caso que —conforme al análisis del programa— corresponde modificar el programa, entonces junto con la modificación de contrato deberán modificarse las fechas o plazos de término del contrato. Solo en dicho caso, podrán descontarse los gastos generales por el menor plazo, cuestión que debiese clarificarse en el Reglamento.

3. Aumentos de Plazo

Un elemento fundamental en todo contrato de construcción es el plazo. Como es obvio, el plazo en materia de construcción tiene estrecha relación con el costo de la obra y con el interés de ambos contratantes.

El inciso 2° del artículo 160 del Reglamento establece que se podrá prorrogar el plazo en los casos contemplados en el Reglamento, pero dicha prórroga no se podrá otorgar ante una petición formulada después de transcurrido el plazo del contrato.

Luego de adjudicado el contrato, dentro de los 30 días siguientes a la adjudicación, el contratista deberá entregar al Inspector Fiscal, para su aprobación, un "Programa Oficial", que será el programa contractual, sin perjuicio de la obligación del contratista de actualizar dicho programa y presentar otros programas actualizados durante el avance de la obra, que reflejen el avance efectivo. Tanto el Programa Oficial como los sucesivos programas que se presenten, deberán ser igualmente emitidos conforme al Método de Ruta Crítica.

El Reglamento para Contratos de Obras Públicas no regula en forma sistemática las causales por las que el Ministerio de Obras Públicas puede otorgar un aumento de plazo, y ello es usualmente fuente de problemas y controversias. A ello, debe agregarse el hecho de que, como lo veremos más adelante, existen posiciones divergentes en el MOP respecto de la procedencia del pago de gastos generales.

Veamos brevemente algunas de las causales establecidas en el Reglamento en las que usualmente se producen ciertas divergencias entre las partes, requiriéndose una mejor regulación normativa:

A) Aumentos de plazo a consecuencia de aumento en las cantidades de obras y obras nuevas o extraordinarias

Para esos casos, la normativa contempla un aumento de plazo "automático", asociado a dicha mayor obra, denominado aumento "proporcional" del plazo, pues tiene como fundamento el aumento del valor del contrato en forma proporcional en relación al valor inicial del contrato, en los términos indicados en el artículo 102 del Reglamento para Contratos de Obras Públicas.

En el evento de que el aumento de plazo proporcional no fuere suficiente para cubrir adecuadamente los efectos reales en el programa de trabajo que se derivan de dichos aumentos de obra, el MOP está facultado para otorgar un plazo superior al proporcional que indica el artículo 102, inciso 3º ya citado, caso en el cual el aumento de plazo se denominará "plazo extra proporcional".

A su vez, sea que se trate de contratos a serie de precios unitarios o contratos a suma alzada, el artículo 105 del Reglamento establece, a propósito de las obras nuevas o extraordinarias, modificación de obras previstas o el empleo de materiales no considerados, que el contratista tendrá derecho al aumento de los plazos "que procedan", de manera que habrá que determinar, con el mérito de los antecedentes concretos de tales obras nuevas y/o modificaciones, si se afecta o no el plazo del contrato y en qué medida, lo cual se deberá evaluar contando para ello con el análisis del respectivo programa de trabajo y de su ruta crítica.

Es por ello y con razón que el Reglamento establece para los casos del artículo 105 ya citados, que se deberán acordar los plazos que procedan, precisamente porque su procedencia o improcedencia, y su real magnitud y efectos dependerá del análisis del programa de obras en ruta crítica.

No obstante, y si bien estos conceptos parecen claros, en la práctica ello no es tal, pues muchas veces existen grandes controversias entre el MOP y los contratistas respecto de la forma de determinación del plazo extra proporcional, y su relación con el proporcional, llegándose incluso a concluir que, habiéndose aplicado una extensión de plazo por una causal, no procede de otorgarla por la otra.

Esta materia, por su importancia, debiese regularse de un modo orgánico, en el que no solo se establezcan las causales de aumento de plazo, sino que también su forma de determinación, de un modo claro y preciso.

B) Modificación del Programa de Trabajo por el Mandante

El artículo 146 del Reglamento para Contratos de Obra Pública señala que "cuando las circunstancias especiales lo aconsejen, la Dirección, a recomendación del inspector fiscal, podrá modificar el programa de trabajo, indemnizando, si procede, al contratista por los perjuicios que esta medida pueda ocasionarle, en la forma establecida en el artículo siguiente. Esta indemnización no corresponde cuando la modificación del programa de trabajo tiene origen en otras causales de aumento de plazo previstas en este Reglamento".

Es decir, el Reglamento se pone en el caso de que el propio MOP modifique el programa de trabajo acordado con el contratista, para lo cual debe existir una circunstancia especial, es decir, debe existir un hecho o circunstancia que lo amerite; trámite que debe iniciarse por recomendación del inspector fiscal, dirigida al Director, ante lo cual la Dirección correspondiente debe dictar una resolución que apruebe la modificación del programa de trabajo.

Mucho se discute en la práctica si la situación planteada en este artículo 146 del Reglamento es de iniciativa exclusiva del MOP o bien puede iniciarse a petición del contratista.

Ciertamente, nada impide que sea el contratista el que inicie el trámite correspondiente, solicitando al MOP que éste tome conocimiento de las circunstancias que justifican la ampliación de plazo y en su mérito dicte la correspondiente resolución modificando el programa.

De hecho, en la práctica, en la gran mayoría de los casos, por no decir todos, el trámite se inicia a instancias y/o por el propio contratista y no por el MOP, solicitando el contratista que el MOP le conceda una extensión de plazo basado en circunstancias especiales que así lo ameritan, en los términos del artículo 146 del Reglamento.

Ello no puede constituir un impedimento para que la autoridad conceda un aumento de plazo, pues, en definitiva, aunque haya sido solicitado por el contratista, será una facultad que seguirá en la esfera de atribuciones del mandante público.

En definitiva, lo que importa no es a quien corresponda la iniciativa en esta materia, sino que a quien corresponde otorgarla cumpliéndose los requisitos para ello. Lo anterior debiese aclararse expresamente de manera normativa, pues muchas veces se rechazan extensiones de plazo por haber sido solicitadas por el contratista.

Lo mismo con el tenor del art. 146 que establece que el MOP podrá modificar el programa de trabajo, cuando en realidad lo que hace es aprobar el programa presentado por el contratista, como de hecho debe ser.

C) Paralización de Faenas

De acuerdo al artículo 148 del Reglamento para Contratos de Obras Públicas, la Dirección correspondiente puede ordenar la paralización de faenas por no haber fondos disponibles, o bien cuando así lo aconsejen las necesidades del Fisco.

Dicha facultad está contemplada en términos bastante amplios, dejando al MOP la potestad de calificar en qué casos se justifica la paralización de las obras.

La orden de paralización de faenas debe constar en forma fehaciente, es decir, debe ser una orden escrita emanada del inspector fiscal, anotada en el Libro de Obras, o puede ser dada por el Director respectivo, mediante oficio. Cabe tener presente que el contratista no puede paralizar faenas sin autorización de la Dirección respectiva.

La orden de paralizar las obras da lugar a un aumento de plazo del contrato. Una vez terminada la paralización debe la autoridad ordenar la reanudación de las faenas, la cual también debe constar por escrito.

El plazo objeto de aumento será aquel que provenga de la paralización, es decir, podrá ser incluso más amplio que el plazo por el cual se hayan paralizado efectivamente las obras, dependiendo de los efectos reales que haya producido en la obra, conforme al programa de trabajo, considerando que la removilización de recursos en una obra no es instantánea y menos retomar los ritmos constructivos que se tenían antes de la paralización.

D) Indemnización de los costos por aumento de plazo

Uno de los puntos más controvertidos en materia de construcción, no solo se refiere a determinar las causas que originan el retraso de ejecución del proyecto, sino que también a determinar si éste resulta imputable al propietario de la obra, o bien, al contratista, sus subcontratistas o proveedores, y en consecuencia si existe obligación de indemnizar los perjuicios causados y/o a pagar las multas en su caso.

En términos generales, cuando las causas del retraso son imputables al propietario, no solo corresponde otorgar un aumento del plazo de ejecución del proyecto, sino que también éste debe asumir y pagar los costos que el aumento del plazo conlleva. Dicho criterio es expresamente recogido por el Reglamento para Contratos de Obras Públicas respecto del atraso en la entrega de terreno.

Para determinar la procedencia de la indemnización hay que determinar si se trata de un contrato de construcción celebrado entre privados, regido en consecuencia por las normas de derecho privado, o bien de uno regido por las normas aplicables para los contratos de obra pública u otros aplicables a los contratos suscritos con el Estado.

En relación a los primeros, habrá que estarse en primer término a lo pactado por las partes en el respectivo contrato conforme al principio de autonomía de la voluntad, según el cual las partes son libres para determinar y fijar el alcance de sus obligaciones contractuales. Conforme a ello, las partes —normalmente el contratista— podrán haber asumido contractualmente los riesgos relacionados con los costos y gastos asociados a una extensión de plazo, sean costos indirectos o gastos generales. Si ello ha sido así, dicha estipulación contractual es plenamente válida y en consecuencia debe respetarse, a menos que concurran causales para estimarla nula o inválida conforme a las reglas generales del derecho, o bien por concurrir algún vicio del consentimiento.

Por el contrario, si en un contrato privado las partes no han regulado una distribución de riesgos distinta, entonces se aplicarán las reglas generales de responsabilidad, según las cuales quien causa un daño debe repararlo, también considerando que los riesgos de la cosa corren para su propietario.

Conforme a ello, aplicando dichas reglas generales, para aquellos casos en los que el plazo del contrato se ha extendido por razones ajenas a la responsabilidad del contratista, cualquiera que sea la causa, entonces éste deberá ser indemnizado por el mandante o propietario de la obra, sin perjuicio del derecho de extensión de plazo.

En efecto, si por ejemplo, los terrenos no son entregados a tiempo; el proyecto tiene defectos que deben ser corregidos; se instruye la ejecución de obras extraordinarias; se ordena el empleo de materiales distintos; se decreta una paralización de trabajos por decisión del mandante; y tales hechos afectan el plazo del contrato, según el análisis que se haga del programa de trabajo, y por tanto afectan la ruta crítica, entonces el mandante tendrá derecho a la extensión de plazo correspondiente y a ser indemnizado de las consecuencias de dicha extensión de plazo, es decir, al pago de los costos indirectos y gastos generales relacionados con ese aumento de plazo por mayor permanencia en obra.

Si además se le exige al contratista una aceleración de trabajos, para intentar recuperar los retrasos causados por acción u omisión del mandante, entonces el contratista también deberá ser indemnizado por los mayores gastos directos que le provoque dicha aceleración, debiéndosele pagar todos los mayores recursos humanos y materiales aportados a obra para tales efectos.

Estos criterios contractuales propios del derecho privado, también son recogidos por las normas que regulan los contratos de obras públicas.

En este sentido, además del artículo 138 ya citado en relación al atraso en la entrega de terrenos, el artículo 147 del Reglamento para Contratos de Obras Públicas es la regla fundamental en esta materia, al contemplar expresamente el pago a favor del contratista de las indemnizaciones por aumentos de plazo, por concepto de gastos generales.

Dicha disposición se refiere básicamente a dos situaciones, tratadas en los artículos 145 y 146 del mismo Reglamento.

El artículo 145 se refiere a la obligación del Ministerio de pagar al contratista los costos por la compra de materiales por parte del contratista, en caso de que el Ministerio no haya proveído oportunamente los materiales comprometidos y ello haya ocasionado atraso en el programa de trabajo, debiendo reembolsar al contratista el valor de su adquisición.

Por su parte, el artículo 146 del Reglamento, contiene la obligación del Ministerio de pagar al contratista los perjuicios causados por el aumento de plazo que tiene su origen en una modificación del programa de trabajo, "cuando las circunstancias especiales lo aconsejen".

Es precisamente este último artículo citado el que permite el reconocimiento de mayores plazos a favor del contratista, por causas que no son de su responsabilidad, mediante la modificación del programa de trabajo que hace la respectiva Dirección del Ministerio a recomendación del Inspector Fiscal.

En esos casos, una vez modificado el programa por el Ministerio —que según hemos visto no se hace efectivo de ese modo, sino que otorgando la Dirección respectiva el aumento de plazo para luego el Contratista modificar el programa de trabajo— entonces el contratista tendrá derecho a ser indemnizado, con los mayores gastos generales proporcionales a la extensión de plazo, en los términos del artículo 147 ya citado, en el porcentaje establecido en las bases. Ante el silencio de las bases se aplicará un porcentaje de 12% por concepto de gastos generales, según lo previsto en el mismo artículo.

La redacción del artículo 146 es amplia y deja su calificación a la Dirección del Servicio que corresponda, en cuanto a poder determinar las circunstancias especiales que aconsejen la modificación del programa.

Dichas circunstancias especiales podrán ser cualquier tipo de hechos que se presenten durante la vigencia del contrato y que ameriten modificar el plazo del contrato, por razones que no sean de responsabilidad del contratista.

Dichas circunstancias podrán consistir en aumentos de plazo por modificaciones de proyecto, hechos de terceros que impidan el avance de las obras, y en general cualquier circunstancia que lo amerite.

Sin embargo, en la práctica, la aplicación de este mecanismo se da en pocas oportunidades, creemos porque podría traer aparejadas responsabilidades para el Estado y sus funcionarios, especialmente si la ampliación de plazo se debe a defectos del proyecto, caso en el cual el Inspector Fiscal y los funcionarios públicos en general tienden a evitar la responsabilidad de modificar el programa en forma unilateral, para evitar comprometer al Estado en las indemnizaciones consecuentes por extensión de plazo, y también, por qué no decirlo, para evitar posibles sumarios administrativos.

Ante ello, en la práctica se tiende a reemplazar este mecanismo de indemnización de gastos generales, por el reconocimiento de obras extraordinarias, a las que se les asigna también un plazo adicional para su ejecución, plazo adicional que también se indemniza por la vía de la obra extraordinaria, mediante un acuerdo de ambas partes del contrato, en los términos del artículo 105 del Reglamento.

No obstante, como lo explicáramos en el capítulo referido a las obras extraordinarias, muchas veces la ejecución de una obra extraordinaria no trae aparejado un plazo tan extenso como el que se concede, por lo que el mecanismo establecido en el Reglamento resulta vulnerado y trastocado, para evitar responsabilidades administrativas, desnaturalizando la realidad de las cosas, lo cual en sí mismo es mucho más grave que la responsabilidad que se pretende ocultar.

Lo cierto es que ante una modificación de proyecto que consiste en una obra extraordinaria, podrá haber dos tipos de consecuencias en plazo, que debieran ser tratados de forma diferente.

Un primer efecto en plazo se produce por el tiempo de espera que debe aguardar el contratista a que el mandante defina los antecedentes de ingeniería de la obra extraordinaria y su coordinación con el resto de los antecedentes del proyecto. Si el plazo en el cual se define esa obra extraordinaria hace que el contratista deba suspender sus actividades constructivas en un sector de la obra, y ello afecta la ruta crítica del programa, entonces dicho tiempo de definición de ingeniería afectará el plazo del contrato, lo desplazará, y el contratista tendrá derecho a ser indemnizado.

Sin embargo, su derecho a indemnización no surge de la ejecución de una obra extraordinaria, en los términos del artículo 105 del Reglamento, sino que debiera surgir de la modificación del programa que debiera hacer el mandante en los términos de los artículos 146 y 147 del Reglamento.

En efecto, un mandante diligente que obra de buena fe, se encuentra en la obligación contractual y administrativa de modificar el programa ante una situación como la descrita, y a indemnizar al contratista por las extensiones de plazo asociadas a dicha ampliación de plazo.

Un segundo efecto es el relacionado a la ejecución misma de la obra extraordinaria, que sí debe ser indemnizada en los términos del artículo 105 del Reglamento, pues ese plazo está íntimamente relacionado con la ejecución de la obra extraordinaria, y no con los tiempos de paralización previos que deben ser indemnizados según el artículo 147.

Lamentablemente algo que parece tan claro en la práctica tiene una aplicación muchas veces diversa y distorsionada.

Por otra parte, si las causas del retraso ya no son atribuibles al mandante, sino que al contratista, ya sea que su atraso provenga de un acto, hecho u omisión culpable o negligente, el contratista no tendrá derecho a un aumento de plazo, y deberá terminar la obra asumiendo los mayores costos provocados por el mayor plazo, sin perjuicio del derecho del mandante de aplicarles las multas que correspondan y a demandarlo de perjuicios.

Incluso más, conforme a las reglas generales que hemos visto a propósito del contrato de construcción, en nuestra opinión el contratista está obligado a acelerar los plazos, mediante la incorporación de recursos adicionales, humanos y materiales, a su costo y cargo, y a maximizar la eficiencia de su organización para evitar mayores perjuicios al propietario de la obra.

Adicionalmente, estimamos necesario actualizar el Reglamento en materia de plazos, para establecer y dar un tratamiento orgánico a las siguientes materias:

– Establecer la necesidad de que el contratista actualice periódicamente el respectivo Programa de Trabajo no en base a impactos teóricos, sino a impactos reales as built, que reflejen la actual ruta crítica de la obra, sus optimizaciones y posibles reorganizaciones;

– Regular los atrasos concurrentes y sus efectos en costo y plazo, siguiendo la doctrina internacional mayoritaria en esta materia, en cuanto señalar que, de haber atrasos concurrentes, se tendrá derecho a extensiones de plazo, pero no al pago de gastos generales;

– Señalar claramente que la aceleración de los trabajos es una medida excepcional y que debe ser ordenada expresamente por la administración, mediante instrucción escrita, caso en el cual se deberá compensar al contratista por la mayor incorporación de recursos directos asociados a dicha aceleración.

– Establecer que el MOP está reglamentariamente habilitado para reconocer y pagar al contratista, cuando ello proceda, según la aplicación de las reglas compensatorias correspondientes, los sobre costos directos que se le ocasionaren, incluyendo en ello una posible pérdida de productividad, por causas que no le sean atribuibles, debidamente comprobadas, mediante los documentos de prueba y respaldo que correspondan, a juicio de la Dirección correspondiente.

– Incorporar una clarificación, en cuanto a que la compensación económica, por gastos generales y/o costos directos, a la que el contratista pueda tener derecho por aumentos de plazo, se deberá evaluar en aquel período de tiempo del programa de obras en el que los efectos del aumento de plazo se perciban en la obra, y no necesariamente al final de la misma, siguiendo en esta materia los lineamientos de la doctrina internacional especializada.

4. Mejoras en Mecanismos de Resolución de Controversias

En los últimos años, las controversias y los conflictos en los contratos de construcción han tenido un incremento importante. Muchos de estos conflictos están perjudicando la confianza y la colaboración entre mandante y contratistas, afectando de paso la productividad.

Según cifras de la DGOP, *el 96% de los contratos MOP se modifica y en promedio se generan aumentos de 30% en los plazos de los contratos*, y los contratos de obra pública y su Reglamento no establecen mecanismos suficientes para solucionar a tiempo todos los inconvenientes de terreno y de proyecto que la práctica demuestra que se verifican durante la ejecución de las obras.

Según datos obtenidos de los Juzgados de la Región Metropolitana, la judicialización en los contratos de construcción, a pesar de presentar aún números bajos, muestra un importante aumento en el tiempo: las causas ingresadas en el 2010 fueron 16 y el 2015 se ingresaron 70, existiendo un aumento del 337%. Asimismo, en el período 2010-2015, los montos demandados alcanzaron los $207 mil millones, de los cuales el 66% corresponden a la Administración del Estado.

Los riesgos de las desavenencias entre MOP y contratistas son diversos y afectan a ambas partes: pueden comenzar a imponerse ineficiencias y "malas prácticas" (como lo detecta la CGR en informe de noviembre del 2016), amenazando el reconocimiento del rol de la institución; demoras excesivas en la entrega final de la infraestructura para uso de la comunidad y el consecuente incumplimiento de compromisos contraídos; y el encarecimiento final de los contratos.

De este modo, no sólo es necesario actualizar el Reglamento en los temas sustantivos antes tratados, sino que se requiere contar con mecanismos para que las diferencias y posibles que surjan durante la ejecución de las obras públicas se resuelvan a tiempo.

El análisis de eficiencia de los contratos de construcción no sólo pasa por asignar adecuadamente los riesgos a las partes que los suscriben, sino que además este análisis pasa también por verificar el establecimiento de adecuados mecanismos de solución de sus disputas.

La implementación de un Mecanismo de Resolución Temprana de Controversias (MRTC) implementado en forma piloto en los contratos de Obras Publicas es una muy interesante innovación, un primer paso, que en el largo plazo debiese mejorar la certeza de plazos y costos, es decir la eficiencia y la productividad en las obras.

Sin embargo, luego de ello, deberán evaluarse otros posibles mecanismos utilizados en la práctica internacional, que va desde el diseño de métodos destinados a evitar que surjan controversias, mecanismos de control del conflicto y hasta métodos definitivos de solución como el arbitraje.

Un buen ejemplo de ello es lo acontecido en las concesiones de obras públicas, mediante la incorporación desde 2010 de un Panel Técnico de Concesiones de Obras Públicas. Si bien dicho mecanismo posee limitaciones presupuestarias, de recursos de apoyo técnico especializado, y un procedimiento demasiado breve y sumario para emitir sus recomendaciones, aspectos que debieran ser revisados y mejorados, sin duda que es una muestra interesante de las tendencias internacionales en esta materia, que puede servir de base para que las partes busquen acuerdos antes de entrar en la fase arbitral.

LA NECESIDAD DE INTRODUCIR REFORMAS AL SISTEMA CHILENO DE RESOLUCIÓN DE CONTROVERSIAS EN CONTRATOS DE OBRA PÚBLICA

Marcela Radovic Córdova
Abogado
Universidad de Chile
Master of Science in Regulation
London School of Economics and Political Science

I. Introducción

El presente capítulo, busca ser un aporte al tema de la resolución de controversias en contratos de obra pública en Chile.

De acuerdo con un estudio publicado por la Cámara Chilena de la Construcción, luego de un análisis de un conjunto de 999 contratos en el periodo 2014-2016, se concluyó que en uno de cada dos contratos se presentó algún tipo de conflicto que no pudo ser resuelto directamente entre las partes, de los cuales el 43% se resolvió con la intervención de terceros y el 57% tuvo que ser resuelto por vías jurisdiccionales[1].

---

[1]   CÁMARA CHILENA DE LA CONSTRUCCIÓN (2016), pág. 12.

El preocupante escenario descrito está hace años socavando la cooperación entre los actores, afectando el desarrollo de los proyectos y finalmente impactando negativamente en el desarrollo del país.

Particularmente, tratándose de contratos de obra pública, la visión que los ciudadanos tienen del actuar del Estado y de la Administración Pública es más bien negativa, tanto en cuanto a la calidad de las obras que entrega a la ciudadanía, como respecto del uso de los recursos públicos involucrados en la construcción de dichas obras.

En materia de contratación pública, la eficiencia en el uso de los recursos fiscales y el cumplimiento estricto de las condiciones pactadas en el respectivo contrato constituyen principios fundamentales, sin embargo, muchas veces dichos principios parecieran contraponerse con el buen término de los proyectos de infraestructura. Lo anterior, se daría, por ejemplo, cuando entre el Estado y el contratista surgen controversias por hechos ajenos a este último, y producto de ello, el contratista reclama mayores plazos y/o mayores costos al Fisco. Por un lado el Estado, velando por la eficiencia y la transparencia, hará lo posible para cautelar el uso de los fondos públicos, para que se respete el presupuesto originalmente aprobado para ese proyecto, pero por otro, el mismo Estado, en cumplimiento de su función pública, debe velar porque la obra se termine dentro del plazo pactado y con la calidad esperada, de manera que ésta realmente satisfaga las necesidades que se tuvieron en vista al momento de contratar su construcción.

Como puede apreciarse, la importancia de contar con un mecanismo de prevención y resolución temprana de las controversias en el ámbito de los contratos de obra pública resulta crítica, no sólo respecto de los proyectos mismos que el Estado impulsa, sino también en relación con la satisfacción de las necesidades que dichas obras públicas están destinadas a satisfacer. Se trata, en efecto, de necesidades esenciales que al ser satisfechas permiten que los ciudadanos se desarrollen como personas en sus distintas facetas.

II. Los Dispute Boards: un mecanismo de la construcción y para la construcción

1. Surgimiento de los Dispute Boards

En opinión de muchos expertos, la litigación, como mecanismo de solución de controversias, es especialmente inapropiada para resolver disputas en la industria de la construcción. Meyer ha expresado claramente esta idea cuando asevera que los casos de disputas en contratos de construcción, que son de su especialidad, son rara vez tomados por otros abogados porque son altamente costosos[2].

Existen múltiples estudios que sostienen que los litigiosos son extremadamente largos y costosos, llegando al extremo en que la resolución final de los casos, no pocas veces se dilata a tal punto, que las partes pierden el sentido y la motivación de esperar por ella.

Además de lo anterior, dada la alta complejidad técnica de las materias asociadas a disputas en proyectos de construcción, los sistemas de resolución de controversias más tradicionales son vistos como dañinos para el negocio de la construcción, pues resultan tan costosos que reducen los márgenes de utilidad y a veces incluso empeoran las relaciones al interior de la industria, perjudicando su desempeño general[3].

Conscientes de la complejidad técnica de las disputas generadas en contratos de construcción y dadas las limitadas posibilidades del sistema jurisdiccional para comprender y resolver estos casos en forma eficiente en tiempo y costos, la industria de la construcción ha sido pionera en la búsqueda de mecanismos alternativos de resolución de disputas o "ADRs", desde hace largo tiempo.

El principal objetivo de estos mecanismos alternativos es permitir a las partes resolver las disputas en forma más rápida y económica que la litigación[4].

No obstante lo anterior, y aún cuando los ADRs, tales como el arbitraje y la mediación han sido utilizados ampliamente para resolver disputas entre las partes de proyectos de construcción, éstos aún presentan importantes desventajas.

En efecto, tanto el arbitraje, la conciliación como la mediación intervienen sólo una vez que la disputa ha surgido y por ello su acción es limitada. Estos mecanismos inician su acción cuando la confianza entre las partes está ya probablemente destruida, afectándose de esta manera no sólo el buen término del proyecto de que se trata, sino además, el trabajo y relación futura entre las partes involucradas en la disputa. Este último punto es crítico si se tiene presente que la industria de la construcción es una comunidad en

---

2   MEYER (1984), págs. 72-75.
3   HARMON (2003a) pág. 189.
4   HARMON (2003a) pÁG. 189.

la que las relaciones de trabajo futuro se ven impactadas y dependen de las relaciones contractuales pasadas.

En 1974 la Academia Nacional de Ciencias de los Estados Unidos de América, a través de su Informe "Better Management of Major Underground Construction Projects", expuso algunos de los problemas que la industria de la construcción debe enfrentar, destacando la importancia de estar conscientes sobre los altos costos asociados a los reclamos y a los procesos litigiosos, no sólo para la industria sino también para el público en general[5].

En 1978 en un informe posterior, la mencionada academia propuso una serie de recomendaciones para mejorar los proyectos de construcción de líneas de metro. Una de las propuestas consistía en que los mandantes establecieran y utilizaran un panel de revisión para favorecer la consecución de acuerdos, cuando las partes no pudieran arribar a consenso a través de los procedimientos contractuales vigentes y de manera directa[6].

La primera vez que un *Dispute Board* fue utilizado en el mundo fue en la construcción del segundo conducto del túnel de Eisenhower, en Colorado, Estados Unidos. Las partes acordaron establecer un panel desde el inicio del proyecto para acompañar todo el proceso de construcción.

Durante la ejecución de la obra, el panel escuchó a las partes a raíz de cuatro controversias. Todas ellas fueron resueltas antes de que terminaran las obras y en ninguno de dichos casos fue necesario acudir a la justicia.

En la experiencia del primer Dispute Board, las partes fueron capaces de mantener una relación de cordialidad durante todo el proyecto, habiendo, tanto el mandante como el contratista, visto satisfechas sus expectativas al final de la ejecución del mismo[7].

Después de la experiencia en la construcción del Túnel de Eisenhower antes mencionada, los *Dispute Boards* fueron utilizados en la construcción de la Central Hidroeléctrica "El Cajón", en Honduras y en esa oportunidad los resultados también fueron descritos como positivos[8].

Como los dos casos antes comentados, existen un sinnúmero de otros proyectos de construcción en los que se han utilizado los *Dispute Boards* en el mundo. Para el año 1999 cerca de quinientos proyectos para la construc-

---

5   NATIONAL ACADEMY of SCIENCE (1974).
6   NATIONAL ACADEMY of SCIENCE (1978).
7   MATYAS, MATHEWS, SMITH y SPERRY (1996) pág. 10.
8   MATYAS, MATHEWS, SMITH y SPERRY (1996) pág. 10.

ción de distintas obras estaban o habían utilizado el mecanismo *Dispute Boards* para la solución de sus controversias en el mundo[9].

En Estados Unidos, por ejemplo, los *Dispute Boards* han sido utilizados en la construcción muchas obras de infraestructura pública.

Con el nivel de éxito que los *Dispute Boards* presentaron en contratos internacionales de construcción de grandes proporciones, algunas importantes instituciones financieras a nivel internacional incluyeron los *Dispute Boards* en sus estándares de contratación. Por ejemplo, en 1995 y 1996 la Federación Internacional de Ingenieros Consultores (FIDIC), una organización cuyos modelos contractuales han sido ampliamente utilizados a nivel mundial, incluyó la utilización de los *Dispute Boards*, incluyéndolos primero en el llamado "Orange Book" y posteriormente, en el denominado "Red Book", o Libro Rojo para contratos de contrucción.

Actualmente, los *Dispute Boards* están incorporados en todos los modelos contractuales desarrollados por FIDIC y en su última actualización, el año 2017, fueron incorporados en su modalidad DAAB o Dispute Avoindance Adjudication Board, esto es, establecidos desde el inicio del contrato y comn carácter permanente, de manera de fortalecer aún más su poder preventivo de este mecanismo.

En el año 1995 el Banco Mundial recomendó el uso de los *Dispute Boards* para todos aquellos proyectos financiados por este organismo internacional que excedieran de los cincuenta millones de dólares y posteriormente, en el año 2000, el banco publicó una nueva edición de su documento "Procurement of Works", incluyendo en él el mismo enfoque de resolución de disputas que FIDIC contemplaba en sus modelos. De esta manera, la utilización de *Dispute Boards* en los proyectos que hasta ese entonces había sido de carácter voluntario en los proyectos financiados por el Banco Mundial, pasó a ser una exigencia para las partes.

Además del Banco Mundial, otras organizaciones internacionales han promovido e incorporado el mecanismo de *Dispute Boards* en sus estándares contractuales, por ejemplo: la Cámara Internacional de Comercio - ICC, la Cámara de Comercio de Oslo y el Banco del Desarrollo de Japón.

Hoy, es posible afirmar que el mecanismo de los Dispute Board está plenamente vigente y que además, está siendo aplicado de manera amplia, tanto en el ámbito privado, como público, en varios países a lo largo de todo el mundo, tales como: Estados Unidos, China, Inglaterra, Francia, Uganda,

---

[9]   CHAPMAN (1999) pág. 2.

Australia, Bangladesh, Botswana, Canadá, Dinamarca, Etiopía, Honduras, Hungría, India, Irlanda, Italia, Lesotho, Madagascar, Mozambique, Nueva Zelanda, Pakistán, Polonia, Rumania, Sudan, Vietnam y Perú[10].

2. Concepto y objetivos de los Dispute Boards

La DRBF ha definido a los *Dispute Boards* como un panel profesional de carácter imparcial, establecido desde el inicio del proyecto para hacer seguimiento al progreso del proceso de construcción, que fomenta en las partes la prevención de las disputas y las asiste en la resolución de dichas disputas cuando éstas han surgido durante la ejecución del respectivo proyecto[11].

Vorster, por su parte, los define como un grupo pequeño de personas independientes, expertas y respetadas, seleccionadas por el mandante y el contratista y estipulado por el contrato, con el fin de que realicen una revisión, acompañamiento y recomendaciones sobre las diputas que surjan durante la ejecución del contrato[12].

Para Chapman los *Dispute Boards* son un mecanismo en la misma obra que contempla tres personas independientes e imparciales seleccionadas por las partes del contrato[13].

Tal como ya fue señalado, los tres principales objetivos del mecanismo de DRB son: prevenir el surgimiento de disputas, resolución de disputas en forma efectiva y expedita; y ahorro en los costos de contrato.

- *Prevención:* Parece existir un consenso general sobre la efectividad de los DRBs para prevenir el surgimiento de reclamos y disputas. La sola existencia de un mecanismo de resolución de disputas integrado por miembros expertos, imparciales y familiarizados con el proyecto desde su comienzo promueve en las partes una actitud de colaboración y consenso, que permite evitar que las diferencias se transformen en disputas y que las disputas que surgen no queden sin resolver y sean referidas a arbitraje o litigación.

  Rubin y Biser afirman que los DB son efectivos toda vez que los miembros del panel están en contacto directo con la obra desde el inicio del

---

[10]   CHAPMAN (1999) pág. 2.
[11]   DRBF (2007a) pág. 1.
[12]   VORSTER (1993) pág. 3.
[13]   CHAPMAN (1999).

proyecto y desarrollan una relación de trabajo y credibilidad con el personal clave de ambas partes en el proyecto en curso[14].

Adicionalmente, los miembros del panel, mediante el desarrollo de reuniones permanentes, tienen la oportunidad de identificar tempranamente focos de conflicto, malos entendidos y reclamos.

El diálogo con los miembros del DB permite a las partes enfocarse en la identificación temprana de problemas y en caso de ser necesario, referir estos problemas al panel para obtener apoyo oportuno.

Según lo sostenido por la DRBF, las partes de un proyecto con *Dispute Board* se mostrarán más reacias a adoptar posiciones extremas porque no quieren aparecer como conflictivas con los miembros del DB[15]. Confirmando esta idea, Rubin y Biser argumentan que cuando los DB son establecidos desde el inicio del proyecto, las partes intentarán resolver sus problemas por ellas mismas antes de que estas diferencias escalen y se transformen en disputas. Esta actitud se basaría en que las partes no querrían aparecer o ser juzgadas como irracionales o conflictivas frente a otros, sobre todo cuando estos otros poseen experiencia y son reconocidos como referentes, como lo son los miembros del panel[16].

De esta manera, la mera existencia de un DB produciría un impacto tal en las partes y en la forma en que ellas manejan sus diferencias que éstas preferirán resolver sus diferencias directamente antes de tener que acudir al panel y exponerse de esta manera frente a sus miembros.

En el año 2003, Kathleen Harmon llevó a cabo un estudio piloto tendiente a determinar las actitudes de los miembros de la industria de la construcción y la efectividad de los DB como mecanismo de prevención de disputas. El 96% de los participantes en el estudio coincidió en que la mera presencia de un DB ayuda a una resolución efectiva de los conflictos, mientras que un 98% de ellos expresó que la presencia de un DB en un proyecto reducía importantemente la incidencia de disputas durante su curso[17].

- *Resolución de Disputas:* Según lo ha expresado la DRBF, el mecanismo de los DB permite que una vez que la disputa se genera, pueda rea-

---

[14]   RUBIN y BISER (2006) pág. 12.
[15]   DRBF (2007a) Sección 1, Capítulo 3, pág. 1.
[16]   RUBIN y BISER (2006) pág. 12.
[17]   HARMON (2003c) pág. 676.

lizarse un análisis mejor informado de la misma porque los miembros del panel han tenido acceso a aquellas personas que por sus roles en cada una de las partes, poseen conocimiento directo y presencial de los hechos que configuran la disputa y han podido, además, observar las condiciones de las faenas y la operación de las obras directamente[18]. Estas dos fuentes directas y contemporáneas de conocimiento distinguen a los *Dispute Boards* de un arbitraje, en el que el árbitro sólo podrá tomar conocimiento de los hechos mucho después de que éstos han ocurrido y además a través de terceros que no siempre son los que intervinieron directamente en los hechos que configuraron la disputa en cuestión, por ejemplo: peritos o testigos.

Los partidarios de los *Dispute Boards* afirman que éstos permiten a las partes resolver la mayoría de sus disputas en forma directa, más expedita y definitiva, evitando así que éstas sobreviva más allá del término del contrato.

Siguiendo la lógica anterior, es posible afirmar que un *Dispute Board* es efectivo para la resolución de disputas, cada vez que éste permite y promueve la resolución de éstas, a través de arreglos basados en una recomendación del panel, mientras el proyecto se está ejecutando. De esta manera, mientras más alta es la tasa de arreglos basados en una recomendación del panel, más efectiva será considerada la acción del DB.

Gracias a la intervención del *Dispute Board,* las partes tendrán una probabilidad mucho más baja de verse en la obligación de someter una disputa a un arbitraje o un juicio.

- *Disminución de los costos:* Las disputas asociadas a proyectos de construcción acarrean una serie de costos asociados, entre otros, por asesorías legales, de ingeniería, por pérdida de productividad y de tiempo para el mandante y el contratista. Estos costos no son menores y pueden dañar la rentabilidad del negocio de la construcción.

En el estudio de Harmon mencionado anteriormente en este artículo, el 89% de los participantes coincidieron en que la incorporación de un Dispute Board a un contrato debería mantener los costos en un nivel más bajos y un 87% expresó que los costos por consultorías asociadas se veían reducidos con este mecanismo[19]. Así, mientras más

---

[18]   DRBF (2007a).
[19]   HARMON (2003c) pág. 675.

temprana sea la utilización del *Dispute Board* menores serán los costos adicionales, y si bien es difícil cuantificar exactamente los beneficios derivados de su utilización, es posible identificar las siguientes vías a través de las cuales se verifican los referidos ahorros: menores precios en las propuestas, menos reclamos y menores costos transaccionales.

Respecto de este último punto, sin embargo, Harmon en uno de sus varios trabajos sobre *Dispute Board*, presentando los resultados de un estudio sobre el impacto de los *Dispute Board* en la reducción de los precios en las propuestas presentadas en procesos de licitación, explica que los resultados de dicha encuesta indican que los casos en que los precios de las propuestas se redujeron por efecto del DRB en las especificaciones de una licitación, fueron una minoría. Los encuestados en esta ocasión señalaron que la sola utilización de un *Dispute Board* no afectaría el precio de las propuestas presentadas por las empresas participantes en una licitación[20].

Un 87% de los entrevistados en el referido estudio de Harmon, reconoció que tener un *Dispute Board* reducía los costos indirectos de las disputas como consecuencia de tener que desviar menos recursos humanos vinculados a la obra a tareas administrativas tales como, preparar reclamos y antecedentes respaldatorios, asistir a audiencias de arbitraje o en juicios como testigos, entregar información técnica a abogados[21].

La literatura especializada es coincidente en afirmar que los *Dispute Boards* proporcionan numerosos beneficios a los proyectos que los incluyen. McEniry confirma esta idea al afirmar que el procedimiento de los *Dispute Boards*, cuando es organizado e implementado adecuadamente en proyectos de infraestructura, tanto públicos como privados, pueden generar importantes ahorros y beneficios para las partes que no pueden ser ignorados[22].

3. *Aspectos generales del procedimiento de los Dispute Boards*

En el procedimiento de los Dispute Boards las controversias son abordadas desde el inicio y antes de que éstas escalen y puedan afectar la relación

---

20   HARMON (2004) pág. 34.
21   HARMON (2003c) pág. 675.
22   MCENIRY (2010) pág. 15.

entre las partes. Si el Dispute Boards es permanente, o sea, es establecido desde el comienzo del proyecto, los miembros del panel se involucran activamente en el proceso constructivo, llevando a cabo visitas a la obra y acompañando a ambas partes desde que su relación se inicia[23].

Con su acción preventiva, los *Dispute Boards* permanentes desincentivan la actitud antagónica de las partes y las persuade para que resuelvan sus diferencias de común acuerdo, sin generar disputas. De esta manera, el panel actuará como puente para generar un entendimiento compartido entre las partes, resolviendo sus diferencias en forma oportuna, manteniendo una comunicación fluida y una relación de cooperación. En este contexto, las partes son llamadas a trabajar como un equipo de manera de lograr el fin común de llevar el proyecto de construcción a buen término.

Durante todo el funcionamiento del *Dispute Board* ambas partes deben tener la misma oportunidad de acceder al panel, cuando a su juicio, sea necesario.

Además, en cuanto los problemas entre las partes surgen, éstas podrán hacerlos presentes a los miembros del panel, los que pueden intervenir en forma oportuna, ágil y eficiente, gracias a que han estado en contacto directo con la obra y su desarrollo desde el inicio de las misma.

En la primera reunión las partes y los miembros del panel establecerán, de acuerdo con las disposiciones contractuales, los objetivos del proyecto, las reglas y los procedimientos[24].

Un set con todos los documentos contractuales y copia de los informes y otros documentos más relevantes sobre las obras y su progreso, si éstas ya han comenzado, les serán entregados a los miembros del panel. Surjan o no disputas, se espera del panel una participación activa durante el desarrollo del proyecto. Para dicho efecto, las partes deberán mantener al panel permanentemente informado con informes escritos, minutas de reunión y todo otro tipo de comunicaciones existentes entre las partes y con otros actores vinculados de cualquier forma con el proyecto.

Uno de los deberes más importantes del DB es visitar la obra de manera regular. La frecuencia de las visitas dependerá de la naturaleza del proyecto y la incidencia de problemas y conflictos entre las partes.

Independientemente de la ocurrencia de disputas, la presencia regular de los miembros del panel en la obra les permitirá observar el progreso del

---

[23]   CHAPMAN (1999).
[24]   MATYAS, MATHEWS, SMITH y SPERRY (1996) pág. 20.

proyecto, estar en contacto directo con las partes, estar informados de los principales problemas que ocurren en el desarrollo del mismo, de manera de discutir y proponer soluciones oportunas y adecuadas a dichos problemas[25].

En caso de que las partes no puedan resolver alguna disputa por ellas mismas en forma oportuna, éstas deberán referirlas al panel, conjunta o separadamente para una audiencia. Las audiencias son informales, no contenciosas y la mayoría del tiempo realizadas en terreno. En dichas audiencias cada una de las partes tendrá la oportunidad de explicar su posición y de refutar fundamente las posturas de la contraparte.

Tal como enfatiza Harmon, en las audiencias las partes tendrán la oportunidad de ser oídas y podrán ser testigos de la expertia y del conocimiento que los miembros del panel poseen del proyecto, lo que a su vez les permitirá confiar en que una solución realista de la disputa[26].

Los miembros del DB, con el fin de analizar y determinar adecuadamente los hechos, harán preguntas a las partes y sus representantes, otorgando a cada una de ellas la posibilidad de refutar la posición de la otra y sus argumentos.

Se recomienda, para que la actuación del panel sea eficiente, que toda la información deberá ser entregada por las partes al menos con una semana de anticipación a la audiencia[27].

Después de la audiencia, los miembros del DB deliberarán en forma privada y considerarán las alegaciones de las partes, a la luz de la documentación relevante entregada por éstas y de los hechos que hayan sido establecidos como constituyentes de la disputa.

Como resultado de este proceso de deliberación y análisis, el panel emitirá un informe o recomendación para la resolución de la disputa, el que normalmente es emitido dentro de pocas semanas. Según la opinión de los autores Matyas, Mathews, Smith y Sperry en su libro "Construction Dispute Review Board Manual", todo informe debiera contener a lo menos cuatro elementos, a saber: un resumen de la disputa, las posiciones de las partes, la recomendación de los miembros del DB y sus fundamentos[28].

---

[25]   MATYAS, MATHEWS, SMITH y SPERRY (1996) pág. 20.
[26]   HARMON (2009) pág. 19.
[27]   MATYAS, MATHEWS, SMITH y SPERRY (1996) pág. 20.
[28]   MATYAS, MATHEWS, SMITH y SPERRY (1996) pÁG. 21.

Es importante tener presente que la recomendación realizada por el panel sólo podrá estar basada en la información entregada por las partes y deberá ser siempre compatible con la documentación contractual respectiva.

Será el contrato, al momento de estipular el *Dispute Board* para un determinado proyecto, el que determinará si las recomendaciones del panel serán vinculantes o no para las partes. Por ejemplo, en el caso de los *Dispute Boards* que se establecen bajo el estándar de los contratos de FIDIC o del Banco Mundial, la recomendación del panel es obligatoria para las partes.

Otros modelos de *Dispute Boards* le entregan a las partes la libertad de aceptar o rechazar la recomendación del panel y en este caso, si una o ambas partes rechazan dicha recomendación, éstas podrán decidir volver a negociar directamente o reconducir la disputa a algún otro mecanismo de solución de controversias, tales como el arbitraje o litigación, dependiendo de lo establecido para dicho efecto en el respectivo contrato, por ejemplo, los *Dispute Boards* utilizados por el Departamento de Transportes del Estado de Florida.

El Manual de la Fundación de Dispute Resolution Boards-DRBF señala que tratándose de *Dispute Boards* cuyas recomendaciones no son vinculantes, la voluntad de las partes de aceptar la recomendación del panel dependerá de la confianza que éstas tengan en la imparcialidad y la experticia técnica, el nivel de entendimiento que éstos tengan de las condiciones del proyecto[29].

4. *Los miembros de los Dispute Boards como elemento clave para su éxito*

Los miembros del DB son designados por el mandante y el contratista, de común acuerdo y antes de que se de inicio a la ejecución de las obras contratadas.

Normalmente, cada parte selecciona un miembro del panel quien debe ser confirmado por la otra parte. El tercer miembro, quien además es el presidente del panel, podrá ser elegido por ambas partes de común acuerdo o por acuerdo de los otros dos miembros.

Es importante tener presente que, la composición de tres miembros y el procedimiento para elegirlos no es obligatoria. El Banco Mundial y la

---

[29]   DRBF (2007a), pág. 2.

FIDIC promueven la utilización de Dispute Boards compuesto sólo por un miembro para proyectos de menor envergadura y cuando por el contrario, se trate de proyectos de gran complejidad o envergadura se recomienda la utilización de un panel compuesto por cinco miembros, como por ejemplo, en el caso de la construcción del Eurotúnel y del aeropuerto de Hong Kong en que se utilizaron DRBs de cinco y seis miembros respectivamente[30].

La correcta selección de los miembros del Dispute Board es esencial para la obtención de los resultados ofrecidos por este mecanismo. Los miembros deben ser elegidos en consideración a su experiencia profesional y su nivel de real conocimiento en el tipo de proyectos para el cual se les designará. Lo anterior es crucial pues los miembros deberán ser capaces de ofrecer una evaluación experta y lógica de las diferencias que surjan entre las partes durante la ejecución del contrato, siempre orientada a evitar eventuales disputas.

Los miembros que se seleccionen para componer el panel deberán estar en posición de considerar todos los aspectos del problema presentado y de trabajar con ambas partes de una manera absolutamente imparcial[31].

Como lo señala Webb, cuando explica que para que los mecanismos de resolución de conflictos que se basan en la actuación de terceros imparciales funcionen se requiere la concurrencia de dos requisitos: imparcialidad con respecto de las partes y legitimidad en términos del status social en la industria en la que se produce el conflicto[32].

La confianza de las partes en la habilidad e integridad de los miembros del panel es otro elemento sustantivo para el éxito del procedimiento[33].

Debido a lo anterior, los autores coinciden en que ninguna de las partes debiera abstenerse de realizar todas las indagaciones y evaluaciones que consideren necesarias con el fin de estar seguras de que los candidatos a miembros del panel son adecuados para el proyecto en cuestión y en caso de tener alguna duda o preocupación al respecto dicha parte debería sin duda alguna proceder a objetar la nominación[34].

---

[30] CHAPMAN (1999).
[31] TECHNICAL COMMITTEE ON CONTRACTING PRACTICES OF THE UNDERGROUND TECHNOLOGY COUNCIL (1991).
[32] WEBB (1986) pág. 250.
[33] MATYAS, MATHEWS, SMITH y SPERRY (1996) pág. 19.
[34] MATYAS, MATHEWS, SMITH y SPERRY (1996) pág. 20.

5. Los costos de los Dispute Boards

Los honorarios de los miembros del panel y los gastos en los que éstos incurran para el desempeño de su cargo, tales como pasajes, alojamiento y otros estipendios, serán pagados por ambas partes por partes iguales. Esta distribución igualitaria de los costos es importante para asegurar la imparcialidad de los miembros del panel.

En cuanto al monto de los honorarios, normalmente todos los miembros del panel reciben el mismo honorario, sin embargo, en algunas ocasiones el presidente posee más responsabilidades que los otros dos miembros y como consecuencia sus honorarios podrían ser más altos.

En cuanto a la envergadura de los costos de los Dispute Boards, aún cuando no existe un monto único para todos, según lo ha señalado el Instituto de la Industria de la Construcción. CII, éstos pueden ir desde el 0.04% al 0.5% del monto total del proyecto en cuestión[35].

En opinión de aquéllos que son partidarios de este mecanismo, estos costos son moderados y razonables cuando se les compara con los costos de un proceso de arbitraje o de un proceso de litigación[36].

6. Algunas cifras sobre Dispute Boards

La Fundación de Dispute Resolution Boards elaboró y administra una completa base de datos sobre proyectos que han utilizado DB[37]. Esta base de datos contiene información significativa sobre proyectos de construcción e infraestructura alrededor del mundo en los que se ha utilizado DB, tales como el país en el que el proyecto se ejecutó, la identificación del mandante, del contratista, el precio del contrato, la cantidad de disputas que fueron oídas, arregladas o referidas a otros mecanismos de resolución de disputas.

Los siguientes son algunos de los hallazgos más importantes que pueden ser encontrados a partir de dichas estadísticas:

- Alrededor de 2.700 proyectos han utilizado DB desde 1975 y hasta el año 2017.

- El valor total de los proyectos en los que se ha utilizado DRBs es de aproximadamente US$ 275 mil millones de dólares.

---

[35]   CONSTRUCTION INDUSTRY INSTITUTE (1995).
[36]   DURAN y YATES (2000) pág. 31.
[37]   DRBF (2007b).

- Las estadísticas de la DRBF muestran que las recomendaciones de los DB han sido acogidas por las partes en más del 95% de los casos, y que, menos del 3% de los contratos que contemplaron la figura del DB terminaron en arbitrajes o litigios.

7. Principales errores en la implementación de un Dispute Boards que pueden afectar su efectividad

Más allá de la popularidad que los Dispute Board parecen tener en la industria de la construcción a nivel mundial, se debe tener presente que si en su implementación no se respetan sus principios básicos, es muy posible que sus resultados no sean los esperados. Rubin explica que las partes pueden sufrir experiencias negativas derivadas de un mal uso del mecanismo de Dispute Board[38].

Una de las principales causas que afectan la efectividad de un Dispute Board es el establecimiento de limitaciones a sus facultades. El mecanismo de los Dispute Boards, para que pueda entregar los beneficios que prometen, no deben ser implementados con limitaciones o sesgos. Algunas de las principales limitaciones que pueden afectar los resultados de los Dispute Boards son:

- No establecer el Dispute Board desde el inicio del proyecto. El contar con un DB desde que el proyecto empieza a ejecutarse genera un incentivo para las partes para resolver sus diferencias directamente. Cuando el DB es establecido después de que el proyecto se ha iniciado o incluso después de que la disputa en cuestión ha surgido, la capacidad del DB de generar confianza y de fortalecer la relación entre mandante y contratista es significativamente menor[39].

- Establecer limitaciones para los gastos en los que los miembros pueden incurrir para el desarrollo de sus labores, tales como en sus honorarios, pasajes o el establecimiento de un área geográfica máxima en la que éstos puede desplazarse, limita la capacidad del DB y los eventuales ahorros que se puedan producir por esta vía normalmente no superan los perjuicios que esta limitante puede producir para el proyecto[40].

---

[38] RUBIN (2006) págs. 1, 12 y 13.
[39] RUBIN (2006) pág. 1.
[40] RUBIN (2006) pág. 1.

- Autorizar a las partes a remover a los miembros del panel en forma unilateral y sin expresión de causa, genera un incentivo perverso en las partes a cambiar a los miembros cada vez que éstos emitan una recomendación que pueda ir en contra sus intereses. Lo anterior le quitará efectividad al DB, dado que se volverá menos estable, sus miembros no podrán estar bien informados sobre los detalles del proyecto y finalmente la confianza de las partes en los miembros del panel se verá dañada[41].

- Imponer procedimientos excesivos para acceder al DB impedirá a las partes acceder al panel en forma oportuna cuando el conflicto esté recién emergiendo. Esta circunstancia obstaculizará la acción e influencia del panel en el proyecto, haciéndole perder efectividad[42].

- Permitir que las partes concurran a las audiencias del DB representadas por un abogado, interrogando testigos o en cualquier otra actividad hacia el panel, puede tergiversar el carácter no adversarial del DB, exacerbando la conflictividad entre las partes y empeorando su relación y profundizando el conflicto más aún la disputa planteada[43].

En resumen, para que un DB pueda otorgar a las partes y a la industria de la construcción los beneficios que sus partidarios prometen, es crucial que sea aplicado de manera rigurosa, respetando sus principios y reglas, idealmente sin introducir cambios o limitaciones en su funciones y alcance, ya sea para ahorrar costos o por desconfianza en los miembros del DB.

III. Sistema de resolución de controversias en contratos de obra pública

1. Contratos de Obra Pública

Según cifras de la Dirección General de Obras Públicas (DGCOP), el 96% de los contratos del MOP se modifica, y en promedio se generan aumentos de 30% en los plazos de los contratos de obra pública[44].

---

[41] RUBIN (2006) pág. 12.
[42] RUBIN (2006) pág. 12.
[43] RUBIN (2006) pág. 12.
[44] MINISTERIO DE OBRAS PÚBLICAS, (2016).

De acuerdo con el Art. 189° del Reglamento para Contratos de Obras Públicas (Decreto Supremo N° 175 de 2004), cualquier recurso intentado por los proponentes o el contratista respecto de los actos administrativos dictados por la Dirección durante la licitación o vigencia del contrato de obra pública se someterá a las normas del Título IV Ley N° 19.880 de Bases de Procedimientos Administrativo.

Luego de la instancia administrativa, si el conflicto o controversia no ha podido ser resuelta, será la justicia ordinaria la que tendrá que resolver dicha disputa, con los consiguientes costos, demoras y daños derivados de la judicialización de dichos conflictos.

Tratándose de contratos de obra pública no concesionada, los contratistas se ven mucho más afectados en sus intereses ante el Fisco que cuando litigan con mandantes privados.

Lo anterior, se ve reflejado claramente en un informe del año 2018, elaborado por el "Observatorio Judicial", un centro de estudios dedicado al análisis de las resoluciones de los tribunales de justicia, de centro de estudios dedicado al análisis de las resoluciones de los tribunales de justicia, que muestra que cuando los particulares demandan al Fisco, éstos obtienen sólo el 4,31% de los montos demandados, comparado con el 79,66% que equivale al recupero que obtiene el Fisco cuando éste el que demanda, a través del Consejo de Defensa del Estado[45].

El negativo escenario antes descrito, va generando desincentivo en la actividad privada y en la participación de las empresas en procesos licitatorios impulsados por organismos públicos como el Ministerio de Obras Públicas, el SERVIU o el Ministerio de Salud.

De este modo, el mercado de las obras públicas representa cada vez un riesgo alto riesgo para las empresas contratistas que muchas veces, como consecuencia de los graves problemas que deben enfrentar durante la ejecución de dichos contratos, caen en estados de vulnerabilidad financiera, lo que, a su vez genera grandes niveles de incertidumbre para los privados en este tipo de proyectos, sin contar la menor calidad de las obras, los mayores plazos involucrados y los mayores costos involucrados.

Lo anterior, deja de manifiesto la urgente necesidad que existe en nuestro país de modernizar los sistemas de resolución de controversias en contratos de obra pública, como lo han hecho otros países latinoamericanos, como,

---

[45]   OBSERVATORIO JUDICIAL (2018), pÁG. 2.

por ejemplo, el caso de Perú[46], que ha introducido las Juntas de Resolución de Disputas para contratos de construcción de obra pública, inspirándose para ello en la figura de los *Dispute Boards*.

Actualmente, a instancias del Centro de Innovación para la Infraestructura de la Cámara Chilena de la Construcción (CChC), el Ministerio de Obras Públicas chileno, está llevando a cabo un programa piloto que pretende disminuir los conflictos en obras no concesionadas.

Dicho plan piloto estaría siendo aplicado en siete proyectos de construcción de obra pública actualmente en ejecución y cada uno de ellos contaría con el apoyo un comité o panel. Dada su condición de piloto, en este programa se considera la existencia de paneles permanentes, pero también de paneles que sólo funcionan una vez que las partes someten formalmente a su conocimiento una disputa o ad-hoc.

Cabe señalar, eso sí, que la mencionada iniciativa, hasta ahora, no ha pasado de ser un ejercicio informal que no cuenta ni con apoyo legislativo, ni con financiamiento del Estado. Se espera que, en los próximos años, el Gobierno chileno proponga una reforma legislativa que considere presupuesto para que puedan operar *Dispute Boards* para acompañar la ejecución de los contratos de obra pública en Chile, pues a estas alturas, los altos índices de conflictividad que presentan los contratos de obra pública en Chile y sus muchas veces, deficientes resultados, tanto en plazo, como en costos, hacen necesaria la introducción de un mecanismo, como los *Dispute Boards* que, de manera realmente imparcial y eficaz, acompañen a las partes en la ejecución de dichos contratos, para evitar que surjan disputas entre ellas y para resolver aquéllas que surjan y que éstas no puedan solucionar directamente, evitando con ello largos y costos litigios, en los que normalmente el contratista resulta perjudicado y seriamente debilitado y en los que el Estado, a pesar de ganar, varios años después los juicios, también ve afectadas sus metas y objetivos.

2. *Contratos de Obra Pública Concesionada*

En Chile, la resolución de las controversias en materia de contratos de concesión, desde el año 2010, está entregada a un sistema que incluye, co-

---

[46]   La Ley 30225 de 2014, nueva Ley de Contrataciones del Estado peruana de y su reglamento, el Decreto Supremo 350-2015-EF, el 9 de enero de 2016.

mo primer paso, el sometimiento de las discrepancias al Panel Técnico de Concesiones.

De hecho, el mismo autor sostiene que, el Panel Técnico de Concesiones aprobado por la Ley N° 20.410, publicada en el Diario Oficial de Chile, con fecha 20 de enero de 2010, constituye un ejemplo de un *Dispute Board* en nuestro sistema jurídico[47].

Antes de la incorporación del Panel Técnico la resolución de las controversias que surgían en la ejecución de los contratos de concesión estaba entregada a las comisiones conciliadoras, que tenían como su nombre lo indica, funciones conciliadoras, pero también jurisdiccionales. En caso de producirse una disputa, la Comisión Conciliadora instaba a las partes a arribar a un acuerdo y en caso de nos ser éste posible, la misma Comisión se transformaba luego en Comisión Arbitral.

La inclusión del Panel Técnico en la Ley de Concesiones del Estado, nace con la intensión de resguardar el interés fiscal y evitar situaciones que pudieran implicar el pago por parte del Estado de excesivos mayores costos a las empresas concesionarias, como habría ocurrido en el caso de las cárceles concesionadas.

El Panel Técnico de Concesiones fue concebido como una instancia técnica, no jurisdiccional de carácter permanente, cuya función es pronunciarse mediante recomendaciones técnicas (en un plazo de 30 días prorrogable una vez) sobre las discrepancias de carácter técnico o económico que se produzcan entre las partes durante la ejecución del contrato de concesión.

A partir de la entrada en vigencia del Panel Técnico de Concesiones en enero de 2010, éste es el organismo competente para conocer de todas las concesiones de obras públicas adjudicadas a partir de la entrada en vigencia de la Ley N° 20.410 y a pesar de que sus recomendaciones no tiene carácter de vinculante, éstas son exigibles como requisito para recurrir posteriormente a la Comisión Arbitral o a la Corte de Apelaciones, en su caso, cuando la controversia envuelva aspectos técnicos o económicos.

En cuanto a su composición, el Panel está conformado por dos abogados, dos ingenieros y un profesional especializado en ciencias económicas o financieras, todos profesionales que deben tener una destacada trayectoria profesional o académica, en la materias técnicas, económicas o jurídicas del sector de concesiones.

---

[47]   Ibidem.

La elección y nombramiento de los miembros es realizada por el Consejo de Alta Dirección Pública, mediante concurso público de antecedentes, el que deberá fundarse en condiciones objetivas, transparentes y no discriminatorias; los integrantes del Panel permanecerán seis años en sus cargos con una renovación de cargo a los 3 años de iniciado su periodo y no podrán ser nombrados para periodos sucesivos.

Una vez constituido el Panel, se elige al Presidente por mayoría, el cual se encarga de la representación del Panel, su dirección y funcionamiento. A su vez, se elige al Secretario Abogado de entre una nómina de cinco candidatos confeccionada mediante concurso público, el cual permanecerá en su cargo mientras cuente con la confianza del Panel, cumpliendo funciones administrativas, tales como levantar actas de reunión, gestionar las comunicaciones entre los integrantes del Panel y las partes de los contratos de concesión, entre otros.

Los profesionales miembros del Panel no pueden estar, ni haber estado en los doce meses previos a su designación como tales, relacionados con empresas concesionarias de obras públicas, ya sea como directores, trabajadores o a través de cualquier vínculo relacionado con empresas constructoras o de ingeniería subcontratistas de los concesionarios, ni haber estado en ese periodo de tiempo relacionado con el MOP y deberán realizar una declaración de intereses y patrimonio.

En cuanto al financiamiento del Panel, el Ministerio de Obras Públicas financia los gastos administrativos y el funcionamiento del Panel y la mitad del monto de los honorarios de sus integrantes y la otra mitad es solventada por las empresas concesionarias.

Los honorarios de los integrantes del Panel se encuentran regulados por la propia Ley, la que establece que éstos estarán compuestos por una base fija y otra parte variable según el número de sesiones mensuales a las que asistan los miembros del panel.

El Panel Técnico tiene la facultad de emitir recomendaciones sólo en caso que una de las partes presente una discrepancia, ya sea ésta de carácter técnico o económico siempre que se trate de alguna de las hipótesis establecidas en el artículo 36 inciso 4° de la Ley 20.410, y que a continuación se detallan:

1.- La evaluación técnica y económica de las inversiones realizadas por el concesionario, de su estado de avance, de sus costos y plazos, conforme a los niveles de servicios y estándares técnicos establecidos para la respectiva concesión.

2.- La determinación de la existencia de costos adicionales y sus causas económicas, técnicas o de gestión, o de otros hechos o circunstancias que técnicamente afecten o puedan afectar el normal desarrollo de las obras durante la etapa de construcción.

3.- La definición de que el valor de las inversiones haya sobrepasado alguno de los límites establecidos en los artículos 19, 20 y 28 ter de la Ley 20.410.

4.- La determinación de los efectos económicos que tendría en la concesión la realización de obras adicionales.

5.- La determinación técnica de la tasa de descuento, riesgo del negocio, costos financieros y demás factores económicos que sea necesario establecer para calcular las compensaciones económicas correspondientes al concesionario, en caso de terminación anticipada del contrato de concesión, de realización de obras adicionales o de cualquier otro evento que contemple la ley y que requiera de esos cálculos.

6.- Las demás discrepancias técnicas o económicas que las partes de un contrato de concesión tengan entre sí con motivo de la ejecución del contrato o de la aplicación técnica o económica de la normativa aplicable a dicho contrato y que, de común acuerdo, sometan a su consideración, así como las demás que indique la ley.

La presentación de una discrepancia ante el Panel debe efectuarse por escrito, donde se exponen claramente los puntos o materias que se sustentan.

El PTC tiene la facultad de llevar a cabo audiencias y solicitar a las partes la información que estime conveniente; toda la información generada durante este proceso es de dominio público mediante la página oficial del Panel Técnico.

Probablemente, desde el ámbito del Derecho Administrativo chileno, sean muchos los especialistas que duden de que los *Dispute Boards* puedan ser compatibles con los contratos administrativos de concesión y los principios del Derecho Administrativo chileno.

En opinión del profesor Juan Eduardo Figueroa: *"el establecimiento por mandato legal en un contrato administrativo de concesiones de obras públicas del mecanismo de DB significa que las prerrogativas exorbitantes del Estado quedan en la realidad en su ejercicio limitadas, y estarán sujetas, de generarse un conflicto, en primer término, a lo que recomiende el DB en su pronunciamiento, sin perjuicio que, si las partes no aceptan dichas recomendaciones, podrán recurrir al arbitraje o litigación"*[48].

---

[48]   FIGUEROA, JUAN EDUARDO, (2014) pág. 134.

Así, a juicio del profesor Figueroa, el establecimiento por ley del Panel Técnico de Concesiones en los contratos de concesiones de obras públicas, es una expresión de los DB y una demostración de que pueden perfectamente coexistir los DB con los contratos administrativos, y en dicho contexto, las prerrogativas exorbitantes del Estado se ven atemperadas y restringidas[49].

Ahora bien, sin perjuicio de la compatibilidad entre el régimen de los contratos de obra pública y la figura de los DB, punto en el que coincidimos con el profesor Figueroa, cabe analizar si el Panel Técnico de Concesiones es realmente un ejemplo de *Dispute Board* en Chile. Para ello, es necesario, comparar al Panel con la figura de los *Dispute Boards*, en sus características más distintivas.

A) Inicio de vigencia del panel en cada contrato

Está comprobado que cuando los *Dispute Boards* son establecidos en el contrato y desde su inicio, su influencia, en cuanto a prevenir el surgimiento de disputas, es mucho mayor y también su efectividad a la hora de resolver oportunamente las disputas que surjan.

Si bien el Panel Técnico está constituido incluso desde antes que se suscriba el contrato de concesión, en la práctica, sólo inicia su acción, una vez que las partes, presentan formalmente una disputa.

En su memoria anual del año 2016, el PTC señaló que durante el año 2017 comenzaría a realizar reuniones de seguimiento en terreno con los equipos de las concesionarias encargados de la construcción de las nuevas obras y los equipos del Ministerio de Obras Públicas, lo que demuestra que los propios panelistas estaban conscientes de la relevancia práctica que tiene la presencia del Panel, desde el inicio del contrato en terreno junto a los equipos de las partes[50].

Lamentablemente esta disposición y la mera voluntad de los panelistas para iniciar una labor preventiva en terreno respecto de la construcción de las nuevas obras, no es suficiente para garantizar que el PTC realizará una verdadera y sostenida labor de asistencia informal a las partes en terreno. Lo anterior, máxime si se considera que se trata de un organismo público,

---

[49] Ibidem, pág- 139.
[50] PANEL TÉCNICO DE CONCESIONES, (2016).

que para realizar cualquier acción requiere de una norma legal que expresamente lo autorice para dicho efecto.

En consecuencia, para que el PTC pudiera iniciar sus labores desde el inicio de la ejecución del contrato, se hace necesaria la modificación de la regulación actual, para que expresamente consagre la facultad legal del PTC para brindar asistencia informal a las partes.

Lo antes expresado, ha sido confirmado por el Ministerio de Obras Públicas en el Libro "Concesiones de Obras Públicas en Chile, 20 años" publicado por el MOP, al señalar:

> *"Parece recomendable extender las actuales facultades del Panel Técnico para que no se realicen recomendaciones únicamente frente a una discrepancia, sino también cuando alguna de las partes se vea en la necesidad de contar con la opinión de una institución calificada y con expertise en materia de concesiones" (pág. 69) (Ministerio de Obras Públicas, (Ministerio de Obras Públicas, 2016).*

B) Competencias de los miembros del Panel Técnico de Concesiones

Los miembros del Dispute Board son profesionales, reconocidos por la industria, expertos en el tipo de obra de que se trate y además, en resolución de controversias y en *Dispute Boards*. Esto es fundamental, porque en los DB, al igual que en otros mecanismos de resolución de conflictos que se basan en la actuación de terceros, se requiere que exista legitimidad en términos del status social en la industria en la que se produce el conflicto, para que el mecanismo sea efectivo.

Según la Ley, los miembros del PTC deben tener una destacada trayectoria profesional o académica, en las materias técnicas, económicas o jurídicas del sector de concesiones. De los miembros 2 son abogados, 2 ingenieros y 1 profesional economista. Las competencias de los miembros del PTC son más bien genéricas y de hecho éstas podrían ser incluso, exclusivamente académicas.

Dado que un *Dispute Board* debe poder ejercer real influencia en los equipos profesionales de las partes, es importante que, al menos, alguno de sus miembros reúna competencias específicas relacionadas con materias de construcción, de manera que esa fase de la concesión —que dicho sea de paso, es una de las más conflictivas— sea capaz de identificar situaciones o focos de posibles futuros conflictos de manera anticipada y que pueda, a través de preguntas, apoyar a las partes en la identificación de éstas y su oportuna mitigación.

C) Nombramiento de los miembros del Panel Técnico de Concesiones

Los miembros del *Dispute Board* son escogidos por ambas partes deben ser profesionales respetados en la industria, expertos en el tipo de obra a contratar, deben ser expertos en *Dispute Board*, tener experiencia en resolución de controversias y vasta experiencia profesional y trayectoria en su rubro.

Uno de los aspectos que más legitimidad le otorga al *Dispute Board* es el que sean las partes quienes eligen a sus miembros. Esto permite a las partes oponerse al nombramiento de cualquier candidato que no le dé la confianza de imparcialidad necesaria o experticia.

Los miembros del PTC, por su parte, son nombrados por un organismo estatal que asiste al Gobierno en los procesos de nombramiento de sus altos directivos, denominado "Consejo de Alta Dirección Pública", en base a un proceso de concurso público, de carácter técnico en el que se evalúan a los candidatos que acrediten los requisitos exigidos por la regulación y que respondan al perfil predefinido.

En el caso del PTC, el hecho que sus miembros sean elegidos por un organismo estatal que además, no forma parte del sector de la infraestructura, hace que el PTC no posea el reconocimiento y la validación que sí tienen los miembros de un *Dispute Board*, bien constituido y por tanto, la influencia que en teoría podría ejercer el PTC no sería en la práctica tan potente como la de un *Dispute Board* cuyos miembros han sido escogidos y nombrados directamente por ambas partes.

D) Financiamiento del Panel Técnico de Concesiones

Los honorarios y los gastos administrativos de los miembros del *Dispute Board* son financiados por ambas partes en partes iguales.

Los gastos de administración y funcionamiento del PTC y la mitad de los honorarios de sus integrantes son financiados por el Ministerio de Obras Públicas. La otra mitad es financiada por los concesionarios, según la prorrata del presupuesto oficial de la obra, la que será fijada por el MOP en diciembre de cada año.

No obstante lo anterior, en este ámbito es importante tener presente que los miembros del PTC se rigen por un estándar de probidad administrativa similar al de cualquier funcionario público, lo que podría inhibirlos de actuar con la libertad y discrecionalidad que caracteriza a todo *Dispute*

Board, por temor a enfrentar algún procedimiento disciplinario frente a la Contraloría General de la República.

E) Acceso al Panel Técnico de Concesiones

Las partes, en el caso de un *Dispute Board*, pueden tener acceso y comunicación con los miembros del panel, en forma conjunta o unilateral siempre y cuando la otra parte tenga conocimiento, fomentando la cercanía y confianza entre los involucrados. De esta manera, la comunicación entre las partes y los miembros del *Dispute Board* es directa y fluida.

En el caso del PTC, las partes pueden acceder al Panel por medio del Secretario Abogado, quien gestiona las comunicaciones entre los integrantes del Panel y las partes de los contratos de concesión.

Este aspecto es uno de los puntos a mejorar en el PTC. En efecto, para que el PTC se legitime ante las partes y sea un generador de confianza entre ellas, es fundamental que sus miembros se relacionen directamente con ambas partes sin procedimientos burocráticos ni terceros intermediarios. Ello, permitiría a los miembros del PTC establecer un vínculo con las partes y ganarse su confianza de manera temprana, cuando aún no se han polarizado en sus posiciones.

F) Alcance de las facultades del Panel Técnico de Concesiones

El *Dispute Board* tiene la facultad de absolver consultas de toda índole y durante toda la vigencia el contrato, realizar asistencia informal para apoyar a las partes a evitar y asistencia formal mediante una recomendación cuando surjan disputas.

Este es uno de los aspectos más importantes a la hora de asegurar los resultados de un *Dispute Board*. En efecto, para que el *Dispute Board* pueda entregar todos los beneficios que promete, es fundamental que posea amplias facultades y libertad de actuación.

El Panel Técnico de Concesiones puede resolver controversias técnicas o económicas, a través de la emisión de una recomendación técnica, sólo cuando una de las partes presenta una discrepancia ante el Panel.

En el caso del PTC, sus facultades están condicionadas a la presentación de una de las partes de una controversia al mismo. Mientras ello no ocurra, el PTC no tiene facultades para brindar asistencia informal y, por tanto, no posee herramientas para realmente influir y ser un disuasivo para las partes para que éstas se muestren colaboradoras y amigables durante el contrato.

IV. Conclusiones

Si las disputas son comunes en todo proyecto de construcción, lo son más aún tratándose de contratos de obra pública, por ser éstas típicamente de larga duración y de alta complejidad.

Los *Dispute Boards* son ampliamente reconocidos a nivel internacional, como un mecanismo de gestión de riesgos que opera en tiempo real y en terreno que actúa durante toda la vida de un contrato, implicando a todos los actores relevantes del proyecto.

Existe una cantidad significativa de evidencia cualitativa y cuantitativa que permite demostrar que los *Dispute Boards* son efectivos no sólo para resolver oportunamente las disputas que puedan surgir entre las partes de un contrato de construcción, sino también para ayudar a las partes a prevenir el surgimiento de estas divergencias, asegurando, con ello el flujo financiero del proyecto y en consecuencia, su oportuno término.

En la actualidad, los sistemas de resolución de controversias de la contratación pública chilena y particularmente el Panel Técnico de Concesiones no están siendo capaces ni de prevenir ni de resolver de manera eficiente las controversias que surgen durante la ejecución de los contratos de concesión.

Por lo anterior, tenemos una oportunidad única de liderar la restauración de las confianzas desde adentro, a través de la incorporación de los *Dispute Boards* como un mecanismo que ha probado ser efectivo para evitar el surgimiento de disputas y sólo si ello no fuese posible, para resolver dichos conflictos de manera oportuna y a menor costo.

No obstante, para que los beneficios que los *Dispute Boards* ofrecen puedan ser entregados, se hace necesario el cumplimiento de una serie de condiciones mínimas, entre las que se encuentran, que estos paneles sean instaurados y empiecen a operar desde el inicio del contrato, que sus miembros sean expertos reconocidos por la industria de construcción y que cuenten con habilidades personales que les permitan influir en los equipos de las partes del contrato, que sean elegidos por ambas partes, que sus honorarios sean financiados en partes iguales por ambas partes, que las partes puedan interactuar de manera directa y expedita con el panel y que el panel posea amplias facultades de acción, desde el inicio del contrato y no sólo aquéllas tendientes a resolver las eventuales disputas presentadas por las partes.

En el caso de los contratos de obra pública no concesionada, el actual sistema de resolución de controversias está entregado a la sede administrativa y judicial y en dicho contexto, las disputas entre el Estado y los contratistas, se resuelven después de varios años, mucho después de que las obras han concluido, generando perjuicio tanto para las empresas, como para el Estado, que, aunque pueda obtener resultados favorables en dichos litigios, finalmente ve obstaculizados sus fines por la mala calidad de las obras y los mayores costos que derivan de los conflictos que surgen.

Lo anterior, hace necesaria una reforma a la actual regulación a través de la introducción de mecanismos alternativos que puedan prevenir y resolver de manera eficaz las disputas que surjan entre las partes de dichos contratos.

Tratándose de los contratos de concesión de obras, el establecimiento del Panel Técnico de Concesiones en Chile a través de la Ley 20.410, constituye un avance, sin embargo, al comparar las características del PTC con un *Dispute Board* ideal, es posible constatar que existen déficits y por tanto, una importante brecha que cerrar aún.

Un Panel Técnico de Concesiones constituido por miembros expertos altamente reconocidos por la industria y los actores del sector de infraestructura en Chile, como consecuencia de una trayectoria efectiva en dicho ámbito, tanto a nivel nacional, como internacional, tendría mucha más fuerza disuasiva frente a las partes, quienes, ante la sola presencia de los miembros del Panel, se abstendrían de incurrir en conductas negativas o de poca transparencia o buena fe.

Un Panel Técnico que, en vez de ser concebido como un tercero extraño que se limita a recibir antecedentes para luego pronunciarse sobre dichos antecedentes y pretensiones de las partes, tuviera amplias facultades, podría, en el día a día, según así lo requirieran las circunstancias de cada proyecto, acompañar a las partes de manera efectiva y formar parte del equipo del proyecto desde su inicio, y como consecuencia, ejercer un rol de liderazgo y de influencia en ellos.

El PTC debiera tratarse de una instancia a la que ambas partes del contrato de concesión pudiesen acceder directamente y de manera expedita. Ello podría permitir más instancias de diálogo e intercambio técnico entre las partes y entre ellas con el Panel.

Dado que el PTC fue creado para hacer más eficiente el mecanismo de las concesiones y, considerando que este tipo de contratos son aún más complejos y desafiantes que un contrato de construcción de obra pública no concesionada es aún más importante que este panel posea características que le permitan hacerse cargo de las principales problemáticas que afectan a las partes de estos contratos, en todas sus fases. Lo anterior, toma fuerza si se considera que, por regla general, los contratos suscritos entre las empresas concesionarias y las empresas contratistas son un espejo de los contratos suscritos entre las concesionarias y el Ministerio de Obras Públicas.

En resumen, para que pudiésemos afirmar que en el sistema de contratación pública chileno en materia de obras concesionadas existe un mecanismo real de prevención y de resolución temprana de controversias, deberían primero modificarse, a lo menos, los siguientes aspectos en la actual regulación del PTC en la Ley 20.410:

1.- Facultar al PTC para que inicie sus labores activamente desde el inicio del contrato de concesión.

2.- Exigir que todos los miembros del PTC sean profesionales de vasta experiencia y trayectoria efectiva en materia de concesiones, y que, al menos dos de ellos posean experiencia efectiva en materia de proyectos de construcción.

3.- Permitir que ambas partes del contrato de concesión participen en el nombramiento de los miembros del PTC de forma igualitaria.

4.- Facultar al PTC para que brinde asistencia informal a las partes reuniéndose con ellas de manera periódica y en terreno, actuando de manera proactiva y no sólo como una reacción frente a la presentación de una disputa por una o ambas partes.

5.- Permitir que ambas partes puedan acceder al PTC de manera directa, expedita e igualitaria y no a través del secretario abogado.

6.- Otorgar al PTC facultades amplias y discrecionales para indagar durante toda la ejecución del contrato de concesión, de manera que sea capaz de identificar, junto a las partes, riesgos de índole contractual, técnica y económica, para que éstas luego pudiesen adoptar conjuntamente las medidas mitigatorias del caso.

7.- Dotar al PTC de la independencia organizacional y presupuestaria necesarias para que realmente pueda ser imparcial e independiente y no una entidad que, como hoy es un organismo depende del Ministerio de Obras Públicas.

Todas estas reformas harían que el PTC se erigiera como un verdadero mecanismo de prevención y resolución temprana de disputas, que a la vez, permitiría al sistema de concesiones chileno cumplir con la satisfacción de las necesidades públicas para el cual fue creado.

Es fundamental que el PTC o cualquier otro mecanismo que se establezca en la regulación para la resolución de controversias que surjan en los contratos con el Estado, cuente con las facultades y recursos necesarios para resolver de manera efectiva las disputas que surjan entre todas las partes involucradas, pero por sobre todo, para evitar que dichas disputas surjan, puesto que como sabemos, es ahí donde se generan los mayores daños para todo el país.

Existe suficiente evidencia en más de 2000 proyectos en todo el Mundo para afirmar que, por ahora, los *Dispute Boards* son el único mecanismo capaz de evitar un porcentaje altísimo de disputas, devolviendo así el foco al proyecto y no a los intereses de cada parte.

Para dicho efecto virtuoso se produzca, se necesita que este mecanismo se implemente con estricto apego a sus principios y a los objetivos para el cual fue creado: proteger al proyecto y lograr su concreción de manera eficiente.

Un Panel Técnico de Concesiones que fuera fiel a los principios de los *Dispute Boards* y que por tanto, iniciara su trabajo con todos los actores de la concesión desde el inicio de su ejecución, constituido por verdaderos expertos en materia de infraestructura, reconocidos nacional e internacionalmente, elegidos por las partes de manera igualitaria y que contara con amplias facultades, sería capaz de apoyar a las partes en la detección de los principales riesgos contractuales, técnicos y económicos que van surgiendo en la vida de la concesión y les permitiría adoptar, de manera oportuna y conjunta las medidas tendientes a la eliminación de dichos riesgos y, de no ser esto posible, la mitigación de sus impactos en el proyecto.

Yendo incluso más allá, podemos avizorar un Panel Técnico de Concesiones reforzado que, además de las funciones antes descritas, pudiera identificar patrones que se repitieran en el ciclo de vida de las concesiones, que luego podría servir de insumo para continuar mejorando la regulación vigente en estas materias, tanto de carácter legal, reglamentaria como contractual, de manera de ir ajustándola para impedir malas prácticas enfocadas en el interés particular de las partes y no en el bien común basado en la construcción de una comunidad sustentada en vínculos de largo plazo.

Bibliografía

CÁMARA CHILENA DE LA CONSTRUCCIÓN, *Relación entre Mandantes y Contratistas. Encuesta año 2016*, disponible en http://biblioteca.cchc.cl/datafiles/38853-2.pdf, descargado el 15 de agosto de 2019.

CHAPMAN, P., *Dispute Boards London: FIDIC International Federation of Consulting Engineers*, 1999, disponible en http://fidic.org/sites/default/files/25%20Dispute%20Boards. pdf (recuperado el 15 de agosto de 2019).

CONSTRUCTION INDUSTRY INSTITUTE, *Dispute Prevention and Resolution Techniques, Dispute Prevention and Resolution in the Construction Industry*, Research Summary, Dispute Prevention and Resolution Research Team, Texas, Austin, 1995, 26 pp.

DISPUTE RESOLUTION BOARD FOUNDATION, *Dispute Resolution Board Practices and Procedures Manual*, 2017 a, disponible en www.drb.org en https://www.drb.org/wp-content/uploads/2016/02/1.1_final_12-06.pdf, recuperado el 26 de agosto de 2019.

DISPUTE RESOLUTION BOARD FOUNDATION, *DB Project Database*, 2017 b, disponible en http://www.drb.org/publications-data/drb-database/, descargado el 13 de agosto de 2019.

DURAN, J. & YATES, J., "Utilizing Dispute Review Boards in Relational Contracting; A Case Study" *Journal of Professional Issues in Engineering Education and Practice*, Vol. 132, 2006, págs. 335-341.

FIGUEROA, J. E., "Dispute Boards: la visión de las partes y su co-existencia con los contratos administrativos", *Experiencias en Chile, Dispute Boards en Latinoamérica: Experiencias y Retos*, págs. 123 a 140, primera edición, Lima, Perú, Estudio Mario Castillo Freyre S.C.R.L., 2014, págs. 235.

HARMON, K., "Resolution of Construction Disputes: A Review of Current Methodologies", *Leadership and Management in Engineering*, Vol. 3, N° 4, 2003 a, págs. 187-201.

HARMON, K.. "Effectiveness of Dispute Review Boards", *Journal of Construction Engineering and Management*, Vol. 129, N° 6, 2003b, págs. 674-679.

HARMON, K., "Dispute Review Boards Effects on Bid Prices", *Cost Engineering*, Vol. 46, N° 6, 2004, págs. 30-34.

HARMON, K., "Case Study as to the Effectiveness of Dispute Review Boards on the Central Artery/tunnel Project", *Journal of Legal Affairs and Dispute Resolution in Engineering and Construction*, Vol. 1, N° 1, 2009, págs. 18-30.

MATYAS ROBERT, M. A.; SMITH, R. y SPERRY, P., *Construction Dispute Review Board Manual*, primera edición, New York, McGraw Hill, 1996, págs. 173.

MCENIRY, G., "It's Time for More DRBs in Canada", *Forum*, Vol. 14, N° 3, 2010, págs. 1, 12, 13, 14 y 15.

MEYER, H., "Can't Wait to Try your Case? Think Twice!" *American Bar Association Journal*, Vol. 70, N° 73, 1984, págs. 72-75.

MINISTERIO DE OBRAS PÚBLICAS, *Agenda de Eficiencia, Modernización y Transparencia EL Papel del MOP*, julio de 2016, disponible en: https://www.mop.cl/papel/descargables/minutapapeldelmop.pdf, descargado el 26 de agosto de 2019.

NATIONAL ACADEMY OF SCIENCE, *Better Constructing for Underground Construction*, Washington, NTIS Accession N PB-236973, Standing Committee N° 4, U.S National Committe on Tunneling Technology, 1974, págs. 111.

NATIONAL ACADEMY OF SCIENCE, *Better Management of Major Underground Construction Projects*, Washington, EEUU, NTIS Report N. NRC/AE-TT-78-1, Subcommittee on Management of Underground Construction Works. U.S. National Committee on Tunneling, 1978, págs. 154.

OBSERVATORIO JUDICIAL, "El Consejo de Defensa del Estado ante los Tribunales de Justicia", *Radar* N° 3, 2018, disponible en: http://www.observatoriojudicial.org/wp-content/uploads/2018/08/Radar-3-CDE-ante-los-tribunales.pdf, descargado el 15 de agosto de 2019.

PANEL TÉCNICO DE CONCESIONES, *Memoria Anual año 2016*, en http://www.panel-concesiones.cl/OpenDocs/VisualizaAtachador.aspx?argAtachadoId=3394&argDescarga=True.

RUBIN, R., "How not to Implement the DRB Process", *The Forum*, Vol. 10, N° 1, 2006, págs. 1, 12 y 13.

RUBIN, R. y BISER, S., "Dispute Review Boards, Avoinding the Pitfalls, I Part", *Constructioneer*, Vol. 61, N° 3, 2006, pág. 12.

TECHNICAL COMMITTEE ON CONTRACTING PRACTICES OF THE UNDERGROUND TECHNOLOGY COUNCIL, "Avoiding and Resolving Disputes during Construction: Successful Practices and Guidelines" in *ASCE*, Technical Committee in Contracting Practices of the Underground Technology Council (New York, N.Y. ASCE), 1991, 82 págs.

VORSTER, M., "Dispute Prevention and Resolution", *Construction Industry Institute Dispute Prevention and Resolution Task Force*, Blacksburg (Virginia, Virginia Politechnic Institute and State University) 1993, 161 págs.

WEBB, J., "Third Parties at Work: Conflict Resolution or Social Control?" *Journal of Occupational Psycology*, Vol. 59, *Better Constructing for Underground Construction Better Constructing for Underground Construction*, 1986, págs. 247-258.

WORLD BANK, *Standard Binding Document: Procurement of Works and User's Guide*, 2000, disponible en http://documents.vsemirnyjbank.org/curated/ru/458841468739545677/pdf/multi-page.pdf, recuperado 15 de agosto de 2019.

Sección Cuarta:
CONTRATACIÓN PÚBLICA VERDE E INNOVACIÓN

CLÁUSULAS AMBIENTALES: ¿UNA MODA O UN NUEVO ELEMENTO IMPRESCINDIBLE DE LA CONTRATACIÓN PÚBLICA?[1]

ROBERTO GALÁN VIOQUE
ORCID 0000-0002-8215-3531
Profesor Titular de Derecho Administrativo
Universidad de Sevilla
rgvioque@us.es

RESUMEN: En este trabajo se analiza la evolución que ha seguido la incorporación de las consideraciones ambientales en el ámbito de la contratación pública. Primero se aborda la utilización de la contratación pública como medio para controlar el cumplimiento de la floreciente legislación ambiental para a continuación detenerme en ver cómo nuestro ordenamiento jurídico ha ido gradualmente apostando por incluir dentro de los propios contratos públicos requerimientos de carácter ambiental.

Este trabajo presta especial atención a la forma en que la Ley española 9/2017, de 8 de noviembre, de Contratos del sector público ha previsto de forma obligatoria la incorporación de condiciones ambientales en todas las fases de la contratación pública.

PALABRAS CLAVES: Compra pública verde - cláusulas ambientales - etiqueta y certificaciones ecológicas - coste del ciclo de vida

ABSTRACT: This paper analyzes the evolution that has followed the incorporation of environmental considerations in the public procurement. First, address how the public procurement has been used as a mean to control compliance with the burgeoning environmental legislation. Then develops the way in which our legal system has gradually opted to include within environmental requirements.

This article pays special attention to the Spanish Law 9/2017, of November 8, on Contracts in the public sector that has mandatorily adopted the incorporation of environmental conditions in all phases of public procurement.

KEY WORDS: Green public purchase-environmental clauses-label and ecological certifications-life cycle cost.

---

[1]   Este estudio se ha elaborado en el marco del Proyecto de Investigación DER2017-86637-C3-1-P Hacia una nueva regulación de las energías renovables dentro del mercado energético que coordina al Proyecto Desafíos jurídicos de la transición energética (DEJUTRANSEN) financiado por el actual Ministerio de Ciencia, Innovación y Universidades del Gobierno de España.

I. Introducción

Hace no muchos años hablar de Compra Pública Verde (CPV) o Ecológica (CPE) podía parecer algo pintoresco. Era muy escasa la doctrina administrativa[2], y mucho más aún las normas o las resoluciones jurisdiccionales, que le dedicaban alguna atención a la posibilidad de que se pudieran incorporar consideraciones ambientales dentro de la contratación pública. Hoy las cláusulas ambientales no sólo se han incorporado con naturalidad tanto a acuerdos internacionales como a la legislación de la Unión Europea (UE) y a las nacionales sobre contratos públicos, sino que estamos asistiendo a

---

[2]   En la doctrina anglosajona es forzosa la cita de ARROWSMITH, S. y KUNZLIK, P., *Social and Environmental Policies in EC Procurement Law. New Directives and New Directions*, Cambridge University Press, 2009 y en la española el autor de referencia es PERNAS GARCÍA, J. J. con su *Contratación pública verde*, Las Rozas, La Ley Wolters Kluwer, 2011. También como precursores habría que citar a GALERA RODRIGO, S., "Compras verdes: ahora o nunca", *Revista de Derecho Urbanístico y Medio Ambiente*, N° 247, 2009, págs. 11-16; MEDINA ARNAIZ, T., "Comprando para asegurar nuestro futuro: la utilización de la contratación pública para la consecución de objetivos políticos de la Unión Europea en GIMENO FELIÚ, J. M. (DIr.), *Observatorio de Contratos Públicos*, Aranzadi. Cizur Menor, 2011, págs. 43-104; MELERO ALONSO, E.: "La promoción del medio ambiente a través de la contratación pública: análisis de las cláusulas ambientales", *Revista de derecho urbanístico y medio ambiente,* N° 260, 2010, págs. 165-203 y SIRVENT ALONSO, C.: "Compra y contratación pública verde (CCPV)", *Revista Aranzadi de Derecho Ambiental*, N° 18, 2010, págs. 287-300.

un auténtico *boom* de estudios doctrinales sobre la materia, del que este estudio forma parte[3].

En España la aprobación, con casi dos años de retraso respecto del plazo establecido en la Directiva 2014/24/UE del Parlamento Europeo y del Consejo, de 26 de febrero de 2014, sobre contratación pública y por la que se deroga la Directiva 2004/18/CE (Directiva 2014/24/UE)[4], de la nueva Ley

---

[3] Entre los numerosos trabajos recientes se pueden destacar ALONSO GARCÍA, M. C., "*Capítulo LIII. Contratación pública ecológica*", en GAMERO CASADO, E y GALLEGO CÓRCOLES, I., *Tratado de contratos del sector público*, Tiran lo Blanch, Valencia, 2018, págs. 2703-2757; la obra colectiva que he dirigido GALÁN VIOQUE, R (Dir.), *Las cláusulas ambientales en la contratación pública*, Editorial de la Universidad de Sevilla-Colección Instituto García Oviedo, Sevilla, 2018; GALLEGO CÓRCOLES, I.: "La integración de cláusulas sociales, ambientales y de innovación en la contratación pública, *Documentación Administrativa: Nueva Época*, Nº 4, 2017, págs. 92-113; GARCÍA BLANCO, J. M., "Consideraciones de tipo social y ambiental", en MESTRE DELGADO, J. F. y MANENT ALONSO, L. (Dirs.) y TENHAEFF LACKSCHEWITZ, S (Dira.), *La Ley de contratos del sector público: Ley 9/2017, de 8 de noviembre: aspectos novedosos*, Valencia, Tirant lo Blanch, 2018, págs. 455-488; GÓMEZ, M.: "Breve estudio sobre la incorporación de cláusulas sociales y medio ambientales en la contratación pública actual", *Contratación administrativa práctica*, Nº 155, 2018, págs. 6-21; LÓPEZ TOLEDO, P.: "La consideración de aspectos ambientales y sociales en la contratación pública. Régimen de su nueva regulación", *Gabilex: Revista del Gabinete Jurídico de Castilla-La Mancha*, Nº 14, 2018 págs. 47-98; MORENO MOLINA, J. A.: *Una nueva contratación pública social, ambiental, eficiente, transoparetne y electrónica*, Ed. Bomarzo, Albacete, 2018 y SANZ RUBIALES, I: "La protección del ambiente en la nueva ley de contratos: del Estado meramente «comprador» al Estado «ordenador»", *Revista de administración pública*, Nº 205, 2018, págs. 49-80.

[4] *Vid.* ALONSO GARCÍA, M. C., "Las novedades introducidas por la Directiva 2014/24/UE en la contratación pública verde", en GIMENO FELIÚ, J. M. (Director), *Las nuevas Directivas de contratación pública, Número monográfico especial Observatorio de los contratos públicos*, Thomson-Aranzadi, Cizur Menor (Navarra), 2015, págs. 279-289 y "La consideración de la variable ambiental en la contratación pública en la nueva Directiva europea 2014/24/UE", *La Ley Unión Europea*, número 26, 2015, págs. 5-17 y FERNÁNDEZ ACEVEDO, R: "Los retos ambientales de las nuevas directivas: la contratación pública como herramienta en RAZQUIN LIZARRAGA, M. y ALENZA GARCÍA, F. (DIrs.), *Nueva contratación pública: Mercado y medio ambiente*, Thomson-Reuters-Aranzadi, Cizum Menor (Navarra), 2017, págs. 77-126; GIMENO FELIÚ, J. M., *El nuevo paquete legislativo comunitario sobre contratación pública. De la burocracia. El contrato público como herramienta del liderazgo institucional de los poderes públicos*, Aranzadi, Cizur Menor, 2015; LÓPEZ TOLEDO, P., "La contratación pública verde y su nueva regulación en el derecho de la Unión Europea", *Contratación Administrati-*

9/2017, de 8 de noviembre, de Contratos del sector público ha supuesto un importante "espaldarazo" a la CPV que es un fenómeno que se inserta en otro más amplio que se podría denominar como la "ambientalización" de la contratación pública[5].

II. La "ambientalización" de la contratación pública

Para que se haya producido este fenómeno han concurrido dos factores diferentes[6]. Por un lado la imparable expansión del Derecho ambiental que en unas pocas décadas se ha convertido en una rama jurídica autónoma que cuenta con sus propios principios (Martín Mateo[7]). La propia Constitución española de 1978 dedicó un precepto, su artículo 45, al reconocimiento del derecho a un medio ambiente adecuado donde ordenaba a los poderes públicos velar "por la utilización racional de todos los recursos naturales, con el fin de proteger y mejorar la calidad de la vida y defender y restaurar el medio ambiente, apoyándose en la indispensable solidaridad colectiva".

Pero sobre todo esta disciplina ha experimentado un enorme desarrollo a partir del Derecho de la hoy Unión Europea[8]. Cuando nació la Comunidad Económica Europea en 1957, con el objetivo central de crear un mercado

---

va Práctica, nº 134, 2014 (Ejemplar dedicado a: Especial contratación verde), págs. 10-29; SARASIBAR IRIARTE, M.: "La contratación pública se tiñe de verde" en GIMENO FELIÚ, J. M. y otros *Las nuevas directivas de contratación pública: X Congreso Asociación Española Profesores de Derecho Administrativo*, Cizur Menor, Thomson Reuters-Aranzadi, 2015, págs. 317-328; TAVARES DA SILVA, S., "Sostenibilidad ambiental en las Directivas sobre contratación pública" en GALÁN VIOQUE, R. (Dir.), *Las cláusulas ambientales en la contratación pública*, Editorial de la Universidad de Sevilla-Colección Instituto García Oviedo, Sevilla, 2018, págs. 49-63 y XIMENA LAZO, V. (Dir.), *Compra pública verde*, Atelier, Barcelona, 2018, págs. 29-51.

5   *Cfr.* RAZQUIN LIZARRAGA, M., "Mecanismos para la inclusión de cláusulas ambientales en los contratos públicos" en RAZQUIN LIZARRAGA, M. y ALENZA GARCÍA, J. (Dirs.), *Nueva contratación pública: mercado y medio ambiente*, Cizur Menor, Thomson Reuter-Aranzadi, 2017, págs. 147-178.

6   OLLER RUPERT, M., "La inclusión de cláusulas ambientales en la contratación pública", *Revista Catalana de Dret Ambiental*, Vol. 1, Nº 1, 2010, pág. 9.

7   MARTÍN MATEO, R., *Manual de Derecho Ambiental*, Cizur Menor, Aranzadi, 3ª edición, 2014, pág. 33.

8   *Cfr.* KRÄMER, L., "Presente y futuro de la política medioambiental europea" en GARCÍA URETA, A. (Coord.), *Estudios de Derecho Ambiental europeo*, Editorial LETE, Pamplona, 2005 y VERCHER NOGUERA, A. *Derecho europeo medioam-*

común entre los seis países que inicialmente lo integraban, en los Tratados constitutivos no había ninguna referencia al medio ambiente.

Progresivamente se fueron incorporando preocupaciones ambientales en los Tratados constitutivos. Por primera vez en 1986 con la aprobación del Acta Única Europea. Más tarde con el Tratado de Maastricht de 1992, también llamado Tratado de la Unión Europea, el medio ambiente pasó a ocupar un papel destacado que se reforzó en el Tratado de Amsterdam de 1997. Y acabaría consolidándose, tras el fallido intento de Constitución europea, en el Tratado de Funcionamiento de la Unión Europea (TFUE), conocido como Tratado de Lisboa de 2007. Antes, en 2000, el medio ambiente se había reconocido como un derecho en el artículo 37 de la Carta de Derechos Fundamentales de la Unión Europea donde se proclama que las políticas de la UE tiene que estar orientadas a integrar y garantizar "con arreglo al principio de desarrollo sostenible un alto nivel de protección del medio ambiente y la mejora de su calidad". Como se verá más adelante en los diferentes paquetes normativos sobre contratación pública se han ido incorporando progresivamente estas consideraciones ambientales. Precisamente en el artículo 11 de este Tratado, a la vista del carácter transversal que tiene el medio ambiente, se establece expresamente el mandato de que las "exigencias de la protección del medio ambiente deberán integrarse en la definición y en la realización de las políticas y acciones de la Unión, en particular con objeto de fomentar un desarrollo sostenible".

El segundo factor que ha dado lugar a esta "ambientalización" de la contratación pública tiene su origen en la enorme importancia económica que tiene. Los Estados gastan en torno al 15% de su producto interior bruto en compras públicas. En el conjunto de la Unión Europea, por ejemplo, en el año 2017 se situó en el 14%[9]. Es comprensible que los propios Gobiernos, y también la Unión Europea, quieran aprovechar este fabuloso poder de compra que tienen para impulsar distintas políticas públicas convirtiendo a la contratación pública en una herramienta de carácter estratégico[10]. La

---

biental: la protección del medio ambiente en la UE. Aspectos críticos, Madrid, CGPJ-Estudios de Derecho judicial, N° 134, 2008.

[9]   Dato obtenido del Informe de la Comisión Europea *Single Market Scoreboard. Performance per Policy Area Public Procurement.* (Reporting period: 01/2017 - 12/2017) [Consultado 30 enero 2019]. Disponible en: http://ec.europa.eu/internal_market/scoreboard/_docs/2018/public-procurement/2018-scoreboard-public-procurement_en.pdf.

[10]   GIMENO FELIÚ, J. M., *El nuevo paquete legislativo comunitario sobre contratación pública. De la burocracia. El contrato público como herramienta del liderazgo*

protección del medio ambiente constituye una de esas políticas públicas, aunque no la única, que pueden beneficiarse de esta dimensión instrumental que tiene la contratación pública[11].

Ahora bien, a la hora de hablar de la "ambientalización" de la contratación pública habría que distinguir dos aspectos diferentes. La contratación pública se puede utilizar como un instrumento para garantizar que los contratistas del sector público cumplen con la legislación ambiental. Es algo que tradicionalmente se recogía en la legislación sobre contratación pública en el ámbito de la tributación, la Seguridad Social o de las subvenciones. Si no tiene sentido que se pueda adjudicar un contrato a una empresa o a un particular que defrauda impuestos, que no está al corriente de sus pagos a la Seguridad Social o que ha incumplido con las obligaciones que se derivan de la obtención de una subvención pública. Esa misma lógica se puede llevar perfectamente a la normativa ambiental. Así quien incumpla las normas ambientales queda excluido de la contratación pública. Lo que irónicamente Medina Arnaiz ha calificado, parafraseando un conocido principio del Derecho ambiental, como *"quien contamina no contrata"*[12]. De esta forma la contratación pública sirve para reforzar el cumplimiento de la legislación ambiental porque quiénes quieran contratar con la Administración no podrán haber sido sancionado por infracciones ambientales.

Hay un segundo nivel o fase en la "ambientalización" de la contratación pública la "ambientalización" —aunque suene a un juego de palabras— de los propios contratos públicos. Que es lo que en un sentido estricto se conoce como CPV o CPE. En estos casos en las licitaciones de los distintos contratos se incorporan exigencias ambientales que van a tener que cumplir los adjudicatarios de forma que de su ejecución se va a derivar una mejora sobre el medio ambiente si se compara con una licitación convencional.

---

institucional de los poderes públicos, Aranzadi, Cizur Menor, 2015.

[11]   Véase a ARROWSMITH, S. y KUNZLIK, P., *Social and Environmental Policies in EC Procurement law. New Directives and New Directions*, Cambridge, Cambridge University Press, 2009, a GALLEGO CÓRCOLES, I, "La integración de cláusulas sociales, ambientales y de innovación en la contratación pública*", Documentación Administrativa: Nueva Época*, N° 4, 2017, págs. 92-113, a GÓMEZ, M, "Breve estudio sobre la incorporación de cláusulas sociales y medio ambientales en la contratación pública actual", *Contratación administrativa práctica*, N° 155, 2018, págs. 6-21 y a PERNAS GARCÍA, J. J. (Coord.), *Contratación pública estratégica*, Cizur Menor, Thomson Reuters Aranzadi, 2013, págs. 302 y 303.

[12]   En su "¿Quién contamina no contrata?: Las prohibiciones de contratar vinculadas a la protección del medio ambiente en la contratación pública" en LAZO VITORIA, X (Dira.), *Compra pública verde, op. cit* , págs. 53-78.

Esta mejora puede tener un muy distinto alcance. Puede redundar en un menor consumo de energía o de agua, en una menor contaminación, en una reducción en la emisión de gases de efecto invernadero, etc...

III. La contratación pública como instrumento de control del cumplimiento de la legislación ambiental

Todos están obligados a cumplir con la legislación ambiental y no sólo los contratistas de la Administración, incluida por supuesto la propia Administración Pública. Lo que ha hecho la normativa sobre contratación pública es aprovechar instrumentalmente la contratación pública para reforzar el cumplimiento del Derecho ambiental. Con el ánimo de facilitar este cumplimiento ya la Directiva 2004/18/CE, de 31 de marzo, del Parlamento europeo y del Consejo, sobre Coordinación de los procedimientos de adjudicación de los contratos públicos de obras, de suministro y de servicios (en lo sucesivo Directiva 2004/18/CE) abrió la posibilidad a los Estados miembros para que obligaran a sus respectivas Administraciones Públicas a informar en sus pliegos "el organismo u organismos de los que los candidatos o licitadores puedan obtener la información pertinente sobre las obligaciones relativas... a la protección del medio ambiente"[13].

Lógicamente donde este control del cumplimiento de la legalidad ambiental es más intenso es en el momento de la admisión de los licitadores. La Directiva 2004/18/CE autorizaba a los Estados miembros a que su legislación calificara como falta grave, que pudiera aparejar la exclusión de un candidato de la licitación, el incumplimiento de la legislación en materia de medio ambiente[14]. El Legislador español incorporó esta previsión de una forma un tanto peculiar. La Ley 30/2007, de 30 de octubre, de Contratos del Sector público[15] incluyó entre las prohibiciones de contratar haber sido condenado con sentencia firme por delitos relativos a la protección del medio ambiente que se encuentran tipificados en el Código penal, lo que parece muy razonable. Respecto de las sanciones administrativas de carácter ambiental las restringió a aquellas que se hubiesen cometido "por infracción grave en materia medioambiental" de conformidad con lo establecido en un

---

[13] Art. 27.
[14] Art. 45.2 d).
[15] Art. 49.1 a) LCSP 2007.

extenso listado de leyes estatales de carácter ambiental[16]. Esta solución fue criticada por la doctrina porque había alguna de estas leyes que no tipificaba ninguna sanción como muy grave[17] y por lo tanto quedaba excluido de esta prohibición. Pero sobre todo porque dejaba fuera las infracciones que afectasen a la legislación ambiental de las Comunidades Autónomas[18] que *ex* artículo 149.1.23ª de la Constitución tienen competencias compartidas en materia de medio ambiente y que disponen de un abundante elenco de normas ambientales.

La siguiente Directiva 2014/24/UE contempla, ahora sí, expresamente la posibilidad de incluir los incumplimientos de la legislación ambiental como motivo de exclusión de la contratación. Su artículo 57.4 a) recoge entre las prohibiciones de contratar que los Estados miembros pueden establecer al transponerla que se podrá "excluir a un operador económico de la participación en un procedimiento de contratación, por sí mismos o a petición de los Estados miembros... cuando el poder adjudicador pueda demostrar por cualquier medio apropiado que se han incumplido obligaciones [junto a la sociales y laborales,] aplicables en materia medioambiental... establecidas en el Derecho de la Unión, el Derecho nacional o por las disposiciones de Derecho internacional medioambiental enumeradas en su anexo X"[19]. En

---

[16] Entre las que se incluía al Real Decreto Legislativo 1302/1986, de 28 de junio, de Evaluación de Impacto Ambiental; la Ley 22/1988, de 28 de julio, de Costas; la Ley 4/1989, de 27 de marzo, de Conservación de los Espacios Naturales y de la Flora y Fauna Silvestres; la Ley 11/1997, de 24 de abril, de Envases y Residuos de Envases; la Ley 10/1998, de 21 de abril, de Residuos; el Texto Refundido de la Ley de Aguas, aprobado por Real Decreto Legislativo 1/2001, de 20 de julio, y la Ley 16/2002, de 1 de julio, de Prevención y Control Integrados de la Contaminación.

[17] GOSÁLBEZ PEQUEÑO, H., "Capítulo XXII Las prohibiciones de contratar", en GAMERO CASADO, E. y GALLEGO CÓRCOLES, I. (Dirs.), *Tratado de contratos del sector público, Vol. I,* Tirant lo Blanch, Valencia, 2018, pág. 1311.

[18] Como ha destacado BERMEJO VERA, J.: "Las prohibiciones de contratar en la Ley de Contratos del Sector Público", *Revista Aragonesa de Administración Pública,* Nº Extra 10, 2008 (Ejemplar dedicado a: El derecho de los contratos del sector público), pág. 121.

[19] De entre los convenios internacionales que figuran en este anexo los que tiene un contenido medioambiental son: el Convenio de Viena para la protección de la capa de ozono y su Protocolo de Montreal relativo a las sustancias que agotan la capa de ozono, el de para el control de la eliminación y el transporte transfronterizo de residuos peligrosos (Convenio de Basilea), el de Estocolmo sobre contaminantes orgánicos persistentes (COP) y el de Rotterdam sobre el procedimiento de consentimiento fundamentado previo aplicable a ciertos plaguicidas y productos quími-

la transposición que de este precepto ha hecho la LCSP de 2017[20] se han corregido en parte las deficiencias de la regulación anterior. Ahora en lugar de contener un listado de leyes ambientales se hace una remisión genérica a las infracciones en materia ambiental con lo que también quedarían comprendidas en esta causa de prohibición de contratar las sanciones que se impongan en aplicación de la legislación ambiental autonómica. Pero se sigue manteniendo la exigencia de que las infracciones sean muy graves. La exclusión del licitador se tendrá que realizar en cualquier fase de la tramitación del procedimiento de contratación en la que se constate la comisión de la infracción administrativa y no sólo en el momento de la admisión a la licitación.

En este mismo precepto se ha aprovechado para incorporar la novedad introducida en la Directiva 2014/24/UE de que quien esté incurso en una causa de prohibición pueda levantar esta exclusión cuando demuestre que es fiable siempre que "acredite el pago o compromiso de pago de las multas e indemnizaciones fijadas por sentencia o resolución administrativa de las que derive la causa de prohibición de contratar, siempre y cuando las citadas personas hayan sido declaradas responsables del pago de la misma en la citada sentencia o resolución, y la adopción de medidas técnicas, organizativas y de personal apropiadas para evitar la comisión de futuras infracciones administrativas"[21]. De esta exoneración quedan excluidos los condenados por delitos ambientales. No obstante, la falta de un mayor desarrollo de esta exención hace prever que va a ser difícil su aplicación práctica.

Lo que no ha hecho esta Ley es incorporar la curiosa exención de las exclusiones de contratar, prevista en el párrafo primero del artículo 57.3 de esta Directiva, para los casos excepcionales y por razones imperiosas de interés general como la salud pública o la protección del medio ambiente. Se trata justamente del supuesto opuesto. Es la protección del medio ambiente la que justificaría el levantamiento de una prohibición de contratar en la que se encontraría la empresa o el particular que participa en la licitación.

Es posible que a la hora de la adjudicación de un contrato público la oferta mejor valorada lo sea precisamente porque el candidato incumple la

---

cos peligrosos objeto de comercio internacional (PNUMA/FAO) (Convenio PIC), Rotterdam, 10 de septiembre de 1998, y sus tres Protocolos regionales.

[20]   Art. 71.1 b). Como ha señalado ALONSO GARCÍA, M. C., "Contratación pública ecológica", *op. cit.*, pág. 2735 esta Ley al transponer la Directiva 2014/24/UE ha optado por introducir las infracciones de la legislación ambiental como prohibiciones de contratar.

[21]   Art. 57.6.

legislación ambiental lo que le permitiría rebajar sus costes respecto de los competidores. Para impedir este fraude el artículo 69.3, párrafo segundo de la Directiva 2014/24/UE de forma drástica obliga a los órganos de contratación a rechazar la oferta presentada, sin dejar al licitador la posibilidad de justificar la razón del precio que oferta, cuando se comprueba que el precio anormalmente bajo que ha propuesto tiene su origen en el incumplimiento de la normativa ambiental.

Pero el control del cumplimiento de la normativa ambiental no puede circunscribirse sólo al momento de la selección del contratista sino que debe proyectarse durante toda la ejecución del contrato[22]. Atendiendo a esta preocupación en su artículo 18.2 se ha establecido, como novedad, un mandato dirigido a los Estados miembros para que garanticen "que, en la ejecución de contratos públicos, los operadores económicos cumplen las obligaciones aplicables en materia medioambiental, ..., establecidas en el Derecho de la Unión, el Derecho nacional, ... o por las disposiciones de Derecho internacional medioambiental, ... enumeradas en el anexo X"[23]. Por lo tanto, se deja a los Estados la definición de las medidas que puedan ser idóneas para llevar a cabo este control. Esta obligación de controlar el cumplimiento de la legislación ambiental, de acuerdo con lo que dispone el artículo 319.1 de la LCSP, abarca también a las Entidades del Sector Público que no tienen la consideración de Administraciones Públicas.

No obstante, la forma en que este precepto ha sido transpuesto al Derecho español resulta bastante discutible[24]. El artículo 201.1 de la LCSP de 2017 establece que los "órganos de contratación tomarán las medidas pertinentes para garantizar que en la ejecución de los contratos los contratistas cumplen las obligaciones aplicables en materia medioambiental, social o laboral establecidas en el derecho de la Unión Europea, el derecho nacional, los convenios colectivos o por las disposiciones de derecho internacional medioambiental, social y laboral que vinculen al Estado y en particular las establecidas en el anexo V".

---

[22]   Sobre las dificultades que tienen las Administraciones Públicas para controlar la aplicación de las cláusulas ambientales véase a PALACÍN SÁENZ, B.: "La supervisión de la ejecución de los contratos. En especial de las cláusulas sociales y ambientales. ¿Potencia sin control?, *Gabilex: Revista del Gabinete Jurídico de Castilla-La Mancha*, Nº 7, 2016, págs. 11-57.

[23]   Art. 201 LCSP de 2017.

[24]   Como opina SANZ RUBIALES, I, *La protección del ambiente en la nueva ley de contratos: del Estado meramente "comprador" al Estado "ordenador"*, op. cit., pág. 79.

De esta forma se traspasa a los órganos de contratación la obligación que la Directiva atribuía al propio Estado español de arbitrar estas medidas. Esta operación no sólo es inoperante porque la mayoría de las Administraciones Públicas, sobre todo las Entidades locales, carecen de medios para realizar estas comprobaciones. Además, subvierte el reparto constitucional de competencias en materia de medio ambiente. Como ya señalara Pernas García la incorporación en los pliegos de consideraciones ambientales no convierte al órgano de contratación en garante del cumplimiento de la legislación ambiental[25]. En nuestro sistema constitucional las competencias ejecutivas relativas al medio ambiente, que incluyen desde luego el control de la aplicación de las leyes ambientales, pertenecen con carácter general a las Comunidades Autónomas. La LCSP no puede alterar este reparto de competencias. Más cuestionable resulta aún el párrafo final de este precepto que establece que el incumplimiento de estas obligaciones "que sea grave y dolosa, dará lugar a la imposición de las penalidades". Es decir, se atribuye a los órganos de contratación, nada menos, que la competencia para determinar si un incumplimiento de la normativa ambiental es grave y se ha hecho con dolo con la consecuente imposición de las correspondientes penalidades previstas en el pliego. Todo ello sin obviar el riesgo que se puede generar de que un órgano de contratación poco escrupuloso pueda aprovecharse de esta previsión para presionar a un contratista fraudulentamente para que abandone el contrato. El objetivo de la Directiva era muy diferente. Buscaba que se arbitraran medidas internas para que durante la ejecución de los contratos no se "bajara la guardia" en el control del cumplimiento de la legislación ambiental. El camino lógico, a mi juicio, habría sido el de establecer mecanismos de cooperación entre las distintas Administraciones, y especialmente con las Administraciones autonómicas, para que estos controles se pudieran realizar de forma efectiva.

Por último, la Directiva 2014/24/UE es plenamente consciente de que la ejecución de los contratos públicos no se realiza en un número importante de casos por los propios contratistas, porque se subcontrata con otras empresas o particulares. El subcontratista también tiene que cumplir con la legislación ambiental. Así se recoge expresamente en su artículo 71.1[26]. España no ha incluido en la LCSP ninguna de las dos posibilidades que con carácter orientativa se habían recogido en el apartado 6 de este precepto que permitía establecer una responsabilidad solidaria de los subcontratis-

---

[25] *Contratación pública verde, op. cit.,* pág. 29.
[26] Art. 215.4 LCSP.

tas con el contratista principal o que se le obligara al contratista a realizar tareas de comprobación del cumplimiento por parte del subcontratista de la normativa ambiental que pudieran conducir, en caso de infracción de la legislación ambiental, a su sustitución.

IV. La compra pública verde o ecológica

1. *Su definición y efectos*

La CPV o CPE, es decir la "ecologización" de los propios contratos públicos, constituye una evolución dentro del proceso de "ambientalización" de la contratación pública[27]. Con ella las consideraciones ambientales se incrustan dentro de los propios contratos. Estas exigencias ambientales pueden referirse a la capacidad del contratista para ejecutar el contrato de un modo respetuoso con el medio ambiente, a las prescripciones técnicas que tienen que cumplir las obras, los servicios o los productos que se contratan o a las condiciones que se le impone al contratista durante la ejecución del contrato para alcanzar determinados objetivos ambientales. La Comisión Europea definió a la CPV en su Comunicación *Contratación pública para*

---

[27]   *Vid.* ALONSO GARCÍA, M. C., *Contratación pública ecológica, op. cit.*, págs. 2703-2757; FERNÁNDEZ DE GATTA SÁCHEZ, D., "La integración de aspectos ambientales en la contratación pública" en PIGRAU SOLÉ, A. y PALLARÈS SERRANO, A. (Coord.) y CASADO CASADO, L. (Dira.), *Derecho ambiental y transformaciones de la actividad de las Administraciones Públicas*, Barcelona, Atelier, 2010, págs. 123-159 y *La Progresiva integración del medio ambiente en la actividad contractual y convencional de las Administraciones Públicas* en GALÁN VIOQUE, R. (Dir.), Las cláusulas ambientales en la contratación pública, Sevilla, Editorial de la Universidad de Sevilla-Colección Instituto García Oviedo, 2018, págs. 23-44; FOY VALENCIA, P., "Consideraciones sobre la contratación pública sostenible ("verde")", *Derecho PUCP: Revista de la Facultad de Derecho*, N° 66, 2011, págs. 335-350; GARCÍA BLANCO, J. M., "Consideraciones de tipo social y ambiental" en MESTRE DELGADO, J. F. y MANENT ALONSO, L. (Dirs.) y TENHAEFF LACKSCHEWITZ, S (Coorda.), *La Ley de contratos del sector público: Ley 9/2017, de 8 de noviembre: aspectos novedosos*, Valencia, Tirant lo Blanch, 2018, págs. 455-488; RAZQUIN LIZARRAGA, M., "*Mecanismos para la inclusión de cláusulas ambientales en los contratos públicos*" n: RAZQUIN LIZARRAGA, M. y ALENZA GARCÍA, J. (Dirs.), *Nueva contratación pública: mercado y medio ambiente*, Cizur Menor, Thomson Reuter-Aranzadi, 2017, págs. 147-178 y PERNAS GARCÍA, J. J., *Contratación pública verde, op. cit.*

un medio ambiente mejor de 2008[28] como "un proceso por el cual las autoridades públicas tratan de adquirir mercancías, servicios y obras con un impacto medioambiental reducido durante su ciclo de vida, en comparación con el de otras mercancías, servicios y obras con la misma función primaria que se adquirirían en su lugar".

Es decir, se busca que la ejecución del contrato al que se le incorporan exigencias ambientales redunde en una mejora del medio ambiente si se la compara con la contratación que se venía realizando tradicionalmente.

Aparte de estos efectos beneficiosos directos para el medio ambiente con la CPV además de forma indirecta se está impulsando que la actividad económica en general sea más sostenible ambientalmente porque se estimula a las empresas, por estas nuevas posibilidades de contratación pública, a incorporar en su funcionamiento interno y en sus procesos de producción criterios ambientales. Sin olvidar tampoco el "efecto ejemplificador" que el sector público ejerce tanto sobre el comportamiento de las empresas como de los propios consumidores. Si una Administración Pública apuesta, por ejemplo, porque en los comedores escolares se sirvan alimentos ecológicos, esta decisión no sólo supondrá un apoyo directo al sector de la agricultura ecológica, que verá aumentadas sus ventas, sino que también puede influir en que las empresas privadas y los propios particulares incrementen la compra de estos productos[29].

Pero tampoco se pueden ignorar las consecuencias negativas que pueden derivarse de la CPV, aunque no tengan que producirse forzosamente. Por seguir con el ejemplo de los alimentos ecológicos. El número de productores de esta clase de alimentos es muy inferior al de los convencionales. Incluir estos alimentos en una licitación de comedores escolares, sin duda, va a suponer una restricción a la concurrencia de licitadores. Con lo que a la postre se constriñe la libre competencia.

---

[28] Comunicación de la Comisión al Parlamento europeo, al Consejo, al Comité Económico y Social Europeo y al Comité de las Regiones Contratación pública para un medio ambiente mejor COM(2008) 400 final (https://eur-lex.europa.eu/legal-content/ES/TXT/PDF/?uri=CELEX:52008DC0400&from=ES.
). Tiene especial relevancia la publicación de la Comisión Europea *Adquisiciones ecológicas. Manual sobre la contratación pública ecológica*, Luxemburgo, Oficina de Publicaciones de la Unión Europea, 3ª edición 2016 (Disponible en: http://ec.europa.eu/environment/gpp/pdf/handbook_2016_es.pdf.) Vid. *in totum*, PERNAS GARCÍA, J. J., *Contratación pública verde, op. cit.*, pág. 28.

[29] Sobre los aspectos positivos de las cláusulas ambientales véase también a PERNAS GARCÍA, J. J., *Contratación pública verde, op. cit.*, págs. 30 y ss.

2. La imprescindible vinculación de las cláusulas ambientales con el objeto del contrato

Hay un "escollo" aún mayor. En muchos casos la incorporación de consideraciones ambientales en una licitación va a suponer un incremento del precio de los contratos. Algo que en relación con los alimentos ecológicos es evidente. ¿Es compatible este resultado con la exigencia de eficiencia en la contratación pública?, ¿No se estaría incurriendo en una desviación de poder "de manual", aunque sea de carácter pública, porque se está fomentando un tipo de agricultura respecto de otra utilizando la contratación pública?[30] La respuesta a estas cuestiones no resulta nada sencilla. En primer lugar, hay que tener presente que la "ambientalización" de la contratación pública debe hacerse siempre respetando el principio de proporcionalidad. Para incorporar consideraciones ambientales en un contrato hay que conocer cuál es la situación real del mercado sobre el que se incide.

Si no resulta proporcional serían inválidas. También hay que tomar en consideración el ciclo completo de vida del producto, de los servicios o de la obra pública que se contrata. Lo que inicialmente puede suponer un sobreprecio al final puede revertir en un ahorro neto para las Administraciones Públicas. Y además pueden existir externalidades que pueden derivarse de los efectos de un contrato que tenga cláusulas ambientales. Si en una licitación pública se consigue una notable reducción de la emisión de Gases de Efecto Invernadero, ¿cómo se computa esta reducción en la valoración del precio del contrato?

Sea como sea, antes hay que despejar la incógnita de la validez jurídica de las cláusulas ambientales en la contratación pública. Esto es, si se admite la utilización instrumental de la contratación pública para perseguir directamente fines ambientales. La clave se encuentra en la interpretación que se le pueda dar al concepto jurídico indeterminado de la *oferta económicamente más ventajosa* que es con carácter general el criterio que debe seguirse a la hora de adjudicar los contratos públicos[31]. Este criterio permite

---

[30]   Para SANZ RUBIALES, I, "La protección del ambiente en la nueva ley de contratos: del Estado meramente «comprador» al Estado «ordenador»", *op. cit.,* pág. 63 si el contrato se adjudica a una oferta habiendo otra que es manifiestamente más ventajosa se estaría incurriendo en desviación de poder.

[31]   *Cfr.* GIMENO FELIÚ, J. M., "La adjudicación de los contratos. La oferta económicamente más ventajosa", *Revista Aragonesa de Administración Pública,* Nº Extra 10, 2008 (Ejemplar dedicado a: El derecho de los contratos del sector público), págs. 155-184.

tener en cuenta otros elementos que no son sólo el precio del contrato. Pero, ¿Se podrían incluir también consideraciones ambientales?

Sobre esta cuestión clave se produjo muy tempranamente un pronunciamiento trascendental del entonces Tribunal de Justicia de las Comunidades Europeas (TJCE) en su sentencia, de 20 de septiembre de 1988, Caso *Gebroeders Beetjes BV contra Estado de los Países Bajos* aunque en relación con una cláusula de carácter social. En este asunto el Ministerio de Agricultura y Pesca holandés había licitado un contrato de obras en el que se otorgaba una mayor puntuación a las empresas concursantes que se comprometieran a contratar a desempleados de larga duración. La empresa *Beetjes* había presentado la oferta con el precio más bajo pero le adjudicaron el contrato a otra empresa, que, aunque había propuesto un precio superior, sí había asumido este compromiso. Para el Tribunal de Luxemburgo es válida introducir en los pliegos esta clase de cláusulas porque,

> "El criterio de "la oferta más aceptable", tal como se establece en una disposición de la legislación nacional, puede ser compatible con la Directiva si expresa la facultad de apreciación reconocida a los poderes adjudicadores para identificar la oferta más ventajosa económicamente en función de criterios objetivos y si, por tanto, no implica ningún elemento arbitrario de selección". **(Parágrafo 37)**

Aunque matizara que los Tribunales nacionales deberán comprobar en todo caso si

> "La exigencia de emplear trabajadores en paro prolongado podría, en concreto, infringir el principio de no discriminación por razón de la nacionalidad consagrado en el apartado 2 del artículo 7 del Tratado, en el caso de que se comprobara que sólo los licitadores nacionales pueden cumplir tal condición o bien que sus cumplimiento resulta mucho más difícil en el caso de los licitadores de otros Estados miembros". **(Parágrafo 30)**

Habría que esperar bastantes años más para que este mismo Tribunal abordase directamente la validez de las cláusulas ambientales en la contratación pública. Se trata de la conocida sentencia, de 17 de septiembre de 2002, dictada en el Caso *Concordia Bus Finland Oy Ab contra Helsingin kaupunki y otros*, un verdadero *leading case* en la materia[32].

---

[32]   Comentada por MARTÍNEZ PALLARES, P. L.: "El recurrente debate sobre los criterios de adjudicación de los contratos públicos. En especial la introducción de criterios ambientales (Comentarios sobre la Sentencia del TSJCE de 17 de septiembre de 2002, asunto C-513/99, Concordia Bus Finland OY AB, y Helsingin Kaupunki)" en GIMENO FELIÚ, J. M., *Contratación de las Administraciones Pú-*

El Ayuntamiento de Helsinki (Finlandia) había publicado una licitación para la contratación de sus servicios de transporte en autobús. En uno de sus lotes relativo a una línea de autobuses se puntuaba de forma adicional, con un máximo de 10 puntos, si se ofertaban autobuses que tuvieran bajas emisiones de óxidos de nitrógeno y un nivel también bajo de ruido. También se valoraba la organización del empresario en materia de calidad y de medio ambiente con una serie de criterios cualitativos y disponer de un programa de conservación del medio ambiente que se pudiera acreditar con alguna certificación. La empresa *HKL-Bussiliikenne* (HKL), que era propiedad del Ayuntamiento de Helsinki, resultó la adjudicataria de esta línea gracias a estos puntos adicionales a pesar de que había otra entidad, de nacionalidad sueca, *Concordia,* que habría ofrecido un menor precio por la línea.

Esta empresa, por una parte, recurrió la adjudicación ante el Consejo de la Competencia fines (*Kilpailuneuvosto*) porque consideraba que estas cláusulas ambientales no eran equitativas y resultaban discriminatorias ya que sólo la entidad que resulto finalmente ganadora podría obtener estos puntos adicionales. Esta reclamación fue rechazada. También acudió a los Tribunales de este país para que se anulara la adjudicación precisamente por haber incluido estas exigencias ambientales. El Tribunal finlandés (*Korkein hallinto-oikeus*) elevó al TJCE la correspondientes cuestión prejudicial para preguntarle, entre otras cuestiones, "si un ayuntamiento, cuando adjudica un contrato público como el controvertido en el asunto principal, puede tener en cuenta consideraciones ecológicas relativas a los vehículos propuestos".

La respuesta del Tribunal europeo, en la línea de su anterior sentencia dictada en el Caso *Beetjes,* no pudo ser más contundente al afirmar en su parágrafo 57 que a la vista,

> "del artículo 130 R, apartado 2, párrafo primero, del Tratado CE, que el Tratado de Amsterdam ha trasladado, modificándolo ligeramente, al artículo 6 CE, y que establece que las exigencias de la protección del medio ambiente deberán integrarse en la definición y en la realización de las políticas y acciones de la Comunidad, procede afirmar que el artículo 36, apartado 1, letra a), de la Directiva 92/50 **no excluye la posibilidad de que la entidad adjudicadora utilice criterios relativos a la conservación del medio ambiente para la apreciación de la oferta económicamente más ventajosa**".

blicas: *análisis práctico de la nueva normativa sobre contratación pública*, Atelier, Barcelona, 2004, págs. 161-170.

Haciendo un notable ejercicio de activismo judicial el TJCE establecería toda una doctrina aplicable a las cláusulas ambientales[33] que sintetiza afirmando que estás serán válidas,

> "…, siempre que tales criterios estén relacionados con el objeto del contrato, no confieran a dicha entidad adjudicadora una libertad incondicional de elección, se mencionen expresamente en el pliego de condiciones o en el anuncio de licitación y respeten todos los principios fundamentales del Derecho comunitario y, en particular, el principio de no discriminación" **(Parágrafo 69).**

Con esta doctrina el TJCE se alienaba con la *Estrategia en favor del desarrollo sostenible* de 2001[34] que muy poco antes había adoptado la Comisión Europea en la que, entre otras iniciativas se apostaba por el fomento la contratación pública ecológica por parte de la UE.

La clave de bóveda de esta jurisprudencia radica en la exigencia de que las consideraciones ambientales estén vinculados al objeto del contrato que se va a convertir en el auténtico *"mantra"* de la CPV[35]. Para que sean válidas las exigencias ambientales que se aplican a un contrato tienen que estar conectadas con los bienes, servicios u obras que se contratan.

Sobre este punto se volvió a pronunciar un año más tarde el propio TJCE en su sentencia, de 4 de diciembre de 2003, recaída en el Caso *EVN AG y Wienstrom contra Republik Österreich*. El Tribunal de Luxemburgo admite que en un contrato de suministro de electricidad la exigencia de que la electricidad contratada sea generada a partir de fuentes de energías renovables está relacionado con el objeto del contrato e incluso acepta que en la valoración de este requisito se le conceda un coeficiente del 45% de la baremación total.

Lo que rechaza, porque considera que no está vinculado con el objeto del contrato, es que en la licitación se tuviera en cuenta toda la electricidad que procedente de fuentes de energías renovables pudieran generar las entidades licitadoras y no sólo la que previsiblemente se iba a suministrar a la

---

33 Parágrafos 58 a 68.

34 Comunicación, de 15 de mayo de 2001, "Desarrollo sostenible en Europa para un mundo mejor: estrategia de la Unión Europea para un desarrollo sostenible COM (2001) 264 final.

35 GONZÁLEZ GARCÍA, J. V. considera, en "Sostenibilidad social y ambiental en la Directiva 2024/24/UE de contratación pública", *Revista Española de Derecho Europeo*, N° 56, 2015, pág. 24, que esta exigencia limita mucho el alcance de las cláusulas sociales y ambientales.

Administración contratante durante la ejecución del contrato[36]. Añadiendo en su parágrafo 69 que

> "Además, el hecho de que, conforme al criterio de adjudicación establecido, la cantidad determinante sea la que excede del consumo anual previsible fijado en la licitación, puede constituir una ventaja para los licitadores que, por su mayor capacidad de producción o de suministro, estén en condiciones de suministrar mayores cantidades que otros. Este criterio puede por lo tanto implicar una discriminación injustificada respecto a los licitadores cuya oferta pueda responder plenamente a los requisitos relacionados con el objeto del contrato. Tal limitación del círculo de los operadores económicos que pueden participar en la licitación produciría el efecto de contrarrestar el objetivo de apertura a la competencia que persiguen las directivas sobre coordinación de los procedimientos de adjudicación de los contratos públicos".

Con la finalidad de aclarar el alcance de esta vinculación con el objeto del contrato de las cláusulas ambientales y sociales en la vigente Directiva 2014/24/UE se ha recogido una definición de la misma en relación con los criterios de adjudicación estableciendo que existirá "cuando se refieran a las obras, suministros o servicios que deban facilitarse en virtud de dicho contrato, en cualquiera de sus aspectos y en cualquier etapa de su ciclo de vida, incluidos los factores que intervienen: a) en el proceso específico de producción, prestación o comercialización de las obras, suministros o servicios, o b) en un proceso específico de otra etapa de su ciclo de vida, incluso cuando dichos factores no formen parte de su sustancia material", que se ha trasladado literalmente a la LCSP de 2017[37]. Este último inciso que admite este tipo de cláusulas aunque no formen parte de su sustancia material abre considerablemente, a mi juicio, el margen que las Administraciones Públicas tienen para incorporar consideraciones ambientales.

3. La positivación de las Compra Pública Verde en el Derecho de la Unión Europea y en el Derecho español

Poco tardaría el Derecho de la Unión Europea en positivar la jurisprudencia *Concordia*[38].

---

[36] Parágrafo 68. Como ha destacado ALONSO GARCÍA, M. C., "Contratación pública ecológica", *op. cit.*, pág. 2708.

[37] Art. 145.6.

[38] *Vid.* FERNÁNDEZ ACEVEDO, R., "Incorporación cláusulas ambientales en la contratación pública", en LAZO VITORIA, X (Dira.), *Compra pública verde, op. cit*, págs. 29 y ss. y "*Los retos ambientales de las nuevas directivas: la*

Ya en el tercer paquete de Directivas de 2004 se daría entrada de forma expresa a las cláusulas ambientales en la reiterada Directiva 2004/18/CE cuyo artículo 23.2 b) contemplaba expresamente que en las especificaciones técnicas se pudieran incluir características medioambientales siempre que fueran lo "suficientemente precisas para permitir a los licitadores determinar el objeto del contrato y a los poderes adjudicadores adjudicar el contrato". Igualmente a la hora de regular la adjudicación del contrato recogió la posibilidad de que se pudieran tener en cuenta distintos criterios, entre los que incluye las características medioambientales, siempre que estén vinculados al objeto del contrato.

Estas previsiones se incorporaron a la LCSP de 2007 y acabaron recalando finalmente en el Real Decreto Legislativo 3/2011, de 14 de noviembre. Al poco tiempo, en enero de 2008, la Administración General del Estado aprobó su primer Plan de Contratación Pública Verde de la Administración General del Estado y sus Organismos Públicos, y las Entidades Gestoras de la Seguridad Social[39].

De este mismo año 2008 es la ya citada Comunicación sobre *Contratación pública para un medio ambiente mejor* de la Comisión Europeas en la que se marcó como objetivo general "el de proporcionar orientación sobre cómo reducir el impacto ambiental causado por el consumo del sector público y utilizar la CPV para fomentar la innovación en tecnologías, productos y servicios medioambientales". Fruto de esta iniciativa ha sido la elaboración de unos criterios comunes de compra pública verde (*Green public procurement criteria*) en aquellos sectores donde hay un mayor potencial de avance ambiental y que tienen un carácter meramente orientativo.

---

contratación pública como herramienta" en RAZQUIN LIZARRAGA, M. y ALENZA GARCÍA, J. F. (Dirs.), *op. cit.,* págs. 77-126 y SARASÍBAR IRIARTE, M., "La contratación se tiñe de verde" en GIMENO FELIÚ, J. M., *Las nuevas Directivas de contratación pública*, número monográfico especial Observatorio de los Contratos públicos, Cizur Menor, Thomson-Aranzadi, 2015, págs. 317-328.

[39] Orden PRE/116/2008, de 21 de enero, por la que se publica el Acuerdo de Consejo de Ministros por el que se aprueba el Plan de Contratación Pública Verde de la Administración General del Estado y sus Organismos Públicos, y las Entidades Gestoras de la Seguridad Social. El vigente Plan ha sido recientemente aprobado por la Orden PCI/86/2019, de 31 de enero, por la que se publica el Acuerdo del Consejo de Ministros de 7 de diciembre de 2018, por el que se aprueba el Plan de Contratación Pública Ecológica de la Administración General del Estado, sus organismos autónomos y las entidades gestoras de la Seguridad Social.

Estos criterios se encuentran a disposición de los órganos de contratación de los Estados miembros en la sede electrónica de la UE[40]. Más tarde en la ambiciosa *Estrategia Europa 2020 Una estrategia para un crecimiento inteligente, sostenible e integrador*[41] se volvería a insistir en la necesidad de fomentar la CPV.

El "espaldarazo" por parte del Derecho de la UE lo recibiría con la aprobación de la muy citada Directiva 2014/24/UE que erige a la Compra Pública Estratégica, en la que se integra la CPV, en uno de sus ejes centrales. Como se señala en su Considerando 97 "a fin de lograr una mayor integración de las consideraciones sociales y medioambientales en los procedimientos de contratación, los poderes adjudicadores deben estar autorizados a adoptar criterios de adjudicación o condiciones de ejecución de contratos en lo que se refiere a las obras, suministros o servicios que vayan a facilitarse en el marco de un contrato público en cualquiera de los aspectos y en cualquier fase de sus ciclos de vida, desde la extracción de materias primas para el producto hasta la fase de la eliminación del producto, incluidos los factores que intervengan en el proceso específico de producción, prestación o comercio de dichas obras y sus condiciones, suministros o servicios, o un proceso específico en una fase ulterior de su ciclo de vida, incluso cuando dichos factores no formen parte de su sustancia material". En esta ocasión sorprendentemente el Legislador español iría en materia de CPE aún más lejos que la propia Directiva 2014/24/UE[42].

---

[40]   En https://ec.europa.eu/environment/gpp/eu_gpp_criteria_en.htm.

[41]   Comunicación "EUROPA 2020 Una Estrategia por un crecimiento inteligente sostenible e inclusivo" COM/2010/2020 final.

[42]   Como han destacado en la doctrina FERNÁNDEZ ACEVEDO, R., *"Incorporación cláusulas ambientales en la contratación pública"*, op. cit., pág. 34; MESTRE DELGADO, J. F., "Las principales novedades de la Ley de Contratos del Sector Público: Una visión General" en MESTRE DELGADO, J. F. y MANENT ALONSO, L. (Coords.) y TENHAEFF LACKSCHEWITZ (Coorda.), *La Ley de contratos del sector público: Ley 9/2017, de 8 de noviembre: aspectos novedosos*, Valencia, Tirant lo Blanch, 2018, pág. 47 y SANZ RUBIALES, I, *La protección del ambiente en la nueva ley de contratos: del Estado meramente "comprador" al Estado "ordenador"* op. cit., pág. 79.

4. La recepción de la Compra Pública Verde en la contratación pública internacional

Antes de analizar cómo esta Ley ha incorporado las exigencias ambientales se va a abordar el impacto que la globalización de la contratación pública ha podido tener sobre la CPV.

Como ha señalado Moreno Molina[43], progresivamente a través de acuerdos comerciales multilaterales o bilaterales se ha ido ensanchando el ámbito de las empresas, y de sus países de procedencia, que pueden presentarse a las licitaciones a nivel mundial.

Existen dos importantes documentos que se refieren a la contratación pública global con una naturaleza muy diferente. En primer lugar, se encuentra el trascendente Acuerdo sobre Contratación Pública (ACP)[44] elaborado en el seno de la Organización Mundial del Comercio[45]. El primer texto del ACP fue firmado en el año 1994, y se incorporó precisamente como anexo al Acuerdo por el que se creó esta organización internacional[46].

Se concibió como un convenio multilateral que vincula solamente a los Estados e Instituciones firmantes con el que se quería dotar de seguridad jurídica a la contratación pública a nivel internacional[47]. Como ha destacado Moreno Molina *"el ACP hace especial hincapié en los procedimientos destinados a garantizar la transparencia de las leyes, reglamentos, procedi-*

---

[43] El carácter global de la regulación de la contratación pública ha sido estudiada por MORENO MOLINA, J. A., *Derecho global de la contratación pública*, México, Ubijus, 2011 y más recientemente en *Globalización y contratación pública*, en: GAMERO CASADO, E y GALLEGO CÓRCOLES, I., Tratado de contratos del sector público, Valencia, Tirant lo Blanch, 2018, págs. 161-180.

[44] Sobre el interés en la OCDE por la CPV véase a ALONSO GARCÍA, M. C., "Contratación pública ecológica", en GAMERO CASADO, E y GALLEGO CÓRCOLES, I., Tratado de contratos del sector público, Tirant lo Blanch, Valencia, 2018, págs. 2705 y ss.

[45] *Cfr.* MORENO MOLINA, J. A., *Derecho global de la contratación pública, op. cit.*, págs. 2 y ss. y ALONSO GARCÍA, M. C., *Contratación pública ecológica, op. cit.*, págs. 2705 y ss.

[46] ESCRIHUELA MORALES, F. J.: La contratación del Sector Público. Especial referencia a los contratos de suministro y de servicios, Walters Kluwer, Madrid, 2018, págs. 54 y ss.

[47] MORENO MOLINA, J. A., *Derecho global de la contratación pública, op. cit*, pág. 19 señala que el problema de este acuerdo es que se aplica *"a un limitado número de contratos de importante cuantía económica y las obligaciones que establece son muy débiles"*.

mientos y prácticas relativos a la contratación pública"[48]. En la actualidad cuenta con 48 Estados partes y 34 como observadores de los cuales 9 se encuentran en proceso de adhesión al Acuerdo[49]. Entre las Instituciones internacionales que son parte se encuentra la propia UE, junto a los hasta ahora 28 Estados miembros[50].

En su primera redacción el ACP no contemplaba ninguna consideración de carácter ambiental. Fue mucho más tarde, en su revisión de 2011, cuando se incorporaron expresamente previsiones relativas a la protección del medio ambiente aunque no fuera, desde luego, este su principal objetivo[51], que era más bien el de impulsar la utilización de medios electrónicos para la contratación pública que se realizara dentro del ámbito de aplicación del ACP[52].

De este modo en su nuevo Artículo X. 6, en el que se regulan las "Especificaciones técnicas y pliego de condiciones", se prevé expresamente que para "mayor certeza, una Parte, incluidas sus entidades contratantes, podrá, conforme al presente artículo, preparar, adoptar o aplicar **especificaciones técnicas con el fin de promover la conservación de los recursos naturales o proteger el medio ambiente**". En su punto 9 se completa añadiendo que los "criterios de evaluación establecidos en el anuncio de contratación prevista o en el pliego de condiciones podrán comprender, entre otras cosas, el precio y otros factores de costo, la calidad, el valor técnico, **las características medioambientales,** y las condiciones de entrega".

Por lo tanto a nivel internacional en el ámbito reducido de los países y organismos que son parte del ACP es perfectamente válida la inclusión de cláusulas ambientales. El hecho de que la UE sea parte implica que las empresas de los restantes Estados que son partes, y no sólo las de los miembros de la UE, tienen derecho a que no se les discrimine cuando participan

---

[48]   *Ibidem,* pág. 20.

[49]   https://www.wto.org/spanish/tratop_s/gproc_s/memobs_s.htm.

[50]   Decisión 94/800/CE del Consejo, de 22 de diciembre de 1994, relativa a la celebración en nombre de la Comunidad Europea, por lo que respecta a los temas de su competencia, de los acuerdos resultantes de las negociaciones multilaterales de la Ronda Uruguay (1986-1994).

[51]   *Globalización y contratación pública, op. cit.,* págs. 166 y 167.

[52]   Creando un portal de información sobre acceso al mercado de la contratación pública de los Estados partes (*integrated Government Procurement Market Access Information Resource*) a través de un punto singular de acceso (e-GPA, https://e-gpa.wto.org/).

en las licitaciones públicas que se encuentran cubiertas por este Acuerdo[53]. Así se recoge expresamente en el artículo 25 de la Directiva 2014/24/UE que establece en relación con el ACP y otros acuerdos internacionales que garanticen el acceso a la contratación pública dentro de la UE de empresas de países terceros que "los poderes adjudicadores concederán a las obras, los suministros, los servicios y los operadores económicos de los signatarios de esos acuerdos un trato no menos favorable que el concedido a las obras, los suministros, los servicios y los operadores económicos de la Unión". Previsoramente y con el objeto de agilizar la adaptación de los umbrales establecidos para los contratos incluidos en el ACP la propia Directiva faculta a la Comisión Europea a proceder a su revisión directamente mediante actos delegados[54].

El segundo documento tiene una naturaleza completamente distinta. Se trata de la Ley Modelo sobre Contratación Pública aprobada inicialmente en 1993 por la Comisión de las Naciones Unidas para el Derecho Internacional Mercantil Internacional (CNUDMI)[55]. En este caso no se trata de ningún tratado o acuerdo internacional por lo que carece de toda virtualidad jurídica. Con esta Ley modelo lo que se pretende es poner a disposición de los Estados, especialmente de los menos desarrollados que carecen de un marco normativo seguro, de un modelo de norma sobre contratación pública que puedan utilizar para elaborar su propia regulación interna. Este documento fue objeto igualmente de una revisión en el año 2011[56] para actualizarlo e incluir en él esencialmente las exigencias relativas a la incorporación de las nuevas tecnologías dentro de la contratación pública. Aunque más tímidamente que en el ACP también se dio entrada a las consideraciones ambientales que no aparecían en su versión original. Su artículo 9.2 a) prevé ahora, al contemplar la "Idoneidad exigible de todo proveedor o contratista" que se exija en el contrato al proveedor o contratista poseer

---

53 MORENO MOLINA, J. A., *Derecho global de la contratación pública, op. cit.,* pág. 19.

54 Artículo 6.

55 *Vid.* MORENO MOLINA, J. A., *Derecho global de la contratación pública, op. cit.,* págs. 2 y ss. y ESCRIHUELA MORALES, F. J.: *La contratación del Sector Público. Especial referencia a los contratos de suministro y de servicios, op. cit.,* págs. 62 y ss.

56 Aprobado por la Resolución de la Asamblea General de la Organización de las Naciones Unidas, de 9 de diciembre de 2011 (A/RES/66/95). El texto de la "Ley Modelo sobre Contratación pública" se puede consultar en: http://www.uncitral.org/pdf/spanish/texts/procurem/ml-procurement/2011-Model-Law-on-Public-Procurement-s.pdf.

"las cualificaciones profesionales, técnicas y **ecológicas**, así como la competencia profesional y técnica, los recursos financieros, el equipo y demás medios materiales, la capacidad, fiabilidad y experiencia empresarial, y el personal que se requieran para ejecutar el contrato adjudicable". Por otra parte en su artículo 11.2 b), en el que se recogen las "Reglas concernientes a los criterios y procedimientos de evaluación" se incluye entre los criterios de evaluación que en todo caso deberán guardar relación con el objeto del contrato los "gastos de funcionamiento, de mantenimiento y de reparación de los bienes o de las obras, así como el plazo para la entrega de los bienes, la terminación de las obras o la prestación de los servicios, las características del objeto del contrato adjudicable, como pudieran ser sus **características funcionales y *ecológicas***; y las condiciones de pago y las garantías dadas respecto del objeto del contrato adjudicable". Los países que adopten este modelo como Ley acabarán también, como efecto rebote, ambientalizando su propia contratación pública.

Estas consideraciones ambientales aplicables a la contratación pública se pueden también extender por medio de acuerdos comerciales de carácter bilateral. La propia UE tiene firmado varios de ellos como los que ha celebrado con México en 2000 y con Chile en 2002, que se denominan Acuerdos de Asociación. Estos acuerdos contienen previsiones relativas a la contratación pública entre ambos países y la Unión Europea pero no incluyen consideraciones de carácter ambiental. El que sí lo hace es el último convenio comercial celebrado entre la UE y Canadá, denominado Acuerdo Económico y Comercial Global[57] (AECG) de 2017[58]. Dentro de las reglas sobre contratación pública se han incorporado a su texto de forma expresa referencias relativas a la posibilidad de introducir consideraciones de carácter ambiental. Entre los puntos que se incluyen en el Instrumento interpretativo conjunto sobre el AECG se encuentra el 12 sobre contratación pública que dispone que "El AECG mantiene la posibilidad de que las entidades contratantes en la Unión Europea y sus Estados miembros y Canadá, de conformidad con su legislación respectiva, utilicen en las licitaciones **criterios medioambientales**, sociales y laborales, tales como la obligación de cumplir los convenios colectivos y adherirse a ellos. Canadá y la Unión Europea y sus Estados miembros podrán utilizar dichos criterios en

---

[57]   Más conocido por su acrónimo inglés como CETA (Comprehensive Economic and Trade Agreement) Analizado también MORENO MOLINA, J. A., *Globalización y contratación pública, op. cit.*, pág. 176.

[58]   Ratificado por la Unión Europea por medio de su Decisión (UE) 2017/37 del Consejo, de 28 de octubre de 2016.

la adjudicación de contratos públicos siempre que no exista discriminación y que no supongan un obstáculo innecesario para el comercio internacional. Podrán seguir haciéndolo en el marco del AECG".

Proclamación que se reafirma, dentro del largo listado de Declaraciones para el Acta del Consejo, en la Declaración n° 27 de la Comisión sobre la adjudicación de contratos públicos donde "confirma la capacidad que tendrán las entidades contratantes de ambas partes de **aplicar criterios y condiciones medioambientales**, sociales o laborales en sus procedimientos de adjudicación. Los Estados miembros seguirán teniendo capacidad de hacer uso de la posibilidad estipulada en la Directiva de la UE sobre contratación pública (Directiva 2014/24/UE de 26 de febrero de 2014, en particular sus artículos 67, apartado 2, y 70) de aplicar esos criterios y condiciones".

En definitiva, la globalización de la contratación pública a su vez ha propiciado la expansión de las cláusulas ambientales también a lo largo del mundo.

V. La obligatoriedad y trasversalidad de las cláusulas ambientales en la Ley de Contratos del Sector Público de 2017

Existe un consenso en la doctrina administrativa española en que una de las novedades principales de la nueva LCSP ha sido la de potenciar la incorporación de consideraciones ambientales, junto a las de carácter social, en los contratos del sector público.

1. *El alcance de la nueva Ley de Contratos del sector público sobre la Compra pública verde en España*

La LCSP de 2017 establece de forma apodíctica en su artículo 1.3 que en "toda contratación pública se incorporarán de manera transversal y preceptiva criterios sociales y medioambientales siempre que guarde relación con el objeto del contrato, en la convicción de que su inclusión proporciona una mejor relación calidad-precio en la prestación contractual, así como una mayor y mejor eficiencia en la utilización de los fondos públicos".

Dejando a un lado el desafortunado inciso final de este precepto, que carece de todo valor normativo por lo que debería haberse emplazado más bien en su exposición de motivos, hay que destacar la aparentemente obligatoriedad de incorporar cláusulas ambientales, con las sociales, en todos los contratos públicos[59]. De esta forma lo que en la Directiva 2014/24/UE se configura como una posibilidad que se deja en manos de los Estados miembros, en esta ley se convierte en una obligación jurídica. No obstante, el alcance de este mandato dista mucho de estar claro. Porque, ¿es necesario "socializar" y "ambientalizar" un contrato o basta con que se incorporen una de estas exigencias?

Tampoco queda nada claro el grado en que se tendrían que incorporar estas consideraciones ambientales y sociales. Porque en un contrato las exigencias ambientales y sociales pueden incorporarse con una mayor o menor intensidad.

El precepto clave, a mi juicio, para determinar si verdaderamente las cláusulas ambientales y sociales son realmente obligatorias es el que se encuentra en el artículo 28.2 de la LCSP de 2017 que dispone que las "entidades del sector público velarán por la eficiencia y el mantenimiento de los términos acordados en la ejecución de los procesos de contratación pública, favorecerán la agilización de trámites, **valorarán la incorporación de consideraciones sociales, medioambientales y de innovación como aspectos positivos en los procedimientos de contratación pública**". Es decir, el mandato del artículo 1.3 se concreta en la obligación que tienen las entidades que forman parte del sector público de valorar cómo estas consideraciones ambientales y sociales se van a incorporar en los correspondientes pliegos de contratación, de lo que habrá de dejarse constancia en la documentación preparatoria de la licitación. Si no se hace esta valoración los pliegos estarían viciados. Como esta circunstancia no se puede subsumir en ninguno de los supuestos contemplados en su artículo 39.2 se trataría de una mera causa de anulabilidad. Igualmente podría plantearse la invalidez de los pliegos si no se tienen en cuenta para descartar su incorporación criterios de carácter ambiental que sean públicos, como los ya mencionados *GPP Criteria* de la Comisión Europea o que sin ninguna motivación se hayan dejado de incluir algunos que ya hubiesen aparecido en anteriores pliegos. En todo caso el principio de proporcionalidad es el que debe de tenerse en cuenta a la hora de enjuiciar la suficiencia de esta valoración. Es previsible que en los primeros momentos de aplicación de la LCSP de 2017 tanto los Tribunales Administrativos de Contratos como la propia jurisdicción contencioso-

---

[59] FERNÁNEZ ASTUDILLO, J. M. en *El nuevo régimen de contratación pública. Comentario sistemático a la luz de la Ley 9/2017 de Contratos del Sector Público*, Bosch, Barcelona, 2018, pág. 63 califica como una declaración de intenciones este mandato imperativo.

administrativa consientan una aplicación más laxa de este mandato. Y que progresivamente la incorporación de consideraciones ambientales y sociales se juzgue con una mayor severidad.

La exigencia de que la incorporación en toda contratación pública de las consideraciones ambientales y sociales se haga de forma transversal plantea una mayor complejidad interpretativa. El Legislador español se ha inspirado, sin duda, en el ya citado artículo 11 del TFUE que ordena integrar las exigencias de la protección del medio ambiente en las políticas y acciones de la UE. Pero esta traslación no parece clara. Podría considerarse que lo que se está imponiendo es que las exigencias ambientales y sociales se tengan en cuenta en los distintos sectores de la actividad administrativa donde tenga cabida la contratación pública (Educación, Sanidad, Servicios Sociales, infraestructuras, etc...). Aunque realmente esta interpretación haría que la referencia a las transversalidad fuera superflua. Una segunda interpretación, más plausible, sería la de considerar que se está obligando a las entidades del sector público a incorporar estas consideraciones en todas las fases de la contratación pública en las que sea posible. Lo que sería coherente, además, con la insistencia que la nueva LCSP hace en relación con las cláusulas ambientales y sociales a lo largo de toda la regulación del *iter contractualis*. De esta forma en su artículo 124 se dispone que el "órgano de contratación aprobará con anterioridad a la autorización del gasto o conjuntamente con ella, y siempre antes de la licitación del contrato, o de no existir esta, antes de su adjudicación, los pliegos y documentos que contengan las prescripciones técnicas particulares que hayan de regir la realización de la prestación y definan sus calidades, sus condiciones sociales y ambientales" y el artículo 122.2 que en "los pliegos de cláusulas administrativas particulares se incluirán...las consideraciones sociales, laborales y ambientales que como criterios de solvencia, de adjudicación o como condiciones especiales de ejecución se establezcan".

Ahora bien, la inclusión de las consideraciones ambientales en las distintas fases de la contratación pública no resulta en absoluto neutral. Si se exigen como prescripciones técnicas de las obras, servicios o productos a contratar o como requisito de solvencia de los contratistas las limitaciones a la concurrencia tendrán un mayor alcance. Ya que dejarán fuera de las licitaciones a todas las ofertas que no cumplan con estas exigencias ambientales. Mientras que la inclusión de características ambientales dentro de los criterios de adjudicación y mucho más aún como condición especial de ejecución a lo largo del contrato tienen unas consecuencias menos restrictivas. Quien acredite estos criterios de adjudicación contará con una mayor puntuación. Pero ni implica la inadmisión de las ofertas que no los cumplan ni tampoco determina necesariamente el resultado final de la licitación. Por otra parte, las obligaciones especiales de ejecución de carácter ambiental no tienen ninguna incidencia, al menos en principio, en la selección del contratista. Quien resulte adjudicatario de un contrato tendrá que cumplir con estas obligaciones ambientales durante su ejecución.

2. Especificaciones técnicas de carácter ambiental

La reiterada Directiva 2014/24/UE prevé expresamente que dentro de las especificaciones técnicas de una licitación se puedan incluir consideraciones ambientales[60]. Por su parte el artículo 127.4 de la nueva LCSP dispone que siempre "que el objeto del contrato afecte o pueda afectar al medio ambiente, las prescripciones técnicas se definirán aplicando criterios de sostenibilidad y protección ambiental, de acuerdo con las definiciones y principios regulados en los artículos 3 y 4, respectivamente, de la Ley 16/2002, de 1 de julio, de Prevención y Control Integrados de la Contaminación [sic[61]]".

Ciertamente la incorporación a los pliegos de exigencias ambientales plantea un problema en relación a su objetivación[62]. Sería todo un contrasentido que la "lucha" que durante un largo periodo de tiempo se ha librado para ir reduciendo la discrecionalidad de los órganos de contratación a la hora de valorar las ofertas presentadas se pudiera ahora socavar dándoles amplios márgenes de decisión. Consciente de este peligro el TJCE en su citada sentencia *Concordia* recordó que

> "…, se desprende también de la jurisprudencia que resultaría incompatible con el artículo 36, apartado 1, letra a), de la Directiva 92/50 un criterio de adjudicación que implicase la atribución a la entidad adjudicadora de una libertad incondicional de elección para la adjudicación del contrato a un licitador (véanse, a este respecto, las sentencias antes citadas Beentjes, apartado 26, y SIAC Construction, apartado 37)" (Parágrafo 61º).

---

[60]   Art. 42.3 y Anexo VII.
[61]   Debería haber hecho referencia al Real Decreto Legislativo 1/2016, de 16 de diciembre, por el que se aprueba el texto refundido de la Ley de prevención y control integrados de la contaminación que sustituyó a la Ley 16/2002, de 1 de julio, de Prevención y Control Integrados de la Contaminación.
[62]   Para PERNAS GARCÍA, J. J., *Contratación pública verde, op. cit.*, pág. 33, la falta de información y de herramientas precisas para determinar los criterios ambientales constituye uno de sus principales obstáculos.

Para evitar este peligro la propia Directiva en su artículo 42.3 a) dispone que la formulación de las prescripciones técnicas se puede hacer "en términos de rendimiento o de exigencias funcionales, incluidas las características medioambientales, siempre que los parámetros sean lo suficientemente precisos para permitir a los licitadores determinar el objeto del contrato y a los poderes adjudicadores adjudicar el contrato". Es decir, que los requerimientos ambientales se tienen que establecer de una forma objetiva. Lo que está haciendo que los licitadores cada vez con más frecuencia acudan a mecanismos de certificación ecológica que les faciliten la acreditación de estos requerimientos ambientales y que también las propias Administraciones las vayan progresivamente incorporando a sus respectivos pliegos[63]. Lo que resulta perfectamente válido siempre que la etiqueta ecológica guarde relación con el objeto del contrato y resulta proporcionada su exigencia. El riesgo que genera la inclusión de etiquetas ecológicas en los pliegos es que se pueda pretender favorecer a unas etiquetas ecológicas, normalmente del país donde se realiza la licitación, respecto a otras. Que fue precisamente lo que sucedió en el asunto resuelto por la sentencia del ya Tribunal de Justicia de la Unión Europea, de 10 de mayo de 2012, dictada en el *Caso Comisión Europea contra Países Bajos* que declaró contrario al Derecho de la Unión Europea la exigencia por parte de la provincia de Holanda Septentrional de una concreta certificación ecológica holandesa para el café y el té ecológicos que se iba a servir en máquinas expendedoras (*Vending*) de sus dependencias. Con rotundidad se afirma en su parágrafo 94° que el Derecho de la UE,

> "…autorizó a los poderes adjudicadores a recurrir a los criterios en que se basa una etiqueta ecológica para establecer determinadas características de un producto, pero no a establecer una etiqueta ecológica como especificación técnica, ya que ésta sólo puede utilizarse como presunción de que los productos

---

[63] Sobre las etiquetas ecológicas y los sistemas de gestión ambiental véase a PERNAS GARCÍA, J. J., "El uso de las etiquetas ambientales en la contratación pública" en LAZO VITORIA, X. (Dira.), *Compra pública verde*, Valencia, Tirant lo Blanch, 2018, págs. 103-128; "El uso de las etiquetas para la integración de consideraciones ambientales y sociales en los procedimientos de adjudicación de contratos públicos", Contratación administrativa práctica, N° 125, 2013, págs. 74-85 y "Posibilidades y límites para el uso de las etiquetas ambientales en los procedimientos de contratación pública" en SANZ LARRUGA, J., GARCÍA PÉREZ, M. y PERNAS GARCÍA, J. J. (Dirs.), *Libre mercado y protección ambiental: intervención y orientación ambiental de las actividades económicas*, Madrid, Instituto Nacional de Administración Pública, 2013, págs. 359-386 y a ROMÁN MÁRQUEZ, A.: "Contratación pública ecológica y objeto del contrato: el diseño "verde" de las prestaciones contractuales en el derecho comunitario e interno", *Revista Aranzadi de derecho ambiental*, núm. 39, 2018, págs. 97-132.

provistos de ella se ajustan a las características así definidas, sin perjuicio de cualquier otro medio de prueba adecuado".

Por lo tanto, se puede exigir una determinada etiqueta ecológica para concretar los requerimientos ambientales objeto del contrato. Pero no se puede impedir que se pueda acreditar estas circunstancias con otras etiquetas que sean equivalentes. Como ya se encarga de recoger expresamente tanto la Directiva 2014/18/UE[64] como la LCSP[65]. En todo caso la inclusión de una etiqueta ecológica en un pliego de prescripciones técnicas no exonera a los órganos de contratación de su obligación de "detallar con claridad en los pliegos las características y requisitos que desea imponer y cuyo cumplimiento la etiqueta específica exigida pretende probar"[66]. Es posible que se seleccionen tan solo algunas de los requisitos exigidos en la etiquetas (Arts. 43.2 d) de la Directiva 2014/18/UE y 127 de la LCSP de 2017) e incluso que se incorporen como prescripciones técnicas requisitos que formen parte de una etiqueta ecológica que no tenga vinculación con el objeto del contrato si estas especificaciones sí lo están y resultan "adecuadas para definir las características del objeto del contrato" (Arts. 43.2 de la Directiva 2014/24/UE y 127.2 *in fine* de la LCSP).

Tampoco se puede ignorar el coste que para los licitadores supone contar con las correspondientes etiquetas ecológicas. Para la pequeñas y medianas empresas disponer de ellas puede erigirse en una importante barrera económica para poder concurrir a estas licitaciones[67]. Con lo que, además, se iría en contra uno de los objetivos confesados de la Directiva 2014/18/UE de favorecer la participación pública de este sector empresarial. La LCSP es todavía más favorable en este aspecto que la Directiva ya que permite que los licitadores puedan presentar cualquier medio adecuado de prueba[68], además de una etiqueta equivalente, "que demuestren que las obras, suministros o servicios que ha de prestar el futuro contratista cumplen los requisitos de la etiqueta específica exigida"[69].

---

[64] Art. 67.6.

[65] Art. 145.7.

[66] Art. 127.5 LCSP.

[67] *Cfr.* FERNÁNDEZ ACEVEDO, R., *Incorporación cláusulas ambientales en la contratación pública, op. cit.*, pág. 39.

[68] Sobre la posibilidad de utilizar otros medios de prueba véase a COLÁS TENAS, Jesús: "Capítulo XXV Los pliegos de condiciones administrativas y prescripciones técnicas" en GAMERO CASADO, E. y GALLEGO CÓRCOLES, I. (Dirs.), *Tratado de contratos del sector público, Vol. I*, Tirant lo Blanch, Valencia, 2018, pág. 1437.

[69] Art. 127.3.

Mientras que la Directiva restringe esta posibilidad a los supuestos en que "el operador económico de que se trate no tenga acceso a dichos certificados o informes de pruebas ni la posibilidad de obtenerlos en los plazos fijados, siempre que la falta de acceso no pueda atribuirse al operador económico de que se trate"[70]. La prueba del cumplimiento de las exigencias ambientales corresponderá en todo caso al licitador, pero se traslada a los órganos de contratación la ardua tarea de comprobar que realmente se satisfacen.

3. La exigencia del cumplimiento de sistemas de gestión ambiental como requisito para acreditar la capacidad técnica o profesional

Igual que ocurre con las prescripciones técnicas también es posible que los órganos de contratación exijan a los licitadores que demuestren que tienen capacidad técnica o profesional para ejecutar el contrato teniendo en cuenta consideraciones ambientales[71].

Una forma de hacerlo es exigirles que acreditan que tienen implantados sistemas de gestión ambiental[72]. De acuerdo con lo que dispone el artículo 61.2 de la reiterada Directiva 2014/17/UE las correspondientes certificaciones tendrán que hacer "referencia al sistema comunitario de gestión y auditoría medioambientales (EMAS) de la Unión o a otros sistemas de gestión medioambiental reconocidos de conformidad con el artículo 45 del Reglamento (CE) n o 1221/2009 o a otras normas de gestión medioambiental basadas en las normas europeas o internacionales pertinentes de organismos acreditados". Teniéndose que reconocer también los certificados equivalentes que puedan presentar[73]. La LCSP de 2017 vuelve a ser más generosa que la Directiva[74] porque admite, junto a las certificaciones

---

[70] Art. 44.2.

[71] GALLEGO CÓRCOLES, I, "Aplicación de medidas de gestión medioambiental como requisito de acreditación de la solvencia técnica", *Contratación Administrativa Práctica*, 133, 2014, págs. 52-58.

[72] BUDRIA ESCUDERO, A: "La acreditación de la solvencia por medios externos", *Revista de Estudios Locales. Cunal*, Número Extraordinario 161 (Dedicado a: Cuestiones teóricas y prácticas sobre la contratación pública local COLÁS TENAS, J y DÍEZ SASTRE, S (Coords.)) págs. 235-259.

[73] Previsión que ha sido transpuesta en el artículo 94 de la LCSP.

[74] Nuevamente limita la posibilidad de acudir a otros medios de prueba cuando "el operador económico afectado no haya tenido la posibilidad de obtener tales certificados en el plazo fijado por causas no atribuibles al operador económico, siempre

de sistemas de gestión ambiental de cualquier Estado miembro de la Unión Europea que resulten equivalentes otros medios pruebas como por ejemplo "una descripción de las medidas de gestión medioambiental ejecutadas"[75].

Curiosamente esta Ley solo se refiere a la posibilidad de exigir como requisito de solvencia la acreditación de un sistema de gestión ambiental respecto de los contratos de obras[76] y de servicios[77] pero no en relación con los de suministros[78]. Parece que, implícitamente, se está alineando con una reiterada doctrina de los órganos consultivos de contratación y también de los tribunales de contratos administrativos que rechazan que la acreditación de sistemas de gestión ambiental se pueda incluir en los pliegos como criterio de adjudicación en lugar de como requisito de solvencia[79]. Esta doctrina considera que se trata de un requerimiento de carácter subjetivo que, por lo tanto, sólo puede referirse a la capacidad técnica o profesional de los licitadores. Como en los contratos de suministros no hay una prestación por parte del contratista con la Administración más allá de la entrega de los productos no tendrían sentido exigirle una capacitación técnica de carácter ambiental.

A mi juicio se trata de una doctrina que debe ser objeto de revisión. En primer lugar, porque la Directiva no hace esta distinción. Pero sobre todo porque dada la amplitud con la que se define tanto en la Directiva[80] como en la LCSP[81] la exigencia de la vinculación de los criterios de adjudicación al objeto del contrato no parece razonable que se pueda seguir defendiendo

---

que este demuestre que las medidas de aseguramiento de la calidad que propone se ajustan a las normas de aseguramiento de la calidad exigidas".

[75]   Art. 94.2 *in fine*.

[76]   Art. 88.1 d) LCPS 2017.

[77]   Art. 90.1 f) LCSP 2017.

[78]   El Art. 89 LCSP no hace ninguna referencia a la posibilidad de exigir el cumplimiento de sistemas de gestión ambiental. Criticado por VALCÁRCEL FERNÁNDEZ, P. y GÓMEZ FARIÑAS, B., "Criterios de solvencia y exigibilidad de certificados de gestión ambiental" en XIMENA LAZO, V. (Dira.), *Compra pública verde*, Atelier, Barcelona, 2018, pág. 88.

[79]   GONÇALVEZ, P. C.: "La integración de las preocupaciones ambientales en la contratación pública" en GALÁN VIOQUE, R (Dir.), *Las cláusulas ambientales en la contratación pública*, Editorial de la Universidad de Sevilla-Colección Instituto García Oviedo, Sevilla, 2018, destaca la confusión que la propia Directiva 2014/24/UE ha generado en relación con la inclusión de las certificaciones de sistemas de gestión ambiental, pág. 280.

[80]   Art. 67.3.

[81]   Art. 145.6.

esta exclusión siempre, claro está, que no se duplique su exigencia como criterio de adjudicación con su inclusión como requisito de solvencia. Como ha destacado Sola Teyssiere *"debe ser lícito incluir como criterio de valoración el seguimiento por parte de los licitadores de unas apropiadas pautas de comportamiento ambiental que pueda ser acreditada a través de la posesión de un sistema de gestión medioambiental certificado por un tercero"*[82].

4. *La incorporación de criterios ambientales como criterios de adjudicación, de mejora y de desempate*

Inicialmente las consideraciones ambientales se incorporaron en las licitaciones públicas a través de los criterios de adjudicación. La razón era muy sencilla. Se buscaba mejorar los efectos ambientales de un contrato sin restringir en exceso la competencia. Lo que sucedería si las características ambientales de una obra, servicio o bien se situaban en sus prescripciones técnicas o como se acaba de ver o se integraban dentro de la capacidad técnica o profesional exigidas a los contratistas.

La Directiva 2014/24/UE ha desarrollado aún más la inserción de los criterios ambientales como criterios de adjudicación. De acuerdo con lo que dispone su artículo 67 cuando el precio no sea el único parámetro para adjudicar el contrato se podrán tener en cuenta junto a criterios económicos o cuantitativos otros que sean cualitativos entre los que se incluyen los de carácter medioambiental. Teniéndose que ponderar el porcentaje que en la baremación correspondería a cada uno de estos criterios. Además, desarrolla de forma pormenorizada el llamado cálculo del ciclo de vida de la obra, servicio o producto a contratar que permite integrar dentro del precio del contrato la relación coste-eficacia[83]. Este cálculo incluye total o parcialmente los costes que paga el poder adjudicador u otros usuarios y los que sean imputables a "externalidades medioambientales vinculadas al producto, servicio u obra durante su ciclo de vida, a condición de que su valor mone-

---

[82] En "Las cláusulas ambientales como criterios de adjudicación del contrato" en GALÁN VIOQUE, R. (Dir.), *Las cláusulas ambientales en la contratación pública*, Editorial de la Universidad de Sevilla-Colección Instituto García Oviedo, Sevilla, 2018, pág. 148.

[83] Estudiado por SARASIBAR IRIARTE, M., "Cláusulas ambientales en la contratación pública: referencia al ciclo de vida como criterio de adjudicación" en RAZQUIN LIZARRAGA, M y ALENZA GARCÍA, J. (DIrs.), *Nueva contratación pública: mercado y medio ambiente*, Cizur Menor, Thomson Reuter Aranzadi, 2017, págs. 129-144.

tario pueda determinarse y verificarse; esos costes podrán incluir el coste de las emisiones de gases de efecto invernadero y de otras emisiones contaminantes, así como otros costes de mitigación del cambio climático"[84].

La LCSP de 2017 ha llevado estas previsiones aún más lejos. Sorprendentemente prescinde de la acuñada expresión de "la oferta económicamente más ventajosa" para utilizar la de la "mejor relación calidad precio". Aunque la diferencia, en realidad, sea más semántica que otra cosa[85]. En todo caso parece que quiere destacar la intención del Legislador de desplazar de los criterios de adjudicación el peso que tradicionalmente ha tenido el precio. Se restringe la posibilidad de que se pueda ampliar la discrecionalidad de los órganos de contratación al exigir que los criterios de adjudicación estén vinculados al objeto del contrato y se formulen de una manera objetiva[86].

El problema real al que se enfrentan las Administraciones en España, como en el resto de los países, es que en muchos casos carecen de conocimientos especializados tanto para establecer estos criterios ambientales como para poderlos verificar con posterioridad de forma efectiva[87]. También faltan herramientas eficaces que permitan de un modo sencillo determinar el cálculo del ciclo de vida de las obras, servicios o productos que se contratan.

Una vía posible para poder determinar mejor las características ambientales que se quieren incorporar a los criterios de adjudicación, como ha señalado Valcárcel Fernández[88], sería la de utilizar las denominadas consultas preliminares del mercado, previstas en el artículo 40 de la Directiva

---

[84]   Art. 68.1.
[85]   *Vid.* SOLA TEYSSIERE, J., "Las cláusulas ambientales como criterios de adjudicación del contrato", *op, cit.*, págs. 135 y ss.
[86]   Art. 145.5. FERNÁNDEZ ACEVEDO, R. en "Capítulo XXVI Los criterios de adjudicación de los contratos públicos" en: GAMERO CASADO, E. y GALLEGO CÓRCOLES, I. (Dirs.), *Tratado de contratos del sector público, Vol. I*, Tirant lo Blanch, Valencia, 2018, pág. 1468 relativiza el carácter obligatorio de los criterios cualitativos de carácter ambiental en la contratación pública.
[87]   *Cfr.* ALONSO GARCÍA, M. C., "Contratación pública ecológica", *op. cit.*, págs. 2750 y ss.
[88]   En "Las consultas preliminares del mercado como mecanismo para favorecer las «compras públicas inteligentes»", *Revista Española de Derecho Administrativo*, 2018, págs. 77 y ss. En la misma línea FERNÁNDEZ ACEVEDO, R: "Incorporación cláusulas ambientales en la contratación pública", *op. cit.*, pág. 41.

2014/14/UE que les permitiría a los poderes adjudicadores obtener información de expertos y también del ámbito empresarial[89].

Un ámbito donde las cláusulas ambientales, como criterio de adjudicación, pueden jugar un papel relevante es en el de las mejoras. Como vía para introducir tímidamente condiciones ambientales en contratos que no las han incorporado. O como forma de incrementar el rendimiento ambiental de contratos que ya hayan establecido requerimientos ambientales en sus pliegos. El artículo 145.7 de la nueva LCSP define las mejoras como "aquellas prestaciones adicionales a las que figuraban definidas en el proyecto y en el pliego de prescripciones técnicas". Tienen como límite que no pueden alterar la naturaleza de sus prestaciones ni el objeto del contrato. Tampoco pueden otorgar a los órganos de contratación una libertad incondicional para valorarla por lo que tendrán que venir en los pliegos administrativos de forma suficientemente detalladas fijando "de manera ponderada, con concreción: los requisitos, límites, modalidades y características de las mismas, así como su necesaria vinculación con el objeto del contrato". Por esta razón cuando la apreciación de una mejora se base en un juicio de valor se limita a un máximo de 2,5 puntos la puntuación que se pueda obtener.

La nueva LCSP ha acometido una regulación detallada de los llamados criterios de desempate que antes tenían una muy parca regulación[90]. Su artículo 147.1 de la LCSP establece, en unos términos aparentemente imperativos, un listado de criterios, todos ellos de carácter social, que podrán incluirse en los pliegos para dirimir los empates que se puedan producir. Subsidiariamente para el caso de que no se hayan previsto criterios de desempate en los pliegos se establece un listado de criterios que también tienen todos ellos un carácter social. Esta opción del Legislador por criterios de desempate únicamente sociales frente a los ambientales carece a mi juicio de toda justificación[91]. A lo largo de la Ley las cláusulas ambientales han tenido el mismo tratamiento que las ambientales. Parece absurdo que aquí se les conceda una especie de supremacía. La elección entre los criterios de desempate debe quedar en el ámbito de las decisiones que deben tomar las entidades del sector público licitantes. Además, iría en contra de lo que ya recogen algunas leyes autonómicas y de la práctica de muchas Administra-

---

[89]   Figura transpuesta en el art. 115 LCSP de 2017.

[90]   Parcialmente contenido en la Disposición adicional Cuarta.2 del TRLCSP de 2011.

[91]   Critican esta regulación ALONSO GARCÍA, M. C., *Contratación pública ecológica, op. cit.*, pág. 2747 y SANZ RUBIALES, I, *La protección del ambiente en la nueva ley de contratos: del Estado meramente "comprador" al Estado "ordenador", op. cit.*, pág. 66.

ciones. Así, por ejemplo, la Ley andaluza 18/2003, de 29 diciembre, que aprueba Medidas fiscales y administrativas incluyó en su artículo 117 a) la obligación de los órganos de contratación de la Administración de la Junta de Andalucía y de sus Organismos Autónomos de incluir en los pliegos de cláusulas administrativas particulares la "preferencia en la adjudicación de los contratos a favor de las proposiciones presentadas por aquellas empresas que, en el momento de acreditar su solvencia técnica, presenten un adecuado compromiso medioambiental, de acuerdo con lo previsto en el artículo 120 de la presente Ley, siempre que dichas proposiciones igualen en sus términos a las más ventajosas desde el punto de vista de los criterios objetivos que sirvan de base para la adjudicación". Lo que se recogió más tarde en el acuerdo del Consejo de Gobierno andaluz, de 18 de octubre de 2016, por el que se impulsa la incorporación de cláusulas sociales y ambientales en los contratos de la comunidad Autónoma de Andalucía donde se equiparan la incorporación de consideraciones sociales y ambientales como criterios de desempate[92]. Ante esta situación y como vía para superar el tenor literal de este precepto se podría considerar que los criterios de desempate ambientales se pueden incluir sin más en los pliegos administrativos partiendo de la genérica regulación que se contiene en el primer inciso del artículo 147.1 de la LCSP de 2017. O bien se podría entender que al tener este precepto un carácter básico[93] puede ser desarrollado por las Comunidades Autónomas.

5. La obligación de realizar actuaciones de carácter ambiental durante la ejecución del contrato

Las cláusulas ambientales se han "colado" por todas las fases de la contratación pública. Incluso durante su ejecución. La propia Directiva 2014/24/UE contempla de manera expresa que se establezcan condiciones especiales

---

[92] Este acuerdo dispone en su Punto 1 que "Cuando varias proposiciones sean las más ventajosas una vez aplicado los criterios que sirvan de base para la adjudicación, se aplicaran preferentemente criterios de desempate que tendrán en cuenta consideraciones sociales y ambientales, que serán indicados en los pliegos". *Vid.* NÚÑEZ LOZANO, M. C., "El impulso de la incorporación de cláusulas sociales y ambientales en los contratos de la Comunidad Autónoma de Andalucía: informe", *Administración de Andalucía: revista andaluza de administración pública*, N° 96, 2016, págs. 421-429.

[93] Disposición Adicional Primera. 3 de la LCSP de 2017.

para la ejecución del contrato que incluyan consideraciones ambientales[94]. Por supuesto siempre que estén vinculadas al objeto del contrato y resulten proporcionadas. Estas obligaciones en principio no inciden sobre el procedimiento de selección del contratista porque se trata de actuaciones que se tendrán que realizar por el contratista una vez que sea seleccionado. Aunque indirectamente si le afecta puesto que el cumplimiento de estas obligaciones presumiblemente tendrá un coste para el contratista que se tendrá que reflejar en su propuesta económica.

La nueva LCSP, en su artículo 202 *in fine* introduce una novedad destacada[95]. En su apartado segundo se recogen dos listados de condiciones especiales de ejecución de carácter ambiental y social. Entre las condiciones ambientales se incluyen a título ejemplificativo aquellas que "persigan: la reducción de las emisiones de gases de efecto invernadero, contribuyéndose así a dar cumplimiento al objetivo que establece el artículo 88 de la Ley 2/2011, de 4 de marzo, de Economía Sostenible; el mantenimiento o mejora de los valores medioambientales que puedan verse afectados por la ejecución del contrato; una gestión más sostenible del agua; el fomento del uso de las energías renovables; la promoción del reciclado de productos y el uso de envases reutilizables; o el impulso de la entrega de productos a granel y la producción ecológica". En este caso el listado no se formula como un *numerus clausus* ya que se permite incluir otras distintas, diferenciándose de lo que hizo con los criterios de desempate. En todo caso, a mi juicio, las condiciones especiales de ejecución de carácter ambiental, y lógicamente también las sociales, que sustituyan a las que se encuentran en este elenco tendrán de tener una relevancia semejante. Ya que si no se estaría incurriendo en un patente fraude de ley. Lo curioso de este precepto es que en términos muy categóricos obliga a incluir "en el pliego de cláusulas administrativas particulares de al menos una de las condiciones especiales de ejecución" contenidas en los dos listados o deben entenderse también las que la sustituyan. Aunque se trata de un mínimo. Por lo que se pueden incorporar más de una y simultanear las ambientales con las sociales siempre que estén vinculadas

---

[94] Art. 70.

[95] Véase *in totum* a DE GUERRERO MANSO, M. C.: "La inclusión de condiciones especiales de ejecución como medida efectiva para la defensa del medio ambiente a través de la contratación pública" en GARCÍA-ÁLVAREZ, G. (Dir.), *Mecanismos económicos y de mercado para la protección ambiental*, XIX, Monografías de la Revista Aragonesa de Administración Pública, Zaragoza, 2018, págs. 141-177.

con el objeto del contrato y resulten proporcionadas[96]. La principal limitación, aparte de la voluntad de "ambientalizar" un contrato que tenga la entidad licitante, va a ser a la postre su coste económico dada la repercusión que estas previsiones pueden llegar a tener sobre el precio final del contrato.

El problema de introducir obligaciones especiales de ejecución durante la ejecución del control radica en las dificultades de su posterior control por parte de la Administración. Aunque teóricamente esta sería una de las tareas que se deberían encomendar al responsable del contrato en la práctica existen enormes dificultades para poderlo llevar a cabo debido a la falta de medios y de especialización de su personal. Consciente de esta realidad el propio artículo 202 en su apartado 3 establece un abanico de hasta tres posibles consecuencias del incumplimiento de estas obligaciones. En primer lugar plantea la posibilidad de que se recoja en los pliegos un régimen de penalidades para el caso de que no se cumplan estas condiciones especiales de ejecución. Otra opción es que se le califique expresamente como una obligación contractual esencial cuyo incumplimiento pueda dar lugar a la resolución del contrato. O, finalmente, que de cara a futuras licitaciones se considere este incumplimiento como una infracción grave que determine la exclusión del contratista por incurrir en la causa de prohibición de contratar prevista en el artículo 71.2 c) de la LCSP que exige, además, que haya concurrido "dolo, culpa o negligencia en el empresario, y siempre que haya dado lugar a la imposición de penalidades o a la indemnización de daños y perjuicios".

El empeño que la LCSP ha puesto en las obligaciones especiales de ejecución de carácter ambiental y social se refleja en la extensión que hace su artículo 26.3 a los contratos privados y también a los contratos que celebren las Entidades del Sector Público que no posean la condición de poder adjudicador[97].

Por último, para cerrar el paso a cualquier posibilidad de eludir el cumplimiento de estas obligaciones especiales de ejecución se establece expresamente en el apartado 4 del artículo 201 de la LCSP que estas obligaciones también vinculan a los subcontratistas. El contratista principal, como ya se vio, será el responsable de sus incumplimientos conforme a lo dispuesto en su artículo 215.4.

---

[96]   ALONSO GARCÍA, M. C., en "Contratación pública ecológica", *op. cit.* , pág. 2753 critica que no se hubiese impuesto incluir tanto obligaciones especiales de ejecución sociales como ambientales.

[97]   Art. 319.1 LCSP.

No hay, por lo tanto, ninguna fase de los contratos públicos que puedan escapar de su eventual "ambientalización".

En el marco de la nueva Directiva 2014/24/UE de 26, de febrero de 2014, sobre contratación pública, la Ley española 9/2017, de 8 de noviembre, de Contratos del sector público, que la transpone, ha hecho que la incorporación de consideraciones ambientales en los contratos públicos, en definitiva su "ambientalización", haya pasado ser una de las varias opciones que tenían las Administraciones pública que utilizaban estratégica o instrumentalmente la contratación pública a convertirse en una obligación jurídica.

Sin embargo, esta potenciación de la Compra pública verde no va a hacer que "de la noche a la mañana" la contratación pública se vaya a teñir de verde.

En primer lugar, porque la inclusión de requerimientos ambientales en los pliegos de contratos está sometido a importantes restricciones para evitar que se pueda utilizar como un medio para "recuperar" márgenes de discrecionalidad por parte de los Administraciones y también para impedir una excesiva restricción a la libre concurrencia de los licitadores. Las consideraciones ambientales tienen que tener una vinculación con el objeto del contrato. No se pueden, por lo tanto, imponer requerimientos ambientales que estén desligados de las obras, servicios o suministros que se contratan.

Las características ambientales se tienen que definir de una forma objetiva para que los licitadores puedan saber con precisión lo que se les está pidiendo y que los órganos de contratación puedan comprobar efectivamente si se van a cumplir sus requerimientos ambientales. En esta tarea de objetivización de las cláusulas ambientales van a desempeñar un protagonismo creciente las etiquetas y certificaciones ecológicas de terceros independientes. Además, estas exigencias ambientales tienen que tener una adecuada publicidad. Todo ello sin olvidar el peso que el principio de proporcionalidad tiene a la hora de incorporar consideraciones ambientales en los contratos públicos.

Por último, y no por ello de menor relevancia, la voluntad de las Administraciones Públicas a la hora de incorporar preocupaciones ambientales va a seguir condicionando esta utilización instrumental de la contratación. Tanto como el impacto económico que la "ambientalización" de los contratos públicos tiene sobre el precio de los contratos.

Las consideraciones ambientales pueden incorporarse en todas las fases de la contratación pública. Sus efectos sobre la libre concurrencia variaran de mayor a menor intensidad en función de que se configuren como prescripciones técnicas o requisitos de solvencia o como criterios de adjudicación o meras obligaciones especiales de ejecución.

En todo caso, la expansión de la Compra Pública Verde se topa con la realidad de la existencia de un número reducido de herramientas a disposiciones de las Administraciones Públicas para que se puedan incorporar de una forma rigurosa y fiable las consideraciones ambientales en los contratos públicos. También hay una pavorosa falta de formación en este ámbito de los responsables administrativos en materia de contratación pública. Hasta que no se produzca un auténtico cambio de mentalidad en las Administraciones Públicas que les permita interiorizar la incorporación instrumental de preocupaciones ambientales, junto con las sociales, en sus contratos la Compra pública verde no dejará de ser una práctica administrativa más o menos seguida con más o menos acierto. Por mucho que el ordenamiento jurídico, a nivel internacional, europeo y nacional, se esfuerce en presentarlo como obligatorio para el conjunto del sector público.

Bibliografía

ALONSO GARCÍA, M. C., "Capítulo LIII. Contratación pública ecológica", en GAMERO CASADO, E y GALLEGO CÓRCOLES, I., *Tratado de contratos del sector público*, Tirant lo Blanch, Valencia, 2018, págs. 2703-2757.

ALONSO GARCÍA, M. C., "Las novedades introducidas por la Directiva 2014/24/UE en la contratación pública verde", en GIMENO FELIÚ, J. M. (Dir.), *Las nuevas Directivas de contratación pública, Número monográfico especial Observatorio de los contratos públicos*, Thomson-Aranzadi, Cizur Menor, 2015, págs. 279-289.

ALONSO GARCÍA, M. C., "Contratación pública ecológica", *Gabilex: Revista del Gabinete Jurídico de Castilla-La Mancha*, Nº Extra 2, 2015 (Ejemplar dedicado a: Número extraordinario con motivo de las XXVII Jornadas de Letrados de las Comunidades Autónomas. En homenaje a D. Luis Ortega), págs. 257-268.

ALONSO GARCÍA, M. C., "La consideración de la variable ambiental en la contratación pública en la nueva Directiva europea 2014/24/UE", *La Ley Unión Europea*, Nº 26, 2015, págs. 5-17.

BERMEJO VERA, J., "Las prohibiciones de contratar en la Ley de Contratos del Sector Público", *Revista Aragonesa de Administración Pública*, Nº Extra 10, 2008 (Ejemplar dedicado a: El derecho de los contratos del sector público), págs. 109-140.

BUDRIA ESCUDERO, A., "La acreditación de la solvencia por medios externos", *Revista de Estudios Locales. Cunal*, Número Extraordinario 161 [Dedicado a: Cuestiones teóricas y prácticas sobre la contratación pública local COLÁS TENAS, J y DÍEZ SASTRE, S (Coords.)], págs. 235-259.

COLÁS TENAS, J., "Capítulo XXV Los pliegos de condiciones administrativas y prescripciones técnicas", en: GAMERO CASADO, E. y GALLEGO CÓRCOLES, I. (Dirs.): *Tratado de contratos del sector público, Vol. I*, Tirant lo Blanch, Valencia, 2018, págs. 1405-1439.

DE GUERRERO MANSO, M. C., "La inclusión de condiciones especiales de ejecución como medida efectiva para la defensa del medio ambiente a través de la contratación pública" en GARCÍA-ÁLVAREZ, G. (Dir.), *Mecanismos económicos y de mercado para la protección ambiental*, XIX, Monografías de la Revista Aragonesa de Administración Pública, Zaragoza, 2018, págs. 141-177.

ESCRIHUELA MORALES, F. J., *La contratación del Sector Público. Especial referencia a los contratos de suministro y de servicios*, Walters Kluwer, Madrid, 2018.

FERNÁNDEZ ACEVEDO, R., "Incorporación cláusulas ambientales en la contratación pública" en XIMENA LAZO, V. (Dir.), *Compra pública verde*, Atelier, Barcelona, 2018, págs. 29-51.

FERNÁNDEZ ACEVEDO, R., "Los retos ambientales de las nuevas directivas: la contratación pública como herramienta en RAZQUIN LIZARRAGA, M. y ALENZA GARCÍA, F. (Dirs.), *Nueva contratación pública: Mercado y medio ambiente*, Thomson-Reuters-Aranzadi, Cizum Menor, 2017, págs. 77-126.

FERNÁNDEZ ACEVEDO, R., "Capítulo XXVI Los criterios de adjudicación de los contratos públicos, en: GAMERO CASADO, E. y GALLEGO CÓRCOLES, I. (Dirs.), *Tratado de contratos del sector público, Vol. I*, Tirant lo Blanch, Valencia, 2018, págs. 1443-1509.

FERNÁNDEZ DE GATTA SÁNCHEZ, D., "La integración de aspectos ambientales en la contratación pública" en PIGRAU SOLÉ, A. Y PALLARÈS SERRANO, A. (Coord.) y CASADO CASADO, L. (Dir.), *Derecho ambiental y transformaciones de la actividad de las Administraciones Públicas*, Atelier, Barcelona, 2010, págs. 123-159.

FERNÁNDEZ DE GATTA SÁCHEZ, D., "La progresiva integración de aspectos ambientales en la actividad contractual y convencional de las Administraciones Públicas" en GALÁN VIOQUE, R (Dir.), *Las cláusulas ambientales en la contratación pública*, Editorial de la Universidad de Sevilla-Colección Instituto García Oviedo, Sevilla, 2018, págs. 23-48.

FERNÁNEZ ASTUDILLO, J. M., *El nuevo régimen de contratación pública. Comentario sistemático a la luz de la Ley 9/2017 de Contratos del Sector Público*, Bosch, Barcelona, 2018.

FOY VALENCIA, P., "Consideraciones sobre la contratación pública sostenible («verde»)", *Derecho PUCP: Revista de la Facultad de Derecho*, Nº 66, 2011, págs. 335-350.

GALÁN VIOQUE, R. (Dir.), *Las cláusulas ambientales en la contratación pública*, Editorial de la Universidad de Sevilla-Colección Instituto García Oviedo, Sevilla, 2018.

GALERA RODRIGO, S., "Compras verdes: ahora o nunca", *Revista de Derecho Urbanístico y Medio Ambiente*, Nº 247, 2009, págs. 11-16.

GALLEGO CÓRCOLES, I., "El Derecho de la contratación pública: Evolución normativa y configuración actual", en GAMERO CASADO, E. y GALLEGO CÓRCOLES, I. (Dirs.), *Tratado de contratos del sector público, Vol. I*, Tirant lo Blanch, Valencia, 2018, págs. 69-160.

GALLEGO CÓRCOLES, I., "La integración de cláusulas sociales, ambientales y de innovación en la contratación pública", *Documentación Administrativa: Nueva Época*, Nº 4, 2017, págs. 92-113.

GALLEGO CÓRCOLES, I., "Aplicación de medidas de gestión medioambiental como requisito de acreditación de la solvencia técnica", *Contratación Administrativa Práctica*, nº 123, (Ejemplar dedicado a: Especial contratación verde), 2014, págs. 52-58 2014.

GARCÍA BLANCO, J. M., "*Consideraciones de tipo social y ambiental*", en MESTRE DELGADO, J. F. y MANENT ALONSO, L. (Dirs.) y TENHAEFF LACKSCHEWITZ, S (Dir.), *La Ley de contratos del sector público: Ley 9/2017, de 8 de noviembre: aspectos novedosos*, Valencia, Tirant lo Blanch, 2018, págs. 455-488.

GIMENO FELIÚ, J. M., *El nuevo paquete legislativo comunitario sobre contratación pública. De la burocracia. El contrato público como herramienta del liderazgo institucional de los poderes públicos*, Aranzadi, Cizur Menor, 2015.

GIMENO FELIÚ, J. M., "La adjudicación de los contratos. la oferta económicamente más ventajosa", *Revista Aragonesa de Administración Pública*, N° Extra 10, 2008 (Ejemplar dedicado a: El derecho de los contratos del sector público), págs. 155-184.

GÓMEZ, M., "Breve estudio sobre la incorporación de cláusulas sociales y medio ambientales en la contratación pública actual", *Contratación administrativa práctica*, N° 155, 2018, págs. 6-21.

GONÇALVEZ, P. C., "La integración de las preocupaciones ambientales en la contratación pública" en GALÁN VIOQUE, R (Dir.), *Las cláusulas ambientales en la contratación pública*, Editorial de la Universidad de Sevilla-Colección Instituto García Oviedo, Sevilla, 2018, págs. 267-287.

GONZÁLEZ GARCÍA, J. V., "Sostenibilidad social y ambiental en la Directiva 2024/24/UE de contratación pública", *Revista Española de Derecho Europeo*, N° 56, 2015, págs. 13-42.

GOSÁLBEZ PEQUEÑO, H., "Capítulo XXII Las prohibiciones de contratar", en GAMERO CASADO, E. y GALLEGO CÓRCOLES, I. (Dirs.), *Tratado de contratos del sector público, Vol. I*, Tirant lo Blanch, Valencia, 2018, págs. 1286-1350.

KRÄMER, L., "Presente y futuro de la política medioambiental europea" en GARCÍA URETA, A. (Coord.), *Estudios de Derecho Ambiental europeo*, Editorial LETE, Pamplona, 2005.

LÓPEZ TOLEDO, P., "La consideración de aspectos ambientales y sociales en la contratación pública. Régimen de su nueva regulación", *Gabilex: Revista del Gabinete Jurídico de Castilla-La Mancha*, N° 14, 2018 págs. 47-98.

LÓPEZ TOLEDO, P., "La contratación pública verde y su nueva regulación en el derecho de la Unión Europea", *Contratación Administrativa Práctica*, n° 134, 2014 (Ejemplar dedicado a: Especial contratación verde), págs. 10-29.

MARTÍN MATEO, R., *Manual de Derecho Ambiental*, Cizur Menor, Aranzadi, 3ª edición, 2014.

MARTÍNEZ PALLARES, P. L., "El recurrente debate sobre los criterios de adjudicación de los contratos públicos. En especial la introducción de criterios ambientales (Comentarios sobre la Sentencia del TSJCE de 17 de septiembre de 2002, asunto C-513/99, Concordia Bus Finland OY AB, y Helsingin Kaupunki)" en GIMENO FELIÚ, J. M., *Contratación de las Administraciones Públicas: análisis práctico de la nueva normativa sobre contratación pública*, Atelier, Barcelona, 2004, págs. 161-170.

MEDINA ARNAIZ, T., "Comprando para asegurar nuestro futuro: la utilización de la contratación pública para la consecución de objetivos políticos de la Unión Europea en GIMENO FELIÚ, J. M. (DIr.), *Observatorio de Contratos Públicos*, Aranzadi. Cizur Menor, 2011, págs. 43-104.

MEDINA ARNAIZ, T., "¿Quién contamina no contrata?: Las prohibiciones de contratar vinculadas a la protección del medio ambiente en la contratación pública" en LAZO VITORIA, X (Dira.), *Compra pública verde*, Atelier, Barcelona, 2018, págs. 53-78.

MEDINA ARNAIZ, T., *Las prohibiciones de contratar desde una perspectiva europea*, ThomsonReuters Aranzadi, Cizur Menor, 2018, 432 págs.

MELERO ALONSO, E., "La promoción del medio ambiente a través de la contratación pública: análisis de las cláusulas ambientales", *Revista de derecho urbanístico y medio ambiente*, Nº 260, 2010, págs. 165-203.

MESTRE DELGADO, J. F. y MANENT ALONSO, L. (Coords.) y TENHAEFF LACK-SCHEWITZ (Coorda.), *La Ley de contratos del sector público: Ley 9/2017, de 8 de noviembre: aspectos novedosos*, Valencia, Tirant lo Blanch, 2018, págs. 35-53.

MIRANZO DÍAZ, J., "Los criterios de Adjudicación ambientales en las directivas de 2014" en RAZQUIN LIZARRAGA, M. y ALENZA GARCÍA, F. (Dirs.), *Nueva contratación pública: mercado y medio ambiente*, Cizur Menor, Thomson Reuter-Aranzadi, 2017, págs. 383-425.

MORENO MOLINA, J. A., "Capítulo II. Globalización y contratación pública", en GAMERO CASADO, E y GALLEGO CÓRCOLES, I. (Dirs.), *Tratado de contratos del sector público, Vol. I*, Tirant lo Blanch, Valencia, 2018, págs. 161-180.

MORENO MOLINA, J. A., *Una nueva contratación pública social, ambiental, eficiente, transparente y electrónica*, Ed. Bomarzo, Albacete, 2018.

MORENO MOLINA, J. A., *Derecho global de la contratación pública*, México, Ubijus, 2011.

NÚÑEZ LOZANO, M. C., "El impulso de la incorporación de cláusulas sociales y ambientales en los contratos de la Comunidad Autónoma de Andalucía: informe", *Administración de Andalucía: revista andaluza de administración pública*, Nº 96, 2016, págs. 421-429.

OLLER RUPERT, M., "La inclusión de cláusulas ambientales en la contratación pública", *Revista Catalana de Dret Ambiental*, Vol. 1, Nº 1, 2010, págs. 1-34.

PERNAS GARCÍA, J. J., "El uso de las etiquetas ambientales en la contratación pública", en XIMENA LAZO, V. (Dira.), *Compra pública verde*, Atelier, Barcelona, 2018, págs. 103-128.

PERNAS GARCÍA, J. J., "La dimensión ambiental en la normativa de contratos del sector público" en FERNÁNDEZ ACEVEDO, R. y VALCÁRCEL FERNÁNDEZ, P. (Dirs.), *La contratación pública a debate: presente y futuro*, Civitas, Madrid, 2014, págs. 345-380.

PERNAS GARCÍA, J. J., "Posibilidades y límites para el uso de las etiquetas ambientales en los procedimientos de contratación pública" en: SANZ LARRUGA, J., GARCÍA PÉREZ, M. y PERNAS GARCÍA, J. J. (Dirs.), *Libre mercado y protección ambiental: intervención y orientación ambiental de las actividades económicas*, Madrid, Instituto Nacional de Administración Pública, 2013, págs. 359-386.

PERNAS GARCÍA, J. J., "El uso de las etiquetas para la integración de consideraciones ambientales y sociales en los procedimientos de adjudicación de contratos públicos", *Contratación administrativa práctica*, Nº 125, 2013, págs. 74-85.

PERNAS GARCÍA, J. J., "Contratación pública verde: hacia una mayor claridad jurídica en el uso estratégico de las compras públicas" en LÓPEZ RAMÓN, F., *Observatorio de políticas ambientales 2013*, Aranzadi, Cizur Menor, 2013, págs. 357-374.

PERNAS GARCÍA, J. J., *Contratación pública verde*, Las Rozas, La Ley Wolters Kluwer, 2011.

PERNAS GARCÍA, J. J. (Coord.), *Contratación pública estratégica*, Cizur Menor, Thomson Reuters Aranzadi, 2013.

POZO BOUZAS, E., "Las cláusulas sociales y medioambientales en la nueva Ley 9/2017, de Contratos del Sector Público», *Revista de Derecho Local-Lefebvre-El Derecho*, N° 60, 2018, edición digital.

RAZQUIN LIZARRAGA, M., "Mecanismos para la inclusión de cláusulas ambientales en los contratos públicos", en RAZQUIN LIZARRAGA, M. y ALENZA GARCÍA, J. (Dirs.), *Nueva contratación pública: mercado y medio ambiente*, Cizur Menor, Thomson Reuter-Aranzadi, 2017, págs. 147-178.

ROMÁN MÁRQUEZ, A., "Contratación pública ecológica y objeto del contrato: el diseño "verde" de las prestaciones contractuales en el derecho comunitario e interno", *Revista Aranzadi de derecho ambiental*, núm. 39, 2018, págs. 97-132.

SANZ RUBIALES, I., "La protección del ambiente en la nueva ley de contratos: del Estado meramente «comprador» al Estado «ordenador»", *Revista de administración pública*, N° 205, 2018, págs. 49-80.

SARASIBAR IRIARTE, M., "Cláusulas ambientales en la contratación pública: referencia al ciclo de vida como criterio de adjudicación, en RAZQUIN LIZARRAGA, M y ALENZA GARCÍA, J. (Dirs.), *Nueva contratación pública: mercado y medio ambiente*, Cizur Menor, Thomson Reuter Aranzadi, 2017, págs. 129-144.

SARASIBAR IRIARTE, M., "La contratación pública se tiñe de verde" en GIMENO FELIÚ, J. M. y otros *Las nuevas directivas de contratación pública: X Congreso Asociación Española Profesores de Derecho Administrativo*, Cizur Menor, Thomson Reuters-Aranzadi, 2015, págs. 317-328.

SIRVENT ALONSO, C., "Compra y contratación pública verde (CCPV)", *Revista Aranzadi de Derecho Ambiental*, N° 18, 2010, págs. 287-300.

SOLA TEYSSIERE, J., "Las cláusulas ambientales como criterios de adjudicación del contrato" en GALÁN VIOQUE, R. (Dir.), *Las cláusulas ambientales en la contratación pública*, Editorial de la Universidad de Sevilla-Colección Instituto García Oviedo, Sevilla, 2018, págs. 125-161.

TAVARES DA SILVA, S., "Sostenibilidad ambiental en las Directivas sobre contratación pública" en GALÁN VIOQUE, R. (Dir.), *Las cláusulas ambientales en la contratación pública*, Editorial de la Universidad de Sevilla-Colección Instituto García Oviedo, Sevilla, 2018, págs. 49-63.

VALCÁRCEL FERNÁNDEZ, P., "Las consultas preliminares del mercado como mecanismo para favorecer las «compras públicas inteligentes»", *Revista Española de Derecho Administrativo*, 2018, págs. 77-106.

VALCÁRCEL FERNÁNDEZ, P., "Un paso de gigante hacía una contratación pública ambientalmente sostenible: la obligación de comprar vehículos de transporte por carretera limpios y energéticamente eficientes", *Contratación Administrativa Práctica*, 2011, págs. 48-57.

VALCÁRCEL FERNÁNDEZ, P., "Impulso decisivo en la consolidación de una contratación pública responsable. Contratos verdes: de la posibilidad a la obligación", *Actualidad jurídica Ambiental*, n° 1, 2011, págs. 16-24.

VALCÁRCEL FERNÁNDEZ, P. y GÓMEZ FARIÑAS, B.,"Criterios de solvencia y exigibilidad de certificados de gestión ambiental" en XIMENA LAZO, V. (Dira.), *Compra pública verde*, Atelier, Barcelona, 2018, págs. 79-101.

VERCHER NOGUERA, A., *Derecho europeo medioambiental: la protección del medio ambiente en la UE. Aspectos críticos*, Madrid, CGPJ-Estudios de Derecho judicial, N° 134, 2008.

XIMENA LAZO, V. (Dira.), *Compra pública verde*, Atelier, Barcelona, 2018.

CONTRATAÇÃO PÚBLICA "VERDE" NO BRASIL: UMA ANÁLISE DA SUSTENTABILIDADE DOS CONTRATOS ADMINISTRATIVOS E SUA INEFETIVIDADE

ROBERTO CORREIA DA SILVA GOMES CALDAS
Doutor em Direito
Pontifícia Universidade Católica de São Paulo

I. Introdução

A sustentabilidade, cuja manifestação concretizada no processo de desenvolvimento dá-se fundada em justiça social e crescimento econômico, sem se olvidar da proteção ao meio ambiente que o mantenha equilibrado, tornou-se uma realidade inegável da hodierna sociedade de risco, alicerçando-se, ainda, na participação desta e, também, na chamada "paz-como-governança", nos dizeres de Richmond (2010).

E, como tal, os contratos administrativos, vistos sob as ópticas concomitantes de ato administrativo *lato sensu* (dimensão estática) e de processo *lato sensu* (dimensão dinâmica), enquanto sustentáveis, zelam pela aplicação de critérios que possibilitem a concretização destes mesmos pilares insertos não apenas na já consagrada teoria do *triple bottom line* (Elkington, 2004), como também na Agenda 2030 e seus ODS's - Objetivos de Desenvolvimento Sustentável (ONU, 2015).

Postas tais contemporâneas acepções de contratos administrativos e sustentabilidade, será analisado no presente trabalho, a existência no sistema jurídico brasileiro de um acervo normativo que regula a atuação do Estado, no foco de sua função administrativa *lato sensu*, para o cumprimento de medidas, ações e projetos —cujo grau máximo de concretização ocorre com a contratação pública de bens, serviços e obras por intermédio, em geral, de procedimentos licitatórios— destinados a lograr uma sustentabilidade ínsita à própria concepção de valor e objetivo que devem, inegavelmente, permear dita função (art. 3°, da Lei n. 8.666/93).

Dessa maneira, o objetivo deste estudo é analisar, *a apriori*, a acepção e efeitos da sustentabilidade aplicada aos contratos administrativos, de modo geral, partindo-se da premissa de que o sistema jurídico brasileiro deve resguardar, como bem estabelecido na Constituição Federal de 1988, o desenvolvimento com justiça social e crescimento econômico, zelando, ainda, pela proteção de um meio ambiente ecologicamente equilibrado (art. 193, art. 170, *caput* e I a IX, e art. 225, *caput*).

Faz-se, outrossim, uma breve aproximação entre consensualidade e "esverdeamento" ao conceito de contrato administrativo, de modo a contextualizá-lo enquanto modalidade hodierna de processualização concertada da relação jurídico-pactual realizada pela Administração Pública, mesmo que se considere que parte da doutrina continua a tê-lo apenas como um ato administrativo (de cunho convencional, tornando-se uma espécie *lato sensu*).

Posteriormente, passa-se ao estudo das leis de regência do procedimento licitatório que impactam sobre a formação e aplicação do contrato administrativo em sua vertente sustentável, notadamente a Lei n. 8.666/93 com a conseguinte revisão dada ao seu art. 3° pela Lei n. 12.349/2010, e seus atos reguladores, quais sejam, em âmbito nacional, o Decreto n. 7.746/12, alterado pelo Decreto n. 9.178/17, bem como, em âmbito federal, a Instrução Normativa SLTI/MPDG n. 01/10, da Secretaria de Logística e Tecnologia da Informação do Ministério do Planejamento, Desenvolvimento e Gestão (da União Federal).

Esse recorte se faz necessário uma vez que se pretende estabelecer a evolução e desenvolvimento normativo das licitações sustentáveis no cenário jurídico brasileiro, sem, todavia, se adentrar em regulações setoriais ou próprias das distintas unidades federativas, relativas ao sujeito ou a determinados produtos, o que inviabilizaria uma análise mais detida dos acima referidos instrumentos normativos, retirando-lhes o foco.

Essa tendência de se reforçar esse cunho de "esverdeamento" (*greening*) do contrato administrativo, conforme investigado no âmbito do maior Tribunal estadual do País, o Tribunal de Justiça do Estado de São Paulo, se dá por intermédio de alguns institutos jurídicos que se correlacionam para viabilização dos postulados do desenvolvimento sustentável, em suas múltiplas concepções.

Vale ressaltar que o tema reveste-se de especial importância já que presta--se a analisar a consideração dos contratos administrativos enquanto um instrumento de desenvolvimento sustentável na implementação de políticas públicas em promoção do bem comum (também dito bem-estar social, bem de todos, prosperidade pública ou, ainda, felicidade coletiva), adquirindo uma conotação que extrapola o sentido tradicional que era dado a essa forma jurídica para a compra de bens, prestação de serviços e realização de obras pelo setor público. A consideração do elemento "sustentabilidade" relaciona-se, ainda, à observância de compromissos internacionais assumidos pelo Brasil, a exemplo da Agenda 2030 (ONU, 2015) e Agenda 21 (ONU, 1995).

A metodologia de trabalho deverá centrar-se, assim, nos aspectos principais estabelecidos para uma pesquisa interdisciplinar que envolve temas de Direito Ambiental e seu tratamento pelo Direito Administrativo, devido especialmente ao caráter específico e singular que deve estar presente em toda análise de um sistema jurídico cujo foco se baseia em um desenvolvimento sustentável calcado em maior proteção ambiental e responsabilidade social, com benefícios econômicos, mediante a participação deliberativa da sociedade segundo uma governança regulatória pacificadora dos conflitos, quando da implementação de políticas públicas em promoção do bem comum.

Nesse sentido, devem-se utilizar métodos que permitam analisar a evolução da construção do Direito Administrativo, do Direito Ambiental e suas aplicações aos contratos administrativos. O método dedutivo permitirá, desse modo, estabelecer as premissas conceituais e práticas aplicadas ao tema da definição e dos efeitos do contrato administrativo, a partir da revisitação do seu conceito, devidamente atualizado para a questão da sustentabilidade segundo a estrutura estabelecida por Elkington (2004) forjada nos pilares da proteção ambiental, do crescimento econômico e da justiça social, além dos vocacionados à pacificação dos conflitos sociais e da parceria entre os setores público e privado, tal qual abordados pelos ODS's - Objetivos de Desenvolvimento Sustentável (ONU, 2015).

II. Contratos administrativos e suas dimensões estática e dinâmica a partir da processualização da relação jurídico-pactual[1]

Os contratos administrativos comportam duas concepções concomitantes, circundadas pela sobranceira teoria da relação jurídica de Administra-

---

[1]   Parte das ideias contidas neste tópico se verificam anteriormente tratadas, de forma isolada, em Caldas (2016), sendo ora apresentadas com acréscimos, revisões e modificações.

ção Pública, a qual, devidamente "adaptada" para o direito brasileiro, não apenas alberga o conceito de Administração Pública concertada[2], como também traduz as várias possibilidades, os diferentes contextos e acepções do Poder e seu exercício mais atual, em sua óptica subjetiva, enquanto a própria pessoa jurídica de Direito Público interno (Administração Pública), ora em suas visões objetivas, de cunhos conteudístico (no sentido de competência administrativa) e instrumental (como os institutos jurídicos, os instrumentos de implementação das competências administrativas[3]).

Uma dessas concepções sublinha que os contratos administrativos são vistos como relação jurídica complexa, composta por mais de um ato administrativo (atos-união justapostos —um do Estado contratante e outro do particular contratado— ato regulamentar, ato regulador autônomo, além do contrato propriamente dito), enquanto a outra considera-o como um ato administrativo em sentido lato (embora metodologicamente decomponível na referida relação jurídica complexa)[4], de sorte a, em ambas as hipóteses, consubstanciarem, respectivamente, o procedimento, enquanto rito, emanação da Administração Pública dotada de um conjunto de específicas formalidades necessárias à sua validade, e o seu produto, a corporificação da atividade administrativa, da administração pública (a forma exteriorizada).

Importante salientar que, em ambas as concepções, os pactos públicos podem também ser identificados com o procedimento na modalidade de

---

2   O Brasil ainda carece de uma Lei Geral de Regulação Pública, a qual, se implantada, traria um tratamento jurídico mais aperfeiçoado à relação jurídico-administrativa. Tal legislação, todavia, já vem sendo pensada e discutida nos meios acadêmicos e no Congresso Nacional, sob a alcunha de governança regulatória (Caldas, 2010), a exemplo dos arts. 20 a 30, da LINDB.

3   E a respeito dos institutos jurídicos, dos instrumentos de implementação concertada das competências administrativas, vide Caldas (2011).

4   O conceito aqui adotado de ato administrativo finca-se em Freire (2008, pág. 47) para quem "(...) o conceito de ato administrativo apresentado é amplo. Ele engloba tanto os atos unilaterais gerais (ex.: o regulamento) como os atos bilaterais concretos (ex.: o contrato). Essa concepção ampla de ato administrativo, embora não seja a mais adotada pela doutrina, é bastante útil para os fins deste estudo, já que revela um regime jurídico comum a esses atos". E assim o é porque, como explicita Maurer (2006, pág. 419) "o contrato administrativo é —como o ato administrativo— uma regulação jurídico-administrativa de um caso particular com efeito externo. Ambos são, por isso, conseqüentemente também no § 9 da lei do procedimento administrativo mencionados como atos definitivos de procedimento. A única diferença, todavia, também de graves conseqüências, está no tipo de realização. O ato administrativo é promulgado unilateralmente pela autoridade, o contrato administrativo consensualmente por autoridade e cidadão".

trâmite, sequência itinerária e encadeada de atos administrativos, sendo, na visão de relação jurídica complexa (na qual se privilegiam os vínculos negociais em torno do objeto), com cada ato-componente restando autonomamente impugnável e portador de função própria, desencadeando efeitos jurídicos típicos e específicos tendentes à norma individual e concreta, ao ato-fim administrativo *lato sensu* (à sua celebração e seus respectivos desenvolvimento e exaurimento), qual um suporte de validade, iniciando-se pela fase interna de planejamento e passando à externa com a licitação, constituição e desenvolvimento, até a etapa conclusiva de sua execução, de extinção (ou pós-negocial, com deveres instrumentais ulteriores de auxílio, sigilo etc.), dando a este ato-fim sentido próprio e distinto do que assumiria se se tratasse da mera soma dos seus atos-componentes, de suas partes, sentido este hodiernamente visto como o produto, a corporificação da atividade administrativa, necessariamente direcionado à cooperação, ao consenso, à concertação, como dito pelos portugueses (vide, por todos: Moncada, 2009), ante a influência significativa da relação jurídico-administrativa. Aliás, conforme ensina Moncada

> (...) certamente que a participação e a concertação facilitam em muito o contacto bilateral entre a Administração e a cidadãos, embora desta realidade não devam ser retiradas consequências apressadas... Pelo que toca à concertação, dita económica e social, as coisas não são diferentes. Trata-se de um fenómeno muito amplo, cujas manifestações não podem ser aqui completamente esclarecidas. A concertação ou consensualidade é uma alternativa à tradicional unilateralidade da decisão e actuação administrativas. Nesta medida, manifesta também o fenómeno da participação administrativa e a presença do interesse privado na formação da mesma decisão, repudiando as concepções, tão apreciadas no nosso país, para as quais o interesse público se opõe necessariamente ao privado e é exclusivo da Administração, o que tem consequências dogmáticas vastíssimas no direito administrativo, mas que não podem ser agora e aqui tratadas... Releva de uma metodologia democrática de obtenção da decisão administrativa muito embora por seu intermédio também não se verifique uma autêntica repartição do poder de decidir pois que o nível respectivo se fica sempre pela fase preparatória da mesma decisão, sem retirar à Administração os seus poderes unilaterais de decisão (2009, pág. 143-145).

Faz-se necessário ressaltar o fato de que tais formas procedimentais e, portanto, segundo uma visão tanto estática quanto dinâmica de constatação das avenças públicas, recebem claros reflexos da atual estrutura pactual pública participativa que demandam novos arranjos organizacionais da Administração Pública, *e. g.*, com novos órgãos reguladores e regulamentadores. Nesse aspecto, mais uma vez socorre-se de Moncada para quem

> De especial, relativamente à participação, é a sua natureza institucional, desenvolvendo-se no seio de órgãos específicos que rodeiam as entidades decisó-

rias e onde estão representadas entidades colectivas representativas da Sociedade Civil e não os indivíduos singulares. Seja como for, a participação e a concertação, sua consequência, relevam de uma visão mais paritária das relações entre a Administração e a Sociedade Civil para a qual dispõe. Ao integrar no mecanismo decisório as entidades representativas da Sociedade Civil, muito embora a um nível apenas consultivo, dão testemunho de uma legitimidade directa da decisão, para além da que decorre da regra da maioria, e procuram um contacto permanente com os destinatários da acção administrativa, que muito contribui para a estabilidade das normas e actos produzidos e para sua óptima repercussão social. Mas só em sentido lato poderemos falar a seu propósito de relação jurídica administrativa (2009, pág. 145).

A primeira forma, é de se frisar, realça a necessidade de verificação, em um dado instante, da existência e da utilização do rito próprio e adequado, ou seja, da ocorrência de seus requisitos, de suas formalidades, de suas exigências legais específicas de válida formação, composição e conformação, no exato momento em que procedida sua análise, quer na dita fase pré-contratual, também chamada pré-negocial, quer na de desenvolvimento, acoimada ainda de executória, quer na de exaurimento, denominada pós-negocial, vez que seus atos-componentes facilmente destacáveis não acontecem ao mesmo tempo, fundamentados na relação jurídica complexa que se configura e reconfigura ao longo do tempo.

Igualmente, enfatiza o produto da emanação, da exteriorização da função administrativa, qual seja, o contrato administrativo, considerado como um todo, único e inseparável, um corpo estanque que se apresenta com sentido diverso do de suas partes, tal um ato administrativo em sentido amplo (composto por suas cláusulas) —analisado a partir da existência dos seus elementos e pressupostos—, uma norma individual e concreta em uma perspectiva unidimensional, estagnada, fotográfica, estática, imersa na dita relação jurídico-administrativa, de sentido claramente mais amplo e consagrador do ideal de uma Administração Pública que dialoga com os particulares na tomada de suas decisões (consensualismo).

Ainda, a respeito do ato administrativo como resultado de um processo, o que é plenamente aplicável ao caso dos contratos administrativos, vale repisar que o ato

> (...) é o produto de um processo ou procedimento através do qual a possibilidade ou a exigência supostas na lei em abstrato passam para o plano de concreção. No procedimento ou processo se estrutura, se compõe, se canaliza e a final se estampa a "vontade" administrativa. Evidentemente, existe sempre um modus operandi para chegar-se a um ato administrativo final (Mello, 2008, pág. 492).

A segunda, a seu turno, vai privilegiar o contrato administrativo em todo seu movimento dialético, ou seja, em todo o seu trâmite, seu *iter* de encadeamento dos atos que o compõem e que a ele se relacionam desde sua fase pré-negocial até a sua fase executória (de desenvolvimento e exaurimento), mediante uma perspectiva pluridimensional, global, dinâmica, que permite a observância dos elementos e pressupostos de cada um deles ao longo da sequência em que analisados, cuja multilateralidade igualmente consubstancia a suprarreferida relação jurídico-administrativa, de cunho geral que se estende sobre o todo processual administrativo, conferindo-lhe um viés de colaboração entre os envolvidos enquanto unidade de sentido.

Nessa visão procedimental dinâmica e globalizada, vai-se verificar a validade dos atos-componentes —e, por reflexo, do próprio contrato administrativo— inclusive quanto ao correto encadeamento sequencial destes e ao acertado desempenho das funções a que vocacionados em sua "autonomia relativa", permitindo-se conferir, assim, seus efeitos jurídicos típicos e específicos ao longo de todo o tempo de duração da avença pública.

É de se ter presente, com isso, que a percepção que se extrai do contrato administrativo, numa perspectiva baseada na relação jurídica complexa permeada pela teoria da relação jurídico-administrativa, em si, representa análise mais minudenciosa da sua formação jurídica (microscópica), permitindo detectar-se eventuais invalidades não apenas nos seus próprios atos administrativos e equiparáveis, como também nos dos particulares que lhe conformam em colaboração (embora estes não sejam o objeto do presente estudo) —quer em um dado momento, quer ao longo de toda sua criação e desenvolvimento— ou seja, nos seus elementos, pressupostos de existência e validade, na adequação das relações lógicas de cunho teleológico e causais que estabelecem e, ainda, na exteriorização da vontade que os precede.

Sob o segundo prisma de sua concepção, ou seja, enquanto expressão do exercício da função administrativa —administração pública— a análise passa para um âmbito de maior abstração, macroscópica, unidimensional, tomando o contrato administrativo como um único e específico ato administrativo (pactual concertado), que introduz normas jurídicas individuais e concretas para o Estado e o particular, cuja relação regulam de forma absolutamente cogente ao longo do tempo, isto é, por intermédio de suas cláusulas essenciais e exorbitantes, explícitas e implícitas.

III. Sustentabilidade, a concepção do *triple bottom line* e os alicerces dos ODS's[5]

Em 1987, a Comissão Mundial sobre o Meio Ambiente e Desenvolvimento das Nações Unidas elaborou o relatório intitulado *Our Common Future* (1987; 1991) —também chamado Relatório Brundtland—, no qual se vincula meio ambiente a desenvolvimento econômico e social, com sua proteção preocupada com as gerações futuras mediante a busca da perenidade dos recursos naturais. Em seu texto, tem-se que desenvolvimento sustentável significa suprir "...as necessidades do presente sem comprometer a possibilidade de as gerações futuras atenderem as suas próprias necessidades" (ONU, 1987; ONU, 1991, pág. 46).

Essa concepção, reconhecida como princípio da equidade intergeracional, determina que a proteção do meio ambiente tenha uma perspectiva de futuro como dever geral a ser observado por todos, ancorada na adoção de mecanismos que possibilitem e concretizem um desenvolvimento que privilegie meio ambiente equilibrado, livre iniciativa e justiça social.

Esse conceito, consoante essa concepção conectada a desenvolvimento, teve seus primórdios também com a realização da Conferência das Nações Unidas sobre o Meio Ambiente Humano —*United Nations Conference on the Human Environment* (UNCHE)—, em junho de 1972, em Estocolmo.

A partir desse evento, que foi a primeira reunião mundial promovida com o objetivo de discutir temas relacionados ao meio ambiente e soluções para a preservação da humanidade, o conceito de sustentabilidade passou a ganhar uma maior importância.

No Brasil, a sua vez, a expressão "sustentabilidade" ganhou dimensões maiores após a realização da Conferência das Nações Unidas sobre o Meio Ambiente e o Desenvolvimento (CNUMAD), em 1992, no Rio de Janeiro.

Portanto, passados 20 (vinte) anos da Conferência sobre o Meio Ambiente Humano em Estocolmo, o desenvolvimento sustentável foi reafirmado na CNUMAD (também designada por ECO-92, Rio-92, Cúpula ou Cimeira da Terra), a começar por sua Declaração, ao enunciar em seu Princípio 3 que "O direito ao desenvolvimento deve ser exercido de modo a permitir que sejam atendidas eqüitativamente as necessidades de desenvolvimento

---

[5]   As ideias contidas neste tópico se verificam anteriormente tratadas, de forma isolada, em Caldas, Moraes (2016) e Caldas (2018), sendo ora apresentadas com acréscimos, revisões e modificações.

e de meio ambiente das gerações presentes e futuras" (ONU, 1992). Assim como em 1972, o conceito de desenvolvimento permeia todo o documento, atuando como eixo estruturante dos seus demais princípios.

Também a Agenda 21, um extenso documento formulado no âmbito da Rio-92 visto como um instrumento de planejamento participativo para a construção de sociedades sustentáveis, e que é guiado pelos pilares da proteção ambiental, equidade social e livre iniciativa economicamente eficiente, ampara-se integralmente na ideia de desenvolvimento sustentável (ONU, 1995).

Cabe ressaltar, ainda, que no cenário internacional, no período de 1972 a 1992, surgiram vários tratados específicos que incluíam direta ou indiretamente menção ao desenvolvimento sustentável, podendo-se citar a Convenção de Genebra sobre Poluição Atmosférica Transfronteiriça a Longa Distância, de 1979, a Convenção sobre o Direito do Mar, de 1982, e a Convenção de Viena para a Proteção da Camada de Ozônio, de 1985, sem contar-se o Relatório Brundtland, de 1987, anteriormente mencionado, que adotou nova concepção para a degradação ambiental no planeta ao insculpir a responsabilidade de preservar o ecossistema para as gerações futuras (Mata Diz; Almeida, 2014).

Doutro lado, sensível a esse cenário internacional, em âmbito local o Brasil também passou a revelar um "movimento" em direção à proteção ambiental. E a expressão "movimento" é ora eleita porquanto a melhor para indicar que a postura estatal em relação à proteção ambiental não é algo que se deu repentinamente, mas como fruto de um processo decorrente de várias ações, inclusive de cunho participativo, ao longo do tempo.

Assim, as ações estatais nacionais protetivas do meio ambiente vinculadas ao desenvolvimento sustentável, dão-se, em âmbito internacional, e. g., com o Estado sendo partícipe de conferências internacionais, bem como signatário de importantes convenções e outros atos internacionais, inclusive da Declaração decorrente da Conferência das Nações Unidas para o Meio Ambiente e o Desenvolvimento - CNUMAD, e, em âmbito interno, v. g., com a criação da Política Nacional do Meio Ambiente, em 1981 (Lei n. 6.938/81), a tipificação de crimes ambientais, o surgimento de promotorias especializadas na proteção ambiental, entre outras atitudes, ou mesmo mediante o incentivo de parcerias com setores da sociedade civil, tanto pela conscientização da população em geral, quanto pela criação de organizações não governamentais (ONG's), inclusive para a adoção de práticas mais sustentáveis por parte das empresas privadas.

Acredita-se, dessa maneira, que a sustentabilidade é toda ação destinada a manter as condições energéticas economicamente exploráveis, visando a sua continuidade para atender às necessidades das gerações presentes e futuras, de tal forma que as riquezas naturais sejam não apenas preservadas, mas também restabelecidas na medida do possível, ante as degradações constatadas e sua capacidade de regeneração.

De conseguinte, esse conceito de sustentabilidade, quando aplicado à atuação humana frente ao meio ambiente em que se vive, resta plenamente apreensível pelas atividades econômico-empresariais, sem que isso implique obstacularização ou mesmo redução do grau de desenvolvimento por seu intermédio almejado.

Em tal circunstância, entende-se que sustentabilidade é a capacidade de um indivíduo, ou grupo (de indivíduos ou empresas e aglomerados produtivos, em geral), manter-se inserido num determinado ambiente sem, contudo, impactá-lo negativamente de forma a degradá-lo em sua integralidade.

Assim, pode-se concebê-la como a capacidade de se utilizar e/ou explorar os recursos e riquezas naturais, de modo que se possa, de alguma forma, devolvê-los processados ao planeta por intermédio de práticas ou técnicas criadas para seu restabelecimento e regeneração.

Atualmente, ante tal concepção, a noção de desenvolvimento sustentável é apoiada em três pilares advindos da teoria do *triple bottom line*, quais sejam, social, econômico e ambiental, unidos aos demais em que também se alicerçam os ODS's - Objetivos de Desenvolvimento Sustentável, tal qual insertos na Agenda 2030 (ONU, 2015), ou seja, parceria e paz.

Criado em 1994 por Elkington (2004), o termo *triple bottom line* significa que todas as entidades, governamentais ou não, no desempenho de suas atividades, necessitam observar um viés não meramente social ou econômico, mas também ambiental para um desenvolvimento havido por sustentável. A definição de Elkington (2004), claramente direcionada para o universo corporativo, baseava-se nos três P's, quais sejam, *profit* (lucro), *people* (pessoas) e *planet* (planeta).

O conceito recebeu críticas relativas à falta de clareza no momento de se ponderar e aplicar as respectivas variáveis, mas a importância do *triple bottom line* é inegável para a manutenção da defesa do desenvolvimento sustentável em vários âmbitos, principalmente ante a patente necessidade de um ordenamento jurídico consistente e coerente com um maior nível de proteção ambiental (Mata Diz, Goulart, 2013), o que mais recentemente restou corroborado, inclusive, pelas Nações Unidas, tanto por seus ODM's - Objetivos de Desenvolvimento do Milênio, como pelos subsequentes ODS's

- Objetivos de Desenvolvimento Sustentável, os quais foram algo além, implementando os *5P's*, tais sejam, pessoas, planeta, prosperidade, paz e parceria.

No âmbito de governança corporativa, há que reconhecer que o método do *triple bottom line* formulado por Elkington (2004) influenciou, e ainda influencia, a atuação das empresas privadas voltadas para o cumprimento da dimensão ambiental e social, já que

> (...), denominado TBL (1998), avalia o desempenho organizacional não somente pelo lucro proporcionado pelo negócio, porém, ainda pela integração da performance nas dimensões econômica, social e ambiental. Para uma organização ser bem-sucedida, lucrativa e entregar valor aos seus acionistas, precisa ser administrada, considerando-se estas três dimensões. O Triple Bottom Line é formado pela Eficiência Econômica, Equidade Social e Preservação Ambiental. (Lourenço e Carvalho, 2013, pág. 12).

Ainda, conforme destaca De Carli e Costa (2016, pág. 847) ao analisar o conceito *sub examine*,

> ...além dos três elementos propostos por John Elkington, há de se levar em conta também, ao perfilar o conteúdo da sustentabilidade, os aspectos políticos e culturais. Nessa senda, a sustentabilidade estaria firmada em cinco e não em apenas três pilares, os quais seriam: lucro empresarial, pessoas, meio ambiente natural, meio ambiente do trabalho e cultural e aspectos políticos. As relações entre empresa-empregado e empresa-comunidade devem ser construídas a partir da ética do respeito e do cuidado.

Vale ressaltar que, como já acima adiantado, os ODS's agregam aos três elementos propostos por Elkington, outros dois, a paz e a parceria, de sorte a enfatizar um desenvolvimento sustentável imiscuído com a democracia participativa e, outrossim, a dita paz governança, ou seja, um exercício concertado de tomada de decisões estatais, tornando-as mais legitimadas ao final do processo, em um ganho e incremento democráticos em função da paz social defluente de um sistema de práticas colaborativas para a solução de conflitos, em âmbito judicial ou extrajudicial, que levem em consideração os aspectos culturais e políticos envolvidos.

Por isso, para se desenvolver de forma sustentável, a atividade que se vier a considerar deve permitir que esses cinco pilares coexistam e interajam em plena harmonia cultural e política, o que implica um contexto democrático participativo e deliberativo capaz de induzir a pacificação social dos conflitos, mediante uma governança regulatória que fomente prosperidade econômica com responsabilidade social e preservação ambiental.

IV. Contratos administrativos no Brasil contemporâneo: breve aproximação entre consensualidade e "esverdeamento"[6]

É mister guardar-se na retentiva que, há muito, Gama (1925, pág. 13) já definia que "contracto é ato jurídico em virtude do qual duas ou mais pessoas se obrigam, por consentimento recíproco, a dar, fazer ou não fazer alguma coisa (...)". Gomes (2008, págs. 11-12), salientando a higidez das atuações na relação, expõe que "Contrato é, assim, o negócio jurídico bilateral, ou plurilateral, que sujeita as partes à observância de conduta idônea à satisfação dos interesses que regularam (...) O mecanismo de formação do contrato compõe-se de declarações convergentes de vontades emitidas pelas partes". Já Mello (2007, pág. 680), a seu turno, define que

> Contrato é o acordo de vontades, perfazendo ato jurídico único, entre partes correlatas e contrapostas, sobre objeto jurídico diverso, relativo a direitos e obrigações das que nele participam. Esses direitos e obrigações são livremente dispostos pelas partes, ou uma adere livremente ao prefixado pela outra. Estabelecem vínculos entre elas, como se fossem leis, a que se sujeitam às suas vontades, por todo o prazo estabelecido para a respectiva vigência (...).

Alvim (1999, pág. 118) acrescenta, tomando-se da lição de Beviláqua, ser o contrato "(...) o acordo de vontades para o fim de adquirir, resguardar, modificar ou extinguir direitos (...)". Esclarece, ainda, que para alguns, com os quais não se concorda, o conceito de contrato não é tão amplo assim quanto ao seu conteúdo, porquanto deve se limitar a relações patrimoniais, afastando-se de relações de família ou de sucessão (Alvim, 1999).

Exemplo de tal doutrina, conforme explica (Alvim, 1999), está com Andrade (1960, pág. 29), segundo o qual, inspirando-se na definição inserta no Código Civil italiano (art. 1.321), "o contrato é o acôrdo de duas ou mais pessoas para, entre si, constituir, regular ou extinguir uma relação jurídica de natureza patrimonial (...)".

Alvim (1999) informa, outrossim, que no Direito contemporâneo os contratos se classificam de modo mais amplo, tal seja, enquanto bilaterais ou sinalagmáticos e unilaterais, onerosos e gratuitos, comutativos ou aleatórios, consensuais, formais, reais, solenes e não-solenes, nominados e inominados etc.

---

[6]   As ideias contidas neste tópico se verificam anteriormente tratadas em Caldas, Moraes (2016) e Caldas (2016), sendo ora apresentadas com acréscimos, revisões e modificações.

Assim, pode-se dizer que o traço tradicionalmente característico nos contratos é, sem dúvida, o consenso de vontades, devida e livremente manifestadas de forma vinculante a seus emissores, de sorte a se estabelecer, com isso, uma relação jurídica de cunho sinalagmático (bilateral) e obrigacional

> (...) Não há como cogitar da existência de um contrato, no mundo jurídico, sem o estabelecimento do vínculo obrigacional e o acordo de vontades, embora se possa, no campo da moral e da ética, quiçá, até se admitir um contrato sem vínculo obrigacional aparente. Neste diapasão, o que é o vínculo obrigacional senão a garantia que o sistema jurídico outorga aos contratantes de que aquele acordo de vontades, uma vez celebrado, sendo seu objeto lícito, sendo suas partes capazes e sua forma permitida ou não defesa em lei, será cumprido ou, se não, a parte credora poderá compelir a parte devedora ao seu cumprimento. Pode-se afirmar, sem medo de erro, que sem este conteúdo de obrigatoriedade, de coerção, não haveria o contrato, já que ao critério das partes tombaria a estabilidade do instituto. O mesmo pode-se afirmar do acordo de vontades, ponto fundamental e incontroverso do Direito Contratual. Como poderíamos conceber um contrato sem acordo de vontades de seus contratantes. Em suma, o acordo de vontades e o vínculo obrigacional criado pelo contrato são suas principais características (GARCÍA, 2001, pág. 23).

E, de tal pensar, Mello em nada diverge, também sendo claro ao afirmar a respeito do contrato administrativo que:

O essencial nele é a liberdade de cada um dos contratantes firmar a relação jurídica, e a autoridade do vínculo formado, insuscetível de alteração pelo prazo de sua vigência, seja em virtude de lei conseqüente, ou manifestação unilateral de uma das partes, retratando-se. Essa a concepção do contrato, gizada no direito romano, e afirmada em contornos teóricos precisos pelos juristas modernos (2007, pág. 683).

Correia (2003, pág. 343-344), a sua vez, ao definir contrato como pacto "(...) vinculativo por força da lei, assente sobre duas ou mais declarações de vontade, contrapostas mas perfeitamente harmonizáveis entre si, que vise criar, modificar ou extinguir relações jurídicas (...)", o faz distinguindo-o de acordo, de sorte a assentar na lei sua obrigatoriedade, mantendo, assim, a tradição da escola administrativista portuguesa de considerá-lo uma noção básica a todos os ramos do Direito.

Moreira Neto (2008), faz interessante distinção, que ora se adota, entre contratos e acordos, entendendo ambos como modalidades do gênero pacto[7] (ou também dito negócio jurídico), diferenciando-se entre si por vá-

---

[7] Essa classificação que toma o pacto como gênero em que se inserem os contratos e os acordos (subdivididos no Direito Administrativo, basicamente, em convênios

rias características, dentre as quais ressalta a compostura das prestações almejadas, vendo-se nelas claramente a distinção entre comutatividade e integração —as prestações contratuais são recíprocas, voltando-se ao atendimento de interesses distintos dos acordantes, ao passo que as prestações dos acordos são integrativas, porquanto se destinam à satisfação de interesses comuns

> Trata-se, o pacto, de noção mais ampla que a de contratos, já que pactos são o gênero do qual a noção clássica de contratos, como instrumento de conciliação de vontades opostas, é uma espécie, enquanto, distintamente, nas demais modalidades de pactos, como os acordos e as convenções, as vontades são convergentes. Essa é a razão por que nem todos os pactos da Administração Pública devem-se submeter ao Estatuto de Licitações e Contratos —pois nem sempre neles são estabelecidas "obrigações recíprocas", mas "obrigações colaborativas", que são as que se travam nas sociedades, nas convenções de todo tipo, nos tratados e, no Direito Administrativo, nos atos complexos ou atos-união da vertente tedesca. Surge, entre nós, por isso, uma pletora de novos pactos administrativos que se situam fora da Lei nº 8.666, de 21.6.1993, valendo citar, como exemplos dessa tendência: a Lei nº 9.637, de 15.5.1998, que disciplina o contrato de gestão com organizações sociais; a Lei nº 9.649, de 27.5.1998, que trata do contrato de gestão com agências executivas; a Lei nº 9.790, de 23.3.1999, que dispõe sobre o termo de parceria com organizações da sociedade civil de interesse público; a Lei nº 10.973, de 2.12.04, que trata do termo de cooperação para a inovação tecnológica,... (Moreira Neto, 2003, pág. 39).

Explica Moreira Neto (2008), na continuidade de seu raciocínio, que o consenso, enquanto instrumento, instituto jurídico de ação administrativa, pode ser adotado não apenas como contrato, mas também pela via dos acordos não contratuais, de utilização incipiente no Brasil[8], basicamente sob duas formas, os convênios e os consórcios —estes também podendo ser dotados de personalidade jurídica—, inclusive como via de execução das políticas públicas em sua concreção máxima

---

e consórcios), difere, como ensina Andrade (1960), da do Direito Romano, em que convenção era gênero, integrado pelas espécies pacto (convenção produtiva apenas de obrigações naturais, porquanto o simples acordo de vontades não era capaz de implicar obrigações dotadas de eficácia civil, vez que o elemento volitivo, enquanto fundamental das convenções, via-se como de Direito Natural) e contrato (convenção que engendrava obrigações civis, vez que aliada a alguma *causa civilis*, não definida pelos textos romanos e sem um consenso sobre seu conteúdo pelos romanistas).

8   Vale lembrar que hoje já se conta com outras formas mais recentes e flexíveis quanto à alocação dos riscos, como parcerias público-privada, arrendamentos, protocolo de intenções, contratos de gestão, terceirização, franquia pública, credenciamento, contrato de programa, contrato de rateio e parcerias voluntárias.

...e a Lei nº 11.107, de 6.4.05, que disciplina os consórcios públicos, prevendo diversos instrumentos, como, por exemplo, o protocolo de intenções, o contrato de programa, o contrato de rateio... Em resumo, todo esse novíssimo arsenal institucional destina-se a enfrentar a inadequação dos formatos jurídicos existentes para a partilha de riscos, de modo que atraia fortemente o capital privado para segmentos, canalizados para a execução de políticas públicas (Moreira Neto, 2008, pág. 39).

Nos dias de hoje, dessa forma, a acepção de consenso nos contratos administrativos ganha uma nova conotação, mais ampla e voltada para a ideia da concertação, segundo uma visão processualizada e emparceirada com o setor privado da relação jurídico-administrativa em que imersos os ajustes públicos, o que coaduna-se com o entendimento de Moncada ao enfatizar

Podemos assim falar de uma relação jurídica administrativa em sentido lato, compatível com formas de mera participação dos cidadãos na decisão e gestão dos assuntos administrativos e de uma relação jurídica administrativa em sentido mais estrito que tem por paradigma o contrato, muito embora se aceite, como se verá, que a disciplina paritária do contrato de direito privado não pode ser, sem mais, transposta para o âmbito da actividade administrativa, tendo em conta a ontologia do interesse público que à Administração compete tratar (2009, pág. 144).

A análise do contrato administrativo, em tal tessitura, passa a tê-lo como inserido na sobranceira e mais ampla relação jurídico-administrativa (ou de Administração Pública), a estabelecer uma administração pública concertada com o parceiro privado, dentro do dinamismo do processo administrativo. Consoante ensina Moncada

A perspectiva "relacional" do contacto entre a Administração e os cidadãos compreende diversos fenómenos permanentes que se manifestam de diferentes maneiras mas que se enquadram numa estrutura geral. A estrutura do contacto actual entre a Administração e os cidadãos é decisivamente marcada pela ideia da participação com reflexos no âmbito procedimental e processual e exigindo até uma nova orgânica apta a dar-lhe vazão, de que se tratará posteriormente. Como é sabido, no Estado Social intervencionista generalizaram-se formas de participação na formação da decisão administrativa e de colaboração variada entre os cidadãos e o poder que ficaram conhecidas por concertação e que modificaram necessariamente a orgânica adrninistrativa (2009, pág. 143)

Sublinha-se que, dentro dessa novel conotação, os contratos administrativos são vistos, vale repetir consoante acima já acentuado, ou como relação jurídica complexa, composta por mais de um ato administrativo (atos-união justapostos —um do Estado contratante e outro do particular contratado— ato regulamentar, ato regulador autônomo, além do contrato propriamente dito), ou como um ato administrativo em sentido lato (embora metodologicamente decomponível na referida relação jurídica complexa), de sorte a, em ambas as hipóteses, consubstanciarem, respectivamente, o procedimento, enquanto rito, emanação da Administração Pública dotada de um conjunto de específicas formalidades necessárias à sua validade, e o seu produto, a corporificação da atividade administrativa, da administração pública (a forma exteriorizada).

Dessa maneira, vê-se que os contratos administrativos, atualmente, encerram não apenas um ínsito contexto tradicional de consenso, mas, indo além, uma concepção mais contemporânea da relação jurídico-administrativa, trazendo consigo a ideia de participação popular e controle social mediante um diálogo contínuo ao longo de sua execução (concertação), qualificando-se como a via pela qual as políticas públicas galgam seu maior grau de concreção ao serem implementadas pelo Estado, sendo, dentre elas, as de desenvolvimento sustentável um exemplo que ora é enfocado segundo uma horizontalidade que permeia sua integração com outras políticas públicas, à luz da transversalidade sistêmica ambiental.

Na dimensão horizontal do princípio da integração, a transversalidade torna-se responsável por introduzir a sustentabilidade ambiental no planejamento e implementação de todas as políticas públicas

> Os princípios de integração política e planejamento vão ao encontro da ideia de integração econômica, ambiental e social. Integração política envolve a criação de novas estruturas, a reforma das instituições existentes e a transformação dos processos políticos atuais (CLARO; CLARO; AMANCIO, 2008, pág. 291).

Diante dessa transversalidade sistêmica ambiental, é que o *greening* dos contratos administrativos representa uma das fórmulas globalizadas, dentro da hodierna sociedade de risco (cuja repartição e flexibilização dão-se conforme o princípio da precaução), de se executar, mais concretamente, as políticas públicas voltadas para o desenvolvimento sustentável, segundo a concepção não apenas dos 3*P's* do *triple bottom line*, mas também dos 5*P's* dos ODS's - Objetivos de Desenvolvimento Sustentável.

À luz dessas ideias, o Poder Público, além de assumir a função de incentivador do mercado, também volta sua atividade para influenciar o setor privado com posturas ambiental e socialmente sustentáveis, inclusive vocacionadas para os ajustes públicos (Rossato, van Bellen, 2011), vistos que são como instrumentos de políticas públicas.

Essas cinco dimensões (de desenvolvimento havido como sustentável), devidamente conectadas, trazem efetivas alterações nos padrões de fornecimento de bens, realização de obras e prestação de serviços públicos nas suas correlatas licitações e contratações em geral.

O ordenamento jurídico pátrio, de fato, tem se revelado consonante com tal transversalidade sistêmica ambiental, e seus reflexos econômicos e sociais na implementação das políticas públicas sustentáveis, devidamente harmonizadas sob um ponto de vista cultural e político, *maxime* no que diz respeito às licitações e respectivas contratações públicas.

A introdução de critérios socioambientais (inclusive vistos como requisitos para a habilitação de participantes), bem como a preferência por serviços ou bens ecologicamente adequados, em si, demonstra o esforço da Administração Pública no sentido de uma conscientização social para a necessidade de uma racionalidade ambiental na exploração das riquezas e recursos naturais (LEFF, 2002).

Em atenção a tal conscientização é que foi sancionada a Lei n. 12.349/10 ao, alterando dispositivos da Lei n. 8.666/93 (Lei Geral de Licitações e Contratos), introduzir no art. 3º desta, como objetivo das licitações públicas, a promoção do desenvolvimento nacional sustentável, somando-se ao antes prescrito no seu art. 12, VII, quanto à necessidade de se observar o impacto ambiental nos projetos básicos e executivos.

Cabe ainda ressaltar, à luz de tal tendência de "esverdeamento" das contratações públicas, que o art. 7º, XI, da Lei n. 12.305/10 (que institui a Política Nacional de Resíduos Sólidos), fixa a prioridade nas aquisições e contratações para "produtos reciclados e recicláveis" (*sic*), bem como "bens, serviços e obras que considerem critérios compatíveis com padrões de consumo social e ambientalmente sustentáveis" (*sic*), além de que os arts. 3º e 4º, da Lei n. 12.462/11 (Lei do Regime Diferenciado de Contratações), não apenas reproduzirem os objetivos da Lei n. 8.666/93, mas também fixam como diretriz da modalidade de contratação pública enfocada, a observância do tripé da sustentabilidade.

Dessarte, realizada essa breve aproximação em torno da conceituação concertada dos contratos administrativos e o fenômeno do seu *greening* no Brasil, passa-se, na sequência dos estudos, à verificação da possibilidade de haver licitações e contratações públicas sustentáveis sem que, para tanto, ocorram violações à regulação vigente em superação às dificuldades constatadas para sua implementação, ou mesmo menoscabo à mencionada racionalidade ambiental envolvida.

V. Contratação pública "verde" e sua inefetividade[9]

De antemão, deve-se contextualizar a compreensão teórica do que se pode considerar como uma contratação pública sustentável, de modo *lato*, a partir dos critérios estabelecidos pelo *triple bottom line* e fortalecidos pelos Objetivos de Desenvolvimento Sustentável (ODS's), sem se desconsiderar a legislação e normatização vigentes.

Obviamente que eventual ajuste desse jaez dá-se a partir dos procedimentos estabelecidos para que os contratos públicos, quando da concretização da licitação, possam efetivamente seguir os parâmetros de sustentabilidade desejados. Nesse sentido, traz-se à baila a definição de Rossato e van Bellen

> Compras públicas sustentáveis buscam integrar critérios ambientais, sociais e econômicos a todos os estágios do processo de licitação (ICLEI LACS, 2010) com o objetivo de reduzir impactos à saúde humana, ao meio ambiente e aos direitos humanos (BIDERMAN et. al., 2008). Uma compra é sustentável quando o comprador considera a necessidade real de efetuar a compra, as circunstâncias em que o produto visado foi gerado, levando em conta os materiais e as condições de trabalho de quem o gerou e uma avaliação de como o produto se comportará em sua vida útil até sua disposição final. (ICLEI LACS, 2010). De acordo com Ho, Dickinson e Chan (2010), e com base no IGPN (International Green Purchasing Network - Rede Internacional de Compras Verdes), compras verdes são as compras que envolvem qualquer bem ou serviço em um menor impacto ambiental durante a execução de uma função similar e ao mesmo tempo demonstrando responsabilidade social e ética, com preços comparáveis (2011, pág. 5).

Para que os contratos possam assumir a faceta sustentável condizente com as demandas atuais, o ordenamento jurídico brasileiro, com base na Lei n. 8.666/93, adotou atos normativos infralegais destinados a garantir a efetividade dessa sustentabilidade. Contudo, deve-se mencionar, antes de se analisar os principais instrumentos que possibilitam a inserção do componente sustentável nos contratos públicos, que o art. 3º da referida Lei Geral de Licitações e Contratos Administrativos estabelece preceito de observância nacional sobre os critérios econômicos, sociais e ambientais, sem que haja efetivamente cláusulas que fixem critérios de elegibilidade claros e que forneçam ao gestor público as condições necessárias, com segurança e transparência, para que haja uma real aplicação da sustentabilidade.

Explica-se: o art. 3º, ao estabelecer que o procedimento licitatório e, consequentemente, os contratos que a ele se vinculem, devam fundamentar-se

---

[9]   As ideias contidas neste tópico se verificam anteriormente tratadas em Caldas (2019), sendo ora apresentadas com acréscimos, revisões e modificações.

na sustentabilidade e seus respectivos pilares, não determina em que medida poder-se-á selecionar uma proposta que, apesar de não ostentar o menor preço, seja efetivamente sustentável. Neste sentido, cabe rever a interpretação da já dicotômica discussão sobre a expressão "proposta mais vantajosa", buscando averiguar se efetivamente refere-se a um aspecto tão somente vinculado a "menor preço", ou se tal vantagem (dita "vantajosidade" por: Costa, 2012) pode também fundar-se nos critérios de sustentabilidade. Calha mencionar o entendimento de Costa para quem

> a Administração também deve analisar os custos e não somente o preço quando define de quem vai contratar, quanto vai demandar e quanto está disposta a pagar. Deve ela verificar a vantajosidade não apenas financeira, mas também, ambiental dos produtos a serem adquiridos. Reitera-se o entendimento de que mais vantajosa não é a proposta de menor preço, mas sim, aquela que se mostra mais compatível e aderente ao interesse público, levando em conta outras condições como qualidade e desempenho (2012, pág. 48).

Segue o autor afirmando, ainda, que a proposta mais vantajosa, imbuída da economicidade que deve estar presente, não pode descolar-se também da sustentabilidade pois

> *Mutatis mutandis*, o fator ambiental, desde que objetivamente demonstrado e passível de verificação e comparação, é elemento imprescindível para escolha da proposta mais vantajosa, sem se olvidar do menor preço. Discorre ainda Marçal (2009) que a economicidade exige a escolha da solução mais conveniente e eficiente no que diz respeito à boa gestão dos recursos públicos. Ora, se economicidade e eficiência tendem a conviver harmoniosamente, nada mais esperado que a aquisição de bens e serviços sustentáveis seja vista como uso eficiente e racional dos recursos públicos. Desse modo, a inserção de critérios sustentáveis nas licitações se coaduna perfeitamente como forma para selecionar a proposta mais vantajosa uma vez que é obrigação de todo e qualquer agente público agir com eficiência e nos limites da lei. E as leis impõem que os recursos sejam bem geridos (COSTA, 2012, pág. 254-255).

De modo a criar um cenário propício para que o referido artigo adquirisse efetividade e possibilitasse a realização de licitações com base na sustentabilidade, foram adotados alguns instrumentos, especialmente na esfera federal, buscando coadunar a vantagem econômica com as demais dimensões ambiental e social, inclusive em harmonia com os aspectos políticos e culturais envolvidos no processo.

Antes mesmo da alteração da Lei n. 8.666/93 para inclusão da sustentabilidade, e a conseguinte revisão dada ao art. 3º pela Lei n. 12.349/10, cuja origem foi a Medida Provisória n. 495/10, já existiam disposições destinadas à promoção de compras de produtos considerados sustentáveis (Marques Neto, Zago, 2019).

Contudo, foi a partir da modificação da mencionada Lei que foram estabelecidos atos normativos regulatórios que efetivamente fixassem critérios para sua concretização. De especial importância, por minudenciar as diretrizes que devem estar presentes para que se possa realizar uma licitação sustentável, e ulterior contratação pública, deve-se mencionar, inclusive a partir do próprio recorte estabelecido pelo art. 3°, da Lei n. 8.666/93, em âmbito nacional, o Decreto n. 7.746/12, alterado pelo Decreto n. 9.178/17, bem como, em âmbito federal, a Instrução Normativa SLTI/MPDG n. 01/10, da Secretaria de Logística e Tecnologia da Informação do Ministério do Planejamento, Desenvolvimento e Gestão (da União Federal).

Em verdade, a essência federativa do Estado brasileiro e sua divisão constitucionalmente estabelecida quanto às funções estatais por entre os Poderes (Legislativo, Executivo e Judiciário), em si, não pode implicar obstes à integração e divulgação das atividades licitatórias e contratuais públicas sustentáveis.

Na relação com parceiros, prestadores, empreiteiros e fornecedores, a União Federal tem posição protagonista em tais procedimentos de contratações públicas na busca da sua sustentabilidade, garantindo políticas públicas, padrões de excelência e iniciativas nacionais que integrem as ações, inclusive dos variados âmbitos federativos de governo e dos demais Poderes, sempre almejando a adequação da realização de obras, fornecimento de bens e prestações de serviços públicos aos pilares do desenvolvimento sustentável, quer sob a óptica do *triple bottom line* ou dos ODS's (quanto a estes, conforme o Plano de Ação 2017-2019, da Comissão Nacional para os ODS's).

Postas tais considerações, especificamente quanto à sustentabilidade das licitações, contratações públicas e seu respectivo regramento, a análise aqui apresentada não se destina, portanto, a esmiuçar todos os instrumentos normativos regulatórios setoriais que tratam dessa temática, mas, sim, aqueles que dão fundamentação e concretização nacional ao art. 3°, da Lei n. 8.666/93, ou que, ao menos, a ele se vinculem diretamente em um âmbito mais restrito de aplicação (no caso, federal).

Dessa feita, o Decreto n. 7.746, de 2012, alterado pelo Decreto n. 9.178, de 2017, ao regular o art. 3°, da Lei n. 8.666/93, veio a estabelecer critérios, práticas e diretrizes gerais para a promoção do desenvolvimento sustentável nacional, além de instituir a Comissão Interministerial de Sustentabilidade na Administração Pública - CISAP. Neste sentido, torna-se relevante analisar em que medida tal decreto, em termos de regulação nacional relativa ao tema da sustentabilidade nas licitações e contratações públicas, estabelece os critérios que devem ser atendidos para a concretização do art. 3º, da Lei n. 8.666/93.

Com efeito, tais critérios se encontram dispostos no art. 4º, do referido Decreto n. 7.746, de 2012, com as alterações introduzidas pelo Decreto n. 9.178, de 2017, a saber: a) baixo impacto sobre recursos naturais como flora, fauna, ar, solo e água; b) preferência para materiais, tecnologias e matérias-primas de origem local; c) maior eficiência na utilização de recursos naturais como água e energia; d) maior geração de empregos, preferencialmente com mão de obra local; e) maior vida útil e menor custo de manutenção do bem e da obra; f) uso de inovações que reduzam a pressão sobre recursos naturais; g) origem sustentável dos recursos naturais utilizados nos bens, nos serviços e nas obras; e d) utilização de produtos florestais madeireiros e não madeireiros originários de manejo florestal sustentável ou de reflorestamento.

Interessante observar que na vigência da sua redação original, o Decreto n. 7.746/12 considerava como diretrizes de sustentabilidade o que hoje é descrito, com maior precisão para um decreto regulamentar, como critérios e práticas sustentáveis. Nota-se aqui, portanto, um dimensionamento dos critérios, o qual acaba por fazer menção a eficiência energética e utilização de mão de obra local, bem como a produtos de origem local e considerados como hipocarbônicos.

E isso se justifica porquanto a interpretação, ao menos se parte dos critérios fosse omitida, poderia levar a distorções ou desvios quanto à competitividade e dar azo a condutas administrativas ilícitas, uma vez que afrontar-se-ia o princípio da isonomia e da não-discriminação. Todavia, a consideração desses critérios, de seu lado, implica um incentivo a certas práticas sustentáveis e a um manejo ecologicamente adequado dos recursos naturais (como, por exemplo, o incentivo à agricultura familiar e orgânica), além de um prestígio ao pilar social, especialmente no que se refere à maior geração de empregos com absorção de mão de obra local.

A seu turno, a Instrução Normativa SLTI/MPDG n. 01/10 estabeleceu critérios de sustentabilidade ambiental na realização de obras, aquisição e fornecimento de bens, ou prestação de serviços na Administração Pública federal. Apesar de representar a regulação federal do art. 3º, da Lei n. 8.666/93, tal Instrução Normativa deve ser analisada em conjunto com o ulterior suprarreferido Decreto, vez que de aplicação nacional, de sorte a se compatibilizarem as inovações relevantes por si antes trazidas para a concretização da sustentabilidade no contexto dos procedimentos licitatórios e de gestão da contratação pública federal, consubstanciando-se também em um paradigma para os demais entes federativos. Conforme sublinha Valente (2011) ao comentar a importância da referida instrução

> em que pese a sua natureza de ato administrativo normativo, pela sua relevância na mudança dos padrões de aquisição de bens pela Administração Pública federal, passa a figurar como o primeiro marco regulatório para adoção de critérios de sustentabilidade ambiental na esfera do governo federal, no tocante a licitações sustentáveis.

A Instrução Normativa ora em exame possui 04 (quatro) capítulos em que se encontram fixadas as disposições gerais para a realização de procedimentos sustentáveis de licitações e contratações públicas, com preceitos voltados para as obras públicas (descritas como sustentáveis) e, outrossim, para a aplicação nos casos de bens e serviços, além de disposições finais voltadas para o portal eletrônico de contratações públicas do Governo Federal - Comprasnet.

No que se refere às disposições gerais, os arts. 2º e 3º, da Instrução Normativa n. 01/10, fazem menção expressa à necessidade de preservar a natureza competitiva do certame, uma vez que a inserção de critérios ambientais não deverá violar os princípios regentes da licitação, nem frustrar a ampla e irrestrita concorrência. Ainda que possa parecer uma formulação bastante óbvia, trata-se, indubitavelmente, de reforçar o caráter isonômico que deve prevalecer em toda e qualquer licitação, mesmo que em consonância com a promoção do desenvolvimento sustentável.

O art. 3º, por sua vez, esclarece que os critérios adotados deverão ser objetivamente fixados, de modo a não gerar ambiguidade e interpretações vagas que possam colocar em risco a integridade do acervo normativo e principiológico que rege as licitações no Brasil. Ao tratar especificamente de obras públicas sustentáveis, o que dispõe a Instrução Normativa SLTI/MPDG n. 01/10 é que a elaboração do projeto básico ou executivo deverá levar em consideração a redução do consumo de energia e água, bem como a utilização de tecnologias e materiais, trazendo um rol exemplificativo de práticas, processos e produtos considerados sustentáveis (art. 4º, I a IX). Nesse sentido, elenca, por exemplo, a utilização de sistemas de reuso e tratamento de efluentes gerados e reaproveitamento de águas pluviais (art. 4º, VI), bem como a utilização de materiais reciclados e reaproveitados (art. 4º, VIII), entre outros.

A comprovação dos referenciais fixados pela Instrução Normativa em comento será validada a partir do modelo especificado para o Projeto de Gerenciamento de Resíduo de Construção Civil - PGRCC, conforme as condições determinadas pelo Conselho Nacional do Meio Ambiente - CO-

NAMA, por intermédio da Resolução n. 307, de 5 de julho de 2002[10], que dispõe justamente sobre o manejo e tratamento de resíduos gerados pela construção civil, evitando-se a contaminação do solo, ar e água.

A título ilustrativo, no Brasil estima-se a geração de 31.000.000t (trinta e um milhões de toneladas) de resíduos decorrentes da construção civil (RCC), sendo que "4.031 municípios (72,44%) dos 5.564 municípios avaliados pela PNSB (IBGE, 2010) possuem serviço de manejo de RCC" (IPEA, 2012, pág. 20). Ainda, em relação aos Estados da Federação brasileira, o diagnóstico apresentado pelo IPEA (2012, pág. 23) demonstra o panorama do gerenciamento de resíduos

TABELA 13
Estados da região Norte que coletam RCC e outras informações sobre a coleta (2008)

Estado	Total de municípios participantes da pesquisa	Quantidade coletada de RCC de origem pública (t/ano)	Quantidade coletada de RCC de origem privada (t/ano)	Número de município com coleta executada pela prefeitura	Número de município que cobra pelo serviço de coleta
Acre	1	60,1	...	1	1
Amapá	2	...	...	-	-
Amazonas	3	5.940	74.620	1	-
Pará	10	112.208	74.620	8	-
Rondônia	5	56.674,4	19.550	3	-
Roraima	1	...	...	-	-
Tocantins	8	12.500	-	6	-

Fonte: SNIS (Brasil, 2010c).

A Instrução Normativa SLTI/MPDG n. 01/10 também faz referência, em seu art. 4°, § 4°, à observância das normas do Instituto Nacional de Metrologia, Normalização e Qualidade Industrial - INMETRO e do ISO n. 14.000, da Organização Internacional para a Padronização (*International Organization for Standardization*). A tal efeito, tem-se

> edital deverá exigir a comprovação de que o licitante adota práticas de descarte sustentável ou reciclagem dos bens que não puderem ser reutilizados, devendo também estabelecer diretrizes sobre a área de gestão ambiental dentro de empresas de bens, quando a contratação envolver a utilização de bens e a empresa for detentora da norma ISO 14000. (SOARES *et al.*, 2010, pág. 55).

---

10 Esta resolução sofreu diversas alterações, conforme se extrai das seguintes: Resolução n. 469/2015; Resolução n. 448/12; Resolução n. 431/11; e Resolução n. 348/04.

Uma outra questão interessante é a determinação, no art. 4º, inciso IX, da comprovação de origem da madeira utilizada nas obras públicas, tendo como objetivo evitar "o emprego de madeira ilegal, advinda de reserva ambiental, e se dá prioridade às empresas que fazem reflorestamento, por exemplo" (Soares *et al.*, 2017, pág. 55). Um estudo interessante feito por Vilela *et al.* junto a alguns entes estatais nacionais (Estado de São Paulo e Municípios de São Paulo-SP, Sorocaba-SP e Porto Alegre-RS) para verificar a utilização de madeira certificada advinda da Amazônia, quando da realização de procedimentos licitatórios, constatou que "em todos os quatro casos analisados o poder local criou regulamentos para a compra da madeira de origem amazônica" (2011, pág. 122).

No tocante à questão dos bens e serviços, há expressa disposição para verificação da utilização de bens sustentáveis, especificamente quando estiverem devidamente certificados de padronização técnica, com menção à ABNT NBR - 15448-1 e 15448-2 e aos requisitos ambientais fixados pelo INMETRO. A certificação deverá ser comprovada por entidade pública ou credenciada, possibilitando, ainda, que tal aspecto venha a ser comprovado por qualquer outro meio de prova, desde que atendidas as exigências do edital. Neste diapasão

> Bens com menores impactos ambientais podem ser identificados por certificações, que atualmente não aceitas pelo Tribunal de Contas da União, ou por critérios técnicos. Considerando esta última possibilidade, destacamos a existência de catálogos oficiais de produtos sustentáveis em diferentes esferas governamentais, como o Catálogo de Materiais do Sistema de Compras do Governo Federal (CATMAT SUSTENTÁVEL), o Catálogo Socioambiental do Estado de São Paulo e a inclusão de itens com critérios sustentáveis no Catálogo de Materiais e Serviços (CATMAS) do Estado de Minas Gerais. (...) A escolha por bens com menores impactos ambientais é ato de gestão pública que se relaciona com o ato de repensar o que se consome e a recusa aos produtos danosos ao meio ambiente (AGU, 2013, pág. 41).

No que tange, ainda, à compra de bens e produtos com menor impacto, assim manifestam-se Mata Diz e Caldas (2016, pág. 258)

> (...) a aquisição de produtos, como de higiene e limpeza, papel, móveis e alimentos, deve estar direcionada para que sejam recicláveis e/ou orgânicos, inclusive como forma de a Administração Pública influenciar e incentivar o consumo consciente e a chamada logística reversa (tendo como seus instrumentos a regulação direta, Acordos Setoriais ou Termos de Compromisso realizados pelo Poder Público), refletindo-se, a médio e longo prazo, em um incremento de sustentabilidade do desenvolvimento nacional e de manutenção do equilíbrio socioambiental.

Em relação aos serviços, a Instrução Normativa SLTI/MPDG n. 01/10 traz um rol exemplificativo de critérios que podem ser utilizados para consideração da sustentabilidade (art. 6°, I a VIII), ao tempo em que privilegia práticas já amplamente difundidas como ecologicamente sustentáveis. A prestação de serviços, obviamente, ao considerar-se no marco de um procedimento sustentável, deverá levar em consideração as demais normativas relativas ao tema como, por exemplo, aquelas estabelecidas para a gestão e manejo de resíduos e/ou destinação ambiental de produtos utilizados na referida prestação.

A Instrução Normativa SLTI/MPDG n. 01/10 prevê, ainda, a criação de um banco de dados com bens ociosos que poderão ser reaproveitados pelos órgãos e entidades da Administração Pública, visando diminuir a aquisição desnecessária de bens e incrementar o grau de aproveitamento dos produtos (art. 9°).

Além de tais instrumentos normativos infralegais, há normas e atos específicos que priorizam a aquisição e utilização de produtos reciclados e recicláveis, bem como que adotam critérios compatíveis com padrões de consumo social e ambientalmente sustentáveis a partir da gestão de resíduos sólidos, para bens, serviços e obras, como é o caso da Lei n. 12.305/10, ou, ainda, a Lei n. 12.187/09, ao preverem preferência nas licitações públicas para propostas que propiciem maior economia de energia, água e outros recursos naturais, ou que voltem-se para a promoção da sustentabilidade nas compras públicas.

Há que se referir, outrossim, às disposições específicas no bojo de normas e atos legais vinculados à atuação da Administração Pública indireta, como é o caso da previsão dos arts. 27 e 45, da Lei n. 13.303/16. Especificamente no que tange à licitação, este art. 45 estabelece, claramente, que poderão ser adotados critérios de sustentabilidade na compra de bens e contratação de serviços, inclusive de engenharia por parte destes entes.

Não obstante toda essa panóplia legal e normativa existente a prol da implementação das licitações e contrações públicas sustentáveis, na atualidade pátria há grande preocupação, segundo uma óptica de Administração de resultado (Aragão, 2004), de se contornar a barreira da desinformação e falta de treinamento dos gestores públicos a fim de que sua efetividade dê-se de forma sistematizada e integrada por entre as distintas esferas administrativas. Cabe mencionar que em estudo realizado para verificação do cumprimento dos aspectos estabelecidos na Instrução Normativa SLTI/MPDG n. 01/10 pela Administração Pública federal, assim assinalam Alencastro; Silva; Lopes

> Acerca da efetividade das CPSs, considerando as contratações realizadas pelos órgãos integrantes da amostra no período de janeiro de 2010 a julho de 2012, observou-se que as licitações sustentáveis estão praticamente restritas ao Ministério da Educação e aos órgãos vinculados à estrutura desse ministério nos diversos estados da federação. Portanto, apesar do aumento no percentual de aquisições sustentáveis desde o início da vigência da Instrução Normativa no 1, em janeiro de 2010, o estudo revelou que mais da metade dos órgãos do Poder Executivo federal tem participação inexpressiva nesse processo, o que demanda atuação do MPOG no sentido de identificar e corrigir as causas desse problema (2014, pág. 231).

Igualmente, o Guia de Licitação realizado pelo Núcleo Especializado: Sustentabilidade, Licitação e Contratos (NESLIC), da Consultoria Geral da União/Advocacia Geral - DECOR/CGU/AGU, explicita o déficit de efetividades das licitações sustentáveis

> ...toda nova lei necessita de algum tempo para se tornar efetiva, e neste caso das licitações sustentáveis necessita especialmente, diante da complexidade do tema da sustentabilidade, de instrumentos que possam facilitar o seu cumprimento (...) (2016, pág. 8)

Mesmo que não possua caráter vinculante, o referido Guia da AGU - Advocacia Geral da União (2016) tem como finalidade promover a uniformização e interpretação dos critérios estabelecidos nos diplomas legais, servindo, portanto, como ferramenta para auxiliar o gestor na tomada de decisão no que se refere às licitações sustentáveis, permitindo serem mais efetivas. Também auxilia na compreensão da terminologia jurídica e técnica, funcionando como documento facilitador para as contratações.

Em tal diapasão, a respeito da necessidade de uma maior efetividade das contratações públicas sustentáveis, também o Manual para implementação de licitações sustentáveis na Administração Pública Federal, de autoria da AGU - Advocacia Geral da União (2013, pág. 7-8), ressalta que:

> O Estado brasileiro, como bem esclarece este cioso trabalho, se comprometeu, em diversos normativos, à observância de padrões de sustentabilidade. Celebrou compromissos internacionais, impõe regras e sinaliza novos padrões. Atraiu para si o dever de observância deste recente comportamento, enquanto gerente de diversas modalidades de recursos. Considerando o pressuposto para a efetividade das ações de Estado, calcadas nos instrumentos seletivos para as contratações administrativas, cumpre dar força e realidade ao planejado... Embora a missão não seja nova, é desafio desenvolvê-la de outra maneira. Mantendo o olhar da probidade das contratações, associá-lo a efeitos menos mediatos, porém igualmente concretos e factíveis.

E, consoante antes constatado por Mata Diz e Caldas (2016), tal realidade não é exclusiva da esfera federal, também sendo verificada em outras instâncias de gestão pública, como no caso do maior Tribunal Estadual da Justiça comum do País, qual seja, o Tribunal de Justiça do Estado de São Paulo.

Como parte das atividades de pesquisa e extensão que devem ser desenvolvidas pelas instituições de ensino superior, conforme previsto na Lei de Diretrizes e Bases da Educação (LDB), a Universidade Nove de Julho (UNINOVE) elaborou e implementou projeto de pesquisa para análise do Plano de Gestão Ambiental no Tribunal de Justiça do Estado de São Paulo, buscando estabelecer em que medida ocorre a aplicação e incorporação do princípio da integração ambiental na gestão e organização do espaço físico, estrutural e do acervo documental (especialmente no que se refere aos contratos administrativos e seu desenvolvimento) deste órgão judicial (TJ/SP).

O projeto foi estruturado em 8 (oito) fases, iniciando pela fase de diagnóstico até a avaliação e planejamento da política de gestão ambiental, além de prever o monitoramento e acompanhamento de novas metas a serem estabelecidas pelo referido Tribunal. A primeira fase vinculada ao diagnóstico foi devidamente realizada e destinou-se a coletar os dados necessários para verificação da política de gestão ambiental, concretizando-se por intermédio da análise documental e de visitas *in loco*, além de entrevistas com os funcionários do TJ/SP. Conforme relatório apresentado pela equipe de trabalho (UNINOVE, 2015)[11], os objetivos específicos do diagnóstico podem ser assim sintetizados:

> (i) identificar práticas atuais operacionais em temas chave do projeto como consumo de água, energia e papel, geração e destinação de resíduos, procedimentos de gerenciamento de contratos de serviços, e principalmente manutenção; (ii) oportunidades de melhoria e de economia nesses temas; (iii) estruturas de gestão, principalmente facilitadores e barreiras; e (iv) proporcionar direcionamento estratégico para os próximos passos na direção da implantação de práticas de gestão ambiental e das metas do Plano de Logística Sustentável.

---

[11]   Equipe: Prof. Dr. Alexandre de Oliveira e Aguiar; Profª Drª Tatiana Tucunduva Philippi Cortese; Profª Drª Claudia Terezinha Kniess; Profª Drª Monica Bonetti Couto; Prof. Dr. Roberto Correia da Silva Gomes Caldas; Prof. Me. Wilson Levy; Prof. Dr. Emerson Antonio Maccari; Prof. Dr. Vladimir Oliveira da Silveira; Publ. Patricia Storopoli Tzortzis; Eng. João Henrique Storopoli; Adv. Kelly Corrêa de Moraes e Eng. Antonio Luiz Ferrador Filho.

Uma análise detida da sustentabilidade dos contratos administrativos do TJ/SP então analisados, conforme tal estudo realizado pela UNINOVE (2015) em parceria com o próprio Tribunal, revelou algumas deficiências, as quais assim se resumem:

A) responsabilização inadequada pelos resíduos gerados (do prestador dos serviços em vez do próprio Tribunal, enquanto gerador);

B) descuido com as boas práticas de gestão energética, ante uma inadequada execução dos contratos pela ausência da exigência de cumprimento ou mesmo apenação pelo inadimplemento;

C) necessidade de mecanismos pactuais mais flexíveis, que permitam métodos e técnicas mais contemporâneos que tragam benefícios ambientais *(v. g., o Ciclo PDCA)*;

D) relevância da inclusão, nas contratações administrativas, de critérios objetivos de sustentabilidade a serem observados enquanto um compromisso socioambiental de todos os envolvidos (Programa A3P - Agenda Ambiental na Administração Pública);

E) ausência de comprovação da destinação adequada dos resíduos e da exigência da certificação ambiental por um órgão público (consoante a Instrução Normativa n. 1/10, da SLTI/MPOG);

F) necessidade da abertura de diálogo com o contratado (parceiro privado), para incorporação dos avanços tecnológicos ao longo do contrato, com redução de custos e possíveis vantagens socioambientais;

Tal circunstância exemplificativa da realidade pátria quanto à contratação administrativa verde, de conseguinte, impõe, como recomendável, que seja contornada mediante uma gradativa e planejada incorporação nacional dessa obrigatória sustentabilidade nas licitações e respectivas avenças públicas, de sorte a tornar-se uma efetiva cultura disseminada tanto no setor público, como também no setor privado, ante uma implementação sinérgica por ambos promovida.

VI. Conclusão

A sustentabilidade, em seus pilares econômico, social e ambiental, bem como de parceria e pacificação social, em harmonia com os aspectos cultural e político envolvidos, até o presente não foi efetivamente contemplada, de modo integral, nos procedimentos licitatórios e nas conseguintes contratações públicas, uma vez que, malgrado a Lei Federal n. 8.666/93, em seu art. 3°, preveja a necessidade de inserção de critérios sustentáveis, sua regulação nacional pelo Decreto n. 7.746, de 2012, com as alterações introduzidas pelo Decreto n. 9.178/17, ainda não permitiu sua total concreção.

Obviamente, que o critério econômico se pretende devidamente observado não só pela aplicação do princípio da economicidade (com a concomitante minimização dos custos - modicidade) —que, aliado à eficiência em que inserto, visa a alcançar o maior grau de vantagens nas alienações e aquisições de bens, realização de obras e prestações de serviços públicos por parte do Estado—, mas também pela otimização máxima dos seus valores agregados, inclusive em termos de satisfação, *v. g.*, das necessidades do usuário, como utilidade, conforto e certeza na fruição dos serviços públicos.

A disposição contida no art. 3°, da Lei n. 8.666/93, deveria, por razões de interpretação sistêmica constitucional e efetivação das normas infraconstitucionais vinculadas à proteção ambiental (notadamente, no primeiro caso, pelo art. 225, *caput*, da Constituição Federal de 1988), zelar pela qualificação e a quantificação do objeto a ser contratado a partir dos anseios de manutenção e preservação sustentável dos valores sociais e ambientais.

Vale ressaltar, ainda, como já se fez em análise anterior (Mata Diz; Caldas, 2016), que a consideração da sustentabilidade presente nos contratos administrativos demanda uma análise acurada dos impactos que as políticas públicas adotadas podem causar aos seus pilares, em busca de um cenário de maior proteção e menor custo para a Administração Pública.

A consagração da sustentabilidade nos contratos públicos, em âmbito nacional, não deve ser considerada como mera expressão de vontade do legislador ou norma abstrata carente de maior aplicabilidade, vez que se ampara na necessidade de concretização da vertente ambiental, em conjunto com os aspectos econômicos e sociais a prevalecer em todas as etapas do procedimento para a contratação pública, hodiernamente concertada.

Nota-se que há expressa regulação para que a sustentabilidade, tanto de modo geral como em setores específicos, possa ser efetivamente incluída nas aquisições de bens, prestação de serviços e realização de obras por parte da Administração Pública, em consonância com a observância dos demais princípios que regem o procedimento licitatório no Brasil (por exemplo, publicidade, moralidade, impessoalidade etc.).

É justamente nesse sentido, que a interpretação e o alcance dados ao disposto no art. 3°, da Lei n. 8.666/93, inspirados pela horizontalidade da transversalidade sistêmica ambiental, devem imbricar seu fundamento por intermédio da efetivação dos pilares componentes da sustentabilidade, sem que haja privilégio ou assunção de qualquer um deles.

Em tal circunstância é que se deve realizar uma interpretação conforme às demais normas do sistema jurídico nacional, devendo a mesma, obviamente, ser realizada com base em determinados critérios, evitando-se, assim, uma aplicação exclusivamente casuística e discricionária por parte dos agentes públicos, sempre, repise-se, em concordância e atendimento aos demais princípios e normas que regem a contratação pública no Brasil.

A sustentabilidade, segundo a finalidade a ser atendida, deve guiar o intérprete —em quaisquer das esferas e em todas as etapas do processo decisório— quando se depare com situações relativas aos procedimentos licitatórios e aos contratos públicos que possam resultar em violação dos parâmetros especificados pelas leis brasileiras, notadamente na preservação ambiental, no desenvolvimento social e econômico.

Bibliografia

ALENCASTRO, Maria Alice; SILVA, Edson Vicente da; LOPES, Ana Maria D'Ávila, "Contratações sustentáveis na administração pública brasileira: a experiência do Poder Executivo federal". *Revista de Administração Pública*, vol. 48, n. 1, jan./fev. 2014, pág. 207-35. Disponível em: <http://bibliotecadigital.fgv.br/ojs/index.php/rap/article/view/16072/14899>. Acesso em: 10 mai 2017.

ALVIM, Pedro, *O contrato de seguro*. Rio de Janeiro: Forense, 3ª ed., 1999.

ANDRADE, Darcy Bessone de Oliveira, *Do contrato*. Rio de Janeiro: Forense, 1960.

ARAGÃO, Alexandre Santos de, "Princípio da eficiência". *Revista de direito administrativo*. Rio de Janeiro: Fundação Getúlio Vargas, n. 237, jul./set. 2004, pág. 1-6. Disponível em: <http://bibliotecadigital.fgv.br/ojs/ index.php/rda/article/view/44361/44784>. Acesso em: 10 mai 2017.

BRASIL. Advocacia Geral da União - AGU, "Cadernos da Consultoria-Geral da União". *Manual - Implementando licitações sustentáveis na Administração Pública Federal (4)*. Brasília: AGU, 2013. Disponível em: <file:///C:/Users/Roberto/Downloads/manual__implementando_licitacoes_sustentaveis _na_administracao_publica_federal.pdf>. Acesso em: 10 mai 2017.

BRASIL. Advocacia-Geral da União - AGU, "Cadernos da Consultoria-Geral da União. Núcleo Especializado: Sustentabilidade, Licitação e Contrato". *Guia Nacional de Licitações Sustentáveis*. Brasília, 2016. Disponível em: <http://www.agu.gov.br/page/download /index/id/33733269>. Acesso em: 10 mai 2017.

CALDAS, Roberto Correia da Silva Gomes, "O contexto sinérgico das atividades de regulação administrativa concertada à luz dos denominados contratos administrativos". *Interesse Público*. Belo Horizonte: Editora Fórum, ano 12, n. 61, mai./jun. 2010, pág. 69-82.

CALDAS, Roberto Correia da Silva Gomes, *Parcerias público-privadas e suas garantias inovadoras nos contratos administrativos e concessões de serviços públicos*. Belo Horizonte: Ed. Fórum, 2011.

CALDAS, Roberto Correia da Silva Gomes, "Processualização dos contratos administrativos e sustentabilidade sistêmica". *In: Anais do II Seminário Internacional "Direitos fundamentais, jurisdição e processo coletivo": o novo CPC e o Direito Processual Civil*

Internacional. LAGES, Cíntia Garabini; LÔBO, Ediliene; LEMOS JUNIOR, Eloy Pereira (Org.). Pará de Minas: VirtualBooks Editora, vol. 1, 2016, pág. 41-85.

CALDAS, Roberto Correia da Silva Gomes; MORAES, Kelly Correa de, "A ética e a sustentabilidade na vertente do «triple bottom line» e a atuação empresarial responsável". In: *Anais do III Seminário Internacional "Estado, Constitucionalismo Social e Proteção dos Direitos Humanos".* RIBEIRO SILVA, Carla Volpini; MATA DIZ, Jamile Bergamaschine; LIMA, Renata Mantovani (Org.). Pará de Minas: Virtual Book, vol. 2, 2016, pág. 168-195.

CALDAS, Roberto Correia da Silva Gomes, "Governança regulatória e os Objetivos de Desenvolvimento Sustentável (ODS): um plano de ação para as políticas públicas locais". In: *Direito empresarial: estruturas e regulação.* JORGE, André Lemos; ADEODATO, João Maurício; DEZEM, Renata Mota Maciel Madeira (Org.). São Paulo: Uninove Editora, 2018, pág. 47-75. Disponível em: <https://www.migalhas.com.br/ arquivos/2018/9/ art20180926-06.pdf>. Acesso em: 10 ago. 2018.

CALDAS, Roberto Correia da Silva Gomes, "Contratação pública sustentável". In: *Perspectivas luso-brasileiras sobre contratação pública sustentável.* RODRIGUES, Nuno Cunha; MATA DIZ, Jamile Bergamaschine; CALDAS, Roberto Correia da Silva Gomes (Org.). Lisboa: AAFDL Editora, 2019, págs. 39-68.

CLARO, Priscila Borin de Oliveira; CLARO, Danny Pimentel; AMANCIO, Robson, "Entendendo o conceito de sustentabilidade nas organizações". *Revista Administração - RADUSP,* v. 43, n. 4, Universidade de São Paulo: São Paulo, out./nov./dez. 2008, pág. 289-300. Disponível em: <www.rausp.usp.br/ download.asp?file=v4304289.pdf>. Acesso em: 09 abr 2016.

CORREIA, José Manuel Sérvulo, *Legalidade e autonomia contratual nos contratos administrativos.* Braga: Livraria Almedina, 2003 (reimpr. de 1987).

COSTA, Carlos Eduardo Lustosa, "As licitações sustentáveis na ótica do controle externo". *Revista Interesse Público.* v. 14, n. 71, jan./fev., 2012, pág. 243-278.

DE CARLI, Ana Alice; COSTA, Leonardo de Andrade, "Sustentabilidade ambiental: parâmetro necessário à atividade econômica e requisito essencial à concessão de benefícios fiscais". *Quaestio Iuris.* vol. 09, n. 02, Rio de Janeiro, 2016, pág. 843-860. Disponível em: <http://www.e-publicacoes.uerj.br/index.php /quaestioiuris/article/viewFile/19832/16224>. Acesso em: 09 abr 2016.

ELKINGTON, John, "Enter the Triple Bottom Line". In: HENRIQUES, Adrian; RICHARDSON, Julie. *The Triple Bottom Line, Does It All Add Up?: Assessing the Sustainability of Business and CSR.* London; Earthscan Publications Ltd., 2004, cap. 1, pág. 1-16. Disponível em: <http://kmhassociates.ca/resources/1/ Triple%20Bottom%20Line%20 a%20history%201961-2001.pdf>. Acesso em: 09 abr 2016.

FREIRE, André Luiz, *Manutenção e retirada dos contratos administrativos inválidos.* São Paulo: Malheiros Editores, 2008.

GAMA, Affonso Dionysio, *Theoria e pratica dos contractos por instrumento particular no direito brasileiro.* Rio de Janeiro: Livraria Editora de Leite Ribeiro & Maurillo, 3ª ed., 1925.

GARCÍA, Izner Hanna, *Lesão nos contratos e ação de revisão: doutrina e jurisprudência.* Rio de Janeiro: AIDE Editora, 2001.

GOMES, Orlando, *Contratos.* Rio de Janeiro: Forense, 26ª ed., 2ª tiragem, 2008.

IPEA - Instituto de Pesquisa Econômica Aplicada, *Diagnóstico dos resíduos sólidos da construção civil: relatório de pesquisa*. Brasília, 2012. Disponível em: <http://www.ipea.gov. br/agencia/images /stories/PDFs/relatoriopesquisa/120911_relatorio _construcao_civil. pdf>. Acesso em: 09 abr 2016.

LEFF, Enrique, *Epistemologia ambiental*. VALENZUELA, Sandra (Trad.). São Paulo: Cortez Editora, 5ª ed., 2002.

LOURENÇO, Mariane Lemos; CARVALHO, Denise, "Sustentabilidade social e desenvolvimento sustentável". *RACE - Revista de Administração, Contabilidade e Economia*. v. 12, n. 1, jan./jun. 2013, pág. 9-38. Disponível em: <https://editora.unoesc.edu.br/index.php/ race/article/view/2346/pdf>. Acesso em: 09 abr 2016.

MARQUES NETO, Floriano de Azevedo; ZAGO, Marina Fontão, "Contratações públicas sustentáveis no Brasil: onde estamos?". In: *Perspectivas luso-brasileiras sobre contratação pública sustentável*. RODRIGUES, Nuno Cunha; MATA DIZ, Jamile Bergamaschine; CALDAS, Roberto Correia da Silva Gomes (Org.). Lisboa: AAFDL Editora, 2019, págs. 39-68.

MATA DIZ, Jamile Bergamaschini; GOULART, Rayelle Caldas Campos, A aplicação do princípio da integração ambiental nas políticas setoriais europeias. In: SANCHES, Samyra Haydëe Dal Farra Naspolini; BIMFELD, Carlos André; ARAUJO, Luiz Ernani Bonesso de (Coord.). **Direito e sustentabilidade**. Florianópolis: CONPEDI, 2013, pág. 37-66. Disponível em: <http://www.publicadireito.com.br/artigos/?cod= 8ca01ea-920679a0f>. Acesso em: 09 abr 2016.

MATA DIZ, Jamile Bergamaschine; ALMEIDA, Felipe Toledo Soares de, "A incorporação dos princípios ambientais internacionais pelo sistema jurídico brasileiro e a promoção da sustentabilidade ambiental". In: *Direito e sustentabilidade I*. CUNHA, Belinda Pereira; SILVA, Maria dos Remédios Fontes; DOMINGOS, Terezinha de Oliveira (Coord.). Florianópolis: CONPEDI, 2014, pág. 111-138. Disponível em: <www.publicadireito.com. br/artigos/?cod=cff131894d0d56ca>. Acesso em: 09 abr 2016.

MATA DIZ, Jamile Bergamaschine; CALDAS, Roberto Correia da Silva Gomes, "Contratos administrativos à luz de novas formas de gestão e da sustentabilidade: por uma concretização do desenvolvimento sustentável no Brasil". *Revista A&C - Revista de Direito Administrativo e Constitucional*, n. 65, Editora Fórum, mai./jul. 2016, pág. 249-275. Disponível em: <http://www.revistaaec.com/index.php/revistaaec/article/ view/267/632>. Acesso em: 09 abr 2016.

MAURER, Hartmut, *Direito administrativo geral*. Tradução de Luís Afonso Heck. Barueri: Manole, 2006.

MELLO, Celso Antônio Bandeira de, *Curso de direito administrativo*. São Paulo: Malheiros Editores, 25ª ed., 2008.

MELLO, Oswaldo Aranha Bandeira de, *Princípios gerais de direito administrativo*. São Paulo: Malheiros Editores, 3ª ed., 2007.

MONCADA, Luís S. Cabral de, *A relação jurídica administrativa: para um novo paradigma de compreensão da actividade, da organização e do contencioso administrativos*. Coimbra: Coimbra Editora, 2009.

MOREIRA NETO, Diego de Figueiredo, "Novos institutos consensuais da ação administrativa". *Revista de Direito Administrativo*, Fundação Getúlio Vargas, n. 231, jan./mar. de 2003, pág. 129-156.

MOREIRA NETO, Diogo de Figueiredo, "Políticas públicas e parcerias: juridicidade, flexibilidade negocial e tipicidade na administração negocial". *BLC - Boletim de licitação e contratos.* São Paulo: NDJ - Nova Dimensão Jurídica, ano 21, n. 1, janeiro de 2008, pág. 34-42.

ONU - ORGANIZAÇÃO DAS NAÇÕES UNIDAS, CNUMAD - "Conferência das Nações Unidas sobre o Meio Ambiente e o Desenvolvimento". *Agenda 21.* Brasília: Câmara dos Deputados, Coordenação de Publicações, 1995. Disponível em: <http://www.defesacivil. pr.gov.br/arquivos/File/P2R2/agenda21.pdf>, acesso em 09 abr 2016.

ONU - ORGANIZAÇÃO DAS NAÇÕES UNIDAS, "Comissão sobre Governança Global". *Nossa Comunidade Global.* O Relatório da Comissão sobre Governança Global. Rio de Janeiro: Editora FGV, 1996.

ONU - ORGANIZAÇÃO DAS NAÇÕES UNIDAS, "Comissão Mundial sobre o Meio Ambiente e Desenvolvimento - CMMAD". *Relatório Brundtland.* 1987. Disponível em: <https://naaee.org/sites/default/files/report   _of_the_world_commission_on_environment_and_development.pdf>. Acesso em: 16/09/2010.

ONU - ORGANIZAÇÃO DAS NAÇÕES UNIDAS, "Comissão Mundial sobre o Meio Ambiente e Desenvolvimento - CMMAD". *Nosso Futuro Comum (Relatório Brundtland).* Rio de Janeiro: Editora FGV, 2. ed., 1991. Disponível em: <https://edisciplinas.usp.br/ pluginfile.php/4245128/mod_ resource/content/3/ Nosso%20Futuro%20Comum.pdf>. Acesso em: 16/09/2010.

ONU - ORGANIZAÇÃO DAS NAÇÕES UNIDAS, CNUMAD - "Conferência das Nações Unidas sobre o Meio Ambiente e o Desenvolvimento". *Declaração sobre Meio Ambiente e Desenvolvimento - Rio 1992.* 1992. Disponível em: <http://www.direitoshumanos.usp. br/index.php/Direito-ao-Desenvolvimento/ declaracao-sobre-meio-ambiente-e-desenvolvimento.html>, acesso em 09 abr 2016.

ONU - ORGANIZAÇÃO DAS NAÇÕES UNIDAS, *Agenda 2030.* 2015. Disponível em: <https://nacoesunidas.org/pos2015/agenda2030/>. Acesso em: 17/06/2016.

RICHMOND, Oliver P., "Para Além da Paz Liberal? Respostas ao «Retrocesso»". LAGES, Victor Coutinho (Trad.). *Contexto Internacional,* vol. 32, n. 2, julho/dezembro 2010, pág. 297-332.

ROSSATO, Jaqueline; VAN BELLEN, Hans Michael, "Licitações sustentáveis: um levantamento das iniciativas adotadas na Administração Pública". *XXXV Encontro da ANPAD.* Rio de Janeiro, set. 2011. Disponível em: <http://www.anpad.org.br/admin/ pdf/ESO2131.pdf>. Acesso em: 12 mai. 2015.

SOARES, Kamyle Braga *et alii.*, "Critérios de sustentabilidade ambiental na Administração Pública Federal: vantagens e desvantagens com base na Instrução Normativa 01/2010". *Conexões Ciência e Tecnologia.* v. 11, n. 3, nov. 2017, pág. 50-63. Disponível em: <file:///C:/Users/Roberto/Downloads/899-5285-1-PB.pdf>. Acesso em: 12 mai. 2015.

UN-UNITED NATIONS, World Commission on Environment and Development. *Our common future: report of the World Commission on Environment and Development (Brundtland Report).* 1987. Disponível em: <http://www.un-documents.net/ocf-02.htm#I>. Acesso em: 16/09/2010.

UNINOVE, *Relatório - Etapa 1: Diagnóstico sobre o Plano de Gestão Ambiental no Tribunal de Justiça do Estado de São Paulo,* em 17.12.2015.

VALENTE, Manoel Adam Lacayo, "Marco legal das licitações e compras sustentáveis na administração pública". *Consultoria Legislativa: estudo.* Brasília: Câmara dos Deputados, 2011. Disponível em: <http://www2.camara.leg.br/atividade-legislativa/estudos-e-notas-tecnicas/areas-da-conle/tema1/2011_ 1723.pdf>. Acesso em: 01 fev. 2016.

VILELLA, Malu *et alii.*, "Consumo responsável de madeira amazônica: a adoção do instrumento da licitação sustentável por governos subnacionais membros da Rede Amigos da Amazônia". Cadernos Gestão Pública e Cidadania. v. 16, n. 58, 2011, pág. 106-125. Disponível em: <http://bibliotecadigital.fgv.br/ojs/index.php/cgpc/ article/viewFile/3568/2253>. Acesso em: 01 fev. 2016.

LÍMITES EN LA APLICACIÓN DE LA LEGISLACIÓN DE CONTRATOS ESPAÑOLA RESPECTO A LOS DENOMINADOS SECTORES ESPECIALES. SINGULAR REFERENCIA A SU INCLUSIÓN EN LA CONTRATACIÓN PÚBLICA SOSTENIBLE[1]

Mª Ángeles González Bustos
Doctora en Derecho Administrativo
Profesora Titular
Facultad de Derecho
Universidad de Salamanca

SUMARIO: I. Conceptualización de los sectores excluidos y régimen jurídico aplicable. 1. Sector del agua. 2. Sector energético. 3. Sector del transporte. 4. Servicios postales. II. Límites en la aplicación de la Ley de Contratos del Sector Público respecto a la legislación de contratación de los sectores especiales. 1. Régimen de contratación. III. La contratación pública sostenible en la regulación de los sectores especiales. Bibliografía.

I. Conceptualización de los sectores excluidos y régimen jurídico aplicable

Cuando se hace mención a los sectores excluidos es necesario delimitar a que ámbitos nos referimos para posteriormente poder establecer su régimen jurídico.

Por sectores excluidos, en la esfera de la legislación de contratos, debemos entender aquellos ámbitos de aplicación en los que las Administracio-

---

[1] Este capítulo ha sido redactado y revisado a fecha de diciembre de 2019. Posteriormente ha sido publicado el Real Decreto-Ley 3/2020, de 4 de febrero, de medias urgentes por el que se incorporan al ordenamiento jurídico español diversas directivas de la Unión Europea en el ámbito de la contratación pública de determinados sectores.
Se ha intentado adaptar dicha disposición a las ideas redactadas inicialmente ya que en el momento de esta anotación el libro se encontraba ya maquetado en la editorial.

nes Públicas ejercen sus actuaciones y que quedan fuera de la regulación general de contratación, es decir excluidos de la Ley 9/2017, de 8 de noviembre, de Contratos del Sector Público (LCSP) al contar con su propia regulación. Estos sectores son: agua, energía, transporte y servicios postales.

La justificación de esta exclusión se puso de manifiesto en el Dictamen del Consejo de Estado núm. 464/1998, de 26 de marzo de 1998 en relación con el anteproyecto de ley sobre procedimientos de contratación en los sectores del agua, la energía, los transportes y las telecomunicaciones[2], por el que se incorpora al ordenamiento jurídico español las Directivas 93/38/CE y 92/13/CEE, puntualizando que: "*en este proceso de supresión de barreras físicas, técnicas y fiscales y eliminación de obstáculos, cuatro sectores de actividad quedaron, sin embargo, excluidos del ámbito de aplicación del incipiente acervo comunitario sobre contratación pública. Estos sectores fueron los del agua, la energía, los transportes y las telecomunicaciones. La razón de esta exclusión se debió, conforme razona el Libro Blanco[3], a la constatación de que los poderes adjudicadores que operaban en estos sectores no se identificaban en todos los Estados miembros con entidades de derecho público, sino con entidades sujetas al ordenamiento jurídico-privado. Por otra parte, el concepto de "entidad pública" variaba considerablemente en los diferentes Estados miembros.*

El rasgo fundamental a destacar del acervo normativo enunciado es, sin duda, el tratamiento jurídico diferenciado respecto de la contratación en otros sectores, motivado, fundamentalmente, por resultar de aplicación no solo a sujetos o poderes públicos, sino a entidades contratantes privadas"…

"*El Anteproyecto opta por la incorporación al Derecho interno de las normas comunitarias objeto de recepción mediante una regulación "ad hoc", diferenciada de la legislación sobre contratación de las Administraciones Públicas. Este Consejo de Estado comparte tal criterio. Las singulares características de las normas comunitarias de cuya transposición se trata avalan la conveniencia de diferenciar ambas regulaciones pues, aunque su ámbito subjetivo de aplicación podría coincidir en ciertos casos, es sustancialmente distinto, ya que en las Directivas reguladoras de los denominados sectores de contratación "excluidos" o "especiales" se introduce la novedad de su aplicación no sólo a entidades públicas, sino también a entidades*

---

[2]   Posteriormente regulado como un sector liberalizado quedando al margen de su consideración como sector excluido a efectos de la legislación contractual, véase la nota 3.

[3]   Libro Blanco de la Comisión sobre mercado interior de 1985.

contratantes de naturaleza privada que gocen de un derecho especial o exclusivo conferido por la Administración".

Por consiguiente, la calificación de los sectores especiales toma como referencia el Derecho de la Unión Europea, denominándose inicialmente "sectores excluidos", ya que quedarían fuera de las reglas de la contratación, al operar en estos sectores una gran variedad de entidades de naturaleza heterogénea, pública y privada, en el territorio de los diferentes Estados miembros de la Unión Europea; posteriormente, pasarán a denominarse (el agua, la energía, los transportes y las telecomunicaciones), "sectores especiales" con el objeto de conseguir una mayor apertura a la libre competencia del mercado.

A nivel comunitario la regulación sustantiva se encontraba en la Directiva 2004/17/CE, que excluía de su ámbito a las telecomunicaciones al pasar a constituir un sector liberalizado, e incorpora los servicios postales dentro de la categoría de sectores especiales[4]. La mencionada Directiva es derogada por la Directiva 2014/25/UE del Parlamento Europeo y del Consejo, de 26 de febrero de 2014, relativa a la contratación por entidades que operan en los sectores del agua, la energía, los transportes y los servicios postales. Esta Directiva ha sido objeto de trasposición por el Real Decreto-ley, de 4 de febrero, de medidas urgentes pro el que se incorporan al ordenamiento jurídico español diversas directivas de la Unión Europea en el ámbito de la contratación pública en determinados sectores; de seguros privados, de planes y fondos de pensiones; de ámbito tributario y de litigios fiscales[5-6]. Debemos tener en cuenta que esta Directiva y su trasposición tienen por

---

[4]   Inicialmente se contemplaba las telecomunicaciones como sector especial sin embargo la regulación actual excluye a las mismas y contempla a los servicios postales. La regulación de las telecomunicaciones se contempla en la Ley 9/2014, de 9 de mayo, General de Telecomunicaciones, configurándolas como servicio de interés general prestado en régimen de libre competencia.

[5]   La Comisión Europea ha decidido llevar a Austria, Eslovenia, España y Luxemburgo ante el Tribunal de Justicia de la UE por no haber notificado la plena transposición en sus respectivas legislaciones nacionales de las normas de la UE en materia de contratación pública y concesiones (Directivas 2014/23/UE, 2014/24/UE y 2014/25/UE). La Comisión acudirá al Tribunal para que este imponga, en función de qué Directiva se trate, una multa diaria de 52 972 EUR, 42 377,6 EUR y 42 377,6 EUR en el caso de Austria, de 12 920 EUR, 11 628 EUR y 11 628 EUR en el caso de Luxemburgo, de 8 992,32 EUR en el caso de Eslovenia y de 61 964,32 EUR y 123 928,64 EUR en el caso de España, por cada día que transcurra entre la fecha de la sentencia y la fecha en que dichas Directivas hayan sido aprobadas en su totalidad y estén plenamente vigentes en el Derecho nacional correspondiente.

objeto la contratación en los sectores especiales por parte de los poderes adjudicadores que no sean Administraciones Públicas, es decir empresas públicas y entidades distintas de las anteriores que tengan derechos especiales o exclusivos; de tal modo que lo que afecta a este tipo de contratación por parte de las Administraciones Públicas es de aplicación la Ley de Contratos del Sector Público[7].

El régimen jurídico aplicable es la Directiva 2014/25/UE, de 26 de febrero de 2014, ya que la misma tiene aplicación directa en los Estados miembros de conformidad con la doctrina de la Unión Europea[8] así como EL RD-ley 3/2020 de transposición de la misma que ha derogado la Ley 31/2007, de 8 de noviembre, sobre procedimiento de contratación en los sectores del agua, la energía, los transportes y los servicios postales.

Cuando hablamos de sectores especiales se hace mención principalmente a la explotación o gestión de actividades de interés general consideradas como servicios públicos de interés general que originariamente se gestionaban en régimen de monopolio y que tienen unas especiales condiciones de organización, gestión y explotación respecto al sistema general de contratación. Normalmente estas actuaciones son explotadas o gestionadas por entidades públicas o empresas privadas que tienen la concesión o autorización de esa explotación en exclusividad, de tal forma que dichas actividades de uno u otro modo estarán controladas por los poderes públicos. Esto permite que cada Estado miembro tome las decisiones que considere más oportunas

---

[6]   La Directiva 2014/25/UE tenía que haber sido objeto de transposición al Derecho interno en el 2017, sin embargo ha habido una demora significativa sobre dicho cumplimiento. Lo que se ha intentando resolver en la actualidad con el instrumento del Real Decreto-ley establecido para los casos de urgencia lo que lleva a preguntarse por la urgencia de dicha disposición.

[7]   Vid. el artículo de opinión de MORENO MOLINA, J. A.: "Grave incumplimiento español del derecho de la UE por la falta de trasposición de la directiva de contratos en los sectores especiales", en *Observatorio de Contratación Pública*. 29/04/2019: http://www.obcp.es/index.php/mod.opiniones/mem.detalle/id.495/relmenu.3/chk.c3df68dcccd123259287579f11b14f71.

[8]   Vid. sobre el efecto directo de las Directivas: GIMENO FELIÚ, J. M.: "El efecto directo de las nuevas directivas de contratación pública. Consecuencias de su no trasposición en España y Navarra", en Razquin Lizarraga, M. M. (dir.): *Nueva contratación pública: mercado y medioambiente*, Thomson Reuters Aranzadi-Universidad Pública de Navarra, 2017, págs. 25-75. Y del mismo autor "El efecto directo de las nuevas Directivas comunitarias sobre contratación pública. Consecuencias prácticas de la falta de trasposición de las Directivas", *Revista Galega Administración Pública*, núm. 56, 2016.

sobre su gestión, lo que no justifica la aplicación libre de las reglas de la contratación. La importancia de que estos sectores tengan unas reglas comunes en su regulación da como resultado una mayor seguridad jurídica concretándose así la idea del mercado único[9]. En este sentido, la exposición de motivos de la LCSE señalaba al efecto que: *"Tal y como se manifestaba en la anterior Ley 48/1998, de 30 de diciembre, el Derecho comunitario europeo ha previsto para los sectores del agua, la energía, los transportes y los servicios postales, un régimen normativo distinto al aplicable a los contratos de las Administraciones públicas, cuyas directivas reguladoras fueron objeto de transposición por la Ley de Contratos de las Administraciones Públicas. Este régimen singular en lo que concierne a determinados aspectos de la ordenación de su actividad contractual, entre ellos la selección del contratista, es menos estricto y rígido que el establecido en la Directiva 2004/18/CE del Parlamento Europeo y del Consejo, de 31 de marzo de 2004, sobre coordinación de los procedimientos de adjudicación de los contratos públicos de obras, de suministro y de servicios, asegurando en todo caso los principios de apertura del mercado, de publicidad y concurrencia.*

La Comisión Europea estimó en su momento, ponderando, como se preocupó de señalar, razones políticas, estratégicas, económicas, industriales y jurídicas, que era oportuno introducir criterios originales o específicos en el campo contractual de los entonces denominados sectores excluidos, ya que éstos, en el contexto de los países comunitarios, están gestionados por entidades u organismos públicos o privados de manera indistinta".

Conforme a lo estipulado debemos entender como sectores especiales los siguientes:

1. Sector del agua

La actividad de puesta a disposición, o la explotación de redes fijas destinadas a prestar un servicio al público en relación con la producción, transporte o distribución de agua potable o el suministro de agua potable a dichas redes.

Se aplica también a los contratos o los concursos de proyectos adjudicados u organizados por las entidades que ejerzan las mencionadas actividades, cuando tales contratos tengan relación con proyectos de ingeniería

---

[9]   En esta línea BERMEJO VERA, J.: "El régimen de contratación pública en los sectores especiales del agua, la energía, los transportes y los servicios postales", *Revista de Administración Pública (RAP)*, núm. 176, 2008, págs. 115-159.

hidráulica, irrigación o drenaje y el volumen del agua destinado al abastecimiento de agua potable represente más del 20% del volumen de agua total disponible; e igualmente los contratos relativos a proyectos o concursos de proyectos para la evacuación o tratamiento de aguas residuales.

Quedan excluidos de esta actividad el suministro de agua potable a redes destinadas a prestar un servicio al público por parte de una entidad contratante distinta de los poderes adjudicadores cuando la producción de agua potable por parte de la entidad de que se trate se realice porque su consumo es necesario para el ejercicio de una actividad distinta de las contempladas en el presente artículo y en los artículos 8 a 11, y la alimentación de la red pública dependa exclusivamente del propio consumo de la entidad y no haya superado el 30 por ciento de la producción total de agua potable de la entidad tomando en consideración la media de los tres últimos años, incluido el año en curso.

2. Sector energético

El sector energético engloba servicios de gas y calefacción, electricidad y petróleo, gas, carbón y otros combustibles sólidos.

En cuanto al gas y calefacción se hace referencia a la actividad de puesta a disposición o la explotación de redes fijas destinadas a prestar un servicio al público en relación con la producción, transporte o distribución de gas o calefacción o el suministro de estos servicios a dichas redes. Quedarían excluidos la producción de gas o de calefacción por la entidad de que se trate, cuando sea una consecuencia inevitable del ejercicio de una actividad diferente de las contempladas en el apartado 1 del presente artículo o en los artículos 8 y 10 a 14 del RD-Ley 3/2020; y la alimentación de la red pública deberá tener el único propósito de explotar, desde el punto de vista económico, dicha producción y que corresponda como máximo, al 30 por ciento del volumen de negocios de la entidad, tomando en consideración la media de los tres últimos años incluido el año en curso.

Al hablar de electricidad debemos entender la referencia que el Real Decreto-ley hace sobre la actividad de puesta a disposición o la explotación de redes fijas destinadas a prestar un servicio al público en relación con la producción, transporte o distribución de electricidad o el suministro de electricidad a dichas redes. Se excluyen el suministro de electricidad a redes destinadas a proporcionar un servicio al público por parte de una entidad contratante distinta de los poderes adjudicadores cuando la producción de electricidad, por parte de la entidad de que se trate, se realice como consecuencia de la necesidad del consumo para el ejercicio de una actividad distinta de las contempladas en el apartado 1 del presente artículo y en los artículos 8, 9 y 11 del RD-ley; y la alimentación de la red pública dependa exclusivamente del propio consumo de la entidad y no haya superado el 30 por ciento de la producción total de energía de la entidad, tomando en consideración la media de los tres últimos años, incluido el año en curso (art. 9 LCSE).

Respecto a los combustibles fósiles como el petróleo, gas y carbón u otros análogos, se hace hincapié en las actividades de explotación de una zona geográfica determinada para la prospección o extracción de petróleo, gas, carbón u otros combustibles sólidos.

3. Sector del transporte

La actividad de puesta a disposición o explotación de redes que presten un servicio público en el campo del transporte por ferrocarril, sistemas automáticos, tranvía, trolebús, autobús o cable. De estas actividades quedarán excluidas las entidades que prestan servicio al público en autobús cuando otras entidades puedan prestar libremente tal servicio con carácter general o en el ámbito de una zona geográfica determinada en las mismas condiciones que las entidades contratantes.

La LCSE no hacía mención ni al transporte aéreo, ni marítimo ya que los mismos están abiertos a la libre competencia. Sin embargo, la Directiva 2014/25/UE del Parlamento Europeo y del Consejo, de 26 de febrero de 2014, relativa a la contratación por entidades que operan en los sectores del agua, la energía, los transportes y los servicios postales y por la que se deroga la Directiva 2004/17/CE, hace referencia en su art. 12 a este transporte en los siguientes términos: "*La presente Directiva se aplicará a las actividades de explotación de una zona geográfica determinada con el fin de poner aeropuertos, puertos marítimos o interiores, u otras terminales de transporte a disposición de los transportistas aéreos, marítimos o fluviales*". En la misma línea el RD-ley de transposición en su artículo 12.

Se entiende que existe red en el servicio de transporte siempre que este se preste con arreglo a las condiciones operativas establecidas por la autoridad competente referidas a los itinerarios, a la capacidad de transporte disponible o a la frecuencia del servicio.

4. Servicios postales

Por servicios postales se entienden aquellos servicios consistentes en la recogida, admisión, clasificación, transporte, distribución y entrega de los envíos postales destinados a ser expedidos en la dirección señalada por el remitente sobre el objeto del mismo o su envoltorio, una vez presentado en la forma definitiva en el que debe ser recogido, transportado y entregado. Los envíos postales pueden consistir en correspondencia, publicidad directa, libros, catálogos, diarios, publicaciones periódicas y paquetes postales que contengan mercancías con o sin valor comercial, con independencia de su peso[10].

Se incluyen en el concepto de servicios postales a los efectos de la ley, las actividades relacionadas con la prestación de servicios postales como la gestión de servicios de correo, los servicios de valor añadido vinculados a medios electrónicos y prestados íntegramente por esta vía, los servicios relativos a envíos postales, los servicios financieros, los servicios filatélicos, y los servicios logísticos. Siempre y cuando no se trate de una actividad sometida directamente a la competencia en mercados cuyo acceso no este limitado.

II. Límites en la aplicación de la Ley de Contratos del Sector Público respecto a la legislación de contratación de los sectores especiales

La Ley 31/2007, de 30 de octubre, sobre procedimiento de contratación en los sectores del agua, la energía, los transportes y los servicios postales incorpora al ordenamiento jurídico español las normas comunitarias referidas a los procedimientos de adjudicación de contratos de las entidades que

---

[10]   Art. 2 del Proyecto de Ley sobre procedimientos de contratación en los sectores del agua, la energía, los transportes y los servicios postales por la que se transpone al ordenamiento jurídico español la Directiva 2014/25/UE, del Parlamento Europeo y del Consejo, de 26 de febrero de 2014 (Boletín Oficial de las Cortes Generales del Congreso de los Diputados de 2 de diciembre de 2016). Definición acorde con la establecida en la Ley 43/2019, de 30 de diciembre, de servicios postales universales, del derecho de los usuarios y del mercado postal, que tiene por objeto proporcionar un nuevo marco legal que, garantice los derechos de los ciudadanos a recibir un servicio postal universal de amplia cobertura territorial y elevada calidad y eficiencia y refuerza la sostenibilidad financiera de este servicio que se encomienda a la sociedad estatal Correos y Telégrafos, S.A.

operan en dichos sectores[11], teniendo en cuenta que dichos sectores están excluidos del ámbito de aplicación de la Ley de Contratos de las Administraciones Públicas, y se sujetan a un régimen singular en lo concerniente a determinados aspectos de su actividad contractual como en la selección del contratista, a fin de asegurar la apertura del mercado y en los principios de publicidad y concurrencia, sin que ello suponga la sujeción a los rígidos criterios establecidos para las Administraciones Públicas.

Los cambios producidos en materia de contratación en los últimos años, derivados de la aplicación del Derecho de la Unión Europea hacen necesaria, al igual que ha sucedido con la Ley de Contratos del Sector Público, una modificación de la Ley 31/2007 para incorporar la Directiva 2014/25/UE del Parlamento Europeo y del Consejo, de 26 de febrero de 2014, por la que se deroga la Directiva 2004/17/CE. Dicha modificación se ha realizado, como ya se ha reiterado, por el Real Decreto-Ley 3/2020, de 4 de febrero, de medidas urgentes por el que incorporan al ordenamiento jurídico español la Directiva sobre contratación pública en determinados sectores (BOE, núm. 31, de 5 de febrero de 2020).

A este tipo de contratos se aplican no sólo los principios generales de la contratación pública sino también el principio de libertad de elección de las entidades contratantes, diferenciándolo de los contratos del sector público en los que la selección del contratista aparece restringida a las organizaciones insertas en el sector público. En los contratos que se celebren sobre estos sectores especiales las empresas gestoras de los servicios de interés general deberán tener en cuenta la existencia de criterios diferentes ya que las entidades contratantes pueden libremente elegir a sus contratistas, suministradores y prestadores de servicios, a fin de asegurar su gestión autónoma, debiendo garantizar en la selección del contratista la mayor transparencia posible, para lo cual los procedimientos de contratación se deben encontrar de manera tasada regulados por normas rígidas[12].

---

[11]   Se traspone al ordenamiento jurídico Español la Directiva 93/38/CEE del Consejo, de 14 de junio de 1993, sobre coordinación de los procedimientos de adjudicación de contratos en los sectores del agua, la energía, los transportes y las telecomunicaciones, y la Directiva 92/13/CEE del Consejo, de 25 de febrero de 1992, sobre coordinación de disposiciones legales, reglamentarias o administrativas referentes a la aplicación de las normas comunitarias en los procedimientos de adjudicación de contratos de las entidades que operen en dichos sectores.

[12]   Vid. el Dictamen del Consejo de Estado núm. 1115/2015, de 10/03/2016, sobre el anteproyecto de ley sobre procedimientos de contratación en los sectores del agua, la energía, los transportes y los servicios postales. Y en general sobre la transparen-

La nueva Ley de Contratos del Sector Público (Ley 9/2017, de 8 de noviembre) ha pretendido configurar un marco lógico y consecuente con las Directivas comunitarias, dedicando la Disposición adicional 8ª de la LCSP a los contratos celebrados en los sectores especiales con el consiguiente régimen jurídico aplicable.

Con carácter general, todos los contratos que celebren las entidades que tengan la consideración de Administración públicas, con independencia del sector a que se refieran, se regirán por la LCSP. Por consiguiente, se incluyen los relativos a los sectores del agua, energía, transporte y servicios postales que, por razón de su naturaleza, objeto, características y cuantía, estén sometidos al RD-ley 3/2020, teniendo la consideración de contratos sujetos a regulación armonizada. Por el contrario, los que se celebren por entidades que no tengan la consideración de Administración pública se regirán por la normativa de sectores especiales siempre que los contratos superen los umbrales configurados en dicha Ley. En el caso de que no superen dichos umbrales, y se trate de contratos celebrados con entidades que carezcan de la consideración de Administraciones Públicas, aunque la actividad se refiera a estos sectores inicialmente excluidos, se les aplicará la LCSP.

Cuando se trate de contratos que tengan por objeto la realización de varias actividades deberán ajustarse a las reglas establecidas en el art. 15 RD-ley 3/2020:

a) Si todas las actividades están incluidas, se aplicarán las normas relativas a la actividad a la que el contrato esté dedicado principalmente, sin que la opción entre adjudicar a un solo contrato o adjudicarlo a varios por separado pueda ejercerse con la finalidad de excluir la aplicación de la legislación de sectores especiales o LCSP.

b) Si una de las actividades esté incluida y la otra no estándolo, se somete a la LCSP y resulta imposible establecer a qué actividad se destina principalmente el contrato, esté se adjudicará de conformidad con las reglas de la LCSP.

c) Si una actividad está incluida y la otra, ni lo está ni se somete a la LCSP, y resulta imposible establecer a qué actividad se destina principalmente, éste se adjudica con arreglo a la legislación de sectores especiales.

La Ley sobre procedimientos de contratación en sectores especiales tiene como objetivo principal el de regular con carácter armonizado el procedi-

---

cia en la contratación: Mellado Ruiz, L.: *El principio de transparencia integral en la contratación del sector público*, Tirant lo Blanch, 2017.

miento de adjudicación de los contratos típicos (obras, suministros, servicios y concesiones) que celebren determinadas entidades públicas y privadas cuando operen en los mencionados sectores, cuyo importe supere los umbrales previstos en el art. 16[13]. Se ha de tener en cuenta que para que un contrato se encuentre sometido al ámbito de aplicación de la legislación de sectores especiales debe cumplir una serie de notas que lo configuran y que expondremos a continuación.

1. Los sujetos o entidades contratantes serán los organismos de derecho público, las empresas públicas, las entidades contratantes que, sin ser organismos públicos o empresa públicas, tengan derechos especiales o exclusivos, y las asociaciones formadas por varias entidades contratantes.

Por lo tanto, quedan excluidas del ámbito de esta Ley las administraciones públicas y sus organismos autónomos con los matices señalados en la disposición adicional 8ª de la LCSP; así como de conformidad con la disposición adicional 3ª: *"los supuestos de prohibición de contratar establecidos en el artículo 49.1 de la Ley de Contratos del Sector Público serán de aplicación a las entidades contratantes que sean organismos de derecho público, a que se refiere el artículo 3.1, y a las empresas públicas"*.

La Disposición adicional 2ª de la LCSE enumeraba, con carácter no excluyente, las entidades contratantes que operan en la producción, transporte o distribución de agua potable, de electricidad, y de gas o combustibles para calefacción; las de prospección y extracción de petróleo o gas, y de carbón u otros combustibles fósiles; las del sector de los servicios ferroviarios, y de ferrocarriles urbanos, tranvías, trolebuses o autobuses; los servicios postales (Correos y Telégrafos, S.A.); las instalaciones de aeropuertos (Ente público Aeropuertos Españoles y Navegación Aérea (AENA)), y el sector de los puertos marítimos o fluviales u otras terminales (Autoridades Portuarias).

Los organismos de Derecho público para entrar en el ámbito de aplicación de la legislación de sectores especiales deben cumplir una serie de requisitos de carácter acumulativo[14]:

– Deben ser creados para satisfacer necesidades de interés general que no tengan carácter industrial o mercantil,

---

[13] Umbrales modificados anteriormente por el Reglamento Delegado (UE) 2017/2364 de la Comisión. De 18 de diciembre de 2017, que modifica la Directiva 2014/25/UE del Parlamento Europeo y del Consejo por lo que se refiere a los umbrales de aplicación en los procedimientos de adjudicación de contratos.

[14] Sentencia del TJCE 15 de enero de 1998, asunto C-44/96.

– Estar dotados de personalidad jurídica propia, y

– Su actividad debe estar financiada mayoritariamente por una administración territorial u organismos de Derecho público, o que su gestión esté sujeta a control por estas mismas, o cuente con un órgano de administración, dirección o de vigilancia con más de la mitad de sus miembros nombrados por dichas administraciones públicas.

Las empresas públicas engloban a entidades públicas empresariales, sociedades mercantiles de carácter público, así como toda entidad u organismo sobre los que los poderes adjudicadores puedan ejercer, directa o indirectamente, una influencia dominante por el hecho de tener propiedad o participación financiera en las mismas[15].

Las entidades contratantes que tengan derechos especiales o exclusivos son aquellas que sin ser poder adjudicador o empresa pública ejerzan sus actividades dentro del ámbito de aplicación del RD-ley 3/2020 y tengan derechos especiales o exclusivos concedidos por un órgano competentes de una Administración Pública, organismos de derecho público o entidad pública empresarial[16]. Por deducción podemos entender las mismas como empresas privadas en su gran mayoría.

2. El objeto debe hacer referencia a determinadas actividades reguladas en los cuatro grandes sectores, señalando expresamente la producción y distribución de agua potable, gas y calefacción, electricidad, prestación de servicios públicos de transporte colectivo de viajeros, prestación de servicios postales, prospección y extracción de combustibles y puesta a disposición de terminales de transporte.

---

[15]   Se considera que un poder adjudicador ejerce una influencia dominante sobre una empresa cuando tenga la mayoría de capital suscrito de la empresa, disponga de la mayoría de los votos correspondientes a las participaciones emitidas por la empresa o pueda designar a más de la mitad de los miembros del órgano de administración, dirección o vigilancia.

[16]   De conformidad con el art. 6 RD-ley 3/2020: *"Se considera que una entidad contratante goza de derechos especiales o exclusivos, cuando estos sean concedidos por los órganos competentes de una Administración Pública en virtud de cualquier disposición legal, reglamentaria o administrativa que siendo compatible con el Tratado de Funcionamiento de la Unión Europea que tenga como efecto limitar a una o más entidades el ejercicio de una actividad contemplada en los artículos 8 a 14 y que afecte sustancialmente a la capacidad de las demás entidades de ejercer dicha actividad".*

Se excluyen las actividades liberalizadas en dichos sectores, y determinadas contratos y negocios contemplados en el art. 18 y siguientes del RD-ley:

– Contratos y concurso de proyectos relacionados con el ámbito internacional que se señalan en el art. 21 RD-ley;

– Contratos en el ámbito de la defensa y de la seguridad contemplados en el art. 23;

– Contratos de adquisición de agua, y contratos de suministro de energía o combustible de las empresas contratantes destinados a la generación de energía;

– Contratos que tengan por objeto la adquisición o arrendamiento, el arbitraje y conciliación, los regulados por la legislación laboral...; y

– Disposiciones de adjudicación a los contratos celebrados por una empresa contratante a una empresa asociada, y por una empresa conjunta a una empresa asociada relativos a los contratos de servicios, suministros o de obras cuando como mínimo el 80 por ciento del promedio de volumen de negocios que la empresa asociada haya efectuado en los últimos 3 años provengan de la prestación de dichas obras o servicios a la empresa con la que se esté asociada.

Se entiende por empresa asociada, aquella que presente cuentas anuales consolidadas con las de la entidad contratante, y aquella sobre la cual la entidad contratante pueda ejercer, directa o indirectamente, una influencia dominante. Y por empresa conjunta, la constituida exclusivamente por varias entidades contratantes con el fin de desarrollar las actividades incluidas dentro de los sectores especiales (art. 42 Código de Comercio).

3. La naturaleza de la prestación depende de la calificación contractual de la prestación: obras, servicios[17] y suministros o concesiones de obras y servicios.

4. Superación del umbral comunitario, que se aplicará a "*los contratos cuyo valor estimado, excluido el Impuesto sobre el Valor Añadido (IVA), sea igual o superior a los siguientes límites: a) 1.000.000 de euros en los contratos de servicios sociales y otros servicios específicos.*

b) 428.000 de euros en los contratos de suministros y servicios distintos de los anteriores, así como en los concursos de proyectos

---

[17]   El contrato de servicios depende del servicio que se preste.

c) 5.350.000 de euros en los contratos de obras"[18].

La cuantía de los contratos determina tanto el objeto, como la aplicación de la legislación específica, de tal forma que las entidades que operan en estos sectores no están obligadas a aplicar las normas sobre procedimiento de contratación en los contratos que se celebren por debajo de esos umbrales económicos.

Para impedir que las entidades contratantes puedan sustraerse de la aplicación de la ley, mediante fraudes y desviaciones en el cálculo del valor estimado, se hace imprescindible su cálculo a través del método configurado en el art. 4 del RD-ley señalando reglas generales y específicas:

- En cuanto a las primeras, se identifica el valor estimado de los contratos con el importe a pagar según la previsión de la entidad contratante teniendo en cuenta a la hora de calcular los costes derivados de la aplicación de las normativas laborales vigentes así como los costes que deriven de la ejecución material de los servicios, los gastos generales de estructura y el beneficio industrial. Regla que se completa con diferentes previsiones generales que derivan del tipo de contrato de que se trate.

- Las reglas específicas tienen como objeto establecer las bases para calcular el valor estimado de tipos contractuales concretos respecto de los que no bastan las reglas generales para dicho cálculo.

1. Régimen de contratación

Los contratos celebrados por los sectores especiales deberán ajustarse a los principios generales de la contratación: no discriminación, reconocimiento mutuo, proporcionalidad, igualdad de trato, transparencia y de libre competencia. Añadiendo el principio de confidencialidad cuando las entidades contratantes lo consideren oportuno para proteger el carácter confidencial de la información.

---

[18]   Se ha de observar que estas cifras son relativamente inferiores a las señaladas por el Reglamento delegado (UE) 2017/2364 de la Comisión, de 18 de diciembre de 2017, que modifica la Directiva 2014/25/UE del Parlamento Europeo y del Consejo por lo que se refiere a los umbrales de ampliación en los procedimientos de adjudicación de contratos 443.000 euros en los contratos de suministros y servicios; y 5.548.000 euros en los contratos de obras.

Las entidades contratantes, tanto personas físicas como jurídicas, españolas o extranjeras, incluidas las agrupaciones de empresarios, para poder contratar deben tener:

- Plena capacidad de obrar.

- Acreditar el cumplimiento de los criterios de selección cualitativa determinados por las entidades contratantes o, en su caso, del modelo correspondiente de clasificación.

A pesar de la ausencia de prohibiciones en la LCSE para contratar, el RD-Ley 3/2020 se remite al art. 71 de la LCSP que impone ciertos límites a la hora de contratar con entidades que incurran en alguna de las circunstancias previstas, a modo de ejemplo:

- Se prohíbe la adjudicación de contratos públicos a los operadores que hayan sido condenados por sentencia firme por delitos de terrorismo, constitución o integración de una organización criminal, asociación ilícita, financiación ilegal de partidos políticos, trata de seres humanos, corrupción...

- Haber sido sancionado con carácter firme por infracción grave en materia profesional.

- Haber sido declarado insolvente, o en concurso de acreedores.

- No hallarse al corriente del cumplimiento de las obligaciones de la seguridad social.

- Haber incurrido en falsedad al realizar la declaración responsable.

- Estar afectado por una prohibición de contratar.

- Estar incurso en las incompatibilidades contempladas en la Ley 3/2015, de 30 de marzo, reguladora del ejercicio del alto cargo de la Administración General del Estado.

Las entidades contratantes tienen libertad a la hora de redactar los pliegos e incluir las prescripciones jurídicas, económicas y técnicas que hayan de regir la ejecución de la prestación, comunicando a las empresas interesadas las prescripciones oportunas.

Las prescripciones técnicas deben de estar delineadas en la documentación del contrato, y se configuran como las exigencias que definen los requisitos de un producto, obra o servicio y que permiten caracterizarlo objetivamente garantizando que los productos, obras o servicios contratados respondan al uso buscado por las entidades contratantes (criterios de accesibilidad, sostenibilidad y protección ambiental), y que se utilizan procedimientos no discriminatorios de evaluación técnica de las ofertas.

Cuando la prescripción técnica se apruebe por un organismo de normalización reconocido para una aplicación repetida o continuada, se denomina "norma". La "norma" que es de cumplimiento voluntario, y esta puesta a disposición del público, puede ser internacional, europea o nacional dependiendo del organismo de normalización que la adopta.

Las prescripciones técnicas se formularán por referencia a las prescripciones técnicas dotadas de oficialidad, en términos de rendimiento o exigencias funcionales, o por mezcla de las dos.

La adjudicación de los contratos se contempla en los art. 52 a 87 del RD-Ley 3/2020, regulándose los distintos tipos de procedimiento de adjudicación que pueden ser elegidos libremente por las entidades contratantes. De esta forma podrán optar por el procedimiento abierto, el restringido de licitación con negociación, de diálogo competitivo y de asociación para la innovación, siempre que hayan efectuado una convocatoria de licitación previa. También se podrá optar por el procedimiento negociado sin publicidad en los supuestos tasados del art. 85 del RD-ley 3/2020.

Una vez que se ha adjudicado el contrato, la entidad contratante deberá informar sobre los siguientes aspectos (art. 72 RD-Ley 3/2020):

- La comunicación de adjudicación se deberán realizar por medios electrónicos, y deberá contener la información necesaria que permita a los interesados en el procedimiento de adjudicación interponer la oportuna reclamación.

- Comunicación motivada del resultado de la adjudicación contractual tanto al adjudicatario como a los restantes operadores económicos.

- La adjudicación deberá ser publicada en el perfil de contratante en el plazo de 15 días.

- A los candidatos descartados se les deberá informar de forma resumida sobre las razones por la que se haya desestimado su candidatura. Y a los licitadores excluidos del procedimiento de adjudicación se les deberá informar de los motivos por los que no se haya admitido su oferta.

- La obligatoriedad de que la entidad contratante aloje su perfil en la Plataforma de Contratación del Sector Público o en los servicios de información similares de las Comunidades Autónomas (art. 75 RD-ley 3/2020).

III. La contratación pública sostenible en la regulación de los sectores especiales

Los contratos públicos se consideran como instrumentos idóneos para la inclusión de la contratación pública sostenible y estratégica en el ámbito de actuación de los poderes públicos[19], lo que ha tenido su reflejo en una evolución paulatina de los diferentes documentos, estrategias, programas, y disposiciones normativas que se han ido aprobando a lo largo de los años.

A nivel Internacional es el Protocolo de Kioto[20] el primer documento que establece la necesidad de reducción de emisiones de gases de efecto invernadero para los países desarrollados, para ello se hace necesario que los Estado firmantes incorporen actuaciones específicas a fin de alcanzar los objetivos propuestos, de tal manera que podemos considerarlo como el antecedente de la necesidad de adoptar medidas concretas en los sectores relacionados con la contaminación, siendo una de ellas la relativa a que los contratos que celebren las Administraciones cumplan con los objetivos plasmados en los textos internacionales a través de la eficiencia energética.

Los primeros indicios de esta preocupación a nivel europeo los encontramos en el Libro verde *La contratación pública en la Unión Europea: reflexiones para el futuro*, comunicación adoptada por la Comisión el 27 de noviembre de 1996, que presta una atención especial en la forma de conjugar la política de contratación pública con otras políticas comunitaria como la social y ambiental, señalando al efecto que *"no hay contradicción intrínseca entre crecimiento económico y mantenimiento de un nivel aceptable de calidad medioambiental. La cuestión no debería afrontarse, pues, como un conflicto entre crecimiento económico y medio ambiente, sino como un intento de mejorar las sinergias entre ambos"*[21]; posteriormente la Comuni-

---

[19]   Vid. SARASÍBAR IRIARTE, M.: "Cláusulas ambientales en la contratación pública: referencia al ciclo de vida como criterio de adjudicación", en *Nueva contratación pública: mercado y medio ambiente*, Razquin Lizarraga, M. (dir.), Thomson Reuters Aranzadi-Universidad pública de Navarra, 2017, págs. 129-145, en concreto pág. 129. En esta línea, PERNAS GARCÍA, J. J.: *Contratación Pública Verde*, La Ley-Wolters Kluwe, 2011, pág. 214, señala: *"la incidencia reciente del principio de integración ambiental en la política comunitaria de mercado interior y, particularmente, en la normativa de contratación pública ha convertido a los contratos públicos en un instrumento de mercado destinado a contribuir al cumplimiento de los objetivos de las políticas ambientales"*.

[20]   Acuerdo Internacional que forma parte de la Convención Marco de las Naciones Unidas contra el Cambio Climático que entro en vigor en febrero de 2005.

[21]   http://europa.eu/documents/comm/green_papers/pdf/com-96-583_es.pdf.

cación de la Comisión al Parlamento Europeo, al Consejo, al Comité Económico y Social Europeo y al Comité de las Regiones: *Contratación pública para un medio ambiente mejor*[22] señala que *"una utilización más sostenible de los recursos naturales y de las materias primas beneficiaría tanto al medio ambiente como a la economía en su conjunto, y crearía oportunidades para las economías ecológicas emergentes"*. Sin embargo, no será hasta la Estrategia Europea 2020 (Comunicación COM (2010) 2020 final) cuando se comience a hacer hincapié en la importancia de la contratación pública para conseguir un crecimiento inteligente, sostenible e integrador, garantizando un uso más eficiente de los fondos públicos, de esta forma se contempla como objetivo complementario el de *permitir que los compradores utilicen mejor la contratación pública en apoyo de objetivos sociales comunes, como proteger el medio ambiente, hacer un uso más eficiente de los recursos y de la energía y luchar contra el cambio climático, promover la innovación y la inclusión social y asegurar las mejores condiciones posibles para la prestación de servicios públicos de alta calidad*. Esta Estrategia sienta las bases de la reforma posterior de las normas de contratación pública de la UE, que han llevado a un nuevo enfoque respecto a su regulación[23].

A raíz de esta Estrategia, el *Libro verde: Sobre la modernización de la política de contratación pública de la Unión Europea: hacia un mercado europeo de contratación pública más eficiente,* aprobado por la Comisión el 27 de enero del 2011[24], contempla objetivos políticos a conseguir a través de la contratación pública entre los que se incluye la posibilidad del que el 60% de la compras públicas sean respetuosas con el medio ambiente.

Esta tendencia se ha ido adoptando en la Directiva 2004/18/CE, de 31 de marzo sobre coordinación de los procedimientos de adjudicación de los contratos públicos de obras, suministros y servicios[25]; así como en la Directiva 2004/17/CE, sobre la coordinación de procedimientos de adjudicación

---

[22]   COM (2008) 400 final, Bruselas 16.7.2008, pág. 2.

[23]   GIMENO FELIÚ, J. Mª: "Novedades en la nueva normativa comunitaria sobre contratación pública"; Revista de Estudios Locales, núm. 161, 2013, págs. 15-44, y del mismo autor "Las nuevas Directivas —cuarta generación— en materia de contratación pública. Hacia una estrategia eficiente en compra pública", REDA núm. 159, 2013, págs. 39-106.
       Vid. https://eur-lex.europa.eu/legal-content/ES/TXT/?uri=celex:52010DC2020.

[24]   (COM (2011) 15 final).
       Vid: https://eur-lex.europa.eu/LexUriServ/LexUriServ.do?uri=COM:2011:0015:FIN:ES:PDF.

[25]   DO núm. L 134, de 30 de abril de 2004.

de contratos en los sectores del agua, energía, de los transportes y de los servicios postales[26], que configuran los objetivos ambientales y contienen propuestas, recomendaciones y normas respecto de la eficiencia energética en el régimen jurídico de la contratación pública. A partir de dichas normas se comienza a potenciar la contratación pública verde que empieza a estar presente de manera continua en las Directivas posteriores que modifican o derogan a las anteriores, en este sentido la Directiva 2014/23/UE, relativa a la adjudicación de los contratos de concesión[27]; la Directiva 2014/24/UE, sobre contratación pública[28], y la Directiva 2014/25/UE relativa a la contratación por entidades que operan en los sectores del agua, energía y los transportes y los servicios postales[29]. Estas disposiciones, de obligado cumplimiento en los Estados miembros, tienen entre sus objetivos una simplificación de los procedimientos, y establecer la necesidad de introducir criterios ambientales y sociales en la contratación pública[30].

En España, la primera norma que introdujo los criterios ambientales como elemento a considerar en la fase de adjudicación de los contratos fue la Ley 48/1998, de 30 de diciembre, que regulaba los procedimientos de contratación en el sector del agua, transporte y telecomunicaciones. Posteriormente con carácter más general la Ley 30/2007, de 30 de octubre, de Contratos del sector públicos introduce los criterios ambientales y sociales en la contratación, pero no será hasta el Texto Refundido de la Ley de Contratos del Sector Público aprobada por RD Legislativo 3/2011, de 14 de noviembre, cuando se introduzcan de forma definitiva. Siguiendo a esta disposición, la Ley 2/2011, de 4 de marzo, de economía sostenible, establece esta

---

[26]   DO L 134, de 30 de abril de 2004.

[27]   DOL 94, de 28 de marzo de 2014.

[28]   DO L 94, de 28 de marzo de 2014. Suprime la Directiva 2004/18/CE, sobre coordinación de los procedimientos de adjudicación de los contratos públicos de obras, suministros y servicios.

[29]   DO L 94, de 28 de marzo de 2014. Deroga la Directiva 2004/17/CE sobre la coordinación de los procedimientos de adjudicación de contratos en los sectores del agua de la energía, de los transportes y de los servicios postales.

[30]   Vid. sobre la influencia de estas Directivas en la contratación: RAZQUIN LIZARRAGA, M. Mª: "Las nuevas Directivas sobre contratación de 2014: aspectos clave y propuestas para su transposición en España", RAP núm. 196, 2015, págs. 97-135; LÓPEZ TOLEDO, P.: "La contratación pública verde y su nueva regulación en el Derecho de la Unión Europea", Contratación Administrativa Práctica, núm. 134, 2014, págs. 10-29; MORENO MOLINA, JA.: "La nueva Directiva sobre contratación pública y su incorporación al Derecho Español", *Contratación Administrativa Práctica*, núm. 129, 2014, págs. 16-21; PERNAS GARCÍA, J. J.: *Contratación pública verde*, la Ley, 2011 ...

exigencia en los criterios de valoración de los contratos celebrados con las empresas públicas ya que la protección del medio ambiente y el uso eficiente de la energía constituyen una parte esencial de la eficiencia económica.

La incorporación de los criterios ambientales ha sido uno de los objetivos del Plan de Contratación Pública verde de 2008, el cual ha dado cobertura a determinadas políticas sectoriales en materia ambiental como: el Plan de Ahorro y Eficiencia energética (2008-2012), el Plan Integrado de Residuos (2007-2015), o la Estrategia de Cambio Climático y Energía Limpia (2007-2012-2020).

El texto definitivo que ha supuesto la incorporación y modernización de las normas de contratación y que ha permitido introducir definitivamente los objetivos sociales y medioambientales como criterios de aplicación obligatoria a nuestro derecho ha sido la Ley 9/2017, de 8 de noviembre, de Contratos del Sector Público, sin perjuicio de las menciones contenidas en la Ley 31/2007, de 30 de octubre, sobre procedimientos de contratación en los sectores del agua, la energía, los transportes y los servicios postales. La incorporación de los criterios ambientales en la contratación supone no sólo beneficios para la sociedad y el medio natural sino también para la economía ya que se garantiza una mayor eficiencia de las inversiones públicas debiendo basarse en la mejor relación calidad-precio que se evaluara en función de los criterios que incluyan aspectos cualitativos, medioambientales y/o sociales vinculados al objeto del contrato de que se trate, y no sólo en el precio como criterio único de selección[31].

Como hemos señalado, una de las primeras menciones a la contratación pública sostenible en España la encontramos en la LCSE, contemplada como criterio de valoración la eficiencia energética cuando los contratos tengan un impacto significativo en el medio ambiente (art. 61). Se establecía la obligatoriedad de que en las prescripciones técnicas se contengan criterios de sostenibilidad y protección ambiental cuando el objeto del contrato afecte o pueda afectar al medio ambiente (art. 34.2.b), al igual que la posibilidad de exigir en los contratos de obras y servicios que las entidades contratantes indiquen las medidas de gestión medioambiental aplicables en la ejecución del contrato (art. 36).

Respecto a los criterios de valoración de las ofertas, cuando la ejecución del contrato tenga impacto significativo en el medio ambiente se valorarán determinadas condiciones ambientales como el menor impacto ambiental,

---

[31]   Considerando 99 y art. 67 de la Directiva 2014/24/UE.

la eficiencia energética, el coste de ciclo de vida, la generación de residuos o el uso de materiales reciclados o reutilizados o de materiales ecológicos (art. 61.1). Las condiciones de ejecución del contrato podrán estar referidas a condiciones de tipo ambiental o social con el fin de promover el empleo, eliminar desigualdades u otras finalidades señaladas en el art. 125 del Tratado Constitutivo de la Comunidad Europea (art. 88 LCSE). Se contemplan además obligaciones sobre protección del medio ambiente que deberán estar destacadas en el pliego de condiciones señalando la entidad contratante el organismo u organismos del que se podrá obtener dicha información (art. 90 LCSE).

Sin embargo, todas estas menciones puestas de manifiesto se contemplaban como "posibilidades" ya que el legislador utilizaba de manera hábil los términos: podrán, en la medida de lo posible… dejando a las entidades contratantes la posibilidad de introducir dichos criterios. Esto es debido al contexto temporal en el que se aprueba dicha normativa pues la nueva LCSP establece dichos criterios con carácter esencial, y en este sentido se contemplan en la Directiva[32].

La Directiva 2014/25/UE, parte del papel esencial de la contratación pública para cumplir los objetivos de la Estrategia Europa 2020 relativa al crecimiento sostenible[33], y a tal fin establece la necesidad de integrar las consideraciones ambientales en los procedimientos de contratación por parte de los Estados miembros señalando la importancia del control del cumplimiento de las disposiciones legales en materia medioambiental en las distintas fases del procedimiento de licitación, en la aplicación de los principios generales aplicables a la elección de participantes y la adjudicación de los contratos, al aplicar los criterios de exclusión y de las disposiciones relativas a ofertas anormalmente bajas. Para lo cual se establecen mecanis-

---

[32] En el Proyecto de Ley de Contratos de Sectores Excluidos se puedo observar la importancia de los criterios ambientales a lo largo de todo su articulado haciendo referencia a los mismos incluso dentro de los principios de contratación en los siguientes términos: *"Las entidades contratantes tomarán las medidas apropiadas para garantizar que, en la ejecución de sus contratos, los operadores económicos cumplen las obligaciones aplicables en materia medioambiental, social o laboral establecidas en el Derecho de la Unión Europea, en el Derecho nacional, en los convenios colectivos o por las disposiciones de Derecho internacional medioambiental, social y laboral que vinculen a España y, en particular, las establecidas en el Anexo XI"* (art. 27).

[33] Comunicación de la Comisión de 3 de marzo de 2010 titulada "Europa 2020, una estrategia para un crecimiento inteligente, sostenible e integrador".

mos de verificación como los medios de prueba, entre los que se señalan las etiquetas, y las autodeclaraciones (considerando 55).

Se destaca la importancia de los sistemas de gestión ambiental durante la ejecución de los contratos que deberán estar registrados o no con arreglo al Reglamento (CE) 1221/2009, del Parlamento Europeo y del Consejo, de 25 de noviembre, relativo a la participación voluntaria de organizaciones en un sistema comunitario de gestión y auditoría medioambiental (EMAS)[34], para demostrar que el operador económico tiene la capacidad técnica para ejecutar el contrato[35].

Como criterio de adjudicación del contrato se deberá aplicar el relativo a la oferta económicamente más ventajosa que se deberá determinar sobre la base del precio o coste, y podrá incluir la mejor relación calidad-precio que se evaluará en función de criterios que incluyan aspectos cualitativos, medioambientales y/o sociales vinculados al objeto del contrato (art. 82.2). Además, dentro del concepto de coste de ciclo de vida se incluyen los costes derivados de la utilización de la obra, servicio o suministro, tales como el consumo de energía y otros productos, los costes de recogida y reciclado, los costes de emisiones de gases de efecto invernadero y de otras emisiones contaminantes, y los costes de mitigación del cambio climático (art. 83).

Tanto los contratos de servicios o de suministros como los de obras contendrán unas especificaciones técnicas que figurarán en un documento que definirá las características del producto o servicio y que harán referencia a los niveles de comportamiento ambiental y climático de los mismos (anexo VIII).

Se observa así la importancia de la inclusión de los criterios ambientales como medida necesaria en la contratación en estos sectores, en los cuales es sumamente importante la investigación e innovación, como es la innovación ecológica, considerada como uno de los grandes motores del crecimiento futuro por lo que el uso estratégico de la contratación es esencial para conseguir mejoras medioambientales. Siguiendo a la Directiva, el RD-ley 3/2020 de transposición de la misma, contempla los criterios ambientales en todo su articulado, estableciendo expresamente que "en toda contratación sujeta a este real decreto-ley se incorporarán de manera transversa y

---

[34] Reglamento que deroga el Reglamento (CE) 761/2001 y las Decisiones 2001/681/CE y 2006/193/CE de la Comisión.

[35] En el caso que el operador técnico no tenga la posibilidad de acceder a este sistema se aceptará como medio alternativo una descripción de las medidas aplicadas por el operador para garantizar la protección del medio ambiente (Considerando 93).

preceptiva criterios sociales y medioambientales siempre que guarden relación con el objeto del contrato..."(art. 27).

En esta línea de actuación se ha aprobado en España el Plan de Contratación Pública Ecológica (2018-2025)[36] que parte de la definición de contratación pública verde como *un proceso a través del cual las autoridades públicas adquieren bienes, obras y servicios con un impacto medioambiental reducido durante su ciclo de vida, en comparación con la de otros bienes, obras y servicios con la misma función primaria que se adquirirían en su lugar* (Anexo. Segundo). Y señala como objetivos principales la promoción de la adquisición de bienes, obras y servicios con el menor impacto medioambiental posible, la incorporación de cláusulas medioambientales en la contratación pública, y el impulso de la Estrategia Española de Economía Circular.

Establece unos criterios de contratación pública ecológica desarrollados por la Comisión Europea para un grupo de bienes, obras y servicios denominados prioritarios ya que los mismos tienen un impacto importante en el medioambiente como es el caso de la iluminación de edificios, el diseño, construcción de edificios y carreteras, el suministro de electricidad, transporte, etc.

Para conseguir los objetivos de la contratación pública ecológica se señalan unos criterios generales de actuación y criterios específicos. Respecto a los generales el Plan se remite a lo contemplado en la tabla adjunta de las Directivas de contratación (criterios de selección, de adjudicación, especificaciones técnicas y las condiciones especiales de ejecución de los contratos), incidiendo en la importancia de los criterios de selección de empresarios que deben contar con unos sistemas de calidad homologada, y la certificación de los productos a través de un sistema de certificación ambiental (Ecolabel, certificación ISO o declaración ambiental del producto). Además se apuesta por la promoción de las empresas que dispongan de un sistema de gestión ambiental adherido al Sistema Comunitario de Ecogestión y Ecoauditoria (EMAS).

En relación a los criterios específicos, se recogen en la tabla aneja del Plan para cada producto que podrán ser tenidos en cuenta por los órganos de contratación, que aunque inicialmente se establece la voluntariedad de

---

[36] Orden PCI/86/2019, de 31 de enero, por el que se publica el Acuerdo del Consejo de Ministros de 7 de diciembre de 2018, por el que se aprueba el Plan de Contratación Pública Ecológica de la Administración General del Estado, sus organismos autónomos y las entidades gestoras de la Seguridad Social (2018-2025).

su aplicación sin embargo si realmente se quiere utilizar la contratación como instrumento de lucha contra el cambio climático serán de aplicación obligatoria a la hora de su puesta en práctica. Esta obligatoriedad se confirma cuando se expone en el apartado sexto la importancia de la reducción de la huella de carbono en ese grupo de 20 bienes, obras y servicios debiendo la administración esforzarse en ello. De esta forma, el Plan establece un criterio de adjudicación que valore la inscripción en el Registro de huella de carbono, compensación y proyectos de absorción de dióxido de carbono (RD 163/2014, de 14 de marzo).

Sin perjuicio de que sea un texto no vinculante, se contempla la necesidad de que antes del 31 de diciembre se remita un informe a la Comisión Interministerial sobre el grado de cumplimento de dichos criterios[37]. Este informe será clave a la hora de exigir el cumplimiento de las cláusulas ambientales y de su efectividad ya que según el Informe relativo a la Contratación Pública Española de 2017 sólo el 12% de los contratos de las administraciones públicas cumplen con los criterios ambientales[38], y respecto a los sectores excluidos el 26%.

Bibliografía

BERMEJO VERA, J., "El régimen de contratación pública en los sectores especiales del agua, la energía, los transportes y los servicios postales", *RAP*, núm. 176, 2008, págs. 115-159.

BERMEJO VERA, J., "Los sectores excliodos: Ley 3172007, de 30 de octubre, sobre procedimientos de contratación en los sectores del agua, la energía, los transportes y los servicios postales", COLAS TENAS, J Y MEDINA GUERRERO, M. (coord.): *Estudios sobre la Ley de contratos del sector público*, Fundación Democracia y Gobierno Local, 2009, págs. 137-166.

FERNÁNDEZ DE GATTA SÁNCHEZ, D., "La progresiva integración del medio ambiente en la actividad contractual y convencional de las Administraciones Públicas", en GALÁN VIOQUE, R (dir.) *Las cláusulas ambientales en la contratación pública*. Editorial Universidad de Sevilla-Instituto García Oviedo, 2018, págs. 23-44.

FERNÁNDEZ DE GATTA SÁNCHEZ, D., "El régimen de la incorporación de criterios ambientales en la contratación del sector público: su plasmación en las nuevas Leyes sobre contratación pública de 2007", *Contratación Administrativa Práctica*, núm. 80, 2008.

---

[37]   Gobierno de España. Ministerio para la Transición Ecológica. *Plan de contratación pública ecológica*. https://www.miteco.gob.es/es/ministerio/planes-estrategias/plan-de-contratacion-publica-ecologica/

[38]   https://contrataciondelestado.es/wps/wcm/connect/b73beca9-843f-43e4-bc89   09de10471717/2017+PUBLIC+PROCUREMENT+REPORT-SPAIN+.pdf?MOD=AJPERES.

FERNÁNDEZ DE GATTA SÁNCHEZ, D., "Las integración de aspectos medioambientales en la contratación pública", en CASADO CASADO, L (coord.): *Derecho Ambiental y transformaciones de la actividad de las Administraciones Públicas*, Atelier, 2010, págs. 123-162.

FERNANDO PABLO, M. M.; FERNÁNDEZ DE GATTA SÁNCHEZ, D.; GONZÁLEZ BUSTOS, M. A.; GONZÁLEZ IGLESIAS, M. A. y TERRÓN SANTOS, D., *Contratos públicos, urbanismo y ordenación del territorio*. 4ª Edición, Editorial Ratio Legis, 2017.

GALÁN VIOQUE, R. (dir.), *Las cláusulas ambientales en la contratación pública*. Editorial Universidad de Sevilla-Instituto García Oviedo, 2018.

GIMENO FELIÚ, J. M., "El efecto directo de las nuevas directivas de contratación pública. Consecuencias de su no trasposición en España y Navarra", en RAZQUIN LIZARRAGA, M. M. (dir.): *Nueva contratación pública: mercado y medioambiente*, Thomson Reuters Aranzadi-Universidad Pública de Navarra, 2017, págs. 25-75.

GIMENO FELIÚ, J. M., "El efecto directo de las nuevas Directivas comunitarias sobre contratación pública. Consecuencias prácticas de la falta de trasposición de las Directivas", *Revista Galega Administración Pública*, núm. 56, 2016.

GIMENO FELIÚ, J. M., "Novedades en la nueva normativa comunitaria sobre contratación pública"; *Revista de Estudios Locales*, núm. 161, 2013, págs. 15-44.

GIMENO FELIÚ, J. M., "Las nuevas Directivas —cuarta generación— en materia de contratación pública. Hacia una estrategia eficiente en compra pública", *REDA* núm. 159, 2013, págs. 39-106.

LÓPEZ TOLEDO, P., "La contratación pública verde y su nueva regulación en el Derecho de la Unión Europea", *Contratación Administrativa Práctica*, núm. 134, 2014, págs. 10-29.

MELLADO RUIZ, L., *El principio de transparencia integral en la contratación del sector público*, Tirant lo Blanch, 2017.

MORENO MOLINA, J. A., *Hacia una compra pública responsable y sostenible: novedades principales de la Ley de Contratos del Sector Público 9/2017*. Tirant lo Blanch, 2018.

MORENO MOLINA, J. A., "Grave incumplimiento español del derecho de la UE por la falta de trasposición de la directiva de contratos en los sectores especiales", en *Observatorio de Contratación Pública. 29/04/2019*: http://www.obcp.es/index.php/mod.opiniones/mem.detalle/id.495/relmenu.3/chk.c3df68dcccd123259287579f11b14f71.

MORENO MOLINA, J. A., "La nueva Directiva sobre contratación pública y su incorporación al Derecho Español", *Contratación Administrativa Práctica*, núm. 129, 2014, págs. 16-21.

PERNAS GARCÍA, J. J., *Contratación Pública Verde*, La Ley-Wolters Kluwe, 2011.

QUINTANA LÓPEZ, T. y CASARES MARCOS, A. B., *Ley de contratos del sector público y normativa estatal complementaria*, Tirant lo Blanch, 2018.

RAZQUIN LIZARRAGA, M. Mª, "Las nuevas Directivas sobre contratación de 2014: aspectos clave y propuestas para su transposición en España", *RAP* núm. 196, 2015, págs. 97-135.

RAZQUIN LIZARRAGA, M. Mª, *Nueva contratación pública. Mercado y medio ambiente*, Thomson Reuters-Aranzadi 2017.

REGO BLANCO, Mª D., "Agua, energía, transporte y telecomunicaciones: ¿sectores excluidos o sectores incluidos en la contratación pública?", HINOJOSA MARTÍNEZ, E.: *La contratación de las administraciones públicas*, Comares, 2001, págs. 35-57.

SARASÍBAR IRIARTE, M., "Cláusulas ambientales en la contratación pública: referencia al ciclo de vida como criterio de adjudicación", RAZQUIN LIZARRAGA, M. M. *Nueva contratación pública: mercado y medioambiente*. Thomson Reuters Aranzadi-Universidad pública de Navarra, 2017, págs. 129-145.

VVAA, "Número monográfico sobre La Ley de Contratos del Sector Público", *Documentación Administrativa*, nueva época, n. 4/2017.

VVAA, Contratación en los "sectores excluidos", Número monográfico, *Noticias de la Unión Europea*, núm. 301, 2010.

EL CICLO DE VIDA DE LAS PRESTACIONES EN LA CONTRATACIÓN PÚBLICA. METODOLOGÍAS PARA EL CÁLCULO DE SU COSTE EN EL ÁMBITO EUROPEO[1]

Alejandro Román Márquez
Profesor de Derecho Administrativo
Universidad de Sevilla

SUMARIO: I. El concepto de coste del ciclo de vida. Beneficios, debilidades y desafíos. II. Contenido del coste del ciclo de vida, aplicación y previsiones relativas a la metodología para su cálculo en la Directiva 2014/24/UE, de 26 de febrero, sobre contratación pública. Su incorporación al ordenamiento jurídico español. III. Metodología para el cálculo del coste del ciclo de vida de las prestaciones contractuales. Algunos ejemplos prácticos. 1. Situación en la Unión Europea. 2. Vehículos. 3. Iluminación. 4. Equipamientos informáticos. 5. Máquinas expendedoras. IV. Reflexión final: internalización de externalidades, objetividad, igualdad y método. Bibliografía.

I. El concepto de coste del ciclo de vida. Beneficios, debilidades y desafíos

Las directivas europeas sobre contratación pública de *cuarta generación*[2] han supuesto la consagración definitiva de la posibilidad de utilizar cláusulas ambientales en los procedimientos de contratación pública, posibilidad adelantada varios años antes por la jurisprudencia del Tribunal de Justicia

---

[1] Este trabajo ha sido elaborado en el marco del proyecto de investigación "Hacia una Nueva Regulación de las Energías Renovables dentro del Mercado Energético (DER2017-86637-C3-1-P)", financiado por el Ministerio de Economía y Competitividad del Gobierno de España.

[2] Directivas 2014/23/UE, de 26 de febrero, *relativa a la adjudicación de contratos de concesión*; 2014/24/UE, de 26 de febrero, *sobre contratación pública y por la que se deroga la Directiva 2014/18/CE*; y 2014/25/UE, de 26 de febrero, *relativa a la contratación por entidades que operan en los sectores del agua, la energía, los transportes y los servicios postales y por la que se deroga la Directiva 2004/17/CE*.

de la Unión Europea[3]. Sin embargo, la *ambientalización* de la contratación pública no es obligatoria para los poderes públicos a nivel europeo, puesto que la inclusión de cláusulas ambientales en los procedimientos de contratación pública sigue siendo una posibilidad completamente voluntaria para los entes adjudicadores[4], salvo en ciertas materias muy específicas[5].

Una de las novedades introducidas por la Directiva 2014/24, de 26 de febrero, *sobre contratación pública y por la que se deroga la Directiva 2004/18/CE*, es la posibilidad de determinar la oferta económicamente más ventajosa mediante la evaluación del coste del ciclo de vida de ésta. El ciclo de vida puede definirse, en el concreto ámbito de la contratación pública, como "*todos los gastos en que se incurre durante la producción, consumo o utilización y eliminación de un producto o servicios*", y que al correr por cuenta del poder adjudicador afectan de manera directa a los aspectos económicos del producto o servicio contratado[6]. Desde un punto de vista exclusivamente económico, el ciclo de vida puede definirse, en palabras de Pastor Sánchez (2019: 83), como todos aquellos compromisos de recursos que originará en el tiempo la obtención, uso y retirada de la prestación contratada. Pero, y esto es lo relevante desde el punto de vista de la ambientalización de la contratación pública, el ciclo de vida no incluye únicamente los costes económicos de la prestación a contratar, sino que también permite tener en cuenta las *externalidades* del producto o servicio, es decir, los "*daños o beneficios que no son pagados ni por quien contamina ni por el beneficiario en condiciones normales de mercado*", "*[...] costes y beneficios resultantes de las actividades sociales y económicas de un grupo de perso-*

---

[3]   Por todas, la sentencia que constituye el *leading case* en la materia: sentencia del Tribunal de Justicia de las Comunidades Europeas de 17 de septiembre de 2002 (asunto C-513/99, *Concordia Bus Finland Oy. Ab. vs Helsingin Kaupunki and HKL-Bussiliikenne*).

[4]   *Vid.* el Considerando nº 95 de la Directiva 2014/24/UE, de 26 de febrero de 2014, *sobre contratación pública y por la que se deroga la Directiva 2004/18/CE*. El legislador español, por el contrario, sí que obliga a que los poderes adjudicadores incluyan cláusulas ambientales en la contratación pública, si bien esta obligatoriedad se ve matizada en determinadas fases del procedimiento de contratación. Sobre la intensidad de esta obligación *vid.* ROMÁN MÁRQUEZ (2018).

[5]   Así ocurre en el sector de los vehículos de transporte por carretera —Directiva 2009/33/CE, de 23 de abril de 2009, *relativa a la promoción de vehículos de transporte por carretera limpios y energéticamente eficientes*— y de los equipos ofimáticos —Reglamento (CE) nº 106/2008, de 15 de enero, *relativo a un programa comunitario de etiquetado de la eficiencia energética para los equipos ofimáticos*—.

[6]   Comisión Europea, 2001: 8.

nas que repercuten sobre otro, sin que el primer grupo tenga plenamente en cuenta dicha repercusión"[7]. De esta forma, el concepto de ciclo de vida en la contratación pública trasciende los costes para el ente adquirente del producto o servicio y tiene también en cuenta los costes que esa actividad supone para la sociedad en su conjunto en forma de externalidades negativas de naturaleza ambiental[8]. Se trata, por tanto, de un modelo de evaluación que permite seleccionar aquellas ofertas que resulten más *rentables* en cuanto que implican un menor consumo de recursos a lo largo de su vida útil (Navarro Galera, Ortúzar Maturana y Alcaraz Quiles, 2016: 170), tanto desde el punto de vista estrictamente económico como medioambiental. Por esta razón, la evaluación del coste del ciclo de vida de las prestaciones resulta especialmente apropiado en aquellos contratos en los que el mayor porcentaje de consumo de recursos no corresponde al momento de su adquisición, sino a las fases de utilización y mantenimiento (Navarro Galera, Ortúzar Maturana y Alcaraz Quiles, *ídem*), a las que deberían añadirse también las fases de eliminación, reutilización y reciclaje de sus materiales y componentes.

Como señala Sola Teyssiere (2017: 7), el coste del ciclo de vida es un concepto descriptivo de los costes que atiende a la *secuencia biográfica* de un producto o servicio, secuencia de espectro tan amplio que puede comprender los aspectos previos a su existencia (investigación, desarrollo técnico y producción), así como los relacionados con su adquisición (precio, transporte, instalación) y utilización (formación, reparación, repuestos, actualización), y que alcanza, incluso, a las circunstancias relacionadas con la finalización de su utilización (retirada, eliminación, reutilización, reciclaje). Así, *v. gr.*, cuando una entidad pública procede a la adquisición de neumáticos para sus vehículos, el coste del ciclo de vida podrá estar referido a las condiciones ambientales de extracción de las materias primas necesarias para su fabricación (caucho y acero), así como a su concreto proceso de producción (contaminación generada durante el mismo), transporte (ídem), montaje, utilización (por ejemplo, valorando su duración en kilómetros y la contaminación acústica generada), retirada, reutilización, reciclado (grado de complejidad y porcentaje de materiales susceptibles de ser reconvertidos en materias primas) y forma de eliminación (de todos aquellos componentes del neumático que no puedan ser reciclados). Además, como el objetivo

---

[7]   Comisión Europea, 2001: 9.
[8]   Estos costes, que podríamos denominar "internos", al recaer únicamente sobre la entidad adquirente de las obras, productos y servicios, se denomina generalmente Coste Total de la Propiedad (*Total Cost of Ownership*, TCO) (DEGRAEVE, ROODHOOFT y VAN DOVEREN, 2005: 55).

es poder comparar diferentes ofertas y tomar una decisión en el momento presente, resulta imprescindible llevar a cabo una actualización de todos los costes futuros a fin de determinar su valor en el momento de la celebración del contrato, para lo que es necesario aplicar la correspondiente *tasa de descuento* de cada uno de los componentes del cálculo del coste del ciclo de vida, en función del momento en que se prevea que tendrá lugar cada pago[9]. Se trata, por tanto, de "*calcular el valor actual de los desembolsos netos necesario futuros, utilizando operaciones matemáticas aplicadas al ámbito financiero*" (Sola Teyssiere, 2017: 8).

Los beneficios vinculados con el cálculo del coste del ciclo de vida de las prestaciones contractuales son los siguientes (VVAA, 2018: 17):

a) Reducción de los costes de la contratación: conocer de antemano cual será el coste total de las obras, productos o servicios ayuda a los poderes adjudicadores a elegir la opción más eficiente a largo plazo. Naturalmente, cuanto mayor sea el volumen de compra de la entidad pública, más intensa será la reducción de costes vinculados con este mecanismo.

b) Incremento de la transparencia en relación con los costes operacionales futuros (*v. gr.* mantenimiento o sustitución): la investigación temprana de las necesidades futuras permite a los poderes adjudicadores incrementar la relación valor-coste de sus adquisiciones.

c) Diseño de las prestaciones para la reducción de sus costes totales: si se conoce de antemano el coste del ciclo de vida de una obra, producto

---

[9]   Como advierte la Comisión Europea (2016b: apartado 5.3.3) al analizar la tasa de descuento, "[e]n *el futuro, los costes tendrán un valor inferior al actual, puesto que la sociedad asigna un peso mayor a los efectos positivos y negativos que se producen hoy que a los que tienen lugar en el futuro. 100€ invertidos hoy a un interés de 5% equivaldrían a 105€ al cabo de un año. Por consiguiente, 105€ gastados dentro de un año tendrían un «valor» de 100€ a día de hoy. Ese sería su valor actual neto (VAN). El VAN se puede tener en cuenta a la hora de comparar los costes del ciclo de vida, mediante la aplicación de una tasa de descuento social a los costes futuros. Esta tasa varía según los países, pero por lo general oscila entre un 3% y un 8% (ajustada para eliminar los efectos de la inflación)*". En este sentido, la Dirección General de Política Regional y Urbana de la Comisión Europea recomienda utilizar, como norma general, una tasa de descuento del 5% a modo de referencia en los Estados miembros de cohesión (Bulgaria, Croacia, Chequia, Chipre, Eslovaquia, Eslovenia, Estonia, Grecia, Hungría, Letonia, Lituania, Malta, Polonia, Portugal y Rumanía) y de un 3% en el resto de Estados miembros (Alemania, Austria, Bélgica, Dinamarca, España, Finlandia, Francia, Irlanda, Italia, Luxemburgo, Países Bajos, Suecia y Reino Unido) (*Ídem:* nota al pie nº 99).

o servicio es posible establecer sus especificaciones técnicas en orden a adquirir prestaciones con un menor coste global (*v. gr.* edificios e infraestructuras con un coste menor de mantenimiento, modernización o ampliación).

d) Flexibilización del concepto "valor" en la relación valor-coste de las prestaciones adquiridas: es posible atribuir al término *valor* significados diversos, tales como el coste monetario de adquisición, la calidad de la prestación o su impacto ambiental, adquiriendo esta última cuestión una importancia tal que puede considerarse actualmente como una de las más relevantes en el proceso de contratación pública de obras, suministros y servicios.

La contratación pública es un sector ideal para la evaluación del coste del ciclo de vida de obras, productos y servicios puesto que las necesidades de compra de los poderes públicos se caracterizan por su regularidad, homogeneidad y cuantía (VVAA, 2018: 20). La regularidad hace que la adopción de la técnica del coste del ciclo de vida sea más sencilla, puesto que la metodología para su evaluación tiende a la estabilidad a lo largo del tiempo. La homogeneidad facilita la expansión de la metodología adoptada para el cálculo del coste del ciclo de vida al resto de poderes adjudicadores. Finalmente, la enorme relevancia cuantitativa de la contratación pública tiene dos consecuencias en este ámbito: maximiza la eficiencia en el uso de los recursos públicos a largo plazo e incentiva al mercado a adaptarse a los requerimientos de sostenibilidad exigidos por los poderes adjudicadores, habida cuenta de la importante cuota de mercado que la contratación pública representa en las economías de nuestro entorno.

Pero la aplicación de la técnica del cálculo del coste del ciclo de vida a la contratación pública también presenta algunas debilidades y amenazas (Ihobe, 2016: 14), como la necesidad de fijar unos criterios claros de aplicación, las carencias en formación e información del personal encargado de aplicarlos, la existencia de procedimientos de compra prefijados y rígidos, la falta de información clara por parte de los licitantes o la disparidad de metodologías de cálculo empleados por éstos. Resulta evidente que la evaluación del coste del ciclo de vida de las prestaciones añade una nueva dificultad al ya de por sí complejo proceso de contratación pública, lo que conlleva una serie de desafíos para que este mecanismo pueda cumplir con sus objetivos. Estevan y Schaefer (2017: 23) han identificado los principales desafíos del uso del coste del ciclo de vida: necesidad de datos confiables para la elaboración de cálculos adecuados, difícil e incierta evaluación de los asuntos ambientales derivada de su propia naturaleza compleja, carencias —una vez más— en formación y experiencia práctica sobre la materia por parte del personal encargado de la contratación pública, y eventuales conflictos entre el principio de eficiencia en el uso de los recursos públicos y la sostenibilidad de la acción pública[10].

II. Contenido del coste del ciclo de vida, aplicación y previsiones relativas a la metodología para su cálculo en la Directiva 2014/24/UE, de 26 de febrero, sobre contratación pública. Su incorporación al ordenamiento jurídico español

Aunque, como se ha señalado, una de las principales novedades introducidas por la Directiva 2014/24/UE en relación con la ambientalización de la contratación pública sea la posibilidad de determinar la oferta económicamente más ventajosa mediante la evaluación del coste de su ciclo de vida, esta norma no ha definido qué debemos entender por dicho *coste*. El legislador europeo emplea este término sin precisar en qué consiste, limitándose a integrarlo en el concepto mismo de ciclo de vida, como ocurre en el artículo 68 de la Directiva 2014/24/UE, titulado "Cálculo del coste del ciclo de vida". Es decir, el legislador europeo no dice cómo debe calcularse el coste del ciclo de vida, sino que se limita a enumerar sus componentes, definiendo el ciclo de vida por referencia a su contenido, el cual incluye "[...] *todas las fases consecutivas o interrelacionadas, incluidos la investigación y el desarrollo que hayan de llevarse a cabo, la producción, la comercialización y sus condiciones, el transporte, la utilización y el mantenimiento, a lo largo de la existencia de un producto, una obra o la prestación de un servicio, desde la adquisición de materias primas o la generación de recursos hasta la eliminación, el desmantelamiento y el fin de un servicio o de una utilización*"[11].

El legislador europeo prevé la valoración del ciclo de vida de obras, productos y servicios en las diferentes fases de la contratación pública. Así, en el momento del diseño del objeto contractual, la Directiva 2014/24/UE permite que las especificaciones técnicas de la prestación puedan referirse, además de a las características exigidas a ésta, al proceso o método específico de producción o prestación de las obras, los suministros o los servicios requeridos, así como a un proceso específico de otra fase de su ciclo de

---

[10] Estas autoras proponen algunas soluciones a los problemas expuestos. *Vid.* ESTEVAN y SCHAEFER (2017: 29).

[11] Artículo 2.1.20 de la Directiva 2014/24/UE.

vida[12], "*incluso cuando dichos factores no formen parte de la sustancia material de las obras, los suministros o servicios, siempre que estén vinculados al objeto del contrato y guarden proporción con el valor y los objetivos de este* (sic)"[13].

---

[12]   En este sentido, el Considerando n° 74 § 1 de la Directiva señala que "[…] *las especificaciones técnicas elaboradas por los compradores públicos tienen que permitir la apertura de la contratación pública a la competencia, así como la consecución de los objetivos de sostenibilidad. Para ello, tiene que ser posible presentar ofertas que reflejen la diversidad de las soluciones técnicas, las normas y las especificaciones técnicas existentes en el mercado, incluidas aquellas elaboradas sobre la base de criterios de rendimiento vinculados al ciclo de vida y a la sostenibilidad del procedo de producción de las obras, suministros y servicios*".

[13]   Artículo 42.1 de la Directiva 2014/24/UE. La necesidad de que las cláusulas ambientales y, concretamente, el coste del ciclo de vida de las prestaciones, estén vinculadas con el objeto del contrato es reclamada por la Comisión Europea desde su Comunicación interpretativa de 15 de octubre de 2001 sobre la legislación comunitaria de contratos públicos y las posibilidades de integrar aspectos sociales en dichos contratos (COM(2001) 566 final). En la jurisprudencia europea los primeros pronunciamientos que reclaman esta vinculación son las sentencias del Tribunal de Justicia de las Comunidades Europeas de 17 de septiembre de 2002 —*Concordia Bus Finland*— y de 4 de diciembre de 2003 —asunto C-448/2001, *EVN AG Wienstrom GmbH vs Republik Österreich*—. En España, la vinculación entre criterios ambientales y objeto contractual es exigida por la Ley 9/2017, de 8 de noviembre, *de Contratos del Sector Público, por la que se transponen al ordenamiento jurídico español las Directivas del Parlamento Europeo y del Consejo 2014/23/UE y 2014/24/UE, de 26 de febrero de 2014* (en adelante, LCSP), en todas las fases de la contratación pública: a) admisión de licitadores (art. 74.2), b) establecimiento de prescripciones técnicas (art. 126.2), c) etiquetas (art. 127.2.a), d) criterios de adjudicación (art. 145.5), e) criterios de desempate (art. 147) y f) condiciones especiales de ejecución del contrato (art. 202). Sin embargo, resulta necesario advertir que el grado o intensidad de la vinculación exigida entre las cláusulas ambientales y el objeto contractual ha experimentado una evolución en los últimos tiempos: mientras que antes, la citada Comunicación de la Comisión Europea y la jurisprudencia primigenia sobre la materia exigían una vinculación directa entre las cláusulas ambientales y el objeto del contrato; actualmente, a partir de la sentencia del Tribunal de Justicia de la Unión Europea de 10 de mayo de 2012 (asunto C-368/10, *Comisión Europea vs Reino de los Países Bajos, Max Havelaar*), ya no es necesario que las cláusulas ambientales hagan referencia a características intrínsecas del producto, es decir, a elementos incorporados materialmente a éstos (alterando su naturaleza respecto de productos o servicios equivalentes). A partir de esta sentencia se admite que las cláusulas ambientales hagan referencia a factores que no afecten a su sustancia material. Siguiendo esta interpretación, el artículo 145.6 LCSP señala a este respecto que se considerará que un criterio de adjudicación está vinculado al objeto del contrato cuando se

También a la hora de determinar la oferta económicamente más ventajosa podrá valorarse el ciclo de vida de la prestación a contratar. La Directiva 2014/24/UE obliga a que la oferta económicamente más ventajosa de entre las presentadas por los licitadores se determine sobre la base de su precio o coste, utilizando para ello planteamientos relativos bien a su *coste-eficacia*, bien a su *calidad-precio*[14]. En el primero de los supuestos —coste-eficacia— se prevé expresamente su valoración por remisión al cálculo del coste del ciclo de vida *"con arreglo al artículo 68"* de esta norma. Pues bien, este precepto incluye dentro del cálculo del coste del ciclo de vida, en consonancia con su propia definición, la totalidad o una parte de los siguientes costes:

---

refiera o integre las prestaciones que deban realizarse en virtud de dicho contrato, en cualquiera de sus aspectos y en cualquier etapa de su ciclo de vida, incluidos los factores que intervienen en los siguientes procesos:

a) En el proceso específico de producción, prestación o comercialización de, en su caso, las obras, los suministros o los servicios, con especial referencia a formas de producción, prestación o comercialización medioambiental y socialmente sostenibles y justas.

b) En el proceso específico de otra etapa de su ciclo de vida, incluso cuando dichos factores no formen parte de su sustancia material.

Si bien el artículo 145.6 LCSP se refiere específicamente a la vinculación entre criterios de adjudicación y objeto contractual, tales criterios son aplicables a cualquier fase del contrato. Como se ha señalado, que el vínculo entre cláusulas ambientales y objeto del contrato se haya flexibilizado no quiere decir que éste pueda desaparecer: la vinculación con el objeto del contrato no exige que la prestación deba cambiar necesariamente su naturaleza material —sustancia material—, pero sí que aquellos elementos sobre los que recaigan las cláusulas medioambientales realmente afecten a la ejecución de las prestaciones contratadas en cualquier fase de su ciclo de vida (extracción de materias primas, investigación y desarrollo, fabricación, transporte, comercialización, utilización, mantenimiento, reciclado, eliminación, etc.). No es posible, por lo tanto, que el órgano de contratación exija a los licitadores compromisos medioambientales relativos a otras u otras de sus actividades o productos que no formen parte de la prestación contratada. Precisamente esta necesidad de que las cláusulas medioambientales estén referidas a la ejecución —en sentido amplio— de la prestación contratada sería la razón por la cual la Directiva 2014/24/UE no admite la existencia de dicho vínculo cuando las cláusulas estén referidas no a las prestaciones concretas sino a la política general de responsabilidad corporativa de una empresa, pues *"no puede considerarse como un factor que caracterice el proceso específico de producción o prestación de las obras, suministros y servicios adquiridos"*, y, en consecuencia, *"los poderes adjudicadores no pueden estar autorizados a exigir a los licitadores que tengan establecida una determinada política de responsabilidad social o medioambiental de la empresa"* (Considerando nº 97 § 2).

[14] Artículo 67.2 de la Directiva 2014/24/UE.

a) Costes sufragados por el poder adjudicador o por otros usuarios, tales como:

   i. Los costes relativos a su adquisición,

   ii. Los costes de utilización (como el consumo de energía y otros recursos),

   iii. Los costes de mantenimiento,

   iv. Los costes de *final de vida* (como los costes de recogida y reciclado).

b) Los costes imputables a externalidades medioambientales vinculadas a la obra, producto o servicio durante su ciclo de vida, a condición de que pueda determinarse y verificarse su valor monetario. Entre estos costes se pueden incluir, porque así lo señala expresamente la Directiva, los generados por las emisiones de gases de efecto invernadero y de otras emisiones contaminantes, así como los costes de mitigación del cambio climático.

Pero también, cuando el poder adjudicador opte por criterios de adjudicación *cualitativos* para la determinación de la oferta económicamente más ventajosa —planteamientos basados en la mejor relación *calidad-precio*—, como los medioambientales o sociales, éstos deberán ir acompañados de un criterio relacionado con los costes, el cual puede ser, a elección del poder adjudicador, el precio o un planteamiento basado en la *rentabilidad*, como el coste del ciclo de vida[15]. De esta forma, con independencia de que el poder adjudicador seleccione criterios de adjudicación relacionados o no con los costes, esto es, que utilice planteamientos que atiendan a la mejor relación coste-eficacia o calidad-precio, siempre podrá valorar el coste del ciclo de vida de las obras, productos o servicios a contratar, salvo cuando se evalúe únicamente sobre la base del precio[16].

Finalmente, la Directiva 2014/24/UE admite expresamente que los poderes adjudicadores están autorizados a incluir condiciones de ejecución que igualmente atiendan al ciclo de vida de las obras, productos o servicios a contratar, con el mismo contenido que en fases anteriores[17], y haciendo

---

[15] Considerando nº 92 § 3 de la Directiva 2014/24/UE.

[16] Considerando nº 96 § 1 de la Directiva 2014/24/UE.

[17] Esto es, abarcando desde la extracción de las materias primas hasta la fase de eliminación, incluidos los factores que intervengan en el proceso específico de producción, utilización o comercio relativo a la prestación contratada, o un proceso específico en una fase ulterior de su ciclo de vida, incluso cuando tales factores no

especial hincapié en el coste del ciclo de vida *social*[18]. Sin embargo, se trata ésta de la única previsión que, a pesar de estar contenida en los considerandos de la Directiva[19], no se desarrolla posteriormente en su articulado.

Se trata, como se ha podido comprobar, de una concepción del ciclo de vida de las prestaciones que presenta una *composición mixta económica-ambiental* (Sola Teyssiere, 2017: 8), en tanto que la Directiva 2014/24/UE parece diseñar inicialmente un ciclo de vida cuyos costes presentan inicialmente una naturaleza preponderantemente económica, a la que se le añade posteriormente la posibilidad de que las entidades contratantes valoren aspectos de naturaleza medioambiental configurados como externalidades negativas[20]. En cualquier caso, la Directiva únicamente admite la contabilización de las externalidades medioambientales en el cómputo de los costes del ciclo de vida cuando *"pueda determinarse y verificarse su valor monetario"*, por lo que, en última instancia, el coste del ciclo de vida siempre abarca elementos económicos, que, si bien pueden no referirse a la concreta prestación contratada, sí que se refieren a los costes económicos que para la sociedad en su conjunto suponen dichas externalidades.

---

formen parte de su sustancia material. Entre las condiciones relativas a los procesos de producción o prestación figuran, por ejemplo, que en la fabricación de los productos adquiridos no se hayan utilizado productos químicos tóxicos, o que los servicios adquiridos se presten utilizando máquinas eficientes desde el punto de vista energético (Considerando nº 97 § 1 de la Directiva 2014/24/UE).

[18] A este respecto, señala la Directiva 2014/24/UE que "[d]e conformidad con la jurisprudencia del Tribunal de Justicia de la Unión Europea, aquí deben incluirse también los criterios de adjudicación o las condiciones de ejecución de un contrato que se refieran al suministro o a la utilización de productos basados en un comercio equitativo durante la ejecución del contrato que vaya a ser adjudicado. Los criterios y condiciones relativos al comercio y sus condiciones pueden referirse, por ejemplo, al hecho de que el producto de que se trate procede del comercio justo, incluyendo el requisito de pagar un precio mínimo y una prima a los productores" (Ídem).

[19] Considerando nº 97 § 1 de la Directiva 2014/24/UE.

[20] Continúa señalando este autor que "[e]efectivamente, en relación con la fase de adjudicación, [...] la directiva [...] mantiene[...], a primera vista, una consideración preeminentemente económica del coste del ciclo de vida, configurándolo como criterio que podemos calificar como monetario, en el sentido de que su expresión se puede concretar en una cifra dineraria, [...] pero esa vinculación meramente económica es solo parcial, pues no puede dejar de advertirse que la utilización del criterio del coste del ciclo de vida constituye un instrumento asimismo vinculado a la contratación verde, por un doble orden de razones derivadas de la naturaleza de los propios elementos que se deben incluir en su cálculo".

Por lo que se refiere a la concreta evaluación de los costes de las ofertas presentadas mediante un planteamiento basado en el cálculo del ciclo de vida, ésta implica una serie de obligaciones para los poderes adjudicadores impuestas por la Directiva 2014/24/UE. Unas tienen naturaleza formal, como la necesaria obligación de indicar en los pliegos de la contratación tanto los datos que deben facilitar los licitadores como el método que utilice el poder adjudicador para determinar los costes del ciclo de vida sobre la base de tales datos[21]. Otras tienen carácter material, como la relativa al concreto método utilizado para la evaluación de los costes imputados a externalidades medioambientales, el cual debe respetar una serie de condiciones[22]:

a) debe estar basado en criterios verificables objetivamente y no discriminatorios[23],

b) debe ser accesible para todas las partes interesadas,

c) y debe estar configurado de forma que todo operador económico *normalmente diligente* —incluidos los operadores económicos de terceros países que sean parte en el Acuerdo o en otros acuerdos internacionales que vinculen a la Unión Europea— se encuentre en condiciones de poder facilitar los datos exigidos con un esfuerzo *razonable*.

En definitiva, el legislador comunitario atribuye a todos los poderes adjudicadores la capacidad para establecer su propio método para el cálculo de los costes del ciclo de vida de la prestación a contratar, con las obligaciones referidas. Ahora bien, cuando un acto legislativo de la Unión Europea haga obligatorio un método común para calcular los costes del ciclo de vida, este método deberá ser aplicado ineludiblemente por los poderes adjudicadores[24]. Mientras tanto, los métodos establecidos por los poderes

---

[21] Artículo 68.2 de la Directiva 2014/24/UE. Además, si un ente adjudicador hubiese desarrollado una herramienta para el cálculo del coste del ciclo de vida de las prestaciones, como pueden ser una aplicación o una hoja de cálculo, no debería descartarse su puesta a disposición de los eventuales licitadores a través, por ejemplo, de su sede electrónica (SOLA TEYSSIERE, 2018: 154).

[22] Artículo 68.2 de la Directiva 2014/24/UE.

[23] De forma que, si no se hubiese establecido para una aplicación *repetida* o *continuada*, no se favorecerá o perjudicará indebidamente a operadores económicos determinados.

[24] Artículo 68.3 de la Directiva 2014/24/UE. En el Anexo XIII de esta norma figura una lista de dichos actos legislativos y, cuando sea necesario, de los actos delegados que los completan, lista que se reduce a una sola Directiva comunitaria, la nº 2009/33/CE, de 23 de abril de 2009, *relativa a la promoción de vehículos de transporte por carretera limpios y energéticamente eficientes.* Igualmente, en este

adjudicadores podrán tener escala nacional, regional o local[25]. Para evitar distorsiones de la competencia generadas por el uso de metodologías *ad hoc*, éstas deberán ser consideradas en todo caso como *generales*, en el entendimiento de que no deberán establecerse de modo específico para procedimientos concretos de contratación pública[26].

En España, las previsiones relativas a la definición y el cálculo del coste del ciclo de vida se han incorporado a su ordenamiento jurídico a través de la Ley 9/2017, de 8 de noviembre, *de Contratos del Sector Público, por la que se transponen al ordenamiento jurídico español las Directivas del Parlamento Europeo y del Consejo 2014/23/UE y 2014/24/UE, de 26 de febrero de 2014.* Esta norma realiza una trasposición casi literal de las previsiones de la Directiva 2014/24/UE en todo lo relativo al coste del ciclo de vida[27], incorporando como única novedad reseñable la preferencia por este mecanismo a la hora de calcular los costes de las ofertas presentadas a la licitación. Concretamente, señala su artículo 148.4 que "[l]*os órganos de contratación calculará los costes a que se refieren los apartados primero y segundo del artículo 145* [Requisitos y clases de criterios de adjudicación del contrato] *atendiendo, preferentemente, al coste del ciclo de vida*". Por esta razón, los poderes adjudicadores españoles deben motivar expresa y convenientemente la no utilización de dicho mecanismo a la hora de calcular los costes de las ofertas presentadas. Llama igualmente la atención que

---

precepto se otorgan a la Comisión Europea los poderes para adoptar actos delegados con arreglo a su artículo 87 (*ejercicio de la delegación*) en lo relativo a la actualización de la lista señalada, cuando tal actualización resulte necesaria debido a la adopción de nueva legislación que hiciese obligatorio un método común o la derogación o modificación de los actos jurídicos vigentes, fundamentándose tal atribución en la necesidad de que los métodos comunes para el cálculo del ciclo de vida se adapten rápidamente para incorporar las medidas adoptadas a nivel sectorial. A este respecto, se considera de especial importancia que la Comisión Europea lleve a cabo las consultar oportunas durante su fase de preparación, en particular con expertos, debiendo garantizarse en todo caso que los documentos pertinentes se transmitan al Parlamento Europeo y al Consejo de manera simultánea, oportuna y adecuada. En el ámbito social, la Directiva apuesta por estudiar la viabilidad de establecer un método común sobre el cálculo del coste del ciclo de vida social, teniendo en cuenta para ello métodos ya existentes, como las orientaciones sobre evaluación del ciclo de vida social de productos adoptadas en el marco del Programa de las Naciones Unidas para el medio ambiente (Considerandos n° 96 § 4 y 129 de la Directiva 2014/24/UE).

[25]   Considerando n° 96 § 2 de la Directiva 2014/24/UE.

[26]   *Ídem.*

[27]   *Vid.* sus artículos 125.1, 126.2, 145, 146 y 148.

el plazo máximo para la adjudicación de los contratos en el procedimiento abierto se amplíe de quince días a dos meses cuando se utilice el coste del ciclo de vida como criterio único de adjudicación: "[c]*uando para la adjudicación del contrato deban tenerse en cuenta una pluralidad de criterios, o utilizándose un único criterio sea este el del menor coste del ciclo de vida, el plazo máximo para efectuar la adjudicación será de dos meses a contar desde la apertura de las proposiciones, salvo que se hubiese establecido otro en el pliego de cláusulas administrativas particulares*"[28]. Esta posibilidad de ampliación del plazo para la adjudicación de los contratos hace patente la dificultad implícita al cálculo del coste del ciclo de las prestaciones, dificultad de la que es muy consciente el legislador español.

III. Metodología para el cálculo del coste del ciclo de vida de las prestaciones contractuales. Algunos ejemplos prácticos

1. *Situación en la Unión Europea*

Como se ha señalado, la Directiva 2014/24/UE no ha establecido en su articulado una metodología concreta para el cálculo del coste del ciclo de vida, limitándose a señalar qué costes pueden formar parte de su contenido y remitiéndose al eventual desarrollo de una metodología común a nivel comunitario, la cual poseerá naturaleza obligatoria desde el mismo día de su nacimiento. A día de hoy la Unión Europea no ha aprobado ningún método común para el cálculo del coste del ciclo de vida de las prestaciones contractuales, más allá de algunas metodologías para materias específicas, de las que se dará cuenta en las páginas siguientes.

En España, solamente algunas normas que desarrollan aspectos específicos de la contratación pública han establecido tímidamente varios esbozos de metodologías específicas para el cálculo del coste del ciclo de vida de las prestaciones, como el Real Decreto 55/2017, de 3 de febrero, *por el que se desarrolla la Ley 2/2015, de 30 de marzo, de desindexación de la economía española*[29], o la Instrucción nº 67/2011, de 15 de septiembre, del Secretario de Estado de Defensa (SEDEF), *por la que se regula el Proceso de Obten-*

---

[28]   Artículo 158.2 de la Ley 9/2017, de 8 de noviembre, *de Contratos del Sector Público*.

[29]   Para un aspecto muy específico: el período de recuperación de la inversión de los contratos (art. 10). En relación a esta cuestión y su vinculación con el cálculo del coste del ciclo de vida *vid.* GÓMEZ GUZMÁN (2018: 39).

ción de Recursos Materiales[30]. No existe, a día de hoy, ninguna metodología oficial para el cálculo del ciclo de vida de las prestaciones a contratar por el sector público español, ni en materias concretas ni con carácter general para todos los procedimientos de contratación pública.

A continuación se exponen las metodologías existentes para el cálculo del coste del ciclo de vida en cuatro sectores representativos de la actividad contractual pública, elegidos por su capacidad didáctica y su relativamente dilatada experiencia práctica: vehículos, iluminación, equipos informáticos y máquinas expendedoras.

2. Vehículos

En el Libro Verde *"Hacia una nueva cultura de la movilidad urbana"*, de 25 de septiembre de 2007[31], la Comisión Europea muestra su interés por promocionar la introducción en el mercado de vehículos limpios y energéticamente eficientes, utilizando para ello la contratación pública, con el objetivo de internalizar los costes medioambientales vinculados con el transporte urbano. En este documento, la Comisión Europea plantea expresamente la posibilidad de incluir como criterios de adjudicación de los contratos, además del precio de los vehículos, los costes del consumo de energía durante su vida útil, de las emisiones de dióxido de carbono (CO_2) y de las emisiones contaminantes vinculadas con su uso.

Siguiendo esta línea, si bien adoptando un enfoque mucho más exigente desde el punto de vista de la sostenibilidad ambiental, la Directiva europea 2009/33/CE, de 23 de abril, *relativa a la promoción de vehículos de transporte por carretera limpios y energéticamente eficientes*, obliga a los poderes adjudicadores a tener en cuenta los impactos energético y medioambientales, incluidos el consumo de energía y las emisiones de CO_2 y de determinados contaminantes, a la hora de adquirir vehículos de transporte por carretera, a fin de promover y estimular el mercado de vehículos limpios y energéticamente eficientes y aumentar la contribución del sector del transporte a las políticas en materia de medio ambiente, clima y energía de la Unión Europea. Esta norma obliga, desde 2010, a que los poderes públi-

---

[30]   Boletín Oficial del Ministerio de Defensa nº 189, de 27 de septiembre de 2011, sección I, pág. 25.188 y ss. Sobre este método *vid.* PASTOR SÁNCHEZ (2019).

[31]   COM(2007) 551 final, no publicado en el Diario Oficial de la Unión Europea.

cos tengan en cuenta, a la hora de adquirir un vehículo de transporte por carretera[32], los siguientes parámetros[33]:

a) Impactos energéticos y medioambientales derivados de su utilización durante su vida útil, debiendo tenerse en cuenta, al menos, el consumo de energía, las emisiones de óxido nitroso (NOx), el dióxido de carbono (CO2), los hidrocarburos no-metano (NMHC) y las partículas;

b) Otros tipos de impactos ambientales libremente considerados por el poder adjudicador.

Esta norma incluye en su articulado una metodología para el cálculo del coste del ciclo de vida de los vehículos adquiridos por los poderes adjudicadores[34] para el supuesto de que éstos decidan cuantificar sus externalidades medioambientales en la decisión de compra[35].

Los costos de utilización de los vehículos a motor durante su vida útil en relación al consumo de energía y de las emisiones de CO2, NOx, NMHC y partículas (a precios de 2007[36]) son cuantificados económicamente y calculados con arreglo a varias reglas:

a) El coste del consumo de energía derivado de la utilización de un vehículo durante su vida útil se calcula siguiendo la siguiente metodología:

i. El consumo por kilómetro de los vehículos se debe calcular en unidades de consumo de energía por kilómetro[37], tanto si el cálculo

---

[32] Definido por referencia al listado contenido en el cuadro 3 del anexo de la Directiva (art. 4.3): vehículos de turismo, industriales ligeros, pesados para el transporte de mercancías y autobuses.

[33] Art. 5.2 de la Directiva 2009/33/CE.

[34] Art. 6 de la Directiva 2009/33/CE (Metodología para el cálculo de los costes de utilización durante la vida útil).

[35] Art. 5.3 letra b) de la Directiva 2009/33/CE.

[36] *Vid.* el cuadro 2 del anexo de la Directiva 2009/33/CE. El coste de las emisiones en el transporte por carretera, a precios de 2007, oscila entre los 0,03 a 0,04 euros por kilogramo en el caso del CO2 (el más bajo) y los 0,087 euros por gramo en el caso de las partículas (el más alto).

[37] El consumo de combustible, las emisiones de CO2 y las emisiones contaminantes por kilómetro derivados de la explotación de un vehículo se determinan a partir de unos procedimientos de prueba normalizados a escala comunitaria, siempre que se trate de vehículos para los que estén previstos tales procedimientos en la normativa europea de homologación. Para el resto, la compatibilidad entre las diferentes ofertas se hace posible utilizando procedimientos de prueba generalmente reconocidos,

se realiza directamente —como ocurre con los vehículos eléctricos— como si no. Cuando el consumo de carburante se indique en unidades distintas, debe convertirse en consumo de energía por kilómetro, utilizando para ellos los factores de conversión indicados en el anexo de la Directiva 2009/33/CE, en el que se indica el contenido energético de los diferentes carburantes[38].

ii. Debe usarse un único valor monetario por unidad de energía, que será igual al coste por unidad de energía de la gasolina o del gasóleo —según cuál sea más bajo— antes de impuestos.

iii. El coste del consumo de energía derivado de la utilización de un vehículo durante su vida útil se debe calcular multiplicando el kilometraje total[39] por el consumo de energía por kilómetro (apartado i) y por el coste por unidad de energía (apartado ii).

b) El coste de las emisiones de CO_2 derivado de la utilización de un vehículo durante su vida útil se debe calcular multiplicando el kilometraje total por las emisiones de CO_2 en kilogramos por kilómetro[40] y por el coste por kilogramo tomado de la horquilla que figura en el cuadro 2 del anexo de la Directiva 2009/33/CE[41].

c) El coste de las emisiones contaminantes derivado de la utilización del vehículo durante su vida útil se debe calcular sumando los costes relacionados con su utilización correspondientes a emisiones de NOx, NMHC y partículas. El coste de cada sustancia contaminante durante la vida útil de un vehículo relacionado con su utilización se debe calcular multiplicando el kilometraje total por las emisiones en gramos

---

resultados de pruebas realizados por la autoridad o información facilitada por el fabricante (art. 6.2 de la Directiva 2009/33/CE).

[38] El cuadro 1 del anexo atribuye, *v. gr.*, un contenido energético de 36 MJ/litro al gasóleo (el más alto) y de 11 MJ/m^{3}N al hidrógeno (el más bajo).

[39] El kilometraje de un vehículo durante su vida útil, si no se especificase otra cosa, se determinará conforme lo establecido en el cuadro 3 del anexo de la Directiva 2009/33/CE (art. 6.3 de esta norma). Este kilometraje se establece, *v. gr.*, en 1.000.000 kilómetros para los vehículos industriales pesados para el transporte de mercancías (el más alto) y los 200.000 kilómetros de los vehículos de turismo (el más bajo).

[40] *Vid.* nota al pie n° 37.

[41] El coste de las emisiones de CO_2 en el transporte por carretera, a precios de 2007, oscilan entre los 0,03 y 0,04 euros por kilogramo.

por kilómetro[42] y por el coste respectivo por gramo[43]. Los poderes adjudicadores pueden aplicar costes superiores, siempre y cuando éstos no excedan de los valores que figuran en el cuadro 2 del anexo de la Directiva 2009/33/CE multiplicados por dos.

En cualquier caso, la propia Directiva 2009/33/CE advierte de que el método expuesto para calcular los costes operativos correspondientes a las emisiones contaminantes durante la vida útil de los vehículos no constituye de ninguna forma un obstáculo para que otras disposiciones legislativas comunitarias aborden los costes externos vinculados[44]. Tampoco impide que los Estados den preferencia, en el momento de adquirir vehículos destinados a los servicios de transporte público, a las normas Euro en materia de emisiones contaminantes antes de que éstas se hagan obligatorias[45], así como que los poderes adjudicadores den preferencia a combustibles alternativos como, por ejemplo, el hidrógeno, el gas licuado de petróleo, el gas natural comprimido y los biocarburantes, pero siempre que se tenga en cuenta el impacto energético y medioambiental durante la vida útil de los vehículos[46]. Tales previsiones son un reflejo de la propia filosofía de la Directiva 2009/33/CE, la cual considera que "[l]*a inclusión del consumo de energía, las emisiones de CO2 y las emisiones contaminantes entre los criterios de adjudicación no impone unos costes totales más altos sino que más bien adelanta los costes de la utilización de los vehículos durante su vida útil al momento de la decisión de compra. Este enfoque, que es complementario a la legislación sobre las normas Euro que establecen límites máximos de emisión, cuantifica económicamente las emisiones contaminantes reales y no requiere una promulgación de normas suplementarias*"[47]. La metodología contenida en esta norma ha sido puesta en cuestión por la propia Comisión Europea —Brannigan (2015: 50, 84)—, por lo que no se descarta su modificación a medio plazo. Las principales críticas recaen sobre la técnica de monetización de los costes del ciclo de vida, al considerarse que algunos

---

[42] *Vid*. nota al pie n° 37.
[43] El coste de referencia se corresponde con los valores medios comunitarios fijados en el cuadro 2 del anexo de la Directiva 2009/33/CE.
[44] Considerando n° 25 de la Directiva 2009/33/CE.
[45] Se refiere al Reglamento (CE) n° 715/2007, del Parlamento Europeo y del Consejo, de 20 de junio, *sobre la homologación de tipo de los vehículos de motor por lo que se refiere a las emisiones procedentes de turismos y vehículos comerciales ligeros (Euro 5 y Euro 6) y sobre el acceso a la información relativa a la reparación y el mantenimiento de los vehículos.*
[46] Considerando n° 28 de la Directiva 2009/33/CE.
[47] Considerando n° 20 de la Directiva 2009/33/CE.

de sus elementos son complejos e incoherentes. Otros autores, por su parte, han resaltado la ausencia de valoración de algunos costes relevantes, como el consumo de fluidos o el mantenimiento de los vehículos (Sola Teyssiere, 2017: 10).

Otra metodología valiosa para el cálculo del coste del ciclo de vida de los vehículos adquiridos por el sector público es la elaborada por el Proyecto *Clean Fleets*. Este proyecto, financiado por la Iniciativa de Energía Inteligente para Europa de la Dirección General de Energía y Transportes de la Unión Europea, pone a disposición de los poderes adjudicadores una herramienta para el cálculo del coste del ciclo de vida de los vehículos totalmente compatible con la Directiva europea 2009/33/CE, de 23 de abril, *relativa a la promoción de vehículos de transporte por carretera limpios y energéticamente eficientes*. Esta herramienta[48] divide los parámetros para el cálculo del coste del ciclo de vida en varias categorías, todas referidas al coste por unidad y año:

a) *Condiciones generales*: que incluyen el plazo de duración del contrato de cesión del vehículo, la tasa de descuento —que tiene por objetivo, como se ha señalado, convertir los costes futuros en presentes, en el entendimiento de que los costes futuros serán probablemente más bajos que los actuales (VVAA, 2018: 45)[49]— y los diferentes modelos de vehículos presentados en las ofertas.

b) *Costes de adquisición*: calculados en función del modelo concreto de vehículo ofertado, su precio de adquisición o de arrendamiento.

c) *Costes operacionales del vehículo*: conformados por el uso anual estimado del vehículo —en kilómetros por año— y el tipo, cantidad y precio del carburante utilizado por el vehículo. En caso de que el modelo de vehículo ofertado admitiese el uso de otro u otros carburantes, se tendrá igualmente en cuenta su tipo, cantidad y precio. Finalmente, se tendrán en cuenta los incrementos en el precio de los carburantes (porcentaje de variación anual), remitiéndose para ello a los cálculos realizados por la Organización para la Cooperación y el Desarrollo Económicos (OCDE)[50].

---

[48] Disponible en http://www.clean-fleets.eu/fileadmin/files/documents/Publications/ LCC_tool_Aug_2015/Clean_Fleets_LCC_tool_-_EN.xlsm.

[49] *Vid.* nota al pie nº 9.

[50] Disponible en https://stats.oecd.org/index.aspx?DatasetCode=HS1988. Si bien esta organización no proporciona datos para el biogás, el hidrógeno y el combustible de emulsión.

d) *Costes de mantenimiento*: calculados a partir de una simple estimación de los costes anuales de mantenimiento, incluyendo los recambios, o en función de los costes fijos del acuerdo anual de mantenimiento suscrito con terceros.

e) *Tributos y otros costes*: que incluye, además de los impuestos vinculados al vehículo, los gastos de aseguramiento —pólizas de seguro— así como el coste de las infraestructuras necesarias para su uso —*v. gr.* los puntos de recarga para coches eléctricos—. También se pueden aportar otros costes o ahorros vinculadas a la adquisición y utilización de los vehículos —*v. gr.* el coste de los espacios de aparcamientos de los vehículos o las subvenciones recibidas para la adquisición de los vehículos menos contaminantes—.

f) *Emisiones*: este parámetro, denominado también *Coste Operacional del Ciclo de Vida* (*Operational Lifetime Cost*, OLC), es opcional y aplica la metodología para el cálculo de los costes de utilización de los vehículos a motor de la Directiva 2009/33/CE. Como se ha visto, los parámetros relativos a la contaminación ambiental generados por los vehículos a motor que son tenidos en cuenta por esta norma a efectos de su estimación económica son el óxido nitroso (NOx), el dióxido de carbono (CO_2), los hidrocarburos no-metano (NMHC) y las partículas (PM).

g) *Final de vida*: comprende el valor esperado de venta del vehículo, tanto completo como por partes o como chatarra, al final de su vida útil (*valor remanente*).

Con todos estos datos la herramienta proporciona el coste del ciclo de vida de cada modelo de vehículo, tanto de forma global como desagregado en relación a cada uno de los parámetros analizados.

3. Iluminación

Las principales externalidades negativas de carácter ambiental vinculadas con la iluminación de espacios públicos son (VVAA, 2018: 25) las emisiones de gases de efecto invernadero, la ineficiencia en el uso de recursos naturales y, en el caso concreto de la iluminación exterior, la contaminación lumínica. En relación con la primera, ésta se vincula con el uso de energía eléctrica proveniente de fuentes no renovables. Su reducción pasa bien por disminuir el consumo eléctrico de las luminarias, elevando su eficiencia, bien por el uso de energía eléctrica proveniente de fuentes renovables. La ineficiencia en el uso de los recursos naturales se conecta con la duración de los materiales utilizados en el sistema de iluminación, de forma que la selección de productos con una vida estimada más prolongada afectará a su coste final, tal y como se ha visto que sucede en el supuesto de los vehículos a motor. Finalmente, la contaminación lumínica afecta gravemente tanto a los ecosistemas como a los seres humanos. Sin embargo, no existe actualmente ninguna metodología que valore monetariamente estas externalidades en el cálculo del ciclo de vida de los sistemas de iluminación de espacios públicos[51]. La iluminación de edificios, instalaciones y vías públicas es uno de los servicios prestados por las Administraciones públicas con un mayor consumo de energía eléctrica, de ahí el interés que han mostrado éstas en reducir su factura[52], para lo que resulta un instrumento muy útil el conocimiento anticipado del coste del ciclo de vida de los sistemas de iluminación.

Para el cálculo del coste del ciclo de vida de los sistemas de iluminación es necesario tener en cuenta los siguientes parámetros (Van Tichelen, 2007[53]):

---

[51]   Sin embargo, deben tenerse en cuenta tres factores en el momento del diseño e instalación de los sistemas de iluminación viaria: en primer lugar, la eficiencia direccional del sistema debe incrementarse mediante la elección de luminarias con una baja cantidad de luz emitida por encima de su plano horizontal. En segundo lugar, la intensidad de la iluminación no debe exceder el nivel necesario considerado óptimo para cada función (incluyendo sistemas de control de la luminosidad mediante la posibilidad de atenuación). En tercer y último lugar, la tipología de luces elegida debe ser lo menos dañina posible para la fauna, prefiriendo aquellas luminarias con tonalidades similares a las existentes en la naturaleza (*v. gr.* en relación a la cantidad de luz azul que contienen), sobre todo para los sistemas de iluminación más cercanos a áreas naturales, como parques y bosques.

[52]   En los últimos años se han popularizado los denominados *contratos de rendimiento energético* (*Energy Performance Contracting*, EPC), que son aquéllos en los que "[…] *el contratista financia una serie de actuaciones que mejoran el rendimiento energético de los edificios e instalaciones de la Administración contratante, las cuáles generan a su vez un ahorro en su consumo energético (tanto de energía eléctrica como de otras fuentes de energía, fundamentalmente carburantes para calefacción). Estos ahorros redundan en beneficio de ambas partes del contrato: en el caso de la Administración contratante, porque reduce su factura energética sin necesidad de realizar inversiones en sus activos. Y en el caso del contratista, porque con parte de los ahorros logrados financia las inversiones realizadas para mejorar la eficiencia energética de los edificios e instalaciones públicas y obtiene además un beneficio por su actividad*" (ROMÁN MÁRQUEZ, 2017: 117).

[53]   Concretamente, este estudio se centra en las luminarias urbanas y en las señales viarias luminosas (*v. gr.* indicadores o semáforos).

a) Eficiencia energética: a pesar de que la tecnología de las luminarias es el principal factor relativo al ahorro energético (*v. gr.* LED o vapor de sodio), existen otros muchos factores que van a influir en su eficiencia, tales como la estructura general de la lámpara, la geometría elegida o la incorporación de sistemas de control de atenuación lumínica.

b) Vida útil: una duración más prolongada de la luminaria puede compensar precios de adquisición más altos. Deben tenerse en cuenta dos factores para calcular la vida útil del producto adquirido: en primer lugar, la reducción del rendimiento, calculado en función de dos parámetros:

i. *vida nominal promedio* (*average rated life*), que muestra el tiempo necesario para que la luminosidad de una lámpara decrezca en un tanto por ciento[54], y

ii. *vida promedio* (*rated life*), que indica el tiempo necesario para que un porcentaje de las luminarias pasen de su nivel máximo de rendimiento a un porcentaje de éste[55].

En segundo lugar, el denominado "plazo para un fracaso abrupto" (*time to abrupt failure*, Cz), que indica el tiempo después del cual determinado porcentaje de las luminarias instaladas han tenido algún fallo en su funcionamiento.

c) Posibilidad de atenuación: en el sentido de que la luminaria sea capaz de adaptar su intensidad a las necesidades generadas por su función, localización, condiciones atmosféricas o luminosidad ambiental. Para ello, las luminarias necesitan contar con dispositivos internos de control de su luminosidad, tales como temporizadores, relojes astronómicos o sensores de luz o de ocupación (*v. gr.* detectores de transeúntes o de tráfico rodado), o externos, como interruptores con sistema de atenuación.

El Joint Research Center (JRC) de la Comisión Europea ha elaborado una fórmula para el cálculo del ciclo de vida de las luminarias (Traverso, 2017: 48)[56]:

---

54   Indicado en *Lx*: por ejemplo, L80 = 20.000 horas significa que después de este número de horas la intensidad lumínica de la lámpara se reducirá un 20% (hasta el 80% de su intensidad inicial).

55   Indicado en *LxBx*: por ejemplo, L80B20 = 30.000 horas significa que después de este número de horas, un 20% de las luminarias pasarán a rendir un 80% o menos de su capacidad inicial.

56   Concretamente, para las señales viarias luminosas e iluminación de vías públicas.

$$LCC = \Sigma CAPEX + \Sigma(PWF \; x \; OPEX)$$

En la que:

➤ LCC es el coste del ciclo de vida (*Life Cycle Cost*),

➤ CAPEX son los gastos de capital (*Capital Expenditures*), identificados con el precio de compra, incluyendo su instalación[57],

➤ OPEX son los gastos operacionales (*Operational Expenditures*), calculados anualmente, y vinculados con su funcionamiento y mantenimiento: costes de electricidad[58], reparación, sustitución, mantenimiento, comprobación, limpieza y final de vida (desmontaje y desechado)[59],

➤ PWF es el factor de valor presente (*Present Worth Factor*), calculado a partir de la siguiente fórmula:

$$PWF = (1 - 1/(1 + r) \; N)/r$$

Donde N es la vida del producto en años y r la tasa de descuento[60].

En la actualidad existen varias metodologías para el cálculo del coste del ciclo de vida de los sistemas de iluminación de espacios públicos. Algunos de estos mecanismos únicamente cuantifican el coste total de la propiedad (TCO)[61], pero otros también tienen en cuenta las externalidades negativas de naturaleza ambiental. En primer lugar, puede citarse la herramienta ela-

---

[57]   El documento del Joint Research Center aporta una tabla de tiempos estimados para la instalación y el mantenimiento de luminarias en carreteras:

Tiempo requerido para la instalación de una luminaria (instalación grupal)	20 minutos
Tiempo requerido para la sustitución de una luminaria (sustitución grupal)	10 minutos
Tiempo requerido para la sustitución de una luminaria (sustitución unitaria)	20 minutos
Tiempo requerido para el mantenimiento (incluyendo casquillos)	30 minutos

[58]   Fijada en 0,08 euros/kWh (año de referencia: 2006).
[59]   El cálculo de estos costes suele ser complicado puesto que implica ciertos costes financieros inestables. Para que la estimación de esos costes futuros sean lo más precisos posible, el cálculo debe tener en cuenta los intereses, la inflación y las tasas de descuento (VVAA, 2018: 24).
[60]   La tasa de descuento propuesta por el Joint Research Center es del 2%. Esta cifra se obtiene restando la tasa de inflación a la de interés.
[61]   *Vid.* nota al pie nº 8.

borada por la Comisión Europea: la *Life Cycle Costing (LCC) Calculation Tool for Generic Luminaire (office and Street lighting)*[62], cuyo objetivo es la evaluación de los costes vinculados con los sistemas de iluminación de instalaciones y vías públicas en el seno de los procedimientos de contratación del sector público, por lo que ha sido desarrollada de acuerdo con lo establecido en el artículo 68 de la Directiva europea 2014/24/UE, de 26 de febrero, sobre contratación pública. La evaluación de las externalidades medioambientales se limita a la fase de uso de los sistemas de iluminación, sin que la herramienta aporte información exhaustiva en relación al comportamiento ambiental de los productos evaluados.

La segunda herramienta que puede citarse en esta materia ha sido diseñada por la Agencia Nacional para la Contratación Pública del gobierno sueco para el cálculo del coste del ciclo de vida de los sistemas de iluminación interior y exterior en los procedimientos de contratación pública, denominado *LCC-Calculation tool for procurement of indoor/outdoor lighting systems*[63]. Esta herramienta tiene en cuenta los eventuales cambios en las tarifas eléctricas que se producen habitualmente en los contratos con un plazo de ejecución dilatado, para lo que toma en consideración diferentes escenarios futuros. Se basa en el método del valor actual (*present value method*), el cual permite calcular costes futuros a precios actuales, para lo que utiliza parámetros ya conocidos como la tasa de descuento, el precio de la energía o su porcentaje de variación anual. Por lo que respecta a las externalidades ambientales, permite a sus usuarios incluirlas en el cálculo siempre que puedan ser monetarizadas mediante sistemas estandarizables, es decir, que se pueda determinar su valor económico por referencia a una moneda determinada. Por ejemplo, se prevé expresamente el impacto climático de la iluminación de espacios públicos como un parámetro opcional para el cálculo del coste de su ciclo de vida, para lo cual se toma en consideración su consumo eléctrico estimado en kilogramos de CO_2 por kilovatio consumido a la hora[64]. Por el contrario, los parámetros relacionados con la

---

[62] Disponible en http://ec.europa.eu/environment/gpp/pdf/SF_SSSUP_ELCC.xlsm

[63] Disponible en https://www.upphandlingsmyndigheten.se/en/subject-areas/lcc-tools/

[64] Esta herramienta aporta una tabla de emisiones de CO_2/kWh en función de su origen:

Electricidad con etiquetado de origen	0
Mix sueco (año normal)	0,02
Mix nórdico	0,010
Origen desconocido (nórdico)	0,344
Mix de la Unión Europea (*EU 25-mix*)	0,415

calidad de la iluminación —*v. gr.* la calidad de la luz proporcionada por las luminarias— están excluidos de esta metodología. El resto de parámetros utilizados son el tiempo de uso (plazo del contrato en años), el precio de la electricidad, las horas de uso del sistema al año, el número de estancias de la misma categoría, el área iluminada, el número de luminarias y su precio unitario (incluyendo los postes de las farolas y los casquillos), su esperanza de vida (en años), los costes laborales vinculados con la instalación, limpieza, mantenimiento, reparación y vigilancia, o el tipo de control (manual, detector de presencia, detector de luminosidad o una combinación de todos éstos). Los resultados proporcionados por esta herramienta permiten discriminar el coste del ciclo de vida en relación a cada espacio iluminado o cada m^2 iluminado, así como los costes por año y por hora de uso, así como el impacto climático total generado por el sistema.

La tercera y última metodología analizada en relación con el cálculo del coste del ciclo de vida de los sistemas de iluminación de espacios públicos se denomina *Super-efficient Equipment and Appliance Deployment Street Lighting tool* (SEAD)[65]. Esta herramienta, desarrollada por el *Clean Energy Ministerial* (CEM)[66] y el *International Partnership for Energy Efficiency Cooperation* (IPEEC)[67], tiene como objeto de evaluación la iluminación de vías urbanas e interurbanas. A diferencia de las metodologías precedentes, el SEAD se centra exclusivamente en el coste total de la propiedad (TCO), sin tener en cuenta ningún coste vinculado a externalidades negativas de naturaleza ambiental. Esta herramienta identifica el sistema de iluminación óptimo para cualquier circunstancia siguiendo una metodología similar a las anteriormente analizadas en este epígrafe, pero que permite diferenciar entre varias categorías de usuarios: *v. gr.* los pequeños municipios pueden realizar evaluaciones básicas utilizando la configuración relativa a vías ordinarias, mientras que poderes adjudicadores con mayor capacidad y expe-

---

[65]   Los países participantes en este proyecto son Australia, Brasil, Canadá, Chile, la Comisión Europea, Alemania, India, Indonesia, Japón, Corea, México, Rusia, Sudáfrica, Suecia, Emiratos Árabes Unidos, Reino Unido y Estados Unidos.

[66]   Foro mundial creado en 2010 en el que las principales economías y los países en vías de desarrollo trabajan juntos para compartir mejores prácticas y promover políticas y programas que fomenten y faciliten la transición a una economía global de energía limpia.

[67]   Asociación de naciones fundada en 2009 por el Grupo de los 8 (G8) para promover la colaboración en materia de eficiencia energética. Actualmente incluye a 17 de los miembros del Grupo de 20 (G20), que representan más del 80% del uso de energía global y más del 80% de las emisiones globales de gases de efecto invernadero.

riencia pueden evaluar productos para vías e infraestructuras de iluminación específicas mediante una pluralidad de opciones simultáneas, llegando a alcanzar hasta un 50% de ahorro de energía. Los parámetros evaluados por el SEAD son los siguientes:

a) Descripción de la vía: compuesto por la geometría de la vialidad (número de carriles y ancho de éstos y de la mediana), geometría de las luces (posición del poste, altura de montaje de la luminaria, distancia inter-postal, reajuste del poste y largo del brazo) y tipo de pavimento (a efectos del cálculo de la luminancia).

b) Objetivos de iluminación: existen dos medidas relativas a la calidad de la iluminación en una vía. Una es la *iluminancia*, o flujo luminoso incidente en una superficie, y la otra es la *luminancia*, o intensidad luminosa de un objeto en la superficie. El SEAD realiza los cálculos utilizando ambos métodos. También existen varias normas que establecen estándares relativos a los niveles adecuados de iluminación de las vías. El SEAD compara los resultados tomando como referencia las normas IESNA-RP-8-00[68] y CIE 115:2010[69].

c) Modelo de luminaria: respecto de los cuales se evalúa la potencia, los costes de adquisición, instalación y mantenimiento (incluida la tasa de inflación del mantenimiento, las eventuales ayudas públicas y el factor de pérdida total de iluminación). La herramienta proporciona los datos relativos a tales parámetros en más de una veintena de modelos de luminarias.

d) Costes: tanto *generales*, en los que se tiene en cuenta las horas de uso, el coste de la energía, la tasa de inflación anual de la energía y la tasa de descuento; como en relación a cada luminaria, respecto de los que se evalúan los costes de adquisición, instalación y mantenimiento (incluida la tasa de inflación) y las eventuales ayudas públicas.

---

[68]   Elaboradas por la Illuminating Engineering Society of North America (IESNA). Esta norma tiene en cuenta el volumen del tráfico y de peatones, y puede utilizarse utilizándose tanto el método de iluminancia como el de luminancia. En ambos se tiene en cuenta el tipo de vía (vía rápida, autopista, mayor, colector o local) y las zonas de conflicto peatonal (como intersecciones o áreas peatonales contiguas a vías con alta intensidad de tráfico).

[69]   Elaboradas por la Comisión Internacional de Iluminación (CIE) con base en la luminancia, para lo cual evalúa los siguientes parámetros: velocidad, volumen y composición del tráfico; separación de carriles, densidad de intersección, estacionamiento de vehículos, luminancia ambiente y control del tráfico.

Con estos datos el SEAD calcula el coste del ciclo de vida de los sistemas de iluminación viaria en relación a varios aspectos, como el consumo anual de energía, la luminancia e iluminancia, el coste total de la propiedad y los retornos de la inversión a lo largo del tiempo.

4. Equipamientos informáticos

Uno de los impactos ambientales más importantes vinculados con los equipos informáticos instalados en las Administraciones públicas es el consumo de energía durante su vida útil, especialmente en el caso de ordenadores personales fijos y portátiles y sus monitores (VVAA, 2018: 49). La clave, por lo tanto, está en elaborar metodologías de cálculo del ciclo de vida de estos dispositivos que permitan estimar económicamente los impactos del consumo energético en términos de cambio climático. Las diferencias en lo que respecta a la eficiencia energética de los diferentes productos existentes en el mercado son considerables, tanto en lo que se refiere a su modo activo como durante los periodos de espera. Así, *v. gr.*, un ordenador personal fijo consume de tres a cuatro veces más energía durante su periodo de uso que la requerida para su producción (calculado sobre un uso medio de ocho horas diarias —incluido el tiempo en espera o *standby*— y doscientos sesenta días. Comisión Europea, 2016: 8). En los Estados Miembros de la Unión Europea las especificaciones técnicas de los contratos públicos relativos a equipos informáticos deben cumplir con las exigencias de la etiqueta *Energy Star*[70] (versión 6.1). Ésta pone especial énfasis en la evaluación del con-

---

[70]   El programa *Energy Star* fue creado por la Agencia de Protección Ambiental de Estados Unidos (*Environmental Protection Agency*, EPA) en 1992 para reducir el consumo de energía eléctrica mediante la promoción de dispositivos electrónicos con un consumo de energía eficiente. Se trata de un programa voluntario que comenzó aplicándose a productos informáticos, si bien actualmente también es utilizado en otros productos como luminarias, equipos de oficina, electrodomésticos e, incluso, en edificios residenciales, comerciales o industriales. En la actualidad existe un *Programa Energy Star* en el ámbito de la Unión Europea —*UE Energy Star programme: labelling Energy Efficient Office Equipment*—, el cual surge a raíz del acuerdo con el Gobierno de los Estados Unidos para coordinar el etiquetado energético del equipamiento de oficina. Este acuerdo, que expiró en febrero de 2018, será sustituido en las próximas fechas por un nuevo compromiso en la materia. La etiqueta *Energy Star* se aplica en la Unión Europea a los equipos ofimáticos que cumplan determinadas especificaciones energéticas relativas a su rendimiento, lo que permite a los consumidores identificar fácilmente aquellos aparatos electrónicos que consumen menos energía. Estos equipos son los siguientes: ordenadores,

sumo energético de las unidades de procesamiento gráfico (*graphics processing unit*, GPU) y de los monitores[71], por ser los elementos que más energía consumen en los equipos informáticos.

Por el contrario, en el caso de equipos informáticos con un bajo consumo de energía, su impacto medioambiental no estará vinculado tanto con su eficiencia energética como con el uso de materiales contaminantes durante las fases de producción, utilización y desechado, entre los que destacan ciertos metales y aleaciones, aditivos plásticos o biocidas (Dodd, 2016: 39). Tales contaminantes son objeto de una atención pormenorizada en los criterios de compra pública ecológica de la Unión Europea para ordenadores y monitores (Comisión Europea, 2016), pero, salvo error u omisión, actualmente no existe ninguna metodología para el cálculo del ciclo de vida que incluya la valoración monetaria de este tipo de externalidades.

Otro de los impactos ambientales más relevantes vinculados a los equipos informáticos es su esperanza de vida, susceptible de prolongarse exponencialmente a través de previsiones vinculadas con su diseño[72], como son la capacidad de actualización y la posibilidad de reparación a un coste *razonable*[73] (con o sin sustitución de componentes, ya sean originales o compatibles, y con especial atención a los componentes que se estropean con mayor frecuencia). También resulta de gran importancia a este respecto garantizar, normativa o contractualmente, la disponibilidad de recambios durante un periodo mínimo de tiempo, lo que contribuye a alargar la vida de los equipos informáticos. Una mayor duración de los equipos informáticos reduce obviamente su impacto ambiental, al disminuir la cantidad de materias primas implicadas en su producción y de residuos generados al llegar el final de su vida útil. En general, determinados componentes de los ordenadores personales son difíciles de actualizar, como las placas madre (*motherboards*) o las unidades centrales de procesamiento (*central proces-*

---

pantallas de ordenador/monitores, fotocopiadoras, impresoras, multicopistas digitales, aparatos de facsímil (faxes), máquinas franqueadoras, equipos multifuncionales y escáneres.

[71] *V. gr.*, la etiqueta exige que la energía consumida por los monitores en su modo inactivo (*sleep*) no supere los 0.5 Vatios y que éstos entren obligatoriamente en modo inactivo cuando pierdan conexión con su dispositivo de referencia (*host*).

[72] Sobre esta trascendental cuestión *vid.* la Resolución del Parlamento Europeo, de 4 de julio de 2017, *sobre una vida útil más larga para los productos: ventajas para los consumidores y las empresas* (2016/2272(INI)), DOUE de 19 de septiembre de 2018, 2018/C 334/06.

[73] Entendido generalmente como aquel coste que no supere un umbral a partir del cual resulte más conveniente la sustitución completa del equipo informático.

sing unit, CPU), mientras que, por el contrario, los discos duros (*hard disk drive*, HDD) o sólidos (*solid state drive*, SSD) son fáciles de reemplazar. En cualquier caso, resulta muy complicado influir directamente en los impactos negativos vinculados con este sector a través de la contratación pública, principalmente por cuestiones de confidencialidad relacionadas con el secreto industrial (Dodd, 2016: 17).

Por último, en la fase final de la vida útil de estos aparatos, sus principales impactos ambientales pueden ser mitigados con una correcta gestión de sus componentes contaminantes. A día de hoy tampoco existe ninguna metodología para el cálculo del ciclo de vida que incluya la valoración monetaria de este tipo de externalidades, por lo que las únicas indicaciones para reducir los impactos vinculados con los residuos y desechos informáticos pueden encontrarse en los citados criterios de compra pública ecológica de la Unión Europea para ordenadores y monitores. En éstos se prevén dos estrategias para reducir las externalidades negativas provocadas por los desechos informáticos potenciando su reciclabilidad (Comisión Europea, 2016: 22). Ambas parten de un diseño de los dispositivos que facilite su reutilización y reciclado, como la prohibición de pinturas y revestimientos incompatibles con el reciclado o el uso de componentes que incluyan piezas metálicas pegadas ni prensadas a menos que puedan retirarse con herramientas corrientes.

Para la acreditación de tales características la Comisión Europea sugiere la presentación de la etiqueta ISO 180[74] o equivalente. La segunda medida para facilitar la reciclabilidad de los equipamientos informáticos pasa por un diseño que permita la extracción sencilla de ciertos materiales muy valiosos para la industria tecnológica durante la fase de desmantelamiento, como los contenidos en las placas madre y discos duros: cobre, aluminio, oro, plata, cobalto, paladio o tierras raras. Para la acreditación de esta exigencia la Comisión Europea sugiere el denominado *informe del test de desmantelado* (*dismantling test report*), elaborado por una empresa especializada en el reciclado de desechos de equipamientos eléctricos y electrónicos (*Waste Electric and Electronic Equipment*, WEEE) (Dodd, 2016: 111, 119).

La *Life Cycle Costing (LCC) Calculation Tool* de la Comisión Europea también tiene un apartado para el cálculo del coste del ciclo de vida de

---

[74] En concreto, la etiqueta vigente en esta materia es la ISO 180:2000-*Plásticos. Determinación de la resistencia al impacto Izod*. También son útiles la ISO 11469:2016-*Plásticos. Identificación genérica y marcado de productos plásticos* e ISO 1043-1:2011/Amd 1:2016-*Plásticos. Símbolos y abreviaturas. Parte 1: Polímeros de base y sus características especiales*.

equipamientos informáticos. La herramienta permite estimar el coste del ciclo de vida de forma independiente para tres categorías de dispositivos: ordenadores, monitores y equipos de imagen/reprografía. Para cada una de estas categorías se evalúa económicamente el coste anual de diferentes parámetros relacionados con las fases de adquisición, por un lado, y de uso y final de la vida útil, por el otro:

a) Ordenadores:

   i. Fase de adquisición: adquisición, envío e instalación.

   ii. Fase de uso y de final de la vida útil: consumo de energía —separadamente para los modos inactivo (*idle*), espera (*sleep*) y apagado (*off*)—, horas de uso —para cada uno de los tres modos anteriores—, garantía, mantenimiento por contrato, mantenimiento estimado —porcentaje—, vida estimada y eliminación de desechos.

b) Monitores:

   i. Fase de adquisición: ídem.

   ii. Fase de uso y de final de la vida útil: ídem.

c) Equipos de imagen/reprografía:

   i. Fase de adquisición: ídem.

   ii. Fase de uso y de final de la vida útil: consumo de energía —separadamente para los modos preparado (*ready*), espera (*sleep*) y apagado (*off*)—, horas de uso —para cada uno de los tres modos anteriores—, peso de la unidad de tóner, capacidad de la unidad de tóner —en páginas mensuales—, media de páginas impresas mensualmente, coste de la unidad de tóner, coste del tóner por página impresa, garantía, mantenimiento por contrato, mantenimiento estimado —porcentaje—, vida estimada y eliminación de desechos.

Los resultados obtenidos con esta herramienta permiten conocer el coste del ciclo de vida en relación a los costes directos (adquisición, uso, mantenimiento y final de la vida útil), los costes a lo largo del tiempo, las externalidades negativas que afectan al cambio climático y el coste del ciclo de vida *general*, que incluye tanto los costes directos como los indirectos —externalidades negativas de naturaleza ambiental—.

5. Máquinas expendedoras

Las máquinas expendedoras, de venta automática o de *vending*, están diseñadas para funcionar ininterrumpidamente, proporcionando un servicio continuado a sus clientes, por lo que el consumo de energía es uno de los principales impactos ambientales de estos dispositivos, y más específicamente el consumo de energía eléctrica destinado a la iluminación de los productos a la venta dispuestos en su interior, llegando a suponer entre el 30 y el 40% del total (VVAA, 2016: 65)[75]. Otros impactos ambientales relevantes vinculados con las máquinas expendedoras (VVAA, 2018: 59) se producen durante la fase de construcción (uso de bobinas de pre-recubrimiento, acero, aleaciones y módulos de montaje eléctrico) y de distribución. En la fase de uso, además de las emisiones contaminantes vinculadas al consumo de energía eléctrica, también es susceptible de generar importantes impactos ambientales la gestión de los residuos generados. Pero este sector tiene la particularidad de que en él entran en juego no solo los terminales de venta automática, sino también los productos puestos a la venta (bebidas, alimentos, tabaco, dispositivos electrónicos, etc.), por lo que los poderes adjudicadores pueden evaluar igualmente el coste del ciclo de vida de éstos en función de la clase de mercaderías vendidas.

Como en el supuesto anterior, la *Life Cycle Costing (LCC) Calculation Tool* de la Comisión Europea también tiene un apartado para el cálculo del coste del ciclo de vida de las máquinas expendedoras. Sin embargo, la herramienta se ciñe únicamente a las máquinas expendedoras de bebidas y alimentos, diferenciando entre máquinas expendedoras de productos fríos (o congelados) y de bebidas calientes. El coste anual de los parámetros analizados para el cálculo del coste de la vida útil se separa igualmente entre las fases de adquisición, y de uso y final de la vida útil. Para ambas modalidades de máquinas expendedoras se valoran económicamente los siguientes parámetros:

a) Fase de adquisición: adquisición, envío e instalación.

b) Fase de uso y final de la vida útil: consumo de energía, garantía, mantenimiento por contrato, mantenimiento estimado —porcentaje—, vida estimada, eliminación de desechos y volumen de almacenamiento.

Además, para las máquinas expendedoras de bebidas calientes, se tiene en cuenta el consumo de energía en los modos inactivo (*idle*) y en funcionamiento (*vending phase*), la media diaria de bebidas vendidas, los días de funcionamiento, el consumo de agua y su precio, y la media diaria de agua calentada al día —en litros—. También, como en el supuesto anterior, los

---

[75] Por esta razón, una medida muy eficiente desde el punto de vista del ahorro energético de estos dispositivos es la instalación de mecanismos que atenúen o apaguen la iluminación interior cuando no esté siendo usados por ningún cliente.

resultados obtenidos permiten conocer el coste del ciclo de vida en relación a los costes directos (adquisición, uso, mantenimiento y final de la vida útil), los costes a futuro, las externalidades negativas responsables del cambio climático y el coste del ciclo de vida *general*, que incluye tanto los costes directos como los indirectos —externalidades negativas de naturaleza ambiental—.

La Agencia Nacional para la Contratación Pública del gobierno sueco también ha creado una herramienta específica para calcular el coste del ciclo de vida de las máquinas expendedoras en los procedimientos de contratación pública, siguiendo el modelo expuesto para los sistemas de iluminación. Como en el anterior supuesto, la *LCC-Calculation tool for procurement of coffee and other vending machines*[76] solamente permite calcular el coste del ciclo de vida de las externalidades negativas que afecten al medio ambiente cuando su valor monetario pueda ser determinado y verificado mediante sistemas estandarizables.

Los parámetros evaluados por esta herramienta están divididos en dos grupos:

a) *Condiciones para el cálculo*: que comprende la cantidad, el tiempo de uso total —vida útil estimada—, la tasa de descuento —prefijada en el 1,5%—, el precio de la energía —sek/kWh—, el uso anual, el incremento de precio anual —además de la inflación, opcional—, el impacto climático de la energía consumida —KgCO2e/kWh, también opcional—[77] y coste financiero —en el caso de leasing o renting—.

b) *Datos del suministrador*, a su vez clasificados en:

   i. *Costes de inversión*: precio de adquisición y costes de envío, instalación y puesta en marcha.

   ii. *Costes de uso y mantenimiento*: uso de energía —Wh/H9 por unidad (en modo espera e inactivo)[78], Wh/h/unidad—, servicio y

---

[76] Disponible en https://www.upphandlingsmyndigheten.se/en/subject-areas/lcc-tools/

[77] *Vid.* nota al pie n° 64.

[78] El uso de energía se mide de acuerdo con la versión 2.0 del EVA-EMP: Protocolo de Medición de Energía de la Asociación Europea de Venta (*The European Vending Association Energy Measurement Protocol*). El uso se expresa en Wh/h y se calcula cuando la máquina se encuentre en modo de espera. El modo de espera (listo para usar, *ready to use mode*) significa que la máquina está lista para usarse pero que no está sirviendo bebidas, alimentos, etc. Para una máquina expendedora de café, esto significa que el tanque de agua ya está a la temperatura de servicio de,

mantenimiento —incluyendo actualizaciones, limpieza o reparaciones—, y laborales.

iii. *Otros costes*: seguros, tributos y tarifas —salvo las incluidas en el precio inicial—, renting o leasing, costes de eliminación y valor residual —valor de segunda mano, restado al total de costes—.

Los resultados obtenidos por esta herramienta permiten determinar tanto el coste del ciclo de vida (*LCC-Costs*), equivalente al coste total de la propiedad (costes de inversión, uso y desechado), como el coste del ciclo de vida total (*Total LCC-Costs*), que incluye los impactos climáticos vinculados al uso de máquinas expendedoras.

IV. Reflexión final: internalización de externalidades, objetividad, igualdad y método

La posibilidad de utilizar el coste del ciclo de vida de las prestaciones como parámetro para determinar la oferta económicamente más ventajosa posee ventajas evidentes desde el punto de vista estrictamente económico, mejorando la eficiencia en el empleo de los recursos públicos al tener en cuenta no solamente los gastos generados en el momento de la contratación, sino a lo largo de toda la vida de la obra, producto o servicio. Pero esta ventaja es, si cabe, más relevante incluso desde una perspectiva medioambiental, puesto que posibilita a los poderes adjudicadores interiorizar en las prestaciones a contratar las externalidades negativas generadas durante todas las fases de su ciclo de vida, haciendo responsables de los impactos que las obras, productos y servicios generan en el medio ambiente a los fabricantes, constructores y prestadores de servicios. De esta forma, las externalidades negativas vuelven a formar parte del coste de la prestación, por lo que dejan de ser inocuas para los licitadores, que deberán tenerlas en cuenta al presentar sus ofertas.

Partiendo de este axioma, la técnica del cálculo del coste del ciclo de vida genera otros tantos beneficios en la contratación pública. Al cuantificar los

---

v. gr., 94 grados centígrados. Esto difiere del modo de ahorro de energía (*energy saving mode*), donde el agua tiene una temperatura más baja y se calienta al comenzar su uso (aumentando, *v. gr.*, de 65 a 94 grados centígrados). El agua existente en el depósito se enfría a una temperatura predeterminada. Este modo es común durante las noches y los fines de semana, pero también es perfectamente posible tenerlo activado continuamente.

costes futuros y los impactos negativos generados en el medio ambiente, permite visualizar el precio real de las prestaciones, haciendo patente que, en algunos casos, las obras, productos y servicios con un precio de adquisición más bajo no son los más baratos, lo que facilita a los poderes adjudicadores la justificación de la elección de ofertas que requieren un desembolso inicial más alto pero que, a medio plazo, generan ahorros económicos y ambientales en relación a sus competidoras. Por otro lado, y coincidiendo con lo señalado por Delgado Fernández (2016: 140), la evaluación de los costes del ciclo de vida de las prestaciones contractuales permite ganar en objetividad y, por lo tanto, en igualdad, al aplicar fórmulas preestablecidas recogidas en herramientas mecanizadas, además de contribuir a la eficacia y simplificación de los procedimientos de contratación.

En todo caso, para lograr los beneficios aquí expuestos resulta imprescindible que el método elegido para cuantificar los costes del ciclo de vida esté correctamente elaborado, al ser la pieza clave del sistema ideado por el legislador europeo para la interiorización de las externalidades negativas de naturaleza medioambiental. Solamente con metodologías de cálculo precisas, objetivas, sencillas, homogéneas, y exportables a las prestaciones más habituales del sector público se puede alcanzar dicho objetivo de forma eficiente, pues no debe olvidarse que lo contrario avocaría a los órganos de contratación a una evaluación, caso por caso, de unos parámetros para los que generalmente no poseen ni los conocimientos ni los medios adecuados, y que, en todo caso, generaría enormes ineficiencias en el empleo de los recursos públicos. Finalmente, para cerrar el círculo resulta imprescindible que los fabricantes aporten datos fidedignos de los productos y servicios que conforman las prestaciones contractuales, algo que no ha sido siempre así en el pasado cercano —caso Volkswagen—, y que pone en cuestión todo el sistema, de forma que los poderes públicos deben estar especialmente vigilantes para que la evaluación de los costes económicos y medioambientales de la contratación pública se asiente sobre bases rigurosas y confiables.

Bibliografía

BRANNIGAN, C. et al., *Ex-post Evaluation of Directive 2009/33/EC on the promotion of clean and energy efficient road transport vehicles. Final Report*, Dirección General de Movilidad y Transporte, Comisión Europea, Bruselas, septiembre, 2015.

COMISIÓN EUROPEA, *Comunicación interpretativa de la Comisión sobre la legislación comunitaria de contratos públicos y las posibilidades de integrar aspectos medioambientales en la contratación pública*, 201/C 333/07, COM(2001) 274 final, Bruselas, 2001.

COMISIÓN EUROPEA, *Documento de trabajo de los servicios de la Comisión. Criterios de CPE de la UE para ordenadores y monitores*, SWD(2016) 346 final, Bruselas, 21 de octubre, 2016.

COMISIÓN EUROPEA, *Adquisiciones ecológicas. Manual sobre la contratación pública ecológica*, 3ª edición, Oficina de Publicaciones de la Unión Europea, Luxemburgo, 2016(b).

COMISIÓN EUROPEA, *Green Public Procurement: Office IT equipment. Technical Background Report*, DG Environment-C1, Bruselas, 2017.

DEGRAEVE, Z., ROODHOOFT, F. y VAN DOVEREN, B., "The use of total cost of ownership for strategic procurement: a company-wide management information system", *Journal of the Operational Research Society*, Vol. 56, Issue 1, January, 2005, págs. 51 a 59.

DELGADO FERNÁNDEZ, Mª R., "El cálculo del coste del ciclo de vida en la contratación administrativa", *Gabilex: Revista del Gabinete Jurídico de Castilla-La Mancha*, nº 7, Toledo, 2016, págs. 114-152.

DODD, N. *et al.*, *Revision of the EU Green Public Procurement Criteria for Computers and Monitors. Technical report: Final criteria*, Joint Research Center, Sevilla, noviembre, 2016.

ESTEVAN, H. y SCHAEFER, B., *Life cycle costing. State of the art report*, SPP Regions-Regional Networks for Sustainable Procurement, ICLEI-Local Goverments for Sustainability, European Secretariat, Bruselas, marzo, 2017.

GÓMEZ GUZMÁN, J. C., "La ecuación del «coste del ciclo de vida» (CCV). Procedimientos y metodología de su cálculo, y del criterio de valoración y adjudicación", *Contratación administrativa práctica: revista de la contratación administrativa y de los contratistas*, nº 154, Madrid, 2018, págs. 32-43.

IHOBE, *Guía compra pública verde y análisis de costes de ciclo de vida*, Sociedad Pública de Gestión Ambiental, Departamento de Medio Ambiente y Política Territorial, Gobierno Vasco, Bilbao, 2016.

NAVARRO GALERA, A.; ORTÚZAR MATURANA, R. y ALCARAZ QUILES, F., "La viabilidad del coste del ciclo de vida para la evaluación económica de inversiones militares", *Revista de Contabilidad/Spanish Accounting Review*, nº 19 (2), Madrid, 2016, págs. 169-180.

PASTOR SÁNCHEZ, J., "Determinación del coste del ciclo de vida de un contrato público en España para su posible utilización como criterio de adjudicación", *Contratación administrativa práctica: revista de la contratación administrativa y de los contratistas*, nº 161, Madrid, 2019, págs. 83-120.

ROMÁN MÁRQUEZ, A., "Contratación pública ecológica y objeto del contrato: el diseño «verde» de las prestaciones contractuales en el derecho comunitario e interno", *Revista Aranzadi de derecho ambiental*, nº 39, 2018, págs. 97-132.

ROMÁN MÁRQUEZ, A., "Eficiencia y ahorro energético en edificios e instalaciones públicas: los contratos de rendimiento energético", *Administración de Andalucía: revista andaluza de administración pública*, nº 97, Sevilla, 2017, págs. 101-140.

SOLA TEYSSIERE, J., "El coste del ciclo de vida como criterio de adjudicación del contrato", *Contratación administrativa práctica. Revista de la contratación administrativa y de los contratistas*, nº 151, año 17, septiembre-octubre, Madrid, 2017, págs. 6-13.

SOLA TEYSSIERE, J., "Las cláusulas ambientales como criterios de adjudicación del contrato", en GALÁN VIOQUE, R. (Dir.) *et al.*, *Las cláusulas ambientales en la contratación pública*, Universidad de Sevilla, Colección Instituto García Oviedo nº 4, Sevilla, 2018, págs. 125-161.

TRAVERSO, M. *et al.*, *Revision of the EU Green Public Procurement Criteria for Street Lighting and Traffic Signals. Preliminary report: Final version*, Joint Research Center, Sevilla, junio, 2017.

VAN TICHELEN, P. *et al.*, *Preparatory Studies for Eco-design Requirements of EuPs. Final Report Lot 9: Public street lighting*, Study for the European Commission DGTREN unit D3, Luxemburgo, enero, 2007.

VVAA, *LCC Calculation Tool: Technical Specifications*, Studio Fieschi & soci Srl/Scuola Superiore Sant'Anna, Torino/Pisa, 22 de julio, 2016.

VVAA, *LCC methodology and resources: guide for the use of life cycle costing in green public procurement*, University of Patras/GPP4Growth Interreg Europe, Patras, 2018.

CONTRATACIÓN PÚBLICA COMO INSTRUMENTO DE FOMENTO DE LA INNOVACIÓN

GRACIELA LEPE URIBE
Magíster en Derecho
Pontificia Universidad Católica de Valparaíso

CAMILO MIROSEVIC VERDUGO
Magíster en Derecho
Universidad de Heidelberg y Universidad de Chile
Profesor Derecho Administrativo
Universidad Central de Chile

I. Introducción

La aproximación tradicional al fenómeno de la contratación pública entiende a ésta como la forma de actuación en que una Administración requiere la concurrencia de particulares u otros órganos del Estado actuando como privados, para satisfacer una necesidad de la entidad contratante. En otros términos, la contratación administrativa aparece como el mecanismo jurídico que permite a la Administración hacerse de los medios materiales y humanos a través de terceros, mediante contratos de provisión de bienes y prestación de servicios. Desde esta óptica, el interés del Derecho administrativo ha estado puesto, entonces, en que el órgano administrativo contratante obtenga las mejores ofertas —sobre la base del principio de libre concurrencia— que permitan luego alcanzar un contrato en las condiciones más ventajosas para la entidad contratante, satisfaciendo así la necesidad pública que justifica acudir al mercado.

A esa perspectiva tradicional se ha sumado una nueva conceptualización de la actuación bilateral de la Administración en cuanto motor para incentivar actividades o servir como instrumento de fomento a buenas prácticas de parte de los proveedores del Estado. Así, la contratación pública se presenta no sólo como un mecanismo con que cuentan los órganos administrativos para satisfacer sus necesidades en cuanto a bienes y servicios, sino que, al mismo tiempo, se erige en un medio para impulsar el desarrollo de actividades y prácticas consideradas valiosas.

Este nuevo entendimiento sobre el rol de la contratación administrativa se sustenta en el poder agregado de los órganos de la Administración como contratantes, el que históricamente ha servido incluso como motor de la economía frente a ciclos de bajo crecimiento.

Teniendo en consideración la importancia de ese poder comprador de la Administración, diversos países han incorporado el concepto de compras públicas de innovación (en lo sucesivo, "CPI") como una variable en sus sistemas de contratación. Ello ha sido promovido desde la Unión Europea y organismos multilaterales como la Organización para la Cooperación y el Desarrollo Económico (OCDE), de la que Chile es parte integrante desde hace casi una década.

En ese contexto, el presente trabajo busca proporcionar el marco conceptual de las compras de innovación, los factores que pueden incidir positivamente en su incorporación a los sistemas de contratación pública, así como los desafíos que ella presenta, no sólo desde la perspectiva jurídica sino que también desde la cultura organizacional, propios de todo proceso de cambio en la manera en que se han venido haciendo las cosas. A continuación, se analiza la manera en que las CPI han sido incorporadas en el Derecho chileno, revisando al efecto la ley de Compras y su reglamento para determinar qué reglas jurídicas benefician o merman la utilización de la potestad de contratación para fomentar la innovación.

II. Poder comprador de la Administración y fomento de la innovación a través de la contratación administrativa

1. *El poder comprador de la Administración del Estado*

La Administración pública acude a la contratación administrativa para hacerse de los medios humanos y materiales con el objeto apoyar el desarrollo de sus funciones propias, requiriendo la colaboración de particulares o de otros órganos de la Administración que actúan desprovistos de potestades públicas.

Así, entonces, el diseño normativo de los sistemas de contratación pública ha estado tradicionalmente enfocado en permitir a la Administración obtener las condiciones más ventajosas para la satisfacción de sus necesidades, considerando al co-contratante como un simple facilitador de bienes o servicios.

Probablemente como una consecuencia más del incremento de los estándares de ética pública de parte de la ciudadanía, los ordenamientos jurídicos comenzaron a incorporar exigencias sobre el comportamiento de los proveedores del Estado, entendiendo que las compras que realiza el sector público tienen la potencialidad de influenciar comportamientos sociales.

Este nuevo entendimiento descansa en que la Administración, mirada en su conjunto, tiene un poder de compra agregado que le permite incidir en la sociedad, producto del tamaño del aparato estatal. Ello es particularmente relevante en países como Chile, donde es posible afirmar que muchos de los avances alcanzados en la sociedad responden a la acción del Estado y a la calidad de sus instituciones para apalancar el crecimiento de la economía[1].

Los sistemas de contratación pública aparecen, por lo tanto, no sólo como medios para permitir a los órganos de la Administración dotarse de los bienes y servicios para el desarrollo de sus funciones, sino que como mecanismos para canalizar la influencia que tiene el sector público en la economía y, más en general, en el desarrollo de la sociedad.

Los datos respaldan este aserto. En efecto, a nivel europeo las compras públicas representan cerca del 19% del Producto Interno Bruto[2], cifra que

---

[1]   PARÍS, Enrique y RODRÍGUEZ, Jorge, *Presentación*, en *10 Experiencias de Reforma y Modernización del Estado en Chile*, Santiago, Editorial Universitaria - Flacso, 2019, pág. 12.

[2]   UNIÓN EUROPEA, *Public Procurement as a Driver of Innovation in SMEs and Public Services*, 2014, pág. 11.

aumenta a un 20% tratándose de los países Latinoamericanos[3]. A su turno, los países de la OCDE destinan en promedio un 29% del gasto público a compras[4].

En el caso chileno, el poder de compra de la Administración pública —conformada por órganos centralizados y descentralizados[5] que hasta el 2016 sumaban 650 instituciones[6]— alcanza un 4,2% del Producto Interno Bruto[7].

Lo anterior permite afirmar que el Estado es el principal agente económico en la adquisición de bienes y servicios[8], lo que lo coloca en una posición privilegiada para modelar conductas social o económicamente consideradas valiosas. Se trata, parafraseando al profesor Villar Palasí, de utilizar el potencial de la función conformadora de la realidad económica y social que al Estado atañe[9], en este caso para potenciar la innovación.

---

[3] BANCO INTERAMERICANO DE DESARROLLO, *Spurring Innovation-led Growth in Latin America and the Caribbean Through Public Procurement*, 2016, pág. 4.

[4] Ídem, pág. 3.

[5] La Administración del Estado se encuentra integrada por los Ministerios, las Intendencias, las Gobernaciones y los órganos y servicios públicos creados para el cumplimiento de la función administrativa, incluidos la Contraloría General de la República, el Banco Central, las Fuerzas Armadas y las Fuerzas de Orden y Seguridad Pública, los Gobiernos Regionales, las Municipalidades y las empresas públicas creadas por ley (artículo 1° de la ley N° 18.575, Orgánica Constitucional de Bases Generales de la Administración del Estado). De acuerdo con la jurisprudencia administrativa y judicial, la expresión *órganos y servicios públicos creados para el cumplimiento de la función administrativa* incluye servicios públicos, superintendencias y universidades del Estado, entre otros. El concepto legal no incorpora, en tanto, a entidades que, organizadas bajo el Derecho común, son creadas por el Estado para el cumplimiento de sus funciones públicas, como sucede en Chile con la Corporación Nacional Forestal, las corporaciones municipales de salud, educación y menores, entre muchas otras entidades que, siendo verdaderos servicios públicos desde la perspectiva funcional, son parte de la denominada *Administración invisible del Estado*.

[6] DIRECCIÓN DE COMPRAS Y CONTRATACIÓN PÚBLICA, *Chile. Evaluación del Sistema de Compras Públicas, Metodología MAPS 2016*, 2017, pág. 5.

[7] Idem.

[8] DÍAZ, Enrique y RODRÍGUEZ, Aníbal, *Contratos Administrativos en Chile*, Santiago, Ediciones Universidad Santo Tomás, 2016, pág. 17.

[9] VILLAR PALASÍ, José Luis, *La Eficacia de la Concesión y la Cláusula Sin Perjuicio de Tercero*, en Revista de Administración Pública, N° 5, 1951, pág. 149.

Es desde esta constatación que diversos países han repensado la actuación bilateral de la Administración, situándola como coadyuvante de la actividad administrativa de fomento.

2. *Instrumentos administrativos para el fomento de la innovación*

La innovación, entendida como las nuevas creaciones de significancia económica o social, constituye el resultado de la interacción de procesos entre diversos actores de la sociedad[10]. Desde una perspectiva general todavía, los procesos innovativos parecen situarse en el sector privado[11], es decir, responden principalmente a iniciativas particulares, correspondiendo a la Administración un doble rol a su respecto: en cuanto regulador en ejercicio de su actividad de policía, y como apoyo a su desarrollo mediante la actividad de fomento.

Desde la segunda de las funciones, la innovación ha sido abordada normalmente empleando los clásicos instrumentos de fomento con que cuenta la Administración para potenciar el desarrollo de actividades valiosas desde un punto de vista social, económico o estratégico, colocando el foco en el empresario innovador o proveedor, mirado este último desde la perspectiva de la contratación pública objeto de nuestro estudio.

De esta forma, la actividad de fomento enfocada en el proveedor o *supply-side*, se ha concretizado mediante el otorgamiento de subsidios, fondos para investigación y desarrollo (en lo sucesivo "I+D"), incentivos tributarios, beneficios para capacitación y soporte para la creación de redes[12]. Dentro de ellos, los fondos aparecen como el instrumento más empleado, lo que en el caso europeo ha permitido en ciertos periodos cubrir sobre el 50% de los costos en investigación y desarrollo en que incurren las empresas[13].

Es en estos términos en que Chile, al igual que la mayoría de los Estados, ha abordado la relación con las entidades privadas dedicadas a la generación de innovación, de lo que dan cuenta las diversas iniciativas del Ministe-

---

[10] EDQUIST, Charles *et al.*, *Public Procurement for Innovation*, Cheltenham, Edward Elgar Publishing, 2015, pág. 3.

[11] OECD, *Public Procurement for Innovation: Good Practices and Strategies*, 2017, pág. 38.

[12] EDQUIST, Charles *et al.*, *cit.*, pág. 1.

[13] ASCHHOFF, Birgit y SOFKA, Wolfgang, *Innovation on Demand. Can Public Procurement Drive Market Success of Innovations*, Discussion Paper No. 08-052, Centre for European Economic Research, 2008, pág. 5.

rio de Economía, Fomento y Turismo como el Fondo de Innovación para la Competitividad (destinado a financiar proyectos de investigación científica, innovación empresarial, transferencia tecnológica y emprendimiento), de la Corporación de Fomento de la Producción, de la Comisión Nacional de Ciencia y Tecnología y del Consejo Nacional de Innovación para el Desarrollo, entre otras.

Por su parte, el rol que la demanda puede asumir en el incentivo a la innovación no ha recibido tanta atención, no obstante servir de objeto de estudio para la academia a partir de la década del setenta[14]. Los mecanismos de fomento conocidos en la literatura como *demand-side* se encuentran encaminados a mejorar las condiciones que favorecen la innovación a través de la articulación de la demanda[15]. Las políticas de *cluster* y asociatividad y, más recientemente, las compras públicas, aparecen como ejemplos de esta clase de instrumentos.

En el caso de la contratación administrativa, el enfoque tradicional entendía que la Administración debía adquirir bienes y servicios que se encontraban creados y, por ende, estaban disponibles en el mercado. Sobre esta base, los sistemas de contratación dejaban poco espacio a la adquisición de productos o servicios innovativos, ya que no permitían describir bienes que no habían sido creados. Reconociendo esta dificultad, diversos organismos multilaterales han propiciado cambios en la regulación de sus países miembros para facilitar las CPI, permitiendo explícitamente la adquisición de bienes o servicios que todavía no han sido creados o no se encuentran completamente desarrollados[16].

La Unión Europea fue más allá con la emisión de las Directivas de Compras en el año 2014, cuya transposición resultó obligatoria para los Estados miembros, como se verá más adelante. Es por ello que, actualmente, en Europa entre el 2 y el 5% del presupuesto empleado en contratación pública es dedicado a compras de innovación[17].

En ese contexto, la utilización estratégica del poder comprador de la Administración en materia de innovación ha sido definida por la OCDE como cualquier clase de prácticas empleadas en la contratación administrativa,

---

14 EDQUIST, Charles *et al.*, *cit.*, pág. 1.
15 Ídem, pág. 2.
16 CZARNITZKI, Dirk *et al.*, *Public Procurement as Policy Instrument for Innovation*, en Discussion Paper No. 18-001, Center for European Economic Research, 2008, págs. 2-3.
17 COMISIÓN EUROPEA, *Guidance on Innovation Procurement*, 2018, pág. 12.

destinadas a estimular la innovación a través de la investigación y el desarrollo y el consumo de productos y servicios innovadores[18].

Para propiciar que la Administración incorpore la variable innovación al ejercer sus potestades de contratación, se han desarrollado múltiples instrumentos como la generación de políticas, estrategias y guías, reformas a la regulación de las compras públicas, desarrollo de programas, planes e instrumentos financieros como recursos especializados destinados a la adquisición de bienes y servicios innovadores por parte de los órganos de la Administración.

De acuerdo a un estudio realizado por la OCDE, los instrumentos de política y regulación, entendiendo por éstos las reformas normativas y la generación de guías, estrategias y orientaciones, son los de mayor utilización por los Estados[19].

El caso chileno es tributario de esta tendencia: la incorporación de adquisiciones innovadoras por parte de la Administración se ha impulsado mediante la utilización de directrices impartidas por el organismo administrador del sistema de compras públicas (Dirección de Compras y Contratación Pública) y mediante un incipiente reconocimiento a la inclusión de criterios de evaluación más sensibles a esta clase de adquisiciones en el nivel reglamentario. A la fecha, en tanto, no se han destinado recursos especiales, al menos como política general, para ser aplicados a la adquisición de productos y servicios innovadores.

3. Elementos conceptuales sobre CPI

Probablemente por tratarse de un término de relativamente reciente acuñación y utilización, la locución *compra pública de innovación* reconoce diversos significados.

El año 2005 la OCDE definió innovación como la implementación de un producto (bien o servicio), o proceso, método de marketing o método organizacional, nuevo o significativamente mejorado[20].

La Comisión Europea, abrazando un concepto amplio del término, entiende que CPI es cualquier mecanismo de compra en que se presente uno

---

[18]   OECD, *Public Procurement.*, *cit.*, pág. 18.
[19]   Ídem, pág. 32.
[20]   OECD, *The Measurement of Scientific and Technological Activities: Guidelines for Collecting and Interpreting Innovation Data: Oslo Manual*, 2005, pág. 146.

o ambos de los siguientes aspectos: a) adquisición del proceso de innovación, investigación y desarrollo con sus resultados, incluso parciales, o b) adquisición del resultado de la innovación creado por otro[21]. En el primer caso, el órgano público contrata los servicios de investigación y desarrollo de productos, servicios o procesos que no existen actualmente[22]. Al efecto, la entidad contratante describe su necesidad e invita a los proveedores a desarrollar productos, servicios o procesos innovativos que busquen satisfacer esa necesidad pública. En el segundo supuesto, la Administración, en vez de comprar un bien disponible en el mercado, adquiere un producto, servicio o proceso que tiene características sustancialmente novedosas[23]. Del mismo modo, la propia Unión Europa definió la materia como la adquisición donde las autoridades contratantes actúan como clientes de bienes o servicios que no se encuentran aún disponibles a gran escala[24].

Para el Banco Interamericano de Desarrollo el concepto en referencia comprende las actividades de adquisición llevadas a cabo por organismos públicos que conduzcan a innovación, incluyendo en este último concepto la introducción de un nuevo bien o método de producción, la apertura de un nuevo mercado, el uso de una nueva fuente de suministro de materias primas o nuevas formas de organización empresarial[25]. De acuerdo al mismo organismo multilateral, dentro del concepto global de compra pública de innovación se incluye la compra de soluciones innovadoras y la compra pública precomercial, que se refiere puntualmente a la contratación por parte del sector público de servicios de I+D para el desarrollo de una solución[26]. Del mismo modo, se incluyen en dicho concepto aquellos procesos de compras en que se incorporan criterios de innovación, como también la compra pública que tiene por objetivo explícito la innovación y que se denomina compra pública estratégica[27].

A nivel doctrinal es posible encontrarse también con diversas concepciones sobre la materia. Desde una concepción restrictiva, se entiende por

---

[21]   COMISIÓN EUROPEA, *Guidance on...*, *cit.*, pág. 8.
[22]   Ídem.
[23]   Ídem.
[24]   UNIÓN EUROPEA, *Public Procurement...*, *cit.*, pág. 12.
[25]   BANCO INTERAMERICANO DE DESARROLLO, *Spurring Innovation-led*, *cit.*, pág. 6.
[26]   BANCO INTERAMERICANO DE DESARROLLO, *Compra Pública de Innovación en América Latina. Recomendaciones para su Despliegue en Uruguay*, 2017, pág. 3.
[27]   Ídem, pág. 4.

CPI la adquisición de bienes o servicios que no existen al momento del llamado que realiza la Administración, pero que podrán ser desarrollados en un periodo razonable de tiempo[28], siendo indispensable que el producto adquirido pueda ser efectivamente implementado y, por ende, comercializado posteriormente a gran escala[29]. Otros autores, en cambio, asumen una concepción amplia del término, que envuelve la adquisición de bienes o servicios existentes, pero que serán mejorados significativamente. Próximo al concepto encontramos las *innovation-friendly public procurement*, que son procesos tradicionales de contratación administrativa en que, no estando orientados a la adquisición de soluciones innovadoras, ellas no se encuentran excluidas ni son tratadas injustamente[30].

En nuestra opinión, el elemento definitorio del término radica en que una entidad administrativa comunica al público una necesidad y un resultado esperado, dejando a la creatividad de los actores del mercado ofrecer la manera más efectiva para alcanzarlo[31].

Ello permite que el riesgo que las empresas enfrentan por el desarrollo de nuevas soluciones se vea reducido, ya que el Estado asegura la adquisición de cierta cantidad de productos, lo que es particularmente significativo para empresas de menor tamaño o ubicadas en regiones alejadas de los grandes polos productivos[32]. Las ventajas de las CPI explican que, de acuerdo a una encuesta realizada a 500 empresas de los diferentes Estados miembros de la Unión Europea, Noruega y Suiza, se concluyó que las compras públicas son una herramienta de mayor efectividad que los programas de subvenciones para I+D[33].

---

[28] EDQUIST, Charles *et al.*, *cit.*, pág. 88.
[29] Esta definición excluye, por tanto, los prototipos, dado que no podrán ser comercializados masivamente, que es lo que se busca fomentar mediante las compras públicas de innovación. EDQUIST, Charles *et al.*, *cit.*, pág. 3.
[30] Ídem, pág. 7.
[31] La definición que asumimos fue planteada por Aschhoff y Sofka. ASCHHOFF, Birgit y SOFKA, Wolfgang, cit., pág. 2.
[32] Ídem, págs. 2 y 17.
[33] BANCO INTERAMERICANO DE DESARROLLO, *Compra Pública...*, *cit.*, pág. 5.

4. Factores que favorecen las CPI

A) Coordinación institucional

Dentro de los múltiples factores que influyen en la implementación exitosa de mecanismos de CPI, la coordinación institucional entre entidades compradoras ocupa una posición central. Ello, considerando que es precisamente el poder agregado de compra del aparato público el que tiene el potencial de influir en el comportamiento del mercado, propiciando el desarrollo de actividades de I+D.

Lograr esta coordinación incrementa la efectividad de toda política pública, disminuyendo los costos, aprovechando sinergias y evitando la duplicidad de funciones[34], elementos particularmente gravitantes cuando asumimos que la contratación administrativa opera como instrumento modelador de conductas sociales.

Para utilizar el potencial del poder comprador del Estado resulta indispensable generar fórmulas colaborativas que pueden alcanzar distinto grado. Entre las más intensas, está el concentrar todas las contrataciones de innovación en una autoridad central, lo que permite aprovechar al máximo las economías de escala. Las dificultades derivadas del marco jurídico y las objeciones políticas que implica realizar esa concentración en una única entidad —y que supone un desprendimiento de una porción del poder de compra de los demás órganos—, explican que el modelo colaborativo de mayor utilización sean las adquisiciones conjuntas desarrolladas por dos o más autoridades contratantes, incluyendo las uniones ocasionales de organismos adquirentes, los consorcios permanentes de compradores[35] y las asociación de municipios o ciudades[36].

Como fórmula menos intensa de colaboración pueden mencionarse las iniciativas destinadas a compartir información por parte de las entidades contratantes, como sucede con las plataformas o foros que permiten comunicar experiencias y evaluar resultados[37]. Siguiendo a París y Rodríguez, resulta gravitante que las instituciones desarrollen capacidad para aprender de las experiencias exitosas, propias y de servicios afines, pero especialmente que sepan aprender de los errores[38] —que en la materia probablemente

---

[34]   PARIS, Enrique y RODRÍGUEZ, Jorge, *cit.*, pág. 23.
[35]   UNIÓN EUROPEA, *Public Procurement...*, *cit.*, pág. 48.
[36]   COMISIÓN EUROPEA, *Guidance on...*, *cit.*, pág. 19.
[37]   Ídem, pág. 34.
[38]   PARIS, Enrique y RODRÍGUEZ, Jorge, *cit.*, pág. 21.

no sean poco frecuentes—, lo que demuestra la utilidad de mecanismos de intercambio de información cuyo costo de implementación es marginal.

B) Política y regulación especial sobre CPI

Como una forma de enfrentar las dificultades que representa cambiar las culturas institucionales en las Administraciones contratantes, diversos países han optado por potenciar las CPI mediante la generación de políticas públicas específicas sobre nuestro objeto de estudio. Así, bajo el rótulo de políticas, programas, estrategias o planes de acción, los Estados explicitan la relevancia de avanzar en adquisiciones de bienes y servicios innovadores, efectuando un mandato dirigido a sus funcionarios a asumir las CPI como parte del quehacer institucional.

La experiencia comparada enseña que el éxito de las políticas de CPI está asociado con que ellas no se presenten como elementos aislados, sino que desplieguen su capacidad de interactuar con otras políticas y planes sectoriales (defensa, seguridad, cambio climático, salud, obras públicas, etc.)[39]. Del mismo modo, la definición de objetivos específicos, como la fijación de un porcentaje destinado a adquisiciones en innovación, refuerzan el mandato de las políticas de CPI[40] y aparecen como un medio de significativa eficacia.

En no pocas ocasiones, la incorporación de las CPI se ha visto condicionada negativamente por el marco jurídico vigente, lo que ha motivado a revisarlo bajo dos miradas distintas.

Desde una primera perspectiva que es posible identificar, diversos países han emprendido reformas legales para reducir los componentes de los sistemas de contratación pública que disminuían las posibilidades que tenía la Administración para adquirir productos innovadores.

Ello sucedía, por ejemplo, con las reglas sobre el nivel de especificidad de la descripción del bien o servicio, con las gravosas consecuencias de incumplimientos que desalentaban la contratación para las pequeñas y medianas empresas o con la excesiva burocracia de los procedimientos administrativos conducentes a ella. Este bloque de reformas permite avanzar hacia la neutralidad en el ejercicio del poder comprador del Estado, sin preferir ni

---

[39]   COMISIÓN EUROPEA, *Guidance on...*, *cit.*, pág. 16.
[40]   Ídem, pág. 12.

desmejorar a ninguna clase de adquisición, sea tradicional o innovadora, materializando el concepto de *innovation-friendly public procurement*.

Un segundo ángulo que podemos advertir en reformas normativas corresponde a la incorporación de reglas encaminadas en forma explícita a propiciar las CPI, finalidad a la que se orienta la inclusión de criterios de evaluación que consideren puntaje adicional a las ofertas de bienes o servicios innovadores o a aquellas efectuadas por empresas dedicadas a I+D, la generación de mecanismos que permiten a la Administración contratante consultar al mercado sobre el estado de la tecnología de un determinado producto, o las reglas especiales sobre propiedad intelectual en esta clase de contratos. En algunos ordenamientos incluso se ha establecido que la contratación de servicios de I+D es una causal suficiente para operar por fuera de la ley de Compras, lo cual ofrece la flexibilidad necesaria para diseñar contratos en fases o con etapas de negociación[41].

En esa línea se enmarca la emisión por la Unión Europea de las Directiva sobre Contratación en 2014[42], que avanza desde el *cómo comprar* hacia *qué comprar*, esto es, colocando el foco no sólo en el procedimiento de adquisición, sino en el costo-efectividad de la compra, así como en sus impactos sociales, ambientales y en si ofrece nuevas oportunidades para los proveedores[43]. En lo atingente, las Directivas reducen la carga administrativa asociada a los procedimientos de contratación —siguiendo la lógica de simplificación tantas veces propiciada de la Unión Europea—, favoreciendo el acceso de nuevos emprendimientos a contratos con la Administración. Entre esas medidas, la entrega de certificados y otra documentación que tenía lugar al momento de ofertar es sustituida por una declaración en que el proveedor indica que cumple con todos los requisitos, posponiendo la entrega de los antecedentes que confirman dicha declaración en el evento de ser evaluada como la mejor oferta[44].

Más directamente, la nueva regulación —cuya transposición resultó obligatoria para los países miembros de la Unión— incorporó un procedi-

---

[41] BANCO INTERAMERICANO DE DESARROLLO, *Compra Pública...*, *cit.*, pág. 51.

[42] Directiva 2014/23/EU, Directiva 2014/24/EU y Directiva 2014/25/EU. COMISIÓN EUROPEA, *Targeted consultation on the draft Guidance on Public Procurement of Innovation*, disponible en https://ec.europa.eu/growth/content/targeted-consultation-draft-guidance-public-procurement-innovation_en (visitado el 4 de mayo de 2019).

[43] Ídem.

[44] COMISIÓN EUROPEA, *Guidance on...*, *cit.*, pág. 23.

miento de adquisición específico adicional a los cuatro existentes, denominado procedimiento de asociación de innovación (*Innovation Partnership Procedure*). Mediante este mecanismo, la autoridad contratante selecciona uno o más proveedores luego de un proceso competitivo, permitiendo el desarrollo de soluciones ajustadas a sus requerimientos a través de un contrato basado en la colaboración y que puede ejecutarse en distintas fases a lo largo del tiempo[45]. El objetivo de este procedimiento es lograr el desarrollo de soluciones innovadoras para cubrir necesidades públicas mediante un producto que no existe en el mercado, constituyendo un ejemplo de reformas normativas cuyo destino explícito es fomentar las CPI.

Como se adelantó, probablemente la principal ventaja de generar políticas sobre CPI o emprender reformas normativas reside en impartir a los funcionarios públicos un claro mandato sobre utilizar la contratación administrativa como instrumento para fomentar la generación de innovación en la sociedad. Es esa claridad o, si se quiere, seguridad jurídica, la que permite enfrentar la aversión al cambio, que constituye uno de los mayores obstáculos que enfrentan las organizaciones públicas al momento de asumir desafíos que implican alejarse del conocido *siempre se ha hecho así*.

C) Descripción funcional del bien o servicio

La primera tarea de los funcionarios públicos encargados de adquisiciones es identificar con precisión la necesidad pública a ser suplida por la vía del contrato administrativo[46]. Una vez establecida, la Administración cuenta con un importante espacio para la definición precisa su objeto, esto es, de la manera en que dicha necesidad será satisfecha mediante la contratación.

En la práctica administrativa, es común que la descripción del bien o servicio se realice de la manera más específica posible[47], asumiendo que la necesidad puede satisfacerse mediante un solo objeto determinado, lo que incluso ha conducido a exigir marcas o modelos específicos en los procesos de selección de proveedores. Frente a ello, resulta necesario relevar que el grado de descripción del objeto del contrato puede limitar ostensiblemente la participación de potenciales oferentes, afectando el principio de

---

45   CROWN COMMERCIAL SERVICE, *A Brief Guide To The 2014 Eu Public Procurement Directives*, 2016, pág. 10.

46   ABDUCH, José, *Contratos Administrativos. Formaçao e Controle Interno da Execuçao*, Belo Horizonte, Fórum, 2015, pág. 36.

47   CZARNITZKI, Dirk *et al.*, *cit.*, pág. 2.

libre concurrencia, al tiempo que puede ser indiciario de que el proceso se encuentra direccionado a favorecer a un proveedor determinado. Por ello, diversos ordenamientos admiten únicamente los requisitos relativos a la calidad del objeto cuando se demuestre que aquellos innegablemente constituyen la mejor forma de satisfacer la necesidad pública, sin que se pueda restringir inmotivadamente la participación de potenciales interesados a través de esta vía[48].

Una de las medidas concretas que impactan directamente en la incorporación de las CPI es, precisamente, cambiar la manera en que se realiza la descripción del bien o servicio en el llamado o las bases técnicas. Al efecto, considerando que casi en la totalidad de los casos es posible que la necesidad pública sea atendida por uno o más objetos, la convocatoria debe realizarse en términos funcionales y no mediante la descripción específica del producto o servicio requerido. Así, en lugar de especificar que se requiere cambiar el alumbrado público por un tipo específico de ampolletas que ahorran consumo (por ejemplo, lámparas *led*), debe establecerse que lo que se requiere es que la iluminación, cualquiera que sea el producto que la genere, tenga un bajo consumo de energía.

La descripción funcional del requerimiento traslada la responsabilidad de encontrar mejores soluciones desde la Administración al mercado[49], otorgando más flexibilidad a los proveedores para ofrecer vías innovadoras para satisfacer la necesidad pública[50].

D) Criterios de evaluación

Vinculado con el factor anterior, atendido que las soluciones innovadoras normalmente presentan un precio de adquisición superior a los productos existentes en el mercado, resulta relevante que los criterios de evaluación consideren no sólo el valor de compra, sino que del ciclo de vida del bien. Ello permite proyectar los costos de consumo, interconexión, actualización, mantención, reparación, reciclaje y disposición final que un producto tendrá a lo largo de su vida útil para la Administración, aspectos en los que probablemente las soluciones innovadoras presenten ventajas comparativas respecto de los productos tradicionales.

---

[48]   ABDUCH, José, *cit.*, pág. 39.
[49]   COMISIÓN EUROPEA, *Guidance on...*, *cit.*, págs. 33-34.
[50]   CZARNITZKI, Dirk *et al.*, *cit.*, pág. 3.

Del mismo modo, la determinación de criterios de evaluación que atiendan a la calidad del bien o a factores sociales o ambientales, ofrecen mayores espacios a las empresas dedicadas a I+D, favoreciendo las adquisiciones innovadoras.

E) Plan de compras

La velocidad con que el proveedor de un bien o servicio existente en el mercado puede ofrecerlos a la Administración es totalmente distinta a la de una empresa que debe desarrollarlos o mejorarlos, encontrándose este último en una posición desfavorecida respecto del primero. La manera más efectiva de abordar esa desigualdad estructural es mediante un anuncio anticipado al mercado sobre las adquisiciones que la Administración tiene proyectado realizar o de los bienes y servicios que son de frecuente adquisición, otorgando a los potenciales proveedores de soluciones innovadoras el tiempo necesario para definir y preparar su participación en los procedimientos respectivos.

A nivel comunitario, los organismos adquirentes pueden anticipar su intención de adquirir bienes o servicios mediante la publicación en el Periódico Oficial de la Unión Europea, identificando los requerimientos de las futuras adquisiciones[51]. En otros ordenamientos, como el caso chileno —según se verá—, se establece la obligatoriedad para cada servicio de generar un plan anual de compras, que debe ser difundido para permitir al mercado conocer las oportunidades de negocios que cada servicio público ofrecerá en los próximos doce meses.

F) Interacción con el Mercado

En la misma dirección, la interacción de la entidad contratante con el mercado aparece como un elemento que favorece las CPI. Dentro de las múltiples fórmulas que puede asumir esa interacción, la consulta preliminar al mercado permite a la Administración conocer el estado actual del arte para luego definir las condiciones del llamado[52]. Al mismo efecto sirven las ferias o encuentros en que las empresas que realizan I+D presentan sus productos a los servicios públicos.

---

[51] UNIÓN EUROPEA, *Public Procurement...*, *cit.*, pág. 48.
[52] COMISIÓN EUROPEA, *Guidance on...*, *cit.*, pág. 29.

Una vez en curso el proceso de selección, la consulta a varios proveedores y la posibilidad de incluir pruebas de los bienes o servicios permite a la entidad contratante abrirse a conocer soluciones que no se encontraban disponibles.

En cualquier caso, las reglas de selección de proveedores deben procurar que la interacción de los funcionarios encargados de adquisiciones con el mercado se realice en condiciones transparentes y no discriminatorias[53], atendido el potencial riesgo de pérdida de imparcialidad o corrupción de los servidores.

G) Simplificación de procedimientos

La excesiva burocracia en los procedimientos puede mermar las posibilidades de las empresas desarrolladoras de productos basados en I+D, particularmente de las que cuentan con menores recursos o menor experiencia como contratantes de la Administración. Por ello, numerosos países han emprendido reformas destinadas a reducir la carga administrativa y las barreras de entrada a la contratación con el Estado.

Lamentablemente, en ocasiones se ha confundido la necesaria actualización y simplificación de procedimientos, con la desregulación que suele ser propiciada por los grandes grupos económicos y que, a la postre, se traduce en una merma a las capacidades de la Administración en los procesos de adquisiciones. Por ello, es indispensable que las reformas normativas (*v. gr.*, reducción de requisitos y documentación a presentar, disminución de inhabilidades para contratar, fijación de garantías menos gravosas, etcétera) tengan en consideración el impacto y el riesgo que conllevan para el resguardo de los intereses públicos que la contratación administrativa busca satisfacer.

H) Flexibilidad de las condiciones contractuales y proporcionalidad de la reacción frente a incumplimientos

Como es sabido, la contratación administrativa se caracteriza por una desigualdad presente entre proveedor y Administración, derivada de la satisfacción de necesidades colectivas que persigue el contrato[54]. Esa posición privilegiada de la entidad contratante se expresa en las facultades extraor-

---

53   Ídem, pág. 32.
54   DÍAZ, Enrique y RODRÍGUEZ, Aníbal, *cit.*, pág. 40.

dinarias de la Administración, que se reflejan en el contrato en las denominadas cláusulas exorbitantes. Estas condiciones contractuales, que son distintas a las que se encuentran en contratos civiles y comerciales[55], incluyen el *ius variandi*, el poder de control de la Administración sobre la ejecución del contrato, la resciliación unilateral[56], el poder de imponer multas frente incumplimientos y, en general, las facultades derivadas de la autotutela declarativa y ejecutiva.

Tratándose de adquisiciones o contrataciones de bienes y servicios que no se encuentran disponibles en el mercado y que, por ende, deben ser desarrollados o mejorados, resulta evidente que el riesgo de incumplimientos en estos contratos es superior al de un contrato convencional. Frente a ello, la limitación de las cláusulas exorbitantes para mantener un equilibrio y el establecimiento de condiciones contractuales que reconozcan la flexibilidad propia de esta clase de contratación aparecen como elementos relevantes.

En el primer caso, resulta conveniente establecer graduaciones ante incumplimientos, limitando la reacción de la Administración frente a demoras u otras inobservancias que no frustran el objeto del contrato, por ejemplo, fijando tope a las multas de modo que el proveedor no termine pagando mucho más por este concepto que el monto que habría recibido de cumplir oportunamente con sus obligaciones, o reservando la terminación unilateral a incumplimientos realmente graves y no respecto de obligaciones formales o accesorias.

En el segundo caso, se debe velar porque el poder de modificación unilateral no altere el equilibrio económico del contrato, estableciendo reglas de compensación financiera cuando se requieran ajustes a las obligaciones del co-contratante que importen agravar su situación económica[57]. Igualmente, parece adecuado fijar reglas en las bases que permitan a la Administración realizar modificaciones contractuales que ofrezcan la flexibilidad requerida en adquisiciones de innovación, cuidando siempre que el ejercicio del *ius variandi* no se traduzca en cambios que alteren significativamente lo ofertado, afectando la igualdad de los proponentes.

En la misma dirección, favorece también las CPI la inclusión de calendarios de pago regulares y de anticipos, dado que normalmente las empresas emergentes carecen de la solvencia financiera para soportar largos periodos

---

[55] PEYRICAL, Jean-Marc, *Droit Administratif*, Paris, Montchrestien, 2000, pág. 126.
[56] Ídem, pág. 127.
[57] Ídem, pág. 131.

sin ingresos[58]. Naturalmente, debe buscarse el equilibrio al momento de exigir garantías a los proveedores, particularmente frente a anticipos, para proteger la integridad del patrimonio público. En suma, al contratante se le debe comprender como un verdadero colaborador de la función pública administrativa y no como una parte con intereses contrapuestos[59], lo que reclama diseñar los contratos de CPI con condiciones especiales que se adapten a las particularidades del mercado, sin descuidar la observancia de los principios de estricta sujeción al pliego de condiciones, igualdad de los proponentes y libre concurrencia.

I) Reglas sobre propiedad intelectual

El establecimiento de reglas específicas sobre propiedad intelectual en los contratos de innovación representa una pieza relevante a considerar. En efecto, es necesario tener en cuenta que la determinación de a quién corresponden los derechos de autor y la propiedad industrial de las creaciones o modificaciones adquiridas por la Administración puede impactar seriamente en las CPI, dado que un proveedor puede verse desincentivado de generar productos para la Administración si, finalmente, no podrá producir masivamente dichos bienes una vez concluido el contrato. Desde la otra vereda, si todos los derechos derivados de la creación corresponderán al proveedor, la Administración puede quedar vinculada eternamente al contratista, sin posibilidad de mejorar el producto con otros proveedores.

Sobre este extremo, las Directivas de Contratación de la Unión Europea dejan abierta la opción de situar los derechos de propiedad intelectual en la Administración o en el contratista, estableciendo que en casos en que no exista un interés público que exija que se mantengan en la Administración, ellos deben ser dejados al proveedor[60].

Como siempre, la determinación de reglas de propiedad intelectual en los contratos administrativos de innovación debe realizarse cuidadosamente y atendiendo a las particularidades del caso, velando por la facultad de la Administración de utilizar y actualizar los bienes adquiridos sin ser rehén de un proveedor, pero sin desatender el legítimo interés del contratante generador del producto de mantener los derechos sobre la creación para ofrecerlo al mercado. Entre esas particularidades a que debe responder el

---

[58] COMISIÓN EUROPEA, *Guidance on…*, *cit.*, pág. 27.
[59] DÍAZ, Enrique y RODRÍGUEZ, Aníbal, *cit.*, pág. 40.
[60] COMISIÓN EUROPEA, *Guidance on…*, *cit.*, pág. 38.

diseño contractual, el sector en que se inserta la entidad contratante y la aplicabilidad que se dará al bien o servicio son elementos a considerar, puesto que no es lo mismo fijar reglas de propiedad intelectual en un contrato para adquirir ampolletas, que en uno para el desarrollo de softwares para agencias de inteligencia o para la creación de material bélico.

J) Fortalecimiento institucional

La generación de políticas y los cambios normativos de poco sirven si no se fortalecen las capacidades de las instituciones compradoras, para lo cual resulta clave la capacitación y gestión de las personas que en ellas se desempeñan. En este sentido, la Administración no debe contentarse únicamente con ofrecer cursos a sus funcionarios sobre soluciones innovadoras, sino que debe considerar en la carrera funcionaria objetivos vinculados con CPI[61].

Así, por ejemplo, los procesos de ingreso a cargos públicos en unidades de adquisición deben exigir conocimientos sobre contratación de innovación. Igualmente, el perfeccionamiento y la realización de procesos concretos de CPI pueden ser incluidos en las calificaciones y los mecanismos de incentivo, como los indicadores de desempeño, convenios y programas de mejoramiento de la gestión y las metas institucionales.

Poner el foco en procesos de digitalización y la emisión de grandes declaraciones de intenciones desatendiendo a las personas que sirven en la Administración, sólo puede conducir a exiguos resultados.

K) Capacitación a proveedores

Por último, la constante capacitación y apoyo a proveedores, particularmente a nuevas empresas, es también un factor que coadyuva a incentivar la participación de empresas dedicadas a I+D. Para tal efecto, diversas entidades públicas han generado guías prácticas y material audiovisual que explican en sencillo los procesos para contratar, lo que sumado a canales de atención a potenciales proveedores, son iniciativas que se han mostrado efectivas en la promoción del potencial que tiene ser proveedor del Estado.

---

[61]   Ídem, pág. 21.

5. Desafíos en la implementación de CPI

Como todo cambio, la introducción y consolidación de CPI en los sistemas de adquisiciones enfrenta diversas dificultades que deben ser ponderadas al diseñar las reformas políticas, normativas y administrativas tendientes a tal propósito. Dentro de los múltiples desafíos, centraremos el análisis en dos aspectos que tienen una alta capacidad de incidencia en la incorporación exitosa de compras de innovación por parte de la Administración del Estado.

En primer término, encontramos los factores culturales de las organizaciones. A diferencia de las adquisiciones tradicionales de bienes y servicios existentes en el mercado —por tanto, ya probados—, la contratación de soluciones innovadores viene acompañada de un alto nivel de incertidumbre desde el punto de vista del cumplimiento del contrato (esto es, de que el proveedor cumpla satisfactoriamente con sus obligaciones en tiempo y forma) y de su resultado (que el producto sirva para satisfacer la necesidad pública que justificó la contratación y no implique costos no previstos originalmente).

Frente a ello, la aversión al riesgo de parte de los funcionarios encargados de adquisiciones constituye el principal obstáculo cultural para el éxito de una política de compras de soluciones innovadoras, dado que ante una contratación que no alcance sus objetivos, pueden verse expuestos a responsabilidades políticas, administrativas e incluso patrimoniales. Entonces, el temor al fracaso representa un freno para cambiar la manera tradicional de ejercer el poder de compra.

Lo anterior puede abordarse a través de varios instrumentos. Por una parte, como se adelantó, la existencia de una política explícita de CPI permite que los funcionarios internalicen que enfrentar dichos riesgos constituye una obligación inherente al trabajo y no asuman personal y exclusivamente las consecuencias de un proceso que, por su naturaleza, puede tener dificultades. De otro lado, la existencia de incentivos económicos y no económicos, como asignaciones especiales, mejores calificaciones o reconocimientos, empujan también al cambio en la manera de comprar. Por otra parte, las metodologías de evaluación de riesgos apuntan en la misma dirección y, más allá de las limitaciones propias del instrumento —dada la dificultad de anticiparse a los múltiples escenarios que pueden presentarse al adquirir bienes o servicios que deben ser desarrollados o mejorados—, pueden generar un efecto de percepción en los funcionarios que favorezca emprender el cambio. Asimismo, asumiendo que el cambio cultural en la manera de comprar requiere un periodo extenso para su completa consolidación, es útil generar y visibilizar resultados de corto plazo que ayuden a generar apoyo[62], por ejemplo, dedicando un espacio en las cuentas públicas para evidenciar los avances alcanzados en la materia.

El segundo elemento que incide en la instauración de las CPI es el riesgo de afectar la igualdad de los proveedores derivado de los conflictos de intereses y la corrupción. Siendo ya la contratación administrativa un espacio riesgoso desde el punto de vista de las prácticas que atentan contra la probidad[63], en razón de los recursos que se manejan y de la estrecha relación entre la Administración y el mundo privado, la adquisición de soluciones de innovación puede exacerbar esos riesgos. Lo anterior, producto de la discrecionalidad con que debe diseñarse y controlarse la ejecución de los contratos de bienes y servicios de esta clase, considerando la mencionada flexibilidad que ha de reconocerse a estas contrataciones.

Siendo la corrupción uno de los flagelos más extendidos y difíciles de combatir por su raigambre cultural, no parecen existir soluciones específicas en CPI, lo que hace necesario revisar los mecanismos generales que se emplean para resguardar la probidad en la contratación administrativa, como sucede con reglas de prohibiciones para contratar con la Administración; el deber de abstención de los funcionarios; las restricciones de comunicación entre evaluadores y potenciales proveedores; las prohibiciones post-empleo para funcionarios que trabajan en adquisiciones; los sistemas de contratación electrónicos y públicos; las plataformas de lobby; los códigos de ética y los sistemas de integridad, entre muchos otros.

III. Compras públicas de innovación en el Derecho chileno

1. Políticas sobre innovación

Particularmente por la influencia de la OCDE, en la última década Chile ha venido colocando su atención en la innovación, pudiendo exhibir algunos instrumentos concretos dictados para explicitar que aquella constituye un objetivo de política pública que el Estado ha asumido.

---

[62]   PARIS, Enrique y RODRÍGUEZ, Jorge, *cit.*, pág. 21.
[63]   Sobre las deficiencias del sistema chileno de compras públicas desde la perspectiva de la probidad puede verse: CHILE TRANSPARENTE, *Marco Regulatorio de la Competitividad de las Compras Públicas en Chile*, 2018, *passim*.

Entre los más relevantes se cuenta el Plan Nacional de Innovación para el periodo 2014-2018 —el que no tiene sucesor hasta la fecha—, que entiende que la innovación no se restringe a la creación y aplicación de nueva tecnología para la generación de nuevos productos manufacturados, sino que comprende también las nuevas formas de manejar una empresa, la creación de un nuevo servicio y sus mejoras significativas, las nuevas formas de diseñar para lograr un mayor impacto, y las nuevas formas de resolver mediante creatividad, problemas sociales y medioambientales[64].

Partiendo del reconocimiento de que, al momento de la generación de esta Política en 2015, la inversión dedicada a I+D en Chile era la más baja de la OCDE (0,39% del PIB versus 2,4% promedio OCDE)[65], se asumió que corresponde al Estado un rol fundamental en apoyar y subsidiar la innovación, producto de las fallas de mercado que la aquejan. Sin embargo, el Plan no comprendió a la contratación administrativa como un instrumento al servicio del objetivo perseguido, asumiendo que la innovación debía fomentarse a través de mecanismos enfocados en el proveedor, deficiencia que, es de esperar, sea corregida en el instrumento que lo reemplace.

Sin ninguna duda, la Directiva de Compra Pública Innovadora generada en 2018 por la Dirección de Compras y Contratación Pública, en conjunto con el Laboratorio de Gobierno y el Ministerio de Economía, Fomento y Turismo, representa el instrumento más avanzado en la materia. Se trata de un conjunto de recomendaciones impartidas a las entidades públicas contratantes que tiene como propósito incentivar la incorporación de innovaciones en los procesos de compra, con el fin de obtener soluciones más eficaces y pertinentes para sus necesidades de abastecimiento y la de sus usuarios.

El documento entiende la CPI como aquella que incorpora a la innovación a lo largo de todas las actividades asociadas a procesos de compra actualmente existentes y normados, siendo potenciada como una herramienta estratégica para solucionar problemáticas reales de la institución, generar una experiencia satisfactoria a los distintos usuarios, y mejorar la gestión y/o la calidad misma de dichos procesos[66].

---

[64]   MINISTERIO DE ECONOMÍA, FOMENTO Y TURISMO, *Plan Nacional de Innovación*, Santiago, 2015, pág. 3.

[65]   Ídem, pág. 7.

[66]   DIRECCIÓN DE COMPRAS Y CONTRATACIÓN PÚBLICA, *Directiva de Compra Pública Innovadora*, 2018, pág. 9.

Entre las múltiples cuestiones que merecen ser destacadas, la Directiva representa un encomiable esfuerzo de combinación entre análisis normativo y recomendaciones prácticas a los funcionarios usuarios del sistema de compras, describiendo distintas fases que permiten la adquisición de bienes y servicios innovadores. Finalmente, el documento presenta como información anexa tres casos de pilotos de CPI que corresponden al Servicio Nacional del Consumidor, Carabineros de Chile y el Parque Metropolitano de Santiago[67] y que pueden servir de aprendizajes para las demás entidades administrativas.

2. Regulación de las CPI en el Derecho chileno

A) Aspectos generales

En el Derecho chileno, la contratación de bienes muebles y servicios para la generalidad de la Administración Pública se encuentra regulada en la ley N° 19.886, Ley de Bases sobre Contratos Administrativos de Suministro y Prestación de Servicios (en adelante "ley de Compras" o "ley 19.886"), y en su reglamento aprobado por el decreto supremo N° 250, del 2004, del Ministerio de Hacienda (en lo sucesivo "el reglamento"). En dicha normativa se contemplan como modalidades de contratación la licitación pública, la licitación privada, el trato directo, y los convenios marco.

La regla general es la licitación pública, lo que guarda armonía con lo previsto en la ley N° 18.575, Orgánica Constitucional de Bases Generales de la Administración del Estado, que previene que para todo tipo de contratación —no solo de bienes muebles y servicios, sino, por ejemplo, compra o venta de inmuebles—, debe acudirse a ese proceso concursal, respetando la libre concurrencia y la igualdad de los oferentes[68].

No obstante ser la licitación pública la regla general, la Administración regida por la ley N° 19.886, debe acudir en primer término a los convenios

---

[67] Ídem, págs. 58 y siguientes.

[68] El artículo 9 de la ley N° 18.575 dispone: "Los contratos administrativos se celebrarán previa propuesta pública, en conformidad a la ley. El procedimiento concursal se regirá por los principios de libre concurrencia de los oferentes al llamado administrativo y de igualdad ante las bases que rigen el contrato. La licitación privada procederá, en su caso, previa resolución fundada que así lo disponga, salvo que por la naturaleza de la negociación corresponda acudir al trato directo".

marco[69], los que contienen un listado de productos asociados a proveedores que ya participaron en una licitación pública convocada previamente al efecto por la Dirección de Compras y Contratación Pública, y se adjudicaron una o más categorías de productos y servicios.

En las contrataciones por convenios marco se produce una doble vinculación contractual[70], pues los proveedores seleccionados han debido adjudicarse una licitación pública convocada por el organismo encargado de administrar el sistema de compras (Dirección de Compras y Contratación Pública) y someterse a las reglas previstas en las bases de esa licitación, por lo que incumplir alguna de dichas exigencias habilita a esa Dirección a aplicar alguna sanción prevista en las bases.

A su vez, cuando una entidad compradora acude al convenio marco para hacerse de los bienes o servicios que necesita, contrata con alguno de los proveedores del catálogo en las condiciones previstas en él, por lo que esos proveedores también adquieren obligaciones con la entidad compradora, como por ejemplo entregar el bien respectivo dentro de los plazos ofrecidos, sometiéndose a la aplicación de multas si se atrasa.

Pues bien, si un organismo público necesita adquirir computadores, debe revisar si en los catálogos de los convenios marco suscritos por la Dirección de Compras y Contratación Pública se encuentran los equipos que necesita, pudiendo solo evitar el convenio marco cuando este no contemple el producto que se requiere o cuando el organismo comprador lo encuentre en el mercado con condiciones más ventajosas que las que rigen en el convenio marco respectivo. En estos últimos casos, la entidad compradora queda liberada de la obligación de contratar por convenio marco y rigen, entonces, las normas generales de la licitación pública y las excepcionales de la licitación privada y el trato directo previstas en el Derecho chileno.

Al ser la licitación pública la regla general como procedimiento de contratación, la entidad compradora se encuentra obligada a redactar bases administrativas que regulen la selección del proveedor y contengan, entre

---

[69] El artículo 30 letra d) de la ley N° 19.886, con ocasión de las funciones de la Dirección de Compras y Contratación Pública, establece que los organismos públicos afectos a esa ley, respecto de los bienes y servicios objeto de ese convenio marco, estarán obligados a comprar bajo ese convenio, relacionándose directamente con el contratista adjudicado por la Dirección, salvo que por su propia cuenta obtengan directamente condiciones más ventajosas.

[70] Dictámenes N° 30.004 y 65.791, de 2014, de la Contraloría General de la República, entre otros.

otras menciones, la descripción del bien o del servicio que requiere contra-tar[71].

A su turno, la jurisprudencia administrativa de la Contraloría General de la República ha puntualizado que la estricta sujeción a las bases constituye un principio rector que rige tanto el desarrollo del proceso licitatorio como la ejecución del correspondiente contrato y que dicho instrumento, en conjunto con la oferta del adjudicatario, integran el marco jurídico aplicable a los derechos y obligaciones de la Administración y del proveedor, a fin de respetar la legalidad y transparencia que deben primar en los contratos que celebren[72], por lo que sus disposiciones son obligatorias tanto para la administración que licita como para los proveedores oferentes, para el adjudicado y luego también, para el contratado.

En ese contexto, la Administración se encuentra obligada a describir el bien o servicio que requiere en las bases y luego a respetar esas exigencias, las que por regla general se enmarcan dentro de los parámetros habituales de los bienes o servicios que hay en el mercado, que son los que la Administración conoce y que estima que satisface sus necesidades, sin dejar espacio a productos innovadores y que no atienden a las características requeridas en los pliegos de condiciones.

Otra dificultad para la contratación de innovación se materializa en las normas de la ley de Compras y de su reglamento, que obligatoriamente exigen para las contrataciones que superen un determinado monto[73], la presentación de garantías que caucionen el fiel y oportuno cumplimiento del contrato.

Cuando la Administración contrata un bien o servicio que no existe en el mercado —ejemplo, un software con determinadas funcionalidades—, lo que hace en definitiva es describir el resultado que quiere obtener con aquello que necesita contratar, por lo que si el producto que entrega el con-

---

[71]   El artículo 22 del reglamento establece el contenido mínimo que, en lenguaje preciso y directo, deben contener las bases. En su N° 2 señala: "Las especificaciones de los bienes y/o servicios que se quieren contratar…".

[72]   Dictamen N° 21.564, de 2019, de la Contraloría General de la República, entre otros.

[73]   El artículo 6 de la ley N° 19.886 entrega al reglamento la determinación de los contratos en que deberá requerirse garantía de seriedad de la oferta y de fiel y oportuno cumplimiento del contrato. A su vez, el reglamento, en su artículo 31 exige garantía de seriedad de la oferta para contrataciones que superen las 2.000 Unidades Tributarias Mensuales (UTM), y en su artículo 68, garantía de fiel y oportuno cumplimiento para aquellas que superen las 1.000 UTM.

tratista no cumple con esas expectativas, se debe cobrar la garantía de fiel cumplimiento, pues se entiende que ha incumplido su parte del contrato.

Lo anterior limita la creatividad de los oferentes y la posibilidad de "ensayar" la viabilidad de incorporar elementos innovadores, pues como estos no están probados en el mercado, o no lo están masivamente, se corre el riesgo de que no funcionen como se esperaba o no aseguren su calidad en el tiempo, exponiéndose a las sanciones contractuales de aplicación de multas, ejecución de garantías e incluso el término anticipado del contrato.

Finalmente, es necesario mencionar que una contratación fallida también afecta a la entidad pública contratante, pues si el bien que recibe no cumple con las funcionalidades esperadas, no le servirá para satisfacer la necesidad que buscaba cubrir y en definitiva, cumplir eficientemente su función pública.

Por lo anterior, como se indicó *supra*, la Administración es reticente a formular bases que permitan arriesgarse a adquirir un producto innovador, pues se encuentra obligada a cuidar el buen uso de los recursos públicos y, por ende, a gastarlos con estricto apego a la legalidad y a la economicidad que le exige la normativa, asumiendo el menor riesgo posible.

B) Plan anual de compras

La ley de Compras establece el deber de las entidades administrativas de elaborar y evaluar periódicamente un plan anual de compras y contrataciones[74] que debe contener una lista de los bienes y/o servicios que se contratarán durante cada mes del año, con indicación de su especificación, número y valor estimado, la naturaleza del proceso por el cual se adquirirán o contratarán dichos bienes y servicios y la fecha aproximada en que se publicará el llamado a participar[75].

Como puede advertirse, la normativa no previó que la Administración adquiriera bienes o contratare servicios innovadores, pues al regular el plan anual de compras estableció que en él se debían identificar con detalles los bienes y sus características. El objetivo que se persigue con ello es resguardar la transparencia en las contrataciones y la probidad administrativa, tal como lo reconoce la Contraloría General de la República en sus Instrucciones sobre el Cumplimiento del Principio de Probidad en Materia

---

[74]   Artículo 12 de la ley N° 19.886.
[75]   Artículo 98 del reglamento.

de Contratación Pública de Suministro de Bienes Muebles y Prestación de Servicios[76], pues al incorporar esos elementos en el plan anual de compras, se reduce la discrecionalidad y se planifica con mayor seriedad la ejecución del gasto público.

No obstante, ello no impide que proveedores con productos o servicios innovadores contraten con la Administración, pues ese plan no es obligatorio sino referencial, y el documento en que deben indicarse los requerimientos de la contratación con carácter vinculante, son las bases que regirán la respectiva licitación.

Desde otra perspectiva, el plan debe ser publicado en el Sistema de Información *on line* que administra la Dirección de Compras, lo que permite anticipar a los potenciales proveedores de las adquisiciones que se realizarán en la anualidad siguiente, ofreciendo los espacios de tiempo necesarios para que las empresas generadoras de soluciones innovadoras puedan adecuarse a los procedimientos de selección de la Administración.

C) Convenio Marco

El artículo 30 letra d) de la ley N° 19.886, establece que a la Dirección de Compras le corresponde entre sus funciones, "De oficio o a petición de uno o más organismos públicos, licitar bienes y servicios a través de la suscripción de convenios marco, los que estarán regulados en el reglamento de la presente ley. Respecto de los bienes y servicios objeto de dicho convenio marco, los organismos públicos afectos a las normas de esta ley estarán obligados a comprar bajo ese convenio, relacionándose directamente con el contratista adjudicado por la Dirección, salvo que, por su propia cuenta obtengan directamente condiciones más ventajosas".

Como ya se ha señalado, es obligación de los organismos públicos revisar en el catálogo[77] de productos que mantiene *on line* la Dirección de Compras, si el bien o el servicio requerido se encuentra en los convenios marco suscritos por ella, pues en ese caso deben adquirirlos directamente a esos proveedores a través de este mecanismo.

---

[76]   Dictamen N° 2.453, de 2018, de la Contraloría General de la República.

[77]   Según la definición del artículo 2 N° 6 del reglamento, catálogo de convenios marco corresponde a una "Lista de bienes y/o servicios y sus correspondientes condiciones de contratación, previamente licitados y adjudicados por la Dirección y puestos, a través del Sistema de Información, a disposición de las Entidades".

Las bases administrativas de los convenios marco contienen las normas que regirán las adquisiciones respectivas, las que resultarán obligatorias tanto para los proveedores que se adjudiquen las distintas categorías de bienes y servicios, como para las entidades compradoras que con posterioridad acudirán al catálogo de proveedores. La gran mayoría de esos pliegos de condiciones contemplan la posibilidad de que los proveedores que se adjudicaron una categoría, puedan subir al catálogo de productos bienes "nuevos", es decir, que no se ofrecieron durante la respectiva licitación, para lo cual se requiere que se relacionen con el objeto de la categoría ya adjudicada y que sea autorizado por la Dirección de Compras.

En consecuencia, frente a una determinada necesidad pública, se podrán comprar productos o servicios innovadores vía convenio marco, solo si la Dirección de Compras los ha considerado en las categorías de bienes y servicios que ha licitado, o si los proveedores han incorporado al catálogo de productos ese tipo de bienes.

Ahora bien, cuando la adquisición supera el monto establecido en el reglamento —1.000 UTM[78]—, es obligatorio realizar un proceso de gran compra, por lo que no se puede comprar directamente a los proveedores del catálogo[79].

La gran compra supone que el comprador debe invitar a todos los proveedores que se adjudicaron una determinada categoría de bienes o de servicios —aquella que corresponda al bien o servicio que necesita adquirir—, para que presenten sus ofertas, según los requerimientos especiales descritos en la intención de compra que se les envió con la invitación a participar. Luego, la entidad compradora selecciona la mejor oferta recibida según los criterios de evaluación contemplados en las bases de los convenios marco o aquellos previstos especialmente en la intención de compra respectiva.

La normativa contenida en el reglamento exige que las ofertas recibidas en el marco de un procedimiento de Grandes Compras sean evaluadas según los criterios y ponderaciones definidos en las bases de licitación del convenio marco respectivo, en lo que les sean aplicables. Asimismo, previene que las bases de licitación del convenio marco respectivo podrán establecer criterios de evaluación especiales para los procedimientos de Grandes Compras[80].

---

[78]   Lo que aproximadamente corresponde USD 70.000.
[79]   Artículo 14 bis del reglamento.
[80]   Ídem.

Agrega que en la comunicación de la intención de compra se indicará, al menos, la fecha de decisión de compra, los requerimientos específicos del bien o servicio, la cantidad y las condiciones de entrega y los criterios y ponderaciones aplicables para la evaluación de las ofertas. La entidad debe seleccionar la oferta más conveniente según el resultado del cuadro comparativo que se debe confeccionar sobre la base de los criterios de evaluación y ponderaciones definidas en la comunicación de la intención de compra. Dicho cuadro debe adjuntarse a la orden de compra que se emita y sirve de fundamento de la resolución que aprobará la adquisición[81].

Como puede advertirse, un proceso de gran compra se parece mucho a una licitación privada, pues se invita a participar a un grupo determinado de proveedores para que presenten ofertas de bienes o servicios que correspondan a la categoría adjudicada. En consecuencia, se trata de un proceso concursal simplificado, en el que la libre concurrencia se encuentra limitada y que, de alguna manera, garantiza que hayan ofertas válidas y admisibles susceptibles de ser elegidas, pues los proveedores invitados ya están seleccionados para, precisamente, ofrecer ese tipo de bienes y de servicios[82].

De lo anterior se desprende que es difícil contratar innovación a través de Grandes Compras, pues este proceso supone que se describa en la intención de compra el producto que se requiere de tal manera que permita la mayor cantidad de ofertas, entre las cuales será seleccionada la ganadora según criterios objetivos establecidos previamente en las bases del convenio marco, pliego de condiciones en el que no participó la entidad compradora sino que fue elaborado por la Dirección de Compras, restringiendo, en consecuencia, su espacio de ponderación de las características innovadoras que pueda presentar un producto en relación con otro.

En todo caso, si la Administración decide fomentar la innovación en la modalidad de Grandes Compras, puede incorporar esa cualidad en la intención de compras, debiendo describir de manera clara qué se entenderá por poseer características innovadoras, y contemplarlas como un requisito excluyente y no evaluable del bien o servicio que se requiere adquirir. De ese modo, se habilita a dejar fuera del proceso al oferente que presentó una

---

[81]   Ídem.

[82]   El reglamento en su artículo 47 previene para la licitación privada que "la Entidad Licitante deberá invitar a Proveedores respecto de los cuales tenga una cierta expectativa de recibir respuestas a las invitaciones efectuadas", exigencia que se garantiza en las grandes compras, pues debe invitarse a todos los proveedores de una determinada categoría.

oferta que no cumple con esa exigencia, lo que no se logra al contemplarlo como un criterio de evaluación, donde solo se castigaría la oferta con menos puntaje en ese ítem. En todo caso, en el Derecho chileno, las entidades compradoras no poseen libertad para definir los criterios de evaluación en las intenciones de compras del proceso de Gran Compra, pues la normativa permite que solo se evalúen los criterios que expresamente se han previsto en las bases de los convenios marco, por lo que si éstas nada dicen respecto de características innovadoras, no se podrían incluir como aspectos a calificar en las intenciones de compras.

Ahora bien, el riesgo de exigir características innovadoras como requisito de admisibilidad, es que no se reciban ofertas, pues puede darse que los proveedores del catálogo no posean productos con esas características y no se interesen en incorporarlos al catálogo como productos nuevos.

A su vez, en los convenios marco que regulan servicios, también se podrá contratar innovación en la medida que el objeto de la contratación sea justamente crear aquello que se necesita, como por ejemplo un software que realice funciones que no se encuentran estandarizadas en el mercado, lo que permite por esta vía realizar CPI con aquellos proveedores incorporados en el catálogo.

D) Licitación Pública o Privada

Es de la esencia de todo proceso licitatorio el que se encuentre regulado por bases administrativas, las que constituyen el pliego de condiciones que regirán el proceso concursal. Según se define en el reglamento, se entienden por bases a los "Documentos aprobados por la autoridad competente que contienen el conjunto de requisitos, condiciones y especificaciones, establecidos por la Entidad Licitante, que describen los bienes y servicios a contratar y regulan el Proceso de Compras y el contrato definitivo. Incluyen las Bases Administrativas y Bases Técnicas"[83]. A su turno, las bases técnicas son definidas como los "documentos aprobados por la autoridad competente que contienen de manera general y/o particular las especificaciones, descripciones, requisitos y demás características del bien o servicio a contratar"[84].

La principal diferencia entre una licitación pública de una privada, es que la primera asegura la libre concurrencia de todos aquellos proveedo-

---

[83]   Artículo 2 N° 3 del reglamento.
[84]   Artículo 2 N° 5 del reglamento.

res que se interesen en participar y cumplan los requisitos, en cambio en la segunda, solo participan aquellos proveedores que fueron invitados por la entidad licitante para presentar propuestas[85]. Como indica Moraga, la Administración cuenta con una potestad para realizar invitaciones a los proveedores que ella determine y que regularmente es discrecional[86], sin perjuicio de las condiciones que establece al efecto el reglamento.

En el ordenamiento chileno, la licitación privada constituye una modalidad excepcional de contratación, por lo que procede restringir la libre concurrencia solo cuando fundadamente se den los supuestos previstos por el legislador y el reglamento[87].

En ambos procesos, las bases administrativas deben contemplar los requisitos mínimos previstos por la normativa, dentro de los cuales se encuentran las especificaciones de los bienes y servicios que se requiere contratar[88], por lo que mientras más detallados sean los requerimientos, menos posibilidades hay de recibir propuestas innovadoras[89].

Sin embargo, a inicios del año 2020 se ha incorporado un nuevo párrafo a este precepto sobre requisitos mínimos de las bases, que justamente pretende flexibilizar las exigencias previstas en ellas respecto de los bienes y servicios a contratar. La modificación reglamentaria dispone que, en la medida que sea posible, las especificaciones deben orientarse a la búsqueda de la mejor solución a las necesidades que la entidad compradora requiere satisfacer, debiendo priorizarse el desempeño y los requisitos funcionales

---

[85] El artículo 2 N° 20 del reglamento define licitación o propuesta privada como el "Procedimiento administrativo de carácter concursal, previa resolución fundada que lo disponga, mediante el cual la Administración invita a determinadas personas para que, sujetándose a las bases fijadas, formulen propuestas, de entre las cuales seleccionará y aceptará la más conveniente".

[86] MORAGA, Claudio, *Contratación Administrativa*, Santiago, Ed. Jurídica de Chile, 2012, pág. 136.

[87] Los artículos 8 de la ley N° 19.886 y 10 del reglamento contemplan las causales de licitación privada y trato directo.

[88] El artículo 22 del reglamento establece el contenido mínimo que en lenguaje preciso y directo, deben contener las bases. En su N° 2 señala "Las especificaciones de los bienes y/o servicios que se quieren contratar...".

[89] El artículo 2 N° 3 del reglamento define bases como "Documentos aprobados por la autoridad competente que contienen el conjunto de requisitos, condiciones y especificaciones, establecidos por la Entidad Licitante, que describen los bienes y servicios a contratar y regulan el Proceso de Compras y el contrato definitivo. Incluyen las Bases Administrativas y Bases Técnicas".

esperables del bien o servicio, por sobre sus características descriptivas o de diseño[90].

Ejemplo de ello es la adquisición de sillas para jardines infantiles. Si en las especificaciones técnicas del bien se describe el producto "silla", con sus medidas, material y color, se impide que proveedores de *pouf*, cojines, pisos, etc. presenten otras modalidades de productos que permitan a los niños sentarse cómodamente en las salas. Por el contrario, si en las especificaciones técnicas se señala que se requieren "productos que sirvan para que niños de entre 2 y 4 años se sienten en ellos dentro de una sala, que otorguen estabilidad y sean de un material no tóxico", permite mayor flexibilidad al mercado para que oferte distintos productos que cumplan con el objeto que se busca con la adquisición, satisfaciendo de un modo creativo la necesidad pública que ha originado la contratación.

Atendido lo reciente de la reforma normativa, no se advierten experiencias significativas en el proceso de compras de innovación por este medio, pero es esperable que este ajuste en el reglamento sea una señal que invite a los funcionarios de la Administración a atreverse a elaborar bases que se abran a recibir bienes que existan en el mercado y que no se conocen, o incluso bienes que si bien no existen en el mercado, sean creados o elaborados para satisfacer la necesidad descrita por la Administración en el pliego de condiciones.

E) Trato Directo

Finalmente, la última modalidad de contratación reconocida en la ley N° 19.886 y su reglamento es el trato directo, que constituye un proceso de compras excepcional en la cual la selección del proveedor no se somete a regulación de bases, sino que la entidad compradora lo elige directamente. En otros términos, no se está frente a un proceso concursal sino que se trata de una contratación directa de la Administración con el proveedor que selecciona[91]. Producto de lo anterior, la jurisprudencia de la Contraloría General de la República ha señalado que *"cualquiera que sea la causal en que se sustente un eventual trato directo, al momento de invocarla, no basta la sola referencia a las disposiciones legales y reglamentarias que lo fundamenten,*

---

[90]　El decreto supremo N° 821, de 2019, del Ministerio de Hacienda, incorporó un párrafo final al N° 2 del artículo 22 del reglamento.

[91]　BARRA, Nancy y CELIS, Gabriel, *Contratación Administrativa bajo la Ley de Compras*, Santiago, LegalPublishing, 2009, pág. 74.

sino que, dado su carácter excepcional, se requiere una demostración efectiva y documentada de los motivos que justifican su procedencia, debiendo acreditarse de manera suficiente la concurrencia simultánea de todos los elementos que configuran las hipótesis contempladas en la normativa cuya aplicación se pretende"[92].

En la ley de Compras y en su reglamento se establecen dos modalidades de tratos directos, a saber: la que requiere a lo menos tres cotizaciones previas y aquella que puede realizarse sin cotizaciones. La normativa establecía también que antes de solicitar las cotizaciones y de suscribir el contrato, se debían redactar y aprobar los términos de referencia, que según se definía en el reglamento correspondían al "pliego de condiciones que regula el proceso de Trato o Contratación Directa y la forma en que deben formularse las cotizaciones". En relación con este punto, cabe señalar que no quedaba claro cuál era la naturaleza de los términos de referencia, si eran vinculantes para el organismo contratante y para el proveedor, o si solo contemplaba aspectos generales del bien o servicio que se requiere.

Estimar que eran vinculantes, suponía darles el tratamiento de bases, lo que desnaturalizaba este proceso de contratación y que se caracteriza por la libre negociación entre las partes. Por otro lado, tampoco procedía ignorar totalmente su contenido, pues lo que se perseguía con esa exigencia era transparentar los requerimientos de la entidad pública para que distintos proveedores pudieran ofrecer sus bienes o servicios considerando las mismas condiciones.

Pues bien, la reforma de 2020 eliminó del reglamento las exigencias sobre los términos de referencia[93], lo que flexibiliza la elección de los bienes o servicios aludidos en las cotizaciones, modificación que, desde este ángulo, favorece la elección de proveedores mediante este mecanismo para la adquisición de soluciones innovadoras, sin exigirse una descripción específica del objeto.

En nuestra opinión, los términos de referencia siempre han constituido el piso de los requerimientos de la Administración y, por ende, son referenciales, por lo que si bien en la actualidad no es obligatoria su elaboración,

---

[92]   Dictámenes N°s. 69.865, de 2012; 89.541, de 2014 y 10.172, de 2017, de la Contraloría General de la República.

[93]   El decreto supremo N° 821, de 2019, del Ministerio de Hacienda, eliminó toda alusión a términos de referencia en el reglamento y amplió el concepto de cotización, incorporando aquellas ofertas contenidas en sitios web, catálogos electrónicos, listas o comparadores de precios por internet, u otros medios similares.

nada impide que se redacten, pudiendo concretarse el acuerdo respecto de un bien o un servicio que supere las condiciones descritas en ese documento.

En ese contexto, se advierte que en la contratación por trato directo hay más posibilidad de concretar un acuerdo sobre un producto innovador, pues la Administración puede cotizar bienes con esas características o negociar con proveedores la elaboración de los mismos según sus necesidades.

Ahora bien, atendido que el trato directo es una modalidad excepcional de contratación, tanto la ley como el reglamento han previsto las causales que habilitan a la Administración para omitir la licitación pública y acudir a un trato directo. Sobre el particular, conviene tener presente la causal prevista en el artículo 10 N° 4 del reglamento, que permite el trato directo "Si sólo existe *un proveedor* del bien o servicio". Asimismo, el artículo 10 N° 7 letra e) del mismo texto lo contempla "Cuando la contratación de que se trate sólo pueda realizarse con los proveedores que sean *titulares* de los respectivos derechos de propiedad intelectual, industrial, licencias, patentes y otros".

En esos casos, la norma supone que la Administración conoce el bien o el servicio que requiere, que este existe en el mercado y que solo se puede adquirir con un determinado proveedor. Analizadas ambas causales desde la óptica de las CPI, es posible concluir, por una parte, que la Administración puede acceder a productos innovadores que existan en el mercado invocando esas causales para el trato directo. Por la otra, que el reglamento se coloca en el supuesto natural de que el bien en cuestión exista, lo que impide la adquisición por esta vía de productos aún no desarrollados, cuestión en todo caso entendible dada la excepcionalidad de su procedencia.

Luego, el artículo 10 N° 7 letra d) del mismo reglamento, autoriza la contratación directa "*si se requiere contratar consultorías cuyas materias se encomiendan en consideración especial de las facultades del proveedor que otorgará el servicio, por lo que no pueden ser sometidas a una licitación, y siempre que se refieran a aspectos claves y estratégicos, fundamentales para el cumplimiento de las funciones de la entidad pública, y que no puedan ser realizados por personal de la propia entidad*"[94].

Como puede advertirse, esta causal se refiere a la contratación de servicios de consultorías, por lo que perfectamente se podría invocar para aquellos estudios que se refieran a productos o servicios innovadores. Lo importante sería relacionar ese servicio con aspectos claves y estratégicos de

---

[94]   Artículo 10 N° 7 letra d) del reglamento.

la entidad compradora, lo que va a depender del caso concreto. En nuestra opinión, fomentar la innovación en diversas áreas puede considerarse como estratégico, pues atendida la incertidumbre de los resultados que se obtendrán con los bienes o servicios a que se refieran esas consultorías, el objetivo que se persigue no es solo la eficiencia y eficacia de la contratación, sino también fomentar la investigación, la tecnología e inyectar recursos a determinadas áreas económicas para colaborar con su expansión y desarrollo.

A su turno, el artículo 10 N° 7 letra n), permite esa modalidad de contratación "Cuando se trate de *adquisiciones inferiores a 10 UTM*, y que privilegien materias de alto impacto social, tales como aquellas relacionadas con el desarrollo inclusivo, el *impulso a las empresas de menor tamaño*, la descentralización y el desarrollo local, así como aquellas que privilegien la protección del medio ambiente, la contratación de personas en situación de discapacidad o de vulnerabilidad social. El cumplimiento de dichos objetivos, así como la declaración de que lo contratado se encuentre dentro de los valores de mercado, considerando las especiales características que la motivan, deberán expresarse en la respectiva resolución que autorice el trato directo".

En esta causal, la norma reconoce que la contratación administrativa no solo sirve para que el Estado se haga de los bienes y servicios que requiere para cumplir su función, sino que también para influir en la sociedad y fomentar aspectos de interés público. De esta manera, se podría invocar como fundamento el interés en fomentar la innovación y de apoyar a empresas de menor tamaño que estén incursionando en ese ámbito, y atendido que se trata de compras inferiores a 10 UTM[95], no se arriesgan grandes sumas de recursos públicos.

En esa misma línea, el artículo 10 N° 8 también autoriza el trato directo "si las contrataciones son *iguales o inferiores a 30 Unidades Tributarias Mensuales*[96]. En este caso el fundamento de la resolución que autoriza dicha contratación se referirá únicamente al monto de la misma". Si bien en este caso se requieren tres cotizaciones, la Administración puede optar por un producto innovador atendiendo solo al precio de este cuando no exceda las 30 UTM[97], sin necesidad de explicar, como ocurre con el caso anterior, los motivos que se consideraron para acceder a esa contratación.

---

[95]   Monto que corresponde aproximadamente a USD 700.

[96]   El referido decreto supremo N° 821, de 2019, elevó esta cifra desde 10 UTM a 30 UTM.

[97]   Monto que corresponde aproximadamente a USD 2100.

Por último, el artículo 10 N° 7 letra k) establece como causal del trato directo "Cuando se trate de la compra de bienes y/o contratación de servicios que se encuentren destinados a la *ejecución de proyectos específicos o singulares, de docencia, investigación o extensión,* en que la utilización del procedimiento de licitación pública pueda poner en riesgo el objeto y la eficacia del proyecto de que se trata".

En estos casos, se podría contratar directamente para desarrollar bienes o servicios de innovación, pues estos se relacionan con investigación, debiendo explicarse los motivos por los cuales acudir a una licitación pública pondría en riesgo el objeto y la eficacia del proyecto.

F) Servicios personales especializados

Por su relación con las CPI, conviene referirse al procedimiento especial para contratar servicios personales especializados, regulado en los artículos 105 y siguientes del reglamento.

Al respecto, el artículo 105 N° 2 inc. 1° define servicios personales especializados como "aquellos *para cuya realización se requiere una preparación especial,* en una determinada ciencia, arte o actividad, de manera que quien los provea o preste, sea experto, tenga conocimientos, o habilidades muy específicas. *Generalmente, son intensivos en desarrollo intelectual,* inherente a las personas que prestarán los servicios, *siendo particularmente importante la comprobada competencia técnica* para la ejecución exitosa del servicio requerido".

Su inciso 2° continúa estableciendo que "Es el caso de anteproyectos de Arquitectura o Urbanismo y proyectos de Arquitectura o Urbanismo que consideren especialidades, proyectos de arte o diseño; *proyectos tecnológicos o de comunicaciones sin oferta estándar en el mercado*; asesorías en estrategia organizacional o comunicacional; asesorías especializadas en ciencias naturales o sociales; asistencia jurídica especializada y la capacitación con especialidades únicas en el mercado, entre otros".

De las normas transcritas se advierte que se ha reconocido expresamente que hay productos o servicios que no tienen una oferta estándar en el mercado, por lo que se contempla una modalidad especial para seleccionar al contratista que tendrá la misión de desarrollar ese proyecto de manera innovadora. Dicha modalidad consiste en una licitación pública que busca primero preseleccionar proveedores especializados en algún tema y luego, en una segunda etapa, recibir las ofertas presentadas por cada uno de ellos, evaluarlas y luego negociar sus aspectos específicos.

En consecuencia, tratándose de proyectos tecnológicos o de comunicaciones sin oferta estándar en el mercado —cuestión frecuente respecto de las soluciones innovadoras—, se puede entender que se requiere la contratación de servicios personales especializados y a través de estos dar espacio a la innovación. Dependiendo del monto, estos se podrán contratar directamente[98] o la entidad deberá acudir a licitación pública, con una tramitación que da flexibilidad para la definición del proyecto.

G) Criterios de evaluación

Además de los procedimientos de selección del proveedor, otro aspecto que puede incidir en la contratación de innovación corresponde a los criterios de evaluación de las ofertas, considerando lo señalado a propósito del mayor valor de adquisición que normalmente presentan los bienes y servicios que deben crearse o mejorarse y que constituyen el objeto de las CPI.

La dictación de la ley de Compras incorporó el concepto del mejor valor del dinero, o mejor relación precio/calidad del bien o servicio, lo que significa que la Administración puede preferir un producto cuya adquisición sea más onerosa que el resto de los ofertados, cuando se acredite que es de mejor calidad[99]. Por ello, la contratación administrativa se dirige a permitir la selección de la mejor oferta, la que no necesariamente corresponde a la más barata, cuestión que no merma la concurrencia de las empresas desarrolladoras de soluciones de innovación.

Del mismo modo, la normativa considera no sólo el valor de adquisición, por lo que pueden evaluarse todos los gastos implicados en el ciclo del producto, así como todos los beneficios que de este se obtengan[100].

Pues bien, cuando la Administración resuelve iniciar un proceso de compras, lo primero que debe definir es la necesidad que requiere satisfacer y qué soluciones puede obtener del mercado, por lo que los criterios de evaluación deben ser previstos cuidadosamente por la entidad compradora, para que la oferta que resulte ganadora sea la que mejor satisfaga ese requerimiento. Si el producto se necesita con urgencia, es muy probable que se pondere con mayor puntaje el *plazo de entrega*; si la entidad no tiene mu-

---

[98]   El artículo 10 N° 7 letra m) del reglamento contempla como causal de trato directo la contratación de servicios especializados inferiores a 1.000 UTM.
[99]   MINISTERIO SECRETARÍA GENERAL DE LA PRESIDENCIA, *Reforma del Estado en Chile 1990-2006*, 2006, pág. 95.
[100]   Ídem.

cha disponibilidad presupuestaria, se favorecerá con mayor ponderación el *menor precio;* y si la contratación supone servicios especializados, cobrará mayor relevancia la *experiencia.*

De ello se sigue que los criterios de evaluación deben estar orientados a un fin y no deben establecerse al azar o simplemente repetir los mismos en todas las contrataciones, pues no hay que olvidar que la oferta seleccionada será aquella que obtenga el mayor puntaje en su evaluación, y que debe responder a la combinación más ventajosa para la entidad compradora[101].

En ese orden de ideas, se advierte que la Administración puede incentivar a los proveedores a ejecutar acciones que sean de interés público mediante la asignación de puntajes en criterios de evaluación que le importe apoyar, como por ejemplo, mano de obra femenina, contratación de personas en situación de discapacidad, medidas que favorezcan al medio ambiente o innovación. En la normativa chilena se permite expresamente incluir ese tipo de criterios de evaluación, contemplándolos como adicionales y llamándolos *materias de alto impacto social,* siempre que no sean los únicos criterios para la selección[102].

Si bien es importante contemplar esas medidas, pues transparenta una intención de la Administración de fomentar ciertas conductas sociales o atender a personas o grupos vulnerables o marginados, estimamos que es más eficaz redactar criterios de evaluación que permitan comparar ofertas innovadoras con otras que no lo sean, y que apunten a calificar la eficiencia del producto más que al cumplimiento de determinadas condiciones técnicas del mismo. Lo anterior, por cuanto es difícil que productos innovadores puedan competir en igualdad de condiciones con otros más tradicionales, ya que no están masificados en el mercado y no se conoce con claridad el costo de su elaboración.

---

[101] Artículo 10 de la ley de Compras y 41 del reglamento "La Entidad Licitante aceptará la propuesta más ventajosa, considerando los criterios de evaluación con sus correspondientes puntajes y ponderaciones, establecidos en las Bases y en el Reglamento".

[102] Artículo 23 Nº 3 del reglamento "Criterios y ponderaciones que se asignen a los Oferentes, derivados de materias de alto impacto social". Inciso segundo: "Para estos efectos, se entenderá por materias de alto impacto social, entre otras, aquellas relacionadas con el cumplimiento de normas que privilegien el medio ambiente, con la contratación de personas en situación de discapacidad o de vulnerabilidad social y con otras materias relacionadas con el desarrollo inclusivo, así como con el impulso a las empresas de menor tamaño y la descentralización y el desarrollo local".

H) Garantías y aplicación de multas

Los privilegios de la Administración en la contratación administrativa y su vinculación con las CPI se reflejan en el Derecho chileno en la exigencia de la garantía de fiel y oportuno cumplimiento del contrato y en la aplicación de multas.

Como se señaló, la presentación de una garantía de fiel y oportuno cumplimiento del contrato supone que ésta se hará efectiva si las obligaciones no se cumplen, lo que puede constituir un desincentivo para que las empresas dedicadas a I+D contraten con la Administración, atendidos los riesgos que traen consigo los productos que no se han masificado en el mercado. A su turno, la aplicación de multas se traduce en una sanción civil a un incumplimiento contractual por parte del proveedor, que cuando se trata de productos o servicios innovadores, no se pueden garantizar de la misma forma que aquellos que no revisten esas características.

En consecuencia, para fomentar las compras innovadoras se requiere adoptar medidas concretas para neutralizar los efectos negativos de la exigencia de esas garantías y de la aplicación de multas, tanto respecto de la entidad compradora en la elaboración de las bases, como en la regulación normativa de la contratación pública.

La ley de Compras chilena remite al reglamento los casos en que deberán exigirse estas garantías[103], por lo que para adecuar esa normativa a los distintos tipos de requerimientos, no se requiere modificar la ley sino que basta con revisar el reglamento con este propósito. En ese contexto, el reglamento previene que es obligatoria la presentación de garantía de fiel cumplimiento en aquellas contrataciones superiores a 1.000 UTM, y en aquellas iguales o inferiores a ese monto se ponderará por la entidad compradora si exige o no dicho instrumento[104]. De ello se sigue que para las causales de trato directo que se refieran a montos menores, no es obligatorio exigir esas cauciones.

A su vez, la modificación del reglamento introducida el año 2020 eliminó la obligación de exigir garantías de fiel cumplimiento en varias causales de trato directo que superen las 1.000 UTM[105], entre ellas, todas las mencionadas *supra* y que podrían ser invocadas para compras innovadoras —proveedor único; titulares de patentes o derechos de autor; consultorías; proyectos de docencia, investigación o extensión—, por lo que la exigencia

---

[103]   Artículo 11 de la ley de Compras.
[104]   Artículo 68 del reglamento.
[105]   Decreto N° 821, de 2019, del Ministerio de Hacienda.

de garantías de fiel y oportuno cumplimiento del contrato ya no debería ser obstáculo para la contratación de innovación.

Por su parte, respecto de la aplicación de multas, cabe señalar que éstas no se encuentran detalladas ni en la ley de compras ni en el reglamento, por lo que los supuestos que las causan se encuentran entregados a las bases y al contrato. En consecuencia no debiera verse mermada la contratación de innovación por la aplicación de multas, pues bastaría con que en ese tipo de adquisiciones no se asocien a obligaciones cuyo cumplimiento se vea afectado por el carácter innovador del bien o del servicio y que, en cualquier caso, las que sí se contemplen estén sujetas a topes que no transformen en excesivamente gravosos los efectos de eventuales incumplimientos.

IV. Conclusión

La Administración acude al mercado para adquirir los bienes o contratar los servicios que necesita para cumplir sus funciones, cuando no puede atender esas necesidades con los recursos físicos y humanos que posee. Ese poder comprador de la Administración influye en las economías de los países, exhibiendo una significativa influencia en la conducta de los agentes del mercado, quienes se van adaptando a las exigencias que se les impone en esas contrataciones.

Lo anterior ha generado que los procedimientos de compras públicas no solo se utilicen para adquirir los bienes o contratar los servicios más convenientes a la Administración, sino que también como medio para incentivar y fomentar conductas que le interesan al Estado. En ese contexto, la innovación ha constituido un objetivo que se persigue fomentar mediante la contratación administrativa, para lo cual diversos países han adecuado su normativa e incentivado a los funcionarios de las entidades compradoras a adoptar prácticas que facilitan la incorporación de ofertas innovadoras en sus procesos licitatorios y contractuales.

En el Derecho chileno, esas prácticas se pueden adoptar con la normativa actualmente vigente, dependiendo si el producto o servicio innovador existe o no en el mercado, y en caso de existir, si la Administración lo conoce o no. Si el producto existe en el mercado y la Administración lo conoce y le interesa, probablemente se podrá fundar un trato directo. Si existe en el mercado, pero la Administración no lo conoce, o si este no existe, se podrá adquirir en la medida que las bases de licitación se hayan enfocado en la descripción de las necesidades que se buscan satisfacer, antes que en la descripción de las características del producto, permitiendo que el mercado ofrezca creativamente distintas opciones de productos que le sirvan para ello.

Sin perjuicio de lo expuesto, parece conveniente flexibilizar las normas vigentes, pues si bien es posible acceder a productos innovadores, ellas no otorgan la suficiente seguridad a las entidades contratantes para arriesgarse a emprender procesos que pueden no ser exitosos, ni a los proveedores para exponerse a plantear soluciones innovadoras que se traduzcan en cambios significativos a la forma habitual de resolver las necesidades, considerando especialmente los efectos de posibles incumplimientos contractuales. A ello, estimamos, habrán de dedicarse los futuros esfuerzos de reformas normativas.

Bibliografía

ABDUCH, J., *Contratos Administrativos. Formaçao e Controle Interno da Execuçao*, Belo Horizonte, Fórum, 2015.

ASCHHOFF, B. y SOFKA, W., *Innovation on Demand. Can Public Procurement Drive Market Success of Innovations*, Discussion Paper No. 08-052, Centre for European Economic Research, 2008.

BANCO INTERAMERICANO DE DESARROLLO, *Compra Pública de Innovación en América Latina. Recomendaciones para su Despliegue en Uruguay*, 2017.

BANCO INTERAMERICANO DE DESARROLLO, *Spurring Innovation-led Growth in Latin America and the Caribbean Through Public Procurement*, 2016.

BARRA, N. y CELIS, G., *Contratación Administrativa bajo la Ley de Compras*, Santiago, LegalPublishing, 2009.

CHILE TRANSPARENTE, *Marco Regulatorio de la Competitividad de las Compras Públicas en Chile*, 2018.

COMISIÓN EUROPEA, *Guidance on Innovation Procurement*, 2018.

COMISIÓN EUROPEA, *Targeted consultation on the draft Guidance on Public Procurement of Innovation*, disponible en https://ec.europa.eu/growth/content/targeted-consultation-draft-guidance-public-procurement-innovation_en (visitado el 4 de mayo de 2019).

CROWN COMMERCIAL SERVICE, *A Brief Guide To The 2014 Eu Public Procurement Directives*, 2016.

CZARNITZKI, D. *et al.*, *Public Procurement as Policy Instrument for Innovation*, en Discussion Paper No. 18-001, Center for European Economic Research, 2008.

DÍAZ, E. y RODRÍGUEZ, A., *Contratos Administrativos en Chile*, Santiago, Ediciones Universidad Santo Tomás, 2016.

DIRECCIÓN DE COMPRAS Y CONTRATACIÓN PÚBLICA, *Chile. Evaluación del Sistema de Compras Públicas, Metodología MAPS 2016*, 2017.

DIRECCIÓN DE COMPRAS Y CONTRATACIÓN PÚBLICA, *Directiva de Compra Pública Innovadora*, 2018.

EDQUIST, C. *et al.*, *Public Procurement for Innovation*, Cheltenham, Edward Elgar Publishing, 2015.

MINISTERIO DE ECONOMÍA, FOMENTO Y TURISMO, *Plan Nacional de Innovación*, Santiago, 2015.

MINISTERIO SECRETARÍA GENERAL DE LA PRESIDENCIA, *Reforma del Estado en Chile 1990-2006*, 2006.

MORAGA, C., *Contratación Administrativa*, Santiago, Ed. Jurídica de Chile, 2012.

OECD, *The Measurement of Scientific and Technological Activities: Guidelines for Collecting and Interpreting Innovation Data: Oslo Manual*, 2005.

OECD, *Public Procurement for Innovation: Good Practices and Strategies*, 2017.

PARÍS, E. y RODRÍGUEZ, J., *Presentación*, en *10 Experiencias de Reforma y Modernización del Estado en Chile*, Santiago, Editorial Universitaria - Flacso, 2019.

PEYRICAL, J. M., *Droit Administratif*, Paris, Montchrestien, 2000.

UNIÓN EUROPEA, *Public Procurement as a Driver of Innovation in SMEs and Public Services*, 2014.

VILLAR PALASÍ, J. L., *La Eficacia de la Concesión y la Cláusula Sin Perjuicio de Tercero*, en Revista de Administración Pública, N° 5, 1951.

Sección Quinta:
INTEGRIDAD Y TRANSPARENCIA EN LA CONTRATACIÓN PÚBLICA

EL PRINCIPIO DE TRANSPARENCIA EN LA CONTRATACIÓN PÚBLICA EN ESPAÑA: MARCO NORMATIVO, SIGNIFICADO Y ALCANCE[1]

Isabel González Ríos
Catedrática de Derecho Administrativo
Universidad de Málaga

SUMARIO: I. Distribución competencial y marco normativo en materia de contratación pública transparente. II. La transparencia en la actividad pública. 1. Concepto de transparencia en la "actividad pública". 2. Incidencia de la legislación de transparencia pública en la contratación pública. III. Garantías de transparencia en la contratación pública: el procedimiento de contratación. 1. La relación entre el procedimiento administrativo común y el procedimiento de contratación pública: su incidencia en la transparencia pública. 2. El significado y alcance del principio de transparencia en la contratación del sector público. A) La transparencia en la contratación pública como garantía del Mercado Único. B) La transparencia como principio vertebrador de la contratación pública en España. IV. La falta de transparencia en la contratación pública: efectos. V. Consideraciones finales. Bibliografía.

I. Distribución competencial y marco normativo en materia de contratación pública transparente

El estudio del principio de transparencia aplicado a la contratación pública[2] exige que, siquiera sea someramente, nos refiramos a las entidades

---

[1] Este trabajo se realiza en el marco del Proyecto de Investigación de Excelencia DER2017-86637-C3-2-P; financiado por el Ministerio de Ciencia, Innovación y Universidades, AEI/FEDER, UE y tiene como referencia el artículo publicado en REALA. Nueva Época núm. 12, 2019.

[2] La transparencia en la contratación administrativa ha sido ampliamente abordada por la doctrina desde varias perspectivas: a) bien por su relación con la utilización de medios electrónicos (vid, COTINO HUESO, L., "La regulación del uso de medios electrónicos en la difusión activa de información pública y el ejercicio del derecho de acceso", en Martin Delgado I. (Ed), *La reforma de la administración electrónica: una oportunidad para la innovación desde el Derecho*, INAP, Madrid,

con competencias en la materia y a su marco normativo regulador. Para ello hemos de analizar el sector de la contratación pública, pero sin perder de vista que el principio de transparencia se viene desde hace unos años reivindicando de toda actuación administrativa, relacionándose con la buena administración y el buen gobierno. De ahí que prestemos en este trabajo una atención especial a la conceptuación normativa de este principio, que presenta distintas manifestaciones según el ámbito en el que actúe el sector público.

2017; GALLEGO CÓRCOLES, I., Breves notas sobre el uso de medios electrónicos en la contratación pública" en Martín Delgado, I. (Ed), *La reforma de la administración electrónica…*; MARTÍN DELGADO, I.: "El uso de los medios electrónicos en la contratación pública", en Gimeno Feliú, J. M., *Estudio sistemático de la Ley de Contratos del Sector Público*, Thomson, Reuters Aranzadi, Pamplona, 2015); b) por su importancia en la lucha contra el fraude y la corrupción (al respecto, entre otros: CERRILLO I MARTÍNEZ, A.: "Las compras abiertas y la prevención de la corrupción", en *Gestión y Análisis de Políticas Públicas*, núm. 15, 2016; GIMENO FELIÚ, J. M., "Medidas de prevención de corrupción y refuerzo de la transparencia en la contratación pública", en *REALA. Nueva Epoca* núm. 7 (2017, págs. 47 y ss.); GONZÁLEZ PÉREZ, J., *Corrupción, ética y moral en las Administraciones públicas*, Civitas, Cizur Menor, 2014; MARTÍNEZ FERNÁNDEZ, J. M., *Contratación pública y transparencia: medidas prácticas para atajar la corrupción en el marco de la nueva regulación*, Las Rozas; Wolter Kluwer, El Consultor de los Ayuntamiento, 2016; TOLIVAR ALAS, L., "Corrupción y transparencia en una sociedad digital", en la obra colectiva *Los desafíos del derecho público en el siglo XXI* (Coord. Del Guayo Castiella y Fernández-Carballal), INAP, Madrid, 2019; y c) como derecho ciudadano y sus límites (vid, AAVV., *Los límites al derecho de acceso a la información pública*, INAP, Madrid, 2017; FERNÁNDEZ RAMOS, S.: La reclamación ante los órganos de garantía del derecho de acceso a la información pública, en *RGDA* núm. 45, 2017; RAMS RAMOS, S.: "El procedimiento de ejercicio del derecho de acceso a la información pública", en *RGDA* núm. 41, 2016; RAZQUIN LIZARRAGA, M. Mª: "El principio de confidencialidad en la contratación pública" en Gimeno Feliú (Ed), *Estudio sistemático de la Ley de Contratos del Sector Público*, Thomson-Reuters Aranzadi, 2018.

Estudios más generales sobre la transparencia en la contratación pública son: CERRILLO I MARTÍNEZ, A., *La contratación abierta*, Barcelona, 2017; IGLESIAS REY, P., "Transparencia en la contratación pública" en Mestre Delgado y Manent Alonso (Coords.), *La Ley de Contratos del Sector Público: aspectos novedosos*, Tirant lo Blanch, Valencia, 2018, págs. 295-329; MALARET I GARCÍA, E., "El nuevo reto de la contratación pública para afianzar la integridad y el control: reforzar el profesionalismo y la transparencia, en *Revista Digital de Derecho Administrativo*, núm. 15, (págs. 21 y ss., 2016); MELLADO RUÍZ, L., *El principio de transparencia integral en la contratación del sector público*, Tirant lo Blanch, Valencia, 2017.

En consecuencia, contratación y transparencia administrativa son las dos materias que enlazamos en este estudio; temas en los que ostentan competencias la Unión Europea (UE), y a nivel interno el Estado y las Comunidades Autónomas. A nivel comunitario la contratación se configura como elemento transversal para la satisfacción de las diferentes políticas con las que se pretende alcanzar el mercado único europeo, con el que —como indica el art. 26 TFUE— se garantice la libre circulación de mercancías, personas, servicios y capitales. Para ello se hacen necesarias "medidas relativas a la aproximación de las disposiciones legales, reglamentarias y administrativas de los Estados miembros..." (Art. 114 TFUE). Este es el fundamento normativo para que la UE haya dictado la vigente normativa de contratación pública. A nivel interno, la Constitución Española de 1978 (CE) dispone que el Estado tiene competencia exclusiva para dictar la legislación básica en materia de contratación pública. Esta atribución de competencia ha llevado a todas las Comunidades Autónomas (CCAA) a asumir en sus correspondientes Estatutos de Autonomía las competencias de desarrollo legislativo y ejecución de la legislación básica del Estado[3].

Con base en esta distribución multinivel de competencias, el vigente marco normativo de la contratación pública en España lo integran la *Directiva 2014/23/UE relativa a la adjudicación de contratos de concesión;* la *Directiva 2014/24/UE sobre Contratación pública;* la *Directiva 2014/25/ UE relativa a la contratación por entidades que operan en los sectores del agua, la energía, los transportes y los servicios postales; y Directiva 2014/55/ UE relativa a la facturación electrónica en la contratación pública*[4]. Los

---

[3]   Entre otros, vid, GAMERO CASADO, E. y FERNÁNDEZ RAMOS, S., *Manual básico de Derecho Administrativo*, Tecnos: Madrid, 2018, pág. 802; SÁNCHEZ MORÓN, M., *Derecho Administrativo*, Tecnos: Madrid, 2017, pág. 596.

[4]   Directiva 2014/23/UE, del Parlamento y del Consejo, de 26 de febrero, relativa a la adjudicación de contratos de concesión; Directiva 2014/24/UE, del Parlamento Europeo y del Consejo, de 26 de febrero, sobre Contratación pública y por la que se deroga la Directiva 2004/18/CE; Directiva 2014/25/UE, de 26 de febrero, relativa a la contratación por entidades que operan en los sectores del agua, la energía, los transportes y los servicios postales; y Directiva 29014/55/UE, del Parlamento Europeo y del Consejo, de 16 de abril, relativa a la facturación electrónica en la contratación pública.

Entre los estudios sobre ese conjunto de Directivas, llamadas "Directivas de cuarta generación", pueden consultarse FERNÁNDEZ ACEVEDO Y VALCÁRCEL FERNÁNDEZ P. (Dirs): *La contratación pública a debate: presente y futuro*, ed. Civitas, Cizur Menor, 2014; GIMENO FELIÚ, J. Mª: "Las nuevas directivas —cuarta generación— en materia de contratación pública. Hacia una estrategia eficiente en compra pública" en *REDA* nº 159 (2013, págs. 39 y ss.); MEDIDA ARNÁIZ, T.:

postulados de estas Directivas han sido transpuestos al derecho interno a través de la *Ley 9/2017 de Contratos del Sector Público* (LCSP)[5], sin que se haya aún incorporado la Directiva 2014/25/UE, a pesar de contar con legislación interna en esta materia[6]. Este relevante bloque normativo sobre contratación pública no es ajeno al principio de transparencia, que debe regir la adjudicación del contrato, pero que para que tenga un efecto real o práctico en el mercado interior requiere de disposiciones que coordinen los procedimientos de contratación nacionales[7]. Así, pues, no basta con que se disponga que en la adjudicación de los contratos a nivel nacional se tiene que respetar el principio de transparencia; para que el mismo trascienda las fronteras y sea útil en la consecución del mercado único europeo se necesita que esté presente en los procedimientos de contratación de elevada cuantía, aquellos que tienen trascendencia a nivel comunitario. En la misma línea, la transparencia se concibe en la legislación interna como uno de los principios que, junto a la no discriminación, igualdad de trato, proporcionalidad e integridad deben guiar la contratación pública.

Ahora bien, como hemos avanzado, el examen del principio de transparencia en la contratación pública exige enmarcarlo dentro de un fenómeno normativo más amplio que viene a reconocerlo como elemento imprescindible de toda la actuación administrativa y que ha dado lugar a la publicación de normativa específica en la materia. El Tratado de Funcionamiento de la Unión Europea (TFUE) considera el principio de transparencia, al que tam-

---

"La necesidad de reformar la legislación sobre contratación pública para luchar contra la corrupción: las obligaciones que nos llegan desde Europa", en *RVAP* nº 104.2, de 2016, págs. 77 y ss.; RAZQUIN LIZARRAGA, M. Mª: "Las nuevas Directivas sobre contratación pública de 2014: aspectos clave y propuestas para su transposición en España" en *RAP* nº 196 (2015, págs. 97 y ss.).

[5]   Ley 9/2017, de 8 de noviembre, de Contratos del Sector Público.

[6]   Nuestro marco normativo interno se completa con el Real Decreto 817/2009, de 8 de mayo, que desarrollaba parcialmente la Ley 30/2007, de 30 de octubre de Contratos del Sector Público, la cual fue derogada —para refundir y clarificar el marco normativo aplicable— por el Real Decreto Legislativo 3/2011, de 14 de noviembre, por el que se aprobó el Texto Refundido de la Ley de Contratos del Sector Público, hoy derogado por la vigente Ley 9/2017. Además, en lo que no contradiga la vigente Ley se aplica el Real Decreto 1098/2001, de 12 de octubre, Reglamento General de la Ley de Contratos de las Administraciones públicas (disposición que desarrollaba la Ley 13/1995, de 18 de mayo, de Contratos de las Administraciones Públicas).

[7]   Así queda reflejado en el Considerando primero de la DIRECTIVA 2014/24/UE del Parlamento europeo y del Consejo de 26 de febrero de 2014 sobre contratación pública y por la que se deroga la Directiva 2004/18/CE.

bién denomina "principio de apertura" como un principio de actuación de los órganos, organismos y entidades de la UE, el cual deriva del principio de "buena gobernanza" y del "principio de participación ciudadana", tal como se deduce del art. 15, apartado 1º, del TFUE. Más específicamente, este principio se manifiesta en la publicidad de las sesiones del Parlamento, en el derecho de acceso a los documentos de la UE, en la transparencia de sus trabajos (apartados 2º y 3º del art. 15); y en una amplia participación ciudadana (que encuentra su cauce en la posibilidad de expresar su opinión en todos los ámbitos de actuación de la UE y a través de consultas públicas a las partes interesadas), a la que alude el art. 11 del Tratado de la UE (TUE). Por su parte, a nivel interno, la falta de un reconocimiento expreso de la transparencia en la Constitución Española (CE) como materia objeto de distribución de competencias no ha impedido al Estado su regulación con apoyo en títulos competenciales como "[L]a regulación de las condiciones básicas que garanticen la igualdad de todos los españoles en el ejercicio de los derechos y en el cumplimiento de los deberes constitucionales" (art. 149.1.1), "[B]ases y coordinación de la planificación general de la actividad económica" (art. 149.1.13) y "[L]as bases del régimen jurídico de las Administraciones públicas" (art. 149.1.18)[8].

Los citados títulos competenciales, unido a la crisis económica de los últimos años y la necesidad de controlar el déficit público y que la ciudadanía sea participe y conocedora de a qué se aplica el dinero público, ha puesto de manifiesto la necesidad de reforzar el principio de transparencia a través de una regulación propia. En este sentido, se ha aprobado la *Ley 19/2013, de Transparencia, acceso a la información pública y buen gobierno* (LTBG)[9], que como indica su Art. 1 viene a "ampliar y reforzar la transparencia en la actividad pública" y lo hace a través de la regulación de la publicidad activa, del derecho al acceso a la información pública y exigiendo dicha transparencia en la actuación de los miembros del Gobierno y Altos cargos[10]. Posteriormente, ha sido la *Ley 40/2015 de Régimen Jurídico del Sector Público*

---

8   Véase la Disposición Final Octava de la Ley 19/2013, de 9 de diciembre, de Transparencia, acceso a la información pública y buen gobierno, que fundamenta su publicación en dichos títulos competenciales.

9   Ley 19/2013, de 9 de diciembre, de Transparencia, acceso a la información pública y buen gobierno.

10   La mayoría de las Comunidades Autónomas cuentan con su propia legislación sobre Transparencia pública (Andalucía, Madrid, Cataluña, Comunidad Valenciana, Galicia, Castilla y León, Castilla La Mancha, Extremadura, Canarias, La Rioja, Aragón, Cantabria, Murcia, Navarra y Asturias).

(LRJSP)[11] la que consagra el principio de transparencia en la actuación administrativa (art. 3.1.c); y lo hace asumiendo el contenido del art. 103 de la CE que consagra que las Administraciones públicas sirven con objetividad los intereses generales y actúan de acuerdo, entre otros, con el principio de eficacia; eficacia y objetividad en la actuación de las administraciones públicas que no son reconocibles sin una actuación transparente. La transparencia administrativa tampoco está ausente del procedimiento administrativo común como lo demuestran las oportunas remisiones que la *Ley 39/2015 de Procedimiento Administrativo Común de las Administraciones públicas* (LPACAP)[12] realiza a la citada Ley 19/2013 de Transparencia[13].

De este bloque normativo, que de forma directa o tangencialmente aborda la transparencia pública nos interesa resaltar su incidencia en el ámbito de la contratación pública. Para ello vamos a analizar cómo se configura la transparencia pública en la legislación de transparencia y su relación con la legislación de contratos del sector público. Concluiremos abordando la problemática relativa a la relación entre la legislación de procedimiento administrativo común, en la que se recogen importantes aspectos referidos a la transparencia administrativa, y la legislación de contratos del sector público; para acabar determinando el significado y alcance de la transparencia pública en esta última y los efectos que derivan de su incumplimiento.

II. La transparencia en la actividad pública

1. Concepto de transparencia en la "actividad pública"

Para abordar el principio de transparencia en la actividad pública se debe previamente determinar qué se entiende por "actividad pública". Al respecto, hemos de partir de la normativa específica reguladora de esta ma-

---

[11]   Ley 40/2015, de 1 de octubre, de Régimen Jurídico del Sector Público.

[12]   Ley 39/2015, de 1 de octubre, de Procedimiento Administrativo Común de las Administraciones pública.

[13]   Véanse los arts. 13 d) y 71 de la Ley 39/2015, de Procedimiento Administrativo Común de las Administraciones públicas que regulan respectivamente el derecho de acceso a la información pública, a los archivos y registros, que es manifestación del principio de transparencia; y el impulso de oficio de los procedimientos respetando el principio de transparencia y publicidad. Al mismo tiempo, los arts. 129 y 132 son manifestación del principio de transparencia en la elaboración y aprobación normativa.

teria, la Ley 19/2013 de Transparencia, acceso a la información pública y buen gobierno, sin que proceda en este momento profundizar en la normativa autonómica. Dos cuestiones requieren de precisión, la primera, esclarecer qué se entiende por "actividad pública", de tal manera que podamos determinar si en la misma se incluye la contratación pública; la segunda, clarificar en qué consiste, cuál es el contenido de esa transparencia.

Si realizamos una interpretación sistemática de la Ley 19/2013, cuyo Título I se intitula "Transparencia de la actividad pública", refiriéndose el art. 2 al ámbito subjetivo de aplicación, hemos de concluir afirmando que esa "actividad pública" incluye la actividad de las Administraciones territoriales, las entidades gestoras y servicios comunes de la Seguridad Social, los entes que integran la Administración institucional (incluidas las Universidades), las llamadas Administraciones independientes y la Administración corporativa cuando realizan actuaciones sujetas al Derecho administrativo; pero también, el Parlamento, la Casa del Rey, el Tribunal Constitucional, el Consejo General del Poder Judicial, el Consejo de Estado, el Tribunal de Cuentas, el Consejo Económico y Social e instituciones autonómicas análogas en sus actuaciones materialmente administrativas; las sociedades mercantiles en cuyo capital social participen mayoritariamente las citadas entidades; las fundaciones del sector público; las asociaciones constituidas por los entes citados. También se considera "actividad pública" la que realizan los partidos políticos, organizaciones sindicales y organizaciones empresariales, así como, entidades privadas que perciban ayudas anuales en cuantía superior a 100.000 euros, o cuando al menos el 40% del total de sus ingresos anuales tengan carácter de subvención pública, siempre que alcancen como mínimo los 5000 euros; ahora bien, en este caso la transparencia pública se limita a la publicidad activa (art. 3 LTBG).

En consecuencia, la transparencia "pública" se extiende más allá del estricto ámbito de las Administraciones públicas (que en esta ley se circunscribe a las Administraciones territoriales, Administraciones institucionales e independientes y Universidades, según lo dispuesto en el art. 2.2 LTBG), siendo aquella exigible a instituciones constitucionales y autonómicas, así como a entidades de naturaleza privada. Procede en este momento preguntarse: ¿Cabe exigir transparencia al Gobierno y a los altos cargos; a las autoridades propiamente dichas? Su exclusión del Título I de la LTBG, dedicado a la "[T]ransparencia pública" no significa que estén al margen de las exigencias de transparencia. Lo que ocurre es que en este caso el legislador prefiere hablar de "buen gobierno", en sentido más amplio, teniendo en cuenta sus funciones de dirección de la Administración pública. Así, el buen gobierno es exigible a los miembros del Gobierno, Secretarios de Estado y resto de altos cargos de la Administración General del Estado y entidades vinculadas o dependientes de aquella, así como a los altos cargos o asimilados de las Comunidades autónomas o entes locales (art. 25 LTBG). Ese "buen gobierno" se asocia a una serie de principios de actuación entre los que se sitúa "la transparencia en la gestión de los asuntos públicos" (art. 26 LTBG).

Centrándonos en el contenido de la transparencia pública, el mismo se idéntica con dos aspectos: a) la publicidad activa, que se refiere a la publicación de forma periódica y actualizada de la información que resulte relevante sobre la actuación pública de que se trate (art. 5.1 LTBG); y b) el derecho de acceso a la información pública, o sea, a los contenidos o documentos que obren en poder de los sujetos a los que se aplica esta ley[14], y que hayan sido elaborados o adquiridos en el ejercicio de sus funciones (arts. 12 y 13 LTBG)[15]. Por su parte, el contenido de la transparencia en la actuación del Gobierno y altos cargos queda algo indefinido en la LTBG que solo establece que "[A]ctuarán con transparencia en la gestión de los asuntos públicos, de acuerdo con los principios de eficacia, economía y eficiencia y con el objetivo de satisfacer el interés general" y que "[D]esempeñarán sus funciones con transparencia" (art. 26.2.a) 1°, b) 7° LTBG), sin clarificar los concretos parámetros a través de los cuales garantizarán una actuación transparente y sin que la misma venga representada por la publicidad activa o el derecho de acceso a la información pública.

De ello se deduce que la transparencia pública va referida a la actuación pública, más allá del sujeto "Administración pública", tanto cuando no existe relación directa con el ciudadano, o sea, a través de la mera publicidad de aquella actuación, como cuando deriva de una relación con el mismo, mediante el derecho de acceso a la información pública. Y por otro lado, esa transparencia se predica de la actuación del Gobierno y de los altos cargos.

---

14   Excluidos los partidos políticos, organizaciones sindicales y empresariales y entidades beneficiarias de ayudas públicas, como se deduce del art. 2. 1 y a sensu contrario del art. 3.

15   Hemos de tener en cuenta que la propia Ley 19/2013 de TBG en su Disposición Adicional Primera remite a la normativa reguladora del concreto procedimiento cuando sean los interesados lo que quieran acceder a los documentos del procedimiento que se está tramitando. Al mismo tiempo, aquellas materias que tengan un régimen específico de acceso a la información se regirán por su normativa específica y supletoriamente por la Ley 19/2013 de TBG.

2. Incidencia de la legislación de transparencia pública en la contratación pública

La Ley 9/2013 de TBG reconoce la existencia al momento de su publicación de normas sectoriales que inciden en la transparencia pública, como la relativa a *la contratación pública*, a las subvenciones, a los altos cargos, entre otras[16]. Pero no se trata en este momento de analizar cómo se configura la transparencia pública en la legislación de contratación del sector público, sino de abordar si las exigencias de transparencia pública que derivan de la Ley 19/2013 de TBG (y, en su caso, de la correspondiente normativa autonómica en la materia) son aplicables respecto de la actividad contractual pública.

Para ello debemos atender al ámbito de aplicación de esta Ley 19/2013 de TBG, comparándolo con los sujetos obligados por la Ley de Contratos del Sector Público, así como, a lo dispuesto en la Disposición Adicional Primera de la Ley 19/2013. Teniendo en cuenta el ámbito subjetivo de aplicación de la legislación de transparencia pública ya analizado, comparándolo con lo previsto en el art. 3 de la Ley 9/2917 de Contratos del Sector Público, observamos una importante coincidencia entre las Administraciones, organismos y entidades sujetos a ambas normativas. ¿Supone eso que el sector público al que resulta aplicable la legislación de contratación administrativa debe respetar las obligaciones de "publicidad activa" y de "acceso a la información pública" que establece la Ley 19/2013 de TBG? La respuesta debe ser positiva, con algunas puntualizaciones.

En primer lugar, en materia de publicidad activa, todas las entidades que se sitúan en el ámbito de aplicación de la Ley 19/2013 de TBG tienen obligaciones genéricas de publicidad sobre su actuación[17] y obligaciones específicas respecto a contratación pública. En este último ámbito material, el art. 8.1.a) recoge la obligación de hacer públicos "todos los contratos"[18],

---

[16] Exposición de motivos de la Ley 19/2013, de 9 de Transparencia, acceso a la información pública y buen gobierno.

[17] Así lo recogen los arts. 6 a 8 de la Ley 19/2013 TBG, que establecen la obligación de publicar información sobre sus funciones, normativa aplicable y estructura organizativa; de que las Administraciones públicas publiquen además sus planes y programas anuales y plurianuales, su desarrollo y resultados, así como, información con relevancia jurídica; publicar información económica, presupuestaria y estadística.

[18] Pormenoriza este artículo los datos a publicar: el objeto, duración, importe de la licitación y de la adjudicación, el procedimiento utilizado para su celebración, los

"las decisiones de desistimiento y renuncia de los contratos" y "datos estadísticos sobre el porcentaje en volumen presupuestario de contratos adjudicados a través de cada uno de los procedimientos previstos en la legislación de contratos del sector público"; estas exigencias son aplicables a todos los sujetos que el art. 2 de la Ley 19/2013 de TBG recoge en su ámbito de aplicación.

La obligación de dar publicidad a los contratos, como parte de la publicidad activa, se hace extensible a los partidos políticos, organizaciones sindicales y empresariales y entidades privadas que perciban en el periodo de un año subvenciones o ayudas en cantidad superior a 100.000 euros o cuando al menos el 40% del total de sus ingresos tengan el carácter de ayuda o subvención pública, y alcancen como mínimo la cantidad de 5000 euros, *"cuando se trate de contratos o convenios celebrados con una Administración Pública"* (art. 8.2 Ley 19/2013 de TBG).

Para facilitar esta exigencia de publicidad activa relativa a la contratación pública, se impone a los adjudicatarios de contratos del sector público la obligación de suministrar toda la información que resulte necesaria, en los términos previstos en el respectivo contrato (art. 4 Ley 19/2013 de TBG). Esta imposición muestra la necesidad de incluir una cláusula en el contrato para dar cumplimiento a esta exigencia legal, si bien es cierto que si tenemos en cuenta los datos que deben públicos (objeto del contrato, duración, importe…), todos ellos deben ser conocidos por la Administración pública, haciéndose superflua aquella "obligación de suministrar información" por parte de los adjudicatarios, salvo quizás en lo relativo a "las modificaciones del contrato".

Para dar cumplimiento de la obligación de publicidad activa, se requiere del correspondiente soporte. El art. 5.4 de la Ley 19/2013 TBG establece que dicha publicidad se hará efectiva en las correspondientes sedes electrónicas, y de manera clara, estructurada y entendible[19].

---

instrumentos a través de los que, en su caso, se ha publicitado, el número de licitadores que han participado, la identidad del adjudicatario y las modificaciones del contrato.

[19]   Para facilitar el acceso a toda esa información la Administración General del Estado, en aplicación del art. 10 de la LTBG, ha desarrollado el Portal de Transparencia, dependiente del Ministerio de la Presidencia, que contiene información relativa a su ámbito de actuación, disponible en: https://transparencia.gob.es/.
Como complemento a este Portal de Transparencia en el que podemos encontrar información sobre contratos públicos, el art. 347 de la Ley 9/2017 de Contratos del Sector Público regula la Plataforma de Contratos del Sector Público, de ca-

En segundo lugar, en lo que se refiere a la transparencia pública a través del derecho de acceso de cualquier persona a los contenidos o documentos (información pública) que obren en poder de los sujetos a los que resulta de aplicación la Ley 19/2013 de TBG, que tiene su fundamento constitucional en el derecho de acceso de los ciudadanos a los archivos y registros administrativos (art. 105, apdo. b), y al específico procedimiento de acceso que se recoge en dicha ley, hay que tener en cuenta las dos previsiones que se contienen en la Disposición Adicional Primera: a) la aplicación supletoria de la Ley 19/2013 de TBG en aquellas materias que cuenten con una normativa específica de acceso a la información[20]; b) "la normativa reguladora del correspondiente procedimiento administrativo será la aplicable al acceso por parte de quienes tengan la condición de interesados en el procedimiento en curso a los documentos que se integren en el mismo". Esto supone, por lo que ahora nos interesa, que cuando se esté tramitando un procedimiento de contratación pública, el acceso de quienes ostentan la condición de interesados en el mismo a los documentos del expediente de contratación se rige por lo dispuesto en la Ley 9/2017 de CSP.

Dado que la Ley 39/2015 de PACAP dispone quienes ostentan la condición de interesados en el procedimiento e incluso los derechos que les corresponden (entre los que se incluye el derecho a acceder y obtener copia de

---

rácter electrónico, que permite la difusión de los perfiles del contratante de los órganos del sector público; en línea: https://contrataciondelestado.es/wps/portal/perfilContratante.

[20]   En este sentido, el art. 346 de la Ley 9/2017 de CSP regula el Registro de Contratos del Sector Público que depende del Ministerio de Hacienda y Función Pública (actual Ministerio de Hacienda). En este registro se inscriben los contratos adjudicados por los poderes adjudicatarios (identidad del adjudicatario, importe de la adjudicación, modificaciones, prórrogas, variaciones de plazos o precios, importe final y extinción. No obstante, se exceptúan de la inscripción los contratos excluidos por la LCSP y aquellos cuyo precio fuera inferior a 5000 euros, IVA incluido, siempre que el sistema de pago sea el anticipo de caja fija u otro sistema similar. En el resto de contratos inferiores a 5000 euros debe comunicarse el órgano de contratación, denominación u objeto del contrato, adjudicatario, número o código e importe final.

En cuanto al *acceso público*, este se realizará de conformidad con lo dispuesto en la Ley 19/2013 de TBG, con las limitaciones que imponen las normas sobre protección de datos de carácter personal; dicho acceso no procederá respecto de datos de carácter confidencial o que hayan sido previamente publicados de modo telemático o a través de internet (art. 346.5 LCSP).

los documentos contenidos en el expediente)[21], procede analizar la relación y prevalencias aplicativas que se producen entre la Ley 39/2015 PACAP y la Ley 9/2017 de CSP, aspecto al que nos referimos a continuación.

III. Garantías de transparencia en la contratación pública: el procedimiento de contratación

Antes de analizar los elementos de transparencia pública recogidos en la Ley 9/2017 de Contratos del Sector Público, procede que aclaremos la relación que esta normativa mantiene con la Ley 39/2015 PACAP. Y ello máxime cuando la propia Ley 19/2013 de TBG remite a la concreta normativa procedimental la regulación del acceso a la información por parte de los interesados en los procedimientos administrativos que se estén tramitando (Disposición Adicional Primera); a la vez que la Ley 9/2017 CSP dispone que los procedimientos regulados en esta ley se rigen por lo dispuesto en ella y subsidiariamente por la Ley 39/2015 PACAP (Disposición Final Cuarta). En consecuencia, ¿resultan aplicables en materia de contratación pública las previsiones sobre transparencia administrativa (relacionadas con el derecho de acceso a archivos y registros; sobre utilización de medios electrónicos…), e incluso el propio procedimiento administrativo común —como garantía de transparencia en la actuación administrativa— de la Ley 39/2015 PACAP?

1. La relación entre el procedimiento administrativo común y el procedimiento de contratación pública: su incidencia en la transparencia pública

El Tribunal Constitucional ha elaborado una doctrina jurisprudencial sobre la distribución de competencias en materia de procedimiento administrativo común y respecto a los principios y normas que definen dicho procedimiento. Esta doctrina jurisprudencial permite clarificar la relación que existe entre el procedimiento administrativo común y el procedimiento de contratación pública. Se trata de situarnos en la normativa correcta a la hora de determinar el contenido y los efectos que derivan del principio de transparencia pública en materia de contratación. Al respecto hemos de

---

[21]   Arts. 4 y 53.1.a), respectivamente, de la Ley 39/2015, de 1 de octubre, de Procedimiento administrativo común de las Administraciones Públicas.

partir de la pionera STC 227/1988[22], en la que se reconoce la competencia exclusiva del Estado para regular el procedimiento administrativo común, al tiempo que admite que las Comunidades autónomas (CCAA) tienen competencia sobre procedimiento administrativo en aquellas materias en las que ostenten competencia legislativa por razón de la materia, debiendo en todo caso respetar las reglas de procedimiento administrativo común que marque el Estado. Esta misma doctrina se ha reiterado en las sentencias 79/1992, de 28 de mayo, 141/1993, de 22 de abril, 330/1994, de 15 de septiembre, 186/1999, de 14 de octubre, 190/2000, de 13 de julio y 98/2001, de 5 de abril, citadas en la STC 175/2003[23]. También la STC 132/2013[24] se refiere a la competencia autonómica para regular el procedimiento en aquellas materias en las que ostente competencias, aunque respetando las reglas de procedimiento establecidas en la legislación del Estado. Este respeto al modelo o estructura general definido por el Estado —que deben garantizar los procedimientos especiales que aprueben las CCAA por razón de la materia— se erige en elemento que contribuye a que el procedimiento administrativo cumpla su función de "común", como dispone la STC 166/2014[25]. Más recientemente así se ha pronunciado el Tribunal Constitucional en sus sentencias 33/2018 y 55/2018[26].

Pero, ¿cuál es el contenido, cuáles son los trámites que conforman el procedimiento administrativo común? El Tribunal Constitucional viene sosteniendo:

> "[Q]ue el adjetivo "común" que utiliza la Constitución Española lleva a entender que lo que el precepto constitucional ha querido reservar en exclusiva al Estado es la determinación de los principios o normas que, por un lado, definen la estructura general del *iter* procedimental que ha de seguirse para la realización de la actividad jurídica de la Administración y, por otro, prescriben la forma de elaboración, los requisitos de validez y eficacia, los modos de revisión y los medios de ejecución de los actos administrativos, incluyendo señaladamente las garantías generales de los particulares en el seno del procedimiento...". Añade el Tribunal que esos principios o reglas del procedimiento administrativo común, regulados en las leyes generales sobre la materia, deben ser respetados en los pro-

---

[22] STC núm. 222/88, de 29 de noviembre (Pte. D. Jesús Leguina villa, Fj. 32°).

[23] STC núm. 175/2003, de 30 de septiembre (Pte. D. Eugeni Gay Moltalvo, Fj. 10°).

[24] STC núm. 132/2013, de 5 de junio (Pte. D. Ramón Rodríguez Arribas).

[25] STC núm. 166/2014, de 22 de octubre (Pte. D. Ricardo Enriquez Sancho, Fj. 5°), con cita de las Sentencias 188/2001, de 20 de septiembre, Fj. 11; 178/2011, de 8 de noviembre, Fj. 7 y 150/2012, de 5 de julio, Fj. 9.

[26] STC núm. 33/2018, de 12 de abril (Pte: D. Ricardo Enríquez Sancho, Fj. 5, b); y STC núm. 55/2018, de 24 de mayo (Pte. D. Andrés Ollero Tassara).

cedimientos aplicables a la realización de cada tipo de actividad administrativa *ratione materiae* (STC 166/2014)[27].

Con más claridad si cabe, se pronuncia la STC 130/2013[28] que dispone que el propio Tribunal no ha reducido la materia competencial relativa al procedimiento administrativo común a la regulación del procedimiento, entendido en sentido estricto, que ha de seguirse para la realización de la actividad jurídica de la Administración (iniciación, ordenación, instrucción, terminación, ejecución, términos y plazos, recepción y registro de documentos); sino que en esta competencia se han incluido también los principios y normas que prescriben la forma de elaboración de los actos, los requisitos de validez y eficacia; los modos de revisión y los medios de ejecución de los actos, incluyendo señaladamente las garantías generales del procedimiento (STC 227/1988). Sin embargo, sostiene el Tribunal, de ello no puede deducirse que forme parte de esta materia competencial toda regulación que de forma indirecta pueda tener alguna repercusión o incidencia en el procedimiento así entendido o cuyo incumplimiento pueda tener como consecuencia la invalidez del acto (STC 50/1999, Fj. 3°).

En definitiva, para el Tribunal Constitucional el contenido del procedimiento administrativo común lo integran los principios o normas que: a) definen la estructura general del procedimiento que debe seguir la Administración en su actuación; y especialmente el establecimiento de un plazo máximo de resolución, las consecuencias de su incumplimiento y el cómputo de dicho plazo; y b) que determinan la forma de elaboración, la validez y eficacia[29], los modos de revisión y los medios de ejecución de los actos

---

[27] STC 166/2014, de 22 de octubre (Pte. D. Ricardo Enríquez Sancho, FFJJ. 4°, 5°, 6° y 7°). En esta sentencia se reitera la doctrina sentada en las sentencias 227/1988, de 27 de noviembre, fj. 32; 98/2001, de 5 de abril, fj. 8 y 130/2013, de 4 de junio, fj. 7. Este pronunciamiento ha sido posteriormente reiterado en la STC núm. 143/2017 (Pte: Dª Encarnación Roca Trías). También el Tribunal Supremo viene asumiendo esta doctrina constitucional, sirvan como muestra las sentencias de 26 de enero de 2012 (Pte. D. Ángel Aguallo Avilés); de 2 de octubre de 2014 (Pte. D. Antonio Montero Fernández).

[28] STC núm. 130/2013, de 4 de junio (Pte. D. Manuel Aragón Reyes).

[29] Una crítica sobre la inclusión de los requisitos de validez y eficacia de los actos administrativos en la consideración de procedimiento administrativo común, siendo más propiamente aspectos básicos del régimen jurídico de las Administraciones públicas en A. Tardío Pato (2005: 186-187). No compartimos esta posición. ¿Acaso la notificación o la publicación de los actos administrativos podría dejarse a la competencia de desarrollo de las CCAA sin introducir una desmembración de lo que deba entenderse por procedimiento administrativo común?

administrativos; y las garantías de los interesados en el procedimiento administrativo.

Pero la competencia plena y exclusiva del Estado en materia de procedimiento administrativo común, *ex* art. 149.1.18 CE, no queda reducida al citado contenido, sino que la misma se ha visto reforzada por el Alto Tribunal al establecer que el citado artículo constitucional habilita al Estado además para regular procedimientos administrativos *comunes singulares o especiales* (v. gr. subvenciones) y *aspectos básicos o reglas comunes* respecto a los *procedimientos especiales* de competencia autonómica (v.gr. el silencio administrativo en procedimientos urbanísticos o el procedimiento de elaboración de planes urbanísticos)[30].

Al mismo tiempo, y al margen de lo dispuesto *ex* art. 149.1.18 CE, el Estado ostenta competencias respecto a procedimientos especiales por razón de la materia, que pueden calificarse como "comunes"[31] pues resultan aplicables a todas las Comunidades autónomas y resto de Administraciones públicas. Esta competencia estatal para aprobar procedimientos especiales, sin fundamento —al menos exclusivo— en la genérica competencia del art. 149.1.18 CE sobre procedimiento administrativo común[32], se fundamenta en el ejercicio de competencias más específicas por razón de la materia. Así, por ejemplo, en extranjería —art. 149.1.2_; *contratación pública*[33] y expropiación forzosa —art. 149.1.18—; legislación laboral —art. 149.1.7—; régimen aduanero y arancelario —art. 149.1.10—; legislación básica y ré-

---

[30] Al respecto véase, GONZÁLEZ RÍOS, I.: "La vis expansiva del concepto procedimiento administrativo común en nuestros días", en *RAP* núm. 207 (2018, págs. 146 y ss.).

[31] Como procedimientos comunes especiales los califica GAMERO CASADO, E. (Dir.) en *Tratado de Procedimiento administrativo común y régimen jurídico básico del sector público*, Valencia: Tirant lo Blanch, 2017, págs. 171 y ss.

[32] Téngase en cuenta que en materia tributaria, que tradicionalmente se ha venido excluyendo de la aplicación de la legislación de procedimiento administrativo común, el legislador estatal fundamenta sus competencias en dicha materia en las reglas 1ª, 8ª y 14ª del art. 149.1 de la CE; y solo se apoya en el art. 149.1.18ª "en cuanto adapta a las especialidades del ámbito tributario la regulación del procedimiento administrativo común, garantizando a los contribuyentes un tratamiento similar ante todas las Administraciones tributarias" (Exposición de motivos de la Ley 58/2003, de 17 de diciembre, General Tributaria).

[33] Las Resoluciones 632/2018, de 29 de junio y 808/2018, de 14 de septiembre del Tribunal Central de Recursos Contractuales sostienen la prevalencia de la ley 9/2017 de CSP sobre la Ley 39/2015 PCACAP en materia de utilización de medios electrónicos.

gimen económico de la seguridad social —art. 149.1.17—; tráfico y circulación de vehículos a motor —art. 149.1.21— y en materia tributaria).

Entendemos que a estos procedimientos son a los que se refiere la Disposición Adicional Primera de la Ley 39/2015 de PACAP, cuando bajo el título "[E]specialidades por razón de la materia" alude a: a) los procedimientos administrativos especiales regulados en leyes especiales por razón de la materia, que pueden prever trámites adicionales o distintos o no exigir trámites previstos en la Ley 39/2015, rigiéndose en cuanto a dichos trámites por esas leyes especiales[34]; y b) procedimientos en materias concretas que se rigen por su normativa específica, aplicándose supletoriamente la Ley 39/2015, tales como: procedimientos tributarios[35] y en materia aduanera y su régimen de revisión; procedimientos en materia de seguridad social y desempleo; procedimientos sancionadores en materia tributaria, aduanera, en el orden social, en materia de tráfico y seguridad vial y en materia de extranjería; y procedimientos en materia de extranjería y asilo[36]. Materias todas

---

[34] Entendemos que puesto que el Estado permite que estas leyes especiales "no exijan trámites previstos en la Ley 39/2015" se está refiriendo a "leyes estatales", de competencia estatal más específica que la de procedimiento administrativo común. En ningún caso puede aludir a leyes autonómicas porque ello quebraría la doctrina del Tribunal Constitucional sobre el significado del procedimiento administrativo común (que debe ser respetado por las Comunidades autónomas).

[35] El tributario ha sido un ámbito en el que se ha reconocido la competencia estatal ex art. 149.1.18ª CE para regular un procedimiento administrativo común. En este sentido, la sentencia del Tribunal Supremo de 26 de enero de 2012 ha establecido que tanto la CE como la Ley General Tributaria (LGT) y la Ley 30/92, configuran un marco común tributario, asignando a la LGT una función reguladora de todas las Administraciones tributarias, estableciendo los principios y las normas jurídicas generales del sistema tributario español, constituyendo una normativa procedimental común en materia tributaria.
En esta materia puede consultarse también el Auto del Tribunal Supremo de 3 de mayo de 2017 (Pte. D. Vicente Garzón Herrero), que considera cuestión casacional para la formación de Jurisprudencia el determinar: "si se puede prescindir en una norma general tributaria del territorio histórico de Bizkaia y aplicar directamente preceptos de la LGT (Ley 58/2003, de 17 de abril) en el territorio histórico de Bizkaia".
Sobre esta materia puede verse, PONCE SOLÉ J. (2016), "Mecanismos de resolución alternativa de conflictos y su aplicación en el ámbito de la Administración tributaria", en *Las vías administrativas de recurso a debate*, INAP, Madrid, págs. 297-298.

[36] En la STC núm. 171/2013, de 31 de enero (Pte. Sr. Ramón Rodríguez Arribas, Fj. 10) el Gobierno Vasco impugnaba algunas disposiciones de la Ley de Extranjería, entre otras razones por cuanto las mismas suponían una lesión de los derechos o

ellas que cuentan con una legislación especial que establece procedimientos que difieren de las reglas generales previstas en la legislación de procedimiento administrativo común[37]. Estas regulaciones comunes especiales que realiza el Estado en materias específicas no pueden considerarse inconstitucionales por cuanto garantizan el tratamiento común de los ciudadanos ante la Administración pública en dichas materias y, por cuanto —como ha establecido el Tribunal Constitucional— al Estado corresponde determinar el contenido del procedimiento administrativo *común;* así, dicho contenido viene siendo cambiante y mutable en el tiempo tanto en su configuración general (el establecido en la legislación de procedimiento administrativo común) como especial (procedimientos que por razón de la materia pasan a considerarse como comunes especiales, tal es el caso de la materia de tráfico o extranjería).

En lo que a nuestro concreto objeto de estudio respecta procede resaltar la doctrina jurisprudencial sentada por el Tribunal Constitucional según la cual el hecho de ostentar una competencia más específica por razón de la materia, que la competencia sobre procedimiento administrativo común, habilita al Estado para aprobar procedimientos con una regulación propia

---

garantías que la Constitución Española reconoce en el ámbito del procedimiento administrativo; y ello, por exigir la comparecencia personal ante los órganos competentes para su tramitación para presentar solicitudes de residencia y de trabajo. Al respecto el TC toma como parámetro para determinar la constitucionalidad de dicha previsión lo dispuesto en los arts. 9.3, 103 y 149.1.18 CE. Con base en los mismos sostiene que no cabe ningún reproche a que una disposición excepciones para un sector material específico (p. ej. extranjería) determinadas previsiones procedimentales establecidas en la Ley 30/92 RJAPAC, excepción ya contenida en dicha ley; así se dispone que el propio TC ya ha admitido la existencia de previsiones procedimentales *ratione materiae* (STC 175/2003, de 30 de septiembre, y doctrina allí citada).

[37]   De paradójica califica esta decisión del legislador estatal HUERGO LORA, A., "Las leyes 39 y 40/2015. Su ámbito de aplicación y la regulación de los actos administrativos", *El Cronista del Estado social y democrático de Derecho*, núm. 63, 2015, por cuanto en la práctica las CCAA vienen respetando el procedimiento administrativo común, mientras que el propio Estado se desvincula del mismo en ciertos procedimientos. PAREJO ALFONSO, L., "Objeto, ámbito de aplicación y principios generales de la Ley de Régimen Jurídico de las Administraciones públicas y del procedimiento común" en Leguina Villa y Sánchez Morón (Dirs.), *La nueva Ley de Régimen jurídico de las Administraciones públicas y del procedimiento administrativo común*, Madrid: Tecnos, 1993, págs. 30-32, va más allá calificando esta decisión del legislador estatal de inconstitucional por vulnerar el principio de función constitucional tal como ha sido definido por el Tribunal Constitucional.

y específica (sería el caso de los procedimientos de contratación o expropiación forzosa [STC 55/88][38]. Al mismo tiempo, cuando el Estado ostenta una competencia sustantiva básica, la misma también se ha considerado por el Alto Tribunal que le habilita para intervenir en procedimientos administrativos especiales, con ciertas limitaciones (SSTC 45/2015, 53/2017 y 55/2018)[39]. O, dicho en otras palabras, en materias donde el Estado ostente competencia para aprobar la legislación básica y las Comunidades autónomas su desarrollo normativo, el procedimiento administrativo no queda vedado para el Estado, que puede regular aspectos considerados básicos, que se estimen que requieren una regulación común. Atendiendo a esta doctrina del Alto Tribunal, y teniendo en cuenta que el art. 149.1.18 CE atribuye al Estado la competencia exclusiva para regular "la legislación básica sobre contratos…", podemos concluir que el procedimiento de contratación administrativa cuenta con una regulación básica del Estado específica en la Ley 9/2017 de CSP; no resultando de aplicación el procedimiento más genérico y abstracto previsto en la Ley 39/2015. De lo que se deduce que el significado del principio de transparencia administrativa en la contratación pública hemos de localizarlo, además de en las previsiones ya analizadas de la Ley 19/2013 de TBG, en la legislación específica de contratación pública. El principio de transparencia pública, entendido como "publicidad activa", como "acceso a la información pública" y como "buen gobierno" —según su configuración en la Ley 19/2013 TBG— hemos de precisarlo con lo dispuesto en la legislación de contratación pública. En la misma, esa

---

[38]   La STC núm. 55/2018, de 24 de mayo (Pte. D. Andrés Ollero Tassara) sostiene que: "Se sitúan extramuros del título "procedimiento administrativo común" (art. 149.1.18 CE) las regulaciones que, aun aplicables a clases enteras de procedimientos, se han adoptado en ejercicio de una competencia estatal más específica. Es el caso, por ejemplo, de los procedimientos de preparación y adjudicación de contratos públicos o de expropiación forzosa; respecto de estos el Estado cuenta con competencias normativas de diverso alcance en materia de contratación administrativa (art. 149.1.18 CE; STC 237/2015, de 19 de noviembre, FJ 7) y expropiación forzosa (art. 149.1.18 CE; STC 251/2006, de 25 de julio, FJ 5), respectivamente".

[39]   STC núm. 53/2017, de 11 de mayo (Pte. D. Antonio Narváez Rodríguez). En el mismo sentido, la STC núm. 55/2018, de 24 de mayo (Pte. D. Andrés Ollero Tassara), en la que se dispone: "No obstante, las bases de una materia «pueden alcanzar algún aspecto de estos procedimientos especiales si imponen criterios directamente vinculados a los objetivos sustantivos» de esa legislación básica, «sin descender a la previsión de trámites de pura gestión; las normas ordinarias de tramitación no pueden considerarse básicas» [STC 54/2017, FJ 7 b), refiriéndose a la legislación básica, en general; y las SSTC 45/2015, FJ 6 c), 53/2017, de 17 de mayo, FFJJ 3 y 5 b), y 143/2017, FJ 23, refiriéndose a las «bases medioambientales», en particular]".

transparencia se concreta en obligaciones para el sector público contratante que van orientadas a la ciudadanía en general, y más concretamente, a los interesados en los procedimientos de contratación.

La relación existente entre la legislación de contratos del sector público y la legislación de procedimiento administrativo común no ha sido una cuestión ajena a la doctrina científica[40] ni a la jurisprudencia del Tribunal Supremo. Recientemente en la STS de 21 de mayo de 2019, el Alto Tribunal sostiene que en aquellos aspectos de la regulación contractual que carezcan de un procedimiento específico y diferenciado no procede la aplicación supletoria de la legislación de procedimiento administrativo común[41]. A las

---

[40]   Sobre esta materia, vid, MARTÍN DELGADO, I., "Contratación pública y procedimiento administrativo común: una reflexión general sobre el uso obligado de los medios electrónicos en los procedimientos de contratación", en *Contratación administrativa práctica: revista de la contratación administrativa y de los contratistas*, núm. 147 (2017, págs. 10-17); GIL CONDÓN, M. A., "La nueva regulación del procedimiento administrativo y su proyección e incidencia en los procedimientos en materia de contratación", en Gimeno Feliú, J. M., *Estudio Sistemático de la Ley de Contratos del Sector Público*, Thomson Reuters Aranzadi, Pamplona, 2018.

[41]   La STS de 21 de mayo de 2019 (Pte. José Luis Requero Ibáñez) resuelve un recurso de casación en el que se plantea si ante la falta de previsión en la LCSP de 2007 de un procedimiento para imponer penalidades en caso de incumplimiento de un contrato resulta o no aplicable lo dispuesto en la legislación de procedimiento administrativo común (más concretamente respecto a la caducidad del procedimiento, o si se trata de un acto administrativo de trámite del procedimiento de ejecución contractual). Al respecto la Sala estima que la imposición de penalidades por incumplimiento contractual no está sujeta a plazo de caducidad, por un lado, porque esas penalidades no responden al ejercicio de la potestad sancionadora, por lo que no se sigue un procedimiento sancionador, ni este se aplica supletoriamente; y por otro lado, dicha penalidad pretende reaccionar ante incumplimientos del contratista y "carece de una vocación sancionadora en sentido estricto, y se configura como una suerte de cláusula penal contractual...cuya razón radica en el interés público que se satisface con el contrato...". Además, añade el Tribunal "[E]n lo procedimental la imposición de penalidades se ubica sistemáticamente en la LCSP...en sede de ejecución contractual, sin que se prevea para su ejercicio un procedimiento específico y diferenciado, lo que no es el caso de esos otros supuestos del art. 194 de la LCSP de 2007...". Ello no supone una imposición de plano pues la citada legislación contiene una regulación mínima al respecto. Se concluye por el Tribunal que la regulación mínima que sobre imposición de penalidades contiene la LCSP agota la regulación y "no precisa, por tanto, la aplicación supletoria de la Ley 30/92...". En definitiva, acaba afirmando el Alto Tribunal que en la imposición de penalidades contractuales al amparo del vigente art. 194.2 de la Ley 9/2017 no son aplicables las previsiones sobre caducidad del procedimiento de la legislación de procedimiento administrativo común.

razones que aporta el Tribunal, orientadas a la existencia de una mínima regulación en la legislación especial de contratación, sería oportuno añadir su doctrina sobre la distribución de competencias en materia procedimental más arriba analizada.

El carácter común especial del procedimiento de contratación pública, que obliga a ceñir las exigencias sobre transparencia pública en la contratación a lo dispuesto en la Ley 9/2017, no es óbice para que esta se remita en aspectos puntuales de dicho procedimiento a la aplicación de la Ley 39/2015 (tal es el caso de las causas de nulidad y anulabilidad del contrato —arts. 39 y 40—; revisión de oficio de los actos preparatorios y de adjudicación del contrato y en la suspensión en la ejecución de actos de los órganos de contratación —art. 41—; impugnación de actos de contratación no susceptibles de recurso especial o procedentes de entidades sin consideración de poder adjudicador —arts. 44.6 y 321.5—; lugares de presentación del recurso especial y su tramitación —arts. 51.3 y 56.1—. Es más, la declaración de aplicación subsidiaria de la Ley 39/2015 respecto a los procedimientos regulados en la Ley 9/2017 CSP[42] obliga a entender que solo son aplicables en defecto de regulación específica en esta ley; no para completar o pormenorizar una regulación más escueta y específica de la propia legislación de contratos.

2. El significado y alcance del principio de transparencia en la contratación del sector público

A) La transparencia en la contratación pública como garantía del Mercado Único

El principio de transparencia en la contratación pública no aparece referenciado en las Directivas comunitarias de contratación pública de la década de los 70 ni de los 90[43]. Su falta de plasmación normativa se va a ir

---

[42] La Disposición Final Cuarta de la Ley 9/2017 dispone, en su apartado primero: "Los procedimientos regulados en esta Ley se regirán, en primer término, por los preceptos contenidos en ella y en sus normas de desarrollo y, subsidiariamente, por los establecidos en la Ley 39/2015, de 1 de octubre, del Procedimiento Administrativo Común de las Administraciones Públicas, y en sus normas complementarias".

[43] Así lo demuestra el hecho que de que la Directiva 71/305/CEE, del Consejo, de 26 de julio de 1971 sobre Coordinación de los procedimientos de adjudicación de los contratos públicos de obras, no contuviera ninguna referencia al término; y que la Directiva 77/62/CEE, del Consejo, de 21 de diciembre de 1976, de Coordinación

paliando cuando se empieza a ahondar en la implantación del mercado único de la UE, y se ve la necesidad de incidir en la contratación pública. En esta línea, la primera Directiva comunitaria que generosamente se refiere al citado principio es la Directiva 2004/18/CE, del Parlamento Europeo y del Consejo, de 31 de marzo de 2004, sobre Coordinación de los procedimientos de adjudicación de contratos públicos de obras, de suministros y de servicios[44]; y lo hace como principio derivado —junto a los principios de igualdad de trato, no discriminación, de reconocimiento mutuo y de proporcionalidad— de los principios de libre circulación de mercancías, libertad de establecimiento y libre prestación de servicios que inspiran la UE[45]. Más concretamente, dicho principio de transparencia se exige respecto de los procedimientos de adjudicación del contrato (considerandos 2º y 46º, art. 2 y Capítulo VI del Título I, intitulado "Normas de publicidad y transparencia"); en los procedimientos de compra electrónica (considerando 12º); en la subasta electrónica (considerando 14º); en cuanto al uso de las tecnologías de la información y las comunicaciones, especialmente, en la publicidad del contrato y en su adjudicación (considerando 35) y en la selección del contratista (considerando 39).

Siguiendo la línea emprendida por la Directiva 2004/18/CE, las vigentes Directivas comunitarias sobre contratación pública resaltan el principio de

---

de los procedimientos de adjudicación de los contratos de suministros, se refiriera de forma absolutamente tangencial a la transparencia, al prever que el establecimiento de idénticas condiciones de participación en los contratos de suministros públicos a nivel comunitario garantiza la transparencia y con ella el control del respeto a la libre circulación de mercancías (considerando 2º). Por su parte, el término transparencia no es utilizado por la Directiva 92/50/CEE, del Consejo de 18 de junio de 1992, sobre Coordinación de los procedimientos de adjudicación de los contratos públicos de servicios, orientada a la adopción de medidas para la implantación progresiva del mercado interior en el que se garantice la libre circulación de mercancías, personas, servicios y capitales; ni por la Directiva 93/36/CEE del Consejo, de 14 de junio de 1993, sobre Coordinación de los procedimientos de adjudicación de contratos públicos de suministros; ni tampoco por la Directiva 93/37/CEE del Consejo de 14 de junio de 193, sobre coordinación de los procedimientos de adjudicación de los contratos públicos de obras.

[44] En términos prácticamente idénticos se pronunciaba la Directiva 2004/17/CE del Parlamento Europeo y del Consejo, de 31 de marzo de 2004, sobre la Coordinación de los procedimientos de adjudicación en los sectores del agua, de la energía, de los transportes y de los servicios postales.

[45] Considerando 2º de la Directiva 2004/18/CE, del Parlamento Europeo y del Consejo, de 31 de marzo de 2004, sobre Coordinación de los procedimientos de adjudicación de contratos públicos de obras, de suministros y de servicios.

transparencia como uno de los que permiten satisfacer las libertades plasmadas en el TFUE. Así, la importancia de la transparencia en la contratación pública queda patente en la Directiva 2014/24/CE, sobre contratación pública, que se refiere a ella en su primer considerando como uno de los principios que deben respetar las autoridades competentes en la adjudicación de los contratos[46]. La UE, consciente de la influencia que tiene la contratación pública en la libre circulación de mercancías, en la libertad de establecimiento y libre prestación de servicios impone que la adjudicación de los contratos se realice de forma transparente con el objeto de que la misma se abra a la competencia. El Preámbulo de esta Directiva se encuentra jalonado de expresas referencias al principio de transparencia en las diferentes fases de la contratación pública[47], lo que a su vez tiene su correspondiente reflejo en el articulado de la norma[48]. Especial importancia

---

[46] Sobre la relevancia de los principios de transparencia, igualdad de trato, objetividad, imparcialidad o equidad en la conformación de un derecho administrativo global en materia de contratación pública, véase: RODRÍGUEZ ARANA, J., "Los principios del derecho global de la contratación pública", en *REDA* núm. 179 (2016, págs. 29-54).

[47] Pero no van a ser estas las únicas referencias que realice la Directiva 2014/24/CE, del Parlamento Europeo y del Consejo, de 26 de febrero de 2014, sobre Contratación Pública, a la transparencia. La necesidad de su observancia en los procedimientos de licitación para evitar el "oscurantismo" y, a la postre, la arbitrariedad, lleva al legislador comunitario a reivindicarla en los procedimientos de licitación con negociación (considerando 45); en el uso de medios de información y comunicación electrónicos, como métodos de comunicación e intercambio de información; en las comunicaciones orales con los operadores económicos previas a la valoración de las ofertas (considerando 58); en las agregaciones de la demanda que realicen los compradores públicos para obtener ventajas de las economías de escala (considerando 59); en los acuerdos marco de contratación (considerando 61); en la compra electrónica (considerando 68); en las normas de contratación conjunta transfronteriza (considerando 73); en la tramitación de los procedimientos, respecto de las decisiones que vaya adoptando el poder adjudicador, respecto de los interesados (considerando 82); en la adjudicación del contrato (considerando 90); en la subcontratación pública (considerando 105); en las resoluciones del contrato por deficiencias en su ejecución (considerando 110); en los contratos de servicios a personas (considerando 114); en el acceso a los documentos de las personas interesadas en el procedimiento (considerando 126).

[48] Al término transparencia se refiere la Directiva 2014/24/UE como principio de actuación de los poderes adjudicadores (art. 18); como límite a las consultas preliminares del mercado antes de iniciar el procedimiento de contratación (art. 40); como exigencia en los procedimientos en los que se otorgue una etiqueta que acredite características de tipo medioambiental, social u otro en obras, suministros o servi-

en la determinación del concepto, a falta de una concreta definición en el texto de la Directiva, resulta el Título II, referido a las "[N]ormas aplicables a los contratos públicos", cuyo Capítulo III, titulado "[D]esarrollo del procedimiento" contiene una Sección 2ª dedicada a la "[P]ublicación y transparencia" (arts. 45 a 55). Centrándonos en esta Sección 2ª, en la misma se contiene, por un lado, la regulación de la publicidad (anuncios de información previa a la contratación; de licitación; de adjudicación del contrato; y los criterios de publicación a nivel nacional de los citados anuncios), lo que entendemos forma parte de la llamada publicidad activa, a la que alude nuestra legislación interna sobre transparencia pública y que repercute sin lugar a dudas en una mayor visibilidad de la contratación pública; y por otro lado, medidas relacionadas con el acceso a la información sobre el contrato. Entre estas se incluyen: a) la obligación de los poderes adjudicadores de facilitar el acceso libre, directo, completo y gratuito a los pliegos de contratación, a través de medios electrónicos, con los requisitos y límites que establece el art. 53.1; igualmente facilitar información adicional sobre los pliegos de contratación o cualquier documentación complementaria siempre que se solicite previamente a la fecha límite de recepción de las ofertas (art. 53.2); b) la invitación a los candidatos en aquellos procedimientos que no sean abiertos (restringidos, de diálogo competitivo, asociaciones para la innovación, de licitación con negociación), con indicación de la dirección electrónica donde pueden consultarse los pliegos de contratación (art. 54); c) la comunicación a los candidatos y licitadores de las decisiones tomadas en torno a la celebración de un acuerdo marco, a la adjudicación del contrato, a la admisión a un sistema dinámico de adquisición (art. 55.1).

En la misma línea, la Directiva 2014/23/CE, relativa a la adjudicación de Contratos de concesión también contiene importantes alusiones a la transparencia en este tipo de contratos. Especialmente relevante resulta el art. 3 por cuanto consagra el principio de igualdad de trato, no discriminación y transparencia, en el que se vuelve a incidir en la necesidad de que los poderes adjudicadores den un trato igualitario y no discriminatorio a los operadores económicos y actúen de "forma transparente y proporcionada"; a su vez, fija como objetivo de los poderes adjudicadores "garantizar la transparencia del procedimiento de adjudicación y de la ejecución del contrato" respetando al mismo tiempo los deberes de confidencialidad[49]. Dicha actua-

---

cios (art. 43.1.c); como principio a tener en cuenta en la selección y adjudicación del contrato (arts. 56 y 76).

[49] El art. 28 de la Directiva 2014/23/CE, del Parlamento Europeo y del Consejo, de 26 de febrero de 2014, relativa a la adjudicación de los contratos de concesión, se

ción transparente en el procedimiento de adjudicación de las concesiones se hace efectiva a través del anuncio de la concesión (art. 31); del anuncio de la adjudicación (art. 32); del acceso electrónico a los documentos relativos a las concesiones (art. 34); de la exigencia a los poderes adjudicadores para que tomen medidas contra el fraude, el favoritismo y para luchar contra los conflictos de interés (art. 35)[50]; imponiendo garantías procedimentales de transparencia en la determinación de: a) las especificaciones técnicas y funcionales de las obras y servicios objeto de concesión, con el objeto de no restringir la competencia (art. 36); y b) los criterios de adjudicación de la concesión (art. 37 y 41).

Completando el marco normativo de la UE en materia de transparencia en la contratación pública, la Directiva 2014/25/CE relativa a la Contratación por entidades que operan en los sectores del agua, la energía, los transportes y los servicios postales, de forma homóloga a la Directiva 2014/23/CE, contiene continuas referencias a la transparencia en este tipo de contratos. Su Título II, relativo a las normas aplicables a los contratos, en su Capítulo III dedicado al desarrollo del procedimiento de contratación, incluye la Sección 2ª sobre "Publicación y transparencia" (arts. 67-75) con similar contenido al previsto en la Directiva 2014/23/CE.

Como en otros ámbitos normativos, la transparencia en la contratación pública ha venido exigiéndose por el Tribunal de Justicia de la Unión Europea, incluso antes de su plasmación normativa, como garantía de la apertura a la competencia y a la libre concurrencia de la contratación (SSTJUE de 12 de septiembre de 2000 y de 7 de diciembre de 2000); también ha sido concebida con antídoto de la corrupción y de la arbitrariedad (STJUE de 12 de marzo de 2008)[51].

---

refiere a esos deberes de confidencialidad respecto a la información facilitada por los operadores económicos que estos designen como confidencial, a salvo de las obligaciones relativas a la publicidad de los contratos de concesión adjudicados y de la información que debe facilitarse a candidatos y licitadores.

[50] La doctrina científica sobre las medidas de lucha contra la corrupción en la contratación pública viene siendo vasta en los últimos años. Por todos puede consultarse: CERRILLO I MARTÍNEZ, A., *El principio de integridad en la contratación pública: mecanismos para la prevención de los conflictos de intereses y la lucha contra la corrupción*, Thomson-Reuter Aranzadi, Pamplona, 2014.

[51] Sobre esta línea jurisprudencial puede verse: CERRILLO I MARTÍNEZ, A. "Contratación electrónica y transparencia: fundamentos necesarios de la contratación abierta", en *Cuadernos de Derecho Local* núm. 48 (2018, págs. 121 y ss.).

En definitiva, la Unión Europea relaciona la transparencia en la contratación pública con la libertad de circulación (de mercancías, servicios, capitales y personas); y tiene como objetivo garantizar la libre competencia y concurrencia en dicho sector, como mecanismo para el establecimiento del Mercado Único. Dicha transparencia se hace efectiva mediante medidas como la publicidad de las actuaciones contractuales y la garantía del acceso electrónico al procedimiento de contratación.

B) La transparencia como principio vertebrador de la contratación pública en España

La transposición al Derecho interno de las Directivas 2014/23/CE y 2014/24/CE a través de la Ley 9/2017 de Contratos del Sector Público (LCSP) nos permite profundizar en las obligaciones de transparencia pública que se exigen en el Derecho interno español. Sin perjuicio de las obligaciones de publicidad activa relativa a los contratos y del genérico derecho de acceso a la información pública que regula la Ley 19/2013 TBG —como elementos configuradores de la transparencia pública—, la concreción de qué deba entenderse por la citada transparencia en la contratación pública hemos de buscarla en la Ley 9/2017 de CSP[52]. El Preámbulo de esta norma señala los dos objetivos que se marca la norma, uno, "lograr una mayor transparencia en la contratación pública"[53], y dos, "conseguir una mejor relación calidad-precio". La transparencia, pues, objetivo de la normativa de contratación pública, a la vez que motivo, junto a la transposición de las citadas Directivas comunitarias, para la nueva regulación. Entre la variedad de fines que recoge el art. 1 de la Ley 9/2017 CSP (garantizar principios como la libertad de acceso a las licitaciones, la no discriminación e igualdad de trato a los licitadores, el principio de integridad; la estabilidad presupuestaria y control del gasto; la salvaguarda de la libre competencia;

---

[52] Entre otros, GIMENO FELIÚ, J. M., "La nueva Ley de Contratos del Sector Público: hacia un modelo de contratación pública transparente", en *Contratación administrativa práctica: revista de la contratación administrativa y de los contratistas*, núm. 153, (2018, págs. 34 y ss.).

[53] Según el propio Preámbulo de la Ley 9/2017 CSP, la transparencia pública va más allá de la contratación pública, haciéndose extensiva a los supuestos en los que los poderes públicos decidan prestar servicios a las personas (sanitarios, educativos...) al margen del contrato público, otorgando licencias o autorizaciones a los operadores económicos que cumplan una serie de requisitos fijados por el poder adjudicador.

selección de la oferta más ventajosa; incorporación de criterios sociales y medioambientales; acceso a la contratación de pymes...) se incluye el "principio de publicidad y transparencia de los procedimientos"[54].

Podemos decir que la transparencia en la contratación pública se erige en uno de los objetivos que pretende alcanzar el legislador de 2017 y, en consecuencia se concibe como algo a alcanzar, un logro a conseguir con el tiempo; y de forma más concreta es un principio básico en la consecución de los fines que se pretenden alcanzar. Muestra de la transparencia en la contratación pública la constituyen las obligaciones asociadas a la publicación electrónica del Perfil del Contratante; al fomento de la contratación electrónica; a la inscripción registral de los contratos; elementos que podemos considerar transversales a todo procedimiento de contratación pública y que de hecho se reiteran a lo largo del articulado de la Ley 9/2017 CSP. Junto a ellos nos referiremos a las concretas exigencias de transparencia pública insertas en el procedimiento de contratación.

Por lo que respecta al primer aspecto, de especial interés resulta la regulación de la figura del Perfil del Contratante, que como señala el Preámbulo de la Ley cumple "un papel principal como instrumento de publicidad de los distintos actos y fases de la tramitación de los contratos de cada entidad". Como indica el art. 63.1 LCSP, la publicidad a través de internet del perfil del contratante (que agrupa información y documentos sobre su actividad contractual) tiene por objeto asegurar la "transparencia y el acceso público a los mismos".

Este acceso será libre y estará accesible durante un periodo no inferior a 5 años. Este ejemplo de publicidad activa en materia de contratación pública se refuerza con la posibilidad de acceder a expedientes anteriores a los últimos 5 años mediante solicitud de información. El principio de transparencia se hace efectivo a través de la difusión de "cualesquiera datos y documentos" de la actividad contractual, y en todo caso, la información general para relacionarse con el órgano de contratación (puntos de contacto, números de teléfono y fax, dirección postal, dirección electrónica), informaciones, anuncios y documentos generales, y la información particu-

---

54 Sobre la publicidad y la transparencia en el procedimiento de contratación, entre otros: GONZÁLEZ-VARAS IBÁÑEZ, S., "El particular entendimiento de la publicidad y de la transparencia en fase de licitación", en *Contratación Administrativa Práctica: Revista del a contratación administrativa y de los contratistas*, núm. 142 (2016, págs. 22 y ss.).

lar sobre los contratos que celebre[55]; la decisión de no adjudicar o celebrar el contrato; la interposición de recursos...Del conjunto de información y documentos que deben publicarse en el Perfil del Contratante merece especial atención la necesidad de indicar el cargo de los miembros de las Mesas de contratación y Comités de expertos, sin que sirvan alusiones genéricas o indeterminadas; como técnica que contribuye no solo a la transparencia sino a evitar la corrupción[56] y que se produzcan conflictos de interés; que pudiera comprometer la imparcialidad en el procedimiento de licitación.

Respecto al fomento de la contratación electrónica, la cual viene a garantizar la difusión del Perfil del contratante, elemento clave en la transparencia en la contratación pública, se crea la Plataforma de Contratación del Sector Público —PCSP— (art. 347)[57] que, dependiente de la Dirección General del Patrimonio del Ministerio de Hacienda y Función Pública, debe ponerse a disposición de todos los órganos de contratación del sector público. Las Comunidades autónomas y las Ciudades Autónomas de Ceuta y Melilla pueden establecer servicios de información similares, lo que no les exime de publicar en la PCSP la convocatoria de todas las licitaciones y comunicaciones[58].

A la transparencia en la contratación pública también contribuye la regulación en los arts. 346 y siguientes de la LCSP del Registro de Contratos del Sector Público, que se concibe como "sitio oficial central de información

---

[55] En cuanto a la información particular relativa a los contratos que celebre debe publicarse: la memoria justificativa del contrato, la justificación del procedimiento utilizado para su adjudicación si no se utiliza el procedimiento abierto o el restringido, el pliego de cláusulas administrativas particulares y el de prescripciones técnicas; el documento de aprobación del expediente; el objeto detallado del contrato, su duración y presupuesto de licitación; los anuncios de información previa, la convocatoria de licitaciones, de adjudicación, etc (art. 63.3).

[56] MELLADO RUIZ, L., "Contratación pública y corrupción: a la búsqueda de la regeneración democrática mediante la transparencia", en Gómez Rivero y Barrero Ortega (Dirs), *Regeneración democrática y estrategias penales en la lucha contra la corrupción*, Tirant lo Blanch, Valencia, 2017, págs. 209-252.

[57] A la Plataforma de Contratación del Sector Público y a las Plataformas de contratación que utilizan algunas Comunidades Autónomas se encuentran disponibles en: https://contrataciondelestado.es/wps/portal/plataforma.

[58] Sobre la práctica de notificaciones y comunicaciones por medios electrónicos, vid, la Disposición Adicional Decimoquinta y Disposición Adicional Decimosexta. CERRILLO I MARTÍNEZ, A., "Datos masivos y datos abiertos para una gobernanza inteligente", en *El Profesional de la Información*, núm. 5 (2018, págs. 1118-1135), anuda el avance de la gobernanza inteligente a la disposición de datos de calidad y a su fácil utilización.

sobre la contratación pública en España", en el que se registran todos los contratos adjudicados, debiendo comunicarse para ello los datos relativos a los contratos por importe igual o superior a 5000 euros. Depende del Ministerio de Hacienda y Función Pública (actual Ministerio de Hacienda). Además de garantizar la publicidad activa de los contratos, sirve a la publicidad pasiva o derecho de acceso público a los datos que no tengan carácter de confidenciales y que no hayan sido previamente publicados de modo electrónico y a través de internet[59].

Veamos de forma pormenorizada cómo se plasma normativamente la exigencia de transparencia en la contratación pública. La regulación más detallada y exigente en esta materia se centra en los contratos que celebran las Administraciones públicas[60] regulados en el Libro Segundo, Título I, y afecta a toda la vida del contrato, desde la preparación y adjudicación hasta la fase de ejecución y extinción[61]. En la preparación del contrato, las consultas preliminares a los operadores económicos deben realizarse sin falsear la competencia o vulnerar los principios de no discriminación y de transparencia (art. 115.2 LCSP). Como garantía de esa transparencia, el órgano de contratación debe hacer constar las consultas y demás actuaciones realizadas en un informe, que formará parte del expediente de contratación y al que debe darse publicidad en el Perfil del Contratante del órgano de contratación (art. 115.3 LCSP). Tampoco es ajena la exigencia de transparencia administrativa por lo que respecta al expediente de contratación. La resolución motivada por el órgano de contratación, por la que se aprueba el citado expediente, y que conlleva la apertura del procedimiento de ad-

---

[59]   En esta materia puede verse: ORTEGA CARBALLO, C., "Los registros administrativos como instrumentos de publicidad y transparencia en la gestión de la contratación pública", en *DA* núm. 274-275, (2006, págs. 93 y ss.).

[60]   El principio de transparencia también debe presidir la aprobación de instrucciones en las que, las entidades del sector público que no tengan carácter de poderes adjudicadores, regulen los procedimientos de contratación. Dichas instrucciones además de ponerse a disposición de todos los interesados en los procedimientos de adjudicación de los contratos que regulen, han de publicarse en el Perfil del Contratante de la entidad (art. 321 LCSP).

[61]   Como ha sostenido MORENO MOLINA, J. A., "Los principios generales de la LCSP 2017" en *Revista del Gabinete Jurídico de Castilla-La Mancha*, núm. Extra 1, (2019, pág. 26), para el TJUE los principios generales de la contratación pública "son el fundamento de toda normativa pública sobre contratación y se caracteriza por su transversalidad, ya que alcanzan y se manifiestan en todas las fases contractuales, preparatorias y ejecutorias".

judicación, debe ser objeto de publicación en el Perfil del Contratante (art. 117.1)[62].

Por lo que respecta a la transparencia en la adjudicación de los contratos de las Administraciones públicas, lo más destacado es la previsión del principio de transparencia, junto al de igualdad y libre competencia, como principio que debe regir la actuación de los órganos de contratación en su relación con los licitadores y candidatos (art. 132.1 LCSP)[63]. De forma más concreta, el principio de transparencia debe tenerse en cuenta al establecer los criterios de adjudicación del contrato, que figuran en el pliego de cláusulas administrativas particulares y en el anuncio de licitación. Sin embargo, no se aclara qué elementos o características configuran dicho principio, si bien el hecho de que el legislador establezca que los criterios de adjudicación "no conferirán al órgano de contratación una libertad de decisión ilimitada" (art. 145.5 LCSP), parece indicar que el principio de transparencia se orienta a limitar la discrecionalidad en el establecimiento de los criterios de adjudicación.

Pero la transparencia en la adjudicación no solo constituye un principio de actuación, sino que conlleva obligaciones más concretas relacionadas con la publicidad. En primer lugar, la publicación del anuncio de información previa (de carácter potestativo, para dar a conocer los contratos sujetos a regulación armonizada que tengan proyectado adjudicar —art. 134 LCSP—) y del anuncio de licitación para la adjudicación de contratos de las Administraciones públicas en el Perfil del Contratante (art. 135 LCSP)[64]. En

---

[62]   Tratándose de contratos menores el expediente de contratación debe realizarse al menos trimestralmente, debiendo publicarse en el Perfil del Contratante al menos su objeto, duración, importe de adjudicación, el adjudicatario; se exceptúan de esta publicidad los contratos por valor estimado inferior a 5000 euros, siempre que el sistema de pago fuera el anticipo de caja u otro sistema similar (arts. 63.4 y 118.4 LCSP). Esta última excepción abre la puerta a la quiebra de la transparencia en los contratos públicos.

[63]   Sobre los principios que rigen la contratación pública: RAZQUIN LIZARRAGA, M. Mª, "Los principios generales de las contratación pública" en GAMERO CASADO, E. y GALLEGO CÓRCOLES, I. (Dirs), *Tratado de Contratos del Sector Público*, Tirant lo Blanch, Valencia, 2018, págs. 195-208; MORENO MOLINA, J. A., "Novedades en relación con los principios generales de la contratación pública" en el *Consultor de los Ayuntamientos y de los juzgados: Revista técnica especializada en administración local y justicia municipal*, núm. 23, (2017, págs. 2799-2811).

[64]   Publicados también en el BOE cuando se trate de contratos celebrados por la Administración General del Estado o entidades vinculadas, y en el Diario Oficial de la Unión Europea (DOUE) cuando sean contratos sujetos a regulación armonizada.

segundo lugar, la publicación en el Perfil del Contratante, por un lado, de la resolución de adjudicación (que debe contener los candidatos descartados y los excluidos y su justificación; el nombre de los adjudicatarios y características y ventajas de su proposición) —art. 151 LCSP—, publicación que debe acompañarse con la comunicación a candidatos y licitadores de las decisiones tomadas en orden a la adjudicación del contrato —art. 155.1 LCSP—; y por otro lado, de la formalización del contrato, aunque excepcionalmente se permite no publicar determinados datos de celebración del contrato[65]. La amplitud y laxitud, en algunos casos, de los supuestos en los que el órgano de contratación puede decidir la no publicación de datos contractuales (cuando se pueda obstaculizar la aplicación de una norma; resulte contrario al interés público; perjudique intereses comerciales legítimos o la competencia; en contratos declarados secretos o reservados o cuya ejecución deba ir acompañada de medidas de seguridad especiales, etc) muestra la "debilidad" de la transparencia en la contratación pública y el conflicto siempre latente entre la transparencia y la protección de datos contractuales[66].

Como manifestación del derecho de acceso a la información pública, el art. 138 LCSP recoge el acceso libre, directo, completo y gratuito a los pliegos y demás documentación complementaria, a través del Perfil del Contratante, desde la fecha de publicación del anuncio de licitación o desde el envío de la invitación a los candidatos seleccionados. Excepcionalmente, el acceso podrá no ser electrónico (cuando circunstancias técnicas lo impidan; por razones de confidencialidad, por motivos excepcionales de seguridad en concesiones de obras y servicios). Además, los candidatos y licitadores descartados tienen derecho a acceder a la información relativa a los motivos de la decisión, y los licitadores que hayan presentado una oferta admisible

---

[65]   El art. 154 LCSP permite en supuestos tasados previstos en su apartado 7º, no publicar determinados datos de celebración del contrato exigiéndose un previo informe del Consejo de Transparencia y Buen Gobierno sobre si prevalece el derecho de acceso a la información pública o no sobre los bienes que se tratan de salvaguardar con la no publicación.

[66]   Al principio de confidencialidad se ha referido, entre otros: RAZQUIN LIZARRAGA, M. Mª, "El principio de confidencialidad en la contratación pública"…, *op. cit.*, págs. 1615 y ss. Algunas reflexiones sobre la conciliación entre la transparencia y la protección de datos, en MEDINA GUERRERO, M., "La transparencia y la protección de datos en la encrucijada", en *Revista Española de Transparencia* núm. 6 (2018, págs. 33-36).

a conocer las ventajas y características de la oferta seleccionada (art. 155. 2 LCSP)[67].

Ese principio de transparencia, que como hemos visto se hace efectivo en la obligación de dar publicidad a la adjudicación y a la información que debe darse a candidatos y licitadores, se encuentra limitado por la exigencia de confidencialidad, que conlleva la no difusión por los órganos de contratación de aspectos declarados confidenciales por los empresarios (secretos técnicos o comerciales; aspectos confidenciales de las ofertas…)[68].

También en la regulación de los procedimientos de adjudicación del contrato[69] (procedimiento abierto, procedimiento abierto simplificado, procedimiento restringido, procedimientos con negociación, procedimiento negociado sin publicidad…) podemos resaltar como aspecto relacionado con la transparencia pública la posibilidad de los licitadores que hayan presentado una oferta admisible de solicitar por escrito que se les comunique el desarrollo de las negociaciones, debiendo facilitarse esa información, sin perjuicio de no comunicar datos que se consideren confidenciales (art. 171, que reitera lo dispuesto en el art. 155.1.d) de la LCSP). A su vez, los límites que impone el legislador a la utilización del procedimiento negociado sin publicidad en contratos no sujetos a regulación armonizada por poderes adjudicadores que no sean Administración pública, refuerzan la transparencia en la contratación pública. Así, el art. 318.2 LCSP no admite su empleo en contratos de obras, concesiones de obras y servicios cuyo valor estimado sea inferior a 5.548. 000 euros e igual o superior a 40.000 euros, y en contratos de servicios y suministros de valor estimado inferior a 221.000 euros y superior a 15.000 euros.

Más escuetas resultan las referencias a la transparencia pública en lo relativo a la ejecución y extinción del contrato. Al margen de la publicación en el Perfil del Contratante de aspectos relevantes relacionados con estas

---

[67]   También la comunicación a los licitadores o candidatos de datos relativos a la celebración del contrato puede no llevarse a cabo por varias razones (cuando la divulgación pueda obstaculizar la aplicación de la ley, ser contraria al interés público, perjudicar los intereses comerciales legítimos o la competencia leal entre empresarios) —art. 155.3 LCSP—.

[68]   Dicha confidencialidad no puede extenderse a todo el contenido de la oferta del adjudicatario ni a los documentos que sean públicamente accesibles. Ese deber de confidencialidad estará limitado en el tiempo, durante 5 años desde el conocimiento de la información, salvo que los pliegos o el contrato establezcan un plazo mayor (art. 133 LCSP).

[69]   Arts. 156 y ss. de la LCSP.

fases contractuales como las modificaciones de que sea objeto el contrato, la interposición de recursos y la suspensión con motivo de los mismos (art, 63); a su vez en el Registro de Contratos del Sector Público se harán constar "…las modificaciones, prórrogas, variaciones de plazos o de precio, importe final y extinción de aquellos" (art. 346.3 LCSP).

IV. La falta de transparencia en la contratación pública: efectos

La transparencia en la contratación pública es una exigencia que se predica del sector público, y especialmente de las Administraciones públicas, en los términos dispuestos en la Ley 9/2017 de CSP. En consecuencia, los incumplimientos en esta materia pueden dar lugar: a) a la presentación del recurso especial en materia de contratación, cuando el incumplimiento de actuaciones de transparencia se refiera a los contratos y actos recogidos en el art. 44 LCSP; b) a la interposición del recurso de alzada o potestativo de reposición cuando afecten a actos de preparación, adjudicación, ejecución o extinción del contrato que no sean susceptibles del recurso especial (art. 44.6 LCSP). Tanto en los supuestos referidos en el apartado a) como en el b), las resoluciones administrativas de esos recursos son impugnables ante la Jurisdicción Contencioso-administrativa. A tal efecto, hay que tener en cuenta que el art. 38 LCSP considera un vicio de invalidez de los contratos celebrados por los poderes adjudicadores "cuando lo sea alguno de sus actos preparatorios o del procedimiento de adjudicación, por concurrir en los mismos alguna de las causas de Derecho Administrativo". Y entre las causas de nulidad de pleno derecho específicas de la contratación pública, por lo que ahora nos interesa, procede referirse a "la falta de publicación del anuncio de licitación en el Perfil del Contratante", en el "Diario Oficial de la Unión Europea" o en el medio de publicidad en que sea preceptivo, de conformidad con el art. 135, según dispone el art. 39.c) LCSP[70]. A su vez, como causas de anulabilidad que pueden derivarse de incumplimientos en materia de transparencia pública en la contratación se encuentran las "disposiciones, resoluciones, cláusulas o actos emanados de cualquier poder adjudicador que otorguen, de forma directa o indirecta ventajas a las empresas que hayan contratado previamente con cualquier Administración" (art. 40 b) LCSP).

---

[70] La nulidad por incumplimiento de publicidad, y su afectación a la transparencia, ha sido reivindicada por GIMENO FELIÚ, J. M., "Medidas de prevención de corrupción…", *op. cit.*, pág. 59.

Al mismo tiempo, y sin perjuicio de los efectos y medidas que se deducen de la LCSP, ante actuaciones contractuales "carentes de la debida transparencia" procede también la aplicación de los mecanismos que arbitra la Ley 19/2013 de TBG con ciertas puntualizaciones. Así, pues, de conformidad con el art. 9 de esta ley corresponde al Consejo de Transparencia y Buen Gobierno controlar el cumplimiento por la Administración General del Estado de las obligaciones de publicidad activa (entre las que recordemos se sitúa las relativas a los contratos)[71]. Para ello podrá dictar resoluciones en las que se establezcan las medidas que sea necesario adoptar para el cese del incumplimiento y el inicio de las actuaciones disciplinarias que procedan (art. 9.2 LTBG); constituyendo infracción grave "el incumplimiento reiterado" de las obligaciones de publicidad activa, procediendo la aplicación a los responsables del régimen disciplinario previsto en la correspondiente normativa reguladora (art. 9.3 LTBG). Por tanto, actuación del Consejo de Transparencia y Buen Gobierno —u órgano equivalente autonómico— para que cesen los incumplimientos relativos a la falta de transparencia en la contratación pública y posible inicio del procedimiento disciplinario[72]. Ahora bien, cuando aquella no publicación vaya referida al acto de formalización del contrato, respecto a algunos de sus datos, las funciones del

---

[71]   Competencias que ostentan los órganos homólogos de las Comunidades Autónomas respecto a actuaciones de la Administración autonómica y local (v. gr. El consejo de Transparencia y Protección de Datos de Andalucía que controla el cumplimiento de la publicidad activa según el art. 23 de la Ley 1/2014, de 24 de junio de Transparencia Pública de Andalucía).

[72]   La aplicación del régimen disciplinario, el cual tiene como destinatarios a los funcionarios públicos y al personal laboral al servicio de las Administraciones públicas, conlleva una rémora en la contratación pública transparente, que deriva del hecho de que constituya una infracción muy grave "la publicación o utilización indebida de la documentación o información a que tengan o haya tenido acceso por razón de su cargo o función", "la negligencia en la custodia de secretos oficiales, declarados así por ley o clasificados como tales, que sea causa de su publicación o que provoque su difusión o conocimiento indebido" (art. 29.1, d) y e) de la Ley 19/2013 TBG; en los mismos términos se pronuncia el art. 95.2.e) y f) del Real Decreto Legislativo 5/2015, de 30 de octubre, por el que se aprueba el Texto Refundido del Estatuto Básico del Empleado Público); y como infracción grave "no guardar el debido sigilo respecto a los asuntos que se conozcan por razón del cargo, cuando causen perjuicio a la Administración o se utilice en provecho propio" (art. 29.2.d) Ley 19/2013 TBG).

Consejo de Transparencia y Buen Gobierno se limitan a la emisión de un informe[73].

Cuando las infracciones en materia de transparencia se refieran a la denegación del derecho de acceso a la información pública en materia contractual[74], reconocido en el articulado de la LCSP, ¿puede el interesado al que se le deniegue el acceso, de forma expresa o presunta, presentar reclamación ante el Consejo de Transparencia y Buen Gobierno en los términos dispuestos en el art. 23 y siguientes de la Ley 19/2013 TBG? En el caso de impugnación de actuaciones que afecten al derecho de acceso a la información contractual no parece admisible la doble vía prevista en la Ley 19/2013 TBG y en la Ley 9/2017 CSP, o sea, la utilización de la reclamación potestativa ante el Consejo de Transparencia y Buen Gobierno —u órgano autonómico— (art. 24 LTBG) y el sistema de recursos que arbitra la Ley 9/2017 CSP. Y ello porque así lo dispone la propia Ley 19/2013 de TBG en cuya Disposición Adicional Primera remite a la específica legislación de procedimiento (en este caso la Ley 9/2017 de CSP) la regulación del derecho de acceso si se es interesado en el procedimiento (lo que implica que la denegación de acceso y su impugnación también sigue lo dispuesto en esa legislación procedimental); e igualmente si la legislación contiene un régimen de acceso específico (como también ocurre con la Ley 9/2017 de CSP)[75]. Por otro lado, la solución a un mismo problema relacionado con la transparencia pública (acceso a la información contractual) podría tener distintas resoluciones según que los interesados acudieran al Consejo de

---

[73]   El art. 154.7 LCSP dispone que la formalización del contrato debe ser objeto de publicación; pero podrán no publicarse datos relativos a la celebración del contrato para garantizar aspectos de confidencialidad. En tales supuestos se debe pedir un informe al Consejo de Transparencia y Buen Gobierno sobre si prevalece el derecho de acceso a la información pública o los bienes que se tratan de salvaguardar con la no publicidad de datos.

[74]   Tengamos en cuenta que, sin ceñirse exclusivamente al ámbito de la contratación pública, el art. 20.6 de la Ley 19/2013 TBG dispone que incumplimiento reiterado de la obligación de resolver en plazo las solicitudes de acceso se considera infracción grave a efectos de aplicar el correspondiente régimen disciplinario.

[75]   Ahora bien, si no se es interesado en el procedimiento, el régimen de acceso a la información contractual y su sistema de recursos debe seguir lo dispuesto en la Ley 19/2013 de TBG, por cuanto la LCSP no regula un procedimiento de acceso a la información pública específico. En este sentido, GONZÁLEZ RÍOS, I., "La transparencia como principio vertebrador de la contratación pública: significado y problemas de articulación normativa" en REALA. Nueva Época núm. 12, 2019, págs. 12 y 13.

Transparencia o al órgano competente en materia contractual, lo que dificultaría la unidad de criterio.

V. Consideraciones finales

1. La transparencia pública es una exigencia que el TFUE anuda a la buena gobernanza y a la participación ciudadana, en un reconocimiento abstracto y general respecto a toda la actuación pública. Podemos decir que la transparencia tiene dos caras, una interna, que afecta a la actuación de las Administraciones públicas y otras entidades públicas y privadas (que ha de ser transparente, visible), y otra, externa, que se predica de la relación con la ciudadanía, y que se manifiesta en el derecho a conocer la actuación pública y a participar en los asuntos públicos.

Pero ese reconocimiento genérico de la Unión Europea se concreta en materia de contratación pública, quedando la transparencia circunscrita al fortalecimiento del mercado interior, de tal manera que la contratación pública transparente va a garantizar la libre circulación (de mercancías, personas, servicios...). A sensu contrario, una contratación pública falta de transparencia dificulta o impide el desarrollo del mercado interior europeo y consecuentemente vulnera el TFUE.

2. Con apoyo en lo dispuesto en el TFUE y en nuestra CE que consagra el principio de eficacia —en el que se integraría la transparencia— en la actuación administrativa, nuestro Ordenamiento jurídico viene desarrollando todo un marco normativo con el que poder garantizar la transparencia pública; como hito más relevante la Ley 19/2013 de TBG y sus similares leyes autonómicas. Marco normativo general que hay que complementar con el previsto en aquellos sectores íntimamente relacionados con el gasto público, como la contratación pública. Así, en la Ley 9/2017 de CSP encontramos las manifestaciones, los mecanismos específicos y los concretos objetivos de la transparencia pública en este ámbito material.

3. De la Ley 19/2013 de TBG tenemos que resaltar que haya hecho extensiva la exigencia de transparencia pública no solo a entes del sector público (Administraciones públicas y otras entidades públicas y privadas), sino también, a órganos constitucionales y autonómicos y a entes privados. ¿Y el Gobierno y altos cargos? ¿Están sujetos a obligaciones de transparencia? Las exigencias de buen gobierno que establece la Ley 19/2013 recoge el principio de transparencia en la gestión de los asuntos públicos, a lo que se suma la legislación específica sobre altos cargos.

A esa expansión subjetiva de la transparencia se une su extensión objetiva o material, como ocurre en el ámbito de la contratación pública, donde la Ley 19/2013 de TBG impone unas exigencias de transparencia, que podemos calificar de "mínimas", que se han visto superadas y pormenorizadas por la Ley 9/2017 de CSP, por exigencia del derecho de la Unión Europea.

4. Por lo que respecta a la relación entre la Ley 39/2015 de PACAP y la Ley 9/2017 de CSP, de la distribución constitucional de competencias en materia de procedimiento administrativo común y en contratación pública y de la doctrina sentada por el Tribunal Constitucional se deduce que la regulación del procedimiento administrativo de contratación pública obedece a una competencia estatal básica y específica que determina la aplicación de la Ley 9/2017 de CSP en detrimento de la Ley 39/2015 de PAC. Ello a salvo de las remisiones que en materia de contratación se realizan a dicha legislación procedimental común. En consecuencia, los aspectos relacionados con la transparencia pública en la contratación tienen su sede habitual en la legislación de contratación del sector público, sin que el principio de subsidiariedad que plasma la Disposición Final Cuarta de la Ley 9/2017 de CSP pueda ser entendido a modo de supletoriedad —lo que chocaría con el propio carácter de procedimiento común especial que tiene el procedimiento de contratación—, sino en el sentido de que podrá acudirse a las previsiones de la Ley 39/2015 PAC cuando el procedimiento de contratación "no pueda por sí solo alcanzar los objetivos de transparencia que derivan del derecho de la Unión Europea y del derecho interno".

5. ¿Pero qué debe entenderse por transparencia en la contratación pública? A falta de su definición en las Directivas de Contratación Pública, hemos de deducir su concepto de su configuración en las mismas y en el Derecho interno. Las Directivas comunitarias vinculan la transparencia con la visibilidad, la apertura al conocimiento público de la celebración del contrato y con la participación de candidatos y licitadores a través del uso de medios electrónicos. En el Derecho interno, la LCSP configura la transparencia con carácter subjetivo y abstracto al consagrarse como principio de actuación de los órganos contratantes. Subjetividad que se objetiviza y concreta con la previsión de concretas obligaciones de la publicidad activa y de respeto al derecho de acceso a la información contractual; principalmente a través de medios electrónicos. Se reduce así el margen de discrecionalidad administrativa en la contratación pública, y con ella el riesgo de arbitrariedad y corrupción.

No obstante, las excepciones a la publicidad de los contratos menores y las exigencias de respeto a la confidencialidad, unido a las responsabilidades disciplinarias en las que puede incurrir el personal al servicio de las Administraciones públicas por uso indebido de la información pública, pueden relativizar las exigencias de transparencia. Pero el amplio reconocimiento legal de exigencias concretas en materia de transparencia abre el camino a la consolidación de una buena administración en esta materia y con ella una limitación o freno para las actuaciones de corrupción en altos cargos y en el Gobierno.

6. En materia de recursos contra actuaciones que falten al deber de transparencia en la contratación pública sería conveniente que el legislador en la Ley 9/2017 de CSP clarificara cómo se articula la aplicación del régimen de impugnaciones previsto en la misma con el sistema de control que prevé la Ley 19/2013 de TBG. Al respecto, si bien no vemos inconveniente en la aplicación simultánea de ambas normas respecto a informaciones en materia de publicidad activa; aquel doble régimen de control no parece eficaz en el caso de denegación del derecho de acceso a la información pública, por el riesgo de posibles resoluciones administrativas contradictorias en materia de transparencia en la contratación pública.

Bibliografía

AAVV., *Los límites al derecho de acceso a la información pública*, INAP, Madrid, 2017.

CERRILLO I MARTÍNEZ, A., "Contratación electrónica y transparencia: fundamentos necesarios de la contratación abierta", en *Cuadernos de Derecho Local* núm. 48, 2018, págs. 121 y ss.

CERRILLO I MARTÍNEZ, A., "Datos masivos y datos abiertos para una gobernanza inteligente", en *El Profesional de la Información*, núm. 5, 2018, págs. 1118-1135.

CERRILLO I MARTÍNEZ, A., *El principio de integridad en la contratación pública: mecanismos para la prevención de los conflictos de intereses y la lucha contra la corrupción*, Thomson-Reuter Aranzadi, Pamplona, 2014.

CERRILLO I MARTÍNEZ, A., *La contratación abierta*, Barcelona, 2017.

CERRILLO I MARTÍNEZ, A., "Las compras abiertas y la prevención de la corrupción", en *Gestión y Análisis de Políticas Públicas*, núm. 15, 2016.

COTINO HUESO, L., "La regulación del uso de medios electrónicos en la difusión activa de información pública y el ejercicio del derecho de acceso", en MARTÍN DELGADO I. (Ed), *La reforma de la administración electrónica: una oportunidad para la innovación desde el Derecho*, INAP, Madrid, 2017.

FERNÁNDEZ ACEVEDO Y VALCÁRCEL FERNÁNDEZ P. (Dirs.), *La contratación pública a debate: presente y futuro*, ed. Civitas, Cizur Menor, 2014.

FERNÁNDEZ RAMOS, S., "La reclamación ante los órganos de garantía del derecho de acceso a la información pública", en *RGDA* núm. 45, 2017.

GALLEGO CÓRCOLES, I., "Breves notas sobre el uso de medios electrónicos en la contratación pública" en MARTÍN DELGADO, I. (Dir.), *La reforma de la administración electrónica*, INAP, Madrid, 2017.

GAMERO CASADO, E. (Dir.), en *Tratado de Procedimiento administrativo común y régimen jurídico básico del sector público*, Valencia: Tirant lo Blanch, 2017, págs. 171 y ss.

GAMERO CASADO, E. y FERNÁNDEZ RAMOS, S., *Manual básico de Derecho Administrativo*, Tecnos: Madrid, 2018, pág. 802.

GIL CONDÓN, M. A., "La nueva regulación del procedimiento administrativo y su proyección e incidencia en los procedimientos en materia de contratación", en GIMENO FELIÚ, J. M., *Estudio Sistemático de la Ley de Contratos del Sector Público*, Thomson Reuters Aranzadi, Pamplona, 2018.

GIMENO FELIÚ, J. M., "Medidas de prevención de corrupción y refuerzo de la transparencia en la contratación pública", en *REALA. Nueva Época* núm. 7, 2017, págs. 47 y ss.

GIMENO FELIÚ, J. M., "La nueva Ley de Contratos del Sector Público: hacia un modelo de contratación pública transparente", en *Contratación administrativa práctica: revista de la contratación administrativa y de los contratistas*, núm. 153, 2018, págs. 34 y ss.

GIMENO FELIÚ, J. M., "Las nuevas directivas —cuarta generación— en materia de contratación pública. Hacia una estrategia eficiente en compra pública" en *REDA* nº 159, 2013, págs. 39 y ss.

GONZÁLEZ PÉREZ, J., *Corrupción, ética y moral en las Administraciones públicas*, Civitas, Cizur Menor, 2014.

GONZÁLEZ RÍOS, I., "La vis expansiva del concepto procedimiento administrativo común en nuestros días", en *RAP* núm. 207, 2018, págs. 146 y ss.

GONZÁLEZ-VARAS IBÁÑEZ, S., "El particular entendimiento de la publicidad y de la transparencia en fase de licitación", en *Contratación Administrativa Práctica: Revista de la contratación administrativa y de los contratistas*, núm. 142, 2016, págs. 22 y ss.

HUERGO LORA, A., "Las leyes 39 y 40/2015. Su ámbito de aplicación y la regulación de los actos administrativos", *El Cronista del Estado social y democrático de Derecho*, núm. 63, 2015.

IGLESIAS REY, P., "Transparencia en la contratación pública" en Mestre Delgado y Manent Alonso (Coords.), *La Ley de Contratos del Sector Público: aspectos novedosos*, Tirant lo Blanch, Valencia, 2018, págs. 295-329.

MALARET I GARCÍA, E., "El nuevo reto de la contratación pública para afianzar la integridad y el control: reforzar el profesionalismo y la transparencia, en *Revista Digital de Derecho Administrativo*, núm. 15, 2016, págs. 21 y ss.

MARTÍN DELGADO, I., "Contratación pública y procedimiento administrativo común: una reflexión general sobre el uso obligado de los medios electrónicos en los procedimientos de contratación", en *Contratación administrativa práctica: revista de la contratación administrativa y de los contratistas*, núm. 147, 2017, págs. 10-17.

MARTÍN DELGADO, I., "El uso de los medios electrónicos en la contratación pública", en GIMENO FELIÚ, J. M., *Estudio sistemático de la Ley de Contratos del Sector Público*, Thomson, Reuters Aranzadi, Pamplona, 2015.

MARTÍNEZ FERNÁNDEZ, J. M., *Contratación pública y transparencia: medidas prácticas para atajar la corrupción en el marco de la nueva regulación*, Las Rozas; Wolter Kluwer, El Consultor de los Ayuntamiento, 2016.

MEDIDA ARNÁIZ, T., "La necesidad de reformar la legislación sobre contratación pública para luchar contra la corrupción: las obligaciones que nos llegan desde Europa", en *RVAP* nº 104.2, de 2016, págs. 77 y ss.

MEDINA GUERRERO, M., "La transparencia y la protección de datos en la encrucijada", en *Revista Española de Transparencia* núm. 6, 2018, págs. 33-36.

MELLADO RUIZ, L., "Contratación pública y corrupción: a la búsqueda de la regeneración democrática mediante la transparencia", en Gómez Rivero y Barrero Ortega (Dirs.), *Regeneración democrática y estrategias penales en la lucha contra la corrupción*, Tirant lo Blanch, Valencia, 2017, págs. 209-252.

MELLADO RUIZ, L., *El principio de transparencia integral en la contratación del sector público*, Tirant lo Blanch, Valencia, 2017.

MORENO MOLINA, J. A., "Los principios generales de la LCSP 2017" en *Revista del Gabinete Jurídico de Castilla-La Mancha*, núm. Extra 1, 2019, pág. 26.

MORENO MOLINA, J. A., "Novedades en relación con los principios generales de la contratación pública" en el *Consultor de los Ayuntamientos y de los juzgados: Revista técnica especializada en administración local y justicia municipal*, núm. 23, 2017, págs. 2799-2811.

ORTEGA CARBALLO, C., "Los registros administrativos como instrumentos de publicidad y transparencia en la gestión de la contratación pública", en *DA* núm. 274-275, 2006, págs. 93 y ss.

PAREJO ALFONSO, L., "Objeto, ámbito de aplicación y principios generales de la Ley de Régimen Jurídico de las Administraciones públicas y del procedimiento común" en LEGUINA VILLA y SÁNCHEZ MORÓN (Dirs), *La nueva Ley de Régimen jurídico de las Administraciones públicas y del procedimiento administrativo común*, Madrid: Tecnos, 1993.

PONCE SOLÉ J., "Mecanismos de resolución alternativa de conflictos y su aplicación en el ámbito de la Administración tributaria", en *Las vías administrativas de recurso a debate*, INAP, Madrid, 2016, págs. 297-298.

RAMS RAMOS, S., "El procedimiento de ejercicio del derecho de acceso a la información pública", en *RGDA* núm. 41, 2016.

RAZQUIN LIZARRAGA, M. Mª, "Las nuevas Directivas sobre contratación pública de 2014: aspectos clave y propuestas para su transposición en España" en *RAP* nº 196, 2015, págs. 97 y ss.

RAZQUIN LIZARRAGA, M. Mª, "Los principios generales de las contratación pública" en GAMERO CASADO, E. y GALLEGO CÓRCOLES, I. (Dirs), *Tratado de Contratos del Sector Público*, Tirant lo Blanch, Valencia, 2018, págs. 195-208.

RAZQUIN LIZARRAGA, M. Mª, "El principio de confidencialidad en la contratación pública" en GIMENO FELIÚ (Ed), *Estudio sistemático de la Ley de Contratos del Sector Público*, Thomson-Reuters Aranzadi, 2018.

RODRÍGUEZ ARANA, J., "Los principios del derecho global de la contratación pública", en *REDA* núm. 179 (2016, págs. 29-54).

SÁNCHEZ MORÓN, M., *Derecho Administrativo*, Tecnos: Madrid, 2017.

TOLIVAR ALAS, L., "Corrupción y transparencia en una sociedad digital", en la obra colectiva *Los desafíos del derecho público en el siglo XXI* (Coord. Del Guayo Castiella y Fernández-Carballal), INAP, Madrid, 2019.

LA REVISIÓN JUDICIAL SUSTANTIVA Y LA MOTIVACIÓN DE LAS DECISIONES CONTRACTUALES COMO ELEMENTOS DE PREVENCIÓN DE LA CORRUPCIÓN

Javier Miranzo Díaz
Doctor en Derecho
Universidad de Castilla-La Mancha

I. Introducción

Precisamente porque la corrupción encuentra su naturaleza en un elemento volitivo o doloso, su control a tiempo real, de carácter preventivo, debe huir de cuestiones subjetivas relativas a las buenas intenciones del gestor, ya que esto es extremadamente difícil de probar. Por otro lado, el control de las decisiones corruptas no puede ser, tampoco, una cuestión meramente objetiva, basada en un check-listing que establezca qué medidas pueden realizarse y cuáles no por considerarse corruptas, ya que medidas que pueden entenderse irregulares si son constantes, excesivas, injustificadas, repetitivas, etc., pueden ser perfectamente justificadas si son proporcionales, necesarias, motivadas, etc. Se pueden seguir estándares, parámetros de motivación que pueden guiar los puntos, pero estos no pueden ser únicamente valorados formalmente. Hay sin embargo un elemento que sí se puede controlar de forma más efectiva y que caracteriza a todos los procesos corruptos: el carácter ilegítimo de las motivaciones.

El riesgo de corrupción en el ejercicio de las funciones públicas de contratación no debe resultar en un intento de objetivar toda decisión del poder adjudicador a través de la norma. Las inacabables caras que ofrece la corrupción y la complejidad del sistema de compra pública hacen que una aproximación tal no sea viable, más aún en un sistema que se dirige lenta pero decididamente hacia la desburocratización del sistema y la visión estratégica de la compra pública[1]. La normativa debe cuidarse de inmovilizar al gestor, pero también debe evitar ser excesivamente blanda en cuanto a la regulación y la forma de proceder de los poderes adjudicadores, ya que una situación tal puede derivar en un exceso de discrecionalidad en el que cualquier decisión del órgano de contratación estaría justificada en base a su poder de decisión, dejando prácticamente inutilizable el sistema de recursos ya que las protestas de los operadores económicos rara vez fructificarían[2].

La regulación positiva de la contratación pública debe actuar como una normativa de mínimos, que siente las bases de las actuaciones públicas sin asfixiar la actividad de discrecionalidad de los poderes adjudicadores. En este sentido, la deliberada discrecionalidad que la Directiva 2014/24/UE deja a las entidades adjudicadoras en la configuración de la estrategia de contratación pública y en particular en la lucha contra la corrupción[3] es un elemento esencial de lubricación para la probidad del sistema de contratación[4]. Esto, sin embargo, no debe implicar la ausencia de límites a la discrecionalidad administrativa en materia de integridad, sino el traslado de

---

[1]   MORENO MOLINA, J. A. "El derecho europeo de los contratos públicos como marco de referencia de la legislación estatal". En: GMIENO FELIÚ, J. M. *Estudio sistemático de la Ley de Contratos del Sector Público*. Cizur Menor (Navarra): Aranzadi, 2018, págs. 133-161 en pág. 137.

[2]   SCHOONER, S. L. "Fear of Oversight: e Fundamental Failure of Businesslike Government". *American University Law Review,* Volumen 50, nº 3, 2001, págs. 664-665.

[3]   Sobre el desarrollo de estas afirmaciones, véanse los siguientes trabajos MIRANZO DÍAZ, J. "The procedural treatment of conflicts of interest in EU public procurement" En FERRARI, G., GARAU, G., y MONDÉJAR JIMÉNEZ, J. *Tourism, Economy and Environment.* Oxford: Chartridge Books Oxford, 2017 págs. 191-205; MIRANZO DÍAZ, J. "Los conflictos de interés tras las directivas de contratación De 2014" En GIMENO FELIÚ, J. M. *Observatorio de los Contratos Públicos 2016.* Cizur Menor (Navarra): Thomson Reuters Aranzadi, 2017, págs. 469-488; MIRANZO DÍAZ, J. "El necesario cambio de paradigma en la aproximación a la corrupción en la contratación pública europea: propuestas para su sistematización", *Revista General de Derecho Administrativo*, 51, 2019; MIRANOZ DÍAZ, J. "A Taxonomy of Corruption In EU Public Procurement" *EPPPL - European Procurement & Public Private Partnership Law Review.* Volume 12 (2017), Issue 4, págs. 383-395.

[4]   MEDINA ARNÁIZ, T. "La necesidad de reformar la legislación sobre contratación pública para luchar contra la corrupción: las obligaciones que nos llegan desde Eu-

la función principal de control del legislador a los diferentes organismos de supervisión. Éstos, a diferencia de la norma positiva, sí están en facultad de realizar una aproximación a la toma de decisiones en base a una evaluación funcional e individualizada que respete, al tiempo, los principios de seguridad jurídica, legalidad y confianza legítima. Quizá conviene recordar, en este punto, las sabias palabras que Don Quijote dirige a Sancho, siendo éste Gobernador de la Ínsula Barataria: *No hagas muchas pragmáticas; y si las hicieres, procura que sean buenas, y, sobre todo, que se guarden y cumplan.* Un consejo que continúa teniendo plena vigencia en nuestro sistema, que a menudo peca de una hipertrofia normativa o inflación legislativa que deriva en una sobrerregulación que paraliza la actividad contractual[5]. La clave, como decimos, debe encontrarse en un control efectivo y exhaustivo[6].

De especial relevancia es, en este sentido, la obligación de creación de un órgano de supervisión para la contratación pública impuesto por la Directiva 2014/24[7] a los estados miembros, y que en España se ha materializado en la creación de la Oficina Independiente de Regulación y Supervisión de la Contratación por el artículo 332 de la Ley 9/2017, que viene a cumplir con las deficiencias señaladas en este sentido por la Unión Europea[8]. Este tipo de agencias especializadas de monitoreo pueden, en efecto, en colaboración con las figuras de control tradicional como el Tribunal de Cuentas, contribuir a ejercer un mejor control y evaluación de los procedimientos de contratación, como pone de manifiesto la experiencia en lo general positiva

---

ropa". *Revista Vasca de Administración Pública*, 104, 2016, págs. 77-112 en págs. 77-104.

[5] DE BENEDETTO, M. "Understanding and preventing corruption: a regulatory approach". En: CERRILLO I MARTÍNEZ, A. y PONCE SOLÉ, J. *Preventing corruption and promoting good governance and public integrity.* Bruselas: Brulyant, 2017, págs. 55-68; en este mismo sentido, véanse los apuntes realizados por OCHSENIUS sobre mecanismos de gestión y supervisión efectivos, OCHSENIUS, I. *Mecanismos de control, mejora y calidad en la contratación pública.* Madrid: Wolters Kluwer, 2019.

[6] SCHWARTZ, J. I. "Procurement in times of crisis: lessons from US government procurement in three episodes of crisis in the twenty-first century". In ARROWSMITH, S. and ANDERSON, R. D. *The WTO Regime on Government Procurement: Challenge and Reform.* Cambridge University Press, 2011, págs. 773-802.

[7] Artículo 83.

[8] MORENO MOLINA, J. A. "Gobernanza y nueva organización administrativa en la reciente legislación española y de la Unión Europea sobre contratación pública". *Revista de Administración Pública*, 204, 2017, págs. 343-373; MORENO MOLINA, J. A. *Hacia una Compra Pública Responsable y Sostenible.* Valencia: Tirant lo Blanch, 2018.

que ha tenido en Italia la implantación de la Autorità Nazionale Anticorruzione (ANAC) dese 2012[9]. Sin embargo, la delegación total del control en estas instituciones de supervisión ofrece algunas limitaciones[10]. Así, estudios empíricos han comprobado como la creación de estos organismos, no implica, *per se*, un efecto negativo en los índices de corrupción[11]. De nuevo, el carácter cambiante y complejo de la corrupción exige un enfoque particular y específico del problema, no siendo lo esencial la creación del órgano de supervisión, sino cómo éste y las instituciones que le auxilien en el ejercicio de sus funciones están adaptados a las problemáticas y necesidades del entramado legal e institucional concreto. Ejemplo de ello son los fallidos intentos de trasladar este modelo de órganos de control, generado en sistemas legales occidentales, a marcos institucionales africanos[12].

Por otro lado, la limitación de fondos y de capital humano, unida al inabarcable número de contratos celebrados por el sector público, hacen imposible un control exhaustivo del mercado público a tiempo real. Una hipotética extensión del ámbito de actuación de estos órganos hasta abarcar el mercado público al completo y en tiempo real requeriría un sistema paralelo de dimensiones similares a la propia estructura de contratación, lo que supondría unos costes que revertirían en la ineficiencia del procedimiento —como ha afirmado TREPTE— aludiendo a las relaciones de agencia presentes en la contratación, *mientras puede parecer factible monitorear todas las acciones del agente, no sería económicamente viable*[13].

---

[9] PARISI, N. y CHIMENTI, M. L. "Il ruolo di ANAC e l'attuale assetto italiano in materia di prevenzione della corruzione, alla luce dell'esigenza di adempimento delle direttive europee in materia di appalti pubblici" *Autoritá Nazionale Anticorruzione,* 2014; CARLONI, E. "El sistema de la lucha contra la corrupción en Italia. Características, tendencias y problemas abiertos". *ReALA Nueva Época,* nº 7, 2017, págs. 86-102.

[10] Para el caso del TCu, véase PÉREZ-CRUZ MARTÍN, A. J. "¿El tribunal de cuentas órgano eficaz en contribución a la buena gobernanza y lucha contra el fraude y la corrupción?". En: RODRÍGUEZ GARCÍA, N. y RODRÍGUEZ LÓPEZ, F. *Corrupción y desarrollo.* Valencia: Tirant lo Blanch, 2017, págs. 283 y ss.

[11] MUNGIU-PIPPIDI, A. *Contextual Choices in Fighting Corruption: Lessons Learned.* Oslo, Noruega: Norwegian Agency for Development Cooperation (Norad), pág. 16.

[12] SIMONS, R. "The Impact of Anticorruption Institutions on Corruption in East Africa", *Africa Policy Journal,* vol. 4, 2008.

[13] El original reza: *While it might in principle be feasible to monitor the agent's actions, it would not be economically viable to do so.* TREPTE, P. "Transparency and Accountability as Tools for Promoting Integrity and Preventing Corruption in Procurement: Possibilities and Limitations". *Document prepared for the OECD*

De lo enunciado se pueden derivar dos conclusiones parciales respecto a la supervisión por parte de estos órganos. Por un lado, de manera irremisible y debido a las limitaciones de medios, un elevado número de contratos permanecerá sin supervisión, y en todo caso, ésta se llevará a cabo *a posteriori*. Y en un segundo lugar, que este tipo de agencias deberán, de cara a un funcionamiento eficaz, y precisamente por la necesidad de "elegir" los contratos a fiscalizar, valerse de los datos e indicios disponibles para dirigir su actuación hacia las áreas de riesgo y optimizar así sus resultados[14].

En todo caso, la imposibilidad de abarcar de manera exhaustiva el sistema de contratos no debe llevar a una actitud de resignación al respecto. Al contrario, las posibles carencias pueden suplirse con estructuras complementarias de control que tengan en cuenta las limitaciones presupuestarias y humanas existentes en este aspecto. Según la *Association of Certified Fraud Examiners* (ACFE), casi el 50% de los casos de fraude y corrupción son detectados por delación o por accidente, mientras que únicamente el 14% lo son fruto de una auditoría interna[15]. Quizá, por ello, la clave se encuentre en optimizar los resultados de las denuncias, facilitando y articulando un sistema de incentivos y mecanismos de información y denuncia que permitan fiscalizar con un control efectivo y múltiple en todos los contratos —independientemente del importe— y a un coste cero. Para un control efectivo de la actuación administrativa en materia de integridad se debe aspirar a una supervisión colaborativa, basada en los conceptos de Derecho reflexivo[16], gobierno abierto y contratación abierta[17], que no esté

Public Governance and Territorial Development Directorate, Public Governance Committee, Expert Group Meeting on Integrity in Public Procurement. OECD Document No: Unclassifed - GOV/PGC/ETH, 2005 en pág. 3; BANERJEE, A., HANNA, R. y MULAINATHAN, S. "Corruption". *Massachusets Institute of Technology Working Paper*, 12-08, 2012, pág. 38.

[14] CAPDEFERRO VILLAGRASA, O. "Las herramientas inteligentes anticorrupción: entre la aventura tecnológica y el orden jurídico", *Revista General de Derecho Administrativo*, nº 50.

[15] ERNST & YOUN G. *Anti-bribery and corruption analytics. Integrating anti-fraud analytics into your anti-bribery and corruption compliance approach*, 2012.

[16] Sobre este concepto, véanse las consideraciones de ESTEVE PARDO, J. *Autorregulación: génesis y efectos.* Cizur Menor: Aranzadi, 2002, págs. 29 y ss.

[17] GONZÁLEZ MALDONADO, M. A. "Gobierno abierto: una mirada desde los derechos sociales fundamentales". En: RODRÍGUEZ-ARANA, J. *Contrataciones públias en el marco de los derechos sociales fundamentales.* Madrid: INAP, 2017, págs. 233-260; CARMONA GARIAS, S. "La permanente renovación administrativa y la necesidad de regenerar la democracia: reinterpretación del panóptico a través del *Open Government*". *Revista Vasca de Administración Pública*, nº 99-100,

desfasada en el tiempo y que no deje lagunas de aplicación. No debemos olvidar que, como nos advierte Huber, la discrecionalidad de la Administración es el caballo de Troya en el Derecho administrativo de un Estado de Derecho[18], y un insuficiente control puede derivar en un sistema de abusos institucionalizado[19].

En las próximas páginas, por ello estudiaremos posibles mecanismos para lograr un verdadero entorno de control de integridad con viabilidad y efectividad práctica. Para ello, nos basamos en la utilización de los actores ya existentes en la contratación pública —licitadores— para convertirlos en verdaderos *watchdogs* del sistema de integridad, así como en los mecanismos jurídicos que poseen los jueces para una evaluación sustantiva de las decisiones contractuales.

II. El licitador como supervisor y delator en el procedimiento

En primer lugar, de cara a una correcta instrumentalización de los actores, se precisa de una adecuada articulación del sistema de denuncias por parte de los licitadores a dos diferentes niveles: entidad adjudicadora y órgano judicial. La situación de los operadores económicos en el mercado, que se basa en una competencia efectiva entre ellos, puede en efecto aprovecharse como elemento motivador de control mutuo. Las prácticas corruptas y los favoritismos no son, en este sentido, sino una distorsión de la compe-

---

2014, págs. 783-806; COTINO HUESO, L. "Derecho y «gobierno abierto». La regulación de la transparencia y la participación y su ejercicio a través del uso de las nuevas tecnologías y las redes sociales por las Administraciones públicas: Propuestas concretas". *Revista Aragonesa de Administración Pública*, n° extra 14, 2013, págs. 51-92; MERLO RODRÍGUEZ, I. "La buropatología en las administraciones públicas de América Latina, el problema. El Open Government ¿la solución?". En: MARTÍNEZ, R. Gobierno Abierto Para la Consolidación Democrática. México: Tirant lo Blanch, 2016, págs. 39 y ss.

[18] HUBER, H., *Niedergang des Rechts und Krise des Rechlsstaats*, en *Festgabe Für Z. Giacometti*, Ziirich, 1953, pág. 66, citado por GARCÍA DE ENTERRÍA, E. *La lucha contra las inmunidades del poder*. Madrid: Civitas S.A. 1983, pág. 24.

[19] SADDY, de hecho, no duda en afirmar que todo tipo de corrupción está siempre estrictamente relacionada con el poder discrecional de uno o varios de los participantes en el proceso de decisiones. SADDY, A. "Front-line public servants, discretion and corruption". En: RACCA, G. M. y YUKINS C. R. *Integrity and Efficiency in Sustainable Public Contracts. Balancing Corruption Concerns in Public Procurement Internationally*. Bruselas: Brulyant, 2014, págs. 343-355 en pág. 353.

tencia[20]; una quiebra del principio de igualdad que lesiona los intereses económicos del resto de operadores del mercado —los cuales por tanto, tienen intereses legítimos e intrínsecos para denunciar dicha situación.

Esta canalización de las denuncias debe, como decimos, realizarse a través de dos niveles.

En primer lugar, como sistema de denuncia de situaciones irregulares a la entidad adjudicadora. Dada la capital importancia que la Directiva y la LCSP17 otorgan a los poderes adjudicadores como verdaderos garantes de la integridad desde un punto de vista activo de prevención y supervisión[21], parece evidente que los licitadores deben estar facultados para comunicarse con la Administración y poner en conocimiento la existencia de determinada situación anómala o irregular que afecte a cualquiera de sus competidores a lo largo del procedimiento. Esta posibilidad, además, está expresamente prevista en el artículo 1.3 de la Directiva 89/665/CEE en su redacción tras la modificación por la Directiva 2007/66/CE[22]. Esto, como ya se ha señalado, puede ser esencial a la hora de detectar conflictos de interés ocultos o difusos, a los que el poder adjudicador o su personal no tengan acceso y sobre los que, sin embargo, los competidores de la empresa o empresa involucradas pueden tener información relevante[23].

---

[20]   La relación entre competencia y corrupción, sin embargo, es más compleja de lo que en un principio pueda plantearse, de forma que los efectos de una sobre la otra no han sido del todo identificados por la doctrina. Véase LAFFONT, J. J. y N'GUESSAN, T. "Competition and corruption in an agency relationship". *Journal of Development Ethics*, vol. 60, 1999, págs. 271-295. No obstante, parece evidente que la competencia tiene, como decimos, un efecto positivo sobre el control a través del sistema de recursos. GIMENO FELIÚ, J. M. "La nueva regulación de la contratación pública". En: GIMENO FELIÚ, J. M. (dir.) *Estudio Sistemático de la Ley de Contratos del Sector Público.* Cizur Menor: Aranzadi, 2018, págs. 41-132 en pág. 60; MARTÍNEZ FERNÁNDEZ, J. M. "La transparencia en la contratación pública". En: GIMENO FELIÚ, J. M. (dir.) *Estudio Sistemático de la Ley de Contratos del Sector Público.* Cizur Menor: Aranzadi, 2018, págs. 803-826 en pág. 804; BANERJEE, A., HANNA, R. y MULAINATHAN, S. "Corruption" *op. cit.* en págs. 60-61.

[21]   MIRANZO DÍAZ, J. "El necesario cambio de…" *op. cit.*

[22]   *Los Estados miembros podrán exigir que la persona que desee interponer un recurso haya informado previamente al poder adjudicador de la presunta infracción y de su intención de presentar recurso, siempre que ello no afecte al plazo suspensivo a que se refiere el artículo 2 bis, apartado 2, ni a cualesquiera otros plazos de interposición de recurso conforme al artículo 2 quater.*

[23]   AYMERICH CANO, C. "Corrupción y contratación pública: análisis de las nuevas directivas europeas de contratos y concesiones públicas". *Revista Aragonesa de*

Ninguna norma se opone a que la información que revela un conflicto de interés provenga de un "chivatazo" de alguno de los licitadores, por lo que los contactos podrían ser, en principio, por cualquier medio (teléfono, fax, e-mail, etc.), aunque por otro lado, ni la Ley 9/2017 ni la Directiva 2014/24 establecen cauces legales para dar seguridad jurídica y trazabilidad a este tipo de informaciones. En este sentido, quizá sería conveniente crear un primer nivel de denuncia de conflictos de interés y posibles irregularidades de los licitadores a la propia entidad adjudicadora. Herramientas sencillas como un buzón o sistema electrónico de denuncias de situaciones irregulares podrían permitir, de manera sencilla y segura, que los licitadores informasen de situaciones de riesgo a los órganos contratantes, con el objetivo de que estos últimos iniciaran las actividades de investigación necesarias y tomasen las medidas oportunas para asegurar la integridad, tal y como les exige el mandato legal ya señalado en páginas anteriores[24]. Este registro de las comunicaciones, además, podría facilitar la labor probatoria de cara a un eventual control judicial sobre la debida actuación de la entidad adjudicadora.

Pero, además, es esencial que, ya sea debido a una inactuación del poder adjudicador ante situaciones de riesgo denunciadas, ya sea porque se ha producido de facto una violación del principio de integridad a través de una manipulación del contrato o favoritismo hacia cualquiera de los licitadores, el resto de licitadores deben disponer de acceso a un recurso ante los tribunales que garantice una tutela judicial efectiva de sus derechos e intereses legítimos[25]. Para su correcto funcionamiento como elemento de garantía de integridad, se deben tener en cuentas aspectos centrales como la transparencia, la competencia del mercado y de la licitación, la legitimidad subjetiva y objetiva del recurso o el papel de control de los jueces.

III. La transparencia como herramienta de conocimiento

Un mecanismo de recursos real debería cumplir con el derecho a un recurso efectivo, recogido en el artículo 47 de la CDFUE y en los artículos 6 y 13 de la UE. Este derecho, que actúa como corolario o cláusula de cierre

---

Administración Pública, n° 45-46, 2015, págs. 209-239 en pág. 225.

[24] Principalmente, aunque no en exclusiva, arts. 61 LCSP17 y 24 Directiva 2014/24.

[25] BANCO MUNDIAL. *Benchmark Public Procurement 2016. Washington D.C.: Grupo del Banco Mundial, 2016*, págs. 34 y ss.

del resto de principios del Derecho administrativo, impide que una legislación comunitaria o nacional dificulte o impida, en su regulación procesal, el ejercicio de derechos particulares través de una tutela judicial efectiva[26]. Una vulneración de un derecho que, desde luego, puede venir, además de por posibles trabas procesales, proveniente de una ausencia de información sobre la actividad en el seno de la Administración que en la práctica impida a los licitadores detectar las posibles irregularidades o lesiones de intereses.

No en vano el principio de transparencia se considera un principio transversal que garantiza el respeto —a través del control— del resto de los principios básicos del Derecho y se encuentra presente en la contratación pública europea desde la primera generación de directivas[27]. Posteriormente fue adquiriendo un mayor peso en la política europea con la entrada en el nuevo siglo y el comienzo de un proceso de democratización de la UE, lo que dio lugar a diferentes esfuerzos para su efectividad, entre los que podemos destacar el Convenio de Aarhus (1998, entrada en vigor en 2001)[28].

En España, el origen del concepto de transparencia en la Administración Pública viene históricamente ligado al derecho a la información, que se recoge en los artículos 9.2 (*facilitar la participación de todos los ciudadanos en la vida política, económica, cultural y social*) y 20.1.d) (*recibir libremente información veraz por cualquier medio de difusión*) de nuestra Constitución[29]. Hoy en día, se encuentra fuera de toda duda que la transparencia en el ejercicio y gestión del poder público es un pilar básico en la configuración

---

[26]   TJUE, asunto C 128/93 *Fisscher v Voorhuis Hengelo BV and Stichting Bedrijfspen-sioenfonds voor de Detailhandel* [1994] ECR I 4583, apartado. 37; asunto C-261/95, *Palmisani v Istituto nazionale della previdenza sociale (INPS)* [1997] ECR I-4025, apartado 27; asunto C-453/99 *Courage and Crehan v Courage Ltd and Others* [2001] ECR I-6297, apartado 29.

[27]   ORDÓÑEZ SOLÍS, D. *La contratación pública en la Unión Europea*. Cizur Menor: Aranzadi, 2002, págs. 46 y ss.

[28]   LASAGABASTER HERRATE, I. "Notas sobre el derecho administrativo de la información". En: GARCÍA MACHO, R. *Derecho administrativo de la información y administración transparente*. Madrid: Marcial Pons, 2010, págs. 103-120; COMISIÓN EUROPEA. *Green paper eurpean transparency initiative*. Bruselas, 3 de mayo 2006, COM (2006) 194 final.

[29]   JUÁREZ RODRÍGUEZ, G., ROMEU GRANADOS, J. PINEDA NEBOT, C. "Transparencia en la contratación pública: análisis de los ayuntamientos de la Comunitat Valenciana y de Galicia". *Revista de la Escuela Jacobea de Posgrado*, n° 7, 2014, págs. 143-168 en pág. 149.

del Estado democrático y de Derecho[30], y que actúa a modo de cristal o vitrina para que los ciudadanos puedan apreciar y evaluar lo que ocurre en el seno de las administraciones públicas[31]. El principio de transparencia ha sido calificado como el principio vertebral del resto de principios de la contratación pública[32], y se encuentra especialmente ligado al principio de integridad, ya que facilita el seguimiento de la actividad de los funcionarios, altos cargos, y demás personas implicadas en los procesos de contratación pública, dificultando así que surjan conflictos de intereses y corrupción que menoscaben el principio de integridad[33]. Ha sido ampliamente reconocido que para garantizar la integridad en la contratación pública debe alcanzarse, entre otros aspectos, un alto nivel de transparencia en el funcionamiento de los procedimientos de contratación[34], pudiendo afirmarse que, en parte,

---

[30]　PIÑAR MAÑAS, J. L. "Transparencia y protección de datos: las claves de un equilibrio necesario". En: GARCÍA MACHO, R. *Derecho administrativo de la información y administración transparente*. Madrid: Marcial Pons, 2010, págs. 81 y ss.; véase a su vez RODRÍGUEZ-ARANA, J. "Reflexiones sobre la regeneración democrática en gobiernos y administraciones públicas". En: RODRÍGUEZ-ARANA, J., VIVANCOS COMES, M. *Calidad democrática, transparencia e integridad*. Cizur Menor: Aranzadi, 2016, págs. 39-74; ARROWSMITH S., LINARELLI, J. y WALLACE, D. *Regulating public procurement law: national and international perspectives*. Kluwer Law International, 2000, pág. 38; OCDE. *Corruption dans les marchés publics. Méthodes, acteurs et contre mesures*. Paris: OCDE, 2007, pág. 59; MELLADO RUIZ, L. *El principio de transparencia integral en la contratación del sector público*. Valencia, Tirant lo Blanch, 2017, págs. 31-49; JIMÉNEZ FRANCO, E. "El derecho a saber y su control como exigencia de efectividad del desarrollo sostenible". En: RODRÍGUEZ GARCÍA, N. y RODRÍGUEZ LÓPEZ, F. *Corrupción y desarrollo*. Valencia: Tirant lo Blanch, 2017, págs. 187 y ss.

[31]　RIVERO, J. "La transparence administrative en Europe-Rapport de synthèse". *Annuaire Européen d'Administration Publique*, 1989. CERRILLO I MARTÍNEZ, A. *El principio de integridad en la contratación pública: Mecanismos para la prevención de los conflictos de intereses y la lucha contra la corrupción*, Pamplona: Thomson Reuters Aranzadi, 2014, pág. 97.

[32]　PINTOS SANTIAGO, J. y LICO, M. A. "Estudio del derecho de la contratación pública argentino y de la Unión Europea sobre la base de la transparencia". *Contratación Administrativa Práctica*, nº 141. Enero-febrero 2016, págs. 60-68 en pág. 60.

[33]　CERRILLO I MARTÍNEZ, A. *El principio de... op. cit.* en pág. 97.

[34]　MORENO MOLINA, J. A. *Los principios generales de la contratación de las Administraciones Públicas*. Albacete: Bomarzo 2006, pág. 44.

éste principio se configura no como una finalidad en sí mismo, sino como un valor instrumental necesario para lograr la integridad y el buen gobierno[35].

El Tribunal de Justicia de la Unión Europea ha establecido una sólida definición del principio de transparencia poniéndolo en relación con el principio de igualdad y el resto de principios. En efecto, el principio de igualdad de trato implica una obligación de transparencia para permitir que se garantice su respeto, ya que un principio de igualdad sin efectiva transparencia sería infecundo[36]. En sentencias como la STJUE de 16 de septiembre de 2013, que como señala Gimeno Feliú es considerada *leading case* en la materia[37], el TJUE afirma que:

> *El principio de transparencia, que es el corolario del principio de igualdad de trato, tiene esencialmente por objeto garantizar que no exista riesgo de favoritismo y arbitrariedad por parte de la entidad adjudicadora (sentencia Comisión/CAS Succhi di Frutta, citada en el apartado 72 supra, apartado 111) y controlar la imparcialidad de los procedimientos de adjudicación (sentencia Parking Brixen, citada en el apartado 72 supra, apartado 49, y la jurisprudencia allí citada). Implica que todas las condiciones y modalidades del procedimiento de licitación estén formuladas de forma clara, precisa e inequívoca en el anuncio de licitación o en el pliego de condiciones, con el fin de que, por una parte, todos los licitadores razonablemente informados y normalmente diligentes puedan comprender su alcance exacto e interpretarlas de la misma forma y, por otra parte, la entidad adjudicadora pueda comprobar efectivamente que las ofertas presentadas por los licitadores responden a los criterios aplicables al contrato de que se trate[38].*

De forma similar se pronunció la corte europea posteriormente, en la STJUE *European Dynamics Luxembourg y Evropaïki Dynamiki contra la Comisión Europea*, de 13 de diciembre de 2013, en la que establece que:

---

[35]   VILLORIA MENDIETA, M. "Transparencia y valor de la transparencia. Marco Conceptual". En: *La Transparencia en los Gobiernos locales: una apuesta de futuro.* Publicación digital, 2012. Fundación Democracia y Gobierno Local, pág. 9. Disponible en: http://www.gobiernolocal.org/docs/publicaciones/Transparencia_ponencias2.pdf; AMOEDO SOUTO, C. "La transparencia contractual en Galicia". En: GIMENO FELIÚ, J. M. (dir.) *Observatorio de los Contratos Públicos 2015.* Cizur Menor: Aranzadi, 2016, págs. 273-305.

[36]   CERRILLO I MARTÍNEZ, A. *El principio de... op. cit.* en pág. 103.

[37]   GIMENO FELIÚ, J. M. "La reforma comunitaria en materia de contratos públicos y su incidencia en la legislación española. Una visión desde la perspectiva de la integridad". En: GIMENO FELIÚ *et al. Las Nuevas Directivas de Contratación Pública (X Jornadas AEPDA).* Cizur Menor: Aranzadi, 2015, págs. 37-105. en pág. 42.

[38]   Sentencia TJUE de 16 de septiembre de 2013, *Comisión contra el Reino de España*, asunto T-2/07, apartado 73.

48. Este principio de transparencia tiene esencialmente por objeto garantizar que no exista riesgo de favoritismo y arbitrariedad por parte de la entidad adjudicadora. Implica que todas las condiciones y modalidades del procedimiento de licitación estén formuladas de forma clara, precisa e inequívoca en el anuncio de licitación o en el pliego de condiciones (sentencia Comisión/CAS Succhi di Frutta, citada en el apartado 45 supra, apartado 111).

49. El principio de transparencia implica por tanto que toda la información técnica pertinente para la buena comprensión del anuncio de licitación o del pliego de condiciones se ponga, en cuanto sea posible, a disposición de todas las empresas que participan en un procedimiento de adjudicación de contratos públicos de forma que, por una parte, todos los licitadores razonablemente informados y normalmente diligentes puedan comprender su alcance exacto e interpretarlos de la misma forma y, por otra parte, la entidad adjudicadora pueda comprobar efectivamente que las ofertas presentadas por los licitadores responden a los criterios que rigen el contrato de que se trata (sentencia del Tribunal de 19 de marzo de 2010, Evropaïki Dynamiki/Comisión, T-50/05, Rec. pág. II-1071, apartado 59)[39].

Es decir, que el principio de transparencia no sólo exige que se publique cierta información sobre el procedimiento de adjudicación, sino que dicha información debe ser práctica y efectiva, en tanto en cuanto debe servir tanto a los potenciales licitadores para conocer las condiciones en que se celebrará la adjudicación, como a los poderes adjudicadores para elegir la mejor oferta. No es suficiente con publicar la información como un mero conglomerado de datos para poder aseverar que se está actuando de forma transparente, sino que debe existir un fácil acceso a aquellos, e igualmente básica se configura la necesidad de que la información esté debidamente estructurada de acuerdo con criterios razonables, de forma que resulte inte-

---

[39]   Sentencia TJUE de 13 de diciembre de 2013, *European Dynamics Luxembourg y Evropaïki Dynamiki contra la Comisión Europea*, asunto T-165/12, apartados 48 y 49. Véase a su vez la STJUE de 20 de marzo de 2013, *Nexans France contra Empresa Común Europea para el ITER y el Desarrollo de la Energía de Fusión*, asunto T-415/10, que en su apartado 71 expone:
En cuanto al principio de transparencia, que constituye un principio general, aplicable a la Empresa Común cuando celebra contratos públicos, en virtud del artículo 79 de su Reglamento financiero, implica que todos los requisitos y modalidades del procedimiento de adjudicación se formulen de manera clara, precisa e inequívoca, en el anuncio de licitación o en el pliego de condiciones, con el fin de que, por una parte, todos los licitadores razonablemente informados y normalmente diligentes puedan comprender su alcance exacto e interpretarlos de la misma forma y, por otra parte, la entidad adjudicadora pueda comprobar efectivamente que las ofertas presentadas por los licitadores responden a los criterios aplicables al contrato de que se trata.

ligible para un operador económico medio razonable[40]. De ahí la exigencia establecida por el TJUE de que, para que el principio de transparencia de considere respetado, la información sobre el procedimiento de contratación deba ser "clara, precisa e inequívoca".

Ésta concepción del principio de transparencia nos conduciría a concebir una doble vertiente del mismo: por un lado una transparencia activa, que comprende toda aquella información que la Administración hace pública *motu propio*, es decir, cuando existe una obligación de poner a disposición del ciudadano determinada información, y que suele identificarse con el concepto de publicidad (aunque como veremos más adelante, el principio de publicidad posee ciertas características que lo diferencian del de transparencia activa); y por otro lado una transparencia pasiva, también conocida como transparencia de acceso[41], referida para aquellos casos en que la información se da previa solicitud de una persona o grupo de personas[42].

Pero en todo caso, la transparencia debe ser instrumental. Es parte integrante del principio de integridad, y es por tanto de gran utilidad en la lucha contra la corrupción, pero no es suficiente por sí misma para asegurar la probidad en las actuaciones, algo que, como afirma Barnés Vázquez, parece haberse obviado en los últimos tiempos, en los que el principio de transparencia está adquiriendo una popularidad quizá excesiva, que lo presenta como una solución definitiva a todos los males de improbidad e ineficiencia en

---

[40] SANMARTÍN MORA, M. A. "Contratación Abierta, ¿Qué es?". En: *Observatorio de Contratación Pública*, 21 de abril de 2014. Disponible en: http://www.obcp.es/index.php/mod.opiniones/mem.detalle/id.150/relcategoria.121/relmenu.3/chk.61433b8eccddd80b3772478b057df4ff; DICKSON MORALES, R. "La transparencia en la contratación pública". En: RODRÍGUEZ-ARANA, J. *Contrataciones públicas en el marco de los derechos sociales fundamentales*. Madrid: INAP, 2017, págs. 165-189 en pág. 168; CERRILLO I MARTÍNEZ, A. "Public transparency as a tool to prevent corruption". En: CERRILLO I MARTÍNEZ, A. y PONCE SOLÉ, J. *Preventing corruption and promoting good governance and public integrity*. Bruselas: Brulyant, 2017, págs. 1-24.

[41] MERLONI diferencia, además entre un tipo de transparencia de acceso generalizado, en la cual cualquier ciudadano puede acceder a la información, y otra transparencia de acceso limitado, en la que únicamente las partes interesadas en el asunto en concreto pueden demandar tener acceso a la información en cuestión. MERLONI, F. y VANDELLI, L. *La corruzione amministrativa. Cause, prevenzione e rimedi* Traducción personal. Passigli Editori, Florencia, 2010, pág. 404; véase, en el mismo sentido, CERRILLO I MARTÍNEZ, A. *El principio de... op. cit.* en págs. 106 y ss.

[42] JUÁREZ RODRÍGUEZ, G., ROMEU GRANADOS, J. PINEDA NEBOT, C. "Transparencia en la... *op. cit.* en pág. 149.

los contratos públicos[43]. Conviene tener presentes las posibles limitaciones de la transparencia en la contratación, que hace que deba siempre ponerse al servicio del resto de principios de la contratación pública que sirven para combatir las prácticas deshonestas, como son el de igualdad, publicidad, integridad, o rendición de cuentas, para poder mostrarse verdaderamente eficaz[44].

La transparencia debe estar siempre subordinada al cumplimento de los diferentes principios y la protección de los derechos individuales, pero además, puede verse limitada por otros aspectos relativos a la necesidad de asegurar el correcto funcionamiento del mercado y una competencia efectiva entre los operadores económicos[45]. Qué grado de transparencia es el necesario para asegurar una defensa efectiva de los derechos de los licitadores y de los intereses públicos, así como cómo debe materializarse esa

---

[43]   BARNÉS VÁZQUEZ, J. "Procedimientos administrativos y nuevos modelos de gobierno. Algunas consecuencias sobre la tansparencia". En: GARCÍA MACHO, R. *Derecho administrativo de la información y administración transparente*. Madrid: Marcial Pons, 2010, págs. 49-80 en pág. 51; de la misma opinión son JIMÉNEZ ASENSIO o INNERARITY, quienes critican el excesivo entusiasmo ante la transparencia que lo ha convertido en un *mantra* frente a la corrupción. JIMÉNEZ ASENSIO, R. *Cómo prevenir la corrupción: integridad y transparencia*. Madrid: Caranta, 2017, págs. 104 y ss.; INNERARITY, D. *La política en tiempos de indignación*. Madrid: Galaxia Gutemberg, 2015; INNERARITY, D. "Crítica de la razón transparente". En: DÍAZ NOSTY, B. (coord.) *Diez años que cambiaron el mundo: 2007-2017*. Ariel, págs. 91-97.

[44]   LINDSTEDT, C. y NAURIN, D. "Transparency is not Enough: Making Transparency Effective in Reducing Corruption". *International Political Service Review*, 31(3), págs. 301-322 en pág. 316; en todo caso, conviene aclarar que su carácter instrumental no es mayor que el de otros principios. En el derecho administrativo, todos los principios sirven a determinados fines, y por tanto tienen un doble carácter sustantivo e instrumental; así ocurre con el principio de proporcionalidad, el de igualdad de trato, el de libre concurrencia, buena administración, etc. Todos ellos sirven a determinados fines últimos e interactúan entre ellos como impulso o limitación de otros, en una constante tensión interpretativa. Sobre el tema, véase BARNÉS VÁZQUEZ, J. "Procedimientos administrativos y..." *op. cit.* en págs. 49-80.

[45]   BERBEROFF, D. "La doctrina del tribunal de justicia de la Unión Europea en la contratación pública como condicionante interpretativo". En: GIMENO FELIÚ, J. M. (dir.) *Estudio Sistemático de la Ley de Contratos del Sector Público*. Cizur Menor: Aranzadi, 2018, págs. 163-202 en pág. 172.

transparencia, son preguntas sobre las que la doctrina legal internacional viene debatiendo a lo largo de los últimos años[46].

La transparencia debe ser un instrumento funcional que permita de forma efectiva conocer y evaluar la actuación de la Administración, y no meramente un principio formal[47]. La transparencia, en este sentido, debe ser desligada de la publicidad como acto formal de publicación de información[48], ya que aquella tiene un componente de fondo que implica, para su cumplimiento, un conocimiento de las razones y las motivaciones de la actuación administrativa, que la convierten en un verdadero principio del Derecho, mientras que la publicidad se identifica más, como afirma Martínez Fernández, con una suerte de transparencia formal que encuentra su fin en sí misma, en el mismo acto de la divulgación[49]. El concepto de transparencia que aquí interesa debe ir, por tanto, mucho más allá de esta concepción de la información como fin, y aplicarse en función de los fines e intereses que la divulgación de información pretende proteger[50]. Debe, en definitiva, servir a una utilidad última, en este caso el principio de integridad, que, como afirma Schlitzer, debe primar, condicionar y modelar la difusión de información[51].

En palabras de Schmidt-Assmann, *desde un punto de vista crítico, es necesario preguntarse si esa mayor información sirve realmente para mejorar el procedimiento o más bien para bloquearlo*[52]. Por ello, se debe reali-

---

[46] HALONEN, K. M. "Disclosure rules in EU public procurement: Balancing between competition and transparency". *Journal of Public Procurement*, vol. 16, issue 4, 2017, págs. 528-553.

[47] GIMENO FELIÚ, J. M. "La reforma comunitaria…" *op. cit.* en págs. 37-105.

[48] DICKSON MORALES, R. "La transparencia en…" *op. cit.* en pág. 168.

[49] MARTÍNEZ FERNÁNDEZ, J. M. "Transparencia vs transparencia en la contratación pública: Medidas para la transparencia material en todas las fases de la contratación pública como antídoto contra la corrupción". *Diario La Ley*, nº 8607, Sección Doctrina, 17 de septiembre de 2015, pág. 9.

[50] El autor realiza una encendida crítica a la transparencia como fin último cuando afirma que *hemos cambiado el relato: hemos convertido en trascendente lo que es instrumental, mientras que lo sustantivo de adjetiva.* JIMÉNEZ ASENSIO, R. *Cómo prevenir la… op. cit.* en pág. 11; véase, en el mismo sentido, ARANDA ÁLVAREZ, E. "Una reflexión sobre transparencia y buen gobierno". *Cuadernos Manuel Giménez Abad*, nº 5, 2013, págs. 214-233.

[51] SCHLITZER, E. "La trasparenza ed il contrasto della corruzione". *Nuova Etica Pubblica*, nº 5, 2015, págs. 109-128 en pág. 113; JIMÉNEZ ASENSIO, R. *Cómo prevenir la… op. cit.* en pág. 11.

[52] SCHMIDT-ASSMANN, E. *La teoría general del derecho administrativo como sistema*. Edit. Instituto Nacional de Administración Pública y Marcial Pons, Edicio-

zar una aproximación cualitativa, más que cuantitativa, al fenómeno de la transparencia, que tenga en cuenta los objetivos de integridad y las posibles implicaciones que su aplicación puede tener para otros principios de la contratación[53]. La información que se pone a disposición del ciudadano o de los licitadores, debe tener, en todo momento, una finalidad, que en primer término no es otra que la de permitir una trasparencia en su sentido estricto, es decir, una comprensión de los procesos decisorios, pero que posteriormente, en su forma instrumental, permita a aquellos que consideren perjudicados sus intereses iniciar el correspondiente procedimiento de denuncia y garantizar la probidad de las actuaciones.

Estas argumentaciones, como decimos, no deben sin embargo derivar, en nuestra opinión, en una difusión necesariamente menor de información o que ofrezca menores garantías de control en las compras públicas. A nuestro juicio, el nuevo modelo de transparencia debe implicar un giro en la aproximación tradicional al fenómeno, que debe diseñarse, tal y como afirman Kosack y Fung, en torno a la respuesta a tres preguntas esenciales: ¿A quién está destinada la información? ¿Por qué el receptor puede considerarla una información de interés? ¿Para qué, o cómo, podría usar ese destinatario la información?[54].

Para lo anterior, entendemos que el juicio de ponderación sobre la información a divulgar debe tener lugar de forma efectiva —y siempre atendiendo a aquellas informaciones sobre las que no recaiga obligación legal de difusión, que deberán publicarse siempre. Esto es, se trata de un criterio de ponderación que deberá aplicarse especialmente a aquellos casos de transparencia pasiva o de acceso a la información a petición de los licitadores[55]. Así, a la hora de determinar si una información debe difundirse o no, deben actuar como ejes vertebradores los principios de integridad y buena administración. Estos deben ser en todo caso los fines ineludibles de toda divulgación. Si una información se considera necesaria para garantizar (o justificar) la probidad de las actuaciones y un acceso efectivo a la justicia, entonces el principio de transparencia permanecerá plenamente vigente aun

---

nes Jurídicas y Sociales S.A. Madrid, 2003, en pág. 377.

[53]   Como ha criticado JIMÉNEZ ASENSIO, a menudo el foco se pone sobre el volumen de la información y no sobre su contenido. JIMÉNEZ ASENSIO, R. *Cómo prevenir la... op. cit.* en págs. 108 y 109.

[54]   KOSACK, S. y FUNG, A. "Does Transparency Improve Governance?". *Annual Review of Political Science*, nº 17, 2014, págs. 67-87.

[55]   BERBEROFF, D. "La doctrina del tribunal..." *op. cit.* en pág. 195.

a riesgo de producir determinados efectos adversos en el mercado —siempre y cuando no esté declarada información confidencial.

Sin embargo, es en aquellos casos en los que la utilidad de la información para garantizar un procedimiento íntegro no es evidente, en los que el principio de competencia deberá actuar como parámetro limitador. El principio de proporcionalidad, por tanto, debe a nuestro juicio convertirse eje vertebrador de las decisiones también en materia de transparencia, exigiendo la misma cuando es necesaria, en aquellos casos en que realmente sirve al control de la integridad, la igualdad y la objetividad de los procedimientos de contratación, y actuando como parámetro limitador en aquellos casos en los que su utilidad no ofrece garantías y la información podría poner en riesgo el principio de competencia[56]. No obstante, como en casos recientes ha aclarado la Corte General para el caso de las instituciones europeas, debe realizarse un estudio individualizado de los riesgos de divulgación de cada uno de los documentos solicitados, no siendo procedente una denegación general de acceso a la información en alusión a un perjuicio genérico para la seguridad pública, la intimidad o el proceso de toma de decisiones[57].

IV. El trascendental papel del juez en la revisión de las decisiones

Adicionalmente a lo expuesto hasta ahora, un sistema de recurso efectivo en materia de integridad debe disponer, esencialmente, de un sistema de control de buena administración por parte de los tribunales, que debe realizarse, en imagen de la labor realizada por el TJUE, a través de un control de la discrecionalidad basado en los principios del Derecho. El abuso de poder o trato de favor se basa en la idea de que el margen de discrecionalidad de los organismos de la administración pública se acota, además de por las normas de competencia los fundamentos procesales y jurídicos,

---

[56] En la ponderación, por tanto, el principio de integridad debe conservar siempre un papel preeminente frente a los intereses comerciales u otros elementos de ponderación. MORANDINI, F. "Acceso a la información pública en las contrataciones públicas". En: RODRÍGUEZ-ARANA, J. *Contrataciones públicas en el marco de los derechos sociales fundamentales*. Madrid: INAP, 2017, págs. 261-290 en págs. 272-273.

[57] TJUE, asunto T-136/15, *Evropaïki Dynamiki vs Parlamento Europeo*, de 14 de diciembre de 2017, apartados 40 y ss.

por el objetivo —interés público— para el que se concedieron las facultades discrecionales, que sirve como parámetro de control judicial[58].

Los principios deben actuar como norma aplicable de manera directa parte de esa delimitación del margen de discrecionalidad, ya que las leyes en muchas ocasiones no pueden, ni deben intentarlo, dar una respuesta concreta a todos los actos corruptos. Es en estas situaciones es en las que se debe aplicar con especial vehemencia y de una manera efectiva los principios de la contratación, que deben servir como elemento esencial de control de la discrecionalidad administrativa en esta materia, exigiendo una posición activa por parte de los tribunales[59]. Se debe llevar a cabo una aproximación integral que permita prevenir, detectar y corregir todos aquellos supuestos que constituyen casos de corrupción o suponen situaciones de especial riesgo para la integridad.

Sin embargo, esta aproximación no puede basarse en el Derecho sancionador —ya sea éste penal o administrativo. Y esto porque, debido al especial celo con el que debe guardarse el principio de legalidad en este tipo de manifestaciones del ordenamiento punitivo del Estado[60], que exige que toda situación punible esté detalladamente prevista en la legislación san-

---

[58] PARCHOMIUK, J. "Abuse of Discretionary Powers in Administrative Law of the Judicial Review Models: from "Administrative Morality" to the Principle of Proportionality", *Casopis pro právní vědu a praxi*, XXVI, 3/2018, págs. 453-478.

[59] Así lo entiende también MEDINA ARNÁIZ, que defiende que *de la normativa contractual se desprende que los principios que presiden la adjudicación de contratos públicos —transparencia, concurrencia, igualdad de trato de los licitadores y no discriminación— son elementos claves para luchar contra la corrupción puesto que limitan los riesgos de favoritismo y arbitrariedades.* MEDINA ARNÁIZ, T. ""La necesidad de reformar la legislación sobre contratación pública para luchar contra la corrupción: las obligaciones que nos llegan desde Europa". *Revista Vasca de Administración Pública*, 104, 2016, págs. 77-104.

[60] Tribunal Constitucional, Pleno, Sentencia 14/1998 de 22 Ene. 1998, Rec. 746/1991: *Es doctrina constante y reiterada de este Tribunal que el art. 25.1 CE (LA LEY 2500/1978) establece, en su dimensión material, una "imperiosa exigencia de predeterminación normativa" (STC 42/1987 (LA LEY 775-TC/1987)), de lex praevia y lex certa (STC 133/1987 (LA LEY 93446-NS/0000)), de modo que la ley ha de describir ex ante el supuesto de hecho al que anuda la sanción y la punición correlativa (SSTC 196/1991 (LA LEY 1815-TC/1992) y 95/1992 (LA LEY 1968-TC/1992)). Pues bien, en el supuesto que ahora nos ocupa el margen de decisión conferido a la Administración quebraría, a juicio de los recurrentes, ese principio de certeza que garantiza el art. 25.1 CE (LA LEY 2500/1978) y, más genéricamente, el de seguridad jurídica (art. 9.3 CE (LA LEY 2500/1978).* En el mismo sentido, puede verse la STS de 18/1981, de 8 de junio.

cionadora y que exista una minuciosa distribución de competencias[61], una aproximación tal haría que, en la práctica, un buen número de prácticas o situaciones irregulares permanecieran desreguladas[62].

El concepto estricto u originario del principio de legalidad, como afirma García de Enterría, se basó en la concepción del derecho y del actuar administrativo como realidades absolutas similares a la física newtoniana, algo que, posteriormente, se ha demostrado utópico[63]. Una simple sumisión a la Ley formal por parte de la Administración resulta a todas luces insuficiente para una salvaguardia efectiva de los derechos a una buena administración de los ciudadanos[64]. Por ello, en materia de Derecho administrativo, el respeto al principio de legalidad, que rige la actividad administrativa y

---

[61] Esta garantía emana directamente del artículo 25.1 de la Constitución, que reza: *nadie puede ser condenado o sancionado por acciones u omisiones que en el momento de producirse no constituyan delito, falta o infracción administrativa, según la legislación vigente en aquel momento.* Véanse a su vez, los comentarios de PRIETO SANCHÍS, L. "La jurisprudencia constitucional y el problema de las sanciones administrativas en el Estado de Derecho". *Revista Española de Derecho Constitucional*, nº 4, 1982, págs. 99-122 en pág. 101; MORENO MOLINA, J. A. "Las novedades en la regulación por las leyes 39 y 40/2015 de la responsabilidad patrimonial y la potestad sancionadora de las Administraciones Públicas", *Revista Española de Derecho Administrativo*, nº 179, 2016, págs. 87-109; véase a su vez, en relación con el derecho comparado, CRISMANI, A. *La tutela giuridica degli interessi finanziari della colletività. Aspetti e considerazioni generali con riferimento al diritto comunitario.* Milán: Giuffrè, 2000, págs. 106 y ss.

[62] En todo caso, En qué medida estas normas morales deben ser incluidas en el ordenamiento jurídico ha sido históricamente un asunto controvertido, tal y como declaró el Consejo de Estado en su dictamen de 19 de julio de 2012, cuando observa que *la traslación al ámbito de lo jurídico de normas morales incoercibles puede resultar en determinados casos problemática, en la medida en que el principal instrumento de que el Derecho dispone para forzar el cumplimiento de las leyes es la coacción, siendo así que la observancia de las normas morales o éticas descansa más bien en la persuasión, cuando no en la amenaza del reproche social que su incumplimiento puede conllevar.* Dictamen del Consejo de Estado, e 19 de julio de 2012, sobre el anteproyecto de Ley de transparencia, acceso a la información pública y buen gobierno (707/2012). *Boletín Oficial del Estado*, 19 de julio de 2012.

[63] GARCÍA DE ENTERRÍA, E. *Revolución Francesa y Administración contemporánea.* Madrid: Thompson Reuters, Arnzadi, 2011, en págs. 22 y ss.; PONCE SOLÉ, J. "La discrecionalidad no puede ser arbitrariedad y debe ser buena administración". *Revista Española de Derecho Administrativo*, nº 175, enero-marzo 2016, págs. 57-84.

[64] GARCÍA DE ENTERRÍA, E. "Reflexiones sobre la Ley y los principios generales del Derecho en el Derecho Administrativo". *Revista de Administración Pública*, nº 40, 1963, págs. 189-224 en pág. 204.

sirve tradicionalmente como medio de control a la actividad pública, debe ser entendido como un mandato que requiere un sometimiento al Derecho (del que forman parte tanto la Ley como los principios del Derecho y las interpretaciones jurisdiccionales emanadas de ellos), y no únicamente a la Ley formal[65].

El principio de legalidad modula su contenido cuando se trata de establecer los límites a la actuación del sector público, eso es, cuando se trata de sentar las bases sobre las que se deberá realizar el control de discrecionalidad que evite comportamientos contrarios al Derecho[66]. Como advertía Andrea Crismani, es inútil tratar de someter, ante la realidad de los hechos, toda actuación del poder público a una tipología estrictamente positivista del principio de legalidad, y por ende, también lo es limitar su control a dicha concepción[67]. O en palabras de García de Enterría, en el Derecho administrativo no sancionador —esto es, de prevención y control— la existencia de una Ley no implica de forma necesaria el respeto del principio de legalidad, ya que la Ley puede mutar hacia la más fuerte y formidable "amenaza para la libertad" como una "forma de organización de lo antijurídico" que resulte en la perversión misma del orden jurídico[68]. El principio de legalidad debe ser entendido aquí en un sentido amplio que trasciende a la norma[69].

Quizá en Derecho administrativo, más que en ninguna otra rama legal, los principios han actuado en la historia reciente como elemento vertebrador del sistema, como elementos informadores del ordenamiento jurídico en general[70]. Y ello en parte, como defiende García de Enterría, debido a la proliferación y dispersión normativa existente en el sector, que convierte

---

[65]   BITENCOURT NETO, E. *Improbidade Administrativa e violaçao de principios*. Brasil: Del Rey, 2005, págs. 127 y ss.

[66]   Sobre la ligera línea que separa la nulidad del delito en materia de contratación pública, puede ser de especial interés el trabajo de BAUZÁ MARTORELL, F. J. "El contrato administrativo: entre la invalidez y el delito". *Revista Española de Derecho Administrativo*, n° 175, 2016, págs. 128-159.

[67]   CRISMANI, A. *La tutela giuridica… op. cit.* en pág. 107; véase a su vez FABIANO, S. *Il nuovo sistema dei controli e prevenzione de la corruzione negli enti local*. Matelica: Nuova Giuridica, 2013, págs. 19 y ss.

[68]   GARCÍA DE ENTERRÍA, E. "Reflexiones sobre la…" *op. cit.* en pág. 198.

[69]   RODRÍGUEZ-ARANA, J. "Reflexiones sobre la regeneración…" *op. cit.* en pág. 42.

[70]   RODRÍGUEZ-ARANA, J. "Los principios generales del derecho global de la contratación pública". En: RODRÍGUEZ-ARANA, J. (dir.) *Contrataciones públicas en el ámbito de los derechos sociales fundamentales*. Madrid: INAP, 2017, págs. 13-40.

en utopía una codificación o sistematización del Derecho a imagen de lo que ocurre en otras materias[71]. El papel de los tribunales en el control de la discrecionalidad a través de los principios es, pues, esencial para asegurar la vertebración del sistema de integridad en la contratación. Tomando prestadas algunas palabras del mencionado autor: *resulta aquí evidente que sin un esqueleto de principios generales capaz de insertar y articular en un sistema operante y fluido ese caótico y perpetuo fieri agregado de normas, el Derecho Administrativo, ni como ordenación a aplicar, ni como realidad a comprender, ni, consecuentemente, como ciencia, sería posible*[72].

Los principios generales del Derecho administrativo son algo sustancial y más profundo que la Ley misma, que no es sino una manifestación suya, y a la que por tanto deben ser capaces de someter y relativizar[73]. Por ello, son una herramienta especialmente eficaz en sede judicial, no sólo para una correcta interpretación legislativa, sino como verdadera herramienta —quizá la principal— al servicio de los tribunales a la hora de acometer la tarea de *creación* de Derecho que les consolida como una auténtica fuente de Derecho.

Los jueces no deben limitarse a controlar únicamente la legalidad, sino que deben realizar un control de fondo sobre la justificación de las medidas tomadas por el sector público, que aun siendo legales formalmente, pueden violentar los principios del derecho y, en determinados casos, esconder corruptelas[74]. En palabras de Esser, *la elaboración judicial de la ley no aparece ya como un simple apéndice de la ley y como una prótesis pudorosamente oculta de sus imperfecciones (que es, y sigue siendo en el fondo, la conside-*

---

[71]   GARCÍA DE ENTERRÍA, E. "Reflexiones sobre la..." *op. cit.* en págs. 203 y 212.

[72]   *Ibidem* en pág. 204; en el mismo sentido, véase BETEGÓN, J. "Confianza y justicia penal". En: BETEGÓN, J. y DE PÁRAMO, J. R. *Derecho, confianza y democracia.* Albacete: Bomarzo, 2013, págs. 83-104.

[73]   GARCÍA DE ENTERRÍA, E. "Reflexiones sobre la..." *op. cit.* en págs. 189-224; en el mismo sentido IHERING afirmaba que si dejamos de lado los principios que rigen el derecho y a partir de los cuales han sido creadas las normas, estaríamos acercándonos peligrosamente aun positivismo clásico, y caeríamos en una *huida del propio pensamiento, abandonándonos en la ley como una herramienta sin voluntad...* IHERING, R. V. *¿Es el Derecho una ciencia?* Traducido del Alemán. Edit. Comares, Granada, 2002, pág. 56.

[74]   SCHMIDT-ASSMANN, E. *La teoría general... op. cit.* en págs. 248-250; CERRILLO I MARTÍNEZ, A. "Nuevos mecanismos para garantizar la integridad en la contratación pública". En: GIMENO FELIÚ, J. M. (dir.) *Estudio Sistemático de la Ley de Contratos del Sector Público.* Cizur Menor: Aranzadi, 2018, págs. 1.615-1.656 en pág. 1.625.

ración que merece para la concepción jurídica de la codificación), sino como una parte funcionalmente normal y necesaria de la creación en general do conceptos jurídicos[75]. Y en este papel "creador" por parte de los tribunales, que es, a nuestro juicio, el que reclama un papel protagonista en el control de la integridad y la corrupción, el foco de las decisiones no se encarga estrictamente de buscar la decisión más justa, sino la solución óptima para la tutela de los intereses generales de probidad administrativa[76].

El control judicial-administrativo no se configura aquí en una vertiente defensiva o meramente retributiva, sino que se desempeña como mecanismo de guía y dirección[77], que requiere un cierto control ético o de calidad que excede las tradicionales concepciones del control contencioso administrativo[78]. Los tribunales administrativos deben ser entendidos, pues, como un actor principal en la creación y el desarrollo del Derecho de los contratos públicos a través de la aplicación e interpretación de los principios rectores, lo cuales fueron considerados por García de Enterría como *la única posibilidad de una garantía individual y social efectiva frente a los formidables poderes de la Administración*[79].

Los citados principios generales no sirven únicamente como asiento para el desarrollo de la normativa europea, sino que operan en el día a día de los procesos de contratación[80]. En otras palabras, su aplicación al derecho de

---

[75]   ESSER, J. *Grundsatz und Norm in, derrichterlichen Forlbildung des Privatsrechts. Rechlsvergleichende Beitráge zur Rechtsque-llend-undnlerpretalioristehre*, Tübingen. 1956, pág. 23 citado por GARCÍA DE ENTERRÍA, E. "Reflexiones sobre la..." *op. cit.* en págs. 189-224; véase también BARNÉS VÁZQUEZ, J. "Procedimientos administrativos y..." *op. cit.* en pág. 51.

[76]   BARNÉS VÁZQUEZ, J. "Procedimientos administrativos y..." *op. cit.* en págs. 59-60.

[77]   BARNÉS VÁZQUEZ, J. "Procedimientos administrativos y..." *op. cit.* en pág. 51.

[78]   PONCE SOLÉ, J. "Innovación para la calidad normativa al servicio del buen gobierno y la buena administración". En: PONCE SOLÉ, J. y CERRILLO I MARTÍNEZ, A. *Innovación en el ámbito del buen gobierno: ciencias del comportamiento, transparencia y prevención de la corrupción*. Madrid: INAP, 2017, págs. 87-146; SANTAELLA QUINTERO, H. "Algunas reflexiones sobre las nuevas formas de actuación administrativa impuestas por el mercado y la técnica y sus implicaciones para la metodología de la ciencia jurídico administrativa". *Revista digital de Derecho Administrativo*, n° 5, 2011, págs. 87 y ss.

[79]   GARCÍA DE ENTERRÍA, E. "Reflexiones sobre la..." *op. cit.* en pág. 205.

[80]   La importancia efectiva de los principios rectores de la contratación viene siendo señalada por MORENO MOLINA desde hace tiempo, especialmente en relación con las interpretaciones del TJUE. Véase MORENO MOLINA, J. A. "Principios generales de la contratación pública, procedimientos de adjudicación y recurso

la contratación pública no tiene lugar únicamente de forma indirecta. Todo lo contrario. Los principios deben servir para interpretar correctamente tanto las normas comunitarias como las nacionales, pero también actúan como normas en sí mismos, de forma que deben cumplirse y aplicarse sin necesidad de que exista un desarrollo normativo[81]. Estas herramientas deben servir, en materia de integridad, como baluarte de la justicia y como límite a la discrecionalidad de la administración, de forma que su uso sea real por parte de los tribunales administrativo y judiciales[82]. Nuestro propio TS ya afirmó, en su sentencia de 18 de febrero de 1992, que la Administración debe estar sometida no sólo a la ley sino también al Derecho, del cual forman parte central los principios generales, que por tanto deben servir a los tribunales a la hora de fiscalizar las actuaciones de la Administración.

Esta interpretación funcional del control del poder público basada en los principios no debe, no obstante, derivar en una carta blanca al juez que sustituya de facto el necesario ejercicio de la discrecionalidad administrativa contractual[83]. La aproximación funcional debe guardarse de no justificar unos organismos de control que ejerzan una búsqueda libre de la justicia en menosprecio o inobservancia de las leyes[84], y mucho menos que derive en un control político o de oportunidad: *la superación del positivismo de*

---

[81]   especial en la nueva Ley Estatal de Contratos del Sector Público", *Revista Jurídica de Navarra*, Edit. Gobierno de Navarra: Departamento de Presidencia e Interior, nº 45, Enero-junio 2008, págs. 45-76; MORENO MOLINA, J. A. *Los principios generales de la contratación de las Administraciones Públicas*. Albacete: Bomarzo 2006; ROMERO MOLINA, C. A. y MORENO MOLINA, J. A. *Principios de la contratación pública en la jurisprudencia*. Bogotá: Grupo Editorial Ibáñez, 2015.

[81]   Véanse también, en este sentido y a modo de ejemplo de la aplicación de principios del Derecho a la contratación pública, el análisis de AYMERICH CANO de la Sentencia del Tribunal General de la UE, asunto T-235/11, Reino de España vs Comisión, de 31 de enero de 2013, en AYMERICH CANO, C. "Corrupción y contratación…" *op. cit.* en pág. 218 y ss.

[82]   Como afirma el profesor RODRÍGUEZ-ARANA, *los principios [deben ser] las guías, los faros, los puntos de referencia necesarios para que, en efecto, el Derecho Administrativo no se convierta en una maquinaria normativa al servicio del poder de turno sin más asideros que las normas escritas.* RODRÍGUEZ-ARANA, J. "El principio general del derecho de confianza legítima". *Ciencia Jurídica*, Año 1, nº 4, 2013, págs. 59-70 en pág. 60.

[83]   SÁNCHEZ-GRAELLS, A. "If it ain't broke, don't fix it'? EU requirements of administrative oversight and judicial protection for public contracts". En: S TORRICELLI, S. y FOLLIOT LALLIOT, F. (eds.) *Administrative oversight and judicial protection for public contracts*. Larcier, 2017.

[84]   GARCÍA DE ENTERRÍA, E. "Reflexiones sobre la…" *op. cit.* en pág. 209.

ningún modo puede implicar el abandono de la positividad del Derecho. El derecho positivo de la contratación pública debe, en efecto, sentar las bases sobre las que se regirán los razonamientos de los tribunales en el enjuiciamiento de decisiones o casos concretos, pero sin embargo, esta construcción legal debe tener en cuenta las limitaciones de la técnica legislativa, prescindiendo de todas aquellas regulaciones superfluas y de un hiperpositivismo que derive en una excesiva carga burocrática del sistema[85], construyendo, por el contrario, normas positivas que actúen a modo de cimiento, marco y motor para la interpretación jurídica en sede judicial. Partiendo de unas bases sólidas y claras, el verdadero control exhaustivo y detallado de la integridad en los procesos de contratación debe llevarse a cabo esencialmente por la jurisprudencia, y no por la norma.

A imagen de lo que ha acontecido en algunos países de nuestro entorno, donde *se ha establecido un estándar de control que considera arbitrario no únicamente lo irracional o no motivado, sino también lo que adolece de falta de diligente adquisición de hechos e intereses relevantes o de su toma en consideración cuidadosa*[86], es necesaria la creación de un control de la discrecionalidad de carácter preventivo, basado en los principios de integridad y buena administración, que haga uso de un control de diligencia en las actuaciones de la administración, de las motivaciones y de la razonabilidad de las decisiones[87]. Para ello se precisa una actitud proactiva por parte de los jueces que algunos de los estudiosos en la materia no han dudado en catalogar como "activismo judicial" en su acepción más positiva[88]. Ésta requiere

---

[85]   TEJEDOR BIELSA, J. *La contratación pública en España ¿sobrerregulación o estrategia?* Madrid: Civitas, 2018; BAÑO LEÓN, J. M. "La Ley de Contratos del Sector Público y Gestión de lo Público: ¿Regulación o Sobrerregulación?", *Monografías de la Revista Aragonesa de Administración Pública*, XVIII, 2018, págs. 11-19.

[86]   Así, por ejemplo, en EEUU y Francia, tal y como lo expone PONCE SOLÉ, J. "La discrecionalidad no puede ser arbitrariedad y debe ser buena administración". *Revista Española de Derecho Administrativo*, n° 175, enero-marzo 2016, págs. 57-84 en pág. 79.

[87]   HERCE MATA, I. "La razonabilidad como elemento de control de la discrecionalidad en la Administración Pública". *Anuario Jurídico Villanueva*, 11, 2017.

[88]   Véase el excelente análisis del fenómeno desde la perspectiva de la contratación pública llevado a cabo por BOVIS, C. "Judicial activism and public procurement". En: BOVIS, C. (ed.), *Research Handbook on EU Public Procurement*. Elgar, 2016, págs. 329 y ss. En cuanto al activismo judicial como práctica general, especialmente útil en materias de Derecho Constitucional, es de interés KIRBY M. *Judicial Activism: Authority, Principle and Policy in the Judicial Method*. London Sweet & and Maxwell, 2004; RODRÍGUEZ-GARAVITO, C. "Beyond the Courtroom: The Im-

que el juez entre a valorar la idoneidad o la razonabilidad de las actuaciones administrativas y no exclusivamente su legalidad formal[89], articulando así, de forma más visible que cualquier otra variante de la actividad judicial, la función de creador de derecho de los tribunales[90]. Algunos académicos han tratado de advertir que este tipo de actividad judicial a través de principios del derecho puede llevar, en la práctica, a una privatización del derecho público, ya que las decisiones públicas podrían ser desafiadas por intereses privados sin necesidad de que estuvieran en juego derechos individuales, como se exigía anteriormente[91]. Sin embargo, lo cierto es que una limitación del control sustantivo de las decisiones a cuestiones que afecten directamente a derechos individuales engendraría una división artificial de los efectos de las decisiones administrativas y del papel del juez. Pues no debemos obviar que, las decisiones contractuales, aunque en un amplio porcentaje no lesionen derechos individuales, engendran un importante riesgo de distorsión del sistema que en última instancia, afecta a las bases mismas del Estado social

---

pact of Judicial Activism on Socioeconomic Rights in Latin America". *Texas Law Review*, 89, 2011; MARIANELLO, P. A. "El activismo judicial, una herramienta de protección constitucional". *Pensar en Derecho*, vol. 1, n° 1, 2012, págs. 125-126.

[89] La racionalidad de las decisiones judiciales ha sido identificada por LÓPEZ RAMÓN como una de las características centrales de lo que ha denominado "el control jurídico del poder ejecutivo". Véase LÓPEZ RAMÓN, F. "Hacia un modelo europeo de control jurídico del poder ejecutivo". *Revista Española de Derecho Administrativo*, n 186, 2017, págs. 15-46; y en el mismo sentido, PONCE SOLÉ viene afirmando cómo propia decisión discrecional es relevante en sí misma para el derecho administrativo, y por ende, para el juez, y que en consecuencia éste debe trascender el mero control formal para valorar el fondo de las decisiones. PONCE SOLÉ, J. "The right to good administration and the role of administrative law". En: CERRILLO I MARTÍNEZ, A. y PONCE SOLÉ, J. *Preventing corruption and promoting good government and public integrity*. Bruselas: Brulyant, 2017, págs. 25-54.

[90] Tal y como afirma TAHIRI, existen diversas concepciones o acepciones de la expresión "activismo judicial". Frente a acepciones que pueden tener un carácter negativo, como aquellas que entienden el fenómeno como un enjuiciamiento orientado hacia un resultado o aquel que se muestra disidente con la jurisprudencia asentada, todas las referencias a esta realidad en el presente trabajo deben entenderse referidas a la función de creación de Derecho del juez. TAHIRI, X. "Judicial Activism" or Constitutional Interpretation?: An Analysis of the Workings of the Constitutional Court of Kosovo". *European Public Law*, vol. 23, Issue 1, 2017, págs. 147-164 en pág. 152.

[91] MURRAY, P. (eds.), Public Law Adjudication in Common Law Systems, Process and Substance, Hart, 2016; CRAIG, P. "Taxonomy and Public Law: A Response", September 6, 2018, *Public Law*.

y de la prestación de servicios públicos. Por ello, entendemos que aunque varía la intensidad en el aplicación de los diferentes test de idoneidad, ésta debe extenderse a todos los aspectos del procedimiento de contratación.

Este tipo de mecanismos de control, beligerantes y antiformalistas, basados en el *common sense* y en la aplicación directa de los principios del Derecho, nacen de la tradición jurídica anglosajona, y lejos de representar una novedad en materia de contratación pública viene siendo utilizado por el TJUE en otras materias como la inclusión de cláusulas ambientales o sociales[92]. Las medidas eficaces de gestión de riesgos en las decisiones ya estaban, de hecho, previstas en la CNUCC, en la que además de los sistemas tradicionales de contabilidad y auditoría, se preveía la implementación de un sistema eficaz de control de riesgo (artículo 9.2.(d)) que exigía que la razonabilidad de las medidas adoptadas en la contratación fuese realmente controlada a través de la corrección y la integridad en la actuación administrativa, de forma que no estuviera limitado al control de legalidad o a un excesivo formalismo (transmisión de riesgo en las concesiones, viabilidad real y no sólo presupuestaria de los proyectos, etc.). El control judicial, en definitiva, debe desempeñar un papel activo y principal como creador de Derecho, y no como mero exégeta de la norma escrita[93]. Una concepción funcional del control judicial precisa de un mecanismo de control jurídico basado en el problema y no en el sistema[94], que haga uso de los principios del Derecho como herramienta práctica de control de la actividad pública.

---

[92] BOVIS, C. *EU public procurement law*. Elgar, 2012, pág. 281; BOVIS, C. "Judicial activism and…" *op. cit.* en págs. 329 y ss.; LÓPEZ RAMÓN, F. "Hacia un modelo…" *op. cit.* en págs. 15-46; RODRÍGUEZ-ARANA, J. "Los principios generales…" *op. cit.* en págs. 42 y ss.; en cuestiones de derecho administrativo general y el enfoque del Common Law en la construcción del derecho, véase AGUDO GONZÁLEZ, J. "El método en el Administrative Law inglés: entre el discurso jurídico y el discurso político". *Revista Española de Derecho Administrativo*, nº 165, 2014, págs. 407-449.

[93] Lejos de ser una perspectiva excéntrica o utópica de la labor del juez en el control de la actuación administrativa, GARCÍA DE ENTERRÍA ya señalaba cómo, en el derecho administrativo, la labor del juez no puede reducirse a una función estrictamente exegética, sino que la jurisprudencia debe tomar un papel activo como fuente del Derecho. Véase GARCÍA DE ENTERRÍA, E. "Reflexiones sobre la…" *op. cit.* en págs. 189-224; en relación con la necesidad de que los tribunales jueguen un papel activo en la lucha contra la corrupción, véase DE URBANO CASTRILLO, E. "Ética judicial (la lucha contra la corrupción desde la perspectiva judicial)". En: RODRÍGUEZ-ARANA, J., VIVANCOS COMES, M. *Calidad democrática, transparencia e integridad*. Cizur Menor: Aranzadi, 2016, págs. 205-217.

[94] GARCÍA DE ENTERRÍA, E. "Reflexiones sobre la…" *op. cit.* en pág. 214.

1. El principio de integridad

Aunque tradicionalmente ha sido referido como antagonista de la corrupción[95], lo cierto es que el significado del principio de integridad tiene un alcance considerablemente más amplio. Para ser más preciso, se podría afirmar que la integridad es antípoda, al menos, de los tres comportamientos deshonestos que pueden tener lugar en el proceso de contratación: corrupción, fraude y conflicto de intereses. Podría decirse, así, que existe integridad cuando el procedimiento de contratación cumple con el código de conducta de la ética pública (los empleados públicos, garantes del interés general, actúan en aras de dichos intereses), se proporciona un tratamiento imparcial a todos los licitadores (respetando los principios de objetividad e igualdad de trato[96]), se asegura una competencia leal entre los operadores económicos del mercado y se garantizan una publicidad y transparencia efectivas. Una noción de integridad amplia que comparte la OCDE, que indica que por integridad habrá que entender *el uso de los fondos, los recursos, los activos y las autorizaciones es conforme a los objetivos oficiales inicialmente establecidos, y a que de dicho uso se informa adecuadamente, que es conforme al interés público y que está debidamente armonizado con los principios generales del buen gobierno*[97]. Integridad es, en definitiva, la correlación entre lo que se dice y lo que se hace, entre lo que debe ser y lo que es[98]; es decir, el interés público, como concepto que marca el fin de la administración o el deber ser, determinará la evaluación de las acciones a la luz del principio de integridad.

Las Directivas de contratación de 2014 no recogen expresamente en su articulado el principio de integridad, como sí hace la legislación española (Ley 9/2017) en su artículo 1.1, si bien éste tampoco define el contenido del

---

[95]   Véase BROCK, G. "Institutional Integrity, Corruption, and Taxation" *Research in Action Working Papers*, Edmond J. Safra Center for Ethics, nº 39, 2014. Disponible en: http://ssrn.com/abstract=2408183; OCDE. *Principles for Integrity in Public Procurement*, Traducción personal. París: OECD Publishing, 2009, pág. 19.

[96]   Véase, en relación a las implicaciones del principio de objetividad en el procedimiento de contratación, BERNAL BLAY, M. A. "El principio de objetividad en la contratación pública". *Revista Documentación Administrativa*, nº 289, 2011, págs. 129-150.

[97]   OCDE. *Recomendación del Consejo sobre contratación pública*. [C(2015)2] pág. 6.

[98]   BRYTTING, T., MINOGUE, R. y MORINO, V. *The Anatomy of Fruad and Corruption: Organizational Causes and Remedies*. Farhnan (Reino Unido): Gower Applied Research, 2011, pág. 153.

principio[99]. Sin embargo, independientemente de lo expuesto, el principio de integridad puede considerarse plenamente vigente en el derecho de la contratación pública comunitario y nacional, tal como ha afirmado buena parte de la doctrina, al establecerse la lucha contra la corrupción como uno de los ejes vertebradores de la actual política de contratos públicos europea[100], y teniendo en cuenta que otros principios afines como el de transparencia, buena administración, o buena gobernanza se encuentran plenamente reconocidos como bases del funcionamiento de las Administraciones y de la interpretación del derecho comunitario.

La integridad debe, pues, actuar como el principio integrador de todas las normas morales de ética pública —lo que en otras partes del trabajo hemos denominado sistema normativo relevante— que deben regir todo el actuar del sector público[101]. El principio de integridad, por tanto, trasciende la ley formal para preservar la ética pública[102], la cual puede ser definida como *el vínculo que obliga no sólo al respeto a la ley, sino también a perseguir los intereses públicos, manteniéndolos claramente diferenciados de los privados; es un factor que trasciende los aspectos legales para abarcar la esfera pública y cultural completa*[103]. Así, la ética pública constituye uno de los ejes del principio de integridad, y que alcanza también a otros principios básicos en la lucha contra la corrupción como son el de buena gobernanza y buena administración[104]. Es cierto, en todo caso, que como

---

[99] GIMENO FELIÚ, J. M. "La nueva Ley de Contratos del Sector Público: hacia un modelo de contratación pública transparente y estratégica". *Contratación Administrativa Práctica*, nº 153, 2018, págs. 34-39; MORENO MOLINA, J. A. "El derecho europeo de…" *op. cit.* en pág. 144; CERRILLO I MARTÍNEZ, A. "Nuevos mecanismos para…" *op. cit.* en pág. 1.616.

[100] Véanse los considerandos 100 y 126 de la Directiva 2014/24/EU; y en el mismo sentido, ARROWSMITH, S. (ed.) *Public Procurement Regulation: an Introduction* Nottingham: University of Nottingham, 2011, págs. 8 y ss.; CERRILLO I MARTÍNEZ, A. *El principio de… op. cit.*; GONZÁLEZ SANFIEL, A. M. "Integridad en la contratación pública: patologías al uso". En: GIMENO FELIÚ, J. M. et al. *Observatorio de los contratos públicos. Las nuevas directivas de contratación pública.* Cizur Menor: Aranzadi, 2015, págs. 253-263; CERRILLO I MARTÍNEZ, A. "Nuevos mecanismos…" *op. cit.* en pág. 1.616.

[101] RODRÍGUEZ-ARANA, J. *Ética Institucional: Mercado "Versus" Función Pública.* Madrid: Dykinson y Escuela Gallega de Administración Pública, 1996; CRISMANI, A. *La tutela giuridica… op. cit.* en págs. 269 y ss.

[102] CERRILLO I MARTÍNEZ, A. *El principio de… op. cit.* en pág. 54.

[103] MERLONI, F. y VANDELLI, L. *La corruzione amministrativa. Cause, prevenzione e rimedi* Traducción personal. Passigli Editori, Florencia, 2010, en págs. 9-10.

[104] CERRILLO I MARTÍNEZ, A. *El principio de… op. cit.* enp. 54.

afirma González Sanfiel, el principio de integridad no ha sido utilizado aún de forma directa como parámetro directo de interpretación por los tribunales[105], pero no es menos cierto que otros principios de similar contenido, como el de buena administración o gobernanza, sí que cuentan ya con una cierta trayectoria de aplicación, y que, por ende, nada impide, en base a lo expuesto hasta ahora, realizar un control basado en el principio de integridad.

2. La buena administración y la importancia de la motivación de las decisiones contractuales

A menudo las actuaciones corruptas se ocultan detrás de contratos innecesarios, procedimientos inadecuados, la creación de necesidades ficticias o elementos sujetos a discrecionalidad como los terrenos en los que se desarrolla una obra o las características del bien o del servicio demandado —especificaciones técnicas o solvencia técnica— que pueden limitar en exceso la concurrencia y esconder contratos dirigidos ad hoc a determinadas empresas o grupos de empresas[106]. En gran parte de las irregularidades que dan lugar a casos de corrupción, el elemento determinante para apreciar su falta de integridad se encuentra en el adjetivo que acompaña a la práctica, y no en la práctica en sí.

De esta forma, determinadas prácticas que violentan el principio de integridad y buena administración cuando son constantes, excesivas, injustificadas, repetitivas, etc., pueden ser perfectamente justificadas si son proporcionales, necesarias, motivadas, etc. En muchas ocasiones el elemento determinante en la corrupción es adjetival y no nominal, y su categorización como tal dependerá de una ponderación valorativa.

En consecuencia, las razones que determinan cuantitativa y cualitativamente una decisión se antojan como el elemento trascendental para la revisión judicial sobre el fondo de las mismas. El razonamiento seguido para la identificación de la necesidad de un determinado servicio, bien u obra, sobre la idoneidad de llevar a cabo el contrato por una determinada cantidad y no por otra, de construir en un lugar y no en otro; de otorgar un determinado peso específico a un criterio de adjudicación, de exigir una determinada

---

[105]   GONZÁLEZ SANFIEL, A. "La integridad en la..." *op. cit.* en págs. 47.
[106]   JAREÑO LEAL, A. "La justificación del contrato público y el control del expediente de contratación como formas de prevenir los delitos de corrupción". Revista Internacional Transparencia e Integridad, nº 9, 2019, pág. 3.

solvencia técnica, de realizar un contrato en una determinada cantidad de lotes o no hacerlo, etc., compone, en definitiva, el elemento determinante a la hora de poder evaluar en qué medida el contrato es innecesario, el presupuesto invertido excesivo, las prescripciones técnicas excesivas y por tanto discriminatorias, o cualquier otro exceso o irregularidad.

Por ello, estrictamente ligado al principio de integridad, aunque quizá con un alcance aún mayor, el derecho a una buena administración se recoge de forma expresa en el artículo 41 de la Carta de Derechos Fundamentales de la UE (CDFUE)[107] y su aplicación jurídica ha sido reiterada por la doctrina del TJUE[108]. Reconoce el derecho de todos los ciudadanos a ser tratados de manera justa, objetiva e igualitaria por todas las instituciones de la UE, así como a ser oídos antes de que se tome en contra suya una medida individual que les afecte desfavorablemente[109]. Frente al principio de integridad, que exige una correlación entre las actuaciones de la Administración y los fines de interés público, éste introduce un nuevo elemento, que es la adecuación de lo anterior a los hechos determinados. Es decir, que la decisión tomada sea adecuada en relación con unas circunstancias concretas. No se trata de una mera exigencia de buena voluntad, buena fe, probidad o coherencia en las actuaciones, sino que se requiere una debida diligencia en el estudio de un escenario determinado, lo que, a su vez, exige una justificación de que la decisión tomada en el ejercicio de la discrecionalidad administrativa es considerada la más idónea frente una realidad concreta[110].

En este sentido, tal y como sostiene Ponce Solé, el control judicial a través del derecho a una buena administración del ejercicio de la discrecionalidad administrativa y de las motivaciones en su ejercicio debe abandonar la idea

---

[107]   España incorporó la CDFUE al ordenamiento jurídico a través de la Ley Orgánica 1/2008, de 31 de julio.

[108]   *El derecho a la buena administración, que forma parte de los principios generales del Estado de Derecho comunes a las tradiciones constitucionales de los Estados miembros. En efecto, el artículo 41, apartado 1, de la Carta de los Derechos Fundamentales de la Unión Europea proclamada el 7 de diciembre de 2000 en Niza (DO C 364, pág. 1; en lo sucesivo, "Carta de los Derechos Fundamentales") confirma que "toda persona tiene derecho a que las instituciones y órganos de la Unión traten sus asuntos imparcial y equitativamente y dentro de un plazo razonable"* TJUE, *Max. mobil Telekommunikation Service GmbH. v. Commission,* Caso T-54/99 [2002] párrafo 48; vid. *Opel Austria GmbH v. Council,* T-115/94 [1997] ECLI-3; *Sviluppo Globale GEIE v Commission,* T-183/10 [2012] ECLI-534 párrafo 40.

[109]   Artículo 41 de la CDFUE.

[110]   PONCE SOLÉ, J. "The right to..." *op. cit.* en págs. 34-35.

de que existe un único y predefinido interés general, y que es posible determinar la mejor opción a través de leyes objetivizadoras de las actuaciones. Al contrario, éste dependerá de las circunstancias. El interés público, que es el faro guía y el parámetro de medición de las actuaciones administrativas, dista de ser una realidad objetiva y tangible para poder identificarse más bien con ficción jurídica, una construcción conceptual que es, en realidad, el fruto de la ponderación de una multiplicidad de intereses privados —individuales y colectivos— en juego en un determinado momento[111]. La buena administración exige, en su escenario ideal, el justo equilibrio entre todos los intereses individuales y colectivos en una determinada decisión pública. Los principios del derecho, en sus diferentes manifestaciones, imponen límites a la administración que actúan como guía hacia la decisión más justa. La nueva aproximación al interés general debe entender éste como la combinación de una multiplicidad de principios e intereses que la Administración debe ponderar en un momento determinado a la hora de trazar la línea de sus actuaciones[112]. La actuación diligente en la evaluación de las realidades existentes y los intereses en juego y la posterior adaptación de la actuación administrativa a dichas conclusiones son los aspectos que configuran, en esencia, el principio a una buena administración.

El principio exige que, desde el inicio del procedimiento contractual, todas las decisiones tomadas estén justificadas, es decir, que respondan a necesidades que han sido determinadas mediante una valoración sobre unas circunstancias concretas. Y esta motivación es la que debe componer la información objeto de transparencia en este punto.

Los aspectos indeterminados que dan lugar a falta de integridad en las actuaciones (medidas injustificadas, excesivas, repetitivas, ineficientes, inadecuadas, etc.) o aquellos que deben cumplirse para que se respete el principio de integridad en la contratación pública (medidas adecuadas, motivadas, justificadas, proporcionales, convenientes, necesarias, etc.) hacen que la integridad dependa de aspectos que exceden lo meramente legal para entrar

---

[111] RODRÍGUEZ-ARANA, J. "La buena administración como principio y como derecho fundamental en Europa", *Revista de Derecho y Ciencias Sociales*, n° 6, 2013, págs. 23-56.

[112] PONCE SOLÉ, J. "The right to..." *op. cit.* en pág. 42. De especial interés es para este extremo la nueva exigencia introducida a nivel nacional por la LCSP17 acerca de la justificación del contrato, que establece en su artículo 116 la obligación de justificar, dándole publicidad en el perfil del contratante, aspectos como la necesidad del contrato o la insuficiencia de medios en el caso de los contratos de servicios, otorgando publicidad a la fase previa de preparación del contrato.

en conceptos más subjetivos como la corrección en las actuaciones y en la toma de decisiones[113].

Este principio puede ser alegado ante cualquier tribunal en materia de contratación pública[114], si bien su contenido específico y alcance siguen presentando una alta indefinición. Una interpretación literal o restrictiva del citado precepto concluiría que el ejercicio de este derecho estaría limitado a los "órganos e instituciones del a Unión"[115], pero importantes juristas han interpretado que debe aplicarse a todas las eventualidades en las que sea aplicable el derecho comunitario —también en el ámbito doméstico, basándose en el alcance de la CDFUE, que a su artículo 51 establece que *las disposiciones de la presente Carta están dirigidas a las instituciones y órganos de la Unión, respetando el principio de subsidiariedad, así como a los Estados miembros únicamente cuando apliquen el Derecho de la Unión*—[116], e incluso que actúa como un principio del derecho europeo —excediendo

---

[113]   GIBERT ha puesto de manifiesto, con gran acierto, la levedad y la intangibilidad de las actuaciones irregulares que él llama "pecados" de la Administración, y que sin embargo, generan dinámicas clientelares basadas en la burocracia, la confianza y el falso mecenazgo, y que constituyen, en efecto, el caballo de Troya de la gestión pública actual. GIBERT I BOSCH, A. "Administración Local y competencia. Una visión económica (con "pecados" clasificados)". En: CANEDO ARRILLAGA, M. P. y GORDILLO, PÉREZ, L. I. *La autonomía local en tiempos de crisis: (reformas, fiscalidad y contratación pública)*. Cizur Menor: Aranzadi, 2015, págs. 307-322; en el mismo sentido, PIGA ha hecho hincapié sobre la estrecha relación y, en ocasiones, las dificultades para diferenciar, entre corrupción e incompetencia, y las múltiples facetas que puede adquirir su materialización. PIGA, G. "A fighting chance against corruption in public procurement?". En: ROSE-ACKERMAN, S. y SOREIDE, T. *International Handbook on the Economics of Corruption, Volume Two*. Massachusetts: Edward Elgar, 2011, págs. 141-181 en págs. 149-165.

[114]   PONCE SOLÉ, J. y CAPDEFERRO VILLAGRASA, O. "El Órgano administrativo de Recursos Contractuales de Cataluña: un nuevo avance en la garantía del derecho a una buena administración". *Revista Documentación Administrativa*, nº 288, 2012, págs. 193-206; PONCE SOLÉ, J. "La discrecionalidad no…" *op. cit.* en págs. 59 y ss.

[115]   En este sentido, véase PONCE SOLÉ, J. "Ciencias sociales, Derecho Administrativo y buena gestión pública. De la lucha contra las inmunidades del poder a la batalla por un buen gobierno y una buena administración mediante un diálogo fructífero". *Gestión y Análisis de Políticas Públicas, Nueva Época*, nº 11, 2014, pág. 1 y ss.

[116]   PONCE SOLÉ, J. "Ciencias sociales, Derecho Administrativo y buena gestión pública. De la lucha contra las inmunidades del poder a la batalla por un buen gobierno y una buena administración mediante un diálogo fructífero". *Gestión y Análisis de Políticas Públicas, Nueva Época*, nº 11, 2014, pág. 1 y ss.

del mero enunciado del artículo 41 del TDFUE— susceptible de ser invocado en aplicación del derecho nacional de cualquiera de los Estados Miembros[117]. Y es que, como se ha encargado de advertir el profesor Martín-Retortillo, una interpretación extensiva de concepto de "Derecho de la Unión" del citado precepto 51, en tanto comprendería todo Derecho nacional que desarrolla o transpone normas comunitarias, podría dar lugar a una aplicación considerablemente amplia del derecho a una buena administración[118]. Pero, lo que es más, si consideramos el papel fundamental que ha adquirido el derecho a una buena administración en los diferentes países de la UE a lo largo de los últimos años, podríamos determinar, en aplicación del artículo 6.3 del TUE, que establece como Derecho originario *los derechos fundamentales que garantiza el Convenio Europeo para la Protección de los Derechos Humanos y de las Libertades Fundamentales y **los que son fruto de las tradiciones constitucionales comunes a los Estados miembros formarán parte del Derecho de la Unión como principios generales***[119], que se trata de un verdadero principio general, y que por tanto, sería de aplicación a todos los contratos públicos, independientemente del importe o tipología del mismo e incluso cuando no estén explícitamente desarrollando o aplicando derecho comunitario[120].

---

[117]   Para AZOULAI y CLEMENT-WILZ el derecho a una buena administración es actualmente un principio del derecho de la UE que existe de manera independiente al TDFUE. Véase AZOULAI, L. y CLEMENT-WILZ, L. "La bonne administration" en J. B. AUBY y J. DUTHEIL DE LA ROCHERE (eds.). *Traité de droit administrative européén*. Bruselas: Bruylant, 2014, págs. 671 y ss.

[118]   MARTÍN-RETORTILLO BAQUER, L. "De los derechos humanos al derecho a una buena administración". En: ÁVILA RODRÍGUEZ, C. M. y GUTIÉRREZ RODRÍGUEZ, C. M. *El derecho a una buena administración y la épica pública*. Valencia: Tirant lo Blanch, 2011, págs. 43-54.

[119]   Negrita añadida.

[120]   MORENO MOLINA, J. A. *Los principios generales... op. cit.* en pág. 19; MORENO MOLINA, J. A. "El sometimiento de todos los contratos públicos a los principios generales de la contratación". En: GARCÍA DE ENTERRÍA, E. (dir.) *Administración y justicia: un análisis jurisprudencial: liber amicorum Tomás-Ramón Fernández*. Madrid: Civitas, 2012, págs. 3429-3454; ROMERO MOLINA, C. A. y MORENO MOLINA, J. A. *Principios de la contratación... op. cit.* en págs. 27-35; DÍAZ BRAVO, E. y RODRÍGUEZ LETELIER, A. *Contratos administrativos en Chile: Principios y Bases*. Santiago de Chile: Ediciones Universidad de Santo Tomás, 2016, págs. 82-85; y las sentencias del TJUE: asunto C-458/03, *Parking Brixen GMBH*, de 13 deoctubre de 2005; asunto C-324/98 *Telaustria and Telefonadress*, 2000; y Case C-231/03 *Coname*, 2005.

En nuestro país, como bien ha señalado Rodríguez-Arana, el principio de buena administración puede identificarse, al menos, en los artículos 9.2, 10.1, 24.1, 31.2. y 103.1 de la CE[121], y se encuentra, además, recogido en buena parte de los Estatutos de Autonomía aprobados en el s. XXI[122]. Por su parte, el TS español se ha pronunciado en un modo que parece aceptar la vigencia del principio a una buena administración en el derecho de la UE como parte del derecho originario al afirmar, en su sentencia de 15 de octubre de 2015 (987/15), que *(e)l deber de motivación de las Administraciones Públicas se engarza en el derecho de los ciudadanos a una buena Administración, que es consustancial a las tradiciones constitucionales comunes de los estados miembros de la Unión Europea, [...] al enunciar que este derecho incluye en particular la obligación que incumbe a la Administración de motivar sus decisiones.* Éste último extremo, el de la motivación de las decisiones, que entronca con la transparencia, aunque con un carácter marcadamente sustantivo frente a ésta, se antoja un elemento esencial hacia la aplicación en sede judicial de este principio, y debe servir de base para la posterior evaluación de las actuaciones, ya que, de lo contrario, es decir, si el juez, los licitadores o los ciudadanos no acceden a conocer el motivo por el que se toman determinadas decisiones, no será posible entrar a analizar la idoneidad de las decisiones o su adecuación con el interés público[123].

Tal y como ha expuesto el TJUE, el derecho a una buena administración exige que las entidades públicas *deben estar en condiciones, cuando menos, de aportar y exponer de manera clara e inequívoca los datos de base que debieron tenerse en cuenta para fundamentar las medidas del referido acto*

---

[121] RODRÍGUEZ-ARANA, J. "El derecho fundamental a la buena administración de instituciones públicas y el derecho administrativo". En: ÁVILA RODRÍGUEZ, C. M. y GUTIÉRREZ RODRÍGUEZ, C. M. *El derecho a una buena administración y la épica pública.* Valencia: Tirant lo Blanch, 2011, págs. 77-108 en pág. 90; PONCE SOLÉ, J. "La prevención de riesgos de mala administración y corrupción, la inteligencia artificial y derecho a una buena administración". *Revista Internacional Transparencia e Integridad*, n° 6, 2018 en pág. 4.

[122] MARTÍN-RETORTILLO BAQUER, L. "De los derechos..." *op. cit.* en págs. 43-54; RODRÍGUEZ-ARANA, J. "El derecho fundamental..." *op. cit.* en págs. 77-108.

[123] PONCE SOLÉ, J. "The right to..." *op. cit.* en págs. 25-54; CASSAGNE, J. C. *El principio de legalidad y el control judicial de la discrecionalidad administrativa.* Buenos Aires: BdeF, 2016, págs. 271 y ss.

que son objeto de impugnación y de los que dependía el ejercicio de su facultad de apreciación[124].

Sin embargo, como sostiene el profesor Pegoraro, el uso —o abuso— de la palabra "derecho" en este ámbito no se ajusta completamente al contenido del concepto jurídico que una aplicación tal de la buena administración puede generar[125], e incluso ha sido catalogado por la doctrina como un artículo retórico, sin efectos prácticos[126]. Lo cierto es que se puede hablar de un concepto jurídico que protege determinados intereses, que debe guiar la actuación de la Administración y que debe servir de parámetro de control en sede judicial, pero que carece realmente de una subjetividad o materialización concreta en el individuo, y que por tanto tiene difícil configuración como derecho subjetivo exigible en base a una lesión individualizada del mismo. Parecería más apropiado, por ello, hablar de un principio de buena administración[127], ya que, en todo caso, e incluso aceptando la coexistencia simultánea de un derecho y un principio a una buena administración con características diferenciadas[128], sería este último el que serviría, a los efectos de control de la corrupción, a los tribunales encargados de controlar la discrecionalidad en la contratación pública.

En todo caso, la buena administración como principio jurídico ha experimentado una tecnificación que lo hace plenamente aplicable en la práctica jurídica judicial[129]. Y de hecho, el TJUE ya ha utilizado en diferentes asuntos relacionados con la contratación pública el principio de buena administración como criterio evaluador de aplicación directa a las actuaciones

---

[124]   TJUE, asunto C-310/04, *Reino de España vs Consejo de la Unión Europea*, de 7 de septiembre de 2006, apartado 123.

[125]   PEGORARO, L. "¿Existe un derecho a la buena administración?". En: ÁVILA RODRÍGUEZ, C. M. y GUTIÉRREZ RODRÍGUEZ, C. M. *El derecho a una buena administración y la épica pública*. Valencia: Tirant lo Blanch, 2011, págs. 17-42.

[126]   BOUSTA, R. "Who Said There is a «Right to Good Administration»? A Critical Analysis of Article 41 of the Charter of Fundamental Rights of the European Union". *European Public Law*, 19, Issue 3, 2013, págs. 481-488.

[127]   *El propio TJUE ha afirmado en diferentes ocasiones la existencia de este principio: Por lo que respecta a la infracción del artículo 41 de la Carta, para empezar, debe recordarse que el derecho a una buena administración, reconocido en esta disposición, refleja un principio general del Derecho de la Unión.* TJUE, asunto T-292/15, *Vakakis*, de 28 de febrero de 2018, apartado 55; véase a su vez TJUE, asunto C-531/12, *Commune de Millau y SEMEA/Comisión*, 19 de junio de 2014, apartado 97.

[128]   RODRÍGUEZ-ARANA, J. "El derecho fundamental..." *op. cit.* en pág. 105.

[129]   PONCE SOLÉ, J. "La prevención de..." *op. cit.* en pág. 3.

administrativas[130]. Este principio así entendido ha ido adquiriendo un papel cada vez mayor en la configuración del Derecho administrativo actual como mecanismo de control sobre la manera en que la Administración lleva a cabo su función última: el servicio al interés general[131]. De este modo, la buena administración constituye la diligencia debida de la administración en el proceder de sus actuaciones, teniendo en cuenta, así, no sólo criterios de legalidad, sino de oportunidad, eficiencia, competencia, razonabilidad, motivación…[132] e incluiría, dentro de su control, tanto aquellas acciones irregulares llevadas a cabo voluntariamente (corrupción) como aquellas que el gestor realiza de forma negligente o inconsciente[133].

De manera paralela, debemos realizar mención al principio de buena gobernanza, que puede ser entendido hasta cierto punto como una analogía del anterior[134], y que se encuentra plenamente reconocido por la jurisprudencia del Tribunal Europeo de Derechos Humanos, el cual ha consolidado su fundamentación en la Convención Europea de Derechos Humanos y lo ha ido caracterizando como un instrumento legal que debe guiar las acciones de los Estados Miembros, limitando el marco del que disponen las Administraciones para ejercer su poder de discrecionalidad y exigiendo una actuación diligente y unos procedimientos administrativos íntegros, predecibles y transparentes que garanticen la fiscalización de las actuaciones[135].

Para Kaufmann, la gobernanza la conforman las tradiciones e instituciones a través de las cuales un Estado ejerce su autoridad para el bien común[136]. Por tanto, una buena gobernanza, como defiende la Directiva 2014/24, no se limita al control de la corrupción o del cumplimiento de la

---

[130] A modo de ejemplo, TJUE, asunto T-292/15, *Vakakis*, de 28 de febrero de 2018; véase a su vez TJUE, asunto C-531/12, *Commune de Millau y SEMEA/Comisión*, 19 de junio de 2014.

[131] RODRÍGUEZ-ARANA, J. "El derecho fundamental…" *op. cit.* en págs. 77-108.

[132] CRISMANI, A. *La tutela giuridica… op. cit.* en págs. 121 y ss.

[133] PONCE SOLÉ, J. "The right to good…" *op. cit.* en págs. 25-54.

[134] Sobre el contenido expreso del principio de buena gobernanza, véase: UNDP. "Reconceptualizing Governance". *Discussion Paper* n° 2, New York, 1997; BANCO MUNDIAL. *Governance: The World Bank's Experience*, Washington, D.C.: World Bank, 1994.

[135] *Czaja vs Poland* App n° 5744/05 (ECtHR, 2 octubre 2012), apartado 70; *Rysovskyy vs Ukraine* App no 29979/04 (ECtHR 20 octubre 2011), apartado 70; *Petar Matas v Croatia* App no 40581/12 (ECtHR, 4 octubre 2016), apartado 43; *Oneryildiz v. Turkey* App n° 48939/99 (ECtHR, 30 de noviembre de 2012).

[136] KAUFMANN, D. "Back to the Basics - 10 Myths About Governance and Corruption" *IMF Journal "Finance and Development"*, vol. 3, n° 42, 2005.

legalidad en la contratación. Ni siquiera un actuar diligente de la administración, como pueden entenderse del principio de buena administración. Más allá, la gobernanza cumple una doble función. Debe dirigirse a controlar que la contratación pública sirve a sus fines últimos, es decir, a la satisfacción del interés general de la ciudadanía, y, adicionalmente que las actuaciones administrativas respeten los derechos sociales e individuales a través de procedimientos transparentes e íntegros[137]. Podría decirse que se corresponde con el principio de buena administración, pero mientras éste parece tener un contenido finalista, una buena gobernanza exige, además, que se persiga un camino correcto, es decir, ciertas garantías en el proceso y la estructuración de la toma de decisiones que permite superar el sistema burocrático anterior y que incluye nuevas formas de colaboración en los procesos decisorios entre actores públicos, privados y la sociedad civil[138]. Se trata de un concepto jurídico que trasciende la esfera pública, de modo que, como se viene apuntando desde ciertos sectores, puede ser un instrumento de gran utilidad en su aplicación al control de la trascendental regulación, en clave de Derecho administrativo y en materia de integridad, de los actores privados que gestionan intereses públicos[139].

Exigiendo a los jueces una profundización mayor en el fondo de las decisiones administrativas, que como expone Fernández Rodríguez, basado en los anteriores principios, responda al terreno de la lógica y admita identificar la mejor decisión[140], se permite controlar disfunciones en la toma de decisiones de la Administración a las cuales no puede aplicarse de forma directa el principio de integridad por no presentar el caso concreto rasgos

---

[137] PONCE SOLÉ, J. "La prevención de la corrupción..." *op. cit.* en págs. 93-140; SARMIENTO, D. *El soft law administrativo*, Thomson-Civitas, 2008.

[138] ALLI ARANGUREN, J. C. "Gobernanza Europea". *Revista Aragonesa de Administración Pública*, n° extra 14, 2013, págs. 19-49; PONCE SOLÉ, J. "La discrecionalidad no..." *op. cit.* en pág. 65; JIMÉNEZ ASENSIO, R. *Cómo prevenir la... op. cit.* en págs. 103 y ss.

[139] GARCÍA GARRIDO, F. "Transparencia y «buena gobernanza» como valores reguladores de la actividad regulatoria privada". *Cadernos de Dereito Actual*, n° 7 Extraordinario, 2017, págs. 163-183; ARANDA ÁLVAREZ, E. "Una reflexión sobre..." *op. cit.* en págs. 214-233.

[140] FERNÁNDEZ RODRÍGUEZ, T. R. "El control judicial del poder discrecional y el derecho a una buena administración". En: PONCE SOLÉ, J. y CERRILLO I MARTÍNEZ, A. *Innovación en el ámbito del buen gobierno: ciencias del comportamiento, transparencia y prevención de la corrupción*. Madrid: INAP, 2017, págs. 21-30; FERNÁNDEZ RODRÍGUEZ, T. R. "Sobre los límites constitucionales del poder discrecional". *Revista de Administración Pública*, n° 187, 2012, págs. 141-170.

de voluntariedad de acción o de apariencia de quiebra de integridad[141]. El control a través del principio de buena administración debe evaluar, más allá del ordenamiento jurídico, la diligencia debida en el actuar administrativo[142]. Y por tanto, este tipo de supervisión judicial va más allá del control de la corrupción o incluso del propio conflicto de interés para pasar a fiscalizar aquellas acciones manifiestamente inadecuadas incluso cuando éstas no permitan despertar ninguna sospecha de improbidad, y en su desarrollo jurisprudencial deberá dar lugar a la imposición, en aquellos casos en los que las actuaciones se consideren contrarias a Derecho, las penalidades correspondientes en forma de anulación de actuaciones, indemnizaciones a los perjudicados, etc[143].

3. *Explorando otros elementos de control: la razonabilidad como criterio de revisión judicial*

La buena administración gira, pues, en torno a un control sobre la idoneidad de las decisiones basado en el estudio de la correlación entre la necesidad detectada y los elementos ponderados como relevantes para la consecución de la misma. Como afirma Ángeles Jareño, el concepto de "idoneidad" entraña que *debe relacionarse el objeto perseguido con la forma contractual seleccionada; ello quiere decir que debe existir racionalidad entre el fin que se persigue y el medio utilizado para alcanzar dicho fin, trámites que también nos refieren a la proporcionalidad como regla límite en la actividad contractual*[144]. Pero en este sentido, quizá al principio de proporcionalidad embebido en la buena administración, que como hemos expuesto, es el criterio principal utilizado por la revisión judicial a nivel europeo, pueda achacársele una cierta falta de definición fruto de su relativa juventud y de su aún escaso uso por parte de los tribunales tanto a nivel europeo como nacional[145]. Ello deriva en una cierta indefinición del contenido del principio, que hasta ahora ha sido quizá aplicado más como

---

[141] CRISMANI, A. *La tutela giuridica... op. cit.* en pág. 270.
[142] PONCE SOLÉ, J. "La discrecionalidad no..." *op. cit.* en págs. 57-84.
[143] PONCE SOLÉ, J. "The right to good..." *op. cit.* en pág. 46.
[144] JAREÑO LEAL, A. "La justificación del contrato..." *op. cit.* en pág. 3; WOEHR-LING, J. M. "Judicial Control of Administrative Authorities in Europe: Toward a Common Model". *Hrvatska Javna Uprava*, vol. 6. (2006.), n. 3., págs. 35-56.
[145] Sobre las divergencias de aplicación del principio de proporcionalidad en España véase ARROYO JIMÉNEZ, L. "Ponderación, proporcionalidad y Derecho administrativo". *InDret Revista para el Análisis del Derecho*, 2009.

un parámetro de exigencia de motivaciones que como un criterio de control sobre el fondo de la medida o decisión adoptada.

Por ello, entendemos que el debate en torno al principio de razonabilidad, con una larga tradición en los sistemas anglosajones de la *commonwealth* y con un contenido ligeramente más desarrollado que la actual buena administración[146], puede aportar elementos atractivos para la configuración de la buena administración como un elemento de control en sede judicial y particularmente en su compleja pero irreversible relación con el principio de proporcionalidad como su corolario[147]. La razonabilidad, lejos de entenderse como un mero instrumento de control de mínimos —como podría desprenderse de su significado popular— para evaluar aquellas decisiones que no habría tomado una persona razonable, compone un proceso de revisión que se ha desglosado en tres niveles o con tres filtros que facilitan la evaluación por parte del juez del proceso decisorio: (1) en un primer lugar la relevancia de los factores tomados en consideración; (2) en un segundo lugar, la proporcionalidad en cuanto al peso específico otorgado a cada uno de ellos en relación con el objetivo final; (3) y en un tercer lugar el proceso decisorio, esto es, la idoneidad de la decisión final en relación con los motivos, ponderaciones y necesidades expuestos, el cual aparece modulado por la necesidad de reservar un necesario margen discrecional a la administración. La razonabilidad afecta también, por tanto, a las tomas de decisiones que se alejan manifiestamente de lo idóneo, aun cuando objetivamente no se pueda decir que se la administración haya "perdido la cordura"[148]. Dicha modulación repercute en que el control sobre la idoneidad no esté basado en los beneficios de una u otra opción posible —es decir, no en una apreciación valorativa directa sobre la decisión final— sino en la razonabilidad de los fundamentos mismos que dan lugar a una decisión.

Pero el test de razonabilidad dista de ser un control meramente formal o procedimental como pueden ser exigencias de dar audiencia pública, de publicar determinados documentos, recabar informes, o consultar a grupos de interés. Este test judicial va más allá, valorando el fondo de las decisiones, las motivaciones materiales mismas que dan lugar a la decisión final, entrando en su caso a limitar el poder discrecional de la Administración. La

---

[146] Véase, por todos, el caso *Associated Provincial Picture Houses Ltd. v Wednesbury Corporation* [1948] 1 KB 223.

[147] NEHUSHTAN, Y. "UK Public Law Non-Identical Twins: Reasonableness and Proportionality". *Israel Law Review*, 2017, nº 50(1).

[148] TAGGART, M. "The Tub of Public Law". DYZENHAUS, D. *The Unity of Public Law*. Londres: Hart Publishing, 2004, págs. 455-480.

razonabilidad se refiere a la revisión del peso y el equilibrio otorgados por el responsable principal de la toma de decisiones a los factores que han sido o pueden considerarse pertinentes en la búsqueda de una finalidad prima facie admisible[149].

Tampoco configura la esencia del concepto la relación causal entre hechos y decisión, como puede ocurrir con el principio de proporcionalidad que constituye la base de la buena administración, el cual sí se encuentra plenamente vigente en el Derecho de la UE como principio general[150]. Podemos decir que mientras que la proporcionalidad requiere una evaluación de los balances utilizados para la toma de decisiones y en la adecuación de las decisiones administrativas a los fines perseguidos[151], la razonabilidad es concebida en el mundo jurídico como una prueba centrada en la decisión; es decir, dirigida a dilucidar si la decisión final es o no acorde en base a la determinación de los factores intervinientes, actuando, pues, como un paraguas que establece los límites infranqueables de la decisión administrativa[152]. Las similitudes son tan importantes que incluso llegan a confundirse, y hay quien afirma que el uso de uno u otro principio como base de revisión judicial no presenta ninguna diferencia en la práctica[153]. Pero lo cierto es, en todo caso, que la esencia de este tipo de revisión no se limita a evaluar la adecuación de las decisiones a los factores iniciales —aunque sin duda este hecho ocupa un lugar importante en el test—, sino en el peso específico otorgado por el responsable o responsables de la decisión a los factores que se han considerado o que pueden ser considerados relevantes[154]. La prueba de razonabilidad está, pues, altamente relacionada con la ponderación inicial de los factores.

Para poder afirmar que ninguna persona razonable llegaría a una determinada conclusión, es necesario profundizar en el equilibrio de intereses

---

[149] CRAIG, P. "The Nature of Reasonableness Review", *Current Legal Problems*, 2013, págs. 1-37.

[150] PREK, M. y LEFÈVRE, S. ""Administrative Discretion", "Power Of Appraisal" And "Margin Of Appraisal" In Judicial Review Proceedings Before The General Court", *Common Market Law Review* 56, 2019, págs. 339-380; CRAIG, P. "Proportionality, Rationality and Review", (2010). *New Zealand Law Review*, pág. 265, 2010; Oxford Legal Studies Research Paper No. 5/2011.

[151] CRAIG, P. "Judicial Review, Intensity and Deference in EU Law". Ed. DYZENHAUS *The Unity of Public Law*. Londres: Hart Publishing, 2004, págs. 335-356.

[152] CRAIG, P. "The Nature of Reasonableness..." *op. cit.* en pág. 5; CRAIG, P., *Administrative Law*. Sweet & Maxwell, 2012, pág. 562.

[153] NEHUSHTAN, Y. "UK Public Law..." *op. cit.*

[154] CRAIG, P. "The Nature of Reasonableness..." *op. cit.* en pág. 6.

y en el razonamiento lógico que llevó a tal conclusión; es decir, evaluar la propia construcción de la noción de interés público —entendido como equilibrio de intereses— llevada a cabo en un caso concreto. Es por ello que, aunque como hemos mencionado, el test de proporcionalidad puede en cierto modo afirmarse parte del de razonabilidad, el elemento determinante de este último es el denominado test de relevancia. Algunos autores consideran que el test de relevancia, más que un elemento parte del principio de razonabilidad, compone un test de aplicación previa[155]. De esta forma, únicamente cuando el proceso de toma de decisiones esté intacto, se hayan tenido en cuenta todas las consideraciones pertinentes y no se hayan tenido en cuenta consideraciones irrelevantes, es posible aplicar el test de razonabilidad, siendo la relación entre relevancia y razonabilidad de yuxtaposición, más que de pertenencia. Pero en todo caso, aquí la cuestión esencial es si los factores utilizados para tomar la decisión son relevantes o no, y en su caso, qué factores relevantes no fueron tomados en consideración, como primer elemento ponderable para la aplicación del principio de razonabilidad.

En este sentido, la irrelevancia alguno de los factores ponderados puede venir marcada por cuestiones de discriminación, es decir, por el hecho de que los criterios utilizados son en sí mismo rechazados en la práctica de la actuación administrativa. Es lo que ocurre, por ejemplo, con cuestiones de raza, religión o ideología. Así, por ejemplo, algoritmos para predecir la probabilidad de reincidencia de presos en EEUU identificaron el color de la piel como una variable notablemente importante a la hora de predecir la posibilidad de reincidencia de los presos[156], debido a que este sistema no disponía de filtros que evitara que se identificaran como variables ponderables este tipo de patrones al relacionarlos con escala social, lugar de residencia, historia familiar, etc. En este caso, la irrelevancia viene marcada por la naturaleza discriminatoria del criterio y su falta de legitimidad, y no necesariamente por la falta de relación con el fin perseguido. Idéntico escenario encontramos en aquellos casos de uso de criterios relacionados con la pertenencia a una comunidad o círculo social. Es evidente que el criterio de ser familiar, amigo, o tener cualquier relación personal, así como pertenecer a un determinado grupo social o ostentar una nacionalidad es, en sí mismo, irrelevante para el contrato. Del mismo modo, si un tribunal determina que el género no es una consideración pertinente para la asignación de determinados contratos, el hecho de que el principal responsable de la toma de

---

[155]   NEHUSHTAN, Y. "UK Public Law…" *op. cit.*
[156]   Véase: https://medium.com/thoughts-and-reflections/racial-bias-and-gender-bias-examples-in-ai-systems-7211e4c166a1

decisiones haya tomado una decisión que fuera racional si el género pudiera considerarse relevante, no sería ni debería ser una defensa[157].

Sin embargo, la ampliación del objetivo de la contratación pública como actividad ha hecho que, en ocasiones, se entiendan como relevantes algunas cuestiones relacionadas con la identidad o la situación social (pertenencia a sectores en riesgo de exclusión, género, orientación sexual, etc.), que si bien son irrelevantes para el objeto del contrato, se entiende que tienen una relevancia en el beneficio público que trasciende el contrato temporal y materialmente. Este test de relevancia puede ilustrar al nuevo contenido que se está dando por parte de los tribunales al requerimiento de relación de las exigencias con el objeto contractual para aceptarlos como válidos, que está ampliando considerablemente el concepto de objeto del contrato para dar cabida a determinados criterios o especificaciones. El enfoque inicial, basado en la premisa de que cada criterio debe añadir ventajas económicas o de calidad a la ejecución del contrato, podría quedar corto para los nuevos fines de la contratación pública, y sin embargo encontrarían un importante amparo bajo el principio de razonabilidad y el criterio de relevancia.

Por otro lado, el ámbito legal y competencial de las administraciones actúa, aquí, como un elemento limitativo a la hora de determinar aquellos factores que, aunque relevantes, son ilegítimos. Si el organismo público persigue una finalidad que está fuera de su ámbito legal, o basa su determinación en una consideración irrelevante, su decisión debe desestimarse sobre ese motivo, y el hecho de que la Decisión impugnada fuera razonable no es una defensa a este respecto[158]. Es el caso, por ejemplo de las causas de exclusión por operar en paraísos fiscales incluidas en los pliegos de contratación[159], la inclusión de planes de género como política de empresa[160], la

---

[157]   CRAIG, P. "The Nature of Reasonableness…" *op. cit.*, pág. 6.

[158]   CRAIG, P. "The Nature of Reasonableness…" *op. cit.* en pág. 6.

[159]   Resolución no 792/2017 Tribunal Central de Recursos Contractuales: *En resumen, la circunstancia de residir, operar o estar vinculado con un territorio considerado paraíso fiscal no constituye por sí sola un aspecto relevante que pueda ser tenido en cuenta en un procedimiento de contratación del sector público, ni discriminando a empresas o grupos empresariales que operen en paraísos fiscales ni favoreciendo en la adjudicación a empresas que no lo hagan, por lo que el establecimiento de cláusulas administrativas en ese sentido supone una vulneración de los principios de la contratación administrativa de libertad de acceso a las licitaciones, libre concurrencia y no discriminación e igualdad de trato entre los candidatos.*

[160]   *Esta materia relativa a la "igualdad de género" el Parlamento Europeo la considera incluida dentro del concepto de "responsabilidad social", al que se refiere el Consi-*

conciliación familiar[161], o el aumento de salarios como criterio de adjudicación[162] han sido anulados por los tribunales basándose en esta falta de competencia, sin que el tribunal negase en ningún momento su relevancia intrínseca. Factores originariamente relevantes pueden, así, devenir irrelevantes para el test de razonabilidad debido a la falta de competencia de la administración responsable.

Así, volviendo al papel de la razonabilidad como elemento de control de la discrecionalidad, debemos señalar que, aunque sin referirse directamente al test de razonabilidad como tal, el primero de los escenarios expuestos anteriormente —irrelevancia radical— ha sido utilizado implícitamente por la jurisprudencia española y europea en un buen número de casos en materia de contratación pública, en los que determinadas decisiones han sido declaradas contrarias a derecho en base a su falta de relación con la prestación final objeto del contrato, o en otras palabras, debido a su irrelevancia para la decisión final.

De este modo, en su Resolución no 1153/2018 el TACRC considera *que la exigencia establecida en la cláusula 13.2 del PCAP de ser "propietario" de un determinado parque de vehículos es excesivamente restrictiva, ya que la misma finalidad perseguida se consigue si el licitador dispone del parque de vehículos por cualquier otro título jurídico que le permita tener los autobuses a su disposición (como por ejemplo, arrendamiento).* El tribunal, por tanto, anula una determinada decisión administrativa por su irrelevancia para la consecución del fin perseguido, ya que entiende el tipo de título que da derechos de uso al licitador es irrelevante siempre y cuando se pueda acreditar que se tienen derechos análogos de uso. Del mismo modo, en el caso criterios de adjudicación basados en condiciones salariales ya mencionados, el TARCR afirma que "no aprecia cómo esas mejoras de las condiciones salariales pueden mejorar el nivel de rendimiento del contrato o de su ejecución, ni cómo por ello pueden afectar de manera significativa a la mejor ejecución del contrato y, en definitiva, al valor económico de la

---

             derando 97 de la Directiva 2014/24/UE, que prohíbe que los poderes adjudicadores puedan exigir como política de empresa. Resolución no 660/2018 TACRC.

[161]   *Aunque la conciliación familiar y laboral es un bien deseable, no se puede conocer mediante el examen de los pliegos, en qué sentido tal conciliación se conecta con el objeto del contrato.* TACRC Resolución 679/2017, de 27 de julio.

[162]   *El criterio de adjudicación recurrido parece atentatorio contra la libertad de empresa, en el marco de la economía de mercado, que reconoce el artículo 38 de la Constitución, suponiendo una injerencia indebida en la relación entre la empresa y sus trabajadores.* TACRC Resolución no 235/2019 de 8 de marzo.

oferta, como se requiere en la Directiva 2014/24". El tribunal añade, por tanto, a la anteriormente mencionada irrelevancia por falta de competencia, otra condición que determina la irrelevancia radical de los factores que dan lugar al criterio.

El propio TACRC ha venido sosteniendo que, aunque se otorga un amplio poder discrecional a la administración en la determinación de los requisitos técnicos que deben exigirse, el límite a la misma debe fijarse en el error manifiesto o falta de racionalidad a la hora de determinar su relevancia (Resolución no 735/2019 y Resolución TACRC no 834/2015). Por ello, en un segundo estadio, una vez que el criterio se considera pertinente, debe evaluarse sobre el terreno de ponderación o proporcionalidad[163]. El error en la apreciación de un criterio como relevante puede estar, como se ha mencionado anteriormente, en el peso específico otorgado al mismo, ya que si bien un interés o factor dado se considera de cierta relevancia, podría estar sobre-ponderado en la decisión final.

De esta forma, por ejemplo, el TACRC, en su Resolución no 1071/2018, entiende que exigir que la empresa y un número mínimo del personal cuente con las habilitaciones precisas para salvaguardar la seguridad de la información a la que puede acceder el contratista no supone en sí mismo un factor irrelevante para el desarrollo del contrato, señalando, sin embargo, que la cuestión principal para su posible nulidad puede residir en el posible exceso o desproporción en la exigencia —es decir, en la concesión de un peso excesivo a un factor determinado. Es común encontrar intereses o criterios que son intrínsecamente legítimos en sus orígenes. Sin embargo, el grado en que un interés dado podría recibir una ponderación individualizada en el proceso de toma de decisiones puede variar dependiendo de la actividad administrativa a realizar y las competencias que tenga arrogadas la administración en cuestión.

Estos ejemplos de control de la discrecionalidad, que no muestran aparentemente una relación con elementos de integridad o lucha contra la corrupción, suponen en la práctica la construcción de un sistema de razonamiento judicial que sienta las bases para el control discrecional de la contratación pública sobre la idoneidad de las decisiones basado en la buena administración, y con rasgos muy cercanos al *reasonableness review* británico. Las características del fenómeno[164] hacen que la corrupción no

---

[163] CRAIG, P. "The Nature of Reasonableness..." *op. cit.* en pág. 10.
[164] MIRANZO DÍAZ, J. "Causas y efectos de la corrupción en las sociedades democráticas" *Revista de la Escuela Jacobea de Posgrado*, n° 14, 2018, págs. 1-26.

pueda ser abordada ya (o al menos no exclusivamente) desde una aproximación negativa al problema, a través de sanciones y una regulación que trate de impedir la corrupción. Como algunos importantes juristas ya se han encargado de advertir, *no se puede luchar contra la corrupción simplemente luchando contra la corrupción*[165]. La corrupción depende siempre de un elemento volitivo que es en ocasiones difícil de visualizar[166], y por ello, el control preventivo debe realizarse sobre aquellas pequeñas desviaciones, excesos o irregularidades de la administración que aparentemente no engendran comportamientos corruptos pero que, a menudo, suponen el único elemento visible de un fenómeno marcado por su oscuridad. Se trata de una revisión judicial, pues, sobre la discrecionalidad de la administración a través de los instrumentos que ofrecen la buena administración y la razonabilidad, es decir, examinando las decisiones desde su idoneidad y las razones que las motivaron.

Sin embargo, puede haber diferencias de intensidad en la revisión de la razonabilidad judicial, dependiendo del grado de activismo o deferencia judicial que los tribunales puedan tomar[167]. En todo caso, el juez debe cuidarse de no sustituir a la Administración en su papel de órgano de decisión, ya que de lo contrario estaría atribuyéndose un poder decisorio administrativo que le corresponde legítimamente a la propia administración[168]. Lo que el principio de razonabilidad exige es que los tribunales analicen el proceso de razonamiento del organismo público para garantizar que se han tenido en cuenta consideraciones pertinentes y revisar, en consecuencia, la forma en que se han sopesado y ponderado esas consideraciones[169]. Y sin embargo,

---

[165] KAUFMANN, D. "Diez mitos sobre la gobernabilidad y la corrupción". En: *Revista de Finanzas y Desarrollo*. Septiembre, 2000, págs. 41-43; véase a su vez TREPTE, P. "Transparency and Accountability..." *op. cit.* en pág. 1; GIMENO FELIÚ, "El necesario Big-Bang contra la corrupción en materia de contratación pública y la necesidad de rearmar el modelo de control desde la óptica de la integridad y el buen gobierno", (*Revista Internacional Transparencia Internacional*) RITI núm. 2, 2016, pág. 6.

[166] MIRANZO DÍAZ, J. *La prevención de la corrupción en contratación pública*. Madrid: Wolters Kluwer, 2019 (pendiente de publicación).

[167] CRAIG, P. "The Nature of Reasonableness..." *op. cit.* en pág. 10; BOVIS, C. "Judicial activism..." *op. cit.* en págs. 329 y ss. En cuanto al activism judicial como práctica general, especialmente útil en materias de Derecho Constitucional, es de interés KIRBY M. *Judicial Activism... op. cit.*

[168] GOODWIN, J. "The Last Defence of Wednesbury". *Public Law*, 2012, n° 445.

[169] CRAIG, P. "Taxonomy and Public Law: A Response", September 6, 2018, *Public Law*.

no es menos cierto que esta situación de sustitución del juicio administrativo se aplica, en cierto modo, a todos los casos, independientemente de la norma o intensidad de revisión aplicable al caso inmediato[170], ya que corresponderá al órgano jurisdiccional competente decidir si la decisión impugnada es tan irracional como para entender que ningún organismo razonable podría haber alcanzado la misma, y si llega a la conclusión de que se cumple este criterio, el resultado será la sustitución de la sentencia en el sentido anterior, a la vez que la decisión impugnada por el organismo público será sustituida por la decisión judicial[171]. Sin embargo, la sustitución de juicio puede tener un significado diferente —que es, en definitiva, el que debe prevenirse— cuando el tribunal revisor decide el caso *ex novo*, como si hubiera sido el principal responsable de la toma de decisiones[172].

Podemos afirmar que el test de razonabilidad, en definitiva, se limita a hacer referencia a la práctica de razonar y justificar una decisión mediante el pesaje y el equilibrio de los factores existentes. Una revisión judicial basada en estos métodos, por tanto, exige que las decisiones de la administración respondan a un proceso argumental y lógico que las justifique. Desde la relevancia de los factores tenidos y no tenidos en cuenta, pasando por el peso otorgado a cada uno y su relación con la decisión final, son elementos que deben ser evaluados por los tribunales para alcanzar un verdadero control de las malas praxis administrativas que, en ocasiones, pueden esconder prácticas deshonestas e ímprobas.

V. Conclusión

Los desarrollos recientes de la contratación pública internacional y europea imponen un papel central para la política anticorrupción en contratación pública. A nivel internacional, europeo y nacional las estrategias de integridad se han desvelado en las últimas reformas legales como una de las prioridades para salvaguardar los principios tradicionales de igualdad de trato y no discriminación, erigiéndose en un elemento más de integración europea y de construcción del derecho de contratación pública global.

---

[170] NEHUSHTAN, Y. "UK Public Law Non-Identical Twins: Reasonableness and Proportionality". *Israel Law Review*, 2017, n° 50(1).

[171] CRAIG, P. "The Nature of Reasonableness…" *op. cit.* en pág. 11.

[172] ALLAN, T. "Common Law Reason and the Limits of Judicial Deference". DYZENHAUS, D. *The Unity of Public Law*. Londres: Hart Publishing, 2004, págs. 289-306.

Medidas como el control de los conflictos de interés, el fomento de la transparencia, y herramientas como las declaraciones de bienes o los pactos de integridad se imponen como algunas de las novedades principales. Y sin embargo, de cara a lograr una estrategia horizontal y comprehensiva, que impregne todo el sistema de compra pública de la necesaria integridad, existen dos elementos que trascienden la normativa positiva y que, sin embargo, desempeñan un papel fundamental.

En el presente trabajo se han puesto de manifiesto los aspectos esenciales relacionados con la motivación de las decisiones y el papel que deben desempeñar la transparencia como herramienta y los tribunales como órgano de revisión. La posición central de la integridad en los nuevos sistemas de contratación exige una actitud marcadamente activa de los jueves, que precisan de herramientas de revisión sustantiva que les sirvan para poder identificar excesos o ligeras desviaciones del interés públicos que puedan estar encubriendo casos de favoritismo, ventajas indebidas y corrupción. Para ello, es evidente que los principios del derecho deben actuar como el parámetro principal de medición y cohesión del sistema.

Junto a los tradicionales principios sustantivos de la contratación pública —no discriminación, igualdad de trato, libre concurrencia— se impone el desarrollo de nuevos principios que respondan esencialmente a un control judicial basado en la integridad. A nivel europeo, el propio principio de integridad, pero especialmente el de buena administración y gobernanza, y su corolario el principio de proporcionalidad, deben desempeñar en el futuro próximo una labor principal en el control del buen hacer administrativo que exige una aproximación específica al principio de transparencia. Por otro lado, experiencias comparadas, como el principio de razonabilidad anglosajón, los desarrollos doctrinales elaborados en torno a él y los debates jurídicos que ha experimentado, pueden contribuir a diseccionar el contenido real y los parámetros de aplicación del principio de buena administración y proporcionalidad a nivel internacional, incorporando algunas de las fases y criterios de la razonabilidad y la relevancia.

Bibliografía

AGUDO GONZÁLEZ, J., "El método en el Administrative Law inglés: entre el discurso jurídico y el discurso político". *Revista Española de Derecho Administrativo*, nº 165, 2014, págs. 407-449.

ALLAN, T., "Common Law Reason and the Limits of Judicial Deference". DYZENHAUS, D. *The Unity of Public Law*. Londres: Hart Publishing, 2004, págs. 289-306.

ARROWSMITH S.; LINARELLI, J. y WALLACE, D., *Regulating public procurement law: national and international perspectives*. Kluwer Law International, 2000.

AYMERICH CANO, C., "Corrupción y contratación pública: análisis de las nuevas directivas europeas de contratos y concesiones públicas". *Revista Aragonesa de Administración Pública*, nº 45-46, 2015, págs. 209-239.

BARNÉS VÁZQUEZ, J., "Procedimientos administrativos y nuevos modelos de gobierno. Algunas consecuencias sobre la tansparencia". En: GARCÍA MACHO, R. *Derecho administrativo de la información y administración transparente*. Madrid: Marcial Pons, 2010, págs. 49-80.

BERBEROFF, D., "La doctrina del tribunal de justicia de la Unión Europea en la contratación pública como condicionante interpretativo". En: GIMENO FELIÚ, J. M. (dir.) *Estudio Sistemático de la Ley de Contratos del Sector Público*. Cizur Menor: Aranzadi, 2018, págs. 163-202.

BERNAL BLAY, M. A., "El princpio de objetividad en la contratación pública". *Revista Documentación Administrativa*, nº 289, 2011, págs. 129-150.

BITENCOURT NETO, E., *Improbidade Administrativa e violaçao de principios*. Brasil: Del Rey, 2005.

BOVIS, C. , "Judicial activism and public procurement". En: BOVIS, C. (ed.), *Research Handbook on EU Public Procurement*. Elgar, 2016, págs. 329 y ss.

CAPDEFERRO VILLAGRASA, O., "Las herramientas inteligentes anticorrupción: entre la aventura tecnológica y el orden jurídico", *Revista General de Derecho Administrativo*, nº 50.

CARLONI, E., "El sistema de la lucha contra la corrupción en Italia. Características, tendencias y problemas abiertos". *ReALA Nueva Época*, nº 7, 2017, págs. 86-102.

CERRILLO I MARTÍNEZ, A., *El principio de integridad en la contratación pública: Mecanismos para la prevención de los conflictos de intereses y la lucha contra la corrupción*, Pamplona: Thomson Reuters Aranzadi, 2014.

CERRILLO I MARTÍNEZ, A., "Public transparency as a tool to prevent corruption". En: CERRILLO I MARTÍNEZ, A. y PONCE SOLÉ, J. *Preventing corruption and promoting good governance and public integrity*. Bruselas: Brulyant, 2017, págs. 1-24.

CERRILLO I MARTÍNEZ, A., "Nuevos mecanismos para garantizar la integridad en la contratación pública". En: GIMENO FELIÚ, J. M. (dir.) *Estudio Sistemático de la Ley de Contratos del Sector Público*. Cizur Menor: Aranzadi, 2018, págs. 1.615-1.656.

COTINO HUESO, L. , "Derecho y «gobierno abierto». La regulación de la transparencia y la participación y su ejercicio a través del uso de las nuevas tecnologías y las redes sociales por las Administraciones públicas: Propuestas concretas". *Revista Aragonesa de Administración Pública*, nº extra 14, 2013, págs. 51-92.

CRAIG, P., "The Nature of Reasonableness Review", *Current Legal Problems*, 2013, págs. 1-37.

CRAIG, P., "Taxonomy and Public Law: A Response", September 6, 2018, *Public Law*.

CRISMANI, A., *La tutela giuridica degli interessi finanziari della collettività. Aspetti e considerazioni generali con riferimento al diritto comunitario*. Milán: Giuffrè, 2000.

DE BENEDETTO, M., "Understanding and preventing corruption: a regulatory approach". En: CERRILLO I MARTÍNEZ, A. y PONCE SOLÉ, J. *Preventing corruption and promoting good governance and public integrity*. Bruselas: Brulyant, 2017, págs. 55-68.

DÍAZ BRAVO, E. y RODRÍGUEZ LETELIER, A., *Contratos administrativos en Chile: Principios y Bases*. Santiago de Chile: Ediciones Universidad de Santo Tomás, 2016.

DICKSON MORALES, R., "La transparencia en la contratación pública". En: RODRÍ-GUEZ-ARANA, J. *Contrataciones públicas en el marco de los derechos sociales fundamentales*. Madrid: INAP, 2017, págs. 165-189.

GARCÍA DE ENTERRÍA, E., "Reflexiones sobre la Ley y los principios generales del Derecho en el Derecho Administrativo". *Revista de Administración Pública*, nº 40, 1963, págs. 189-224.

GIMENO FELIÚ, J. M., "La reforma comunitaria en materia de contratos públicos y su incidencia en la legislación española. Una visión desde la perspectiva de la integridad". En: GIMENO FELIÚ et al. *Las Nuevas Directivas de Contratación Pública (X Jornadas AEPDA)*. Cizur Menor: Aranzadi, 2015, págs. 37-105.

GIMENO FELIÚ, J. M., "La nueva regulación de la contratación pública". En: GIMENO FELIÚ, J. M. (dir.) *Estudio Sistemático de la Ley de Contratos del Sector Público*. Cizur Menor: Aranzadi, 2018, págs. 41-132.

GIMENO FELIÚ, J. M., "La nueva Ley de Contratos del Sector Público: hacia un modelo de contratación pública transparente y estratégica". *Contratación Administrativa Práctica*, nº 153, 2018, págs. 34-39.

HALONEN, K. M., "Disclosure rules in EU public procurement: Balancing between competition and transparency". *Journal of Public Procurement*, vol. 16, issue 4, 2017, págs. 528-553.

JAREÑO LEAL, A., "La justificación del contrato público y el control del expediente de contratación como formas de prevenir los delitos de corrupción". *Revista Internacional Transparencia e Integridad*, nº 9, 2019.

JIMÉNEZ ASENSIO, R., *Cómo prevenir la corrupción: integridad y transparencia*. Madrid: Caranta, 2017.

KOSACK, S. y FUNG, A., "Does Transparency Improve Governance?". *Annual Review of Political Science*, nº 17, 2014, págs. 67-87.

LAFFONT, J. J. y N'GUESSAN, T., "Competition and corruption in an agency relationship". *Journal of Development Ethics*, vol. 60, 1999, págs. 271-295.

LASAGABASTER HERRATE, I., "Notas sobre el derecho administrativo de la información". En: GARCÍA MACHO, R. *Derecho administrativo de la información y administración transparente*. Madrid: Marcial Pons, 2010, págs. 103-120.

LINDSTEDT, C. y NAURIN, D., "Transparency is not Enough: Making Transparency Effective in Reducing Corruption". *International Political Service Review*, 31(3), págs. 301-322.

MARTÍN-RETORTILLO BAQUER, L., "De los derechos humanos al derecho a una buena administración". En: ÁVILA RODRÍGUEZ, C. M. y GUTIÉRREZ RODRÍGUEZ, C. M. *El derecho a una buena administración y la ética pública*. Valencia: Tirant lo Blanch, 2011, págs. 43-54.

MARTÍNEZ FERNÁNDEZ, J. M., "La transparencia en la contratación pública". En: GIMENO FELIÚ, J. M. (dir.) *Estudio Sistemático de la Ley de Contratos del Sector Público*. Cizur Menor: Aranzadi, 2018, págs. 803-826.

MEDINA ARNÁIZ, T., "La necesidad de reformar la legislación sobre contratación pública para luchar contra la corrupción: las obligaciones que nos llegan desde Europa". *Revista Vasca de Administración Pública*, 104, 2016, págs. 77-112 en págs. 77-104.

MELLADO RUIZ, L., *El principio de transparencia integral en la contratación del sector público*. Valencia, Tirant lo Blanch, 2017.

MERLO RODRÍGUEZ, I. ,"La buropatología en las administraciones públicas de América Latina, el problema. El Open Government ¿la solución?". En: MARTÍNEZ, R. *Gobierno Abierto Para la Consolidación Democrática*. México: Tirant lo Blanch, 2016, págs. 39 y ss.

MERLONI, F. y VANDELLI, L., *La corruzione amministrativa. Cause, prevenzione e rimedi* Traducción personal. Passigli Editori, Florencia, 2010.

MIRANZO DÍAZ, J., "El necesario cambio de paradigma en la aproximación a la corrupción en la contratación pública europea: propuestas para su sistematización", *Revista General de Derecho Administrativo*, 51, 2019.

MORANDINI, F., "Acceso a la información pública en las contrataciones públicas". En: RODRÍGUEZ-ARANA, J. *Contrataciones públicas en el marco de los derechos sociales fundamentales*. Madrid: INAP, 2017, págs. 261-290.

MORENO MOLINA, J. A., *Los principios generales de la contratación de las Administraciones Públicas*. Albacete: Bomarzo 2006.

MORENO MOLINA, J. A., "El sometimiento de todos los contratos públicos a los principios generales de la contratación". En: GARCÍA DE ENTERRÍA, E. (dir.) *Administración y justicia: un análisis jurisprudencial: liber amicorum Tomás-Ramón Fernández*. Madrid: Civitas, 2012, págs. 3429-3454.

MORENO MOLINA, J. A., "Las novedades en la regulación por las leyes 39 y 40/2015 de la responsabilidad patrimonial y la potestad sancionadora de las Administraciones Públicas", *Revista Española de Derecho Administrativo*, nº 179, 2016, págs. 87-109.

MORENO MOLINA, J. A., "Gobernanza y nueva organización administrativa en la reciente legislación española y de la Unión Europea sobre contratación pública". *Revista de Administración Pública*, 204, 2017.

MORENO MOLINA, J. A., "El derecho europeo de los contratos públicos como marco de referencia de la legislación estatal". En: GMIENO FELIÚ, J. M. *Estudio sistemático de la Ley de Contratos del Sector Público*. Cizur Menor (Navarra): Aranzadi, 2018, págs. 133-161.

MUNGIU-PIPPIDI, A., *Contextual Choices in Fighting Corruption: Lessons Learned*. Oslo, Noruega: Norwegian Agency for Development Cooperation (Norad).

OCHSENIUS, I., *Mecanismos de control, mejora y calidad en la contratación pública*. Madrid: Wolters Kluwer, 2019.

ORDÓÑEZ SOLÍS, D., *La contratación pública en la Unión Europea*. Cizur Menor: Aranzadi, 2002.

PARISI, N. y CHIMENTI, M. L., "Il ruolo di ANAC e l'attuale assetto italiano in materia di prevenzione della corruzione, alla luce dell'esigenza di adempimento delle direttive europee in materia di appalti pubblici" *Autoritá Nazionale Anticorruzione*, 2014.

PINTOS SANTIAGO, J. y LICO, M. A., "Estudio del derecho de la contratación pública argentino y de la Unión Europea sobre la base de la transparencia". *Contratación Administrativa Práctica*, nº 141. Enero-febrero 2016, págs. 60-68.

PIÑAR MAÑAS, J. L., "Transparencia y protección de datos: las claves de un equilibrio necesario". En: GARCÍA MACHO, R. *Derecho administrativo de la información y administración transparente*. Madrid: Marcial Pons, 2010, págs. 81 y ss.

PONCE SOLÉ, J., "Innovación para la calidad normativa al servicio del buen gobierno y la buena administración". En: PONCE SOLÉ, J. y CERRILLO I MARTÍNEZ, A. *Inno-*

vación en el ámbito del buen gobierno: ciencias del comportamiento, transparencia y prevención de la corrupción. Madrid: INAP, 2017, págs. 87-146.

PONCE SOLÉ, J., "The right to good administration and the role of administrative law". En: CERRILLO I MARTÍNEZ, A. y PONCE SOLÉ, J. *Preventing corruption and promoting good government and public integrity*. Bruselas: Brulyant, 2017, págs. 25-54.

RODRÍGUEZ-ARANA, J., *Ética Institucional: Mercado "Versus" Función Pública*. Madrid: Dykinson y Escuela Gallega de Administración Pública, 1996.

RODRÍGUEZ-ARANA, J., "Reflexiones sobre la regeneración democrática en gobiernos y administraciones públicas". En: RODRÍGUEZ-ARANA, J., VIVANCOS COMES, M. *Calidad democrática, transparencia e integridad*. Cizur Menor: Aranzadi, 2016, págs. 39-74.

ROMERO MOLINA, C. A. y MORENO MOLINA, J. A., *Principios de la contratación pública en la jurisprudencia*. Bogotá: Grupo Editorial Ibáñez, 2015.

SADDY, A., "Front-line public servants, discretion and corruption". En: RACCA, G. M. y YUKINS C. R. *Integrity and Efficiency in Sustainable Public Contracts. Balancing Corruption Concerns in Public Procurement Internationally*. Bruselas: Brulyant, 2014, págs. 343-355.

SÁNCHEZ-GRAELLS, A., "If it ain't broke, don't fix it'? EU requirements of administrative oversight and judicial protection for public contracts". En: S TORRICELLI, S. y FOLLIOT LALLIOT, F. (eds.) *Administrative oversight and judicial protection for public contracts*. Larcier, 2017.

SCHLITZER, E., "La trasparenza ed il contrasto della corruzione". *Nuova Etica Pubblica*, n° 5, 2015, págs. 109-128.

SCHOONER, S. L., "Fear of Oversight: e Fundamental Failure of Businesslike Government". *American University Law Review*, Volumen 50, n° 3, 2001, págs. 664-665.

SCHWARTZ, J. I., "Procurement in times of crisis: lessons from US government procurement in three episodes of crisis in the twenty-first century". In ARROWSMITH, S. and ANDERSON, R. D. *The WTO Regime on Government Procurement: Challenge and Reform*. Cambridge University Press, 2011, págs. 773-802.

SIMONS, R., "The Impact of Anticorruption Institutions on Corruption in East Africa", *Africa Policy Journal*, vol. 4, 2008.

TAHIRI, X., "Judicial Activism" or Constitutional Interpretation?: An Analysis of the Workings of the Constitutional Court of Kosovo". *European Public Law*, vol. 23, Issue 1, 2017, págs. 147-164.

TEJEDOR BIELSA, J., *La contratación pública en España ¿sobrerregulación o estrategia?* Madrid: Civitas, 2018.

TREPTE, P., "Transparency and Accountability as Tools for Promoting Integrity and Preventing Corruption in Procurement: Possibilities and Limitations". *Document prepared for the OECD Public Governance and Territorial Development Directorate, Public Governance Committee, Expert Group Meeting on Integrity in Public Procurement*. OECD Document No: Unclassifed - GOV/PGC/ETH, 2005.

EL PRINCIPIO DE TRANSPARENCIA Y SU IMBRICACIÓN CON OTROS PRINCIPIOS GENERALES: LA TRANSPARENCIA EN LAS DIRECTIVAS EUROPEAS Y EL PERFIL DE CONTRATANTE

Jaime Pintos Santiago
Doctor en Derecho
Director del Título Propio de Especialista en Contratos Públicos de la UDIMA
Abogado
Universidad de Castilla-La Mancha

I. El principio de transparencia

Son muchos los antecedentes que sobre esta materia existen. Sin ánimo de pretender alcanzarlos todos, se pueden citar como ejemplos que superan el ámbito geográfico de la Unión Europea la Convención de 2003 de las Naciones Unidas contra la corrupción que fue firmada el 15 de septiembre de 2005 por la Comisión Europea y la presidencia de la Unión Europea en nombre de esta última, o la Guía del usuario para medir la corrupción, de 2008, correspondiente al Programa de Desarrollo de Naciones Unidas (PNUD, en sus siglas en inglés).

En este ámbito geográfico de fronteras afuera de la Unión Europea nos encontramos también con el Código Iberoamericano de Buen Gobierno firmado en Montevideo (Uruguay), el 23 de junio de 2006, entre otros muchos países por España, y respaldado por la XVI Cumbre Iberoamericana celebrada también en Uruguay en noviembre de ese mismo año, o con el Estudio Especial sobre el Derecho a la Información de 2007 elaborado por la Comisión Interamericana de Derechos Humanos de la Organización de Estados Americanos; o también la Carta Iberoamericana de los Derechos y Deberes del Ciudadano en Relación con la Administración Pública, aprobada por el Consejo Directivo del CLAD en reunión presencial-virtual celebrada desde Caracas el 10 de octubre de 2013, en cumplimiento del mandato recibido por la XV Conferencia Iberoamericana de Ministras y Ministros de Administración Pública y Reforma del Estado, celebrada en la Ciudad de Panamá, los días 27 y 28 de junio de 2013 y adoptada por la XXIII Cumbre Iberoamericana de Jefes de Estado y de Gobierno, celebrada en la Ciudad de Panamá, los días 18 y 19 de octubre de 2013, que contiene importantes referencias en cuanto a la transparencia y la buena administración.

Dentro del marco de la Unión Europea nos encontramos con el Libro Blanco de la Gobernanza de la Unión Europea de 2001 (COM (2001) 428 final) que marca el punto de arranque en esta materia en la Unión Europea, aunque precedentes de esta idea hubo muchos y de distinto alcance.

En ese mismo año, además, se aprueba el Reglamento 1049/2001, del Parlamento Europeo y del Consejo, de 30 de mayo de 2001, relativo al acceso del público a los documentos del Parlamento Europeo, del Consejo y de la Comisión y se incorpora el derecho a la información a la Carta de Derechos Fundamentales de la Unión Europea de 2001, derecho posteriormente trasladado al Tratado de Lisboa (o al TFUE).

Otros antecedentes pueden ser la Guía de acceso a los documentos del Parlamento Europeo, del Consejo y de la Comisión del año 2002; La Comunicación de la Comisión "Contribución de la Comisión al período de reflexión y más allá: Plan D de democracia, diálogo y debate" (COM (2005) 494 final); el Libro Verde Iniciativa Europea en Favor de la Transparencia de 2006 (COM (2006) 194 final) o el Convenio número 205 del Consejo de Europa sobre acceso a los documentos públicos, adoptado por el Consejo de Ministros del Consejo de Europa el 27 de noviembre de 2008, que encuentra su fundamento en los principios recogidos en la Recomendación Rec (2002) 2, del Comité de Ministros a los Estados miembros sobre acceso a documentos públicos.

Todos estos antecedentes y muchos otros no citados, con el fin de no sobrecargar al lector nada más dar comienzo a esta guía, hacen de la transparencia, el acceso a la información pública y las normas de buen gobierno los ejes fundamentales de toda acción política. Sólo cuando la acción de los responsables públicos se somete a escrutinio, cuando los ciudadanos pueden conocer cómo se toman las decisiones que les afectan, cómo se manejan los fondos públicos o bajo qué criterios actúan nuestras instituciones podremos hablar del inicio de un proceso en el que los poderes públicos comienzan a responder a una sociedad democrática que demanda participación de los poderes públicos.

Esto es algo que tampoco se puede conseguir sin la conjugación del principio de transparencia con el resto de principios generales del Derecho y, particularmente en lo que nos ocupa, del Derecho de la contratación pública.

II. Los principios generales de la contratación pública

Los poderes adjudicadoras deben cumplir las normas y principios del TFUE en todas las adjudicaciones de contratos públicos. Estos principios incluyen la libre circulación de mercancías, el derecho de establecimiento, la libre prestación de servicios, la no discriminación y la igualdad de trato, la transparencia, la proporcionalidad, el reconocimiento mutuo, la publicidad y la concurrencia competitiva, entre otros.

La importancia que hoy revisten los principios generales deriva entre otras razones de la inseguridad jurídica que genera la enorme corriente modificadora de las normas y la dispersión legislativa que eso supone, de forma que muchas veces se tornan en el instrumento idóneo para resolver el caso concreto. De ahí deriva también la importancia de su positivización en el Derecho escrito, en aras de esa mayor seguridad jurídica. Ejemplo claro que encontramos en el principio de integridad, ahora incorporado al artículo 1 de la LCSP, pero ya vigente desde el origen de los tiempos del Derecho, dado que los principios generales del Derecho no se inventan, sino que se descubren, porque ya están ínsitos en el ordenamiento, puesto que lo inspiran, lo informan.

Este principio de integridad debe ser entendido como una actuación recta, proba, intachable, honorable, adoptando las medidas adecuadas para luchar contra el fraude, el favoritismo y la corrupción, para prevenir, detectar y solucionar de modo efectivo los conflictos de intereses que puedan surgir en los procedimientos de licitación con el fin de evitar cualquier distorsión de la competencia y garantizar la transparencia en el procedimiento y la igualdad de trato a todos los candidatos y licitadores.

Exigencias, también de concurrencia y competencia, que hacen que tanto las normas nacionales como las europeas, exijan que la contratación deba estar abierta al mercado y a la participación de cualquier persona física y jurídica interesada, con independencia de su localización geográfica.

Y es que los principios generales del Derecho constituyen pues verdaderos cimientos que cumplen la triple función de servir como criterio de interpretación de las normas escritas, de colmar las lagunas o vacíos normativos, y de constituir el medio más idóneo para asegurar la unidad dentro de la pluralidad de preceptos que se aplican en la Administración.

En la contratación pública, podríamos ceñir los principios a todos los enunciados con anterioridad, incluso a algunos otros como la eficiencia, el principio de economía, el respeto a la confidencialidad, la motivación de las decisiones. Pero además, como principios generales del Derecho administrativo aplicables igualmente a la contratación pública también se pueden incardinar los siguientes: el principio de responsabilidad administrativa; de confianza legítima; de interdicción de la arbitrariedad, de jerarquía; de autoejecutoriedad; de continuidad; de especialidad y de presunción de veracidad. Asimismo y como principios generales del Derecho aplicables al Derecho administrativo podríamos hablar, entre otros, de los principios de interés general o de moralidad.

Pero no se trata de hacer un listado exhaustivo de principios, porque tendríamos que acudir a los de organización, funcionamiento, etcétera. Se trata simplemente de ponerlos sobre la mesa y darles el tratamiento y aplicabilidad que les corresponde.

III. La transparencia en la contratación pública de la Unión Europea

Actualmente existen tres nuevas directivas europeas relativas a la contratación pública: la Directiva 2014/23/UE del Parlamento Europeo y del Consejo, de 26 de febrero de 2014, relativa a la adjudicación de contratos de concesión; la Directiva 2014/24/UE del Parlamento Europeo y del Consejo, de 26 de febrero de 2014, sobre contratación pública y por la que se deroga la Directiva 2004/18/CE y la Directiva 2014/25/UE del Parlamento Europeo y del Consejo, de 26 de febrero de 2014, relativa a la contratación por entidades que operan en los sectores del agua, la energía, los transportes y los servicios postales y por la que se deroga la Directiva 2004/17/CE.

Para la normativa que regula esta contratación pública, los principios generales de la contratación administrativa son en nuestros días el fundamento de la misma y se caracterizan por su transversalidad en todas las fases del procedimiento de contratación, aplicándose además no sólo a los contratos que caen dentro del ámbito de aplicación de las Directivas de la Unión Europea sobre contratación pública, sino también a todos los contratos que celebren los órganos de contratación sujetos a las Directivas.

De este modo por ejemplo la sentencia del TJUE de 10 de marzo de 2011, asunto C-274/09, *Privater Rettungsdienst*, en su apartado 49 establece que

> *"es preciso añadir que, a pesar de que, en el estado actual del Derecho de la Unión, los contratos de concesión de servicios no se rigen por ninguna de las directivas mediante las cuales el legislador de la Unión ha regulado el ámbito de los contratos públicos, las autoridades públicas que celebran tales contratos están obligadas, no obstante, a respetar las normas fundamentales del Tratado FUE, en particular los artículos 49 TFUE y 56 TFUE, así como a cumplir la obligación de transparencia que de ellos se deriva, en caso de que el contrato en cuestión revista un interés transfronterizo cierto, circunstancia que corresponde apreciar al órgano jurisdiccional remitente (véase, en este sentido, la sentencia de 13 de abril de 2010, Wall, C-91/08, Rec. pág. I-0000, apartados 33 y 34 y jurisprudencia citada)".*

Los principios han pasado de la jurisprudencia del alto Tribunal europeo a las Directivas de contratación que hoy los recogen en sus primeros considerandos y artículos, siendo de esta forma como el Derecho de la Unión Europea ha impuesto una nueva visión desde la que contemplar la normativa sobre la contratación pública. Justamente, lo que esa normativa persigue como objetivo básico es asegurar la transparencia, la objetividad y la no discriminación en la adjudicación de los contratos, para garantizar el establecimiento del mercado interior y evitar que la competencia resulte falseada.

Con ello se busca, al elaborar las Directivas de la Unión Europea sobre contratos, conseguir un marco común apropiado para todos los Estados miembros, dado que éstos partían de situaciones iniciales completamente diversas, situaciones que hoy en día siguen siendo en parte distintas[1]. Por ello los valores a defender por la legislación sobre contratos son, entre otros, los de la transparencia, no discriminación y objetividad.

El Derecho español ha recogido esos principios generales como fundamento de su normativa de contratación, ejemplo evidente de ello es el encabezamiento del articulado de la actual Ley de Contratos del Sector Público (LCSP), en el que los principios de libertad de acceso a las licitaciones, integridad, publicidad y transparencia de los procedimientos, no discrimi-

---

[1]   En algunos países se conoce la figura de los contratos administrativos como España, Francia o Bélgica, pero en muchos de ellos no, los contratos que celebra la Administración tienen el mismo régimen jurídico que los contratos privados, como por ejemplo ocurre en Gran Bretaña o Alemania.

nación e igualdad de trato entre los candidatos y salvaguarda de la libre competencia, constituyen el objeto y finalidad primera de esta norma como establece el primer párrafo de su artículo 1.

Si bien, en realidad, lo que establece el artículo 1 de la LCSP es una manifestación más de la exigencia del principio constitucional de igualdad del artículo 14 de la Constitución española y, puesto que la contratación constituye un supuesto de actuación administrativa, es también una imposición del principio constitucional de interdicción de la arbitrariedad de los poderes públicos recogido en el artículo 9.3 de nuestra Carta Magna.

También la jurisprudencia española aplica el principio de igualdad de trato y lo considera como un principio fundamental en el ámbito de los contratos públicos. Recuerda en este sentido la sentencia del Tribunal Supremo de 17 de octubre de 2000 (Sala de lo Contencioso-Administrativo) que entre los principios esenciales que rigen la contratación administrativa, está la igualdad de acceso entre las distintas empresas dedicadas a la contratación pública y el procedimiento de contratación que tiende a garantizar el interés público mediante la articulación de tres principios cardinales de la licitación: el principio de publicidad, el principio de libre competencia y el principio de igualdad de oportunidades.

Por consiguiente, el principio de igualdad y la prohibición de toda discriminación son principios fundamentales que deben respetarse en todo caso y a lo largo de todo el proceso de contratación. Pero junto al principio de igualdad y en íntima conexión con él se aplican en este ámbito los principios de publicidad, transparencia y concurrencia, notablemente reforzados con la posterior introducción de medios electrónicos y telemáticos en los procedimientos de licitación. De esta manera, el respeto del principio de igualdad de oportunidades y prohibición de cualquier tipo de discriminación exige que se garanticen los principios de publicidad, transparencia y concurrencia, principios que sirven al propósito de respetar la igualdad, ampliar el abanico de las posibles opciones y garantizar la competitividad, de forma que la libre competencia sirve para afianzar todavía más el principio de igualdad de oportunidades.

De esta suerte, el TJUE ha resaltado en su jurisprudencia la relación existente entre el principio de transparencia y el de igualdad de trato, ya que el primero garantiza el efecto útil de este último procurando que no se distorsionen las condiciones de competencia (Sentencia de 25 de abril de 1996 en el asunto 87/94, *Bus Wallons*, apartado 54). Asimismo también ha resaltado que el principio de no discriminación por causa de la nacionalidad conlleva una obligación de transparencia, con el fin de permitir al órgano de contratación asegurarse de que será cumplido (Sentencia de 18 de noviembre de 1999 en el asunto C-275/98, *Unitron Scandinavia A/S*, apartado 31). La transparencia, por tanto, guarda una estrecha relación con los principios de igualdad, publicidad, concurrencia, no discriminación y prohibición de la arbitrariedad de la Administración contratante, fomentando una mayor participación de licitadores y la mejora de sus ofertas.

Ubicados, consecuentemente, ya en la transparencia, los principios de objetividad y transparencia se reconocen entre los principios generales de actuación de las Administraciones Públicas en los artículos 103 de la Constitución española y 3 de la LPACAP, apareciendo también recogido, además de en el artículo 1, en otros preceptos de la LCSP respecto de los contratos.

La transparencia es una herramienta imprescindible en la lucha contra la corrupción. La existencia de procedimientos claros e iguales para todos, la ausencia de ambigüedad en las cláusulas contractuales, la no existencia de impunidad para los infractores, son argumentos en apoyo del establecimiento por la legislación europea de condiciones estrictas de participación en los contratos públicos, con rigurosos sistemas procedimentales y de control de la contratación pública.

De este modo, en su Comunicación sobre la corrupción[2], la Comisión subrayó la importancia de la contratación pública para lograr una política eficaz de lucha contra la corrupción en toda la Unión, comprometiéndose a elaborar un sistema de listas negras aplicable a los casos en los que se emplean fondos de la Comunidad. En un sentido parecido, el Consejo europeo de junio de 1997 adoptó un Plan de acción para la lucha contra el crimen organizado[3].

El TJCE, en su sentencia *Telaustria* (Sentencia TJCE de 7 de diciembre de 2000, asunto C-324/98), afirma que la obligación de transparencia que recae sobre la entidad adjudicadora consiste en garantizar, en beneficio de todo licitador potencial, una publicidad adecuada que permita abrir a la

---

[2]   Comunicación de la Comisión al Consejo y al Parlamento europeo sobre Una Política de la Unión contra la corrupción (COM(97) 0192).

[3]   DO C 251 de 15.8.97, página 1. Por su parte el apartado 43 de la exposición de motivos de la Directiva 2004/18/CE también contemplaba una advertencia en el mismo sentido de forma que debe evitarse la adjudicación de contratos públicos a operadores económicos que hayan participado en una organización delictiva o que hayan sido declarados culpables por corrupción o fraude contra los intereses financieros de las Comunidades Europeas o por blanqueo de capitales. A su vez, en España nos encontramos con las conocidas como prohibiciones para contratar con la Administración, que contempla actualmente el TRLCSP en su artículo 60.

competencia el mercado de servicios y controlar la imparcialidad de los procedimientos de adjudicación.

Asimismo en la sentencia de 6 de abril de 2006, asunto C-410/04, ANAV en donde la cuestión que se planteaba ante el órgano jurisdiccional remitente era, en esencia, si el Derecho comunitario, en especial, las obligaciones de transparencia y de libre competencia establecidas en los artículos 43, 49 y 86 del Tratado de la Comunidad Europea, se opone a una normativa nacional, como la controvertida en el litigio principal, que no fija ningún límite a la libertad de elección de un ente público entre las diversas formas de adjudicar un servicio público, en particular, entre la adjudicación mediante un procedimiento de licitación pública y la adjudicación directa a una sociedad cuyo capital social pertenece íntegramente a dicho ente; en el que concluye el Alto Tribunal Europeo que

> *"los artículos 43 CE, 49 CE y 86 del TCE y los principios de igualdad de trato, de no discriminación por razón de la nacionalidad y de transparencia no se oponen a una normativa nacional que permite que un ente público adjudique un servicio público directamente a una sociedad cuyo capital social le pertenece íntegramente, siempre que el ente público ejerza sobre esta sociedad un control análogo al que ejerce sobre sus propios servicios y que dicha sociedad realice la parte esencial de su actividad con el ente al que pertenece".*

Por otro lado y como se decía con anterioridad, la transparencia en la contratación pública ha tenido en los últimos tiempos un importante refuerzo como consecuencia de la introducción de medios electrónicos y telemáticos en los procedimientos de licitación, con la aparición de nuevas técnicas electrónicas de compra y publicidad.

De este modo, la introducción de medios electrónicos y telemáticos en los procedimientos de licitación ha supuesto para las Administraciones un notable incremento de la transparencia y de la eficiencia de los procedimientos de contratación. Así lo establecía el Considerando 12 de la Directiva 2004/18/CE que establecía que las nuevas técnicas electrónicas de compra deberán en todo caso ser utilizadas dentro del respeto de los principios de igualdad de trato, no discriminación y transparencia; y lo ratifica el Considerando 67 de la nueva Directiva 2014/24/UE sobre contratación pública que por ejemplo establece que para garantizar el respeto del principio de transparencia establece que sólo sean objeto de subasta electrónica los elementos que puedan ser sometidos a una evaluación automática por medios electrónicos, sin intervención ni evaluación del poder adjudicador, es decir, sólo los elementos que sean cuantificables de modo que puedan expresarse en cifras o en porcentajes.

IV. Los considerandos de la transparencia en las directivas

Uno de los principales aspectos comunes que se podrían destacar de las nuevas Directivas de la Unión Europea sobre contratación pública es el mantenimiento y consolidación de los principios generales de la contratación pública.

Dentro de esta consolidación destaca sobre manera el principio vertebral de transparencia, vertebral porque está íntimamente ligado a todos los demás.

Buena prueba de ello es la Directiva 2014/24/UE del Parlamento Europeo y del Consejo, de 26 de febrero de 2014, sobre contratación pública y por la que se deroga la Directiva 2004/18/CE.

De esta forma el principio de transparencia constituye parte del pórtico de la nueva Directiva y extiende su presencia de manera permanente, a saber:

El Considerando 1 determina que la adjudicación de contratos públicos por las autoridades de los Estados miembros o en su nombre, ha de respetar los principios del TFUE y, en particular, la libre circulación de mercancías, la libertad de establecimiento y la libre prestación de servicios, así como los principios que se derivan de estos, tales como los de igualdad de trato, no discriminación, reconocimiento mutuo, proporcionalidad y transparencia.

En el Considerando 45 dispone que el procedimiento de licitación con negociación debe ir acompañado de salvaguardias adecuadas que garanticen la observancia de los principios de igualdad de trato y de transparencia. En particular, los poderes adjudicadores deben indicar con antelación los requisitos mínimos que caracterizan la naturaleza del procedimiento, los cuales no deben ser alterados en las negociaciones. Los criterios de adjudicación y su ponderación deben permanecer estables a lo largo de todo el procedimiento y no deben ser objeto de negociación, con vistas a garantizar la igualdad de trato para todos los operadores económicos. Las negociaciones deben tender a mejorar las ofertas con objeto de permitir a los poderes adjudicadores adquirir obras, suministros y servicios perfectamente adaptados a sus necesidades específicas. Con el fin de garantizar la transparencia y la trazabilidad del proceso se documentarán debidamente todas las fases del mismo.

Por su parte, el Considerando 52 está dedicado a los medios de información y comunicación electrónicos como herramientas que pueden simplificar enormemente la publicación de los contratos y aumentar la eficiencia y la transparencia de los procedimientos de contratación.

De otro lado, el Considerando 58 dice que es necesario garantizar un nivel adecuado de transparencia que tenga en cuenta la verificación del cumplimiento o no del principio de igualdad de trato. En particular, es fundamental que aquellas comunicaciones orales con los licitadores que puedan incidir en el contenido y la evaluación de las ofertas estén documentadas de modo suficiente y a través de los medios adecuados, como los archivos o resúmenes escritos o sonoros de los principales elementos de la comunicación.

A su vez, el Considerando 59 nos muestra que en los mercados de contratación pública de la Unión se comienza a observar una marcada tendencia a la agregación de la demanda por los compradores públicos con el fin de obtener economías de escala, incluida la reducción de los precios y de los costes de transacción, y de mejorar y profesionalizar la gestión de la contratación. Ello puede hacerse concentrando las compras, bien por el número de poderes adjudicadores participantes, bien por su volumen y valor a lo largo del tiempo. No obstante, la agregación y la centralización de las compras deben supervisarse cuidadosamente para evitar una excesiva concentración de poder adquisitivo y la colusión y preservar la transparencia y la competencia, así como las posibilidades de acceso al mercado de las PYME.

También el Considerando 61 establece que para garantizar la transparencia y la igualdad de trato, los poderes adjudicadores deben indicar en los pliegos de la contratación para el acuerdo marco los criterios objetivos que regirán la elección.

El Considerando 68, por otra parte, dispone que se están desarrollando constantemente nuevas técnicas electrónicas de compra, como los catálogos electrónicos. Y reza que deben establecerse, normas tendentes a garantizar que la utilización de las nuevas técnicas cumple lo dispuesto en la presente Directiva, así como los principios de igualdad de trato, no discriminación y transparencia.

Continúa el Considerando 73 diciendo que no obstante, los poderes adjudicadores no deben utilizar las posibilidades de la contratación conjunta transfronteriza con el fin de eludir las normas de Derecho público obligatorias, que, de conformidad con la legislación de la Unión, les son aplicables en el Estado miembro en el que están situados. Dichas normas pueden comprender, por ejemplo, disposiciones sobre la transparencia y el acceso a documentos, o requisitos específicos para la trazabilidad de suministros sensibles.

Más adelante el Considerando 80 afirma que la utilización de medios de información y comunicación electrónicos, en particular la puesta a disposición de los operadores económicos, licitadores y candidatos por medios totalmente electrónicos de los pliegos de la contratación y la transmisión electrónica de las comunicaciones, lleva a una mayor transparencia y ahorro de tiempo.

A continuación el Considerando 82 anuncia que para garantizar la transparencia necesaria en el contexto de los procedimientos de contratación que conlleven la celebración de negociaciones y diálogos con los licitadores, aquellos de estos últimos que hayan hecho una oferta admisible deben, excepto cuando existan motivos graves para no hacerlo, estar también autorizados a solicitar información sobre la ejecución y el avance del procedimiento.

En el Considerando 90 la nueva Directiva clásica nos dice que la adjudicación de los contratos debe basarse en criterios objetivos que garanticen el respeto de los principios de transparencia, no discriminación e igualdad de trato con el fin de garantizar una comparación objetiva del valor relativo de los licitadores que permita determinar, en condiciones de competencia efectiva, qué oferta es la oferta económicamente más ventajosa. Añadiendo que para garantizar el cumplimiento del principio de igualdad de trato en la adjudicación de los contratos, los poderes adjudicadores deben estar obligados a procurar la transparencia necesaria para permitir a todos los licitadores estar razonablemente informados de los criterios y modalidades que se aplicarán en la decisión relativa a la adjudicación del contrato.

Ya en el Considerando 105 se establece que es preciso velar por que haya cierta transparencia en la cadena de subcontratación, pues así se facilita a los poderes adjudicadores información sobre quién está presente en los lugares en que se realizan las obras de construcción encargadas por ellos o qué empresas están prestando servicios en edificios, infraestructuras o zonas tales como ayuntamientos, escuelas municipales, instalaciones deportivas, puertos o autopistas que dependen de los poderes adjudicadores o sobre los que ejercen una supervisión directa. Sumando a lo anterior que además, es preciso puntualizar explícitamente que los Estados miembros han de poder ir más allá, por ejemplo ampliando las obligaciones de transparencia, al permitir el pago directo a los subcontratistas o al permitir o exigir a los poderes adjudicadores que verifiquen que los subcontratistas no se encuentran en ninguna de las situaciones en las que se justificaría la exclusión de operadores económicos.

De nuevo en el Considerando 110 se impone que de acuerdo con los principios de igualdad de trato y de transparencia, el licitador adjudicatario no debe ser sustituido por otro operador económico, por ejemplo cuando se rescinda un contrato debido a deficiencias en su ejecución, sin la convocatoria de una nueva licitación.

Asimismo el Considerando 114 dispone que los contratos de servicios a las personas, cuyo valor esté situado por encima de un determinado umbral deben estar sujetos a normas de transparencia en toda la Unión. Disponiendo además que los Estados miembros y los poderes públicos siguen teniendo libertad para prestar por sí mismos esos servicios u organizar los servicios sociales de manera que no sea necesario celebrar contratos públicos, por ejemplo, mediante la simple financiación de estos servicios o la concesión de licencias o autorizaciones a todos los operadores económicos que cumplan las condiciones previamente fijadas por el poder adjudicador, sin límites ni cuotas, siempre que dicho sistema garantice una publicidad suficiente y se ajuste a los principios de transparencia y no discriminación.

Finalmente, el Considerando número 126 dispone que la trazabilidad y transparencia de la toma de decisiones en los procedimientos de contratación es fundamental para garantizar unos procedimientos adecuados, incluida la lucha eficaz contra la corrupción y el fraude.

En fin y como decíamos: el principio vertebral de transparencia.

V. El perfil de contratante cómo símbolo de transparencia en la LCSP española

El perfil de contratante (art. 63 Ley 9/2017, de Contratos del Sector Público —LCSP—) es objeto de una profunda revolución en la última LCSP de España, este podrá incluir cualesquiera datos y documentos referentes a la actividad contractual de los órganos de contratación.

1. *El perfil de contratante deberá contener*

En cualquier caso, deberá contener tanto la **información de tipo general** que puede utilizarse para relacionarse con el órgano de contratación como

- ✓ puntos de contacto,
- ✓ números de teléfono y de fax,
- ✓ dirección postal y dirección electrónica,
- ✓ informaciones, anuncios y documentos generales, tales como modelos de documentos,

✓ así como la información particular relativa a los contratos que celebre.

2. *Deberá publicarse en el perfil de contratante*

De conformidad con la LCSP 2017, deberá publicarse **con carácter de mínimos** la siguiente información:

1. la memoria justificativa del contrato,
2. el informe de insuficiencia de medios en el caso de contratos de servicios,
3. la justificación del procedimiento utilizado,
4. el pliego de cláusulas administrativas particulares
5. el de prescripciones técnicas,
6. el documento de aprobación del expediente,
7. el objeto detallado del contrato,
8. su duración,
9. el presupuesto base de licitación y el importe de adjudicación, incluido el Impuesto sobre el Valor Añadido,
10. los distintos anuncios y enlaces a esas publicaciones,
11. el número e identidad de los licitadores participantes en el procedimiento,
12. las actas de la mesa de contratación,
13. el informe de valoración de los criterios de adjudicación cuantificables mediante un juicio de valor de cada una de las ofertas,
14. los informes sobre las ofertas incursas en presunción de anormalidad,
15. en todo caso, la resolución de adjudicación del contrato,
16. la decisión de no adjudicar o celebrar el contrato,
17. el desistimiento del procedimiento de adjudicación,
18. la declaración de desierto,
19. la interposición de recursos y la eventual suspensión de los contratos con motivo de la interposición de recursos,
20. los procedimientos anulados,

21. la composición de las mesas de contratación,

22. los miembros del comité de expertos,

23. la formalización de los encargos a medios propios cuyo importe fuera superior a 50.000 euros.

3. Publicidad contratos menores

La publicación de la información relativa a los contratos menores deberá realizarse al menos trimestralmente.

La información a publicar para este tipo de contratos será, al menos,

✓ su objeto,

✓ duración,

✓ el importe de adjudicación, incluido el Impuesto sobre el Valor Añadido,

✓ la identidad del adjudicatario,

✓ ordenándose los contratos por la identidad del adjudicatario.

El sistema informático que soporte el perfil de contratante deberá contar con un dispositivo que permita **acreditar fehacientemente el momento de inicio de la difusión** pública de la información que se incluya en el mismo.

Asimismo, la información permanecerá accesible al público durante un periodo de tiempo **no inferior a 5 años**, sin perjuicio de que se permita el acceso a expedientes anteriores ante solicitudes de información.

4. Publicidad obligatoria de los modificados

También el articulo 207.3 LCSP segundo párrafo establece que asimismo los órganos de contratación que hubieren modificado un contrato durante su vigencia, con independencia de si este está o no sujeto a regulación armonizada y de la causa que justifique la modificación, deberán publicar

> *en todo caso un anuncio de modificación en el perfil de contratante del órgano de contratación en el plazo de 5 días desde la aprobación de la misma,*

que deberá ir acompañado de

✓ las alegaciones del contratista

✓ de todos los informes que, en su caso, se hubieran recabado con carácter previo a su aprobación,

✓ incluidos aquellos aportados por el adjudicatario

✓ los emitidos por el propio órgano de contratación.

Quizás alguien no sobre entienda que estos son, entre otros, el informe jurídico o el de intervención.

5. Comentario

Como vemos, una gran cantidad de información que se verá completada por las vigentes normas de transparencia, aprovechando por fin el potencial que el perfil de contratante otorgaba hasta el momento[4].

Sería pues más fácil preguntarse hoy en día ¿qué no hay que publicar en el perfil de contratante? Porque además debemos tener presente que estas obligaciones legales son obligaciones de mínimos que no impiden a los órganos de contratación publicar a mayores aquello que consideren.

Se ha visto por tanto ampliamente reforzada la transparencia en la LCSP, como auténtico principio general de la contratación pública, pero de ello ya hablaremos en otra ocasión.

Bibliografía

AA.VV. (dir. PINTOS SANTIAGO, J., *Calidad, transparencia y ética pública*, Editorial INAP, Colección Monografías, Madrid, 2017.

CAMPOS ACUÑA, C., "10 Novedades sobre Transparencia e Integridad en la Ley 9/2017, de 8 de noviembre, de Contratos del Sector Público", *El Consultor de los Ayuntamientos*, nº 22 (2017).

CAMPOS ACUÑA, C., "Medios de publicidad en la Ley 9/2017, de contratos del sector público. La responsabilidad del secretario en materia de Transparencia", *Consultor de los ayuntamientos y de los juzgados*, nº 4 (2018), págs. 139 y ss.

MARTÍNEZ FERNÁNDEZ, J. M., "«Transparencia» vs «transparencia» en la contratación pública Medidas para la transparencia material en todas las fases de la contratación pública como antídoto contra la corrupción", *Diario La Ley*, Nº 8607, Sección Doctrina, 17 de septiembre de 2015.

---

[4]   Sobre las posibilidades que podía otorgar el perfil de contratante de cara a fortalecer los principios generales de la contratación pública, en especial el principio de transparencia, véase PINTOS SANTIAGO, J., "La nueva configuración de la transparencia en la contratación administrativa. Comentario de urgencia al Proyecto de Ley de Transparencia, Acceso a la Información y Buen Gobierno", *Revista Contratación Administrativa Práctica*, Editorial La Ley, núm. 126, jul-ago 2013, págs. 50-65. Número especial dedicado a la "contratación pública electrónica".

MARTÍNEZ FERNÁNDEZ, J. M., *Contratación pública y transparencia*, Wolters Kluwer, Madrid, 2016.

MELLADO RUIZ, L., *El Principio de Transparencia Integral en la Contratación del Sector Público*, Tirant lo Blanch, Valencia, 2018.

OLLER RUBERT, M., "Notas sobre la gobernanza en la contratación pública: el perfil del contratante como instrumento de transparencia", *Revista Contratación Administrativa Práctica*, nº 135, ene-feb 2015.

PINTOS SANTIAGO, J., *Los principios generales de desarrollo humano y sostenibilidad ambiental en la contratación pública*, Editorial INAP, Colección Monografías, Madrid, 2017, 378 págs.

SANMARTÍN MORA, M. A., "La transparencia en la contratación pública, nuevas perspectivas", *Revista de Contratación Administrativa Práctica*, La Ley, núm. 129, ene-feb 2014.

VALCÁRCEL FERNÁNDEZ, P., "Transparencia y contratación pública", en *Revista Iberoamericana de Derecho Administrativo y Regulación Económica*, Argentina, nº 6 (2013).

INTEGRIDAD Y TRANSPARENCIA EN LA CONTRATACIÓN PÚBLICA

David Muñoz Pérez
Doctor en Derecho
Profesor Derecho Administrativo
Universidad Católica de Valencia "San Vicente Mártir"

SUMARIO: I. Introducción. II. Contratación Pública. III. Integridad en la Contratación Pública. IV. Transparencia en la Contratación Pública. V. Conclusión. Bibliografía. Normativa. Enlaces.

I. Introducción

El fenómeno de la globalización abarca multitud de ámbitos de la sociedad en todo el mundo, y como no podía ser de otra manera, también alcanza al Derecho público. El derecho administrativo empieza a tener aspiraciones de desarrollar normas y actos con pretensiones supranacionales. Es cierto que tales normas cuestionan las clásicas teorías del derecho y del sistema de producción de normas, si bien debe considerarse todavía un derecho en construcción que busca el servicio de los poderes públicos a un interés general global, más allá de las fronteras políticas, y que sea conforme a la justicia. Hay que tener en cuenta realmente que no existe una Administración Pública global, con potestades y competencias, ni un poder ejecutivo global, así como tampoco existe una carta magna de carácter global, que pudieran enmarcarse dentro de la teoría clásica del derecho, sin embargo, la realidad nos enmarca dentro de unos principios generales, en la contratación pública de manera especial, que coadyuvan a la construcción de un Derecho administrativo global de la contratación administrativa, que parte, sin duda, de los postulados del Estado de Derecho[1].

---

[1] RODRÍGUEZ-ARANA MUÑOZ, J. *Los principios del Derecho global de la contratación pública*. Derecho PUCP, [S.l.], n. 66, pág. 29-54, enero 2011. ISSN 2305-2546. U.A.V. 12/08/2019. Disponible en: http://revistas.pucp.edu.pe/index.php/derechopucp/article/view/3146.

Como muestra de tal desarrollo del derecho global de la contratación pública podemos destacar los textos aprobados de carácter internacional como el Acuerdo Mundial sobre Contratación Pública de la Organización Mundial del Comercio, la Ley Modelo de N aciones Unidas sobre Compras Públicas de Bienes, Servicios y Obras, las normas en la materia del Banco Mundial y la OCDE, y en el marco de la Unión Europea, el muy desarrollado Derecho de la Unión Europea de la contratación pública, integrado por normas de Derecho originario (Tratado de la Comunidad Europea) y derivado (Directivas sobre contratos públicos), y por una jurisprudencia del Tribunal de Justicia de la Unión Europea que ha construido unos principios generales que dotan de unidad a todo el sistema administrativo de contratación[2].

Para conceptualizar la actividad contractual, podemos utilizar un concepto formal de contrato, entendido este como el mero acuerdo de voluntades de dos o mas participantes con el fin de crear un vínculo jurídico. Si bien es cierto que este concepto proviene del iusnaturalismo[3] del siglo XVIII, y que ha sido cuestionado desde la doctrina de la causa, hay que dejar claro que no establece distinción entre contratos o convenios. Estamos pues, ante una calificación genérica que viene a resumir un conjunto de figuras institucionales que requieren de precisión.

Es fundamental resaltar la especial posición que ostenta la Administración Pública de forma que sólo puede actuar si la Ley le habilita para ello, y siempre en los términos previstos en la misma, lo que afecta de forma sustancial a los procesos de contratación, como veremos mas adelante. Así pues, el proceso de formación de la voluntad de la Administración debe ser siempre por los cauces establecidos en la Ley, por lo que adquiere especial relevancia, de ahí que la competencia y el procedimiento tienen una regulación unitaria y común a todos los procesos de contratación[4].

Se podría entender que, con ello, se cumplen con unos requisitos mínimos que garantizan que los procesos de contratación se producen con total independencia, integridad y transparencia garantizando la igualdad entre

---

[2]   MORENO MOLINA, J. A. *El proceso de formación de un derecho global de la contratación pública*. Revista de Derecho y Ciencias Jurídicas DIXI Vol. 14 núm. 15 enero-junio 2012.

[3]   DE ASIS ROIG, A. *Sobre la problemática del Derecho Natural*. Anuario de Filosofía del Derecho núm. 6. 1958.1959. ISSN 0518-0872, págs. 111-156.

[4]   GARCÍA DE ENTERRIA E. y TOMÁS-RAMÓN FERNÁNDEZ *Curso de Derecho Administrativo I*. Editorial Civitas. X Edición. Madrid 2000, págs. 664 y ss.

los participantes, aunque lo cierto es que no se ha considerado así, regulando la norma exigencias y requisitos para su cumplimiento.

Los procesos de contratación pública se ven sometidos, en multitud de ocasiones, a una búsqueda especial de control por parte de los ciudadanos y profesionales, con el fin de garantizar que se realizan con total transparencia e integridad. Se busca, en definitiva, que el proceso de contratación sea limpio y eficaz a las necesidades concretas objeto de contratación, y no se vea afectado por cuestiones extrajurídicas que en nada tienen amparo legal[5].

La Ley 9/2017, de 8 de noviembre, de Contratos del Sector Público, por la que se transponen al ordenamiento jurídico español las Directivas del Parlamento Europeo y del Consejo 2014/23/UE y 2014/24/UE, de 26 de febrero de 2014, se encarga de regular el sometimiento de la contratación pública a los procesos específicos característicos derivados de la especialidad administrativa.

Esta Ley tiene por objeto regular la contratación del sector público, a fin de garantizar que la misma se ajusta a los principios de libertad de acceso a las licitaciones, publicidad y transparencia de los procedimientos, y no discriminación e igualdad de trato entre los licitadores; y de asegurar, en conexión con el objetivo de estabilidad presupuestaria y control del gasto, y el principio de integridad, una eficiente utilización de los fondos destinados a la realización de obras, la adquisición de bienes y la contratación de servicios mediante la exigencia de la definición previa de las necesidades a satisfacer, la salvaguarda de la libre competencia y la selección de la oferta económicamente más ventajosa.

Estos principios son la prueba de la existencia de un derecho de la contratación pública global, ya que son principios generales del derecho inspiradores de cualquier ordenamiento jurídico, no únicamente del español,

---

5   FEDERACIÓN ESPAÑOLA DE MUNICIPIOS Y PROVINCIAS - Red de Entidades Locales por la Transparencia y la participación ciudadana. *Guía de integridad en la contratación pública*. U.A.V. 12/08/2019. Enlace web: http://www.worldcomplianceassociation.com/noticias/noticia_doc_wca__seg_160519_880026.pdf.
    CAMPOS ACUÑA, C. *Integridad en la contratación pública local ¿Cómo? ¿Cuándo? ¿Por qué?* Revista Carta Local nº 324, mayo de 2019. U.A.V. 06/08/2019 Enlace http://concepcioncampos.org/wp-content/uploads/2019/06/IMG_5838.jpg.

cumpliendo con una función concreta, la ordenación racional de los asuntos públicos de dimensión global de acuerdo con la justicia[6]

Del mismo modo, es objeto de esta Ley la regulación del régimen jurídico aplicable a los efectos, cumplimiento y extinción de los contratos administrativos, en atención a los fines institucionales de carácter público que, a través de los mismos, se tratan de realizar.

Cabe afirmar que, en toda contratación pública, se incorporarán de manera transversal y preceptiva criterios sociales y medioambientales siempre que guarde relación con el objeto del contrato, en la convicción de que su inclusión proporciona una mejor relación calidad-precio en la prestación contractual, así como una mayor y mejor eficiencia[7] en la utilización de los fondos públicos. Igualmente se facilitará el acceso a la contratación pública de las pequeñas y medianas empresas, así como de las empresas de economía social[8].

II. Contratación Pública

Con el fin de tratar la integridad y transparencia en el ámbito de la contratación pública, es necesario enmarcar los referidos aspectos en el concepto general de contratación, y para ello, es fundamental establecer el marco jurídico y su regulación en la Unión Europea y en España para poder centrar la investigación en el ámbito concreto a tratar y así poder profundizar en los dos aspectos fundamentales referidos, la integridad y la transparencia, que están íntimamente relacionadas, y que son pilar fundamental para el buen funcionamiento de las Administraciones Públicas en el ámbito de su contratación.

El desarrollo normativo en el ámbito de la Contratación pública en la Unión Europea, sin duda, ha sido uno de los más prolíficos y profundos, debido a la preocupación de ésta por el cumplimiento de unos principios y

---

[6]   RODRÍGUEZ-ARANA MUÑOZ, J. *Los principios del Derecho global de la contratación pública*. Derecho PUCP, [S.l.], n. 66, pág. 29-54, enero 2011. ISSN 2305-2546. U.A.V. 12/08/2019. Disponible en: http://revistas.pucp.edu.pe/index.php/derechopucp/article/view/3146.

[7]   VAQUER CABALLERÍA, M. *Criterio de eficiencia en el Derecho Administrativo*. Revisa de Administración Pública núm. 186. ISSN 0034-7639, 2011, págs. 91-135.

[8]   RESOLUCIÓN 1204/2018 del Tribunal Administrativo Central de Recursos Contractuales de 28 de diciembre de 2018 (Recurso 1190/2018).

valores fundamentales que deben regir los procedimientos de contratación, siempre bajo el paraguas de la integridad y la transparencia. Esto ha motivado que la armonización de los ordenamientos de los Estados miembros se esté produciendo con mayor intensidad. En este sentido, cabe afirmar que la Unión cuenta con unas muy desarrolladas reglas sobre los procedimientos de preparación, selección, adjudicación y ejecución de los contratos públicos de obras, suministros y servicios[9].

"El completo "corpus iuris" europeo sobre contratación pública está integrado tanto por normas de Derecho originario y de Derecho derivado como por la decisiva jurisprudencia del Tribunal de Justicia de la Unión Europea que las ha interpretado y cuya doctrina han ido incorporando las sucesivas directivas europeas en la materia"[10]

Sería importante que la normativa apostara por la publicidad de la información asociada a las contrataciones, y del mismo modo, hacer un replanteamiento del procedimiento por el que se pueda ver como una herramienta estratégica más que como un proceso burocratizado, de cuyo adecuado desarrollo va a depender la garantía de los principios de transparencia e integridad pública. Del mismo modo, podría constituir un avance innovador en la gestión contractual, modernizada y orientada a la transformación digital[11].

En relación con el uso de las tecnologías de la información en la transformación digital, se ha de exigir la garantía por parte de las Administraciones Públicas del cumplimiento de la igualdad en las relaciones, la accesibilidad, la responsabilidad, la calidad y seguridad en la veracidad y autenticidad de la información y de los servicios, el mantenimiento de la integridad de las garantías jurídicas de los ciudadanos establecidas en la Ley de Régimen Jurídico de las Administraciones Públicas así como en la Ley de Procedimiento Administrativo, la cooperación, la neutralidad tecnológica, la adaptabilidad

---

[9] FUENTES I GASÓ, J. R. y JUNCOSA I VIDAL, C. *La armonización europea de la contratación administrativa en el Estado Español: la Ley 9/2017, de 8 de noviembre, de contratos del sector público.* Revista de Direito Economico e Socioambiental, Vol. 9, n. 1, janeiro/abril 2018, ISSN 2179-8214.

[10] MORENO MOLINA, J. A. El nuevo derecho de la Contratación Pública de la Unión Europea. Directivas 4.0, Chartridge Books Oxford. Oxford: Editor, Chartridge Books Oxford 2015, pág. 197.

[11] FUENTES I GASÓ, J. R. y JUNCOSA I VIDAL, C. *La armonización europea de la contratación administrativa en el Estado Español: la Ley 9/2017, de 8 de noviembre, de contratos del sector público.* Revista de Direito Economico e Socioambiental, Vol 9, n. 1, janeiro/abril 2018, ISSN 2179-8214.

al progreso de las técnicas y de los sistemas de comunicaciones electrónicas, la independencia en la elección de las alternativas tecnológicas por los ciudadanos y por la Administración, así como la libertad de desarrollar e implantar los avances que se produzcan en un ámbito de libre mercado[12]

Si bien se debe tener en cuenta que no debe limitarse el acceso, por parte del Órgano de Contratación, a aquella información que no haya sido declarada confidencial por la empresa licitadora, y para ello cabe hacer referencia a la Resolución 916/2015, de 9 de octubre de 2015 del Tribunal Administrativo Central de Recursos Contractuales, donde se pone de manifiesto un caso de mala práxis por parte del órgano de contratación por la denegación del acceso al expediente a una empresa, justificado en la necesidad de solicitar permiso previo ante la posible existencia de documentos confidenciales. Al no existir confidencialidad alguna de los datos aportados por las empresas se constata que el órgano de contratación no actuó correctamente, debiendo haber permitido el acceso[13].

Todo ello deberá ser tenido en cuenta, sin embargo, es fundamental su aplicación bajo el paraguas del principio de legalidad y de la igualdad ante la Ley. En este sentido, es necesario un análisis del principio de legalidad y de su relación con la igualdad, criterio importante en cuanto a la participación de los particulares en los procesos de licitación.

Así pues, cabe recordar que el Estado de Derecho pivota sobre la idea sustancial de que el ordenamiento jurídico está al servicio de la libertad del ciudadano, y ello en el marco de la convicción común sobre el origen y el fin del derecho que es la radical igualdad de los hombres. La exigencia, ya tradicional, de que la legitimidad del acto singular procede de la voluntad general comunitaria, en su expresión típica, la Ley, es fundamental para garantizar, con su cumplimiento, la igualdad real entre todos.

En este el contexto en el que debe actuar la Administración, es decir, con sometimiento pleno a la Ley y al Derecho, lo que es fuente de integridad y transparencia en los procesos de contratación. Sin embargo, cabe recordar que la actuación administrativa es servir los fines generales, lo que ha de hacerse dentro de los límites de la legalidad.

---

[12]   GÓMEZ MANRESA, M. F. *Retos de la Contratación Pública Electrónica*. Revista Aragonesa de Administración Pública, núm. 47-48, ISSN 2341-2135, Zaragoza 2016, págs. 244-275.

[13]   OLIVARES HORTAL, A. *Confidencialidad y transparencia en la contratación pública*. Gabilex núm. 7, *ISSN*-e: 2386-8104, septiembre 2016.

Así la Constitución Española, arts. 9.1 y 3 y 103, lo regula de tal manera que el derecho español no deja ningún espacio franco o libre de Ley, es decir, que todos los actos y disposiciones de la Administración han de someterse a Derecho, han de ser conforme a Derecho. El desajuste, la disconformidad constituyen infracción del Ordenamiento Jurídico y da lugar a la privación de validez (nulidades). Cuya aplicación es determinante en los procesos de licitación para garantizar la integridad, transparencia e igualdad de trato.

La validez de una actuación de la Administración ha de ser referida a un precepto jurídico, bajo la premisa "*Quae non sent permissae, prohibita inteligentur*" frente a "*permissum videtur in omne quod non prohibitum*". De ahí que, todo aquello que no está regulado en la norma, no esta permitido, y por tanto, en la búsqueda de la integridad y la transparencia, el cumplimiento de esa máxima, está especialmente presente.

El principio de legalidad opera en forma de cobertura legal de toda la acción administrativa: solo cuando la Administración cuenta con esa cobertura legal previa, su actuación es legítima. De ahí que la incorporación a la norma de las reformas que se expondrán, son fundamentales para la garantía de cumplimiento de un proceso de contratación basado en una participación limpia, íntegra y honesta.

Es en este contexto en el que se puede buscar la garantía de integridad y de transparencia de los procesos de contratación pública, y con ello también se garantizará la igualdad en el proceso de contratación pública.

Cabe hacer referencia al art. 75 de la Ley 39/2015, de 1 de octubre, de Procedimiento Administrativo Común de las Administraciones Públicas, que establece en su apartado 4 lo siguiente:

"*En cualquier caso, el órgano instructor adoptará las medidas necesarias para lograr el pleno respeto a los principios de contradicción y de igualdad de los interesados en el procedimiento*".

También, como ya se ha dicho, el artículo 1 de la Ley 9/2017, de 8 de noviembre, de Contratos del Sector Público, por la que se transponen al ordenamiento jurídico español las Directivas del Parlamento Europeo y del Consejo 2014/23/UE y 2014/24/UE, de 26 de febrero de 2014, regula la igualdad y dice que:

"*La presente Ley tiene por objeto regular la contratación del sector público, a fin de garantizar que la misma se ajusta a los principios de libertad de acceso a las licitaciones, publicidad y transparencia de los procedimientos, y no discriminación e **igualdad de trato entre los licitadores**; y de asegurar, en conexión con el objetivo de estabilidad presupuestaria y control*" *del gasto, y el principio de integridad, una eficiente utilización de los fondos destinados a la realización de obras, la adquisición de bienes y la contratación de servicios mediante la exigencia de la definición previa de las necesidades a satisfacer, la salvaguarda de la libre competencia y la selección de la oferta económicamente más ventajosa".*

III. Integridad en la Contratación Pública

La integridad en el ámbito de la contratación pública es una exigencia clave para el buen funcionamiento de las Administraciones Públicas. La regulación de normativa que impone requisitos y propuestas concretas facilita el cumplimiento del requisito de integridad en el proceso de contratación, tan necesario, y tan exigible por parte de los ciudadanos e interesados.

En este sentido, cabe afirmar pues, que es fundamental que todos los trámites desde el inicio hasta la finalización estén presididos por la integridad como principio general para garantizarla. Esto supone desde la decisión de contratar hasta el último acto del mismo.

Así mismo, es del todo relevante hacer especial referencia a la nueva regulación que da cobertura legal a la actuación de la Administración en el ámbito de la contratación, y al imponer esos requisitos concretos, y en virtud del ya mencionado principio de legalidad, supone un esfuerzo adicional para garantizar la integridad en los procesos de contratación.

Uno de los principios generales de la Ley de Contratos del Sector Público es la integridad, sin embargo, sin medidas concretas, es imposible garantizar el éxito en este ámbito. En este sentido, el artículo 64 de la Ley regula que:

> *"1. Los órganos de contratación deberán tomar las medidas adecuadas para luchar contra el fraude, el favoritismo y la corrupción, y prevenir, detectar y solucionar de modo efectivo los conflictos de intereses que puedan surgir en los procedimientos de licitación con el fin de evitar cualquier distorsión de la competencia y garantizar la transparencia en el procedimiento y la igualdad de trato a todos los candidatos y licitadores.*
>
> *2. A estos efectos el concepto de conflicto de intereses abarcará, al menos, cualquier situación en la que el personal al servicio del órgano de contratación, que además participe en el desarrollo del procedimiento de licitación o pueda influir en el resultado del mismo, tenga directa o indirectamente un interés financiero, económico o personal que pudiera parecer que compromete su imparcialidad e independencia en el contexto del procedimiento de licitación.*
>
> *Aquellas personas o entidades que tengan conocimiento de un posible conflicto de interés deberán ponerlo inmediatamente en conocimiento del órgano de contratación".*

La actuación pública debe estar presidida por una actuación íntegra, y con la nueva regulación ya se puede manifestar que al tratarse de una imposición legal ya no puede ser objeto de debate su cumplimiento y exigencia, y por ello vincula a todas las Administraciones Públicas con capacidad de contratar.

Sin duda, cabe afirmar que una contratación íntegra esta directamente relacionada con una mayor calidad en las ofertas y un aumento de la competitividad, por tanto, mejores precios y mejor resultado de contratación[14].

No podemos dejar de observar que la integridad siempre ha venido a referirse al comportamiento de la persona-funcionario, y se ha dejado depender de su formación humana y su escala de valores. La nueva perspectiva normativa, impone un comportamiento concreto que, si bien refuerza una gestión íntegra, se corresponde con el cumplimiento del principio de legalidad necesariamente.

Es también lógico entender que el éxito pleno en esta materia es algo difícil de conseguir, pero, con la nueva regulación, será mucho mas fácil detectar comportamientos poco íntegros, facilitando al interesado y/o ciudadanos detectar estos comportamientos y denunciarlos.

Todo ello, se entiende, en el marco del ya mencionado principio de legalidad y en cumplimiento de la igualdad de los ciudadanos que participan en el proceso de contratación. La OCDE aprobó un documento denominado "Principios de la integridad en la Contratación Pública" que establece que deberá implementarse la integridad en la contratación pública al amparo de cuatro principios: la transparencia, la buena gestión, la prevención de la mala conducta y la rendición de cuentas.

En este sentido, parece lógico entender que será exigible a las Administraciones Públicas la implantación de instrumentos de control para prevenir, detectar y dar solución a los comportamientos irregulares que se puedan producir en el proceso de contratación por parte de los servidores públicos que están afectados directamente por la contratación y respecto de los que pudieran existir conflicto de intereses.

Todo ello se enmarca dentro de lo que se ha venido en denominar la nueva Gobernanza, entendiendo así la adquisición de bienes y servicios por

---

[14] CAMPOS ACUÑA, C. *Integridad en la contratación pública local ¿Cómo? ¿Cuándo? ¿Por qué?* Revista Carta Local n° 324, mayo de 2019. U.A.V. 06/08/2019 Enlace http://concepcioncampos.org/wp-content/uploads/2019/06/IMG_5838.jpg

parte de la Administración como un modelo íntegro y de transparencia y buena gestión.

Como mecanismos que garantizan la integridad encontramos diversos mecanismos que pueden servir de control efectivo. Es indudable la labor de policía y control que pueden ejercer estos mecanismos, si bien, es importante su implantación desde una perspectiva de fijación de unos valores en el ámbito de la contratación.

En este sentido cabe hacer referencia en la Comunicación de la Comisión Europea al Parlamento Europeo, al Consejo, al Comité Económico y Social Europeo y al Comité de las Regiones[15], que señala que:

> *"Permitir la notificación de corrupción mediante el establecimiento de mecanismos de notificación eficaces y la protección de los denunciantes contra represalias también puede contribuir a mejorar la transparencia de la contratación pública y ahorrar dinero público. La Comisión está actualmente evaluando la necesidad, viabilidad jurídica y alcance de una acción horizontal o más sectorial a escala de la UE para fortalecer la protección de los denunciantes"*

Para garantizar la posibilidad de que el denunciante, finalmente, decida dar el paso y denunciar, la Ley 39/2015 en su artículo 62.4 la ha incorporado:

> *"4. Cuando el denunciante haya participado en la comisión de una infracción de esta naturaleza y existan otros infractores, el órgano competente para resolver el procedimiento deberá eximir al denunciante del pago de la multa que le correspondería u otro tipo de sanción de carácter no pecuniario, cuando sea el primero en aportar elementos de prueba que permitan iniciar el procedimiento o comprobar la infracción, siempre y cuando en el momento de aportarse aquellos no se disponga de elementos suficientes para ordenar la misma y se repare el perjuicio causado".*

También cabe hacer referencia a las medidas contempladas en las Directivas 2014/24/UE y 2014/23/UE, artículos 57.6 y 38.9 respectivamente, que suponen excepcionar la aplicación de una prohibición para contratar cuando los operadores económicos han adoptado mecanismos eficaces para corregir las consecuencias de su inadecuado comportamiento, e impedir de

---

[15]   COM (2017) NÚM. 572 final. Estrasburgo 3.10.2017.
FUENTES I GASÓ, J. R. y JUNCOSA I VIDAL, C. *La armonización europea de la contratación administrativa en el Estado Español: la Ley 9/2017, de 8 de noviembre, de contratos del sector público*. Revista de Direito Economico e Socioambiental, Vol. 9, n. 1, janeiro/abril 2018, ISSN 2179-8214.

manera efectiva que éste se vuelva a repetir. Los mecanismos que se pueden llevar a efecto son:

– Pago o compromiso de indemnización por los daños causados.

– Colaboración con el esclarecimiento de los hechos.

– Adopción de medidas técnicas, organizativas y de personal (Compliance)

Las medidas adoptadas por los operadores económicos se evaluarán teniendo en cuenta la gravedad y las circunstancias particulares de la infracción penal o la falta. Cuando las medidas se consideren insuficientes, el operador económico recibirá una motivación de dicha decisión[16].

En este sentido, la Ley de Contratos del Sector Público ha trasladado esta regulación al artículo 70.5 que establece que:

> *"No procederá, sin embargo, declarar la prohibición de contratar cuando, en sede del trámite de audiencia del procedimiento correspondiente, la persona incursa en la causa de prohibición acredite el pago o compromiso de pago de las multas e indemnizaciones fijadas por sentencia o resolución administrativa de las que derive la causa de prohibición de contratar, siempre y cuando las citadas personas hayan sido declaradas responsables del pago de la misma en la citada sentencia o resolución, y la adopción de medidas técnicas, organizativas y de personal apropiadas para evitar la comisión de futuras infracciones administrativas, entre las que quedará incluido el acogerse al programa de clemencia en materia de falseamiento de la competencia. Este párrafo no resultará de aplicación cuando resulte aplicable la causa de prohibición de contratar a que se refiere el artículo 71.1, letra a)".*

IV. Transparencia en la Contratación Pública

La transparencia está relacionada profundamente con la integridad, sin transparencia, es difícil garantizarla. Los procedimientos opacos facilitan comportamientos poco éticos, y dificulta el control por parte los particulares y otras Administraciones Públicas de los procesos de contratación.

Como ya se ha afirmado, esta Ley tiene por objeto regular la contratación del sector público, a fin de garantizar que la misma se ajusta a los principios de libertad de acceso a las licitaciones, publicidad y transparencia

---

[16] RODRÍGUEZ-ARANA MUÑOZ, J. *Compliance y self-cleaning en la contratación pública (Una aproximación europea)*. Revista Andaluza de Administración Pública, núm. 95, mayo-agosto 2016, ISSN 1130-376X, págs. 13-52.

de los procedimientos, y no discriminación e igualdad de trato entre los licitadores.

Las medidas aprobadas en la Ley de Contratos del Sector Público se puede considerar un avance significativo, ya que suponen incrementar de alguna manera la transparencia en la contratación pública, sin embargo, determinados documentos que revisten una gran importancia todavía no se contemplan que sean publicados, y tampoco se regula, ante el incumplimiento de la obligación de transparencia, sus consecuencias[17].

Respecto a la llamada publicidad pasiva, nada se avanza en la norma, y por tanto queda pendiente de determinación y regulación, es decir, nada se mejora al respecto de las solicitudes de acceso a la información obrante en los expedientes de contratación. De obligada referencia es afirmar que la Ley si reconoce el acceso a dicha información por parte de los interesados, sean licitadores o adjudicatarios.

El artículo 63 de la Ley de Contratos del Sector Público establece que los órganos de contratación difundirán exclusivamente a través de Internet su perfil de contratante, como elemento que agrupa la información y documentos relativos a su actividad contractual al objeto de asegurar la transparencia y el acceso público a los mismos.

A esto le añade que la forma de acceso al perfil de contratante deberá hacerse constar en los pliegos y documentos equivalentes, así como en los anuncios de licitación en todos los casos. La difusión del perfil de contratante no obstará la utilización de otros medios de publicidad adicionales en los casos en que así se establezca.

Es cierto que podemos observar un incremento sustancial en cuanto a la publicidad activa que actualmente se tiene que realizar para la contratación, lo que, sin duda, profundiza en la transparencia en los procesos de contratación. El acceso al perfil de contratante por internet supone, sin duda, la posibilidad de mayor alcance y transparencia para los ciudadanos, siempre que se incluya la información y documentos mencionados que son los que realmente garantizarán dicha transparencia, por lo que se debe fijar como elemento fundamental para que su inclusión en internet tenga una eficacia real.

---

[17]   VILLORIA MENDIETA, M. *La transparencia como política publica en España: algunas reflexiones*. Eunomía. Revista en Cultura de la Legalidad. Nº 7, septiembre 2014 - febrero 2015, págs. 85-103, ISSN 2253-6655.

Respecto al acceso a la información del perfil de contratante será libre, no requiriendo identificación previa. No obstante, podrá requerirse esta para el acceso a servicios personalizados asociados al contenido del perfil de contratante tales como suscripciones, envío de alertas, comunicaciones electrónicas y envío de ofertas, entre otras. Toda la información contenida en los perfiles de contratante se publicará en formatos abiertos y reutilizables, y permanecerá accesible al público durante un periodo de tiempo no inferior a 5 años, sin perjuicio de que se permita el acceso a expedientes anteriores ante solicitudes de información[18].

Cabe manifestar que no puede considerarse una limitación a la transparencia el requerimiento de servicios personalizados como suscripciones, ya que no supone una exclusión real de aquellos que pretendan acceder. Los mencionados servicios son de fácil cumplimentación y sin exigencia de información de difícil acceso y sin requisitos excluyentes.

Es importante manifestar que se permite por la norma que el perfil de contratante pueda incluir cualesquiera datos y documentos referentes a la actividad contractual de los órganos de contratación. En ese caso, deberá contener tanto la información de tipo general que puede utilizarse para relacionarse con el órgano de contratación como puntos de contacto, números de teléfono y de fax, dirección postal y dirección electrónica, informaciones, anuncios y documentos generales, tales como las instrucciones internas de contratación y modelos de documentos, así como la información particular relativa a los contratos que celebre.

La información de los datos y documentos relativos a los contratos deberán ser, como mínimo:

> "a) La memoria justificativa del contrato, el informe de insuficiencia de medios en el caso de contratos de servicios, la justificación del procedimiento utilizado para su adjudicación cuando se utilice un procedimiento distinto del abierto o del restringido, el pliego de cláusulas administrativas particulares y el de prescripciones técnicas que hayan de regir el contrato o documentos equivalentes, en su caso, y el documento de aprobación del expediente.
>
> b) El objeto detallado del contrato, su duración, el presupuesto base de licitación y el importe de adjudicación, incluido el Impuesto sobre el Valor Añadido.
>
> c) Los anuncios de información previa, de convocatoria de las licitaciones, de adjudicación y de formalización de los contratos, los anuncios de modificación y su justificación, los anuncios de concursos de proyectos y de resultados de

---

18 RESOLUCIÓN Expte. 95/2018. CONSULTA A LA JUNTA CONSULTIVA DE CONTRATACIÓN PÚBLICA DEL ESTADO. *Publicidad en el perfil del contratante de los contratos de las Corporaciones Locales.* MINISTERIO DE HACIENDA. 2018.

concursos de proyectos, con las excepciones establecidas en las normas de los negociados sin publicidad.

d) Los medios a través de los que, en su caso, se ha publicitado el contrato y los enlaces a esas publicaciones.

e) El número e identidad de los licitadores participantes en el procedimiento, así como todas las actas de la mesa de contratación relativas al procedimiento de adjudicación o, en el caso de no actuar la mesa, las resoluciones del servicio u órgano de contratación correspondiente, el informe de valoración de los criterios de adjudicación cuantificables mediante un juicio de valor de cada una de las ofertas, en su caso, los informes sobre las ofertas incursas en presunción de anomalidad a que se refiere el artículo 149.4 y, en todo caso, la resolución de adjudicación del contrato"[19].

Del mismo modo, hay que tener en cuenta que la decisión de no adjudicar y/o celebrar el contrato, así como el desistimiento del procedimiento de adjudicación, la declaración de desierto, la interposición de recursos y, también, la eventual suspensión de los contratos por la interposición de cualquier recurso será objeto de publicación en el perfil del contratante.

En el caso de los contratos menores, se establece la especialidad de publicar la información al menos de forma trimestral, y la información a publicar será:

– su objeto,

– duración,

– el importe de adjudicación, incluido el Impuesto sobre el Valor Añadido, y

– la identidad del adjudicatario (ordenándose los por ésta los contratos)

En este tipo de contratos, sin embargo, hay que tener en cuenta que, aquellos de cuantía inferior a cinco mil euros, están exceptuados de la publicación referida anteriormente, siempre que el sistema de anticipo de caja fija o similar para pagos menores, sea el utilizado[20].

---

[19]   Art. 63 de la Ley 9/2017, de 8 de noviembre, de Contratos del Sector Público, por la que se transponen al ordenamiento jurídico español las Directivas del Parlamento Europeo y del Consejo 2014/23/UE y 2014/24/UE, de 26 de febrero de 2014. (BOE núm. 272 de 09 de noviembre de 2017).

[20]   BLANES CLIMENT, M. A. La transparencia y la publicidad en la Ley de contratos. U.A.V. 11/8/2019. Enlace web: https://pixelware.com/la-transparencia-y-la-publicidad-en-la-ley-de-contratos/

En relación con los contratos anulados, la composición de las Mesas de contratación y la designación de los miembros del comité de expertos o de los organismos técnicos especializados deberán ser objeto de publicación en el perfil del contratante. Y, en todo caso, deberá publicarse el cargo de los miembros de las mesas de contratación y de los comités de expertos, no permitiéndose alusiones genéricas o indeterminadas o que se refieran únicamente a la Administración, organismo o entidad a la que representen o en la que prestasen sus servicios[21].

La excepción de publicación de determinados datos viene reflejada en el artículo 154.7 de la Ley de Contratos del Sector Público que establece que:

> *"Podrán no publicarse determinados datos relativos a la celebración del contrato cuando se considere, justificándose debidamente en el expediente, que la divulgación de esa información puede obstaculizar la aplicación de una norma, resultar contraria al interés público o perjudicar intereses comerciales legítimos de empresas públicas o privadas o la competencia leal entre ellas, o cuando se trate de contratos declarados secretos o reservados o cuya ejecución deba ir acompañada de medidas de seguridad especiales conforme a la legislación vigente, o cuando lo exija la protección de los intereses esenciales de la seguridad del Estado y así se haya declarado de conformidad con lo previsto en la letra c) del apartado 2 del artículo 19.*
>
> *En todo caso, previa la decisión de no publicar unos determinados datos relativos a la celebración del contrato, los órganos de contratación deberán solicitar la emisión de informe por el Consejo de Transparencia y Buen Gobierno a que se refiere la Ley 19/2013, de 9 de diciembre, de transparencia, acceso a la información pública y buen gobierno, en el que se aprecie si el derecho de acceso a la información pública prevalece o no frente a los bienes que se pretenden salvaguardar con su no publicación, que será evacuado en un plazo máximo de diez días.*
>
> *No obstante lo anterior, no se requerirá dicho informe por el Consejo de Transparencia y Buen Gobierno en caso de que con anterioridad se hubiese efectuado por el órgano de contratación consulta sobre una materia idéntica o análoga, sin perjuicio de la justificación debida de su exclusión en el expediente en los términos establecidos en este apartado".*

Sin embargo, cualquier exclusión de información que desee realizar el órgano de contratación, deberá justificarlo debidamente en el expediente, de forma que quede claramente motivada la razón por la que queda ese dato o información excluida.

---

[21]   MINISTERIO DE JUSTICIA. Resolución 739/2018 del Consejo de Transparencia y Buen Gobierno. (R/0739/2018; 100-001986). U.A.V. 11/8/2019. Enlace web https://www.consejodetransparencia.es/ct_Home/Actividad/Resoluciones/resoluciones_AGE/AGE_2018.html.

De acuerdo con el citado párrafo 2 del artículo 154.7 de la Ley de Contratos del Sector Público, ante la posibilidad de no publicar determinados datos relativos al contrato, exige la solicitud de informe al Consejo de Transparencia y Buen Gobierno, que deberá evacuarlo en el plazo de 10 días.

Llegados a este punto, cabe resaltar que, debido al sistema autonómico y la distribución de competencias, hay que tener en cuenta la existencia de normativa propia autonómica en relación con la transparencia, y que, por tanto, deberá ser el informe emitido por el Consejo de Transparencia y Buen Gobierno autonómico, independientemente de su denominación concreta.

Todo ello sin merma de la confidencialidad que viene regulada en el artículo 133 y que debe ser tenida en cuenta para dar cumplimiento a Ley en el proceso de contratación:

> *"los órganos de contratación no podrán divulgar la información facilitada por los empresarios que estos hayan designado como confidencial en el momento de presentar su oferta. El carácter de confidencial afecta, entre otros, a los secretos técnicos o comerciales, a los aspectos confidenciales de las ofertas y a cualesquiera otras informaciones cuyo contenido pueda ser utilizado para falsear la competencia, ya sea en ese procedimiento de licitación o en otros posteriores".*

Cabe añadir que "el principio de transparencia material tiene un doble límite: en primer lugar, el principio de proporcionalidad, ya que supone que, en cada actuación dentro del procedimiento de contratación, se adopten las medidas estrictamente necesarias y adecuadas para alcanzar los objetivos comentados; y, en segundo lugar, el principio de confidencialidad, ya que la falta de garantía de la misma puede hacer que disminuya la concurrencia por temor a que los esfuerzos de investigación de las empresas se diluyan con su conocimiento por tercero"[22]

Es muy importante resaltar que la Ley de Contratos del Sector Público no regula expresamente la inclusión de importantes documentos para su publicación en el perfil de contratante, como son[23]:

> "a) El informe del jurado con la clasificación de los proyectos, los méritos de cada proyecto, junto con sus observaciones y cualesquiera aspectos que requieran aclaración (artículo 187.5 LCSP).

---

[22] CORRAL FERNÁNDEZ, G. M. *El principio de transparencia en la contratación pública*, Universidad de La Laguna, julio 2017.

[23] BLANES CLIMENT, M. A. *La transparencia en la nueva Ley 9/2017, de Contratos del Sector Público*, noviembre 2017. U.A.V. 08/08/2019 Blog: https://miguelangelblanes.com/2017/11/17/la-transparencia-en-la-nueva-ley-9-2017-de-contratos-del-sector-publico/

b) El dictamen del Consejo de Estado u órgano consultivo equivalente de la Comunidad Autónoma respectiva en los casos de interpretación, modificación, nulidad y resolución de los contratos y responsabilidad contractual (artículo 191.3 LCSP)

c) El acto formal y positivo de recepción o conformidad con la prestación del contrato y el informe de Intervención de la Administración de comprobación de la inversión (artículo 210.2 LCSP).

d) El informe de las oficinas o unidades de supervisión de los proyectos cuando el presupuesto base de licitación del contrato de obras sea igual o superior a 500.000 euros, IVA excluido (artículo 235 LCSP).

e) El acta de comprobación del replanteo de las obras (artículo 237 LCSP).

f) El informe del Director Facultativo de las Obras justificativo de la modificación del contrato de obras (artículo 242 LCSP).

g) La certificación final de las obras ejecutadas, el acta de recepción de las obras y el informe del Director Facultativo de las obras sobre el estado de las mismas antes del vencimiento del plazo de garantía (artículo 243 LCSP)".

"Por otra parte, la LCSP no se refiere ni exige la publicación activa de estos otros documentos:

a) un informe-resumen final económico con detalle del precio de adjudicación y coste final del contrato, con sus respectivas modificaciones y revisiones de precios incluidas con el objeto de facilitar el control de las indeseables desviaciones económicas;

b) los informes emitidos en el expediente de contratación por los servicios jurídicos (secretarios generales, abogacía, etc.), técnicos (arquitectos, ingenieros, etc.) y económicos (intervención), al menos, respecto a los contratos de mayor importancia económica respecto a cada Entidad pública.

c) las sanciones o penalidades impuestas por el órgano de contratación;

d) el listado de facturas fiscalizadas y contabilizadas, al menos, las superiores a 5.000 euros —importe relativo a los contratos menores pagados con anticipos de caja fija excluidos de publicidad activa, con detalle de su estado de cobro—[24].

Respecto a las solicitudes de acceso a la información es fundamental exponer el contenido del Considerando nº 122 de la Directiva 2014/24/UE del Parlamento Europeo y del Consejo, de 26 de febrero de 2014, sobre contratación pública y por la que se deroga la Directiva 2004/18/CE, que dispone lo siguiente:

"los ciudadanos, las partes interesadas, organizadas o no, y otras personas y organismos que no tienen acceso a los procedimientos de recurso con arreglo a la Directiva 89/665/CEE sí tienen un interés legítimo, en tanto que contribuyentes, en procedimientos adecuados de contratación. Por consiguiente, debe brindárse-

---

[24] BLANES CLIMENT, M. A. *La transparencia en la nueva Ley 9/2017, de Contratos del Sector Público*, noviembre 2017. U.A.V. 08/08/2019 Blog: https://miguelangelblanes.com/2017/11/17/la-transparencia-en-la-nueva-ley-9-2017-de-contratos-del-sector-publico/

les la posibilidad, de un modo distinto al del sistema de recurso contemplado en la Directiva 89/665/CEE, y sin que ello implique necesariamente que se les conceda legitimación ante los órganos jurisdiccionales, de señalar posibles infracciones de la presente Directiva a la autoridad o la estructura competente".

La Administración debería tener la obligación de publicar, no solo de garantizar el derecho de acceso[25], debido al carácter público, abierto y accesible de todo el procedimiento, de toda la documentación que soporta el expediente, ya que de lo contrario se impone una carga a los particulares que dificulta un amplio control por parte de los medios de comunicación y los ciudadanos[26].

En este contexto, es fundamental tener en cuenta que los ciudadanos tienen interés legítimo en procedimientos de contratación en tanto que son contribuyentes[27], y por tanto, no se aplicará un concepto restrictivo de legitimación que preside la contratación pública, sino que en este sentido vemos como se produce una variación importante que afecta de forma fundamental a la materia objeto de estudio.

Sin embargo, el artículo 48 de la Ley de Contratos del Sector Público no reconoce legitimación a los ciudadanos para la interposición del recurso especial en materia de contratación, del mismo modo el artículo 52 no reconoce la facultad de examinar el expediente de contratación, ni el acceso a la información adicional sobre pliegos y demás documentación, dejando esta facultad únicamente a los interesados en el expediente, que serán los que concurren en el procedimiento de licitación, sin embargo, debería tenerse en cuenta e incorporarse el concepto amplio de legitimación que introduce la idea de que los ciudadanos sí tienen interés legítimo, como ya hemos afirmado. En este sentido, con la aplicación restrictiva del concepto de legitimado, se produce una limitación a la transparencia.

Se mantiene pues el criterio de la aplicación menos restrictiva del concepto de legitimado en el expediente para dar posibilidad a los ciudadanos para

---

25   GÓMEZ MANRESA, M. F. *Retos de la Contratación pública electrónica*. Revista Aragonesa de Administración Pública. ISSN 2341-2135, núm. 47-48, Zaragoza, 2016, págs. 244-275.

26   MALARET, E. *El nuevo reto de la contratación pública para afianzar la integridad y el control: reforzar el profesionalismo y la transparencia*, Revista Digital de Derecho Administrativo, núm. 15, primer semestre/2016, págs. 21-60.

27   Directiva 2014/24/UE, DEL PARLAMENTO EUROPEO Y DEL CONSEJO de 26 de febrero de 2014 sobre contratación pública y por la que se deroga la Directiva 2004/18/CE. (DOUE L 94/65 de 28.3.2014). Considerando núm. 122.

poder "señalar posibles infracciones" en cualquier fase del procedimiento de contratación, para lo cual resulta especialmente necesario acceder a la información obrante en los expedientes. Sin acceso a esta información es imposible "señalar posibles infracciones"[28].

V. Conclusión

Tras el análisis realizado, se desarrollan las siguientes conclusiones:

Primero.- La Ley 9/2017, de 8 de noviembre, de Contratos del Sector Público, por la que se transponen al ordenamiento jurídico español las Directivas del Parlamento Europeo y del Consejo 2014/23/UE y 2014/24/UE, de 26 de febrero de 2014, se encarga de regular el sometimiento de la contratación pública a los procesos específicos característicos derivados de la especialidad administrativa.

Segundo.- Esta Ley tiene por objeto regular la contratación del sector público, a fin de garantizar que la misma se ajusta a los principios de libertad de acceso a las licitaciones, publicidad y transparencia de los procedimientos, y no discriminación e igualdad de trato entre los licitadores; y de asegurar, en conexión con el objetivo de estabilidad presupuestaria y control del gasto, y el principio de integridad, una eficiente utilización de los fondos destinados a la realización de obras, la adquisición de bienes y la contratación de servicios mediante la exigencia de la definición previa de las necesidades a satisfacer, la salvaguarda de la libre competencia y la selección de la oferta económicamente más ventajosa.

Tercera.- El desarrollo normativo en el ámbito de la Contratación pública en la Unión Europea, sin duda, ha sido uno de los más prolíficos y profundos, debido a la preocupación de ésta por el cumplimiento de unos principios y valores fundamentales que deben regir los procedimientos de contratación, siempre bajo el paraguas de la integridad y la transparencia. Esto ha motivado que la armonización de los ordenamientos de los Estados miembros se este produciendo con mayor intensidad. En este sentido, cabe afirmar que la Unión cuenta con unas muy desarrolladas reglas sobre los procedimientos de preparación, selección, adjudicación y ejecución de los contratos públicos de obras, suministros y servicios.

---

[28] Directiva 2014/24/UE, DEL PARLAMENTO EUROPEO Y DEL CONSEJO de 26 de febrero de 2014 sobre contratación pública y por la que se deroga la Directiva 2004/18/CE. (DOUE L 94/65 de 28.3.2014). Considerando núm. 122.

Cuarto.- Es fundamental que todos los trámites desde el inicio hasta la finalización estén presididos por la integridad como principio general para garantizarla. Esto supone desde la decisión de contratar hasta el último acto del mismo.

Quinto.- Una contratación íntegra esta directamente relacionada con una mayor calidad en las ofertas y un aumento de la competitividad, por tanto, mejores precios y mejor resultado de contratación. Si bien no únicamente depende de regulación legal al respecto sino también del ámbito personal del funcionario en relación con el cumplimiento del principio de legalidad que garantiza el cumplimiento de las exigencias legales. Aun así, la nueva regulación mejora el acceso para la detección de conductas poco o nada íntegras por lo que es un avance importantísimo.

Sexto.- Será exigible a las Administraciones Públicas la implantación de instrumentos de control para prevenir, detectar y dar solución a los comportamientos irregulares que se puedan producir en el proceso de contratación por parte de los servidores públicos que están afectados directamente por la contratación y respecto de los que pudieran existir conflicto de intereses.

Séptimo.- En definitiva, las medidas aprobadas en la Ley de Contratos del Sector Público se puede considerar un avance significativo, ya que suponen incrementar de alguna manera la transparencia en la contratación pública, sin embargo, determinados documentos que revisten una gran importancia todavía no se contempla que sean publicados, y tampoco se regula, ante el incumplimiento de la obligación de transparencia, sus consecuencias.

Como conclusión final, la integridad y la transparencia exigen dotar a las Administraciones Públicas de procedimientos administrativos de contratación claros y sencillos que conduzcan a la consecución de un trámite operativo. La sencillez y claridad en el procedimiento no esta reñido con la integridad y transparencia, sino todo lo contrario, son garantía de buen gobierno. En la práctica real, esta regulación sencilla y clara facilita el control por los ciudadanos que pueden conocer y comprender el procedimiento, y facilita al funcionario el cumplimiento de la legalidad, al no encontrarse con procedimientos largos, burocratizados y complejos. Además supone acortar los procesos de contratación y facilitar el acceso a los citados procesos por los particulares.

Bibliografía

CAMPOS ACUÑA, C., *Integridad en la contratación pública local ¿Cómo? ¿Cuándo? ¿Por qué?* Revista Carta Local nº 324, mayo de 2019. U.A.V. 06/08/2019 Enlace http://concepcioncampos.org/wp-content/uploads/2019/06/IMG_5838.jpg.

CORRAL FERNÁNDEZ, G. M., *El principio de transparencia en la contratación pública*, Universidad de La Laguna, julio 2017.

DE ASIS ROIG, A., *Sobre la problemática del Derecho Natural*. Anuario de Filosofía del Derecho núm. 6. 1958.1959. ISSN 0518-0872.

FUENTES I GASÓ, J. R. y JUNCOSA I VIDAL, C., "La armonización europea de la contratación administrativa en el Estado Español: la Ley 9/2017, de 8 de noviembre, de contratos del sector público". *Revista de Direito Economico e Socioambiental*, Vol. 9, n. 1, janeiro/abril 2018, ISSN 2179-8214.

GARCÍA DE ENTERRIA E. y TOMÁS-RAMÓN FERNÁNDEZ, *Curso de Derecho Administrativo I*. Editorial Civitas. X Edición. Madrid 2000.

GÓMEZ MANRESA, M. F., "Retos de la Contratación Pública Electrónica". *Revista Aragonesa de Administración Pública*, núm. 47-48, ISSN 2341-2135, Zaragoza 2016.

MALARET, E., "El nuevo reto de la contratación pública para afianzar la integridad y el control: reforzar el profesionalismo y la transparencia", *Revista Digital de Derecho Administrativo*, núm. 15, primer semestre/2016.

MORENO MOLINA, J. A., *El nuevo derecho de la Contratación Pública de la Unión Europea*. Directivas 4.0, Chartridge Books Oxford. Oxford: Editor, Chartridge Books Oxford 2015.

MORENO MOLINA, J. A., "El proceso de formación de un derecho global de la contratación pública". *Revista de Derecho y Ciencias Jurídicas DIXI* Vol. 14 núm. 15 enero-junio 2012.

OLIVARES HORTAL, A., "Confidencialidad y transparencia en la contratación pública". *Gabilex núm.* 7, ISSN-e: 2386-8104, septiembre 2016.

RODRÍGUEZ-ARANA MUÑOZ, J., "Compliance y self-cleaning en la contratación pública (Una aproximación europea)". *Revista Andaluza de Administración Pública*, núm. 95, mayo-agosto 2016, ISSN 1130-376X.

RODRÍGUEZ-ARANA MUÑOZ, J., *Los principios del Derecho global de la contratación pública*. Derecho PUCP, [S.l.], n. 66, pág. 29-54, enero 2011. ISSN 2305-2546. U.A.V. 12/08/2019. Disponible en: http://revistas.pucp.edu.pe/index.php/derechopucp/article/view/3146.

VAQUER CABALLERÍA, M., "Criterio de eficiencia en el Derecho Administrativo". *Revisa de Administración Pública* núm. 186. ISSN 0034-7639, 2011.

VILLORIA MENDIETA, M., "La transparencia como política publica en España: algunas reflexiones. Eunomía". *Revista en Cultura de la Legalidad*. Nº 7, septiembre 2014 - febrero 2015, págs. 85-103, ISSN 2253-6655.

Normativa

Directiva 2014/24/UE, DEL PARLAMENTO EUROPEO Y DEL CONSEJO de 26 de febrero de 2014 sobre contratación pública y por la que se deroga la Directiva 2004/18/CE. (DOUE L 94/65 de 28.3.2014). Considerando núm. 122.

Ley 9/2017, de 8 de noviembre, de Contratos del Sector Público, por la que se transponen al ordenamiento jurídico español las Directivas del Parlamento Europeo y del Consejo 2014/23/UE y 2014/24/UE, de 26 de febrero de 2014. (BOE núm. 272 de 09 de noviembre de 2017).

RESOLUCIÓN 1204/2018 del Tribunal Administrativo Central de Recursos Contractuales de 28 de diciembre de 2018 (Recurso 1190/2018).

RESOLUCIÓN Expte. 95/2018. CONSULTA A LA JUNTA CONSULTIVA DE CONTRATACIÓN PÚBLICA DEL ESTADO. Publicidad en el perfil del contratante de los contratos de las Corporaciones Locales. MINISTERIO DE HACIENDA. 2018.

COM (2017) NÚM. 572 final. Estrasburgo 3.10.2017.

Enlaces

BLANES CLIMENT, M. A. La transparencia en la nueva Ley 9/2017, de Contratos del Sector Público, noviembre 2017. U.A.V. 08/08/2019 Blog: https://miguelangelblanes.com/2017/11/17/la-transparencia-en-la-nueva-ley-9-2017-de-contratos-del-sector-publico/.

BLANES CLIMENT, M. A. La transparencia y la publicidad en la Ley de contratos. U.A.V. 11/8/2019. Enlace web: https://pixelware.com/la-transparencia-y-la-publicidad-en-la-ley-de-contratos/.

FEDERACIÓN ESPAÑOLA DE MUNICIPIOS Y PROVINCIAS - Red de Entidades Locales por la Transparencia y la participación ciudadana. Guía de integridad en la contratación pública. U.A.V. 12/08/2019. Enlace web: http://www.worldcomplianceassociation.com/noticias/noticia_doc_wca__seg_160519_880026.pdf.

Sección Sexta:
REMEDIOS EN LA CONTRATACIÓN PÚBLICA

LA ESPECIALIZACIÓN O PROFESIONALIZACIÓN, LA INDEPENDENCIA Y EL LIDERAZGO COMO ELEMENTOS CLAVE PARA EL BUEN FUNCIONAMIENTO DEL RECURSO ESPECIAL EN MATERIA DE CONTRATACIÓN PÚBLICA ESPAÑOL[1]

PATRICIA VALCÁRCEL FERNÁNDEZ
Profesora Titular Derecho Administrativo (acr. como Catedrática)
Universidad de Vigo

SUMARIO: I. Proemio. II. La especialización y la profesionalización como estrategia para incrementar la calidad en el funcionamiento institucional de los órganos de recursos especiales en materia de contratación. III. La independencia funcional: la otra clave de bóveda del sistema. IV. La relevancia del liderazgo en la procura de la buena administración: el caso de una coordinación institucionalizada que comenzó siendo informal. V. A modo de conclusión. Bibliografía.

I. Proemio

Es incuestionable que el Derecho de la hoy UE ha dejado una huella indeleble en la contratación que llevan a cabo los poderes públicos impo-

---

[1]   El presente trabajo se ha realizado en el marco del Proyecto de Investigación titulado: "El tiempo de las reformas administrativas: hacia la excelencia en la contratación pública (*Smart Procurement*) a través de compras eficaces, estratégicas y transnacionales", (Ref: DER2015-67102-C2-2-P). El estudio tiene su origen en uno de los aspectos tratados en el trabajo más amplio cuya referencia es VALCÁRCEL FERNÁNDEZ, Patricia; "El recurso especial en materia de contratos públicos: en la senda del derecho a una buena Administración", *Las vías administrativas de recurso a debate*, AEPDA-INAP, Madrid, 2016, págs. 303-367; si bien se han realizado adaptaciones, actualizaciones y, asimismo, se ha profundizado en algunos de los planteamientos inicialmente expuestos.

niendo una nueva perspectiva a los legisladores de los Estados miembros. Pese a que los Tratados constitutivos de las, en su día, Comunidades Europeas no contenían ninguna referencia explícita a la necesidad de contar con una regulación específica en esta materia, sus instituciones fueron muy pronto conscientes de su conveniencia. Se comprendió que, de lo contrario, y teniendo en cuenta que el peso específico que el sector de la contratación pública tiene en las economías de los distintos países es ingente, por este frente podía verse comprometida la realización de algunos los principios consustanciales de la Unión. Empiezan, así, a dictarse las Directivas sustantivas en materia de contratación pública.

Casi igual de rápido apreció el legislador europeo que el respeto efectivo de las exigencias recogidas en las indicadas Directivas sustantivas pasaba ineludiblemente por arbitrar un mecanismo procesal que garantizase de forma "rápida" y "eficaz" su cumplimiento. De esta suerte, las Directivas sustantivas fueron completadas con las correlativas Directivas "procesales" en las que se delinean las exigencias que deben observar los mecanismos de control a los que debe poder acudirse en caso de que se entienda producida una vulneración del contenido de las anteriores. Se dictan así la Directiva 89/665/CEE del Consejo, de 21 de diciembre de 1989, relativa a la coordinación de las disposiciones legales, reglamentarias y administrativas referentes a la aplicación de los procedimientos de recurso en materia de adjudicación de los contratos públicos de suministros y de obras, y la Directiva 92/13/CEE del Consejo, de 25 de febrero de 1992, relativa a la coordinación de las disposiciones legales, reglamentarias y administrativas referentes a la aplicación de las normas comunitarias en los procedimientos de formalización de contratos de las entidades que operen en los sectores del agua, de la energía, de los transportes y de las telecomunicaciones. Directivas (conocidas con el sobrenombre de "Directivas de recursos") que fueron sustancialmente modificadas por la Directiva 2007/66/CE del Parlamento Europeo y del Consejo de 11 de diciembre.

En virtud del "principio de autonomía institucional"[2], las "Directivas de Recursos" dejan a los Estados miembros un amplio margen para escoger cómo mejor asegurar la protección efectiva que tienen que garantizar las Directivas sustantivas. Y en España, hasta llegar a diseñar el mecanismo ac-

---

[2]   *Cfr.* VALCÁRCEL FERNÁNDEZ, Patricia; "The control of Public Procurement in Spain - In particular the role of administrative independent Authorities created to transpose Directive 89/665/CEE", in *Contrôles et contentieux des contrats publics - Oversight and Challenges of public contracts* (editors: Laurence Folliot Lalliot, Simone Torricelli), Bruylant, Bélgica, 2018, págs. 67 y ss.

tual con el que para su trasposición contamos, el legislador dio varios "palos de ciego". Desde negar literalmente que estas necesitasen de trasposición por entender que nuestro ordenamiento ya satisfacía los objetivos fijados en las mismas, a establecer un sistema *ad hoc* en la versión original de la Ley 30/2007 que hacía aguas porque no respetaba la exigencia de independencia de los órganos competentes para resolver estos recursos. Finalmente, fue en la Ley 34/2010 en la que se sanciona el modelo actual, hoy recogido en los artículos 44 a 60 de la Ley 9/2017, de 8 de noviembre, de Contratos del Sector público (en adelante, LCSP).

Así las cosas, desde 2010 para dar cumplimiento a las exigencias impuestas por las Directivas de recursos en España se ha apostado por la vertebración de un recurso administrativo especial basado en la creación de órganos especializados e independientes.

La creación de este recurso administrativo especial ha supuesto un notable avance en la consecución de un control efectivo de legalidad en esta materia. En pocos ámbitos de actuación administrativa se ha avanzado tanto, tan razonablemente bien y en tan poco tiempo como en el sector de la contratación pública. Y ello ha sido en gran medida gracias al diseño previsto para este recurso especial.

Los datos[3] demuestran que, en líneas generales, aún con sus imperfecciones y defectos[4], el recurso diseñado ha resultado exitoso y ha contribuido a corregir importantes vicios de los que venía adoleciendo la práctica de la contratación pública en España y, con ello, a consolidar una auténtica tutela restitutoria que ampara las posiciones jurídicas singulares de los operadores económicos.

---

[3] Los principales datos que arroja el funcionamiento de este sistema de recursos son anualmente sistematizados y analizados a través del *Centro de Investigación sobre Justicia Administrativa* (CIJA) de la Universidad Autónoma de Madrid y divulgados en el *Informe sobre la Justicia Administrativa* que elabora anualmente desde el año 2015. Los análisis, ciertamente rigurosos y exhaustivos, se llevan a cabo a partir de la información de las Memorias de actividad que cada año elaboran los órganos y tribunales de recursos contractuales y que están accesibles en abierto en la web: http://cija-uam.org/informe/

[4] Los principales aspectos que entendía mejorables de este recurso tuve ocasión de identificarlos en el trabajo "El recurso especial en materia de contratos públicos: en la senda del derecho a una buena Administración", *Las vías administrativas de recurso a debate*, AEPDA-INAP, Madrid, 2016, págs. 303-367. Algunos de ellos, como la extensión de su ámbito objetivo de aplicación, han sido mejorados a través de la Ley 9/2017. Otros, como el reclamo del carácter obligatorio del recurso, siguen sin encontrar plasmación en sede normativa.

El éxito del modelo descansa en una multiplicidad de factores[5]. De entre todos, en este momento queremos subrayar la importancia de dos de ellos, así como enfatizar en el margen de mejora que para incrementarlos todavía existe: la especialización y la independencia de quienes ocupan los órganos que resuelven el recurso especial.

II. La especialización y la profesionalización como estrategia para incrementar la calidad en el funcionamiento institucional de los órganos de recursos especiales en materia de contratación

Se habla mucho en los últimos tiempos del derecho a una buena administración que, recordemos, es definido en el artículo 41 de la Carta de los Derechos Fundamentales de la Unión Europea justamente por referencia a que las instituciones, los órganos y los organismos públicos traten los asuntos de cualquier persona de manera imparcial, equitativa y los atiendan en un plazo razonable[6].

---

[5]   Análisis exhaustivos y actualizados de las características de este recurso administrativo especial se encuentran en trabajos como los de FERNÁNDEZ ACEVEDO, Rafael; "El recurso especial en materia de contratación: procedimiento y resolución. El nuevo reparto jurisdiccional", Contratación administrativa práctica: revista de la contratación administrativa y de los contratistas, n° 153, 2018, págs. 148-158; PARDO GARCÍA-VALDECASAS, JUAN JOSÉ; "El recurso especial en materia de contratación. Órganos encargados de su resolución", Estudio sistemático de la Ley de contratos del sector público (Dir. José María Gimeno Feliú), Thomson Reuters-Aranzadi, Cizur Menor, 2018, págs. 599-638; SANTIAGO FERNÁNDEZ; MARÍA JOSÉ; "Capítulo XVI. Recurso especial en materia de contratación", Tratado de contratos del sector público (coord. Isabel Gallego Córcoles, Eduardo Gamero Casado), Vol. I 2018, (Tomo I), Tirant lo Blanch, Valencia, 2018, págs. 835-896; DIAZ BRAVO, ENRIQUE; La regulación del recurso en materia de contratación pública en la unión europea y su aplicación en España e Italia, Tesis doctoral, UCLM, 2018; CANDELA TALAVERO, JOSÉ ENRIQUE; "El recurso especial en materia de contratación: Instrumento de protección al licitador y mecanismo de vigilancia a la Administración en la contratación pública", Tesis doctoral, UCLM, 2019.

[6]   El origen del reconocimiento normativo del derecho fundamental a la buena administración se localiza en la Recomendación n° R (80) 2, del Comité de Ministros del Consejo de Europa adoptada el 11 de marzo de 1980, relativa al ejercicio de poderes discrecionales por las autoridades administrativas. A partir de aquí, la jurisprudencia tanto del actual TJUE como del TEDH ha ido paulatinamente aquilatando su contenido. Además, la inclusión explícita de este derecho en el artículo

Pues bien, la procura de una "buena administración" guarda también una directa relación con la adecuada preparación de quienes ocupan los distintos puestos en el poder público, singularmente, de quienes ejercen labores de dirección y toma de decisiones en los distintos órganos y organismos públicos.

En el sistema de recursos que nos ocupa, la especialización a que nos referimos se puede predicar con carácter general tanto de la mayor parte de los órganos que los resuelven, como de los miembros que los integran. Por lo que a los órganos se refiere implicaría que los que integran el sistema conocen exclusivamente de los recursos interpuestos en materia de contratación pública. Como decimos, tal ocurre en la mayor parte de los órganos que se han creado, que solo conocen estos recursos. No obstante, existen algunas excepciones, por ejemplo, en la Comunidad autónoma de Castilla y León, en la que su Consejo Consultivo, entre otras competencias, tiene la referida a la resolución de estos recursos. Por lo que a la especialización de quienes son miembros de los órganos —aspecto mucho más relevante de la especialización—, la misma supondría que todos ellos han de contar con una experiencia de amplia trayectoria en el estudio y práctica de las cuestiones relacionadas con el Derecho de los contratos públicos. Y esto es, en esencia, así, aunque dependiendo de los distintos órganos de recursos que existen se cumple de una manera desigual.

Una de las pretensiones fundamentales de este trabajo consiste en llamar la atención acerca de que estos órganos no son órganos políticos y la especialización de la función que están llamados a desarrollar demanda que quienes los integren hayan acreditado que cuentan para acceder al respectivo puesto con una preparación sólida en materia de contratación pública. Cualquier otra motivación conduciría a desnaturalizar el sistema y la bondad de su diseño y, en definitiva, a poner en riesgo la más optima consecución de los fines para los que fue creado, además, dicho sea de paso, a poner en tela de juicio el respeto por un importante principio que debe regir por supuesto el acceso, pero también la promoción, en el ámbito de la función pública, como es el de mérito y capacidad. Pero vayamos poco a poco.

En el Estado, de acuerdo con el artículo 45 der la LCSP el Tribunal Administrativo Central de Recursos Contractuales (TACRC) está compuesto

---

41 de la Carta de Derechos Fundamentales de la Unión Europea, de 7 de diciembre de 2000, significó un gran impulso para el mismo que jurídicamente se vio muy reforzado cuando el Tratado de Lisboa otorgó a dicha Carta rango de Derecho primario, y por tanto, fuerza vinculante.

por un Presidente y un mínimo de dos Vocales. Pueden ser designados Vocales los funcionarios de carrera de cuerpos y escalas a los que se acceda con título de licenciado o de grado que, además, hayan desempeñado su actividad profesional por tiempo superior a diez años, preferentemente en el ámbito del Derecho Administrativo relacionado directamente con la contratación pública.

Por su parte, el Presidente del Tribunal debe ser funcionario de carrera, de un cuerpo o escala para cuyo acceso sea requisito necesario el título de licenciado o grado en Derecho y haber desempeñado su actividad profesional por tiempo superior a quince años, preferentemente en el ámbito del Derecho Administrativo relacionado directamente con la contratación pública. En ambos casos, si el Presidente o los Vocales son designados entre funcionarios de carrera incluidos en el ámbito de aplicación de la LBEP, deberán pertenecer a cuerpos o escalas clasificados en el Subgrupo A1 del artículo 76 de dicha Ley. La diferencia entre la designación del Presidente y la de los vocales es que la norma obliga a que el Presidente sea licenciado o graduado en Derecho, aspecto que no se exige expresamente para los vocales. Aunque para entender muchos aspectos de la contratación pública resulta altamente interesante contar con conocimientos ajenos a los jurídicos —como, significativamente, los económicos—, lo cierto es que para integrar un órgano de recursos de la naturaleza del que tratamos, en el que se dilucidan cuestiones netamente jurídicas —pues de lo que se trata es de verificar que se ha cumplido adecuadamente la normativa de este sector, esto es, realizar un control de legalidad—, lo más apropiado hubiese sido exigir que si no todos al menos un mínimo de los vocales del órgano contasen con preparación jurídica. Coincido con el profesor Santamaría[7], en considerar que no exigir este perfil jurídico puede ser disfuncional, pues difícilmente podrá elaborar resoluciones fundadas en Derecho y sobre cuestiones tan complejas como las que conocen estos órganos quienes carezcan de profundos conocimientos jurídicos.

La redacción del precepto hace que pueda pensarse que los años de experiencia pudiesen ser en ámbitos ajenos al Derecho Administrativo relacionado directamente con la contratación, pues la norma utiliza el adverbio *"preferentemente"* a la hora de incluir esa referencia. Tal solución sería asimismo criticable, pues la especialización de los miembros de estos órga-

---

[7]   Cfr. SANTAMARÍA PASTOR; Juan Alfonso; *Los recursos especiales en materia de contratos del sector público*, Thomson Reuters Aranzadi, Cizur Menor, Navarra, 2015, pág. 57.

nos en lo tocante al Derecho de la contratación pública se pretende que sea uno de los puntos fuertes del sistema ideado. Que quienes vayan a integrar estos órganos cuenten con una previa especialización en esta materia antes de incorporarse a ellos resulta capital para que su funcionamiento sea el más exitoso posible. De ahí, que, como luego se explicará, si, por ejemplo, la selección de los miembros de estos órganos se hace mediante la convocatoria de un concurso, sería difícilmente justificable seleccionar a quienes no acreditasen contar con méritos y/o experiencia en el marco de la contratación pública frente a candidatos que sí acreditasen tenerla. En los casos de nombramiento por libre designación, nombrar a alguien que no cuenta con un bagaje mínimo en este campo, podría inducir a sembrar sospechas de politización y dudas sobre el ejercicio del cargo con plena independencia.

Por lo que se refiere a la normativa de las CCAA, aún no siendo plenamente coincidente, suele exigir que tanto Presidentes como Vocales de sus órganos sean licenciados o graduados —incluso alguna norma habla de doctorados[8]— en Derecho y cuenten con una experiencia profesional de un número variable de años que oscila entre los cinco y los quince dependiendo de los casos. A partir de ahí, las fórmulas para aludir al conocimiento de la materia sobre la que versarán los recursos que habrán de resolverse son diversas, aunque orientadas en la misma dirección. Por ejemplo, se indica que la experiencia ha de ser *"preferentemente en el ámbito del Derecho Administrativo relacionado con la contratación pública"* (Andalucía); *"en la rama de Derecho Administrativo relacionada directamente con la contratación pública"* (Aragón); o que se ha de contar con *"cualificaciones jurídicas y profesionales que garanticen un adecuado conocimiento en materia de contratación administrativa y en especial, de la normativa contractual comunitaria"* (Canarias); que se valorará *"su experiencia profesional en el ámbito de la contratación pública"* (Galicia); o que han de *"poseer una experiencia profesional...preferentemente en el ámbito del derecho administrativo relacionado directamente con la contratación pública"* (Comunidad Foral de Navarra).

Requisitos como los indicados no se exigen en el caso de la Comunidad Autónoma de Castilla y León que ha optado por que su órgano de recursos coincida con una parte de la actividad que desarrolla su Consejo Consultivo. En este caso, Presidente y Vocales del órgano de recursos se corresponden automáticamente con quienes ejercen como Presidente y Consejeros en la citada institución. Es cierto que los Consejos Consultivos —al igual que

---

[8]   Así se recoge en la normativa del País Vasco.

el Consejo de Estado— tienen atribuidas ciertas competencias relacionadas con la contratación pública, tal como se desprende de distintos preceptos de la actual LCSP, y así han de informar normas sobre la materia, pliegos de cláusulas administrativas generales, el ejercicio de las prerrogativas de la Administración en este ámbito (ej.: modificaciones contractuales) o emitir dictamen en caso de que la Administración opte por la resolución de un contrato, etc. Ahora bien, considerando el tipo de problemas a los que habrán de dar respuesta al resolver los recursos que se formulen, que los miembros del órgano cuenten con experiencia *previa* en relación con la contratación pública —de la que pueden carecer el Presidente o los Consejeros de los Consejos Consultivos cuando entran a formar parte del órgano— sería lo procedente. Si lo que se buscaba en esta Comunidad Autónoma era contar con un órgano de recursos propio pero sin crear nuevas estructuras ni incurrir en nuevos costes, hubiese sido más coherente para garantizar que quienes resuelven los recursos cuentan ya cuando asumen tal responsabilidad con una experiencia "a pie de tierra" en materia de contratación, haber atribuido las funciones de órgano de recursos a sus respectivas Juntas Consultivas de Contratación Administrativa, en las que algunos de sus miembros —especialmente los que forman parte de sus Comisiones Permanentes— sí la tienen. El ahorro que se ha podido lograr puede ser a costa de ahorrar también en especialización y profesionalización.

Volviendo al supuesto anterior de creación de nuevos órganos, no entraremos en este momento a valorar qué número de años de experiencia sería adecuado exigir para garantizar que quienes los integran cuentan con la suficiente para atender con rigurosidad y acierto las funciones que van a desempeñar. En lo que sí conviene insistir es en que un conocimiento intenso sobre contratación pública resulta fundamental para resolver con solvencia y rapidez (como exige el Derecho europeo) los recursos que en la materia pueden presentarse.

En este sentido, aludiremos en el apartado siguiente al hablar de la independencia, como ésta puede verse intensificada si el nombramiento de los miembros de estos órganos se hace previa convocatoria de un procedimiento concurrencial (un concurso de méritos) resuelto, sobre la base de los méritos alegados por los aspirantes, por una comisión nombrada al efecto que aplique un baremo previamente definido. Insistimos en ello por cuanto sería una forma objetiva de contrastar la experiencia y los conocimientos que garanticen la especialización. Y es que la especialización no ha de presuponerse sino que debiera quedar acreditada y contrastada.

Es lógico exigir un grado elevado de experiencia, de especialización, para ocupar los puestos del órgano encargado de controlar en "primera instancia" —con la importancia que el control tiene a este nivel— la aplicación de la normativa sobre contratación. Y ello por cuanto uno de los ámbitos de actuación administrativa en los que la complejidad y la sofisticación ha ido aumentando de forma significativa con el paso del tiempo es, sin duda alguna, el de las compras públicas. Es una materia caracterizada por un enorme y creciente dinamismo que se ha convertido en una parte del Derecho administrativo —como hay otras— con un elevado componente técnico.

En efecto, estamos ante un sector en el que estar al día de las novedades normativas requiere de gran atención y es uno de los ejemplos que mejor sirven para explicar la idea de "legislación motorizada". Pero además, conocer a fondo los vericuetos de esta regulación y, sobre todo, saber aplicarla, o si se está aplicando con la destreza y habilidad debida, o cómo ha de interpretarse, no se logra si no se cuenta con una intensa familiarización con el sector y una considerable experiencia práctica. Así, conocer el régimen de revisión de precios de los contratos; saber si los criterios de adjudicación de un contrato definidos en el pliego son objetivos, si se han incluido juicios de valor improcedentes o si puede afectar a la adecuada ponderación de las ofertas el empleo de según qué tipo de fórmulas matemáticas en los mismos; conocer a fondo qué es el "coste de ciclo de vida" de un contrato; saber cómo se pueden fijar fórmulas para identificar ofertas anormalmente bajas o desproporcionadas cuando se adjudica el contrato utilizando varios criterios; qué es una oferta anormalmente baja con viabilidad no acreditada; saber si la "experiencia" se está exigiendo auténticamente como criterio de solvencia profesional; cuando una "división en lotes" puede hacerse; cuándo la reserva de contratos no implica vulneración del principio de concurrencia; cuándo un convenio encierra en realidad un contrato, etc., son algunos ejemplos de entre los muchos que podrían proponerse para hacer ver que no es sencillo dominar con soltura estas cuestiones si no es a través de la adquisición de una experiencia que no se consigue de un día para otro.

Desde hace tiempo se viene demandando cada vez con mayor insistencia la necesidad de avanzar en una auténtica profesionalización de la contratación pública, en razón de su mencionada complejidad[9]. La misma UE

---

[9]   Este objetivo se recoge en la Declaración de Cracovia, que contiene las conclusiones del primer Foro del Mercado Interior celebrado en dicha ciudad los días 3 y 4 de octubre de 2011, y que entre las medidas para mejorar el funcionamiento de la legislación comunitaria sobre contratación pública, propone ahondar en la profesionalización del sector a través de una mejor formación. Sobre el alcance de la profesionalización en esta materia, *cfr.* SANMARTÍN MORA, María Asunción; "La profesionalización de la contratación pública en el ámbito de la Unión

viene insistiendo en la necesidad de preocuparse por la profesionalización de quienes se ocupan de funciones en este campo[10], y en la LCSP este objetivo ha empezado a hacer acto de presencia de forma más explícita[11]. Especialización que, obviamente, comprende a los operadores que han de aplicar las normas de esta sub-rama del Derecho público, pero también a quienes estén encargados del control de su cumplimiento. En realidad, la necesidad de profesionalización debe predicarse de cualquiera que actúe en este campo, señaladamente, por lo que a este trabajo importa, de todos cuantos participan en el control de las decisiones adoptadas en aplicación de la normativa de contratos públicos. Una buena gobernanza en materia contractual, entendida como garantía del "derecho a una buena administración", demanda la profesionalización con el alcance amplio al que nos estamos refiriendo, abarcando no solo los aspectos relativos a la gestión, sino también los relacionados con su control.

La competitividad, la eficacia, y la eficiencia en cualquier organización dependen en gran medida de la profesionalización de las personas que la dirigen. En este caso, la experiencia acumulada permite afirmar, en mi opi-

---

Europea", *Observatorio de contratos públicos 2011*, (Dir.: José María Gimeno Feliú. Coord.: Miguel Ángel Bernal Blay), Thomson Reuters Aranzadi, 2012, págs. 407-429. Sobre la importancia de la profesionalización para la reconducción de la práctica de la contratación pública en España, *cfr.* GIMENO FELIÚ, José María: "La nueva regulación de la contratación pública en España desde la óptica de la incorporación de las exigencias europeas: hacia un modelo estratégico, eficiente y transparente", en Gimeno Feliú (dir.), *Estudio Sistemático de la Ley de Contratos del Sector Público*, Aranzadi, 2018, págs. 1253 y ss.

10   *Cfr.*, por ejemplo, la Recomendación (UE) 2017/1805 de la Comisión, de 3 de octubre de 2017 *sobre la profesionalización de la contratación pública. Construir una arquitectura para la profesionalización de la contratación pública*, o el Dictamen del Comité Económico y Social Europeo sobre la comunicación de la Comisión al Parlamento Europeo, al Consejo, al Comité Económico y Social Europeo y al Comité de las Regiones - Conseguir que la contratación pública funcione en Europa y para Europa [COM(2017) 572 final], sobre la comunicación de la Comisión al Parlamento Europeo, al Consejo, al Comité Económico y Social Europeo y al Comité de las Regiones - Apoyar la inversión mediante una evaluación voluntaria previa de los aspectos de contratación de los grandes proyectos de infraestructura [COM(2017) 573 final], sobre la recomendación de la Comisión, de 3 de octubre de 2017, sobre la profesionalización de la contratación pública - Construir una arquitectura para la profesionalización de la contratación pública [C(2017) 6654 final-SWD(2017) 327 final] 2018/C 227/06 - (DOUE de 28 de junio de 2018).

11   Así, el artículo 334.1 LCSP menciona la profesionalización como uno de los aspectos a los que hay que prestar atención en el marco de la Estrategia Nacional de Contratación pública.

nión, que buena parte del éxito que se considera ha tenido inicialmente el sistema ha radicado precisamente en que los órganos han estado mayoritariamente compuestos por especialistas en contratación pública. Aunque la especialización es desigual, el nivel general ha sido elevado. En esta nota descansa la calidad de sus resoluciones y en su calidad la *auctoritas* que muchos de estos órganos se han ido ganando a pulso[12]. La especialización hace que estos órganos actúen con un mayor conocimiento técnico pero también contribuye a que lo hagan con un mayor grado de objetividad. Por ello, las resoluciones de estos recursos, sean estimatorias o desestimatorias, parecen ser más convincentes para los recurrentes, que demuestran tener una mayor confianza en este sistema. Esto hace, por ejemplo, que las resoluciones que dictan no sean habitualmente impugnadas en la vía judicial, lo que, a su vez, contribuye a la descongestión de los tribunales y la rápida satisfacción de los interesados[13]. Además, naturalmente, la alta especialización en general de los órganos y de los miembros que los nutren también repercute en el tiempo medio de resolución de los recursos.

Por otra parte, tampoco debe pasarse por alto que la profesionalización o, más ampliamente, la especialización es uno de los factores clave para promover la integridad. De ahí que deban plantearse estrategias públicas que apuesten cada vez más por una mayor cualificación de los "gestores" públicos. La profesionalización deja también su impronta en un actuar independiente y en la interiorización de valores adecuados en las conductas de los empleados públicos, tan fundamental para garantizar la calidad en el funcionamiento de los sistemas públicos[14] en la que descansa la buena administración.

Todavía conviene poner de relieve un aspecto más de la especialización. Se trata del hecho de que los miembros de los órganos que resuelven los

---

[12] Un análisis pormenorizado de la principal doctrina que han ido tejiendo los órganos y tribunales de recursos en materia de contratación se encuentra en el trabajo del Profesor GIMENO FELIÚ, José María; "Los Tribunales Administrativos Especiales de Contratación Pública y su principal doctrina (en especial la de Aragón). ¿Hacia un control efectivo de los contratos públicos?", en *La contratación pública a debate: presente y futuro* (Dirs.: Rafael Fernández Acevedo y Patricia Valcárcel Fernández), Thomson Civitas, Cizur Menor (Navarra), 2014; págs. 25-138.

[13] *Cfr.* RECUERDA GIRELA, Miguel Ángel; "La necesaria reforma del régimen de recursos administrativos: los modelos del recurso extraordinario de revisión y del recurso especial en materia de contratación", *Revista Española de Derecho Administrativo*, nº 159, 2013, pág. 346.

[14] *Cfr.* LONGO, Francisco; ALBAREDA, Adriá; *Administración pública con valores. Instrumentos para una gobernanza ética*, INAP, Madrid, 2015.

recursos contractuales suelen estar plenamente al día de la doctrina que va sentando el TJUE en materia de contratos y, en particular, han tenido que basar la resolución de distintos asuntos en las sentencias en las que del Tribunal europeo se pronuncia sobre cómo se debe garantizar el efecto útil tanto de las Directivas sustantivas en materia de contratos como de la propia Directiva de Recursos. En este sentido, ya existe algún supuesto que pone en evidencia que la elevada especialización en relación con la contratación del sector público con la que actúan los órganos de recursos les ha permitido resolver estos recursos más en consonancia con la jurisprudencia del TJUE en la materia que a los órganos jurisdiccionales[15].

III. La independencia funcional: la otra clave de bóveda del sistema

Corresponde ahora analizar el segundo de los atributos básicos del actual sistema de recursos en materia de contratación: la independencia, que también se predica tanto de los órganos de recursos como de los miembros que los integran.

Seguramente la censura más feroz que se había hecho a la configuración del recurso especial en materia de contratación pública previsto en la versión original de la Ley 30/2007 radicaba en la falta de independencia que podía achacársele. Esta conclusión se sustentaba en que la competencia para la resolución del recurso, cuando se trataba de contratos celebrados por una Administración Pública, se residenciaba en el propio órgano de contratación que había dictado el acto objeto del mismo, o en el titular del departamento, órgano, ente u organismo al que estaba adscrita la entidad contratante o al que correspondía su tutela, cuando lo celebraba un ente que no tenía tal naturaleza. Tal solución ponía en tela de juicio la eficacia real del mecanismo, pues hacía peligrar o, cuando menos, hacía cuestionar la imparcialidad suficiente que es necesaria para resolverlo.

---

[15] Un detallado y completo examen acerca de la relevancia de la jurisprudencia del TJUE en la interpretación del Derecho europeo de la contratación pública lo ha realizado recientemente el Profesor GIMENO FELIÚ, José María; "La "codificación" de la contratación pública mediante el derecho pretoriano derivado de la jurisprudencia del TJUE", *Revista Española de Derecho Administrativo*, n° 172, 2015, págs. 81-122. En particular en las págs. 118 a 122 se refiere a los pronunciamientos del TJUE en los que se ha manifestado acerca del "efecto útil" del sistema de recursos contractuales.

La fórmula ideada para corregir este importante dislate consistió en imprimir un cambio de rumbo radical al sistema a través de la creación de un nuevo órgano administrativo independiente al que se atribuye la resolución de los recursos especiales en materia de contratación pública: el TACRC, y de posibilitar la existencia de órganos semejantes en el nivel autonómico, local y en relación con otros poderes del Estado.

Está claro que cuando se habla de la independencia de estos órganos administrativos se habla de independencia no en sentido absoluto o integral, sino que necesariamente ha de quedar circunscrita a una independencia funcional de la labor que desarrollan. Como es lógico, todos los órganos están "adscritos" a una Administración de la que dependen material y presupuestariamente. Pero tal adscripción, que deriva de su condición de órgano administrativo, no puede enturbiar o poner en entredicho la neutralidad con la que han de desempeñar las competencias que se les atribuyen.

Por lo que se refiere a la independencia de los miembros del órgano de recursos, esta se refiere esencialmente a que no reciben presiones o injerencias por parte de nadie en el desempeño de las actividades que asumen. A tal efecto, algunas normas autonómicas contienen referencias que vienen a completar esta la básica de independencia con indicaciones acerca de lo que la misma entraña. No es infrecuente que aludan a que los órganos cumplirán con su cometido con objetividad e imparcialidad sin sometimiento a vínculo jerárquico alguno o a instrucciones de ninguna clase.

Pero la independencia no ha de resultar un mero atributo predicable cual cláusula de estilo formal, sino que debe estar preservada legalmente de la forma más amplia posible. En este sentido, en el ámbito concreto que analizamos, tanto la LCSP, para el caso del órgano de recursos estatal, como las normas autonómicas de creación de los órganos equivalentes, contienen previsiones concretas a fin de salvaguardarla.

En primer lugar, una referencia expresa a que los miembros de estos órganos, una vez nombrados, serán inamovibles durante el tiempo que dure su mandato, salvo que concurra alguna de las causas tasadas de remoción que también especifican. En la legislación estatal —artículo 45.4 de la LCSP— las causas de remoción previstas son las siguientes[16]: a) expiración de su mandato, b) renuncia al cargo aceptada por el Gobierno; c) pérdida de la nacionalidad española; d) incumplimiento grave de las obligaciones; e)

---

[16]   La normativa autonómica sanciona causas similares.

condena a pena privativa de libertad o de inhabilitación absoluta o especial para empleo o cargo público por razón de delito; f) incapacidad sobrevenida para el ejercicio de su función. Es obvio que algunos de los supuestos que se mencionan no encierran supuestos de remoción del cargo, singularmente las dos primeras, pero lo verdaderamente trascendente en orden a velar por una auténtica independencia es la aplicación que pueda hacerse de otras de las causas que se enumeran. Una excesiva generosidad, por ejemplo, a la hora de concretar qué entraña un "incumplimiento grave de las obligaciones", puede echar por tierra una independencia en condiciones[17].

Solo cuando durante su mandato los miembros del órgano administrativo no puedan ser destituidos más que a petición propia y que su cese o remoción no pueda sino acordarse en virtud de las causas legalmente previstas y previa la tramitación de un procedimiento dotado de las cautelas adecuadas, puede hablarse de independencia. En estos casos se estarán dando, en fin, las prerrogativas y garantías que presiden el ejercicio de la función jurisdiccional que debe servir de espejo en relación con este aspecto[18].

De otra parte, el plazo de duración previsto para el desempeño del cargo. Como explica el Profesor Santamaría[19], cabe reconocer que el nivel de independencia de un órgano se intensifica cuanto más largo es el tiempo de duración del mandato de sus miembros. Pues bien, el plazo de duración del mandato para el caso de los miembros del TACRC se fija en seis años improrrogables (artículo 45.5 de la LCSP). Por su parte, las CCAA se han decantado por soluciones dispares sobre el particular.

En cualquier caso, para garantizar un grado de neutralidad elevado de quienes ocupan los puestos en estos órganos, parece más acorde el establecimiento de un plazo de duración para cada mandato que sea superior al de una legislatura. Lo que sí puede resultar inconveniente en aras a defender dicha independencia es dejar abierta la posibilidad de reelecciones posteriores, en tanto que la "amenaza" de la no renovación podría utilizarse para intentar influir en las decisiones de estos órganos.

---

[17] Interesantes consideraciones a este respecto realiza el Profesor SANTAMARÍA PASTOR; Juan Alfonso; *Los recursos (...) opus cit.*, pág. 61.

[18] *Cfr.* PARDO GARCÍA-VALDECASAS, Juan José; "El Tribunal Administrativo Central de Recursos Contractuales", *DA. Revista Documentación Administrativa*, nº 288, septiembre-diciembre 2010, págs. 19-41.

[19] *Cfr.* SANTAMARÍA PASTOR; Juan Alfonso; *Los recursos (...) opus cit.*, pág. 62.

A mayores de lo indicado, cabe admitir también que la forma de nombramiento de los miembros de estos órganos puede contribuir, como poco, a generar una sensación de mayor o menor independencia. El nombramiento debiera hacerse aplicando criterios de selección cuyo carácter objetivo pudiera contrastarse. En relación con este aspecto, el artículo 45.4 LCSP determina simplemente que en el TACRC el Presidente y los Vocales se designarán por el Consejo de Ministros a propuesta conjunta de los Ministros de Economía y Hacienda y de Justicia. Más luz normativa sobre cómo se ha de realizar la propuesta aporta el Real Decreto 814/2015, de 11 de septiembre, por el que se aprueba el Reglamento de los procedimientos especiales de revisión de decisiones en materia contractual y de organización del TACRC. Su artículo 3.2 señala que tal propuesta se hará previa convocatoria hecha por el Ministerio de Hacienda y Administraciones Públicas que deberá publicarse en el "Boletín Oficial del Estado" especificando los requisitos que habrán de reunir los que aspiren a ser designados para cubrir cada uno de los puestos convocados. Por ejemplo, en la Comunidad Foral de Navarra el Presidente y los dos Vocales de su Tribunal son designados por el Gobierno de Navarra, previo informe de la Comisión Foral de Régimen Local, de conformidad con la propuesta que le eleve el Pleno de la Junta de Contratación Pública. Como hemos visto, para ambos casos, las normas exigen que quienes puedan ser designados cuenten con ciertos requisitos y una experiencia específica. En el caso del Estado la experiencia tanto del Presidente como de los Vocales ha de darse *"preferentemente"* en el ámbito de la contratación pública; pero nada se indica acerca de cómo se constata o acredita esa experiencia. Disposiciones semejantes se encuentran en otras normas autonómicas, en particular, en aquellas en las que se ha creado *ex novo* un órgano de recursos. Hasta la publicación del Real Decreto 814/2015 solo la normativa catalana y gallega incluían una referencia expresa a que las propuestas de nombramiento se harán previa publicación en el Diario oficial correspondiente de una convocatoria en la que se concreten los requisitos exigibles a los aspirantes.

Es cierto que en general, la práctica revela que tanto el Estado como muchas CCAA operan haciendo una convocatoria pública a la que concurren los interesados que cumplen con las exigencias precisas y que entre los que se presentan se hacen las propuestas de nombramiento. El problema, a mi modo de ver, es que en dichas convocatorias no hay baremo orientativo básico y, en última instancia, el nombramiento se realiza por libre designación sin, en más de una ocasión, sin exponer las razones sustantivas por las que eran más apropiados para el puesto la persona o personas escogidas sobre el resto de candidatos que concurrían[20]. Que se haga una convocatoria pública es algo positivo, pero insuficiente.

"La mujer del césar no solo tiene que serlo sino parecerlo", por lo que en aras a despejar posibles sombras de politización y/o falta de independencia en el nombramiento de quienes integran los órganos de recursos, salvaguardar la independencia, garantizar la máxima especialización, sería conveniente operar respetando los "principios constitucionales de mérito y capacidad". Para ello lo más oportuno —en atención al carácter técnico de las funciones que han de atenderse— consistiría en convocar un concurso de méritos al que pudieran presentarse quienes cumplan los requisitos exigibles (que ya supondría una criba inicial que haría que los que se presentasen no fuesen probablemente demasiados) y dejar que una comisión resolviese sobre la base de los méritos alegados por los aspirantes aplicando un baremo previamente definido.

En este sentido, los principios de mérito y capacidad, tal y como los concebimos hoy en día, se encuentran indisolublemente unidos al principio de igualdad en el acceso a la función pública. La Constitución española de 1978 opta sin ambages por un modelo de función pública meritocrático y profesional cuando en el artículo 103.3 CE dispone que: *"La ley regulará el estatuto de los funcionarios públicos, el acceso a la función pública profesional de acuerdo con los principios de mérito y capacidad, las peculiari-*

---

[20]   *Cfr.* en el Estado la Orden EHA/2237/2010, de 10 de agosto, por la que se convoca la provisión de puestos de Presidente y Vocales del Tribunal Administrativo Central de Recursos Contractuales (BOE nº 198, de 16 de agosto de 2010); o Ministerio de Hacienda y Función Pública, Resolución de 14 de marzo de 2017, de la Subsecretaría, por la que se convoca la provisión de puestos de Presidente y Vocal del Tribunal Administrativo Central de Recursos Contractuales (BOE nº 63, de 15 de marzo de 2017). En Galicia Orde do 17 de novembro de 2017 pola que se convoca o proceso para seleccionar o/a presidente/a do Tribunal Administrativo de Contratación Pública da Comunidade Autónoma de Galicia (DOG nº 220, de 20 de noviembre de 2017). En Andalucía la Resolución de 17 de noviembre de 2014, de la Viceconsejería, por la que se anuncia convocatoria pública para cubrir dos puestos de trabajo de libre designación (BOJA nº 230, de 25 de noviembre de 2014). En Canarias la Orden de 3 de marzo de 2015, por la que se convoca, por el procedimiento de libre nombramiento, la designación del Titular del Tribunal Administrativo de Contratos Públicos de la Comunidad Autónoma de Canarias, adscrito a la Consejería de Economía, Hacienda y Seguridad (BOC nº 44, de 5 de marzo de 2015). En Cataluña la Resolución PRE/579/2012, de 26 de marzo, de convocatoria de provisión por el sistema de libre designación de un puesto de trabajo adscrito al Departamento de la Presidencia (DOGC nº 6100, de 2 de abril de 2012), etc.

dades del ejercicio de su derecho a sindicación, el sistema de incompatibilidades y las garantías para la imparcialidad en el ejercicio de sus funciones".

Ambos principios, aunque especialmente ligados al momento de acceso a la función pública, han de tener también un protagonismo posteriormente, así en el momento en el que se busca seleccionar a los miembros de órganos administrativos que se van a caracterizar por la especialización y la independencia. Es cierto que el Tribunal Constitucional ha considerado que es diferente el rigor e intensidad con que son exigibles estos principios según se trate del inicial ingreso en la función pública o del ulterior desarrollo o promoción de la propia carrera administrativa. Sin embargo, no resulta de recibo olvidarlos plenamente una vez superado el acceso a la función pública. No observarlos de una forma mínima y suficiente en un estadio como el que abordamos, sería contrario a la igualdad de trato y, en última instancia, repercutiría negativamente en la selección de quien estuviese en una mejor disposición —por su mayor preparación y/o experiencia— de atender las funciones del cargo que trata de cubrirse.

Apunta Sánchez Piquero[21] que ha existido una clara despreocupación doctrinal y jurisprudencial por deslindar el significado y alcance de estos principios que suelen invocarse de manera conjunta y sin aclarar cuál es su respectivo contenido o en qué se diferencian. Aunque han existido distintas corrientes doctrinales y jurisprudenciales que han puesto el acento en distintos aspectos a la hora de subrayar las particularidades de ambos principios, en este momento llegará con señalar que cada uno de ellos cumple su propia función y, por tanto, no existe ninguna relación de subordinación o dependencia entre ambos. Mientras que el principio de capacidad garantiza la eficacia de la Administración Pública al exigir que todos los candidatos que acceden a una determinada función pública tengan la aptitud necesaria para el buen desempeño de sus funciones y tareas; mediante el principio de mérito se establecen criterios objetivos de comparación entre los aspirantes, al objeto de seleccionar al más idóneo para ese concreto empleo, y garantizando, de esa manera, la igualdad en el acceso a la función pública entre todos los candidatos.

Y precisamente en distintos procedimientos que se han venido siguiendo para seleccionar los miembros de los órganos de contratación de ambos

---

[21]   SÁNCHEZ PIQUERO, JAVIER; "Igualdad, mérito y capacidad en el acceso a la función pública docente no universitaria", Tesis doctoral, UNED, 2016, págs. 132-167. Tesis accesible a través de: http://e-spacio.uned.es/fez/eserv/tesisuned:Derecho-Jsanchez/SANCHEZ_PIQUERO_Javier_Tesis.pdf.

principios el que no ha quedado adecuadamente salvaguardado es el de mérito. Este principio se atiende a través de la valoración de la mayor idoneidad de un candidato respecto de otros, lo que, por ejemplo, puede contrastarse a través del establecimiento de un baremo de méritos previamente determinado que el concursante podrá acreditar para demostrar su mayor aptitud respecto de sus competidores.

De los principios constitucionales de mérito y capacidad se derivan un conjunto de exigencias que deberían observarse en todos los procesos selectivos que se sigan en el sector público —a excepción, si se quiere, de los puestos que se cubren ateniendo a la confianza personal—. Por ejemplo, la proscripción de la mera discrecionalidad como criterio de selección o la carencia de una, al menos, mínima justificación o motivación de la selección efectuada.

No atender estas exigencias, supondría la desatender la efectiva realización de tales principios, desde luego, del principio de mérito.

La buena selección de quienes ocupen puestos públicos es condición *sine qua non* para favorecer la buena actuación del ente y órgano en el que desempeñen sus funciones. En el espíritu de la Constitución late que para llegar a un cargo en la función pública se respeten el mérito y la capacidad, esto es, se tenga en cuenta tanto la adecuada formación profesional de los aspirantes (capacidad), como, además, supuesta aquella, lo que cada uno de los aspirantes haya podio realizar previamente (mérito).

Del respeto de estos principios dependerá que se lleve a cabo la mejor selección posible para cubrir los miembros de los órganos de recursos especiales en materia de contratación y, en consecuencia, en gran medida el éxito en un mejor cumplimiento de la labor que estos órganos están llamados a desarrollar.

La libre designación en el nombramiento de los puestos de ciertos órganos puede ser apropiada en ciertos casos en los que sea precisa consolidar una relación de confianza —política— en la persona o personas que ocupen un órgano normalmente llamado a adoptar decisiones de naturaleza más política o a desarrollar ciertas políticas públicas. Pero no parece que esté justificado ni resulte la mejor solución respecto del tipo de órganos que conocen del recurso especial en materia de contratación. En este caso por lo que debe velarse es por consolidar una confianza pero en que el desempeño que el órgano va a atender va a ser el mejor de los posibles respecto del control de los contratos que va realizar. Y para ello la selección de los miembros aplicando criterios basados en la acreditación de los mejores méritos en el conocimiento y experiencia en el campo de la contratación es la mejor garantía para generar esa confianza.

En otro orden de cosas, cabe asimismo pensar que la autonomía e independencia de un órgano de estas características puede quedar mejor preservada, de una parte, atribuyendo al órgano carácter colegiado, pues una composición plural hace que las decisiones tengan que adoptarse por mayoría y, de otra, exigiendo dedicación exclusiva de los miembros al mismo[22].

Otras previsiones relevantes que dejan también su impronta en la tutela de la independencia exigible se contienen en el artículo 59 de la LCSP. El precepto declara que las resoluciones de estos órganos son directamente ejecutivas y que contra las mismas no cabrá más que interponer, en su caso, un recurso contencioso-administrativo, no procediendo tampoco la revisión de oficio ni de sus resoluciones ni de ninguno de los actos que dicten —ningún órgano de naturaleza administrativa, cualquiera que sea su nivel jerárquico, estará facultado para revocar los citados actos— y no estando sujeta su actividad a fiscalización por los órganos de control interno de las Administraciones a que cada uno de ellos se encuentre adscrito.

Si analizamos ahora la independencia desde la óptica del procedimiento administrativo aplicable, es evidente que ésta se pone de manifiesto de manera sustancial en el momento en que estos órganos dictan sus acuerdos o resoluciones. Sin embargo, no debe reducirse únicamente a este instante su manifestación, sino que debe observarse en cada una de las fases procedimentales. En consecuencia, debe traslucirse, por ejemplo, a la hora de poder practicar las pruebas que sean necesarias, para oír a todas las partes del procedimiento o para acceder a todo el contenido del expediente administrativo que le deba servir de base a él y a las partes para formular adecuadamente su juicio sobre el fondo del asunto[23]. Tal ocurre en el procedimiento administrativo que han de seguir los órganos que resuelven los recursos especiales en materia de contratación pública.

Hasta aquí nos hemos referido a la independencia de estos órganos y a las expresiones de la misma adoptando una perspectiva estrictamente jurídica. Pero pese a todo lo expuesto, garantizar eficazmente la independencia no es sencillo y ésta puede quedar malograda con relativa facilidad si

---

[22] Hoy en día esto no ocurre, por ejemplo, en los tribunales de la Comunidad Autónoma de Aragón y de la Comunidad Foral de Navarra.

[23] *Cfr.* PARDO GARCÍA-VALDECASAS, Juan José; "El Tribunal Administrativo Central de Recursos Contractuales", *DA. Revista Documentación Administrativa*, nº 288, septiembre-diciembre 2010, págs. 19-41.

existen presiones de cualquier índole que afecten, si no a la imparcialidad, sí a la rigurosidad con la que actúe el órgano. En realidad, que esto suceda va a depender mucho de la profesionalidad que pueda predicarse de las personas que se nombren. No cabe duda de que la integridad, tan esencial para la existencia de la buena administración, guarda una íntima relación con el ejercicio de funciones con autonomía e independencia por parte de los órganos. En este sentido, la otra nota en la que descansa el sistema, la relativa a la especialización del órgano y de sus miembros, puede contribuir, asimismo, a garantizar la independencia.

Por contraste con lo que sucede en otros recursos administrativos, respecto del recurso administrativo especial en materia de contratación ha llamado siempre la atención el elevado porcentaje de estimaciones que se producen, de donde se puede hacer una lectura inmediata: el considerable grado de independencia con el que actúan estos órganos.

Cambiando de tercio, unas reflexiones han de hacerse para aludir a una situación que podría comprometer las dos notas básicas en las que descansa el sistema: la especialización y la independencia de quienes integran los órganos de recurso. Así es, sucede que el volumen de trabajo que ha ido asumiendo el TACRC ha hecho que haya empezado a contar con "personal de apoyo". Según se cuenta en la Memoria de actividad de 2014 de este Tribunal, en julio de 2012, se suscribió un protocolo de acuerdo entre la Subsecretaria de Hacienda y Administraciones Públicas y la Abogado General del Estado mediante el cual los abogados integrados en el Servicio Jurídico del Estado colaboran con el TACRC para estudiar, preparar y elaborar las ponencias de las resoluciones que se dictan. Aunque esta colaboración ha permitido que el aumento de actividad derivado de los convenios con las CCAA se haya podido atender sin incrementar los miembros del Tribunal, y sin un aumento significativo de los plazos en que se resuelven los asuntos, este hecho no está exento de controversia. Que Abogados del Estado preparen los asuntos y "eleven" sus conclusiones a los miembros del Tribunal para que éstos decidan lo que en cada caso corresponda, puede ser muy efectivo, pero puede estar alterando la propia la esencia del sistema. No se olvide que quienes cumplen los requisitos exigidos y acreditan la amplia experiencia en materia de contratación pública son los miembros del Tribunal. De otra parte, la independencia también se predica de los miembros del tribunal y podría verse comprometida a través de esta forma de proceder. La solución a la sobrecarga de trabajo, en este caso del TACRC, pasaría mejor por ampliar el número de sus miembros o, en su caso, crear los órganos estatales en las capitales de CCAA. Alternativas que, por demás, están expresamente previstas en la LCSP[24]. Estas mismas consideraciones podrían extenderse a soluciones semejantes que pudieran darse en los tribunales autonómicos.

Los órganos de recursos especiales en materia de contratación han dado muchas veces muestra de su actuar independiente y llama la atención como incluso en algunas ocasiones a los propios medios de comunicación les ha sorprendido que hayan dictado resoluciones que van en contra de los actos previamente adoptados por los órganos de contratación. Significativo es el caso del "contrato para la gestión del servicio de abastecimiento de aguas en alta Ter-Llobregat" licitado por el Departamento de Territorio y Sostenibilidad de la Generalitat de Catalunya. El contrato fue adjudicado a un consorcio, Acciona de ATLL. El acuerdo de adjudicación del contrato fue recurrido ante el entonces Órgano Administrativo de Recursos Contractuales de Cataluña (OARCC), en aquel momento aún órgano unipersonal, por la mercantil AGBAR, que había participado en el procedimiento y cuya oferta había quedado en segundo lugar. El principal argumento del recurso se basaba en que la adjudicataria había presentado un proyecto de mejora de la red de suministro con un plazo de ejecución superior al plazo máximo previsto en el pliego de condiciones y este hecho era el que le permitía abaratar su oferta final (0,7088 euros por metro cúbico frente a los 0,79 euros que AGBAR proponía). El entonces OARCC estima parcialmente el recurso en su Resolución 1/2013, de 2 de enero en el sentido de entender que la empresa Acciona —la adjudicataria— debía haber sido excluida del procedimiento contractual por haber incumplido los requisitos establecidos en el pliego de condiciones. La resolución parcialmente estimatoria del OARCC, de naturaleza ejecutiva y vinculante, desata un grandísimo revuelo. Para la Generalitat resultaba capital por razones de tesorería la firma del contrato de la que es la mayor privatización acometida por este Gobierno.

Dejando a un lado el fondo del asunto, lo que en este momento busca subrayarse es la tremenda repercusión mediática que se dio a este proceso y que múltiples noticias de prensa se sorprendían y se admiraban de que un órgano administrativo —el OARCC— con su resolución osaba cuestionar una decisión vinculada al Gobierno de la Comunidad autónoma de la que depende. El tratamiento del tema en las noticias de las que a continuación damos cuenta no tiene desperdicio alguno. Subyace al mismo la consideración de que tal "desacato" parecía en todo punto impensable de poder cometerlo un órgano administrativo respecto de la entidad a la que está adscrita. La extrañeza social, evidenciada en el tratamiento que del mismo

---

[24]   Cfr. artículo 45.1 in fine y DA 19ª de la LCSP.

hizo la prensa, "maravillada" o extrañada de que un órgano de recursos resolviendo lo que consideraba procedente respecto de la impugnación que ante él pendía —la adjudicación de un contrato—, pudiera ir en contra de la Administración de la que depende[25].

Ahora bien, el ejemplo del que nos hemos hecho eco, aunque muy mediático, no constituye, en absoluto, un supuesto aislado o extraordinario en el funcionamiento de estos órganos. En innumerables ocasiones ya han tenido que demostrar su actuar independiente anulando importantes contratos públicos que contenían alguna irregularidad.

Por último, hay todavía otro aspecto ligado a la independencia que conviene destacar. Es sabido que la normativa permite la existencia de órganos de recurso más allá del nivel estatal y autonómico, y que en distintas CCAA una pluralidad de entes locales han creado los suyos. Pues bien, la opinión mayoritaria de la doctrina[26] —a la que me sumo— es crítica con la existen-

---

[25]   *Cfr.*:

http://www.vozbcn.com/2013/01/04/136896/generalidad-lleva-tribunales-generalidad/

http://www.abc.es/economia/20130103/abci-batalla-legal-generalitat-201301022236.html.

http://ccaa.elpais.com/ccaa/2013/01/03/catalunya/1357227504_677448.html.

http://www.lavanguardia.com/economia/20130108/54358701328/hijo-periodista-juan-antonio-gallo-generalitat-adjudicacion-atll.html.

http://www.economiadigital.es/es/notices/2013/01/juan_antonio_gallo_el_funcionario_que_saco_los_colores_a_mas_36663.php.

http://www.lavozdegalicia.es/noticia/opinion/2013/01/10/funcionarios/0003_201301G10P15995.htm.

[26]   *Cfr.* GIMENO FELIÚ, José María; "Los tribunales administrativos especiales de contratación pública ante las previsiones del informe de la comisión para la reforma de las administraciones públicas. Balance y prospectiva", *Revista Catalana de Dret públic*, núm. 47 (2013); pág. 89. DOI: 10.2436/20.8030.01.13; VALCÁRCEL FERNÁNDEZ, Patricia; FERNÁNDEZ ACEVEDO, Rafael; "La organización administrativa para el control de la contratación pública en España. En particular, los órganos consultivos y de recursos", en *L'Amministrazione pubblica dei contratti*, Editoriale Scientifica Napoli XXXIII, Napoli, 2013; BERNAL BLAY, Miguel Ángel; "La independencia de los órganos de recurso especial de las Entidades Locales"; OBCP; 16/09/2013; http://www.obcp.es/index.php/mod.opiniones/mem.detalle/id.118/relcategoria.208/relmenu.3/chk.c4a6addeb3d6aa48e7d137827c4a8f12; SANTIAGO FERNÁNDEZ, Mª José; "La resolución del recurso especial en materia de contratación en el caso de las Entidades Locales de Andalucía: novedades del Decreto 120/2014", OBCP, 22/09/2014, http://www.obcp.es/index.php/mod.opiniones/mem.detalle/id.168/relcategoria.121/relmenu.3/chk.07c28a31df67a2e11b94eed5c9cf7d6b.

cia de órganos de recursos a nivel local por distintos motivos. La principal objeción a su existencia descansa precisamente en que es fácilmente constatable a la vista de la composición de muchos de los que existen que quienes los integran son paralelamente miembros de los órganos de contratación que convocan los contratos que se impugnan, han trabajado preparando los documentos contractuales, etc.

Precisamente a este respecto resultan sumamente interesantes las reflexiones efectuadas por la Junta Consultiva de Contratación Administrativa de la Generalitat de Cataluña en su Informe 9/2013, de 26 de julio sobre *"Composición y características de los órganos de resolución de recursos especiales en materia de contratación pública de las entidades locales"*. En el mismo queda claro que la independencia del órgano competente para la resolución del recurso especial en materia de contratación pública ha de implicar que éste esté integrado por miembros que no tengan ninguna vinculación con el órgano de contratación o con la mesa de contratación u otro órgano que lo asista. Y eso se traduce en que no pueden formar parte del órgano de resolución del recurso los miembros del órgano de contratación ni del órgano de asistencia al órgano de contratación (mesa de contratación), circunstancias que inhabilitan para formar parte del órgano de recurso al Alcalde, al Secretario municipal y al Interventor, así como al personal del correspondiente servicio de contratación. De tal suerte que únicamente en el supuesto de que no formaran parte de las mesas de contratación ni del órgano de contratación, su independencia para poder formar parte del órgano competente para la resolución de recursos podría quedar garantizada si las funciones que desarrollaran o que tuvieran atribuidas no estuvieran relacionadas con los actos que tuvieran que ser objeto de revisión por parte de este órgano, siempre que quedara acreditada la especial capacidad, experiencia y conocimientos en materia de contratación pública que resulta precisa, considerando el carácter especializado de este órgano[27].

---

[27]   *Cfr.* SANTIAGO FERNÁNDEZ; María José; "Capítulo XVI. Recurso especial en materia de contratación", *Tratado de contratos del sector público* (coord. Isabel Gallego Córcoles, Eduardo Gamero Casado), Vol. I 2018, (Tomo I), Tirant lo Blanch, Valencia, 2018, pág. 867.

IV. La relevancia del liderazgo en la procura de la buena administración: el caso de una coordinación institucionalizada que comenzó siendo informal

Hasta aquí hemos hecho referencia a la importancia de la independencia y a las previsiones legales que se han establecido para intentar preservar la de estos órganos de recurso especial. Pero al margen de lo indicado, no puede desconocerse que la independencia tiene un grado importante de componente personal íntimamente ligado a los valores de honestidad, integridad personal y profesionalidad que tengan las personas que asumen la función cuyo ejercicio se quiere proteger.

En el buen funcionamiento que en su arranque ha tenido este sistema ha tenido mucho que ver la elevada preparación en materia contractual de las personas que han cubierto los puestos en estos órganos, pero también con el talante que han tenido en su puesta en marcha.

El impulso que han sabido darle a este sistema los miembros de los órganos ha sido fundamental para su buen funcionamiento. Para ello ha existido una coyuntura importante. Y es que de manera informal ha cuajado entre los miembros de los distintos órganos de recursos un sentir común de búsqueda de un objetivo compartido cuya realización eficaz se alcanzaba integrando una visión global en la que cada órgano de recursos es un eslabón. Ha sabido implantarse entre los órganos de recurso esta visión de conjunto, de sistema, de acuerdo con la cual cada uno en su ámbito y con sus criterios aporta un valor al total. Visión de meta común y compartida que trasciende del marco de la propia organización individual y que se ha canalizado, en gran medida, a través de la labor de coordinación que los distintos órganos que se han ido creando se han propuesto engrandecer.

La independencia de cada uno de los órganos no les ha impedido reconocer que la finalidad común que tienen encomendada en defensa del cumplimiento de la normativa de contratación y de sus principios básicos, se consigue de mejor manera actuando coordinadamente y realizando un trabajo de "equipo".

Las personas que han cubierto los puestos en los distintos órganos —especialmente sus Presidentes— han sabido ejercer un liderazgo sinfónico que se ha canalizado de forma coordinada. Pero eso, como es sabido, depende también mucho de la cualidad personal de quienes en cada momento ocupen un cargo. Han estado muy motivados en el logro de la finalidad última para la que han sido nombrados y han primado en todo momento, por encima de posibles injerencias políticas, la búsqueda del incremento de la calidad de las contrataciones que el sector público impulsa en nuestro país.

Su ejemplo constituye una muestra de cómo el liderazgo de las personas preparadas y motivadas puede mejorar la calidad de las instituciones. La preparación ha sido fundamental, pero la motivación no lo ha sido menos. No se ha producido lo que tantas veces ocurre en muchos ámbitos de la organización administrativa española, en la que estamos excesivamente acostumbrados a comprobar como la organización de nuestro Estado compuesto genera con excesiva frecuencia un sentimiento de individualismo en el sentido de considerar que cada uno es totalmente independiente y autónomo en el marco territorial en el que desempeña sus funciones.

En definitiva, la independencia, la profesionalización y la motivación de quienes impulsan el sistema, desarrolladas a través de una buena capacidad de liderazgo, se pueden considerar los ingredientes principales del buen funcionamiento actual que está cosechando el recurso administrativo especial en materia de contratación pública.

A este respecto, la labor de "promoción" de su cometido que realizan también los miembros de estos órganos es muy intensa. Puede citarse su participación constante en foros para especialistas —tanto de la academia, como de la práctica— para dar a conocer el sistema especial de recursos y la doctrina que van sentando; que organizan de forma accesible sus páginas web en las que vuelcan información suficiente y adecuada, en particular publican todos sus acuerdos y resoluciones o las memorias de actividad que anualmente elaboran dando cuenta del desarrollo de sus funciones; etc., prácticas que constituyen una buena forma de "promoción" que sirve para concienciar de la importancia de impulsar una compra pública de calidad.

En esta misma línea se enmarcan las actuaciones de coordinación que de forma espontánea han realizado desde el inicio de su puesta en marcha. Así es, una de las bondades del sistema —muy ligada al que podríamos denominar entusiasmo o, como mínimo, preocupación de estos órganos por cumplir de la mejor manera posible con su cometido sacando el máximo partido a las posibilidades que permite su regulación— es la labor de coordinación conjunta que han asumido[28]. La búsqueda de esta coordinación es una expresión clara de "buena administración", y en tanto que no debida, por no exigible de acuerdo con la ley, muy ligada a la labor de liderazgo de la que estamos dando cuenta.

---

[28]   Al inicio la coordinación se desarrolló entre pocos órganos de recursos por cuanto la creación autonómica de estos órganos está siendo dilatada en el tiempo.

Aunque la legislación vigente no impone que los órganos de recursos se coordinen entre sí a la hora de fijar una línea de interpretación conjunta en relación con temas que son comunes a todos ellos, por una vía informal, pero institucionalizada, se ha venido canalizando una coordinación *de facto* entre los que han tenido voluntad para ello. Es así que a iniciativa de algunos de sus Presidentes se han promovido contactos institucionales frecuentes y la celebración de reuniones anuales entre sus miembros al objeto de fijar criterios comunes de resolución, de disipar dudas interpretativas, de compartir experiencias y, en general, de intercambiar impresiones sobre las cuestiones de más relevancia o más espinosas de que conocen en su quehacer cotidiano.

En estas reuniones se busca depurar criterios aplicables a temas comunes y, en el caso de que exista acuerdo, implementar todos la misma solución. Con ellas se fomenta la fijación de soluciones de consenso que impulsan la formación de un cuerpo de doctrina clara, predecible, lo más uniforme posible, con la que se contribuye a la realización de un principio capital como el de seguridad jurídica, tan relevante en un sector tan sensible como el de los contratos públicos. Se garantiza, en definitiva, una cierta coherencia a nivel nacional en los pronunciamientos que emiten los órganos de recursos en materias sensibles que generan problemas técnico-jurídicos de relevancia.

Si convenimos que la calidad es un proceso dinámico, al mismo también contribuyen las interacciones que existan entre estos órganos a través de la coordinación que impulsan y que ha servido para elevar la solidez de las resoluciones y acuerdos que emiten.

No obstante, la puesta en marcha de actuaciones tendentes a coordinarse, no implica en modo alguno que todos hayan de asumir aquellas interpretaciones con las que la mayoría esté de acuerdo. La coordinación no implica la imposición de los criterios mayoritarios, que no tienen carácter vinculante y, por tanto, no se ve afectada a la autonomía de cada uno de los órganos. Naturalmente, se deja la puerta abierta a las disparidades de criterio, pudiendo existir distintas de opiniones acerca de un mismo aspecto. Precisamente ejemplos hay de "disentimiento" de la opinión mayoritaria por parte de algún órgano que siguió resolviendo conforme a su criterio. Lo que está claro es que el intercambio de pareceres técnico-jurídicos entre un elenco tan relevante de especialistas en la materia hace que las reflexiones que tengan lugar en el seno de las reuniones que celebran sean de alto nivel y gocen de gran autoridad.

Cabría argüir que esta labor de depuración podría asumirla la jurisdicción contencioso-administrativa, pero existen dos razones que pueden contra-argumentarse. Primero, que pese al, por ahora, carácter potestativo del recurso especial en materia de contratación, la realidad demuestra que: a) los interesados suelen acudir primero al recurso especial; b) el número de decisiones de estos órganos administrativos que se recurren en vía contenciosa es ciertamente bajo. Segundo: la disparidad de criterios también puede darse entre las decisiones de órganos judiciales, que pueden dictar pronunciamientos contradictorios. Además, la depuración sería mejor asumirla en el estadio en el que mayor especialización se da, y es claro, que hoy por hoy ésta se localiza en el nivel de los órganos de recursos, pues la especialización en el orden judicial de serlo lo es en Derecho público y no específicamente en el Derecho de los contratos públicos.

Sea como fuere, el hecho es que los actuales actores del sistema ven en la coordinación un tema de capital importancia. Entienden que en la medida de lo posible la fijación de interpretaciones comunes favorece la seguridad jurídica y la confianza. Y esta parece ser la solución por la que aboga la LCSP a la vista de su Disposición Adicional 23ª sobre *"Coordinación entre los órganos de resolución de recursos especiales en materia de contratación"*.

V. A modo de conclusión

A lo largo de estas páginas se han prestado atención a dos de los aspectos más relevantes que caracterizan el recurso administrativo especial en materia de contratos públicos: la especialización y la independencia tanto de los órganos que lo conocen como de sus miembros.

Se ha buscado poner de relieve que contar con buen sistema de control es absolutamente fundamental tanto para *prevenir* como para *subsanar* de forma efectiva posibles irregularidades que puedan tener lugar en los contratos que impulsa el sector público, y la elección de un mecanismo que funcione en "primera instancia" resulta capital y a la larga supone un gran ahorro de tiempo y dinero.

La creación en el año 2010 de este recurso basado en la existencia de órganos especializados e independientes que resuelven con gran rapidez los asuntos de que conocen, ha supuesto un notable avance en la consecución de un control efectivo de legalidad en esta materia.

Con todo, la opinión favorable que en términos generales puede mantenerse hoy del recurso especial en materia de contratación, no es absoluta. Por lo que a las dos notas en las que nos hemos centrado se refiere, sería importante profundizar en que la selección de quienes cubren los puestos en los órganos y tribunales de recursos se hiciese siguiendo un concurso de méritos en el que rijan, auténticamente, los principios constitucionales de mérito y capacidad; establecer la naturaleza colegiada de todos los órganos de recurso; exigir dedicación exclusiva a sus miembros; o que el estudio de los casos se haga plenamente por los miembros de los tribunales.

Por otra parte, desde el punto de vista orgánico, convendría definir de forma cerrada la planta del sistema y delimitar el número de órganos de recursos contractuales considerando que están justificados únicamente en los niveles estatal y autonómico. De una parte, esto es plenamente coherente con el diseño del Estado compuesto que se sigue de la Constitución. De otra, la realidad demuestra que la existencia a nivel local de órganos de recursos, —lo mismo que su creación para conocer de los contratos que promuevan otras instituciones o poderes públicos— puede poner en riesgo aspectos relevantes que deben observarse, tales como la imparcialidad de los miembros que los integran.

Al menos a la luz de la experiencia inicial, el funcionamiento del sistema puede decirse que está contribuyendo a la realización del "derecho a una buena administración" en este sector, tal y como se define en el artículo 41 de la Carta de los Derechos Fundamentales de la Unión Europea. La configuración legal que se ha hecho de este recurso demuestra que la eficacia de un mecanismo de control de la actuación administrativa no tiene que estar reñida con que se efectúe por la propia Administración. La eficacia en el control depende, en realidad, de que quien controle —ya sea un órgano administrativo o judicial— cuente con la preparación adecuada en relación con la materia de que se trate y actúe de forma íntegra salvaguardado por un auténtico estatuto de independencia. Esperemos que así siga aconteciendo.

Bibliografía

CANDELA TALAVERO, J. E., *El recurso especial en materia de contratación: Instrumento de protección al licitador y mecanismo de vigilancia a la Administración en la contratación pública*, Tesis doctoral, UCLM, 2019.

DÍAZ BRAVO, E., *La regulación del recurso en materia de contratación pública en la Unión Europea y su aplicación en España e Italia*, Tesis doctoral, UCLM, 2018.

FERNÁNDEZ ACEVEDO, R., "El recurso especial en materia de contratación: procedimiento y resolución. El nuevo reparto jurisdiccional", *Contratación administrativa práctica: revista de la contratación administrativa y de los contratistas*, nº 153, 2018, págs. 148-158.

GIMENO FELIÚ, J. M., "La "codificación" de la contratación pública mediante el derecho pretoriano derivado de la jurisprudencia del TJUE", *Revista Española de Derecho Administrativo*, nº 172, 2015, págs. 81-122.

GIMENO FELIÚ, J. M., "Los Tribunales Administrativos Especiales de Contratación Pública y su principal doctrina (en especial la de Aragón). ¿Hacia un control efectivo de los contratos públicos?", en *La contratación pública a debate: presente y futuro* (Dirs.: Rafael Fernández Acevedo y Patricia Valcárcel Fernández), Thomsom Civitas, Cizur Menor (Navarra), 2014; págs. 25-138.

GIMENO FELIÚ, J. M., "La nueva regulación de la contratación pública en España desde la óptica de la incorporación de las exigencias europeas: hacia un modelo estratégico, eficiente y transparente", en Gimeno Feliú (dir.), *Estudio Sistemático de la Ley de Contratos del Sector Público*, Aranzadi, 2018, págs. 1253 y ss.

LONGO, F. y ALBAREDA, A., *Administración pública con valores. Instrumentos para una gobernanza ética*, INAP, Madrid, 2015.

PARDO GARCÍA-VALDECASAS, J. J., "El recurso especial en materia de contratación. Órganos encargados de su resolución", *Estudio sistemático de la Ley de contratos del sector público* (Dir. José María Gimeno Feliú), Thomson Reuters-Aranzadi, Cizur Menor, 2018, págs. 599-638.

PARDO GARCÍA-VALDECASAS, J. J., "El Tribunal Administrativo Central de Recursos Contractuales", *DA. Revista Documentación Administrativa*, nº 288, septiembre-diciembre 2010, págs. 19-41.

RECUERDA GIRELA, M. A., "La necesaria reforma del régimen de recursos administrativos: los modelos del recurso extraordinario de revisión y del recurso especial en materia de contratación", *Revista Española de Derecho Administrativo*, nº 159, 2013, pág. 346.

SÁNCHEZ PIQUERO, J., "Igualdad, mérito y capacidad en el acceso a la función pública docente no universitaria", Tesis doctoral, *UNED*, 2016, págs. 132-167. Tesis accesible a través de: http://e-spacio.uned.es/fez/eserv/tesisuned:Derecho-Jsanchez/SANCHEZ_PIQUERO_Javier_Tesis.pdf.

SANMARTÍN MORA, M. A., "La profesionalización de la contratación pública en el ámbito de la Unión Europea", *Observatorio de contratos públicos 2011*, (Dir.: José María Gimeno Feliú. Coord.: Miguel Ángel Bernal Blay), Thomson Reuters Aranzadi, 2012, págs. 407-429.

SANTAMARÍA PASTOR, J. A., *Los recursos especiales en materia de contratos del sector público*, Thomson Reuters Aranzadi, Cizur Menor, Navarra, 2015.

SANTIAGO FERNÁNDEZ, M. J., "Capítulo XVI. Recurso especial en materia de contratación", *Tratado de contratos del sector público* (coord. Isabel Gallego Córcoles, Eduardo Gamero Casado), Vol. I 2018, (Tomo I), Tirant lo Blanch, Valencia, 2018, págs. 835-896.

VALCÁRCEL FERNÁNDEZ, P., "El recurso especial en materia de contratos públicos: en la senda del derecho a una buena Administración", *Las vías administrativas de recurso a debate*, AEPDA-INAP, Madrid, 2016, págs. 303-367.

VALCÁRCEL FERNÁNDEZ, P., "The control of Public Procurement in Spain - In particular the role of administrative independent Authorities created to transpose Directive 89/665/CEE", in *Contrôles et contentieux des contrats publics - Oversight and Challenges of public contracts* (editors: Laurence Folliot Lalliot, Simone Torricelli), Bruylant, Bélgica, 2018, págs. 67-92.

DERECHO DE LA CONTRATACIÓN PÚBLICA DE LA UNIÓN EUROPEA Y MECANISMOS DE TUTELA[1]

ISABEL GALLEGO CÓRCOLES
Profesora Titular Derecho Administrativo
Universidad de Castilla-La Mancha

SUMARIO: I. Las Directivas de Recursos: hacia el cumplimiento efectivo de la normativa sustantiva sobre contratos públicos. II. La separación temporal entre adjudicación y "celebración" del contrato como salvaguardia de la eficacia de los recursos de anulación. III. Algunas reflexiones sobre los "nuevos" efectos de la invalidez: la obligatoriedad de declarar la "ineficacia" del contrato en determinadas circunstancias. IV. Órgano competente para la resolución del recurso. V. Decisiones impugnables. VI. Presupuestos procesales. 1. Conciliación previa. 2. Garantías bancarias. 3. Tasas judiciales. VII. Ámbito del control jurisdiccional. VIII. Legitimación. 1. Exigencia de participación en el procedimiento de licitación para la impugnación del pliego de condiciones o de la adjudicación. 2. Legitimación de las agrupaciones de empresarios. 3. Interposición del recurso por un licitador cuyo cumplimiento de los requisitos de la licitación se cuestiona. 4. Legitimación del poder adjudicador para impugnar las resoluciones del órgano de recurso no jurisdiccional. IX. Establecimiento y cómputo de plazos para la interposición del recurso. X. Procedimiento de recurso y principio de confidencialidad. XI. La indemnización de daños y perjuicios como sanción efectiva al incumplimiento del Derecho europeo. XII. Admisibilidad de procedimientos sumarios de recurso. XIII. Consideraciones finales. Bibliografía.

I. Las Directivas de Recursos: hacia el cumplimiento efectivo de la normativa sustantiva sobre contratos públicos

Sobradamente es conocido que el Derecho de la contratación pública de los Estados miembros de la Unión Europea ha experimentado una intensa transformación como consecuencia de la aprobación de distintas normas en la Unión europea. Las primeras Directivas sobre contratación pública surgen ya en los años setenta del pasado siglo ante la constatación de que

---

[1]   Este trabajo se enmarca en el Proyecto de investigación concedido por Ministerio de Economía y Competitividad titulado "La nueva regulación de la contratación pública: Hacia un nuevo sistema de gobernanza pública y de actuación de los poderes públicos" DER2015-67102-C2-1.

las previsiones que contenían los Tratados constitutivos[2] eran insuficientes para la apertura de un auténtico mercado interior de la contratación pública en el ámbito de las entonces Comunidades Económicas Europeas. Desde entonces se han aprobado ya hasta cuatro generaciones de Directivas sustantivas sobre contratación pública, de creciente densidad normativa y complejidad técnica, y que han supuesto una auténtica transformación de la contratación pública en Derecho español[3].

Ahora bien, de poco sirve una normativa sustantiva sobre contratación pública que vele de forma celosa por el cumplimiento por los principios de igualdad y de libre concurrencia si ésta no se ve acompañada de mecanismos procesales que permitan poner remedio de forma eficaz a los actos jurídicos que la infrinjan. De este modo, la Directiva 89/665/CEE del Consejo, de 21 de diciembre de 1989, relativa a la coordinación de las disposiciones legales, reglamentarias y administrativas referentes a la aplicación de los procedimientos de recursos en materia de adjudicación de los contratos públicos

---

[2]   En el Derecho originario de la Unión Europea no existen referencias a la contratación pública más allá del artículo 179 (antiguo art. 163) del TFUE, el cual, tras fijar como objetivo de la Unión "fortalecer las bases científicas y tecnológicas de la industria europea y favorecer el desarrollo de su competitividad internacional", establece que ésta apoyará los esfuerzos de cooperación de las empresas, permitiéndoles la plena utilización de las potencialidades del mercado interior de la Comunidad, en particular por medio de la apertura de la contratación pública nacional. Por tanto, una vez que la referencia a la contratación pública en los Tratados es más bien tangencial, son los grandes principios los elementos más trascendentes en el diseño de la normativa de la contratación pública a nivel del Derecho originario europeo. En especial, en el ámbito que nos ocupa deben destacarse la aplicación de los principios de libre circulación de mercancías (artículo 28 TFUE), derecho de establecimiento (artículo 49 TFUE), libre prestación de servicios (artículo 56 TFUE), y los principios de no discriminación y la igualdad de trato (art. 18 TFUE).

[3]   Para una apretada síntesis, vid. GALLEGO CÓRCOLES, I., "El Derecho de la contratación pública: Evolución normativa y configuración actual", en GAMERO/CASADO, *Tratado de Contratos del Sector Público*, Tirant lo Blanch, 2018. Con mayor detalle, MORENO MOLINA, J. A. "El Derecho europeo de los contratos públicos como marco de referencia de la legislación estatal", en GIMENO FELIÚ, *Estudio sistemático de la Ley de Contratos del Sector Público*, Aranzadi, 2018. Para un análisis de las profundas implicaciones de la transposición del Derecho europeo sobre contratación pública al modelo español, en esa misma obra, vid. GIMENO FELIÚ, "La nueva regulación de la contratación pública en España desde la óptica de la incorporación de las exigencias europeas: hacia un modelo estratégico, eficiente y transparente". Del mismo autor, La Ley de Contratos del Sector Público 9/2017. Sus principales novedades, los problemas interpretativos y posibles soluciones, Thomson Reuters, 2019.

de suministros y de obras[4] fue aprobada con el objeto de que las garantías jurídicas fuesen uniformes en todo el territorio de la entonces Comunidad Europea, habida cuenta la disparidad e insuficiencia de los sistemas nacionales de control[5]. Por su parte, la Directiva 92/13/CEE cumple idéntica finalidad en el ámbito de los entonces llamados sectores excluidos (sectores del agua, de la energía, de los transportes y de las comunicaciones).

No obstante, la versión inicial de la Directiva 89/665/CEE era muy parca y se limitaba a establecer la obligación de que los Estados miembros: a) dispusiesen de un sistema de recursos rápido y eficaz; b) potenciasen un sistema efectivo de medidas cautelares; y c) estableciesen un régimen de indemnización de daños y perjuicios producidos como consecuencia de la indebida adjudicación del contrato. El contenido de la Directiva era muy laxo y apenas contenía reglas procesales sustantivas. Buena prueba de ello es que en el diseño inicial de la Directiva de Recursos se establecía que los efectos de la declaración de invalidez de la adjudicación se determinarían con arreglo al Derecho nacional (art. 1.6).

Dado su carácter poco ambicioso, la aplicación de la Directiva 89/665/CEE no estaba siendo totalmente satisfactoria, hasta el punto que en 2006[6] se comienzan los trabajos para su reforma, motivada por el hecho de que al no existir normas coordinadas en materia de plazos que pudieran aplicarse a los recursos precontractuales, en la mayoría de los Estados miembros se mantenía normativa nacional que no permitía impedir a su debido tiempo la firma de los contratos cuya adjudicación era objeto de impugnación. Y ello pese a que la firma del contrato, como consta la Comisión en la exposición de motivos de la propuesta de Directiva, casi siempre implicaba la irreversibilidad de los efectos de la decisión de adjudicación controvertida. El perfeccionamiento del contrato, ya sea *de iure* o *de facto*[7] suponía la im-

---

[4]   Las reglas establecidas se extendieron también a los contratos de servicios en virtud del art. 41 de la Directiva 92/50/CEE, de 18 de junio de 1992, que modificó el art. 1 de la Directiva 89/665/CEE.

[5]   SAMANIEGO BORDIU G., "El control del Derecho comunitario de los contratos públicos", RAP, nº 123, 1990, pág. 402.

[6]   COMISIÓN EUROPEA, propuesta de 4 de mayo de 2006 Directiva por la que se modifican las Directivas 89/665/CEE y 92/13/CEE del Consejo en lo que respecta a la mejora de la eficacia de los procedimientos de recurso en materia de adjudicación de los contratos públicos [COM (2006) 195 final].

[7]   Sobre todo ello, me permito la remisión a mi trabajo "Contratos públicos y régimen «cualificado» de invalidez: supuestos especiales y cuestión de nulidad" en GIMENO FELIÚ (Dir.), *Observatorio de Contratos Públicos 2010*, Civitas, 2011.

posibilidad de que el licitador recurrente, aún en el caso de que su recurso fuera estimado, ejecutara el contrato público en cuestión.

La iniciativa de la Comisión cristalizó en la adopción de la Directiva 2007/66/CE, del Parlamento Europeo y del Consejo de 11 de diciembre de 2007 que modifica profundamente a la Directiva 89/666/CEE. La nueva versión de la Directiva Recursos está dotada una densidad normativa mucho mayor. Las novedades principales que introduce la norma son las que se describen a continuación.

En primer lugar, se exige, como regla general, que entre la decisión de adjudicación y la celebración del contrato medie un plazo mínimo de 10 días, plazo que se establece para permitir que los interesados afectados puedan conocer esa decisión de adjudicación, los motivos que la justifican y, en su caso, disponer de un tiempo razonable para interponer el recurso procedente frente a la misma, antes de que lo efectos del contrato puedan devenir irreversibles tras su formalización.

En segundo lugar, en aquellos Estados miembros en los que se exija que la persona interesada interponga recurso, en primer lugar, ante el poder adjudicador, la interposición de dicho recurso conllevará la suspensión inmediata de la posibilidad de celebrar el contrato, suspensión que se mantendrá como mínimo hasta que finalice el plazo de interposición del recurso ante un órgano independiente (art. 1.5). Cuando se someta a un órgano de primera instancia independiente del poder adjudicador un recurso referente a una decisión de adjudicación de un contrato, los Estados miembros garantizarán que el poder adjudicador no pueda celebrar el contrato hasta que el órgano que examine el recurso haya tomado una decisión sobre la solicitud de medidas provisionales o sobre el fondo del asunto (art. 2.3).

En tercer lugar, se regulan los plazos mínimos de interposición del recurso. Estos no pueden ser inferiores a 10 días civiles a partir del día siguiente a aquel en que la decisión del poder adjudicador haya sido comunicada al licitador o candidato, o de 15 civiles a partir del siguiente al de remisión o de 10 días civiles a partir del día siguiente a la fecha de recepción.

Finalmente, los Estados miembros garantizarán que un órgano de recurso independiente del poder adjudicador declare la "ineficacia" del contrato, o que la ineficacia del contrato dimane de una decisión de dicho órgano, cuando el contrato incurra en un vicio cualificado de invalidez.

Pese al establecimiento de todas estas reglas, como reconocen entre otras la STJUE de 29 de julio de 2019, C-620/17, Hochtief Solutions, ni la Directiva 89/665/CEE ni la Directiva 92/13/CEE contienen disposiciones que regulen específicamente las condiciones en que pueden ejercitarse tales vías de recurso. Dichas Directivas solo establecen los requisitos mínimos a los que deben responder los procedimientos de recurso establecidos en los ordenamientos jurídicos nacionales con el fin de garantizar el respeto de las disposiciones del Derecho de la Unión en materia de contratos públicos.

A lo largo las siguientes páginas trataremos de explicar el sistema de tutela que establecen las Directivas de Recursos en el ámbito de la Unión Europea. Dada la diversidad de tradiciones jurídicas existentes y la propia redacción tortuosa de alguno de sus preceptos, la aplicación de la Directiva 89/665/CEE ha dado lugar a interesantes problemas jurídicos y a una copiosa jurisprudencia en el marco de la Unión Europea. Precisamente, a través de ésta se describe el sistema en este trabajo. No obstante, con un mayor grado de profundidad dogmática se analizarán los dos aspectos que han transformado de manera más radical los sistemas nacionales: el establecimiento de un lapso temporal entre adjudicación y celebración del contrato y la posibilidad de anulación del contrato por vicios acaecidos durante la adjudicación.

II. La separación temporal entre adjudicación y "celebración" del contrato como salvaguardia de la eficacia de los recursos de anulación

A pesar del contenido de la primera versión de la Directiva de Recursos, las tradiciones jurídicas de los Estados miembros dificultaban la eficacia del recurso dirigido contra la adjudicación del contrato. Gran parte de los Ordenamientos europeos se han basado en la autonomía del contrato respecto a su fase preparatoria. Así ha sucedido en la experiencia jurídica anglosajona, dada la influencia del *common law* en la disciplina contractual, y en la alemana, que se ha regido por la atribución a la Administración pública de una autonomía negocial similar a la de los sujetos privados. En estos Ordenamientos, los vicios de la adjudicación se han considerado independientes y no transmisibles al contrato mismo.

Por su parte, en los Estados miembros con tradición jurídica romana, la contratación pública tiende a ser, en su totalidad, de Derecho público. Pese a ello y a que, por tanto, los Derechos francés, italiano y español parten de un punto común, estos Ordenamientos habían alcanzado soluciones parcialmente divergentes en relación con la repercusión de las ilegalidades cometidas durante la adjudicación en la validez del contrato. En el Derecho español la invalidez de la adjudicación se transmite al contrato. Pero no es así en el Derecho francés, que ha salvaguardado la existencia del contrato una vez que éste ha sido firmado como una consecuencia lógica de la doctrina de los actos separables. En Italia, por su parte, la traslación al contrato de los vicios acaecidos durante su formación ha planteado graves problemas no sólo sustantivos, sino también procesales. De esta forma, en la mayor parte de los Estados miembros —incluso en aquellos con los que compartimos tradición jurídica— el contrato ya formalizado devenía inatacable, aunque en su adjudicación se hubiese vulnerado el Derecho de la Unión Europea.

En las tradiciones de los Estados Miembros de la Unión Europea han existido igualmente diferencias notables a la hora de determinar cuándo se produce el momento de perfeccionamiento del contrato como punto de no retorno en el que no es jurídicamente posible ya anular el negocio jurídico resultante de la adjudicación. En los Ordenamientos de corte germánico, la adjudicación se ha entendido como la aceptación civil de una oferta. En Derecho francés e italiano, en cambio, la conclusión del contrato se ha considerado realizada por la formalización[8]. Ha de advertirse así que, en algunos sistemas jurídicos nacionales, dado que el contrato se perfecciona precisamente con la adjudicación, esta adjudicación —que implica a simultáneamente el nacimiento de un contrato privado— no era susceptible de ser anulada a través de las vías de recurso.

De esta forma, se podía dar la paradoja que el Derecho nacional impidiese instar la anulación del acto más importante del procedimiento de licitación, de forma que, si éste contenía ilegalidades, solo quedaba a disposición de licitador perjudicado la vía de la tutela resarcitoria. Esta interpretación se veía avalada por la lectura asistemática la versión original de la Directiva recursos, en cuyo art. 2.6 se disponía que los Estados miembros podrán establecer que, *una vez celebrado el contrato consecutivo a la adjudicación,* los poderes del organismo responsable de los procedimientos de recurso se limiten a indemnizar por daños y perjuicios a cualquier persona perjudicada por una infracción.

No obstante, la ya célebre sentencia Alcatel (STJUE de octubre de 1999, C-81/98) impuso un criterio diametralmente opuesto al que se trataba de defender en el seno de estas tradiciones jurídicas. El supuesto que origina la cuestión prejudicial se produjo en Austria. Y el Derecho nacional entonces vigente establecía que la relación contractual entre el órgano de contratación y el licitador se genera en el momento en el que se notifica al licitador

---

[8]   MACERA TIRAGALLO, B. F.: *La teoría francesa de los actos separables y su importación por el Derecho público español.* Cedes, Barcelona. 2011, págs. 65 y ss.

que su oferta ha sido aceptada[9]. Dado que además en el sistema austriaco no existía un acto de Derecho administrativo de adjudicación del contrato que fuese notificado al resto de licitadores, estos sólo tuvieron conocimiento de la adjudicación a través de la prensa, una vez que el contrato ya había sido igualmente firmado. De esta forma, cuando se interpone el pertinente recurso, el juez nacional duda de si, pese a que el Derecho nacional se lo impide[10], es competente para anular la adjudicación y, por tanto, el propio contrato. Para ello, en términos sintéticos, pregunta al TJUE si los Estados Miembros están obligados a establecer un recurso de anulación contra la adjudicación. Será precisamente cuando responda a esta cuestión cuando el Tribunal de Luxemburgo formule la regla según la cual en Derecho europeo exige el establecimiento de un periodo suspensivo ("plazo de espera", *standstill*) entre adjudicación y celebración del contrato.

En concreto, según el apartado 32, de la sentencia Alcatel:

> "no puede deducirse del tenor literal del art. 2, apartado 1, letra b), de la Directiva 89/665 que una decisión ilegal de adjudicación de un contrato público no está comprendida en las decisiones ilegales que pueden ser objeto de un recurso de anulación".

Y es que, como se señala en el apartado 37;

> "se desprende ya del propio tenor literal del artículo 2, apartado 6, de la Directiva 89/665 que la limitación de los procedimientos que en él se establece sólo se refiere a la situación posterior a la celebración del contrato consecutivo a la decisión de adjudicación. De este modo, la Directiva 89/665 establece una distinción entre la fase anterior a la celebración del contrato, en la cual es aplicable el artículo 2, apartado 1, y la fase posterior a su celebración, respecto a la cual el Estado miembro puede establecer, según el artículo 2, apartado 6, segundo párrafo, que las facultades del órgano responsable de los procedimientos de recurso se limitan a la concesión de una indemnización por daños y perjuicios a cualquier persona perjudicada por una infracción".

De esta forma, se establece así una diferenciación conceptual entre la adjudicación del contrato y su celebración. La segunda debe ser consecutiva —y por tanto, no puede ser simultánea— a la primera. Y aunque puede

---

[9]   Art. 41. Apartado 1, de la *Bundesvergabegesetz, BGBl.* n. 462/1993, en su versión anterior a la modificación de 1997 (en adelante *BvergG*).

[10] Así, según el art. 94 *BVergG*, una vez efectuada la adjudicación del contrato, el *Bundesvergabeamt* sólo comprobará si la supuesta infracción existe. Antes de la adjudicación, el *Bundesvergabeamt* puede anular las decisiones del órgano de contratación.

dudarse si la cuestión prejudicial no estaba más bien dirigida a ampliar los poderes del órgano de control —posibilitando la anulación de un contrato ya perfeccionado—, el efecto que provoca es la creación pretoriana de un periodo de suspensión entre adjudicación y celebración del contrato. Así se lleva al propio fallo de la sentencia, según el cual los Estados miembros están obligados a establecer, en todos los casos, un procedimiento de recurso que permita al demandante obtener la anulación de la decisión del órgano de contratación anterior a la celebración de contrato por la que resuelve con qué licitador en dicho procedimiento celebrará el contrato.

Una vez deducida la exigencia de que adjudicación y celebración del contrato estén separadas conceptual y temporalmente, más tarde se añadirá que la separación en este último sentido ha de ser "razonable". De esta forma, en la posterior sentencia de 24 de junio de 2004, Comisión contra Austria, asunto C-212/02, el TJUE afirma (apartado 23);

> "la protección jurídica completa exige igualmente que los licitadores excluidos examinen puedan examinar con un plazo suficiente la validez de la decisión de adjudicación. Habida cuenta de las exigencias del efecto útil de la Directiva, *debe mediar un plazo razonable entre el momento en el se comunica a los licitadores excluidos la decisión de adjudicación y la celebración del contrato para que estos puedan, en particular, interponer una solicitud de medidas cautelares hasta el momento de dicha celebración"*[11].

La doctrina jurisprudencial que acabamos de reseñar tuvo como consecuencia la modificación de las legislaciones de buena parte de los Estados miembros. Lo que se hizo no sin esfuerzo, ya que, en muchos casos, las reformas fueron precedidas de la iniciación de procedimientos de infracción por parte de la Comisión Europea. No sólo se introdujeron reformas en Austria, sino también y a título sólo de ejemplo, en Reino Unido[12], Alemania[13] y Países Bajos[14]. En Italia, el periodo suspensivo se introdujo por primera vez en el art. 14 del decreto legislativo n. 190/2002[15]. Y en Francia,

---

[11] Sentencia no disponible en español. Traducción de la autora.

[12] Vid. el memorándum que acompañó a la *Public Contracts Regulation Statatury Instrument* 2006, n° 5, en la que se pone de manifiesto que la nueva regulación obedece a la necesidad de incorporar las exigencias de la "doctrina Alcatel" y es el resultado de detalladas y completas negociaciones con la Comisión europea. Disponible en: http://www.legislation.gov.uk/uksi/2006/5/pdfs/uksiem_20060005_en.pdf.

[13] Vid. art. 13 del Reglamento de adjudicación de 2001 (*Vorabinformationspflicht*).

[14] Art. 55 del *Besluit Aanbestedingsregels voor Overheidsopdrachten,* del año 2005.

[15] Sobre la evolución de la llamada "cláusula Standstill", vid. entre muchos otros trabajos, DE NICTOLIS, R. (2010): "Il recepimento della direttiva ricorsi nel codice

en año 2005[16]. El legislador español, en cambio, permaneció pasivo, aunque en este punto la ausencia de separación temporal entre adjudicación y celebración no era, ni mucho menos, el incumplimiento más flagrante que en aquellos momentos cometía el Estado español ante la omisión de transposición expresa de la Directiva de Recursos. Y es que podía legítimamente entenderse que la aplicación de la doctrina Alcatel debía matizarse en un sistema como el nuestro, en el que la posibilidad de instar la anulación del contrato por vicios de la adjudicación era indiscutida.

No obstante, la STJUE de 3 de abril de 2008, As. C-444/06, dictada precisamente en el marco de un recurso por incumplimiento interpuesto por la Comisión contra España, no dejó lugar a dudas sobre la necesidad de imponer un periodo de separación temporal entre adjudicación y celebración en todos los Estados miembros[17].

En efecto, la vigente versión de la Directiva de Recursos establece un plazo suspensivo mínimo durante el cual se suspende la *celebración* del contrato público (art. 2 bis 2). Como hemos anticipado, los Estados miembros

---

appalti e nel nuovo codice del processo amministrativo" en *guistizia-amministra-tiva.it.*

[16] A través del art. 44-I del Decreto n° 2005-1308. Lo que no impidió que el TJUE declara que Francia había incumplido la Directiva 89/665/CEE en su sentencia de 11 de junio de 2009 (as. C-327/08), dado el empeño de la Comisión europea en asegurar que la doctrina contenida en la sentencia Alcatel tuviese plenos efectos. Vid. BROWN, A.: "A French Provisión Breaches Remedies Directives 89/665 and 92/13 by Jeoperdising the Effectiveness of the Standstill Period between Notification of the Award Decision and Conclusion of the Contract", *Public Procurement Law Review,* 6 (2009), págs. 222-225.

[17] La sentencia citada analiza la compatibilidad del Real Decreto Legislativo 2/2000, de 16 de junio, por el que se aprueba el Texto Refundido de la Ley de Contratos de Administraciones Públicas (en adelante TRLCAP) con el Derecho de la Unión Europea. En efecto, en sus alegaciones el Reino de España trató de marcar la distancia necesaria entre el Derecho español y el sistema austriaco que motivó la sentencia Alcatel. Y, en consecuencia, la defensa del Reino de España advirtió tanto que en nuestro Ordenamiento era posible interponer recurso de anulación contra la adjudicación del contrato, como que, en el ámbito de dicho recurso, se podía solicitar como medida cautelar la suspensión de los efectos del acto. Ahora bien, en principio, el Tribunal no matiza ni un ápice la doctrina elaborada. Sobre una visión crítica de esta sentencia, y de las consecuencias que se han impuesto en Derecho español, vid. GALLEGO CÓRCOLES, I., en "La influencia europea en la configuración del contrato público: el carácter formal de la contratación", en *Los desafíos del derecho público en el siglo XXI,* dir. Guayo/ Fernández, INAP, 2019, págs. 447-470.

velarán por que la interposición de dicho recurso conlleve la suspensión inmediata de la posibilidad de *celebrar* el contrato (art. 1.5). Finalmente, cuando se someta a un órgano de primera instancia independiente del poder adjudicador un recurso referente a una decisión de adjudicación de un contrato, los Estados miembros garantizarán que el poder adjudicador no pueda *celebrar el contrato* hasta que el órgano que examine el recurso haya tomado una decisión sobre a solicitud de medidas provisionales o sobre el fondo del asunto. Ahora bien, en la Directiva no existe ni una definición de celebración del contrato, ni una descripción de los efectos de esta celebración[18].

En cualquier caso, la incorporación de la vigente versión de la Directiva de Recursos en los distintos Ordenamientos produjo resultados dispares. En Derecho alemán se mantuvo la coincidencia temporal entre el acto de adjudicación y el perfeccionamiento del contrato, de una manera algo ingeniosa basada en el establecimiento de un deber de información previa. De esta forma, antes de comunicar la adjudicación al licitador elegido —lo que supondrá la perfección del contrato— se obliga a informar sobre el futuro sentido de la adjudicación al resto de licitadores. Como resultado, el periodo suspensivo precede a la adjudicación del contrato[19].

Por su parte, en el Derecho austriaco mantuvo la regla según la cual el contrato se perfecciona en la fecha en la que el adjudicatario recibe la notificación de la aceptación de su oferta[20]. Ahora bien, se introdujo igualmente una obligación de comunicar la decisión de adjudicación (*Bekanntgabe der Zuschlagsentscheidung*). En esta comunicación, los licitadores son informados del día en el que en su caso el finaliza el plazo de suspensión. Tras la finalización del plazo suspensivo se produce la adjudicación (*Zuschlagserteilung*) cuya notificación a los licitadores que no han resultado adjudicatarios es potestativa[21].

---

[18]   Sólo en el considerando 4 se aclara que la celebración del contrato no tiene por qué equivaler a su firma.

[19]   Art. 101.a).1 *Gesets gegen Wettbewerbsbeschränkungen* de 1998. Vid. DÍEZ SASTRE, S. (2012): *La tutela de los licitadores en la adjudicación de contratos públicos*. Marcial Pons, Madrid, págs. 144-145.

[20]   Art. 133 *Bundesvergabegesetz 2006*. Como excepción, en los casos en los que el órgano de contratación no adjudique el contrato en plazo, la relación contractual quedará formalizada una vez que el licitador declare por escrito que acepta la oferta.

[21]   Art. 132.2 *Bundesvergabegesetz 2006*.

En Derecho francés el plazo suspensivo se interpuso entre la adjudicación y la firma del contrato[22]. En todo caso, la solución es completamente coherente con la doctrina del *Conseil d'Etat*, según la cual los poderes inherentes al recurso precontractual (*référé précontractuel)* dejan de tener efecto desde el momento en el que el contrato se haya firmado[23]. En el Reino Unido se estableció un lapso temporal entre la notificación del resultado de la licitación y la firma que implica la celebración formal del contrato[24]. En Derecho italiano se consideró que la adjudicación tenía naturaleza negocial, de forma que implicaba la aceptación de la oferta del adjudicatario[25]. Poco después, el art. 11.8 del Código de Contratos 2006[26] dispuso expresamente que la adjudicación definitiva no equivale a la aceptación de una oferta. De esta forma, el perfeccionamiento del contrato se producía con la formalización, que no podía tener lugar hasta que transcurran treinta días desde la notificación de la adjudicación definitiva (art. 11.10).

Finalmente, en el Derecho español, tras la aprobación Ley 34/2010, de 5 de agosto, de modificación de las leyes 30/2007, de 30 de octubre, de contratos del sector público, 31/2007, de 30 de octubre, sobre procedimientos de contratación en los sectores del agua, la energía, los transportes y los servicios postales, el perfeccionamiento del contrato ha pasado a producirse tras la formalización. Así lo dispone ahora el art. 36 de la Ley 9/2017, de Contratos del Sector Público. El art. 153.3 LCSP añade que "si el contrato es susceptible de recurso especial en materia de contratación conforme al artículo 44, la formalización no podrá efectuarse antes de que transcurran quince días hábiles desde que se remita la notificación de la adjudicación a los licitadores y candidatos". De esta forma, frente a toda la tradición anterior, el contrato administrativo deja de tener carácter consensual.

---

[22]   Vid. art. 80 *Code des Marches publics* 2006. Ahora art. 101 *Code Marches Publics 2016.*

[23]   COSTA, E. (2010): "Los procedimientos de recurso en los contratos públicos, las directivas europeas y su aplicación judicial en Francia", *Revista de la Unión Europea,* pág. 14.

[24]   Art. 47 G. Public *Contracts (Amendment) Regulations 2009.* Vid. TRYBUS, M. (2011): "The transposition of the Public Procurement Remedies Directive 2007/66/EC in the United Kingdom", *Ius Publicum Network Review,* pág. 45 disponible en: http://www.ius-publicum.com/repository/uploads/29_06_2011_10_58_Trybus.pdf.

[25]   Así, *Cons. Stato*, VI, 15 novembre 2005, n. 6368.

[26]   Decreto legislativo de 12 de abril de 2006, núm. 163. *Codice dei contratti pubblici relativi a lavori, servizi e forniture in attuazione delle direttive* 2004/17/CE e 2004/18/CE.

III. Algunas reflexiones sobre los "nuevos" efectos de la invalidez: la obligatoriedad de declarar la "ineficacia" del contrato en determinadas circunstancias

El art. 2 *quienquies*, apartado 1, de la Directiva de Recursos dispone que los Estados miembros garantizarán que un órgano de recurso independiente del poder adjudicador declare la "ineficacia"[27] del contrato, o que la ineficacia del contrato dimane de una decisión de dicho órgano, cuando el contrato incurra en un vicio cualificado de invalidez. Dada la finalidad de la Directiva 2007/66/CE de reforzar los mecanismos de recurso, era inevitable que matizara la regla tradicional de indiferencia del Derecho europeo en relación con la suerte que habría de correr el contrato adjudicado con vulneración de las normas europeas sobre contratación pública. Porque la nueva versión de la Directiva de Recursos pretende incorporar una sanción efectiva, proporcionada y disuasoria que funcione como mecanismo de cierre del sistema y que garantice el cumplimiento de todo el sistema de garantías de las normas sustantivas sobre contratación. De esta forma, el Derecho de la Unión Europea obliga ahora a los Estados miembros a sancionar con "ineficacia" lo que la norma considera violaciones más groseras del Derecho de la Unión europea. Estos supuestos de especial gravedad son dos: las llamadas adjudicaciones directas —es decir, las adjudicaciones de contratos sin publicación previa de un anuncio de licitación en el Diario Oficial de la Unión Europea, siempre que ello sea preciso— y los casos en los que, además de haberse producido una infracción de una norma sustantiva que hubiese impedido al recurrente obtener la adjudicación a su favor, no se respete bien el periodo de suspensión previo

---

[27] La utilización del término "ineficacia" pudiera resultar sorprendente. No obstante, dado que las categorías de "nulidad" y "anulabilidad" carecen de un significado unívoco, al menos en Ordenamientos como el español, la opción del legislador europeo de describir los efectos del mecanismo técnico, además de elegir una denominación más neutra en las categorías dogmáticas de los distintos Ordenamientos, es a mi juicio la más acertada. En cualquier caso, la Directiva Recursos configura la "ineficacia" de una forma flexible. La categoría sólo se define en el considerando 21, cuando se afirma que el objetivo que se persigue al establecer los Estados miembros la normativa por la que se garantice que un contrato no produzca efectos, es que los derechos y las obligaciones de las partes del contrato dejen de ser de obligado cumplimiento y ejecución. En este punto, la norma europea no determina exactamente si el cese de eficacia ha tener efectos *ex tunc* o *ex nunc*. Sólo exige que en este último caso, cuando se prive de efectos únicamente a aquellas obligaciones aún sin ejecutar, los Estados apliquen determinadas sanciones alternativas previstas en el art. 2 sexties, apartado 2.

a la formalización del contrato o la suspensión automática de la adjudicación en los supuestos de interposición del recurso[28].

En una tradición jurídica como la nuestra, en la que se ha admitido con que la invalidez de la adjudicación se transmite como lógica consecuencia al contrato —se haya perfeccionado o no—, no se ha advertido el carácter en cierto modo revolucionario de este aspecto de la Directiva de Recursos. Pero lo cierto es que gran parte de los Ordenamientos europeos se han basado en la autonomía del contrato respecto a su fase preparatoria, como hemos expuesto en el epígrafe anterior. Como ejemplos expresivos de las implicaciones conceptuales de la reforma de la Directiva de Recursos se puede resaltar que, en una comentada decisión, el Tribunal Supremo holandés se ha mostrado reacio a aceptar que un contrato pueda ser anulado si en su adjudicación se incumplieron la Directivas europeas sobre contratación pública[29]. Por su parte, para un autor británico como Henty, la reforma más importante introducida por normativa inglesa resultante de la transposición modificación de la Directiva de Recursos es la posibilidad de declarar ineficaz un contrato público, lo que por primera vez se reconoce de forma expresa en aquella legislación[30]. Del mismo modo, para Greco la transposición de la Directiva de Recursos ha conducido una transformación radical de categorías e instituciones ya consolidadas en el Derecho italiano[31].

Ahora bien, independientemente de todo lo anterior, y contrariamente a lo que puede deducirse de su tenor literal, la interpretación de la versión inicial de la Directiva 89/665/CEE no permitía entender que se pudieran conservar los efectos de un contrato adjudicado con infracción de las normas de Derecho europeo, o al menos, si este incumplimiento lo había declarado el TJUE[32].

---

[28]   Dispone ahora el art. 2.7 de la Directiva Recursos que excepto en los caso previstos en los arts. 2 quinquies a 2 septies, los efectos del ejercicio de las facultades contempladas en el apartado 1 del presente artículo sobre un contrato celebrado tras un procedimiento de adjudicación se determinarán con arreglo al Derecho nacional.

[29]   Se trata de la sentencia Uneto/De Vliert, de 22 de enero de 1999, NJ 2000, 305. En relación con este procedimiento, vid. los siguiente comentarios; TUCKER, A. "Uneto v. De Vliert", PPLR, 1997, 5, págs. 182-186; VAN WASSERNAER "Recent developmentet in procurement disputes", *PPLR*, 2000, 2, págs. 67 a 67.

[30]   HENTY, P., "Remedies Directive implemented into UK law", *PPLR*, 2010, pág. 117.

[31]   Vid. GRECO, G., "Illegittimo affidamento dell'appalto, sorte del contratto e sanzioni alternative nel D.LGS. 53/2010", *Riv. Ital. Dir. Pubbl. Comunitario*, 2010, *in totum*.

[32]   Vid. STJUE de 18 de noviembre de 2004, Comisión c. Alemania, As. C-126/03, STJUE de 18 de julio de 2007, Comisión c. Alemania, As. 503/04, STJUE de 12 de

La sentencia europea que declare que la adjudicación de un contrato ha vulnerado cualesquiera normas de Derecho europeo de la contratación pública deberá ejecutarse haciendo cesar los efectos del contrato ilegalmente adjudicado. Interesa destacar que ello es así no porque sea una consecuencia de la normativa sobre contratación pública de la Unión Europea, sino porque se desprende de la obligación de ejecutar las sentencias del TJUE actualmente reconocida en el art. 260.1 del Tratado de Funcionamiento de la Unión Europea[33]. Así lo ha confirmado la STJUE de 13 de abril de 2010, as. C-91/08, Wall AG, que declara que no existe una obligación por parte de las autoridades nacionales de resolver los contratos que, encontrándose fuera del ámbito de aplicación de las Directivas, han sido adjudicados con infracción del Derecho originario. El resultado no puede dejar de ser algo paradójico.

IV. Órgano competente para la resolución del recurso

En virtud de lo dispuesto en el párrafo primero del art. 2.8 de la versión original de la Directiva Recursos[34], los Estados miembros pueden optar entre dos soluciones a la hora de organizar el sistema de control de los contratos públicos[35]. La primera solución consiste en atribuir la competencia para conocer de los recursos a órganos de naturaleza jurisdiccional. La segunda solución consiste en atribuir esta competencia, en primer término, a organismos que no poseen dicha naturaleza. En este último caso, las resoluciones adoptadas por estos organismos deben poder ser objeto bien de un recurso jurisdiccional o bien de un recurso ante otro organismo, que, para garantizar que el recurso sea adecuado, debe cumplir los requisitos específicos previstos en el párrafo segundo del apartado 8 del artículo 2 de la Directiva 89/665/CEE. Si el organismo responsable del recurso es de naturaleza jurisdiccional, estas últimas disposiciones no se aplican.

Desde una perspectiva práctica, la Comisión tras la evaluación del sistema ha concluido que, en términos generales, los órganos administrativos de recurso de primera instancia son más eficaces que los órganos jurisdiccio-

---

noviembre de 2009.

[33]   Sobre el recurso por inejecución, vid. MARTÍN DELGADO I., *El procedimiento por inejecución en la justicia europea*, 2004.

[34]   El contenido del art. 2.8 se recoge ahora en el art. 2.9 de la Directiva 89/665/CE.

[35]   SSTJUE de 4 de febrero de 1999 (as. C-103/97, Köllensperger) y de 4 de marzo de 1999 (as. C-258/97).

nales de primera instancia en términos de duración del procedimiento y de criterios de revisión[36].

V. Decisiones impugnables

En la actualidad, el art. 1.5 Directiva Recursos establece que los Estados miembros tomarán las medidas necesarias para garantizar que las decisiones adoptadas por los poderes adjudicadores puedan ser recurridas de manera eficaz y, en particular, lo más rápidamente posible, cuando dichas decisiones hayan infringido el Derecho de la Unión Europea en materia de contratación pública o las normas nacionales de incorporación de dicha normativa.

De ello se deriva que la Directiva 89/665/CEE se aplica a todas las decisiones adoptadas por las entidades adjudicadoras que estén sujetas a las normas del Derecho de la Unión Europea en materia de contratos públicos sin que se establezca ninguna restricción por lo que se refiere a la naturaleza y al contenido de dichas decisiones (STJUE de 19 de junio de 2003, C-315/01, GAT). Esta acepción amplia del concepto de "decisión" de un poder adjudicador se confirma por el hecho de que el artículo 1, apartado 1, de la Directiva 89/665 no establece ninguna restricción en lo que atañe a la naturaleza y al contenido de las decisiones a las que se refiere. Además, una interpretación restrictiva de este concepto sería incompatible con lo dispuesto en el artículo 2, apartado 1, letra a), de la misma Directiva (STJUE de 25 de octubre de 2018, C-260/17, EPE).

En este sentido, como ya hemos señalado, la sentencia *Alcatel* tuvo ocasión de afirmar que, aunque la Directiva 89/665 no define las decisiones ilegales cuya anulación puede solicitarse puede deducirse del tenor literal de la Directiva 89/665/CEE que una decisión ilegal de adjudicación de un contrato público está comprendida en las decisiones ilegales que pueden ser objeto de un recurso de anulación[37].

---

[36] Informe de la Comisión al Parlamento Europeo y al Consejo de sobre la eficacia de la Directiva 89/665/CEE y la directiva 92/13/CEE, modificadas por la directiva 2007/66/CE, en cuanto a los procedimientos de recurso en el ámbito de la contratación pública, Bruselas 24/1/2017, COM (2017) 28 final, pág. 10.

[37] El contexto en el que se realiza dicho pronunciamiento se ha descrito en el epígrafe II.

Igualmente, la decisión mediante la cual la entidad adjudicadora descarta la oferta de un licitador antes incluso de proceder a la selección constituye una decisión contra la cual debe ser posible la interposición de un recurso (STJUE de 19 de junio de 2003, C-249/01, Hackermüller).

Del mismo modo, del tenor del artículo 2, apartado 1, letra b), de la Directiva 89/665/CEE se desprende claramente que los procedimientos de recurso que corresponde organizar a los Estados miembros con arreglo a dicha Directiva deben permitir, entre otras cosas "anular [...] las decisiones ilegales, incluida la supresión de las características técnicas, económicas o financieras discriminatorias [...]". En consecuencia, debe ser posible que una empresa interponga un recurso directamente contra tales características discriminatorias, sin esperar a que concluya el procedimiento de adjudicación del contrato (STJUE de 12 de febrero de 2004 C-230/02, Grossmann Air Service).

Pueden ser incluso objeto de recurso decisiones anteriores al comienzo formal del procedimiento de licitación. Como afirma la STJUE de 11 de enero de 2005, C-26/03, Stadt Halle:

> "con el fin de preservar el efecto útil de ésta, es necesario concluir que constituye una decisión recurrible en el sentido del artículo 1, apartado 1, de la Directiva 89/665 cualquier acto de una entidad adjudicadora, adoptado en relación con un contrato público de servicios que esté comprendido dentro del ámbito de aplicación material de la Directiva 92/50 y que pueda tener efectos jurídicos, con independencia de que este acto se adopte sin un procedimiento formal de contratación pública o en el marco de tal procedimiento. Cuando una entidad adjudicadora decide no incoar un procedimiento de adjudicación debido a que, a su juicio, el contrato de que se trata no está comprendido dentro del ámbito de aplicación de las normas comunitarias pertinentes, esta decisión constituye la primera decisión sujeta al control jurisdiccional. En cambio, no son recurribles las actuaciones que constituyan un mero estudio preliminar del mercado o que sean puramente preparatorias y formen parte de la reflexión interna de la entidad adjudicadora con vistas a la celebración de un contrato público"[38].

---

[38]   Añade la sentencia que habida cuenta de que, con arreglo al segundo considerando de dicha Directiva, debe garantizarse el respeto de las normas comunitarias, en particular, en la fase en la que las infracciones aún pueden corregirse, procede concluir que es recurrible la manifestación de la voluntad de la entidad adjudicadora en relación con un contrato, de la que tienen conocimiento las personas interesadas de cualquier manera, siempre que dicha manifestación pueda producir efectos jurídicos. El inicio de negociaciones contractuales concretas con un interesado constituye una manifestación de voluntad de este tipo.

Esta doctrina ha sido reiterada en la STJUE de 25 de octubre de 2018, C-260/17, EPE. Como afirma la citada sentencia, la decisión de un poder adjudicador de celebrar contratos de trabajo con personas físicas para la prestación de determinados servicios sin tramitar un procedimiento de contratación pública puede ser recurrida por un operador económico que esté interesado en participar en una contratación pública sobre el mismo objeto que los citados contratos y que considere que estos se encuentran incluidos en el ámbito de aplicación de dicha Directiva.

Del mismo modo, de acuerdo con las Directivas sustantivas, el anuncio relativo a un contrato de suministro debe precisar la cantidad o la extensión global de tal contrato. La falta de esta indicación debe poder ser objeto de recurso con arreglo al artículo 1, apartado 1, de la Directiva 89/665/CEE (STJUE de 11 de octubre de 2007, As. C-241/06, Lämmerzahl Gmb).

Son igualmente impugnables las decisiones relativas al desistimiento de un procedimiento contractual (STJUE de 18 de junio de 2002, as. C-92/00). En consecuencia, en estas circunstancias, el órgano jurisdiccional competente debe dejar sin aplicar las normas nacionales que le impiden anular un acuerdo por el que se desiste de un procedimiento de contratación (STJUE de 2 de junio de 2005, As. C-15/04, Koppensteiner GmbH)[39].

En definitiva, son impugnables tanto la adjudicación y como las decisiones anteriores a ella. Ahora bien, en el contexto de la trasposición de la Directiva a Derecho español se ha planteado la duda de si todas las decisiones anteriores a la adjudicación han de ser recurribles de forma autónoma. En el tradicional sistema de recursos español los actos de trámite son recurribles autónomamente cuando deciden directa o indirectamente el fondo del asunto, determinan la imposibilidad de continuar el procedimiento, o producen indefensión o perjuicio irreparable a derechos o intereses legítimos[40]. El TJUE confirmó inicialmente la adecuación a Derecho europeo del sistema español de impugnación de los actos de trámite en su sentencia de 15 de mayo de 2003, C-214/00. Ahora bien, este criterio ha sido sometido a revisión tras la STJUE de 5 de abril de 2017, C 391/15, Marina del Mediterrá-

---

[39]   Vid. igualmente STJUE de 11 de diciembre de 2014, c-440/13, AREU.

[40]   Arts. 117 de la Ley 39/2015 de Procedimiento Administrativo Común y 25.1 de la Ley de la Jurisdicción Contencioso-Administrativo. De modo coherente, el art. 37.2 LCSP 2007, en su primitiva versión, establecía que serán susceptibles de recurso especial los actos de trámite adoptados en el procedimiento de licitación, siempre que estos últimos decidan directa o indirectamente sobre la adjudicación, determinen la imposibilidad de continuar el procedimiento o produzcan indefensión o perjuicio irreparable a derechos o intereses legítimos.

neo. En el supuesto se había inadmitido el recurso especial interpuesto por un licitador contra la admisión de un competidor, en virtud de la pacífica doctrina de los Tribunales de recurso contractuales españoles según la cual no habían de considerarse actos de trámite que determinen la imposibilidad de continuar el procedimiento los actos de la mesa de contratación por los que se acuerde la admisión de licitadores[41]. Pues bien, el TJUE invocando el principio útil de la Directiva de recursos, tiene ocasión de afirmar que:

> "31 [...] aunque la Directiva 89/665 no ha determinado formalmente el momento a partir del cual existe la posibilidad de recurso prevista en su artículo 1, apartado 1, el objetivo de la mencionada Directiva [...] no autoriza a los Estados miembros a supeditar el ejercicio del derecho a recurrir al hecho de que el procedimiento de contratación pública de que se trate haya alcanzado formalmente una determinada fase (véase, en este sentido, la sentencia de 11 de enero de 2005, Stadt Halle y RPL Lochau (C 26/03, EU:C:2005:5, apartado 38). [...]
>
> 34 En lo que atañe específicamente a la decisión de admitir a un licitador a un procedimiento de adjudicación, como es la decisión controvertida en el litigio principal, el hecho de que la normativa nacional en cuestión en el procedimiento principal obligue *en todos los casos* al licitador a esperar a que recaiga el acuerdo de adjudicación del contrato de que se trate antes de poder interponer un recurso contra la admisión de otro licitador infringe las disposiciones de la Directiva 89/665".

Como consecuencia de lo anterior, la nueva Ley 9/2017 de Contratos del Sector Público introduce un concepto de acto de trámite más amplio que el que tradicionalmente se ha mantenido en Derecho Español[42] y cuya aplicación, no obstante, no deja de prestarse a cierta controversia[43].

---

[41]   De esta forma, esta admisión sólo podía discutirse en el recurso que eventualmente se interpusiera contra la adjudicación.

[42]   Así, según el art. 44.2 b) LCSP, Podrán ser objeto del recurso las siguientes actuaciones: [...]
"b) Los actos de trámite adoptados en el procedimiento de adjudicación, siempre que estos decidan directa o indirectamente sobre la adjudicación, determinen la imposibilidad de continuar el procedimiento o produzcan indefensión o perjuicio irreparable a derechos o intereses legítimos. *En todo caso se considerará que concurren las circunstancias anteriores en los actos de la mesa o del órgano de contratación por los que se acuerde la admisión o inadmisión de candidatos o licitadores, o la admisión o exclusión de ofertas, incluidas las ofertas que sean excluidas por resultar anormalmente bajas como consecuencia de la aplicación del artículo 149*" (cursiva nuestra).

[43]   Hemos tenido ocasión de analizar el nuevo régimen legal en GALLEGO CÓRCOLES I., "Recurso especial en materia de contratación: los actos de trámite como actividad impugnable", *Contratación Administrativa Práctica*, 157, 2018.

Finalmente, dado el tenor de la STJUE de 8 de mayo de 2014, C-161/13, las decisiones de sobre la modificación de un contrato público deben ser susceptibles de impugnación, tal y como se había defendido en la doctrina española[44].

VI. Presupuestos procesales

1. Conciliación previa

Las SSTJUE de 19 de junio de 2003, C-410/01, Fritsch y de 12 de febrero de 2004 C-230/02, Grossmann Air Service, han declarado que el hecho de supeditar el acceso a los procedimientos de recurso previstos por la Directiva 89/665 al sometimiento previo del asunto a una comisión de conciliación es contrario a los objetivos de rapidez y eficacia de dicha Directiva. En efecto, el sometimiento previo del asunto a dicha comisión de conciliación tiene inevitablemente por efecto retrasar el inicio de los procedimientos de recurso.

2. Garantías bancarias

La STJUE de 15 de septiembre de 2016, C-439/14, SC Car Storage, analiza la normativa húngara que supedita la admisibilidad de los recursos contra los actos del poder adjudicador a la constitución de una garantía.

---

[44]   GALLEGO CÓRCOLES, I. "Novedades en la regulación del recurso especial en materia de contratación que la discutible exclusión de las modificaciones contractuales *ex lege* de su ámbito de aplicación", en *Contratación Administrativa Práctica*, núm. 113, 2011. En el mismo sentido, entre otros, BAÑO LEON J. M. "Del *ius variandi* a la libre concurrencia: la prohibición de modificación como regla general en los contratos públicos", *Anuario de Derecho Local*, 2012, pág. 150; MEILAN GIL J. L., "Las prerrogativas de la Administración en los contratos administrativos: propuesta de revisión", núm. 191, 2013, pág. 38; GIMENO FELIÚ J. M., "Transparencia e integridad e integridad: posibilidades y límites actuales en la legislación de contratos públicos", *Observatorio de Contratos Públicos 2013*, Civitas, 2014, págs. 65 y ss.; BERNAL BLAY, BERNAL BLAY M. A. ("Reflexiones sobre el régimen de ejecución de los contratos públicos", en Gimeno Feliú, *Observatorio de los Contratos Públicos 2010*, Civitas, 2011, pág. 183.
Mantiene una posición opuesta, entre otros, DIEZ SASTRE S., "La impugnación de las modificaciones de los contratos públicos", *Revista de Estudios Locales*, núm. 161, 2013.

Dicha garantía alcanza un importe equivalente al 1% del valor estimado del contrato público de que se trata, con el límite máximo de 25 000 euros para los contratos públicos de suministro y de servicios y de 100 000 euros para los contratos públicos de obra. Debe restituirse siempre al demandante al margen del resultado del mismo. Pues bien, para el Tribunal europeo este régimen jurídico es conforme con el Derecho de la Unión, ya que no menoscaba el contenido esencial del derecho a la tutela judicial efectiva (pues en ningún caso puede ser retenida por el poder adjudicador), responde a un objetivo de interés general (prevenir el ejercicio abusivo de las vías de recurso)[45] y respeta el principio de proporcionalidad (ya que no puede considerase que la mera obligación de constituir dicha garantía, como requisito de admisibilidad de cualquier recurso, vaya más allá de lo necesario para alcanzar el objetivo de lucha contra los recursos abusivos que persigue).

3. Tasas judiciales

La Directiva 89/665/CEE no contiene ninguna disposición que se refiera específicamente a las tasas que corresponde abonar a los interesados cuando interponen recursos. A falta de normativa de la Unión en la materia, cada Estado miembro deberá configurar, en virtud del principio de autonomía procesal, la regulación de los procedimientos administrativos y judiciales destinados a asegurar la salvaguardia de los derechos que el Derecho de la Unión confiere a los justiciables. La regulación procesal de estos recursos, sin embargo, no debe ser menos favorable que la referente a los recursos semejantes establecidos para la protección de los derechos reconocidos por el ordenamiento jurídico interno (principio de equivalencia) ni hacer imposible en la práctica o excesivamente difícil el ejercicio de los derechos conferidos por el ordenamiento jurídico de la Unión (principio de efectividad).

Pues bien, la STJUE de 6 de octubre de 2015, C-61/14, Orizzonte Salute, analiza la conformidad a Derecho de la Unión europea de la normativa italiana sobre tasas judiciales en los supuestos de procedimientos contencioso-administrativos en el ámbito de los contratos públicos. Según dicha normativa, las tasas judiciales comprenden tres importes fijos, que ascienden a 2 000, 4 000 y 6 000 euros, para las tres categorías de contratos públicos, a saber, los de cuantía igual o inferior a 200 000 euros, aquellos cuya cuantía se sitúa entre 200 000 y 1 000 000 de euros y aquéllos de una cuantía superior a 1 000 000 de euros. Ello se acomoda al Derecho de la Unión

---

[45]   Vid. apartado 59 de la citada sentencia.

Europea, ya que "las tasas judiciales que se deben pagar por la interposición de un recurso en los procedimientos del orden contencioso-administrativo en materia de contratos públicos, que no excedan del 2% de la cuantía del contrato de que se trate, no pueden hacer imposible o excesivamente difícil en la práctica el ejercicio de los derechos conferidos por el ordenamiento jurídico de la Unión en materia de contratos públicos (apartado 58)".

VII. Ámbito del control jurisdiccional

Teniendo en cuenta el objetivo de fortalecimiento de los recursos que persigue la Directiva 89/665/CEE y al no existir indicaciones en sentido contrario, no puede interpretarse de manera restrictiva el alcance del control jurisdiccional que debe ejercerse en el marco de los recursos a que dicha Directiva se refiere. Por ello, como afirma la STJUE de 18 de junio de 2002, As. C-92/00, HI:

> "[...] incluso en el caso de que [...] las entidades adjudicadoras ostenten, en virtud de las normas nacionales aplicables, una amplia facultad discrecional en cuanto a la cancelación de la licitación, con arreglo a la Directiva 89/665, los órganos jurisdiccionales nacionales deben poder comprobar la compatibilidad de un acuerdo por el que se cancela una licitación con las normas pertinentes del Derecho comunitario (...).
>
> ni el tenor literal ni el espíritu de la Directiva 89/665 autorizan a inferir que los Estados miembros pueden limitar el control de la legalidad del acuerdo por el que se cancela una licitación únicamente al examen de su carácter arbitrario".

En cualquier caso, como ha declarado la STJUE de 19 de junio de 2003, C-315/01, GAT, más allá de los motivos esgrimidos por las partes, el Derecho nacional puede disponer que el órgano competente enjuicie de oficio otros posibles motivos de ilegalidad. Incluso, como ha destacado la STJUE de 11 de diciembre de 2014, c-440/13, AREU, el legislador nacional puede conceder a los órganos jurisdiccionales nacionales competentes facultades más amplias para ejercer un control de oportunidad (apartado 45).

VIII. Legitimación

Tal y como establece el art. 1.3 de la Directiva 89/665/CEE, "los Estados miembros velarán por que, con arreglo a las modalidades detalladas que ellos mismos podrán determinar, los procedimientos de recurso sean accesibles, como mínimo, a cualquier persona que tenga o haya tenido interés en obtener un determinado contrato y que se haya visto o pueda verse perjudicada por una presunta infracción".

En definitiva, el Derecho de la Unión Europea no obliga a los Estados miembros a garantizar que dichos procedimientos de recurso sean accesibles a cualquier persona que desee obtener la adjudicación de un contrato público, sino que les permite exigir que, además, la persona interesada se haya visto perjudicada o pueda verse perjudicada por la infracción que alega (STJUE de 19 de junio de 2003, C-249/01, entre otras). De esta forma, existirá legitimación, cuando del recurso contra la adjudicación se trate, de forma evidente en los supuestos en los que la actuación ilegal del poder adjudicador haya privado al licitador de la adjudicación del contrato. Pero en otros supuestos, la existencia de legitimación será más controvertida y, en todo caso, tiene como referente exclusivo —en virtud de los propios objetivos de la regulación— a los operadores económicos[46].

Partiendo de todo lo anterior, la jurisprudencia del Tribunal de Justicia de la Unión Europea puede sistematizarse como sigue:

1. *Exigencia de participación en el procedimiento de licitación para la impugnación del pliego de condiciones o de la adjudicación*

La STJUE de 12 de febrero de 2004, C-230/02, Grossmann Air Service, declara que la Directiva 89/665/CEE permite que, después de la adjudicación de un contrato público, se considere que una persona no tiene derecho a acceder a los procedimientos de recurso previstos por dicha Directiva cuando esta persona no ha participado en el procedimiento de adjudicación del citado contrato, debido a que no estaría en condiciones de prestar todos los servicios objeto de la licitación, como consecuencia de la existencia de características supuestamente discriminatorias en la documentación relativa a ésta, y contra las cuales, aun así, no interpuso un recurso antes de la adjudicación del citado contrato. Ello es así porque un comportamiento pasivo por parte del recurrente, en la medida en que puede retrasar sin razón objetiva la incoación de los procedimientos de recurso cuyo establecimiento fue impuesto a los Estados miembros por la Directiva 89/665/CEE, puede perjudicar a la aplicación efectiva de las Directivas comunitarias en materia de adjudicación de contratos públicos.

---

[46]   Vid. DIEZ SASTRE S., "La legitimación del concejal en el recurso especial en materia de contratación pública", *Anuario Aragonés del Gobierno Local 2012*, año 2013, págs. 293 a 322.

Sobre esta cuestión ha incido la STJUE de 28 de noviembre de 2018, as. C-328/17, Amt Azienda. En este caso, los tribunales nacionales inadmitieron el recurso interpuesto por una empresa que no participó en la licitación contra determinados actos del procedimiento previos a la adjudicación. En concreto, el recurrente entendía que la configuración del contrato vulneraba la legalidad vigente. No obstante, la aplicación del Derecho italiano conllevaba la inadmisión del recurso habida cuenta de que, simultáneamente a la impugnación el recurrente no había participado en la licitación ya que, dada la configuración de los lotes que conformaban el contrato, "había una altísima probabilidad de no obtener la adjudicación del contrato en cuestión" (y no, por tanto, una auténtica imposibilidad, única circunstancia, según la jurisprudencia nacional aplicable, en la que puede admitirse un recurso contra los actos preparatorios por quien no ha presentado una oferta al procedimiento de licitación). Para el Tribunal de Justicia, en principio, la solución otorgada por el Derecho nacional es conforme con el Derecho de la Unión, ya que "habida cuenta de que solo con carácter excepcional puede reconocerse el derecho de recurso al operador que no ha presentado una oferta, no puede considerarse excesivo exigir que este demuestre que las cláusulas de la licitación imposibilitan la presentación de una oferta". (apartado 53). Ahora bien, el propio Tribunal se ve obligado a reconocer que: "si bien este grado de exigencia de la prueba no es en sí contrario al Derecho de la Unión en materia de contratación pública, no puede excluirse que, a la vista de las circunstancias particulares del litigio principal, su aplicación pueda entrañar una violación del derecho de recurso que las demandantes" (apartado 54). Este inciso, a mi juicio, demuestra que la distinción entre alta probabilidad e imposibilidad no deja de ser, a nuestro juicio, algo artificiosa y, en consecuencia, insatisfactoria. En este sentido, debe recordarse que lo que se impugnaba en el momento procesal oportuno eran las propias condiciones de la licitación y que, dadas las circunstancias del supuesto, el haber preparado una oferta de forma simultánea a la presentación del recurso puede suponer una carga desproporcionada.

2. Legitimación de las agrupaciones de empresarios

La legitimación de las agrupaciones de empresarios para interponer recursos contra las decisiones de los poderes adjudicadores ha resultado incontrovertida. Como afirma la STJUE de 23 de enero de 2003, as. C-57/01, Makedoniko Metro, en la medida en que una decisión de una entidad adjudicadora vulnera los derechos de una agrupación de empresarios que le confiere el Derecho de la Unión Europea en el marco de un procedimiento de adjudicación de un contrato público, dicha agrupación debe poder ejercitar los recursos previstos por la Directiva 89/665/CEE.

Ahora bien, lo que ha planteado más dificultades es determinar si el recurso debe interponerse por la totalidad de empresas que componen la unión temporal. Así, el Tribunal Europeo en su sentencia de 8 de septiembre de 2005, asunto C-129/04, Espace Trianon SA, entendió que una norma procesal nacional que exige que un recurso de anulación contra la decisión de una entidad adjudicadora de adjudicar un contrato público se interponga por la totalidad de los miembros que integran una unión temporal de empresas licitadoras no limita la accesibilidad a tal recurso. Si no todos integrantes de la UTE están interesados en el éxito de recurso, el contrato no llegará a formalizarse por la unión de empresarios aunque uno de ellos consiga la anulación de la adjudicación. En consecuencia, el recurso no comportará beneficio a la recurrente[47].

No obstante, puede advertirse una matización de este criterio en la STJUE de 6 de mayo de 2010 C-145/08 y C-149/08, Club Hotel Loutraki AE. Según la misma, la Directiva 89/665/CEE se opone a una normativa nacional con arreglo a la cual únicamente la totalidad de los miembros de una unión temporal de empresas licitadoras está legitimada para interponer un recurso contra la resolución de adjudicación de un contrato, si el éxito de este recurso es indispensable para conseguir, de otra instancia, una indemnización por los daños y perjuicios causados por una adjudicación ilegal. Y es que la legislación griega controvertida[48] conduce no sólo a que los miembros de dicha unión temporal, a título individual, no puedan obtener la anulación del acto que les perjudica, sino a que tampoco puedan acudir al tribunal competente para solicitar la reparación del perjuicio que hayan sufrido individualmente, cuando esta imposibilidad no parece existir en otros ámbitos, en virtud de las normas de Derecho interno aplicables a

---

[47] En los términos de la citada sentencia: "pues bien, en semejante situación, habrá licitado la unión temporal de empresas como tal, y no sus miembros a título individual. Igualmente todos los miembros de esa asociación, si se les hubiera adjudicado el pertinente contrato público, habrían estado obligados a firmar el contrato y a ejecutar las obras" (apartados 19 a 20).

[48] En efecto, según la legislación griega cuestionada la indemnización de daños y perjuicios sólo podría ser concedida por la jurisdicción competente, la civil, si previamente un Tribunal administrativo anula la adjudicación del contrato.

las solicitudes de indemnización basadas en un perjuicio causado por un acto ilegal de una autoridad pública[49].

3. Interposición del recurso por un licitador cuyo cumplimiento de los requisitos de la licitación se cuestiona

Cuando un licitador es excluido del procedimiento de licitación por el órgano de contratación y esta exclusión deviene firme, desde los parámetros del Derecho de la Unión Europea puede negarse que exista legitimación para recurrir la posterior adjudicación, pues ésta, en principio, ya no ocasiona lesión al licitador excluido[50]. Cuestión diferente es que la exclusión del recurrente se plantee por otro licitador cuando el primero —a cuya admisión no puso reparo el órgano de contratación— recurre contra la adjudicación. Sobre cuestiones de este tipo se ha pronunciado en varias ocasiones el TJUE.

En primer lugar, en el supuesto que analiza la STJUE de 19 de junio de 2003, C-249/01, Hackermüller, se discute si el recurso de un licitador que no ha sido excluido por la entidad adjudicadora puede ser inadmitido por el órgano responsable de procedimiento de recurso, al comprobar este último, con carácter preliminar, la existencia de una causa que habría justificado la exclusión del licitador. La respuesta es negativa, ya que se pondría en entredicho la plena consecución del objetivo que persigue la Directiva 89/665. Y es que,

> "si la oferta del licitador hubiera sido descartada por la entidad adjudicadora en una fase anterior a la de la selección de la mejor oferta, debería habérsele permitido impugnar la legalidad de la decisión de exclusión de su oferta mediante los procedimientos de recurso previstos por la Directiva 89/665, como persona que se ha visto perjudicada o que puede verse perjudicada por dicha decisión.

---

[49]   En los términos de la citada sentencia: [...] hay que poner de relieve, a este respecto, que estas circunstancias son distintas de las del asunto que concluyó con la sentencia Espace Trianon y Sofibail, antes citada. En efecto, mientras que este último asunto versaba sobre un recurso de anulación contra una resolución de adjudicación que había privado del contrato en cuestión a la unión temporal de empresas licitadora en su conjunto, el presente asunto se refiere, de hecho, a una demanda destinada a obtener la reparación del perjuicio sufrido, en opinión de la demandante, a causa de una resolución ilegal de una autoridad administrativa que había comprobado que existía una incompatibilidad, en el sentido de la normativa nacional correspondiente, en el caso del único licitador demandante».

[50]   STJUE de 9 de junio de 2011, C-401/09P, Evropaïki Dynamiki y STG de 13 de diciembre de 2011, T-8/09, Dredging International.

> En estas circunstancias, el hecho de que el órgano responsable de los proce-
> dimientos de recurso deniegue el acceso a dichos procedimientos a un licitador
> que se encuentra en una situación como la del Sr. Hackermüller tendría el efecto
> de privarle no solamente de su derecho de recurso respecto a la decisión cuya
> ilegalidad alega, sino también del derecho a impugnar la fundamentación del
> motivo de exclusión invocado por dicho órgano para denegarle la condición de
> persona que se ha visto o que puede verse perjudicada por la ilegalidad alegada".

Ahora bien, en todo caso, ello no comporta que el órgano que conoce el recurso no pueda llegar a la conclusión de que la oferta del recurrente debería haberse descartado previamente y, en consecuencia, desestimar el recurso debido a que, por esta circunstancia, no se ha visto perjudicado por la infracción que se alega[51]. De esta forma, la imposibilidad de devenir adjudicatario se convierte de causa de inadmisión a causa de desestimación del recurso.

La doctrina que acabamos de reseñar ha sido reiterada por la STJUE de 4 de julio de 2013, As. C-100/12. Fastweb SpA. En el supuesto, determinado licitador interpone recurso contra la adjudicación de contrato derivado de un acuerdo marco, argumentando que el adjudicatario no cumplía los requisitos del pliego. En el seno de este procedimiento de recurso, el adjudicatario cuestiona igualmente la admisibilidad de la oferta del recurrente. Dado que sólo habrían concurrido dos licitadores, si se estimaba el recurso, la licitación debe declararse desierta. Por ello, concluye el Tribunal que:

> "el recurso incidental del adjudicatario no puede llevar a descartar el recurso
> de un licitador en el supuesto de que la regularidad de la oferta de cada uno
> de los operadores sea cuestionada en el marco del mismo procedimiento y por
> motivos de naturaleza idéntica. En efecto, en dicha situación, cada uno de los
> competidores puede alegar un interés legítimo equivalente a la exclusión de la
> oferta de los otros, lo que puede llevar a la constatación de la imposibilidad para
> la entidad adjudicadora de proceder a la selección de una oferta adecuada".

Esta doctrina es aplicable igualmente a los supuestos en los que las empresas inicialmente participantes son más de dos [Vid. STJUE de 5 de abril de 2016, c-689/13, PFE][52]. En el mismo sentido, la STJUE de 11 de mayo de 2017, C-131/16, Archus declara que cuando en un procedimiento de

---

[51]   Ello es así en la medida de que, en ese caso, al no cumplir los criterios establecidos
       en el pliego, no podría optar a la adjudicación del contrato. Vid. Apartado 27 de la
       sentencia.

[52]   Como afirma el Tribunal, ""El número de participantes en el procedimiento de
       adjudicación del contrato público de que se trata, al igual que el número de parti-
       cipantes que haya interpuesto un recurso y la divergencia entre los motivos invo-

adjudicación de un contrato público ha dado lugar a la presentación de dos ofertas y a la adopción por parte de la entidad adjudicadora de dos decisiones simultáneas, una de rechazo de la oferta de uno de los licitadores y otra de adjudicación del contrato al otro, el licitador excluido que recurre contra esas dos decisiones debe poder solicitar que la oferta del licitador adjudicatario quede excluida.

En todo caso, de la doctrina que acabamos de reseñar no es aplicable en el caso en el que la exclusión del licitador recurrente haya devenido firme, aunque sólo se haya admitido la oferta del licitador finalmente adjudicatario. Así, la STJUE de 21 de diciembre de 2016, C-355/15, VAMED tiene ocasión de afirmar que:

> "Sin embargo, la situación controvertida en el asunto principal se distingue muy nítidamente de las estudiadas en los dos asuntos que dieron lugar a las sentencias de 4 de julio de 2013, Fastweb (C-100/12, EU:C:2013:448), y de 5 de abril de 2016, PFE (C-689/13, EU:C:2016:199).
>
> Por un lado, a diferencia de la oferta que presentó el consorcio en el asunto principal, las ofertas de los licitadores afectados en los asuntos que dieron lugar a las dos sentencias citadas no habían sido objeto de una decisión de exclusión del poder adjudicador.
>
> Por otro lado, en estos dos asuntos, cada licitador refutaba la regularidad de la oferta del otro en el marco de un único y mismo procedimiento de recurso relativo a la decisión de adjudicación del contrato, teniendo ambos un interés legítimo equivalente en que la oferta del otro quede excluida, lo que podía llevar a la constatación de la imposibilidad para el poder adjudicador de proceder a la selección de una oferta adecuada (véanse, en este sentido, las sentencias de 4 de julio de 2013, Fastweb, C-100/12, EU:C:2013:448, apartado 33, y de 5 de abril de 2016, PFE, C-689/13, EU:C:2016:199, apartado 24). En cambio, en el litigio principal del caso de autos, el consorcio recurrió, primero, contra la decisión por la que quedaba excluido y, después, contra la decisión de adjudicación del contrato, y la alegación relativa a la irregularidad de la oferta del adjudicatario la formuló en el marco de este segundo procedimiento.
>
> De ello se infiere que el principio jurisprudencial sentado en las sentencias de 4 de julio de 2013, Fastweb (C-100/12, EU:C:2013:448), y de 5 de abril de 2016, PFE (C-689/13, EU:C:2016:199), no es aplicable a la situación procesal y contenciosa controvertida en el litigio principal.
>
> Procede observar, por añadidura, que, como resulta de los artículos 1, apartado 3, y 2 bis de la Directiva 89/665, ésta garantiza el derecho a recursos eficaces contra las decisiones irregulares que se adopten con ocasión de un procedimiento de adjudicación de un contrato público, ofreciendo a cualquier licitador que haya quedado excluido la posibilidad de impugnar no solamente la decisión de exclusión, sino también, mientras se resuelve dicha impugnación, las decisiones

---

cados por los recurrentes, no son datos pertinentes para la aplicación del principio jurisprudencial sentado en la sentencia Fastweb".

posteriores que le irrogarían un perjuicio en caso de que su exclusión fuera anulada" (apartados 30 a 34)[53].

De esta forma, como conclusión, no puede entenderse que dentro del concepto de perjuicio, presupuesto de la legitimación, tenga cabida la eliminación de la posibilidad de que se produzca una nueva convocatoria del procedimiento de licitación, como pudieran sugerir las sentencias anteriores (más bien basadas en el principio de igualdad de armas).

4. *Legitimación del poder adjudicador para impugnar las resoluciones del órgano de recurso no jurisdiccional*

El artículo 2, apartado 8, de la Directiva Recursos no impone a los Estados miembros la obligación de establecer también a favor de las entidades adjudicadoras un medio de recurso de carácter jurisdiccional contra las decisiones de los organismos de recurso, de carácter no jurisdiccional, responsables de los procedimientos de recurso en materia de adjudicación de los contratos públicos. Según la STJUE de 21 de octubre de 2010, As. C-570/08, Symvoulio Apochetefseon Lefkosias, ello es así porque la razón de ser de la Directiva 89/665/CEE es permitir, mediante la instauración de procedimientos de recurso adecuados, la buena aplicación de las reglas de fondo del Derecho de la Unión en materia de contratos públicos, las cuales pretenden garantizar a favor de los operadores económicos establecidos en los Estados miembros la apertura a la competencia no falseada y lo más amplia posible.

Por otro lado, los considerandos cuarto, sexto, séptimo, decimocuarto y vigesimoséptimo de la Directiva 2007/66/CE se refieren a los "licitadores afectados" y a los "operadores económicos", como personas beneficiarias de la protección jurisdiccional efectiva pretendida por esa Directiva y como actores en la interposición de los recursos.

Además, hay que poner de relieve que el artículo 1 de la Directiva 89/665/CEE, según su modificación por la Directiva 2007/66/CE, se titula actual-

---

[53]   En definitiva, el Tribunal europeo confirma la apreciación del Bundesverwaltungsgericht (Tribunal Federal de lo Contencioso-Administrativo alemán). Este último desestimó el recurso al considerar que los derechos de un licitador cuya oferta ha sido correctamente excluida no pueden sufrir menoscabo como consecuencia de las irregularidades que afecten a la selección de otra oferta a efectos de la adjudicación.

mente "Ámbito de aplicación y procedimientos de recurso", en tanto que su artículo 2 se titula "Requisitos de los procedimientos de recurso". Así se confirma la consideración de que la obligación impuesta a los Estados miembros de prever un recurso jurisdiccional contra las decisiones de los organismos responsables de los procedimientos de recurso de carácter no jurisdiccional constituye una exigencia específica de dicha Directiva, y no incluye a las entidades adjudicadoras en el círculo de los actores comprendidos en su ámbito de aplicación.

En cualquier caso, la Directiva 89/665/CEE no impide que los Estados miembros prevean, en su caso, en sus ordenamientos jurídicos dicho medio de recurso a favor de las entidades adjudicadoras. Así se prevé, precisamente, en el Derecho español.

IX. Establecimiento y cómputo de plazos para la interposición del recurso

La primera versión de la Directiva 89/665/CEE no contenía disposición alguna sobre la posible existencia de plazos a los que someter la interposición del recurso. Pero como afirma la STJUE de 12 de diciembre de 2002, C-470/99, Universale-Bau AG, la citada norma no se opone a una normativa nacional que establece que los recursos contra una decisión de la entidad adjudicadora deben formularse dentro de un plazo fijado a tal efecto y que cualquier irregularidad del procedimiento de adjudicación que se alegue en apoyo de dicho recurso debe invocarse dentro del mismo plazo. Y es que la completa consecución del objetivo que la Directiva 89/665/CEE pretende alcanzar se vería comprometida si los candidatos y licitadores pudieran alegar en cualquier momento del procedimiento de adjudicación las infracciones de las normas de adjudicación de contratos públicos, obligando con ello a la entidad adjudicadora a iniciar de nuevo la totalidad del procedimiento a fin de corregir dichas infracciones. La fijación de plazos razonables de carácter preclusivo para recurrir satisface, en principio, la exigencia de efectividad que se deriva de la Directiva 89/665, en la medida en que constituye la aplicación del principio fundamental de seguridad jurídica.

En la versión vigente de la Directiva de Recursos se establece una regulación mínima de los plazos aplicables. Con carácter general, el art. 2 *quater* establece que:

> "Si la legislación de un Estado miembro dispone que cualquier recurso contra una decisión de un poder adjudicador tomada en el marco o en relación con un procedimiento de adjudicación de contrato (...) debe interponerse antes de que

expire un plazo determinado, este plazo deberá ser de al menos diez días civiles a partir del día siguiente a aquel en que la decisión del poder adjudicador haya sido comunicada por fax o por medio electrónico al licitador o candidato, o, si se han utilizado otros medios de comunicación, de al menos quince días civiles a partir del día siguiente a aquel en que la decisión del poder adjudicador se haya remitido al licitador o candidato, o de al menos diez días civiles a partir del día siguiente a la fecha de recepción de la decisión del poder adjudicador. La comunicación de la decisión del poder adjudicador a cada licitador o candidato irá acompañada de la exposición resumida de las razones pertinentes. En el caso de los recursos interpuestos contra las decisiones (…) que no estén sujetos a una notificación específica, el plazo será de al menos diez días civiles a partir de la fecha de publicación de la decisión en cuestión".

Por su parte, el artículo 2 *septies*, apartado 1, de la Directiva 89/665/CEE precisa ahora que los Estados miembros podrán establecer plazos aplicables a los recursos que tengan por objeto que se declare la ineficacia del contrato y, en concreto, un plazo mínimo de preclusión de seis meses, que empieza a correr el día siguiente al de la celebración del contrato[54]. Por lo que se refiere a todas las demás acciones judiciales referidas a los contratos públicos (esto es, solicitud de medidas cautelares y obtención de una indemnización por daños y perjuicios), el artículo 2 *septies*, apartado 2, de la Directiva 89/665/CEE precisa que los plazos para la interposición de recursos serán los que determine la legislación nacional. Por tanto, corresponde a cada Estado miembro determinar dichos plazos de procedimiento[55].

Independientemente de la acción de la que se trate, el régimen de plazos ha de ser suficientemente preciso, claro y previsible para permitir que los particulares conozcan sus derechos y obligaciones de modo que, por ejemplo, la TJUE en su sentencia de 28 de enero de 2010 (As. C-406/08, *Uniplex)* ha considerado incompatible con el Derecho de la Unión un precepto británico que superditaba la admisión del recurso a su interposición

---

[54]   Los considerandos 25 y 27 de la Directiva 2007/66 indican que la limitación en el tiempo de la posibilidad de alegar la ineficacia de un contrato se justifica por "la necesidad de garantizar en el tiempo la seguridad jurídica de las decisiones tomadas por los poderes adjudicadores y entidades contratantes".

[55]   Como subraya el apartado 33 de la STJUE de 26 de noviembre de 2015, C-166/14, MedEval, "el hecho de que el legislador de la Unión Europea haya decidido, por una parte, regular expresamente los plazos relativos a los recursos que tengan por objeto la declaración de ineficacia de los contratos y, por otra parte, remitir al Derecho de los Estados miembros respecto a los plazos relativos a los recursos de distinta naturaleza demuestra que dicho legislador ha dado una especial importancia a la primera categoría de recursos en relación con la eficacia del sistema de recursos en materia de adjudicación de contratos públicos".

"sin demora, y en todo caso en el plazo de tres meses". Del mismo modo, la STJUE de 28 de enero de 2010, as. C-456/08, Comisión Europea c. Irlanda declaró contrario al Derecho de la Unión determinado precepto[56] porque no se fijaba de forma clara el plazo para recurrir los actos preparatorios y en segundo lugar, porque la duración de un plazo de caducidad no era previsible para los interesados al dejarse a la libre apreciación del juez competente.

Por otro lado, es también doctrina consolidada la que entiende que los plazos de caducidad no deben aplicarse si el poder adjudicador ha creado confusión sobre el inicio del cómputo de los mismo.

Así, en primer lugar, la de 27 de febrero de 2003, as. C-327/00, Santex SpA, ha declarado que la Directiva 89/665/CEE impone a los órganos jurisdiccionales nacionales competentes, cuando se acredite que, por su comportamiento, una entidad adjudicadora ha imposibilitado o dificultado excesivamente el ejercicio de los derechos que el ordenamiento jurídico comunitario confiere a un ciudadano de la Unión perjudicado por una decisión de dicha entidad adjudicadora, la obligación de declarar admisibles los motivos basados en la incompatibilidad del anuncio de licitación con el Derecho comunitario que se invocan en apoyo de un recurso interpuesto contra la referida decisión, no debiendo aplicar las normas nacionales de caducidad que establecen que, una vez expirado el plazo para recurrir contra el anuncio de licitación, ya no es posible alegar tal incompatibilidad.

Por su parte, la STJUE 11 de octubre de 2007, as. C-241/06, Lämmerzahl, ha declarado que ha de considerarse, habida cuenta de la existencia de un plazo de caducidad para interponer recurso, que un anuncio de contrato falto de toda información sobre el valor estimado del contrato, seguido de un comportamiento evasivo de la entidad adjudicadora frente a las cuestiones de un licitador potencial, dificultó excesivamente que el licitador perjudicado ejercitase los derechos que el ordenamiento jurídico comunitario le confiere. De modo que el Tribunal concluye que la Directiva 89/665 se

---

[56] El artículo 84A, apartado 4, del Reglamento de Procedimiento de los órganos jurisdiccionales superiores (Rules of the Superior Courts), en su versión resultante del Statutory Instrument nº 374/1998 (en lo sucesivo, "RSC"), establecía que: "el recurso contra una decisión de adjudicar o contra la adjudicación de un contrato público deberá interponerse lo antes posible y, en cualquier caso, en un plazo de tres meses contados a partir de la producción de los motivos para la interposición de tal recurso, a menos que el tribunal considere justificada una prórroga de tal plazo".

opone a que una norma nacional por la que se establece un plazo de caducidad para interponer recurso se aplique en ese caso.

Por otro lado, como ha advertido el TJUE en su sentencia de 28 de enero de 2010, as. C-406/08, *Uniplex,* el objetivo de garantizar la existencia de recursos eficaces contra la infracción de las disposiciones aplicables en materia de adjudicación de contratos públicos, sólo puede alcanzarse si los plazos establecidos para interponer estos recursos no comienzan a correr antes de la fecha en que el demandante tuvo o debiera haber tenido conocimiento de la alegada infracción de dichas disposiciones[57]. Como señala el Tribunal,

"[...] el hecho de que un candidato o licitador tenga conocimiento de que su candidatura u oferta ha sido rechazada no le sitúa en condiciones de interponer efectivamente un recurso. Tal información es insuficiente para permitir al candidato o licitador descubrir la posible existencia de una ilegalidad que pueda fundamentar un recurso.

El candidato o licitador afectado sólo puede formarse una opinión bien fundada sobre la posible existencia de una infracción de las disposiciones aplicables y sobre la oportunidad de interponer un recurso después de ser informado de los motivos por los que ha sido excluido del procedimiento de adjudicación de un contrato.

De ello resulta que el objetivo de garantizar la existencia de recursos eficaces contra la infracción de las disposiciones aplicables en materia de adjudicación de contratos públicos, señalado en el artículo 1, apartado 1, de la Directiva 89/665, sólo puede alcanzarse si los plazos establecidos para interponer estos recursos no comienzan a correr antes de la fecha en que el demandante tuvo o debiera haber tenido conocimiento de la alegada infracción de dichas disposiciones [...].

Esta conclusión se ve confirmada por el hecho de que el artículo 41, apartados 1 y 2, de la Directiva 2004/18, vigente en el momento de los hechos del litigio principal, exige a las entidades adjudicadoras que informen a los candidatos y licitadores excluidos de las razones de la resolución que les afecta. Tales preceptos están en consonancia con un régimen de plazos de caducidad en virtud del cual éstos comienzan a correr a partir de la fecha en que el demandante tuvo o debiera haber tenido conocimiento de la alegada infracción de las disposiciones aplicables en materia de adjudicación de contratos públicos.

Esta misma conclusión se ve reforzada también por las modificaciones introducidas en la Directiva 89/665 por la Directiva 2007/66/CE del Parlamento Europeo y del Consejo, de 11 de diciembre de 2007, por la que se modifican las Directivas 89/665/CEE y 92/13/CEE del Consejo en lo que respecta a la mejora de la eficacia de los procedimientos de recurso en materia de adjudicación de contratos públicos (DO L 335, pág. 31), si bien el plazo de adaptación del Derecho interno a esta Directiva concluyó después de producirse los hechos del litigio

---

[57]   Con rotundidad afirma el considerando 6 de la Directiva 2007/66/CE que "cuando se les notifique la decisión de adjudicación, los licitadores afectados (sic) deben proporcionar la información pertinente que les sea esencial a favor de un recurso eficaz".

principal. En efecto, el artículo 2 *quater* de la Directiva 89/665, introducido por la Directiva 2007/66, establece que la decisión de la entidad adjudicadora se comunicará a cada licitador o candidato, acompañada de la exposición resumida de las razones pertinentes, y que los plazos para interponer recurso sólo expiran tras un cierto número de días posteriores a esta comunicación"[58].

Por último, la STJUE de 12 de marzo de 2015, C-538/13, e-Vigilo, admite que pueda interponerse un recurso contra los pliegos en el momento de la adjudicación[59]. Ahora bien, para que este recurso sea admisible será necesario que las condiciones de la licitación sean efectivamente incomprensibles para el licitador y que éste se vea en la imposibilidad de interponer un recurso en el plazo previsto por el Derecho nacional contra los pliegos.

En definitiva, como se explica en los apartados 56 y 57 de la sentencia, corresponde al órgano jurisdiccional comprobar si el licitador de que se trata era efectivamente incapaz de comprender los criterios de adjudicación en cuestión o si debería haberlos comprendido desde la posición estándar de un licitador razonablemente informado y normalmente diligente. En el marco de dicho examen, se añade, debe tenerse en cuenta el hecho de que el licitador de que se trata y los demás licitadores fueron capaces de presentar las ofertas y que el licitador de que se trata, antes de presentar su oferta, no solicitó aclaraciones al poder adjudicador.

X. Procedimiento de recurso y principio de confidencialidad

La Directiva 89/665/CEE no contiene ninguna disposición que regule expresamente la protección de la información confidencial. Sin embargo, el art. 6 de la Directiva 2004/18/CE prohíbe a los poderes adjudicadores divulgar la información facilitada por los operadores económicos que hayan designado como confidencial[60]. En la importante STJUE de 14 de febrero de 2008, as. C-450/06, Varec SA, se plantea la cuestión de si esta obligación se

---

58 Sobre esta cuestión, vid. GALLEGO CÓRCOLES I., "Requisitos de motivación de la adjudicación del contrato", *Contratación administrativa práctica*, núm. 128, 2013.

59 El recurrente alegaba que no pudo comprender las condiciones de la licitación hasta que el poder adjudicador, tras haber evaluado las ofertas, informó exhaustivamente sobre los motivos de su decisión.

60 En la actualidad, el art. 21 de la Directiva 2014/24/UE establece las disposiciones pertinentes sobre confidencialidad en el ámbito de la Directiva sobre contratación pública.

extiende también a la fase de recurso. Y en este sentido, se declara que así es, pues de otro modo se incumpliría la Directiva sustantiva. En los términos de la sentencia que reseñamos:

> "El objetivo principal de las normas comunitarias en materia de contratos públicos comprende la apertura a la competencia no falseada en todos los Estados miembros (véase, en este sentido, la sentencia de 11 de enero de 2005, Stadt Halle y RPL Lochau, C-26/03, Rec. pág. I-1, apartado 44).
>
> Para alcanzar dicho objetivo, es necesario que las entidades adjudicadoras no divulguen información relativa a procedimientos de adjudicación de contratos públicos cuyo contenido pueda ser utilizado para falsear la competencia, ya sea en un procedimiento de adjudicación en curso o en procedimientos de adjudicación ulteriores.
>
> Además, tanto por su naturaleza como conforme al sistema de la normativa comunitaria en la materia, los procedimientos de adjudicación de contratos públicos se basan en una relación de confianza entre las entidades adjudicadoras y los operadores económicos que participan en ellos. Éstos han de poder comunicar a tales entidades adjudicadoras cualquier información útil en el marco del procedimiento de adjudicación, sin miedo a que éstas comuniquen a terceros datos cuya divulgación pueda perjudicar a dichos operadores.
>
> [...]En el marco específico de la comunicación a un candidato o licitador descartado de las razones por las que se rechazó su candidatura o su oferta y en el de la publicación del anuncio de adjudicación de un contrato, los artículos 7, apartado 1, y 9, apartado 3, de dicha Directiva reconocen a las entidades adjudicadoras la facultad de no comunicar determinada información cuando su divulgación perjudique los intereses comerciales legítimos de empresas públicas o privadas, o pueda perjudicar la competencia leal entre proveedores.
>
> Es cierto que dichas disposiciones versan sobre la actuación de las entidades adjudicadoras. Sin embargo, hay que reconocer que su eficacia se vería seriamente comprometida si, en un recurso interpuesto contra una decisión adoptada por una entidad adjudicadora relativa a un procedimiento de adjudicación de un contrato público, toda la información sobre este procedimiento debiera ponerse, sin límite alguno, a disposición del autor de dicho recurso, o incluso de otras personas como las partes coadyuvantes.
>
> En tal supuesto, la mera interposición de un recurso daría acceso a información que podría utilizarse para falsear la competencia o para perjudicar los intereses legítimos de operadores económicos que participaron en el procedimiento de adjudicación del contrato público de que se trate. Tal posibilidad podría incluso incitar a los operadores económicos a interponer recursos con el único objetivo de acceder a los secretos comerciales de sus competidores".

Ahora bien, la sentencia también se plantea la cuestión de si la interpretación efectuada se adecua al concepto de proceso justo a efectos del artículo 6 del Convenio Europeo para la Protección de los Derechos Humanos y de las Libertades Fundamentales, firmado en Roma el 4 de noviembre de 1950 (en lo sucesivo, "CEDH"). Y es que por regla general, el principio de contradicción implica el derecho de las partes procesales de obtener comunicación de las pruebas y alegaciones presentadas ante el juez y de discutirlas.

No obstante, el TJUE advierte que en algunos casos puede resultar necesario no comunicar determinada información a las partes para preservar los derechos fundamentales de un tercero o para proteger un interés público importante[61]. Y que entre los derechos fundamentales que pueden ser así protegidos figura el derecho al respeto de la intimidad, que está recogido en el artículo 8 del CEDH y que tiene su origen en las tradiciones constitucionales comunes de los Estados miembros y se reafirma en el artículo 7 de la Carta de los Derechos Fundamentales de la Unión Europea, proclamada en Niza el 7 de diciembre de 2000 (DO C 364, pág. 1). El TJUE destaca que de la jurisprudencia del Tribunal Europeo de Derechos Humanos se desprende que no cabe considerar que el concepto de intimidad deba interpretarse en el sentido de que excluye las actividades profesionales o comerciales de las personas físicas y jurídicas[62], actividades que pueden comprender la participación en un procedimiento de adjudicación de un contrato público.

Además, el Tribunal de Justicia ha reconocido la protección de los secretos comerciales como un principio general[63]. De modo que el mantenimiento de una competencia leal en los procedimientos de adjudicación de contratos públicos constituye un interés público importante cuya protección se admite en virtud de la jurisprudencia del TEDH.

Por todo ello, el TJUE concluye que, en un recurso interpuesto contra una decisión adoptada por una entidad adjudicadora relativa a un procedimiento de adjudicación de un contrato público, el principio de contradicción no supone para las partes un derecho de acceso ilimitado y absoluto a toda la información relativa al procedimiento de adjudicación de que se trata que haya sido presentada ante el organismo responsable del procedimiento de recurso. Por el contrario, este derecho de acceso debe ponderarse con el derecho de otros operadores económicos a la protección de su información confidencial y de sus secretos comerciales. De este modo:

---

[61]   Con cita de las SSTEDH, sentencias Rowe y Davis c. Reino Unido, de 16 de febrero de 2000, *Recueil des arrêts et décisions* 2000-II, § 61, y V. c. Finlandia, de 24 de abril de 2007, aún no publicada en el *Recueil des arrêts et décisions*, § 75.

[62]   Se citan así las SSTEDH, Niemietz c. Alemania, de 16 de diciembre de 1992, serie A nº 251-B, § 29; Société Colas Est y otros c. Francia, de 16 de abril de 2002, *Recueil des arrêts et décisions* 2002-III, § 41, y Peck c. Reino Unido, de 28 de enero de 2003, *Recueil des arrêts et décisions* 2003-I, § 57,

[63]   Vid. sentencias de 24 de junio de 1986, AKZO Chemie y AKZO Chemie UK/Comisión, 53/85, Rec. pág. 1965, apartado 28, y de 19 de mayo de 1994, SEP/Comisión, C-36/92 P, Rec. pág. I-1911, apartado 37.

"El organismo responsable de los procedimientos de recurso debe poder disponer necesariamente de la información precisa para estar en condiciones de pronunciarse con pleno conocimiento de causa, incluidos la información confidencial y los secretos comerciales (véase, por analogía, la sentencia Mobistar, antes citada, apartado 40).

Habida cuenta del perjuicio extremadamente grave que podría resultar de la comunicación irregular de determinada información a un competidor, el referido organismo debe, antes de comunicar dicha información a una de las partes litigantes, dar al operador económico de que se trate la posibilidad de alegar el carácter confidencial o de secreto comercial de aquélla (véase, por analogía, la sentencia AKZO Chemie y AKZO Chemie UK/Comisión, antes citada, apartado 29)".

En todo caso, la determinación de la extensión del principio de confidencialidad es casuística, y, al menos en España, ha generado una rica doctrina por parte de los Tribunales Administrativos de Recursos contractuales[64].

XI. La indemnización de daños y perjuicios como sanción efectiva al incumplimiento del derecho europeo

Como última garantía[65], la Directiva 89/665/CEE exige la necesidad de establecer un régimen de indemnización de daños y perjuicios. En relación con la incorporación de este sistema se ha planteado dudas desde la perspectiva de los requisitos procesales y sustantivos exigibles para la obtención de dicha indemnización.

Desde la vertiente meramente procesal, el artículo 2, apartado 6, de la Directiva 89/665 dispone que los Estados miembros podrán establecer, cuando se reclame una indemnización por daños y perjuicios alegando que la decisión se adoptó de forma ilegal, que la decisión cuestionada deba ser anulada en primer término por un organismo que tenga la competencia necesaria a tal efecto. En este sentido, el Tribunal ha aclarado que la facultad concedida a los Estados miembros por el artículo 2, apartado 6, de la Directiva 89/665 tiene límites y está supeditada al requisito de que el recurso

---

[64]   En relación con esta cuestión vid. RAZQUIN LIZARRAGA, M. M.: *La confidencialidad de los datos empresariales en poder de las Administraciones Públicas (Unión Europea y España,* Ed. Iustel, Madrid, 2013, y "Los principios generales de la contratación pública", en GAMERO/CASADO, *Tratado de Contratos del Sector Público,* Tirant lo Blanch, 2018.

[65]   En relación con la distinción entre tutela restitutoria o primaria y tutela resarcitoria o secundaria es ineludible la cita a DÍEZ SASTRE, S., *La tutela de los licitadores en la adjudicación de contratos públicos,* Marcial Pons, 2012

de anulación previo a toda demanda de indemnización por daños y perjuicios sea efectivo (STJUE de 26 de noviembre de 2015, MedEval, C-166/14, apartados 36 a 44)[66]. En cualquier caso, la STJUE de 7 de agosto de 2018, C-300/17, Hochtief, declara que la normativa procesal húngara que supedita la posibilidad de hacer valer una pretensión civil en caso de infracción de las normas que regulan la contratación pública y la adjudicación de contratos públicos al requisito de que la existencia de la infracción se haya declarado previamente con carácter definitivo no priva al licitador afectado del derecho a la tutela judicial efectiva[67].

Desde la óptica sustantiva, el TJUE se ha visto obligado a analizar si resulta compatible con el Derecho europeo determinadas normas nacionales de atribución de responsabilidad basadas en una presunción de actuación culposa de la entidad adjudicadora.

En primer lugar, el Tribunal europeo ha examinado la compatibilidad del Derecho portugués con la Directiva de Recursos en relación con este concreto extremo en las SSTJUE de 14 de octubre de 2004, Comisión c. Portugal, As. C-275/03 y de 10 de enero de 2008, Comisión c. Portugal, 70/06, esta última dictada en el recurso por inejecución de la primera sentencia[68]. Así, el Decreto-ley nº 48 051, de 21 de noviembre de 1967, supeditaba la

---

[66]   En este caso, el Tribunal concluye de un análisis sistemático de la normativa austriaca que el recurso no era efectivo. Dicha normativa supedita la admisibilidad de las demandas por daños y perjuicios a que se haya declarado previamente la ilegalidad del procedimiento de adjudicación del contrato. Pero en el caso, como en el de autos, en el que la invalidez deriva de que no se publicó previamente un anuncio de licitación, la solicitud de dicha declaración de ilegalidad está sometida a un plazo de preclusión de seis meses desde la celebración del contrato, independientemente de que la persona perjudicada haya tenido o no conocimiento de la existencia de un incumplimiento de una norma jurídica. Todo ello puede hacer imposible en la práctica o excesivamente difícil el ejercicio del derecho a presentar una demanda por daños y perjuicios.

[67]   En supuesto que da origen a la sentencia, la empresa recurrente sólo advierte que se había vulnerado el Derecho de la Unión Europea tras una auditoría de la Comisión Europea. En ese momento, ya se habían interpuesto los recursos nacionales y no se pudo alegar el motivo de invalidez que se había puesto de manifiesto por la institución europea. Tras agotar los recursos de anulación sin éxito, la empresa presentó una demanda en la que solicitaba que se condenara al poder adjudicador a abonarle una indemnización por el importe correspondiente a los gastos de preparación de la oferta. Dicha solicitud es rechazada, al no existir una decisión previa que declarase la ilegalidad de la decisión.

[68]   En relación con este supuesto, la sentencia del Tribunal General, de 29 de marzo de 2011, Portugal c. Comisión, as. T-33/09 ha anulado los requerimientos de pago de

concesión de una indemnización de daños y perjuicios a los perjudicados por una violación del Derecho comunitario en materia de contratos públicos o de normas nacionales de adaptación a tal Derecho al requisito de que se demostrase que ha existido dolo o culpa. El TJUE ha considerado que aunque la legislación controvertida no hacía imposible los recursos judiciales ejercitados por particulares, llevaba a hacer dichos recursos más difíciles y costosos obstaculizando así la plena efectividad de la política comunitaria en materia de contratación pública.

Por su parte, la STJUE de 30 de septiembre de 2010, Stadt Graz As. C-314/09[69], en relación con normativa austriaca, ha tenido ocasión de afirmar que Directivas de Recursos deben interpretarse en el sentido de que se oponen a una normativa nacional que supedita el derecho a obtener una indemnización de daños y perjuicios, derivada de una infracción del Derecho en materia de contratación pública por parte de la entidad adjudicadora, al carácter culposo de esta infracción, incluso cuando la aplicación de dicha normativa se base en la presunción de que dicha entidad ha actuado culposamente y en la imposibilidad de que ésta invoque la falta de competencia individual y, por lo tanto, una falta de imputabilidad subjetiva de la supuesta infracción. Y es que, como afirma el Tribunal, el procedimiento de recurso tendente a la obtención de una indemnización, sólo puede constituir, en su caso, una alternativa procesal compatible con el principio de efectividad que inspira el objetivo de eficacia de los recursos perseguido por esta Directiva cuando la posibilidad de reconocer una indemnización de daños y perjuicios en caso de infracción de las normas en materia de contratos públicos no esté condicionada, al igual que tampoco deben estarlo los demás procedimientos de recurso contemplados en la Directiva a la apreciación de una actuación culposa de la entidad adjudicadora.

XII. Admisibilidad de procedimientos sumarios de recurso

En Derecho holandés los recursos para revisar la adjudicación de un contrato tienen carácter jurisdiccional y, dada la naturaleza urgente del

---

la Comisión posteriores a la entrada en vigor de la Ley n° 67/2007, posteriormente modificada por la Ley n° 31/2008.

[69] Esta sentencia ha sido objeto de un interesante comentario por parte de KOTSONIS T., "The Basis on which the Remedy of Damages must be Made Available under the Remedies Directive: Stadt Graz y Strabag AG" (C-314/09), *PPLR*, 20, 2011, págs. 59 y ss.

asunto, adoptan la forma de procedimiento sumario. En estos procedimientos es posible solicitar medidas cautelares, tales como la suspensión del procedimiento de contratación o incluso la orden de adjudicar el contrato a un tercero. Las decisiones judiciales de los procedimientos sumarios tienen por su naturaleza carácter provisional, de modo que en el subsiguiente procedimiento de fondo el Tribunal no está vinculado por ellos.

Pues bien, la acomodación de la existencia de los procedimientos sumarios holandeses al Derecho europeo ha sido confirmada por la STJUE de 9 de diciembre de 2010, As. C-568/08. Según dicha sentencia no se opone a la Directiva 89/665/CEE un sistema en el que, para obtener una resolución en un plazo muy breve, solo existe un procedimiento, caracterizado por perseguir la rápida adopción de una decisión, por la inexistencia del derecho de los abogados a intercambiar conclusiones, por la no admisión, por regla general, de pruebas que no sean documentales, por la falta de aplicación de la normativa en materia de prueba y por el hecho de que la resolución judicial no conlleva el establecimiento definitivo de las relaciones jurídicas ni forma parte de un procedimiento de toma de decisiones por el que se establecen definitivamente dichas relaciones. Además, añade la sentencia, las Directivas de recursos deben interpretarse en el sentido de que no se opone a que el juez de medidas cautelares, para adoptar una medida provisional, haga una interpretación de la normativa europea sobre contratación pública que pueda ser considerada errónea por el juez que conoce del fondo del asunto.

En cualquier caso, la existencia de estos procedimientos sumarios en los Países Bajos permite otorgar una tutela judicial al licitador con la mayor celeridad, ya que duración usual de los procedimientos sumarios en Derecho holandés (tan sólo dos semanas) es realmente sorprendente desde nuestra cultura jurídica[70].

XIII. Consideraciones finales

La incorporación a los Derechos de los Estados Miembros de un sistema de recursos que sirva de salvaguardia de las normas sustantivas sobre contratación pública se ha realizado de forma progresiva. En la configuración

---

[70]   He tenido ocasión de analizar la transposición del derecho de la Unión europea de los contratos públicos al Derecho holandés en mi trabajo "El Derecho de la contratación pública en los Países Bajos", Sánchez Morón (Dir.), *El derecho de la contratación pública en la Unión Europea, Lex Nova,* 2011.

del mismo, como en tantos otros aspectos de la contratación pública Europea, el papel desempeñado por la doctrina del Tribunal de Justicia ha resultado de gran trascendencia. Las normas europeas en materia de recursos contractuales no son en absoluto exhaustivas, de forma que pueden pervivir singularidades en el seno de los distintos Estados de la Unión Europea. Pero ello no impide que, trascurrido ya un periodo de tiempo significativo desde la remodelación de la regulación del sistema europeo de recursos contractuales en el año 2007, éste cumpla ahora sus objetivos de una manera eficaz y eficiente, según ha puesto de manifiesto la propia Comisión Europea[71]. Es por ello que no se atisban reformas en este ámbito[72].

En todo caso, la incorporación de la Directiva de Recursos, tal y como han sido interpretada por el TJUE, no sólo ha tenido como efecto cierta armonización en las normas procesales en materia de recursos contractuales de los Estados Miembros. La influencia de esta Directiva en la propia configuración de la institución del contrato público no puede ni mucho menos desdeñarse. Recuérdese que en gran parte de los Estados miembros ha supuesto la superación de la regla de la independencia del contrato respecto del acto de adjudicación. En otros casos, como en el Derecho español, el contrato administrativo, frente a toda nuestra tradición anterior, ha pasado a tener naturaleza solemne.

Precisamente en Derecho español, superados los defectos y vacilaciones iniciales en la trasposición de esta normativa, se ha creado un sistema en el que son Tribunales administrativos especiales los competentes para resolver los recursos en materia contractual. El diseño actual de este sistema de garantías ha contribuido a mejorar la tutela de los licitadores, aspecto este último sobre el que es unánime la doctrina[73]. Del recurso especial en mate-

---

[71]   Vid. Informe de la Comisión al Parlamento Europeo y al Consejo de sobre la eficacia de la Directiva 89/665/CEE y la directiva 92/13/CEE, modificadas por la directiva 2007/66/CE, en cuanto a los procedimientos de recurso en el ámbito de la contratación pública, Bruselas 24/1/2017, COM (2017) 28 final.

[72]   *Ibidem.*

[73]   Nos remitimos en este punto a SANTAMARÍA PASTOR, J. A. (2015): *Los recursos especiales en materia de contratos del Sector Público*, Aranzadi, Cizur Menor, en especial, págs. 48-64; GIMENO FELIÚ, J. M. (2016): *Sistema de control de la contratación pública en España. (Cinco años de funcionamiento del recurso especial en los contratos público. La doctrina fijada por los órganos de recursos contractuales. Enseñanzas y propuestas de mejora). Número monográfico especial Observatorio de los contratos Públicos*, Aranzadi, Cizur Menor, pág. 187; VALCÁRCEL FERNÁNDEZ, P. (2016): "Análisis de los rasgos y peculiaridades del recurso especial en materia de contratación pública: en la senda hacia el cum-

ria de contratación puede destacarse su elevada tasa de éxito, el bajo índice de impugnación de las resoluciones de los órganos de recurso, la celeridad en la tramitación de los recursos y la inmediatez en la interpretación de un marco normativo poco estable a través de doctrina de alta calidad técnica.

Finalmente, no debe olvidarse que la Directiva de Recursos diseña un sistema de tutela totalmente focalizado en fortalecer las garantías de los candidatos y licitadores. Los eventuales obstáculos que se puedan introducir en el modelo tienen cabida en la medida que se justifiquen en la salvaguardia su propia eficacia (así normas sobre caducidad de la acción, imposición de requisitos procesales, etc.). No obstante, esta configuración tiene carácter mínimo, de forma que otros valores, como por ejemplo una ponderación diferente del valor del respeto a la legalidad, pueden incorporarse al diseño del modelo cuando se traslade al Derecho nacional. Ello permite que se alcancen soluciones diferentes en cuestiones tales como la configuración de las personas legitimadas para la interposición del recurso, lo que posibilitaría una mayor garantía del cumplimiento efectivo de las normas sustantivas sobre contratación pública.

Bibliografía

BAÑO LEÓN, J. M., "Del *ius variandi* a la libre concurrencia: la prohibición de modificación como regla general en los contratos públicos", *Anuario de Derecho Local*, 2012.

BERNAL BLAY, M. A., "Reflexiones sobre el régimen de ejecución de los contratos públicos", en Gimeno Feliú, *Observatorio de los Contratos Públicos 2010*, Civitas, 2011, pág. 183.

COSTA, E., "Los procedimientos de recurso en los contratos públicos, las directivas europeas y su aplicación judicial en Francia", *Revista de la Unión Europea*, 2010.

DÍEZ SASTRE, S., "La impugnación de las modificaciones de los contratos públicos", *Revista de Estudios Locales*, núm. 161, 2013.

DÍEZ SASTRE, S., *La tutela de los licitadores en la adjudicación de contratos públicos*, Marcial Pons, 2012.

DÍEZ SASTRE, S., "La legitimación del concejal en el recurso especial en materia de contratación pública", *Anuario Aragonés del Gobierno Local 2012*, año 2013, págs. 293 a 322.

GALLEGO CÓRCOLES, I., "Requisitos de motivación de la adjudicación del contrato", *Contratación administrativa práctica*, num. 128, 2013.

GALLEGO CÓRCOLES, I., "Contratos públicos y régimen «cualificado» de invalidez: supuestos especiales y cuestión de nulidad»", en GIMENO FELIÚ (Dir.), *Observatorio de Contratos Públicos 2010*, Civitas, 2011.

plimiento efectivo del derecho a una buena administración", en VVAA, *Las vías administrativas de recurso a debate*, INAP, Madrid, pág. 303.

GALLEGO CÓRCOLES, I., "La influencia europea en la configuración del contrato público: el carácter formal de la contratación", en *Los desafíos del derecho público en el siglo XXI*, dir. Guayo/ Fernández, INAP. 2019.

GALLEGO CÓRCOLES, I., "El Derecho de la contratación pública en los Países Bajos", Sánchez Morón (Dir.), *El derecho de la contratación pública en la Unión Europea, Lex Nova*, 2011.

GALLEGO CÓRCOLES, I.,"El Derecho de la contratación pública: Evolución normativa y configuración actual", en GAMERO/CASADO, *Tratado de Contratos del Sector Público*, Tirant lo Blanch, 2018.

GALLEGO CÓRCOLES, I., "Novedades en la regulación del recurso especial en materia de contratación que la discutible exclusión de las modificaciones contractuales *ex lege* de su ámbito de aplicación", en *Contratación Administrativa Práctica*, núm. 113, 2011.

GIMENO FELIÚ, J. M., "Transparencia e integridad e integridad: posibilidades y límites actuales en la legislación de contratos públicos", *Observatorio de Contratos Públicos 2013*, Civitas, 2014.

GIMENO FELIÚ, J. M., *La Ley de Contratos del Sector Público 9/2017. Sus principales novedades, los problemas interpretativos y posibles soluciones*, Thomson Reuters, 2019.

GIMENO FELIÚ, J. M., *Sistema de control de la contratación pública en España. (Cinco años de funcionamiento del recurso especial en los contratos público. La doctrina fijada por los órganos de recursos contractuales. Enseñanzas y propuestas de mejora). Número monográfico especial Observatorio de los contratos Públicos*, Aranzadi, Cizur Menor, 2016.

HENTY, P., "Remedies Directive implemented into UK law", *PPLR*, 2010, pág. 117.

MARTÍN DELGADO, I., *El procedimiento por inejecución en la justicia europea*, 2004.

MACERA TIRAGALLO, B. F., *La teoría francesa de los actos separables y su importación por el Derecho público español*. Cedes, Barcelona. 2001.

MEILÁN GIL, J. L., *Las prerrogativas de la Administración en los contratos administrativos: propuesta de revisión*, núm. 191, 2013.

MORENO MOLINA, J. A., "El Derecho europeo de los contratos públicos como marco de referencia de la legislación estatal", en GIMENO FELIÚ, *Estudio sistemático de la Ley de Contratos del Sector Público*, Aranzadi, 2018.

RAZQUIN LIZARRAGA, M. M., "Los principios generales de la contratación pública", en GAMERO/CASADO, *Tratado de Contratos del Sector Público*, Tirant lo Blanch, 2018.

RAZQUIN LIZARRAGA, M. M., *La confidencialidad de los datos empresariales en poder de las Administraciones Públicas (Unión Europea y España)*, Ed. Iustel, Madrid, 2013.

SANTAMARÍA PASTOR, J. A., *Los recursos especiales en materia de contratos del Sector Público*, Aranzadi, Cizur Menor, en especial, 2015.

TRYBUS, M., "The transposition of the Public Procurement Remedies Directive 2007/66/EC in the United Kingdom", *Ius Publicum Network Review*, 2011.

TUCKER, A., "Uneto v. De Vliert", *PPLR*, 1997, 5, págs. 182-186.

VALCÁRCEL FERNÁNDEZ, P., "Análisis de los rasgos y peculiaridades del recurso especial en materia de contratación pública: en la senda hacia el cumplimiento efectivo del derecho a una buena administración", en VVAA, *Las vías administrativas de recurso a debate*, INAP, Madrid, 2016.

VAN WASSERNAER,A., "Recent developmentet in procurement disputes", *PPLR*, 2000, 2.

EL SISTEMA ESPAÑOL DE RECURSOS EN MATERIA DE CONTRATACIÓN PÚBLICA: ENTRE LOS DERECHOS A UNA BUENA ADMINISTRACIÓN Y A LA TUTELA JUDICIAL EFECTIVA[1]

RAFAEL FERNÁNDEZ ACEVEDO
Profesor Titular Derecho Administrativo
Universidad de Vigo

SUMARIO: I. Cambio de paradigma impuesto por el Derecho de la Unión Europea: la necesidad de un sistema de recursos en materia de contratación al servicio de los derechos a la tutela judicial efectiva y de una buena administración. II. El recurso especial en materia de contratación. 1. Concepto y principales características del recurso especial. 2. Legitimación para recurrir. 3. El plazo de interposición y su cómputo. III. El innecesario y perturbador doble sistema de recursos en materia contractual: recurso especial vs. recursos ordinarios. Bibliografía.

I. Cambio de paradigma impuesto por el Derecho de la Unión Europea: la necesidad de un sistema de recursos en materia de contratación al servicio de los derechos a la tutela judicial efectiva y de una buena administración

La importancia del sector de las compras públicas va mucho más allá de su simple consideración como medio para abastecerse de bienes, servicios u obras. Su formidable impacto económico lo convirtió en un sector crucial primero para la consecución largamente perseguida desde las instituciones europeas de un verdadero y efectivo mercado interior; y más tarde, desde

---

[1] El presente trabajo se ha realizado en el marco del Proyecto de Investigación titulado: "El tiempo de las reformas administrativas: hacia la excelencia en la contratación pública (*Smart Procurement*) a través de compras eficaces, estratégicas y transnacionales", financiado por el Ministerio de Economía y Competitividad (Ref: DER2015-67102-C2-2-P).

al menos 2002 tras la brecha abierta por la conocida Sentencia *Concordia Bus Finland*[2], para la consecución de determinadas políticas públicas —ambientales, sociales, laborales o de innovación— en lo que se ha venido en denominar utilización estratégica de la contratación[3].

Pero ese mismo potencial económico —recuérdese que su impacto en el PIB español es notablemente superior al que, por ejemplo, representa nuestro mercado turístico—, unido a otros factores —intereses financieros en juego, estrecha interacción entre los sectores público y privado[4], etc.—, hacen de la contratación pública un ámbito de riesgo, un sector intensamente expuesto a la corrupción, tal y como la define el Parlamento Europeo en su Resolución de 13 de septiembre de 2017[5]: como el abuso del poder encomendado para perseguir un beneficio propio, ya sea particular, colectivo, directo o indirecto[6]. Mas no solo, pues si bien la corrupción puede ser consecuencia del mal uso de los recursos públicos por parte de los servidores públicos, también puede derivar de la actuación ilícita o de la falta de ética de los operadores económicos privados, solos o en connivencia con aquellos servidores o con otros agentes económicos.

El mismo Parlamento Europeo ya lo había reconocido en su Resolución de 2010 sobre la protección de los intereses financieros de las Comunidades y la lucha contra el fraude[7]. En ella afirmó sin ambages que el "sector de la contratación pública es el más expuesto a los riegos de gestión irregular, fraude y corrupción".

---

[2]   Sentencia del Tribunal de Justicia (STJ) 495/2002, de 17 de septiembre, *Concordia Bus Finland Oy Ab c. Helsingin kaupunki y HKL-Bussiliikenne*, as. C-513/99, ECLI:EU:C:2002:495.
[3]   Así tuve ocasión de destacarlo en FERNÁNDEZ ACEVEDO (2017: págs. 77 y ss.).
[4]   Que según la OCDE favorece el que pueda ser origen en muchas ocasiones de que ambos sectores, el público y el privado, distraigan fondos públicos para beneficio personal. Vid. OCDE (2009), "La integridad en la contratación pública. Buenas prácticas de la A la Z, INAP, Madrid, pág. 17.
[5]   Considerando A. de la Resolución del Parlamento Europeo, de 13 de septiembre de 2017, sobre la corrupción y los derechos humanos en terceros países (2017/2028(INI)); http://www.europarl.europa.eu/sides/getDoc.do?pubRef=-//EP//NONSGML+TA+P8-TA-2017-0346+0+DOC+PDF+V0//ES (última consulta: 10 ago. 2019).
[6]   Vid. CERRILLO I MARTÍNEZ (2014: págs. 37-41).
[7]   Resolución del Parlamento Europeo de 6 de mayo de 2010, sobre la protección de los intereses financieros de las Comunidades y la lucha contra el fraude. Informe anual 2008 (2009/2167(INI)). 2011/C 81 E/22. Publicado en el DOUE de 15 de marzo de 2011.

La preocupación no es nueva en España pues ya a mediados del siglo XIX, el Presidente del Consejo de Ministros, Bravo Murillo, confesaba al proponer a la Reina Isabel II la expedición del Real Decreto de 27 de febrero de 1852 sobre los métodos que han de seguirse para la celebración de toda clase de contratos de servicios y obras públicas, que su objetivo era establecer normas procedimentales, a las que denomina en expresión que se antoja feliz, "trabas saludables", para evitar "los abusos fáciles de cometer en una materia de peligrosos estímulos"[8].

Efectivamente, la contratación administrativa ha sido, es y será siempre una materia que ofrece peligrosos estímulos a la corrupción, un sector en el que existe un muy considerable nivel de riesgo de prácticas corruptas. Riesgo que, además, se presenta en todas las fases del ciclo de la contratación pública, desde la evaluación de la naturaleza y extensión de las necesidades (compras innecesarias desde el punto de vista público inducidas por los operadores económicos), pasando por las fases de preparación del contrato (especificaciones técnicas opacas o hechas a medida, criterios de adjudicación poco claros) y de selección del contratista y adjudicación (abuso de los procedimientos sin publicidad, conflictos de interés, uso desviado de la discrecionalidad en la valoración de las ofertas, adjudicaciones inmotivadas), hasta la fase de ejecución del contrato (modificaciones sustanciales, falta o insuficiente supervisión de la ejecución)[9].

Las consecuencias son graves por demás. Las conductas corruptas distorsionan el mercado; elevan el precio pagado por la Administración por las prestaciones recibidas, lo que incide negativamente en el gasto público y en los recursos de los contribuyentes; y causan aumentos de los precios, tasas y tarifas que los usuarios de las obras y los servicios han de abonar. Si bien no es posible cuantificar su coste económico mediante mediciones directas y reales sino a través de simples estimaciones basadas en índices de percepción que los ciudadanos tienen de la corrupción (índices especialmente altos en España)[10], es innegable que es muy elevado[11].

---

[8]   Vid. GALLEGO CÓRCOLES (2014: pág. 61).

[9]   GALLEGO CÓRCOLES (2014: pág. 64).

[10]   Vid. Índices de percepción de la corrupción (IPC) que cada año publica Transparencia Internacional: https://www.transparency.org/news/feature/corruption_perceptions_index_2017 (última consulta: 10 ago. 2019).

[11]   El Informe de la Comisión al Consejo y al Parlamento Europeo sobre la lucha contra la corrupción en la UE, Bruselas, 3.2.2014 COM(2014) 38, pág. 23, llega a cifrar los costes adicionales derivados de conductas corruptas en algunos casos incluso hasta en un 50% del coste total del contrato.

Pero el coste no es únicamente económico, sino que mucho más allá puesto que dichas conductas generan también una enorme desconfianza en la ciudadanía respecto de los poderes públicos[12]. Como afirma la Resolución del Parlamento Europeo de 2017 citada, la corrupción representa una grave amenaza para el interés público, la estabilidad social, política y económica y la seguridad, pues socaba la confianza de los ciudadanos y la eficiencia y eficacia de las instituciones, así como los valores de la democracia, los derechos humanos, la ética y la justicia, el desarrollo sostenible y la buena gobernanza. En palabras del Profesor GIMENO FELIÚ, "la corrupción afecta a la credibilidad política del sistema y, por ello, a la propia democracia, en tanto, especialmente en tiempos de crisis como los actuales, provoca una evidente (y muy justificada) desafección ciudadana. Ello sin contar con los problemas reputacionales para la «marca institucional del país en cuestión» que retraen inversiones y apoyos financieros"[13].

No se trata, pues, de un problema menor que quepa subestimar, ni tampoco tolerar o aceptar so pretexto de su carácter intrínseco a la naturaleza humana, pues, aunque pueda dudarse de que sea posible erradicarla por completo, existen experiencias comparadas que demuestran que sí es posible embridarla hasta límites bien estrechos[14]. Y, en cualquier caso, afrontar este problema constituye una obligación de todos los poderes públicos.

Precisamente por ello la lucha contra la corrupción ha sido una de las principales preocupaciones a las que se ha querido dar respuesta con las últimas reformas normativas; tanto europeas —Directivas 2014/23/UE relativa a la adjudicación de contratos de concesión y 2014/24/UE sobre contratación pública, ambas de 26 de febrero de 2014; en adelante, DC y DCP, respectivamente—, como españolas —LCSP que al fin las ha transpuesto[15]—. Precisamente uno de los retos de esta última consiste en afrontar de forma decidida la problemática de la corrupción y avanzar en un modelo

---

[12] Resolución del Parlamento Europeo de 6 de mayo de 2010, citada.

[13] GIMENO FELIÚ (2019: pág. 24).

[14] El citado Informe sobre la lucha contra la corrupción en la UE, pág. 11, advierte que "existe una brecha considerable entre los Estados miembros en materia de prevención de la corrupción. En algunos, la aplicación de las políticas de prevención ha sido fragmentaria y no ha dado resultados satisfactorios. En otros, una prevención eficaz ha contribuido a una sólida reputación de «países limpios»".

[15] Ley 9/2017, de 8 de noviembre, de Contratos del Sector Público, por la que se transponen al ordenamiento jurídico español las Directivas del Parlamento Europeo y del Consejo 2014/23/UE y 2014/24/UE, de 26 de febrero de 2014 (LCSP), cuya entrada en vigor se produjo el 9 de marzo de 2018.

basado en el principio de integridad[16] como parte del derecho a una buena administración[17].

Integridad que, según la OCDE, se define por la exigencia de que los fondos, los recursos, los activos y las autorizaciones se usen de modo conforme con los objetivos oficiales inicialmente establecidos, que de dicho uso se informe adecuadamente, que sea conforme con el interés público y que esté debidamente armonizado con los principios generales del buen gobierno[18]. Se trata de un principio que debe regir todo el ciclo de la contratación pública y el comportamiento de todos los actores que en ella participan para hacer frente a la corrupción, el fraude, el favoritismo, los conflictos de intereses y las prácticas colusorias[19].

Uno de los principales desafíos que tiene por delante nuestro sistema de contratación pública es, junto con la realización de los retos marcados por la "Estrategia Europa 2020" en pro de un desarrollo sostenible, el de la conquista de la integridad[20]. Por eso debemos congratularnos de que entre los

---

[16] Sobre el principio de integridad, por todos, CERRILLO I MARTÍNEZ (2014: *in totum*).

[17] GIMENO FELIÚ (2018b: págs. 2-3).

[18] OCDE Recomendación de 2015 del Consejo sobre contratación pública [C(2015)2], pág. 6; https://www.oecd.org/gov/ethics/OCDE-Recomendacion-sobre-Contratacion-Publica-ES.pdf (última consulta: 10 ago. 2019).

[19] MIRANZO DÍAZ (2019) explica que la integridad es antípoda, al menos, de tres comportamientos deshonestos: corrupción, fraude y conflicto de intereses; la integridad tiene lugar cuando el procedimiento de contratación cumple con el código de conducta de la ética pública (los empleados públicos, garantes del interés general, actúan en aras de dichos intereses), se proporciona un tratamiento imparcial a todos los licitadores (respetando los principios de objetividad e igualdad de trato), se asegura una competencia leal entre los operadores económicos del mercado, se garantizan una publicidad y transparencia efectivas, y el control y fiscalización de las actuaciones se lleva a cabo forma eficiente e exhaustiva.

[20] Lo confiesa expresamente la LCSP en su Preámbulo. Afirma, por un lado, que la contratación pública desempeña un papel clave en la denominada Estrategia Europa 2020, dada su configuración como uno de los instrumentos basados en el mercado interior que deben ser utilizados para conseguir un crecimiento inteligente, sostenible e integrador, garantizando al tiempo un uso más racional de los fondos públicos; y, por otro, que es objetivo de la Ley conseguir que la contratación pública sirva para implementar las políticas, tanto europeas como nacionales, en materia social, ambiental, de innovación y desarrollo, de promoción de las PYME y de defensa de la competencia, sin olvidar la eficiencia en el gasto público y el respeto a los principios de igualdad de trato, no discriminación, transparencia, proporcionalidad e integridad.

principios básicos de nuestro sector el artículo 1 de la LCSP haya incluido por vez primera el de integridad, principio que junto con el de transparencia constituyen los cimientos sobre los que asentar las medidas de prevención y lucha contra la corrupción. De este modo, la LCSP supone un avance decidido respecto de las Directivas que de modo expreso refieren el concepto únicamente a los licitadores y en orden a su posible exclusión del procedimiento de contratación (considerandos 101 de la DCP y 70 de la DC).

Supuesto que, como he dicho, los riesgos de corrupción afectan a todo el ciclo de la contratación pública y que, además, pueden tener diversos orígenes o causas y distintas formas de manifestarse, las medidas de lucha contra esta lacra también deben ser múltiples y de variada índole o naturaleza. En este sentido, junto a las medidas de carácter sancionador o limitativas o restrictivas de derechos, cuya necesidad no se niega a pesar de que sus resultados puedan ser discutibles, ha de ponerse el foco de atención en técnicas de carácter preventivo, que pivoten sobre los citados principios de transparencia e integridad. En este sentido, GIMENO FELIÚ ha hecho célebre entre nosotros la idea expresada por KAUFMANN de que constituye una falacia la concepción que propugna "combatir la corrupción luchando contra la corrupción". Con ella quiere subrayarse, de modo bien expresivo, la idea de que, más allá de medidas reactivas o reaccionales, y sin perjuicio de ellas, resulta absolutamente imprescindible dotarse de una estrategia de control preventivo efectivamente útil que impida, o dificulte en extremo, su aparición, si es que de verdad se quiere abordar con perspectiva de éxito este problema y hacer efectivo el principio de integridad en la contratación pública[21].

En este punto conviene recuperar la idea ya apuntada de la íntima conexión que existe entre este principio y el derecho a una buena administración del que forma parte indisoluble.

La consagración jurídica de este último derecho ha venido de la mano de la Carta de los Derechos Fundamentales de la Unión Europea (artículo 41)[22]. Es importante destacar, por un lado, que la CDFUE, y con ella su artículo 41, es un instrumento con plena virtualidad jurídica pues el Tratado de Lisboa por el que se modificó el Tratado de la Unión Europea, tras asumir como propios los derechos, libertades y principios enunciados en la CDFUE, le confiere el mismo valor jurídico de los Tratados (artículo 6.1 del

---

[21] GIMENO FELIÚ (2018a: pág. 286).
[22] Carta de los Derechos Fundamentales de la Unión Europea (2007/C 303/01), publicada en el DOUE de 14 de diciembre de 2007 (CDFUE).

TUE). Y, por otro lado, que el derecho a una buena administración forma parte, tal y como ha subrayado la jurisprudencia del Tribunal de Justicia de la Unión Europea (TJUE)[23], de los principios generales del Estado de Derecho comunes a las tradiciones constitucionales de los Estados miembros, y se define como el derecho de toda persona a que las instituciones y órganos de la Unión traten sus asuntos imparcial y equitativamente y dentro de un plazo razonable[24].

Por su parte, la Sentencia del Tribunal General 378/2016, citada, recuerda que, en virtud del artículo 41.2.a) de la CDFUE, la buena administración incluye en particular, el derecho a ser oído antes de que se tome en contra suya una medida individual desfavorable; derecho al que el artículo 41.2 añade el de acceder al propio expediente, dentro del respeto de los intereses legítimos de la confidencialidad y del secreto profesional y comercial, así como la obligación que incumbe a la Administración de motivar sus decisiones. Y en la Sentencia 101/2010, dictada en materia de contratación pública, advierte que el principio general de buena administración comprende la obligación de diligencia e impone a las instituciones de la Unión observar un plazo razonable en la tramitación de los procedimientos administrativos y actuar con diligencia en su relación con el público[25].

---

[23]   Véase, por ejemplo, la Sentencia del Tribunal de Primera Instancia (STPI, ahora Tribunal General) 537/2008, de 28 de noviembre, *Hotel Cipriani SpA, Società italiana per il gas SpA (Italgas)* y *Coopservice - Servizi di fiducia Soc. coop. rl* y *Comitato "Venezia vuole vivere"*, respectivamente, c. *Comisión de las Comunidades Europeas*, ass. acumulados T-254/00, T-270/00 y T-277/00, ECLI:EU:T:2008:537, apartado 210.

[24]   STG 378/2016, de 30 de junio, *Jinan Meide Casting Co. Ltd c. Consejo de la Unión Europea*, as. T-424/13, ECLI:EU:T:2016:378, apartados 95 y 156 (con cita, por analogía, de la STJ 295/2015, de 20 de mayo, *Yuanping Changyuan Chemicals c. Consejo de la Unión Europea*, as. T-310/12, ECLI:EU:T:2015:295, apartado 224).

[25]   STG 101/2010, de 19 de marzo, *Evropaïki Dynamiki - Proigmena Systimata Tilepikoinonion Pliroforikis kai Tilematikis AE c. Comisión Europea*, as. T-50/05, ECLI:EU:T:2010:101, apartado 119, con cita de la STJ 726/2008, de 16 de diciembre, *Masdar (UK) Ltd c. Comisión de las Comunidades Europeas*, as. C-47/07 P, ECLI:EU:C:2008:726, apartado 92, y de la STPI 111/2006, de 11 de abril, *Flavia Angeletti c. Comisión de las Comunidades Europeas*, as. T-394/03, ECLI:EU:T:2006:111, apartado 162.
    Examinan también el cumplimiento del principio de buena administración en materia de contratos públicos las SSTG 183/2010, de 11 de mayo, *PC-Ware Information Technologies c. Comisión Europea*, as. T-121/08, ECLI:EU:T:2010:183, apartados 63 y 78; o 494/2011, de 20 de septiembre, *Evropaïki Dynamiki - Proigmena*

Puede concluirse, así pues, que el Derecho comunitario de la contratación pública, tal y como observa GIMENO FELIÚ, ha sufrido una notable evolución desde la inicial perspectiva reducida a la consecución del mercado interior europeo, hacia una visión estratégica basada en la idea del derecho a una buena administración[26].

La CDFUE ha sido incorporada al ordenamiento jurídico español por la Ley Orgánica 1/2008, de 30 de julio[27], no obstante lo cual se ha afirmado que el derecho a una buena administración solo resulta de aplicación en las relaciones jurídicas con las instituciones europeas, y todo lo más con las instituciones nacionales cuando aplican Derecho de la Unión[28]. Así parece desprenderse de lo dispuesto por el artículo 51.1 de la CDFUE, rubricado *"ámbito de aplicación"*, en cuya virtud sus disposiciones "están dirigidas a las instituciones y órganos de la Unión, respetando el principio de subsidiariedad, así como a los Estados miembros únicamente cuando apliquen el Derecho de la Unión. Por consiguiente, estos respetarán los derechos, observarán los principios y promoverán su aplicación, con arreglo a sus respectivas competencias". En cambio, el Tribunal Supremo español sostiene, a mi juicio con todo acierto, que el derecho a una buena administración reconocido por el artículo 41 de la CDFUE posee "proyección general, no obstante lo establecido también por el artículo 51 de dicha Carta, *porque resulta difícil establecer y explicar un distinto nivel de enjuiciamiento, según se aplique o no el Derecho de la Unión Europea por los operadores en el ámbito interno"*[29].

Sea como fuere el derecho a una buena administración, como ha hecho notar PONCE SOLÉ, encuentra reconocimiento también en nuestro Dere-

---

Systimata Tilepikoinonion Pliroforikis kai Tilematikis AE c. *Banco Europeo de Inversiones*, as. T-461/08, ECLI:EU:T:2011:494, apartados 128 y 129.

26   GIMENO FELIÚ (2019: pág. 7).
27   Ley Orgánica 1/2008, de 30 de julio, por la que se autoriza la ratificación por España del Tratado de Lisboa, por el que se modifican el Tratado de la Unión Europea y el Tratado Constitutivo de la Comunidad Europea, firmado en la capital portuguesa el 13 de diciembre de 2007. Su artículo 2 dispone que "a tenor de lo dispuesto en el párrafo segundo del artículo 10 de la Constitución Española y en el apartado 8 del artículo 1 del Tratado de Lisboa, las normas relativas a los derechos fundamentales y a las libertades que la Constitución reconoce se interpretarán también de conformidad con lo dispuesto en la Carta de los Derechos Fundamentales publicada en el «Diario Oficial de la Unión Europea» de 14 de diciembre de 2007...".
28   De ello se hace eco PONCE SOLÉ (2014: pág. 35).
29   STS 3431/2014, de 11 de julio, ECLI:ES:TS:2014:3431, FJ 8°, cursiva no original.

cho. Por un lado, en la Constitución Española (CE) cabe observar el reconocimiento implícito de un "auténtico deber jurídico de medios", al que denomina "*deber de buena administración*"[30], compuesto por los principios de interdicción de la arbitrariedad (artículo 9.3), economía y eficiencia (artículo 31.2) o de objetividad, coordinación y eficacia (artículo 103.1). Deber de buena administración que encuentra desarrollo hoy en el artículo 3.1 de la LRJSP[31] que reúne los principios que todas las Administraciones públicas tienen el deber de respetar en su actuación y relaciones[32].

Por su parte, diversos Estatutos de Autonomía de nueva generación han sancionado de modo explícito el derecho a una buena administración[33] que después ha sido objeto de desarrollo por la correspondiente legislación autonómica. Finalmente, la legislación estatal de contratos sigue recogiendo hoy la clásica referencia a la limitación de la inicial libertad de pactos a introducir en los contratos de las Administraciones públicas por los principios de buena administración (artículo 34.1 de la LCSP[34], así como los artículos 111.1 y 187.1 de la LPAP[35]). Conexión expresa, pues, de la contratación pública con el derecho a una buena administración, como advirtiera tempranamente el TARC de Aragón en su acuerdo 44/2012, de 9 de octubre, ya no solo como límite sino en sentido positivo.

Importa poner de relieve que una consecuencia directa del concepto jurídico de buena administración llamada a tener un amplio alcance también en el sector de la contratación pública, es que este derecho, como afirma PONCE SOLÉ, "*al imponer obligaciones jurídicas en el núcleo del ejercicio de la discrecionalidad* actúa como límite más allá de la mera arbitrariedad, siendo, además, *guía para los gestores públicos en la toma de decisiones*. Y, por tanto, se trata de un útil instrumento en el control administrativo en

---

[30]   Cursiva original.

[31]   Ley 40/2015, de 1 de octubre, de Régimen Jurídico del Sector Público.

[32]   Si bien, ni la LRJSP, ni la Ley 39/2015, de 1 de octubre, del Procedimiento Administrativo Común (LPA), lo sancionan expresamente. Vid. VALCÁRCEL FERNÁNDEZ (2016: pág. 306).

[33]   Véanse, entre otros, los Estatutos de Autonomía de Cataluña (artículo 30, rubricado "derechos de acceso a los servicios públicos y a una buena Administración") o de Castilla y León (artículo 12, rubricado "derecho a una buena Administración").

[34]   "En los contratos del sector público podrán incluirse cualesquiera pactos, cláusulas y condiciones, siempre que no sean contrarios al interés público, al ordenamiento jurídico y a los principios de buena administración".

[35]   Ley 33/2003, de 3 de noviembre, del Patrimonio de las Administraciones Públicas.

garantía de los derechos e intereses de los ciudadanos, tanto individuales como colectivos"[36].

Además la jurisprudencia del TJUE ha subrayado que la falta de comunicación tanto de las decisiones, como de una motivación suficiente antes de la interposición del recurso, constituyen vulneraciones del principio de buena administración que lesionan el derecho del demandante a un recurso efectivo frente a la decisión impugnada[37].

Preservar la integridad y hacer efectivo el derecho a una buena administración precisa poner el foco de atención en los mecanismos de control de la contratación pública *ex ante* y *ex post*. De nada servirían las mejoras introducidas en la regulación sustantiva de la materia, si se descuida la garantía de su cumplimiento. Como expresamente afirma la DR[38], ha de asegurarse que la Unión en su conjunto se beneficia plenamente de los efectos positivos de la modernización y la simplificación de las reglas relativas a la adjudicación de contratos públicos llevadas a cabo por las Directivas sustantivas[39].

En este objetivo se inserta el nuevo modelo de gobernanza previsto en las Directivas de 2014, pero también, por lo que aquí importa, el sistema de recursos requerido por la DR, cuyo artículo 1.1 impone a los Estados miembros tomar las medidas necesarias para garantizar que las decisiones adoptadas por los poderes adjudicadores puedan ser recurridas de manera eficaz y, en particular, lo más rápidamente posible si tales decisiones infringen el Derecho de la Unión en materia de contratación pública o las normas nacionales que las transponen. Rapidez que tiene por objeto salvaguardar la eficacia del propio recurso, de modo que las objeciones planteadas puedan

---

[36]   PONCE SOLÉ (2014: pág. 36), cursiva original.
[37]   STG 494/2011, citada, apartado 129.
[38]   Directivas 89/665/CEE, de 21 de diciembre, del Consejo, relativa a la coordinación de las disposiciones legales, reglamentarias y administrativas referentes a la aplicación de los procedimientos de recurso en materia de adjudicación de los contratos públicos de suministros y de obras; y 92/13/CEE, de 25 de febrero, del Consejo, relativa a la coordinación de las disposiciones legales, reglamentarias y administrativas referentes a la aplicación de las normas comunitarias en los procedimientos de formalización de contratos de las entidades que operen en los sectores del agua, de la energía, de los transportes y de las telecomunicaciones. Ambas fueron modificadas por la Directiva 2007/66/CE, de 11 de diciembre, sobre mejora de la eficacia de los procedimientos de recurso en materia de adjudicación de contratos públicos; y posteriormente también, aunque en menor medida, por la DC. En el texto se denominará DR a la Directiva 89/665 en su versión modificada por todas las Directivas señaladas.
[39]   Véase el considerando 3 de la Directiva 2007/66/CE.

tramitarse y resolverse antes de ejecutar la decisión de adjudicación. Es decir, no vale cualquier sistema de recursos, sino uno que actúe en una etapa lo suficientemente temprana como para que las infracciones aún puedan corregirse evitando que se hagan irreversibles. Solo así podrá hablarse de un verdadero instrumento de transparencia y lucha contra la corrupción.

Como afirma la Comisión en su Informe de 2017 sobre la eficacia de la DR, esta tiene como objetivo garantizar a los operadores económicos de toda la UE el acceso a procedimientos rápidos y eficaces para obtener reparación en asuntos en los que consideran que se han incumplido las Directivas sustantivas. "Constituyen así un elemento fundamental del ámbito de la contratación pública y un ejemplo único, en la legislación de la Unión, de plena aplicación de los derechos de la Unión a escala nacional"[40]. Y la misma DR[41] justifica su propia necesidad en que, por un lado, las Directivas sustantivas adolecen de disposiciones específicas que permitan garantizar su efectiva aplicación; en segundo lugar, en la constatada insuficiencia de los mecanismos de recurso existentes, tanto europeos como nacionales, para velar por el respeto de las disposiciones de la Unión, en particular, en una fase en la que las infracciones de dichas disposiciones aún puedan corregirse; por último y principal, porque la apertura de los contratos públicos a la competencia de la Unión necesita que aumenten de manera sustancial las garantías de transparencia y de no discriminación y es importante, para que su aplicación sea efectiva, que existan medios de recurso eficaces y rápidos en caso de infracción del Derecho de la Unión en materia de contratos públicos o de las normas nacionales que lo transpongan.

La DR, además de instrumento para la tutela efectiva de los derechos de los licitadores de modo que se garantice el pleno respeto del derecho a la tutela judicial efectiva, constituye una herramienta de primer orden para la mejora de la gestión de la contratación pública, para su buena administración[42]. Así lo reconoce el considerando 36 de la Directiva 2007/66/CE cuando afirma su pleno respeto por los derechos fundamentales y principios que la CDFUE reconoce, por todos ellos; en particular, por la garantía del

---

[40] Informe de la Comisión al Parlamento Europeo y al Consejo sobre la eficacia de la Directiva 89/665/CEE y la Directiva 92/13/CEE, modificadas por la Directiva 2007/66/CE, en cuanto a los procedimientos de recurso en el ámbito de la contratación pública {SWD(2017) 13 final} Bruselas, 24.1.2017 COM(2017) 28 final, págs. 2-3.

[41] Véanse los tres primeros considerandos de la Directiva 89/665/CEE.

[42] Véase en este sentido, GIMENO FELIÚ (2016: págs. 8-9) y (2018c: pág. 1776-1779).

pleno respeto del derecho a la tutela jurídica efectiva y a un juez imparcial del artículo 47.1 y 2, pero también el derecho a una buena administración del artículo 41 de la CDFUE. Como aprecia el Profesor GIMENO FELIÚ, el sistema de recursos de la DR, además de buscar la mejora de la eficacia de los recursos previstos por cada uno de los Estados miembros, se inscribe "en el marco de la política general de la Unión Europea contra la corrupción atendiendo al parámetro de respeto al derecho fundamental de la Unión Europea a una buena administración".

En esta línea, el Tribunal de Justicia[43] sostiene en que la regulación procesal que el ordenamiento jurídico de cada Estado miembro lleve a cabo de los recursos destinados a garantizar la salvaguardia de los derechos que el Derecho de la Unión confiere a los candidatos y licitadores perjudicados por las decisiones de las entidades adjudicadoras no debe privar de efecto útil a la DR[44]. Por su parte, el principio de efectividad, que implica una exigencia de tutela judicial consagrada en el artículo 47 de la CDFUE, exige interpretar el artículo 1.1 de la DR a la luz de los derechos fundamentales recogidos en la CDFUE y, en particular, el derecho a la tutela judicial efectiva[45]. Así pues, el sistema de recursos que en materia de contratación pública establezcan los Estados miembros en cumplimiento del mandato impuesto por el repetido artículo 1.1 de la DR debe, en todo caso, ser objeto de una interpretación compatible con los citados derechos.

Pero para que dicho sistema se configure como instrumento de integridad, de mejora de la gestión contractual y para una buena administración, resulta indispensable que quienes tengan a su cargo la resolución de los recursos cuenten con la autonomía e independencia (también ligadas a la integridad[46]), así como con la profesionalización y especialización, imprescindibles para ejercer su labor. Solo de este modo podrá darse solución a los conflictos en el más breve plazo posible, de forma motivada y a tiempo de corregir las irregularidades detectadas, así como "evitar que se vuelvan a producir en futuras licitaciones"[47]. Un buen sistema de control, además de subsanar de modo efectivo las eventuales irregularidades producidas,

---

[43] SSTJ 166/2015, de 12 de marzo, *eVigilo Ltd y Priešgaisrinės apsaugos ir gelbėjimo departamentas prie Vidaus reikalų ministerijos*, as. C-538/13, ECLI:EU:C:2015:166, apartado 40; y 655/2015, de 6 de octubre, *Orizzonte Salute — Studio Infermieristico Associato y otros*, as. C-61/14, ECLI:EU:C:2015:655, apartado 47.

[44] Vid. FERNÁNDEZ ACEVEDO (2016: *in totum*).

[45] STJ 655/2015, *Orizzonte Salute*, citada, apartados 48 y 49.

[46] VALCÁRCEL FERNÁNDEZ (2016: pág. 354).

[47] GIMENO FELIÚ (2016: pág. 9).

ha de servir como mecanismo de prevención de otras nuevas mediante el efecto disuasorio que las resoluciones de los recursos sean capaces de producir. Pero no ya solo por el temor a una nueva anulación o condena, sino porque los poderes adjudicadores tengan voluntariamente en cuenta tales resoluciones para aprender a actuar mejor, de modo más eficaz y eficiente. Los beneficios globales que de este modo pueden obtenerse, como destaca el citado Informe de 2017 sobre la eficacia de la DR, son importantes "en términos de gestión financiera sólida, mejor relación calidad-precio y disuasión". Es más, a su parecer la aplicación efectiva de la DR puede llegar a producir un ahorro similar al estimado procedente de las Directivas sustantivas, siendo tales beneficios muy superiores a los costes que de la misma se pudieran derivar.

II. El recurso especial en materia de contratación

Como ha recordado, entre otras, la Sentencia 655/2015, *Orizzonte Salute*[48], a falta de normativa europea en la materia, cada país debe configurar, en virtud del principio de autonomía procesal de los Estados miembros, la regulación de los procedimientos administrativos y judiciales destinados a asegurar la salvaguardia de los derechos que el ordenamiento de la Unión confiere a los justiciables.

Con todo, en materia de contratación pública, y habida cuenta de su extraordinaria relevancia, las instituciones europeas no se han limitado a establecer unas normas sustantivas sobre la misma (a las que he denominado Directivas sustantivas), sino que fueron conscientes de la necesidad de acompañar este cuerpo normativo de un instrumento complementario de naturaleza procesal, la DR, tendente a garantizar el cumplimiento y observancia de las normas materiales[49].

---

[48] Apartado 46. Pueden verse, entre otras, las SSTJ 188/20176, de 16 de diciembre, *Rewe-Zentralfinanz eG, Colonia y otros*, as. 33/76, ECLI:EU:C:1976:188, apartado 5; 166/2015, *eVigilo*, citada, apartado 39; 247/2010, de 6 de mayo de 2010, *Club Hotel Loutraki AE y otros*, ass. acumulados C-145/08 y C-149/08, ECLI:EU:C:2010:247, apartado 74; o 223/2008, de 15 de abril, *Impact y otros*, as. C-268/06, ECLI:EU:C:2008:223, apartado 44.

[49] Así lo tiene dicho expresamente la jurisprudencia. Véase, la STJ 45/2010, de 28 de enero, *Uniplex (UK) Ltd y NHS Business Services Authority*, as. C-406/08, ECLI:EU:C:2010:45, apartado 26, la DR "tiene por objeto garantizar la existencia de recursos eficaces en caso de infracción del Derecho comunitario en materia de

Entre otros extremos esta normativa sanciona la obligación de que los Estados miembros cuenten con sistemas concretos que permitan impugnar las decisiones adoptadas en el seno de los procedimientos contractuales de forma rápida y eficaz, a través de recursos *ad hoc* (por lo que no bastaría con una mera remisión al sistema general de justicia administrativa[50]), interpuestos bien ante órganos jurisdiccionales o ante órganos administrativos, especializados o no. Así, el artículo 1 de la DR exige recursos eficaces "con arreglo a modalidades detalladas que [los Estados miembros] podrán determinar", modalidades que deben garantizar el cumplimiento de los objetivos en que ella se definen pues se busca garantizar que la aplicación de las Directivas sustantivas sobre contratación pública se realiza de forma adecuada y homogénea, o al menos con suficiente coherencia, en toda la Unión Europea.

Pero al propio tiempo la DR deja libertad para que cada Estado se decante por la solución específica que mejor se adapte a su particular sistema jurídico. Es decir, los Estados miembros mantienen un amplio margen para decidir cómo garantizar legalmente el efectivo cumplimiento de la normativa europea de contratación. En el bien entendido de que esta capacidad de decisión no es ilimitada, pues la propia jurisprudencia es unánime al matizar que, en todo caso, el mecanismo elegido debe cumplir con dos principios básicos, el de equivalencia y el de efectividad. Conforme al principio de equivalencia dicho mecanismo no puede ser menos favorable que la regulación de los recursos semejantes establecidos para la protección de los derechos reconocidos por el ordenamiento jurídico interno. El principio de efectividad, por su parte, trata de impedir que en la práctica se haga imposible o extremadamente difícil el ejercicio de los derechos conferidos por el ordenamiento jurídico de la Unión.

Y, en todo caso, como el Tribunal de Justicia viene insistiendo desde la Sentencia *Universale-Bau*, debe quedar preservado el efecto útil de la DR[51]. Dado que se trata de regular los recursos judiciales destinados a la salvaguardia de los derechos que el Derecho de la Unión otorga a candidatos y licitadores eventualmente perjudicados por las decisiones de las entidades adjudicadoras, los requisitos de toda índole que se impongan no deben pri-

---

contratos públicos o de las normas nacionales de adaptación a dicho Derecho, con el fin de garantizar la aplicación efectiva de las directivas sobre coordinación de los procedimientos de adjudicación de los contratos públicos".

[50]   Vid. GIMENO FELIÚ (2015: págs. 119-120, nota 92).
[51]   STJ 746/2002, de 12 de diciembre, *Universale-Bau AG*, as. C-470/99, ECLI:EU:C:2002:746, apartados 72 y 73.

var de efecto útil a la DR y deben ser interpretados de conformidad con la misma o, como se ha dicho, *secundum directivam*. En particular, el sistema de recursos que se instituya debe caracterizarse por permitir que los actos recurridos puedan ser anulados para corregir de modo efectivo las infracciones cometidas; por tener efectos suspensivos entre la adjudicación y la formalización del contrato; y por disponer plazos que respeten el principio de seguridad jurídica, de modo que sean suficientemente precisos, claros y previsibles para permitir que los particulares conozcan sus derechos y obligaciones[52].

En 2007, mediante la primera LCSP, tras varias denuncias de la Comisión que condujeron a la condena del Reino de España[53], el legislador español decide al fin crear el que denomina como recurso especial en materia de contratación con el expresado propósito de dar cumplimiento a las exigencias de la DR; aunque no será hasta su modificación por la Ley 34/2010, de 5 de agosto[54], que pueda hablarse de verdadero cumplimiento al permitirse por vez primera recurrir ante un órgano independiente del órgano de contratación, mediante la creación del Tribunal Administrativo Central de Recursos Contractuales (TACRC)[55]. Hoy la regulación del recurso especial —amplia, aunque aún insuficientemente, mejorada— se encuentra en los artículos 44-60 de la LCSP de 2017.

---

[52] GIMENO FELIÚ (2015: págs. 142, en nota 152, y 120-121).

[53] Vid. STJ 190/2008, de 3 de abril, *Comisión de las Comunidades Europeas c. Reino de España*, as. 444/06, ECLI:EU:C:2008:190. El Tribunal de Justicia decidió "declarar que el Reino de España ha incumplido las obligaciones que le incumben en virtud del artículo 2, apartado 1, letras a) y b), de la Directiva 89/665/CEE del Consejo, de 21 de diciembre de 1989, relativa a la coordinación de las disposiciones legales, reglamentarias y administrativas referentes a la aplicación de los procedimientos de recurso en materia de adjudicación de los contratos públicos de suministros y de obras, en su versión modificada por la Directiva 92/50/CEE del Consejo, de 18 de junio de 1992, al no prever un plazo obligatorio para que la entidad adjudicadora notifique la decisión de adjudicación de un contrato a todos los licitadores y al no prever un plazo de espera obligatorio entre la adjudicación de un contrato y su celebración".

[54] Sobre esta Ley, véase MORENO MOLINA (2010: *in totum*).

[55] Por razones de simplicidad y homogeneidad, la referencia a los tribunales de recursos, ya de forma genérica, ya para nombrar a uno concreto, se utilizarán siempre las siglas TARC, aunque en ocasiones no correspondan al nombre oficial (por ejemplo, el aragonés se denomina Tribunal Administrativo de Contratos Públicos de Aragón). Solo se hará una excepción con el tribunal estatal que es el que crea y regula la LCSP (TACRC) justamente por este hecho.

1. Concepto y principales características del recurso especial

El recurso especial posee naturaleza administrativa y no jurisdiccional por cuanto se interpone ante y se tramita y resuelve por un órgano administrativo, tal y como autoriza expresamente la DR (artículo 2.9: "Cuando los órganos responsables de los procedimientos de recurso no sean de carácter jurisdiccional..."). La opción española ha encontrado el respaldo de la Comisión, a cuyo parecer, los sistemas nacionales que se han decantado porque sean órganos administrativos de recurso, y no órganos jurisdiccionales ordinarios, los encargados de la protección jurídica en primera instancia tienden a ser más eficaces.

Así lo pusieron de manifiesto la gran mayoría de los consultados (74,7%) en la encuesta pública llevada a cabo, al considerar que los procedimientos ante órganos jurisdiccionales ordinarios requieren generalmente más tiempo y dan lugar a criterios de adjudicación menos estrictos que los procedimientos ante órganos administrativos de recurso especializados[56].

Dicho órgano administrativo en el ámbito estatal recibe el nombre de Tribunal Administrativo Central de Recursos Contractuales. Nombre equívoco pues como digo no se trata de un Tribunal de Justicia, pero que, sin embargo, evoca su carácter colegiado (artículo 45.1 de la LCSP)[57]. Está adscrito al Ministerio de Hacienda, no forma parte del Poder Judicial y, en consecuencia, sus resoluciones, que formalmente son actos administrativos, son siempre recurribles ante la jurisdicción contencioso-administrativa como exige el artículo 24 de la CE y se deriva del citado artículo 2.9 de la DR ("... deberán adoptarse disposiciones para garantizar que cualquier medida presuntamente ilegal adoptada por el órgano de recurso competente, o cualquier presunta infracción cometida en el ejercicio de las facultades que tiene conferidas, pueda ser objeto de un recurso jurisdiccional..."[58]).

---

[56] Informe de la Comisión de 2017 sobre la eficacia de la DR, citado, pág. 6.

[57] Mientras el órgano de recursos estatal tiene carácter colegiado, los demás, autonómicos y, en su caso, locales, pueden tener carácter unipersonal. En estos momentos el único órgano de recursos autonómico que carece de carácter colegiado es el de la Comunidad autónoma del País Vasco si bien está prevista su transformación en órgano colegiado mediante disposición reglamentaria que aún no ha sido dictada.

[58] En este punto el artículo 2.9 de la DR es poco claro pues continúa diciendo "...o de un recurso ante otro órgano jurisdiccional en el sentido del artículo 234 del Tratado CE —actual artículo 267 del TFUE—, y que sea independiente en relación con el poder adjudicador y con el órgano de recurso", redundancia que el Tribunal de Justicia ha interpretado en el sentido de que el recurso frente a la resolución

Con todo, a pesar de aquella adscripción y de que sus miembros son nombrados por el Gobierno a propuesta conjunta de los Ministros de Hacienda y de Justicia, se trata, como no podía ser de otro modo, de un órgano especializado dotado de plena independencia funcional en el ejercicio de sus funciones. Así, tanto el presidente como los vocales (mínimo 2) han de ser funcionarios de carrera de cuerpos y escalas para los que se exija título de licenciado o de grado (titulación que cuando se trata del Presidente debe serlo específicamente en Derecho) y que cuenten con experiencia en el campo del Derecho administrativo relacionado directamente con la contratación pública de al menos quince años el presidente y diez los vocales. Las personas designadas tienen carácter independiente e inamovible; una vez nombradas, no pueden ser removidas de sus puestos sino por las causas tasadas previstas en el artículo 45.4 de la LCSP y la duración de su nombramiento es de 6 años improrrogables. Los órganos (unipersonales) o TARC que se creen en el ámbito de las Comunidades autónomas y de las Entidades locales han de cumplir análogos requisitos de independencia e inamovilidad (artículo 46).

Terciando en la cuestión de la naturaleza de los TARC españoles, la Sentencia del Tribunal de Justicia *Consorci Sanitari del Maresme*[59], dictada en el marco de una petición de decisión prejudicial planteada por el TARC catalán[60], ha concluido que este tiene el carácter de "órgano jurisdiccional" en el sentido del artículo 267 del TFUE, aunque en Derecho español se considere un órgano administrativo.

El Tribunal fundamenta dicho "carácter jurisdiccional" del TARC catalán, y por extensión de todos los demás TARC españoles en la medida en que, como se ha dicho, gozan de análogas características, en que cumple el criterio esencial de la independencia. Y lo cumple por varias razones: porque tiene la condición de tercero respecto de la autoridad que adoptó la decisión recurrida en el litigio principal; porque ejerce sus funciones con plena autonomía; porque no está sometido a vínculo jerárquico o de subordinación alguno respecto de terceros; y porque no recibe órdenes ni instrucciones de origen alguno, por lo que está protegido de injerencias o

---

del recurso especial puede ser jurisdiccional o administrativo. Vid. SANTAMARÍA PASTOR (2015: capítulo II.1.A.).

[59] STJ 664/2015, de 6 de octubre, *Consorci Sanitari del Maresme y Corporació de Salut del Maresme i la Selva*, as. C-203/14, ECLI:EU:C:2015:664, apartados 17 a 27.

[60] Su denominación oficial es la de *Tribunal Català de Contractes del Sector Públic*.

presiones externas que puedan hacer peligrar la independencia de juicio de sus miembros.

En efecto, al menos sobre el papel —la integridad implica sobre todo una determinada actitud personal—, los TARC ejercen sus funciones con total respeto de la objetividad y de la imparcialidad frente a las partes en litigio y a sus respectivos intereses en relación con el objeto del litigio[61]. Sus miembros son inamovibles y solo pueden ser cesados por alguna de las causas expresamente enumeradas en la ley.

Y por lo que respecta al carácter obligatorio de su jurisdicción, a pesar de la naturaleza potestativa del recurso, el Tribunal de Justicia recuerda que la competencia del TARC no depende de un acuerdo entre las partes (es, por tanto, improrrogable) y sus resoluciones son vinculantes para estas. A mayor abundamiento, observa que los licitadores, por lo general, no recurren directamente a la jurisdicción contenciosa sin haber presentado previamente el recurso especial; en consecuencia, en esa medida los Tribunales de lo contencioso-administrativo intervienen como una segunda instancia, de modo tal que la tarea de velar por el respeto del Derecho de la Unión en materia de contratos públicos incumbe en primer término al TARC.

Así pues, el carácter de órgano administrativo de nuestros TARC, en la medida en que sigan cumpliendo las características puestas de relieve por el Tribunal de Justicia, no obsta en absoluto a su consideración como "órgano jurisdiccional" para el Derecho de la Unión Europea.

Debe subrayarse una vez más que el éxito del sistema pivota sobre dos notas características fundamentales: la independencia y la especialización de los TARC. La no politización de quienes componen estos TARC, su independencia de juicio y su amplio conocimiento teórico y práctico de la materia garantizan su profesionalización, imprescindible en un sector de tanta importancia económica y tan complejo. Todo ello coadyuva en última instancia, insisto, a la materialización del derecho a una buena administración en el sector[62].

Finalmente, cabe poner en tela de juicio la necesidad de permitir, como hace la LCSP, la creación de TARC de ámbito local (artículo 46.4, pfo. 3º: diputaciones provinciales y ayuntamientos de municipios calificados de

---

61   Como afirma BAÑO LEÓN (2016: pág. 669), un buen recurso administrativo es aquel "que garantiza una revisión de la actuación administrativa eficiente por un órgano funcionalmente independiente".

62   VALCÁRCEL FERNÁNDEZ y FERNÁNDEZ ACEVEDO (2015: págs. 271 y ss.).

gran población)[63], pues como advierte la Comisión en su "Informe sobre España 2018", la creación de numerosos TARC "de carácter descentralizado podría mermar la eficacia del actual sistema de recursos"[64]. En otro lugar ya habíamos señalado críticamente que esta posibilidad puede desvirtuar la imparcialidad y seriedad del mecanismo al carecer de tamaño suficiente para que dichos órganos sean verdaderamente independientes y separados de los órganos de contratación[65].

En otro orden de consideraciones, este recurso administrativo se califica de especial pues, a diferencia de los ordinarios —recursos administrativos de alzada y de reposición, a los que desplaza absolutamente (artículo 44.5 de la LCSP)—, su ámbito material y subjetivo está limitado a la contratación pública y dentro de esta a ciertos actos y decisiones relativos a determinados contratos de ciertos sujetos del sector público.

Los avances que la nueva LCSP ha introducido en este aspecto son notables, aunque aún quede camino por recorrer. Así, en primer término, los aludidos sujetos del sector público son no solo aquellos que de conformidad con la LCSP tienen la consideración de Administración pública (artículo 3.2), sino que incluyen también al resto de los poderes adjudicadores (conocidos por las siglas PANAP[66]) que lo son de conformidad con el artículo 3.3[67].

---

[63]   Por todos, GIMENO FELIÚ (2018c: págs. 1786 y ss.) y (2018d).

[64]   Vid. el documento de trabajo de los servicios de la Comisión, Informe sobre España 2018, con un examen exhaustivo en lo que respecta a la prevención y la corrección de los desequilibrios macroeconómicos, *que acompaña al documento* Comunicación de la Comisión al Parlamento Europeo, al Consejo, al Banco Central Europeo y al Eurogrupo. Semestre Europeo 2018: Evaluación de los avances en lo que respecta a las reformas estructurales y la prevención y la corrección de los desequilibrios macroeconómicos, y resultados de los exámenes exhaustivos conforme al Reglamento (UE) nº 1176/2011 {COM(2018) 120 final} Bruselas, 7.3.2018 SWD(2018) 207 final, pág. 77.

[65]   VALCÁRCEL FERNÁNDEZ y FERNÁNDEZ ACEVEDO (2015: pág. 274).

[66]   Poderes adjudicadores no Administración pública.

[67]   Definidos de conformidad con el Derecho de la Unión Europea como toda entidad con personalidad jurídica propia que haya sido creada específicamente para satisfacer necesidades de interés general que no tengan carácter industrial o mercantil, siempre que uno o varios sujetos que deban considerarse poder adjudicador, bien financien mayoritariamente su actividad; bien controlen su gestión; o bien nombren a más de la mitad de los miembros de su órgano de administración, dirección o vigilancia.

Al margen del recurso especial quedan, no obstante, los demás entes del sector público que no son poder adjudicador, cuyos actos preparatorios y de adjudicación de contratos se consideran, no obstante la naturaleza privada de los mismos y de los contratos que celebran, como actos administrativos, lo que permite aplicarles el sistema de revisión de oficio de los actos administrativos y que puedan ser recurridos en vía administrativa mediante los recursos de la LPA y, en último término, ante la jurisdicción contencioso-administrativa (artículos 41.2 y 321.5 de la LCSP).

El avance, como digo, es importante puesto que uno de los principales estímulos para la creación de entidades privadas por los poderes públicos ha consistido, justamente, en que tal condición privada les permitía escapar del Derecho público, y evitar así también sus controles, no solo *ex ante*, sino también *ex post* (en particular el control por la jurisdicción contencioso-administrativa), fenómeno al que se ha venido en denominar "huida del Derecho administrativo"[68]. Reconducir, volver a traer al Derecho administrativo y, en concreto por lo que aquí importa, a la legislación de contratos públicos y a sus mecanismos de control la actividad contractual de estos entes, tanto PANAP como los demás sujetos del sector público, era una exigencia del Derecho de la Unión Europea que sin duda redunda también en la conquista de una buena administración.

En segundo lugar, se ha ampliado sustancialmente el ámbito objetivo de este recurso en dos órdenes. Por un lado, en el de los contratos susceptibles de recurso especial; por otro, en el de los actos recurribles[69]. Por lo que a los contratos se refiere, quedan ahora incluidos no solo los contratos típicos, es decir, los regulados en la LCSP (contratos de obras, servicios, suministros, concesiones y contratos subvencionados), sino también los contratos administrativos especiales, así como los encargos a medios propios.

Menor entusiasmo ha despertado la no obstante muy positiva rebaja de umbrales introducida durante la tramitación del proyecto de ley en el Congreso de los Diputados que ha logrado romper la casi perfecta conexión (*rectius*, limitación) recurso especial-contratos sujetos a las Directivas sustantivas (conocidos como contratos SARA[70]). Pero lo cierto es que aún siendo importante dicha rebaja no es suficiente toda vez que no existe verdadera justificación que exija hacer depender la admisibilidad del recurso especial de la cuantía del contrato. En esta línea, la rebaja de los umbrales,

---

[68]   Vid. BALLESTEROS MOFFA (2019).
[69]   Véase HERNÁEZ SALGUERO (2018).
[70]   Por todos, MORENO MOLINA (2009: en especial, págs. 205 y ss.).

sostiene GIMENO FELIÚ[71], constituye un hito en la filosofía práctica de la contratación pública, "y debe ser el inicio de un proceso para, tras dotar con medios y recursos a los órganos de recursos contractuales, extender al recurso especial a cualquier contrato al margen del importe". Mejorar los medios materiales y humanos de los que disponen los TARC resulta hoy ya imprescindible ante los primeros síntomas de estrés[72], y más lo será si finalmente dichos umbrales desaparecieran por completo tal y como aquí se propone[73]. Incremento de medios que no puede interpretarse como un gasto, sino como una inversión, toda vez que los retornos económicos y estratégicos (más competencia, mejores ofertas, precios más bajos) que a medio y largo plazo produce la mejora en la gestión contractual fruto de la actividad de control llevada a cabo por los TARC son muy superiores. Como bien afirma el citado Profesor, es necesario "superar la visión del recurso especial como una carga burocrática o "gasto" innecesario, para configurarse como un instrumento que permita garantiza la mejor transparencia mediante una estrategia del control preventivo que sea efectivamente útil, rápido, e independiente, vinculado al derecho a una buena administración y no a las prerrogativas de la Administración".

Los nuevos umbrales establecidos por la LCSP para la admisibilidad del recurso especial son los siguientes: a) los contratos de obras y las concesiones, tanto de obras como de servicios, cuyo valor estimado supere los tres millones de euros; b) los contratos de suministro y de servicios con un

---

[71] GIMENO FELIÚ (2019: pág. 54).

[72] Vid. DÍEZ SASTRE (2019: págs. 138 y ss.), donde, tras analizar los datos relativos a la litigiosidad en materia de contratación pública en el año 2018, observa un importante incremento en el número de nuevos asuntos planteados ante los TARC (probablemente derivado de la rebaja de umbrales), un deterioro de la información que estos venían ofreciendo en sus memorias anuales, así como la existencia de pruebas de sobrecarga en algunos TARC puesto que la tasa de resolución desciende con carácter general, al tiempo que asciende la tasa de congestión y el tiempo de duración de los procedimientos. A la vista de tales datos concluye afirmando que "es preciso poner a disposición de los órganos de recursos contractuales más medios, que les permita hacer frente al mayor volumen de actividad, garantizando la eficacia y rapidez del recurso especial. Asimismo, hay que reforzar su independencia, asegurando la dedicación exclusiva de sus miembros y la independencia de sus colaboradores o asesores, y dotándoles de un presupuesto adecuado y suficiente para adecuarse a las fluctuaciones de su volumen de actividad".

[73] Algunas Comunidades autónomas, en uso de sus propias competencias, han ampliado el ámbito objetivo del recurso especial, rebajando los umbrales, como ha hecho la Comunidad autónoma de Aragón, o directamente eliminándolos, como sucede en la Comunidad Foral de Navarra.

valor estimado de más de cien mil euros; c) los acuerdos marco y sistemas dinámicos de adquisición que tengan por objeto contratos de obras de valor estimado superior a tres millones· de euros, o contratos de servicios o contratos de suministros con valor estimado superior a cien mil euros, así como los contratos basados en cualquiera de ellos; d) los contratos administrativos especiales cuando por sus características no sea posible fijar su precio de licitación o, en otro caso, cuando su valor estimado supere los cien mil euros; y e) los encargos a medios propios cuando por sus características no sea posible fijar su importe o, en otro caso, cuando este, atendida su duración total más las prórrogas, sea igual o superior a cien mil euros[74]. La admisibilidad del recurso especial, así pues, se desconecta al fin de los umbrales de las Directivas sustantivas (artículos 4 de la DCP y 8 de la DC), pero no de la cuantía del contrato.

Por lo que se refiere a las actuaciones o actos y decisiones recurribles, el artículo 44.2 de la LCSP enumera las siguientes: anuncios de licitación, pliegos y documentos contractuales, actos de trámite cualificados adoptados en el procedimiento de adjudicación, actos de adjudicación, modificados, formalización de encargos a medios propios y acuerdos de rescate de concesiones. Así pues, ya no se trata de un recurso puramente precontractual, toda vez que determinados acuerdos de modificación de los contratos durante su vigencia y los de rescate de concesiones son ahora también recurribles. Mas no se han incluido otros actos de la fase de ejecución contractual que sí regulan las Directivas sustantivas y a los que, por tanto, alcanza la DR[75], como, por ejemplo, los acuerdos de resolución de los contratos distintos del rescate mencionado o la subcontratación. Tales aspectos, cuando menos en los contratos cubiertos por las Directivas sustantivas, deberían poder ser objeto de recurso especial, por lo que puede afirmarse que la LCSP en este punto ha llevado a cabo una deficiente transposición de la DR. Además, desde la óptica del Derecho interno no se advierte motivo para dejar al margen del recurso especial el ejercicio de las prerrogativas que en los

---

[74] La impugnabilidad de los encargos a medios propios mediante recurso especial, antes de su expresa admisión por la LCSP de 2017, no era una cuestión pacífica. Así, mientras la Resolución del TACRC 201/2018, de 2 de marzo, la rechazó, el Acuerdo del TARC Aragón 75/2017, de 4 de julio, admitió el recurso formulado contra el convenio que formalizaba una encomienda de gestión para la prestación de un servicio.

[75] Artículo 1.1, pfo. 1º, de la DR: "La presente Directiva se aplica a los contratos a que se refiere la Directiva 2014/24/UE del Parlamento Europeo y del Consejo salvo que dichos contratos estén excluidos…"; y en términos similares el pfo. 2º respecto de la DC.

contratos administrativos ostentan las Administraciones públicas (artículos 190 y concordantes de la LCSP); verbigracia, imposición de penalidades.

Dentro de los actos de trámite cualificados[76] la Ley cita expresamente algunos con ánimo de disipar dudas sobre su consideración de tales y consiguientemente sobre su recurribilidad pero sin ánimo exhaustivo: actos de la mesa de contratación o del órgano de contratación por los que se admite o inadmite a candidatos y licitadores, o por los que se admite o excluye ofertas, también las excluidas por resultar anormalmente bajas.

Aquí la principal novedad radica en la apertura del recurso especial a los actos de admisión tanto de candidatos y licitadores, como de ofertas, hasta ahora no contemplados como susceptibles de recurso. Tal ampliación trata de recoger la doctrina que el Tribunal de Justicia ha expuesto en el asunto *Marina del Mediterráneo*[77].

En esta Sentencia recuerda que el tenor literal del artículo 1.1, pfo. 4º, de la DR implica, por el uso de los términos "en lo relativo a los contratos", que toda decisión de un poder adjudicador al que se apliquen las normas del Derecho de la Unión en materia de contratación pública, y que sea susceptible de infringirlas, estará sujeta al control jurisdiccional previsto en el artículo 2.1.a) y b) de la propia DR. Esta disposición se refiere con carácter general a las decisiones de los poderes adjudicadores, "sin distinguir entre ellas en función de su contenido o del momento de su adopción". Esta acepción amplia del concepto de "decisión" de un poder adjudicador se confir-

---

[76] Por lo demás, el artículo 44.2 de la LCSP recoge el mismo concepto de acto de trámite cualificado de la legislación general (artículo 112.1 de la LPA): los que deciden directa o indirectamente sobre la adjudicación, los que determinan la imposibilidad de continuar el procedimiento y los que producen indefensión o perjuicio irreparable a derechos o intereses legítimos.

[77] STJ 268/2017, de 05 de abril, *Marina del Mediterráneo, S.L., y otras empresas y Agencia Pública de Puertos de Andalucía*, as. C-391/15, ECLI:EU:C:2017:268, apartados 26, 27, 28 y 34. En el apartado 29, el Tribunal de Justicia matiza que "esta interpretación del concepto de «decisiones adoptadas por los poderes adjudicadores» que sean susceptibles de recurso no resulta afectada por la circunstancia de que el Tribunal de Justicia haya declarado, en el apartado 35 de la sentencia de 11 de enero de 2005, *Stadt Halle y RPL Lochau* (C-26/03, ECLI:EU:C:2005:5), que no son recurribles las actuaciones que formen parte de la reflexión interna de la entidad adjudicadora con vistas a la celebración de un contrato público. En efecto, cuando se trata de la admisión de la oferta de un licitador, decisión sobre la que versa el litigio principal, procede considerar que tal decisión, por su propia naturaleza, rebasa el ámbito de la reflexión interna de la entidad adjudicadora. Por lo demás, la decisión fue notificada a Marina del Mediterráneo y otras empresas".

ma, a juicio del Tribunal de Justicia, por el hecho de que el artículo 1.1 de la DR no establece ninguna restricción en lo que atañe a la naturaleza y al contenido de las decisiones a las que se refiere. Además, una interpretación restrictiva de este concepto sería incompatible con lo dispuesto en el artículo 2.1.a) de la DR que obliga a los Estados miembros a establecer procedimientos de medidas provisionales con respecto a cualquier decisión que adopten los poderes adjudicadores. En consecuencia, la decisión de admitir a un licitador a un procedimiento de adjudicación constituye una decisión a efectos del artículo 1.1 de la DR y la normativa nacional que obligue en todos los casos al licitador a esperar a que recaiga el acuerdo de adjudicación del contrato para poder impugnar la admisión de otro licitador infringe las disposiciones de la repetida DR.

El Tribunal termina declarando que los artículos 1.1 y 2.1.a y b) de la DR "deben interpretarse en el sentido de que… se oponen a una legislación nacional [en el caso, española] en virtud de la cual la decisión de admitir a un licitador al procedimiento de adjudicación… no está incluida entre los actos de trámite de un poder adjudicador que pueden ser objeto de un recurso jurisdiccional independiente".

Conocedor de esta doctrina, el legislador español de 2017 entendió que debía recogerla expresamente en la Ley. Pero en nuestro ordenamiento jurídico no existen formalmente como tales los actos de admisión, sino solo los de exclusión, lo que ha sido aprovechado por el TACRC para inadmitir ya numerosos recursos contra acuerdos de la mesa de contratación a los que considera actos de trámite no cualificado.

En efecto, afirma el TACRC que "en el procedimiento abierto de licitación no existe un trámite de admisión de ofertas, de modo que la mesa de contratación, si bien puede dictar actos administrativos expresos de exclusión de ofertas porque aquellas no se adecuan a lo establecido en la normativa de contratos o en los pliegos que rigen la licitación, no produce actos administrativos de admisión, sino que la consecuencia necesaria *ex lege* de que una oferta no haya sido excluida es que la misma continúa —al no ser apartada— en el procedimiento de licitación, sin que esa continuidad precise de una declaración en tal sentido de la mesa de contratación. No existen pues en el procedimiento abierto actos de admisión de licitadores ni de ofertas, en los términos en que a los mismos se refiere el artículo 44.2.b) de la LCSP, siendo así que lo que aquí verdaderamente se recurre es el acto de la mesa por el que se clasifican las ofertas y la propuesta de adjudicación a favor del primer clasificado, acto que es de trámite no cualificado, por cuanto, como disponen expresamente los artículos 150.1 y 157.6 de la LCSP, la propuesta de la mesa ha de ser aceptada por el órgano de contratación, sin que la propuesta de adjudicación cree derecho alguno en favor del licitador propuesto frente a la Administración, pues el órgano de contratación puede rechazarla y no adjudicar el contrato de acuerdo con ella, motivando su decisión, de modo que el acto impugnado no decide directa o indirectamente el fondo del asunto, ni determina la imposibilidad de continuar el procedimiento, ni produce indefensión. En consecuencia el acto no es recurrible, conforme al artículo 44.2.b) y 3 de la LCSP y 22.1.4° del RPERMC[78], sin perjuicio de que los vicios de que adolezca el acto impugnado puedan hacerse valer en el recurso que se pudiera interponer bien por el propuesto como adjudicatario actual, bien por otro licitador contra el futuro acto de adjudicación"[79].

En cambio, el TARC de la Comunidad de Madrid[80] estima que no cabe negar la posibilidad del recurso especial conforme a la doctrina expuesta del Tribunal de Justicia (y ahora a la propia LCSP, no aplicable al caso por razones temporales); afirma, así, que "puesto que al ser posible la impugnación vía recurso especial de los actos de admisión y publicarse por efecto de la Ley de Transparencia los distintos actos que se produzcan en el procedimiento de licitación resultará imposible «evitar» recursos contra admisiones...". Advierte, con todo, que "desde el punto de vista de la gestión contractual se abre un panorama difícil", sobre todo en licitaciones con muchas empresas licitadoras y varios lotes y llama la atención sobre la inevitabilidad de recursos "que a la postre no tendrán ninguna virtualidad al no ser el admitido adjudicatario, habiendo sin embargo introducido un trámite meramente dilatorio del procedimiento cuya falta ninguna afectación tendría sobre el derecho de defensa de los licitadores". Traslada, pues, la cuestión al ámbito de la concurrencia o no de la necesaria legitimación activa. En el caso examinado fueron dos los lotes respecto de los que se solicitaba la inadmisión de la oferta. En el primero la oferta quedó situada por detrás de la de las recurrentes que, por tanto, carecen de interés legítimo alguno en la estimación del recurso. En cambio, en el otro de ser excluida la oferta impugnada las recurrentes se encontrarían en posición de ser propuestas como adjudicatarias y eventualmente obtener la adjudicación del

---

[78] Se refiere al Real Decreto 814/2015, de 11 de septiembre, por el que se aprueba el Reglamento de los procedimientos especiales de revisión de decisiones en materia contractual y de organización del TACRC.

[79] Resolución del TACRC 1052/2018, de 16 de noviembre. En la misma línea, entre otras, las Resoluciones del TACRC 51/2019, de 24 de enero o 516/2019, de 16 de mayo.

[80] Acuerdo del TARC Comunidad de Madrid 43/2018, de 2 de febrero.

contrato, lo que lleva al Tribunal a admitir el recurso respecto de dicho lote y proceder al examen de fondo del mismo.

Por lo que a los modificados se refiere, ha de subrayarse que no todo acuerdo de modificación que se refiera a uno de los contratos mencionados en el artículo 44 de la LCSP, es susceptible de recurso especial. Únicamente lo son aquellas "modificaciones basadas en el incumplimiento de lo establecido en los artículos 204 y 205 de la presente Ley, por entender que la modificación debió ser objeto de una nueva adjudicación". Cualquier otra infracción del ordenamiento jurídico en que incurra el acuerdo de modificación habrá de ser recurrida de conformidad con la LPA, mediante recurso de alzada o mediante recurso potestativo de reposición o directamente contencioso-administrativo, según los casos.

Finalmente, sobre la admisibilidad de recurso especial contra la formalización de encargos a medios propios en los casos en que estos no cumplan los requisitos legales, el TACRC ha matizado que el que el artículo 40.c) de la LCSP, al referirse a las causas de anulabilidad de Derecho administrativo, se ciña en el caso de los encargos a que estos no observen alguno de los requisitos establecidos en los apartados 2 a 4 del artículo 32 de la LCSP, relativos a la condición de medio propio, no supone que el control deba entenderse limitado únicamente a tales apartados, por lo que será posible el examen de que el encargo cumple los requisitos legales, esto es, todos los que contempla el artículo 32 en su integridad[81].

El carácter potestativo que en 2010 se atribuyó al recurso especial por sugerencia del Consejo de Estado ha sido objeto de una fuerte contestación por buena parte de la doctrina a pesar de lo cual la nueva LCSP ha decidido mantenerlo[82]. En virtud de esta característica queda en manos de los interesados la decisión de interponer el recurso especial con carácter previo al contencioso, o bien acudir directamente a la jurisdicción contencioso-administrativa. Esta opción que en apariencia pudiera parecer favorable

---

[81]   Resolución del TACRC 1156/2018, de 17 de diciembre.

[82]   Por todos, VALCÁRCEL FERNÁNDEZ (2016: págs. 332-338). Por su parte, el Profesor TORNOS MAS (2016: págs. 803 y 808) propugna incluso, como vía de respuesta a la crisis de la justicia administrativa, potenciar "la vía del recurso administrativo previo *obligatorio* ante órganos administrativos independientes"; cursiva no original. Más adelante justifica que "si se tiene en cuenta que la funcionalidad de estos tribunales es ser un medio eficaz para proteger los derechos e intereses de los ciudadanos ante la Administración, pero también un medio que reduzca la carga de trabajo de la justicia contencioso-administrativa, creemos que la vía previa debe establecerse como obligatoria".

para los interesados, lejos de aportar ventaja alguna desde la perspectiva de la efectividad de la tutela, provoca algunos inconvenientes reseñables.

Por un lado, supone que queda en manos de los recurrentes el efectivo respeto de la normativa europea de contratación, que exige un procedimiento que garantice el efecto útil de las Directivas y especialmente que permita corregir a tiempo, esto es, antes de la formalización del contrato, todas las eventuales irregularidades que puedan existir. Y es que mientras la mera interposición del recurso especial contra el acto de adjudicación determina *ex lege* la suspensión del procedimiento (artículo 53 de la LCSP), la del recurso contencioso no lo hace, por lo que se requiere solicitar la suspensión y esperar a que el órgano jurisdiccional, previa ponderación de todos los intereses implicados, la acuerde o no, con el peligro de que este acuerdo, aun siendo favorable a la suspensión, se adopte con el contrato ya ejecutado. Se plantea, así, una contradicción con el Derecho europeo cuyas exigencias no parece cumplir nuestro sistema contencioso-administrativo. Por otro lado, los procedimientos contractuales tienen carácter competitivo y en ellos pueden participar —eso es precisamente lo que se busca, la concurrencia— numerosos licitadores cada uno de los cuales podría acudir a una vía distinta haciendo que el mismo asunto sea conocido a la vez por el TARC y por el órgano contencioso-administrativo, problema que el carácter preceptivo del recurso impediría. En cualquier caso, el carácter potestativo del recurso hasta el momento no ha planteado graves inconvenientes puesto que, como se ha expuesto, rara vez se acude directamente al contencioso y no ha sido obstáculo para su consideración como "jurisdiccional" por el Tribunal de Justicia de la Unión Europea.

El recurso especial posee carácter revisor[83] pues a su través el TARC se halla limitado a realizar un mero examen de la legalidad del acto recurrido, sin que le sea posible sustituir en ningún caso la voluntad del órgano de contratación, ni tan siquiera cuando tras la anulación quede una única solución posible. Así, a diferencia de lo que podría acontecer en un recurso administrativo ordinario, la resolución del recurso especial por la que se anula el acto de adjudicación no puede adjudicar el contrato a otro licitador ni aún en el caso de que únicamente hubieran participado en la licitación dos licitadores.

El TARC examina la legalidad del acto recurrido, su ajuste o no a Derecho. Su resolución, que debe ser congruente con las pretensiones de las par-

---

[83]   Sobre el carácter revisor del recurso especial véase, por todos, VALCÁRCEL FERNÁNDEZ (2016: págs. 338-339).

tes, se pronuncia, de ser procedente, sobre la anulación de las decisiones no conformes a Derecho adoptadas durante el procedimiento de adjudicación; lo que puede incluir la supresión de las características técnicas, económicas o financieras discriminatorias contenidas en el anuncio de licitación, anuncio indicativo, pliegos, condiciones reguladoras del contrato o cualquier otro documento relacionado con la licitación o adjudicación, así como, si procede, sobre la retroacción de actuaciones al momento que se produjo la infracción (artículo 57.2). Pero incumbe al órgano de contratación acordar lo que proceda; eso sí, con pleno respeto a la resolución del TARC, para garantizar lo cual, aquel debe dar conocimiento a este de las actuaciones que adopte en su cumplimiento (artículo 57.4 de la LCSP).

En definitiva, el TARC no puede sustituir al órgano de contratación competente adoptando una decisión respecto del expediente en relación con el que se ha planteado el recurso, pues incurriría en incompetencia material determinante de nulidad [artículos 39.1 de la LCSP y 47.1.b) de la LPA].

Otra característica esencial y distintiva del recurso especial es que para dar cumplimiento a la DR, cuando el acto recurrido es el acuerdo de adjudicación del contrato, el recurso especial produce efectos suspensivos automáticos, lo que, unido a la prohibición de formalizar el contrato en el plazo de 15 días hábiles establecido para su interposición, salvaguarda el efecto útil de las Directivas, y de la propia LCSP, al menos a partir de los umbrales de admisibilidad. Se garantiza así la posibilidad de obtener un pronunciamiento del TARC lo más rápido posible y en todo caso antes de la formalización del contrato.

En el resto de los casos en los que la interposición del recurso carece de efectos suspensivos automáticos, podrán acordarse en cualquier fase del procedimiento las medidas cautelares que se estimen oportunas, ya sea de oficio por el propio TARC o a solicitud del interesado, solicitud que puede presentarse incluso antes de interponer el recurso especial. Las medidas cautelares pueden ir dirigidas a corregir infracciones de procedimiento o impedir que se causen otros perjuicios a los intereses afectados, y podrán estar incluidas, entre ellas, las destinadas a suspender o a hacer que se suspenda el procedimiento de adjudicación del contrato en cuestión o la ejecución de cualquier decisión adoptada por los órganos de contratación (artículo 49.1 de la LCSP). La solicitud y adopción de medidas cautelares con carácter previo a la interposición del recurso especial, exige formular esta en el plazo legalmente establecido pues en otro caso aquellas decaen.

Por lo demás, la resolución del recurso especial es directamente ejecutiva y contra la misma no proceden ni los recursos administrativos, ni la revisión de oficio, ni su fiscalización por los órganos de control interno de la Administración. Ningún órgano de naturaleza administrativa, aun los que mayor nivel jerárquico, está facultado para revocar las resoluciones (o cualquier otro acto) de los TARC. Tampoco están sometidas al requisito de la declaración de lesividad previo a su impugnación contenciosa por la propia Administración a la que se adscriba el TARC (artículo 19.4 de la LJCA[84]), lo que es un indicio más de la independencia de este. Dicha resolución únicamente es susceptible de recurso contencioso-administrativo, bien ante la Sala de lo Contencioso-administrativo del Tribunal Superior de Justicia de la Comunidad autónoma correspondiente si se trata de contratos autonómicos y locales, o de la Audiencia Nacional si son estatales[85].

2. Legitimación para recurrir

El artículo 48 de la LCSP regula la legitimación activa de una forma amplia ahondando en la línea ya apuntada por la jurisprudencia del Tribunal Constitucional[86] y seguida por la doctrina del Tribunal Supremo que reconocen legitimación a toda persona que pueda demostrar la existencia de una relación material unívoca entre el actor y el objeto del proceso que suponga la posibilidad de obtener alguna posición de ventaja o la eliminación de alguna situación desfavorable, cualquiera que estas sean[87].

Siguiendo las pautas marcadas por esta jurisprudencia, los TARC han tenido ocasión de interpretar la concurrencia de un interés legítimo[88] para poder interponer el recurso especial, lo que ha dado lugar a resoluciones destacables por lo que se refiere especialmente a la defensa de los llamados *intereses supraindividuales* o *transindividuales*. En la contratación pública, en mayor o menor medida, juegan intereses supraindividuales, tanto difusos como concretos intereses colectivos.

---

[84] Ley 29/1998, de 13 de julio, reguladora de la Jurisdicción Contencioso-Administrativa.

[85] VALCÁRCEL FERNÁNDEZ (2016: pág. 328).

[86] Así, por ejemplo, la STC 52/2007, de 12 de marzo, FJ 4, que reconoce legitimación a la Asociación Gallega de Técnicos en Laboratorio o la STC 38/2010, de 19 de junio, FJ 5, que reconoce la legitimación a un colegio oficial de arquitectos, entre otras muchas.

[87] SANTAMARÍA PASTOR (2015: Capítulo III, apartado II, B.1).

[88] Sobre si la distinción entre derecho subjetivo e interés legítimo tiene utilidad, véase CANO CAMPOS (2014: págs. 16-21), con especial referencia al ámbito de la contratación pública.

Así se ha entendido que están legitimados para plantear este recurso quienes acrediten tener un interés legítimo distinto al de obtener la adjudicación, aunque eso sí, tal interés ha de ser propio e ir más allá de la mera defensa de la legalidad. Así, el TACRC ha afirmado que para que el requisito de la legitimación concurra es preciso que "la resolución administrativa impugnada pueda repercutir, directa o indirectamente, pero de modo efectivo y acreditado, es decir, no meramente hipotético, potencial y futuro, en la correspondiente esfera jurídica del que recurre, lo que descarta la acción pública fuera de los casos excepcionales en los que el ordenamiento jurídico la permite; esto es, el interés legítimo no puede ser asimilado al de interés en la legalidad"[89].

En concreto se ha reconocido legitimación para interponer el recurso especial no solo a los licitadores o a los aspirantes a serlo, sino también a los grupos o colectivos que les representen, siempre y cuando, en este último caso, se aprecie una conexión o vinculación directa, específica y cualificada de los intereses que defienden o protegen con la pretensión que ejercitan en el recurso especial. Son muy numerosas las resoluciones de los órganos de recursos que concretan la anterior doctrina respecto de la legitimación de concejales[90], grupos municipales[91], organizaciones y partidos políticos, sindicatos, colegios profesionales o comités de empresa[92]. Con ello se acepta que pueden estar legitimados para interponer este recurso terceros no licitadores o terceros que no pretenden la adjudicación del contrato.

En sentido inverso, el mero hecho de haber sido licitador puede no ser suficiente para que se reconozca legitimación. Así, el Tribunal de Justicia

---

[89] Resolución del TACRC 172/2013, de 14 de mayo.

[90] Véase el Acuerdo del TARC Aragón 117/2017, de 21 de noviembre. Asimismo, Resolución del TACRC 82/2014, de 5 de febrero. Un análisis crítico en relación con esta materia se encuentra en el trabajo de DÍAZ SASTRE (2012: págs. 293-322).

[91] Resolución del TACRC 57/2013, de 6 de febrero, que reconoce legitimación a los concejales, incluso aunque no hayan votado en contra (en el caso particular no consta el sentido de su voto), pero la niega al grupo municipal como tal. En cambio, la Resolución del TARC Madrid 2/2012, de 18 de enero, sí reconoce legitimación al grupo político municipal por cuanto, más allá de la defensa genérica de la legalidad, parece que el interés que preside el recurso interpuesto es el de la defensa del interés de la propia Corporación Municipal, pues en el recurso se aduce que el error en la valoración de una mejora supone que el Ayuntamiento debe afrontar un coste injustificado de más de tres millones de euros; de ahí que desde la óptica del respeto del principio *favor acti*, entienda el TARC madrileño que existe legitimación.

[92] Acuerdo del TARC Aragón 88/2015, de 2 de septiembre.

admite que a un licitador que ha sido excluido de un procedimiento de adjudicación mediante una decisión que ha adquirido carácter firme, se le niegue legitimación para impugnar el acto de adjudicación o la celebración del contrato mismo[93]. Pero matiza también que la DR garantiza el derecho a recursos eficaces contra las decisiones irregulares que se adopten con ocasión de un procedimiento de adjudicación, ofreciendo a cualquier licitador que haya quedado excluido la posibilidad de impugnar no solamente la decisión de exclusión, sino también, mientras se resuelve dicha impugnación, las decisiones posteriores que le irrogarían un perjuicio en caso de que su exclusión fuera anulada[94].

Por otra parte, este concepto amplio de legitimación en materia de contratos del sector público por el que decididamente han apostado los TARC exprimiendo todo el margen de maniobra que la Ley permite hasta ahora, está en plena consonancia con el cumplimiento de la función de depuración que se espera tenga el sistema y está también muy ligado, como se ha insistido, a la idea de una buena administración, de mejora en la calidad de la actuación administrativa, pues no en vano esta interpretación extensa posibilita una mayor depuración de las irregularidades en que pueden incurrir los órganos de contratación. Como explica el TARC aragonés[95], esta amplitud de la legitimación es consecuencia directa de la dimensión pública de la actividad administrativa; y es que el carácter vicarial de toda Administración pública *ex* artículo 103 de la CE, habilita la legitimación para revisar su actuación a toda persona sobre quien, de forma directa o indirecta, incide esa actividad pública.

El artículo 24 del RPERMC, no obstante su limitado rango en orden a establecer reglas de legitimación, basándose en la experiencia al respecto de los TARC, bajo el expresivo título de "casos especiales de legitimación" dio carta de naturaleza normativa a algunos de los supuestos relacionados con la legitimación que en un primer momento plantearon dudas, pero que finalmente la doctrina de estos tribunales ha sabido ir reconociendo *ad casum* de forma depurada (asociaciones representativas de intereses relacionados con el objeto del contrato, uniones temporales de empresas o concejales).

---

[93] STJ 988/2016, de 21 de diciembre, *Bietergemeinschaft Technische Gebäudebetreuung GesmbH und Caverion Österreich GmbH y Universität für Bodenkultur Wien, VAMED Management und Service GmbH & Co. KG in Wien*, as. C-355/15, ECLI:EU:C:2016:988, apartado 36.

[94] Apartado 34. Vid. VALCÁRCEL FERNÁNDEZ (2017).

[95] Acuerdo del TARC Aragón 44/2012, de 9 de octubre.

Por su parte, el artículo 48 de la LCSP, sin llegar a reconocer una acción pública[96] en materia de contratación como sugerimos desde el Observatorio de Contratación Pública en la "Propuesta de modificaciones y mejora al Proyecto de Ley de Contratos del Sector Público"[97], mantiene y refuerza la amplitud en el reconocimiento de la legitimación para interponer el recurso especial cuando atribuye legitimación en defensa de derechos e intereses legítimos, "individuales o colectivos", de quienes se han visto perjudicados o puedan resultar afectados, "de manera directa o indirecta", por las decisiones objeto del recurso. Se reconoce explícitamente, pues, legitimación para la defensa de derechos e intereses colectivos, así como de los individuales o colectivos indirectos, tal y como la doctrina jurisprudencial y de los TARC han venido admitiendo.

Por lo que se refiere a la legitimación de los sindicatos, hasta ahora había sido admitida solo excepcionalmente y en aquellos casos en que existiese un planteamiento razonable de defensa de los intereses colectivos del personal afectado por el contrato suficiente para acreditar la legitimación *ad causam* de cara a examinar el fondo de la reclamación[98]. Ahora bien, como regla general se ha negado dicha legitimación cuando los sindicatos interponen el recurso pretendiendo la defensa de intereses (intereses profesionales, derechos económicos y retribuciones) que corresponden a la esfera de las relaciones laborales entre la nueva empresa contratista y sus trabajadores que, en todo caso, pueden hacer valer sus derechos ante la jurisdicción social[99]. Es evidente —sostiene en esta última resolución el TACRC— que el cambio de operador del servicio de vigilancia tiene una repercusión laboral y afecta a los intereses de los trabajadores que el sindicato dice representar. "Pero tal repercusión se produce sea cual sea el adjudicatario del servicio, con-

---

[96]   PONCE SOLÉ (2013: pág. 135) aboga decididamente por la introducción en nuestro ordenamiento jurídico de la "acción pública en defensa del derecho a una buena administración... una de las expresiones del derecho a la buena administración... debería ser la capacidad ciudadana de reaccionar contra la corrupción que impide la buena administración". Ideas que trae a la contratación pública GIMENO FELIÚ (2016: pág. 7); véase con anterioridad el Acuerdo del TARC Aragón 44/2012, de 9 de octubre.

[97]   Accesible en la web del Observatorio de Contratación Pública —ObCP— (último acceso, 10 ago. 2019) http://www.obcp.es/index.php/mod.documentos/mem. descargar/fichero.documentos_2_-Observaciones_al_Proyecto_de_Ley_29_enero_2017_Versio_n_3_2_f68c4305%232E%23pdf/chk.fdba7cd3c3540d93bae1a-73a846ad1ab.

[98]   Tal ocurrió, por ejemplo, en la Resolución del TACRC 172/2013, de 14 de mayo.

[99]   Por todas, Resolución del TACRC 144/2013, de 10 de abril.

curran muchas o pocas empresas y también si la licitación, como pretende el recurrente, se declara desierta". No se obtiene, pues, beneficio de índole material o jurídico alguno o la evitación de un perjuicio, imprescindible para reconocer legitimación.

Ahora la LCSP da un paso más y amplía notablemente la legitimación de los sindicatos y la aproxima de forma decidida a la mera defensa de la legalidad aunque no pueda llegar a afirmarse que se trate de una verdadera acción pública. En efecto, el segundo párrafo del artículo 48 atribuye de forma expresa legitimación a las organizaciones sindicales cuando de las actuaciones recurribles pudiera deducirse fundadamente que implican que en el proceso de ejecución del contrato se incumplirán por el empresario las obligaciones sociales o laborales respecto de los trabajadores que participen en la realización de la prestación. En este caso se entiende legitimada también la organización empresarial sectorial representativa de los intereses afectados. Como bien se observa, este nuevo precepto legal convierte a los sindicatos en los guardianes del cumplimiento de las referidas obligaciones laborales y también sociales a las que se refieren, por ejemplo, los artículos 129 y 130 de la propia LCSP.

3. El plazo de interposición y su cómputo

El primer aspecto en el que debe insistirse es que también las previsiones referidas a los plazos de recurso y su cómputo han de ser interpretadas de conformidad con la DR y de modo que se preserve su efecto útil[100]. Por un lado, como se desprende del artículo 2 *quater* de la DR, la efectividad de su cumplimiento puede entenderse satisfecha si los Estados miembros en sus leyes procesales someten la interposición del recurso contra una decisión de un poder adjudicador a un determinado plazo preclusivo. En palabras de la Sentencia *Lämmerzahl*[101], la DR "no se opone a una normativa nacional que establezca que los recursos contra una decisión de la entidad adjudicadora deben formularse dentro de un plazo fijado a tal efecto y que cualquier irregularidad del procedimiento de adjudicación que se alegue en apoyo de dicho recurso debe invocarse dentro del mismo plazo, so pena de caducidad, de forma que una vez trascurrido este ya no es posible impugnar tal decisión o invocar dicha irregularidad, siempre que el plazo en cuestión sea

---

[100] FERNÁNDEZ ACEVEDO (2016: págs. 514-516) y (2015).
[101] STJ 597/2007, de 11 de octubre, *Lämmerzahl GmbH y Freie Hansestadt Bremen*, as. C-241/06, ECLI:EU:C:2007:597, apartado 50.

razonable"[102]. La razón estriba en que el pleno logro de los objetivos que la DR persigue, y en particular el imperativo de celeridad que se desprende de su artículo 1.1, pfo. 4°, se vería comprometido si los recurrentes pudieran alegar en cualquier momento del procedimiento infracciones de las normas de adjudicación que obligaran a la entidad contratante a iniciar de nuevo la totalidad del procedimiento para corregirlas[103]. De ahí que en virtud de dicho objetivo de celeridad se permita a los Estados imponer plazos de recurso que obliguen a los interesados a impugnar en el más breve tiempo posible las medidas preparatorias o las decisiones intermedias adoptadas en el marco de un procedimiento de adjudicación de un contrato[104], y ahora también las decisiones adoptadas durante su ejecución en los términos ya examinados.

Pero de inmediato el Tribunal de Justicia, en las sentencias que se vienen citando, introduce un matiz importante: los plazos de caducidad de los recursos, así como sus condiciones de aplicación, "no deben, por su naturaleza, imposibilitar ni dificultar excesivamente en la práctica el ejercicio de los derechos que el Derecho comunitario confiere, en su caso, al interesado"[105]. Y es que el objetivo de celeridad no permite a los Estados miembros hacer abstracción del ya citado principio de efectividad, conforme al cual las modalidades de aplicación de los plazos nacionales de caducidad no deberán hacer imposible o excesivamente difícil el ejercicio de los derechos que a los interesados reconoce el Derecho de la Unión, principio que subyace en el objetivo de eficacia del recurso, consagrado también en el artículo 1.1 de la DR[106].

La LCSP, pese a que la práctica demuestra que en casos especialmente complejos puede resultar insuficiente[107], mantiene con carácter general el

---

[102] La misma doctrina ya había sido expuesta con anterioridad por las SSTJ 746/2002, de 12 de diciembre, *Universale-Bau AG y otros*, as. C-470/99, ECLI:EU:C:2002:746, apartado 79; o 109/2003, de 27 de febrero, *Santex SpA*, as. C-327/99, ECLI:EU:C:2003:109, apartado 50. También ha sido recogida posteriormente en la STJ 46/2010, de 28 de enero, *Comisión Europea c. Irlanda*, as. C-456/08, ECLI:EU:C:2010:45, apartado 51.

[103] STJ 597/2007, citada, apartado 51.

[104] STJ 46/2010, citada, apartado 60. Asimismo, entre otras, SSTJ 93/2004, de 12 de febrero, *Grossmann Air Service, Grossmann Air Service, Bedarfsluftfalutunternehmen GmbH &c Co. KG*, as. C-230/02, ECLI:EU:C:2004:93, apartados 30 y 36 a 39; o 597/2007, citada, apartados 50 y 51.

[105] STJ 597/2007, citada, apartado 52.

[106] STJ 46/2010, citada, apartado 62.

[107] Así lo estima SANTAMARÍA PASTOR (2015: Capítulo IV, apartado II, B.2).

plazo de quince días hábiles para interponer el recurso especial en materia de contratación (artículo 50.1) previsto por la normativa anterior. Plazo que cumple el mínimo previsto en la DR (artículo 2 *quater*: diez o quince días civiles dependiendo del medio de comunicación del acto a impugnar). Mantiene, asimismo, los plazos de treinta días y seis meses que antes se preveían para plantear la cuestión de nulidad ahora desaparecida y cuyos supuestos se reconducen al recurso especial (artículo 50.2 de la LCSP).

Para el sistema de cómputo del plazo de quince días hábiles la LCSP toma como punto de referencia, directa o indirectamente, la publicación en el perfil de contratante cualquiera que sea la actuación impugnada, excepto en los supuestos contemplados en el artículo 50.1.c), referido a los actos de trámite cualificados y a los dictados en un procedimiento negociado sin publicidad.

El problema que esta solución planteaba era la escasa capacidad de publicidad material o real, de verdadera transparencia al fin, que la inserción en el perfil de contratante poseía[108] habida cuenta de que cada entidad del sector público contaba con uno propio por lo que su número supera en nuestro país ampliamente los veinte mil. En estas condiciones podía afirmarse que la publicidad en el perfil no cumplía con las exigencias del principio de transparencia, además de no ser coherente con el objetivo de hacer accesible la contratación pública a las PYME.

Para dar solución a este problema la LCSP anuda ahora la producción de efectos de la publicación en el perfil de contratante al cumplimiento del requisito de que este se halle alojado en la Plataforma de Contratación del Sector Público o servicio de información equivalente autonómico, si lo hubiere, siempre que este servicio publique por interconexión con dispositivos electrónicos de agregación de la información la convocatoria de todas las licitaciones y sus resultados en aquella Plataforma (artículo 347.5 de la LCSP). Esta exigencia se refuerza mediante la introducción de una nueva causa de nulidad de Derecho administrativo conforme a la cual los contratos celebrados por poderes adjudicadores faltando la publicación del anuncio de licitación en el perfil de contratante alojado en la Plataforma de Contratación del Sector Público o en los servicios de información similares autonómicos son nulos de pleno derecho [artículo 39.2.c)]. De este modo los más de veinte mil perfiles mencionados se reconducen a uno estatal y diecisiete autonómicos que también han de relacionarse con aquel. Solo si

---

[108] SANTAMARÍA PASTOR (2015: Capítulo IV, apartado II, B.2).

estas exigencias de interconexión se cumplen verdaderamente podrá afirmarse que se respeta el principio de transparencia.

En definitiva, la LCSP liga el cómputo del plazo para recurrir, en los términos que se examinarán seguidamente, a la publicación en el perfil de contratante, siempre que este perfil esté alojado en la Plataforma de Contratación del Sector Público o servicio de información autonómico en los términos descritos.

El concreto régimen de cómputo se determina en el artículo 50.1 que comienza por el anuncio de licitación, supuesto en el que, sin excepción o matiz alguno, el plazo se cuenta a partir del día siguiente al de su publicación en el perfil de contratante. Ha de entenderse, pues, que el artículo 19.1 del RPERMC ha quedado tácitamente derogado, por lo que incluso cuando se trata de un contrato SARA que exige publicidad en el Diario Oficial de la Unión Europea, se toma en consideración únicamente la publicación en el perfil que ha de ser necesariamente posterior (artículo 135.3 de la LCSP).

El cómputo del plazo para impugnar los pliegos y demás documentos contractuales ha sido un asunto polémico en el que tercia ahora el artículo 50.1.b) de la LCSP mediante un conjunto de previsiones para resolver, con acierto a mi juicio, los posibles supuestos que la práctica puede plantear, dicho sea sin perjuicio de alguna crítica que expondré a continuación.

La regla general es que el *dies a quo* es el día siguiente al de la publicación del anuncio de licitación en el perfil de contratante. Ello es coherente con la obligación que incumbe al órgano de contratación de ofrecer acceso libre, directo, completo y gratuito a los pliegos y demás documentación complementaria por medios electrónicos a través del perfil de contratante y hacerlo desde la fecha misma de la publicación del anuncio de licitación (artículo 138.1 de la LCSP); anuncio en el que, además, por aplicación del artículo 135.4 en conexión con el Anexo III, debe hacerse constar la dirección electrónica o de internet en la que estarán disponibles los pliegos para su acceso con las características mencionadas.

Obviamente en el supuesto del procedimiento negociado sin publicidad, dado que no hay anuncio de licitación, el cómputo comienza el día siguiente a la remisión de la invitación a los candidatos seleccionados. En este sentido, el artículo 163.2, aplicable a este tipo de procedimiento por remisión de los artículos 170.1 y 169.2, dispone que la referida invitación debe contener las indicaciones pertinentes para permitir el acceso por medios electrónicos a los pliegos y demás documentación complementaria, acceso que debe poder efectuarse desde el envío de la invitación (artículo 138.1, citado).

Así pues, dado que el acceso electrónico a los pliegos ha de producirse, en un caso, con el anuncio de licitación y a partir de su fecha de publicación y, en el otro, con la invitación y a partir de su envío, parece acertado que tales actos de trámite sean los que se tomen como referencia para determinar el *dies a quo* para la interposición del recurso especial en materia de contratación.

Con todo, pueden darse circunstancias, ciertamente excepcionales, que justifiquen dar acceso a los pliegos y demás documentación complementaria por medios no electrónicos, lo que deberá advertirse en el anuncio de licitación o en la invitación a los candidatos seleccionados. Ello únicamente será lícito si se da alguno de los tres supuestos tasados que identifica el artículo 138.2 de la LCSP, a saber: que concurra alguna de las circunstancias de carácter técnico recogidas en la disposición adicional decimoquinta que imposibilite el acceso electrónico; por razones de confidencialidad en los términos del artículo 133; o por motivos de seguridad excepcionales cuando se trata de concesiones de obras o concesiones de servicios. En cualquiera de tales supuestos en que los pliegos no son puestos a disposición por medios electrónicos, el plazo se computa a partir del día siguiente a su entrega al interesado (al que la Ley llama incorrectamente, pues aún no lo es, recurrente).

La Ley contempla aún un supuesto más, para el caso de que el anuncio de licitación no indique la forma en la que los interesados pueden acceder a los pliegos. De darse este supuesto el plazo para recurrir se computaría a partir del día siguiente, bien de aquel en que se le hayan entregado al interesado, o bien de que "este haya podido acceder a su contenido a través del perfil de contratante". Toda vez que el supuesto planteado parte de la inaplicación de la obligación general que deriva de los artículos 138.1 y 135.4 en conexión con el Anexo III, ya mencionados, conforme a la cual el anuncio de licitación debe contener la dirección electrónica o de internet en la que estarán disponibles los pliegos para un acceso libre, directo, completo y gratuito a su contenido, las exigencias derivadas del principio de seguridad jurídica deberían haber llevado al legislador a situar el *dies a quo* en el día siguiente al de su acceso efectivo a los pliegos a través del perfil de contratante y no a la mera posibilidad de acceso.

Cuando lo que se impugna es el acto de adjudicación el cómputo se inicia a partir del día siguiente a su notificación a los candidatos o licitadores de conformidad con lo previsto en la disposición adicional decimoquinta de la LCSP. Esta disposición, de forma ciertamente alambicada, oscura y desordenada, prevé, por un lado, la exigencia de que en la tramitación de los procedimientos de adjudicación de los contratos públicos las notificaciones y comunicaciones se practiquen por medios exclusivamente electrónicos; y, por otro, permite que tales notificaciones se realicen por uno de los dos modos siguientes: mediante dirección electrónica habilitada o mediante comparecencia electrónica. Con todo, como entre los datos que el recurrente debe hacer constar en su escrito de interposición del recurso especial debe figurar "una dirección de correo electrónico «habilitada» (*sic*) a la que enviar, de conformidad con la disposición adicional decimoquinta, las comunicaciones y notificaciones", ha de interpretarse que en este procedimiento de recurso el modo normal de notificar será precisamente a través de tal dirección electrónica habilitada.

Pues bien, el cómputo del plazo para recurrir el acto de adjudicación se computa desde la fecha de envío de la notificación (o del aviso de notificación, si fuera mediante comparecencia electrónica); nótese que no se dice desde el día siguiente, sino desde la fecha, y no de la recepción de la notificación sino de su envío. Pero esto es así únicamente en el supuesto de que la notificación se haya publicado el mismo día en el perfil de contratante del órgano de contratación (alojado, como se ha dicho, en la Plataforma). El matiz es importante porque la Ley, artículo 151.1, exige notificar el acto de adjudicación a los candidatos y licitadores, así como también publicarlo en el perfil de contratante para lo que se dispone de un plazo de quince días —naturales, por tanto (disposición adicional duodécima)—. Cabe lícitamente pues que la publicación en el perfil, que ahora es obligatoria, se produzca con posterioridad a la fecha de envío de la notificación. En este último supuesto, el cómputo se realiza desde la recepción de la notificación por el interesado. A estos efectos debe tenerse en cuenta que dicha recepción tiene lugar "en el momento en que se produzca el acceso a su contenido", para lo que el interesado tiene diez días naturales desde la puesta a disposición de la notificación, transcurridos los cuales se entiende rechazada (artículo 43.2 de la LPA).

Esta última solución, además de compleja, no parece muy acertada pues, por hipótesis, permitiría que un licitador interponga en plazo su recurso especial pero una vez finalizado el plazo de 15 días hábiles que debe respetar el órgano de contratación para formalizar el contrato, plazo este último que se computa en todo caso desde el envío de la notificación de la adjudicación, y, por ende, que el contrato ya se esté ejecutando (o, incluso, tratándose de un contrato de suministros de tracto único ya esté ejecutado).

Cuando lo que se recurren son el acto de modificación de un contrato o un encargo a medio propio, el cómputo se inicia, una vez más, desde el día siguiente a la publicación de tales actos en el perfil de contratante. Dicha publicación en el primer caso debe producirse en el plazo de cinco días (naturales) desde la aprobación de la modificación (artículo 207.3, pfo. 2º, de la LCSP). En el caso de los encargos, los artículos 32.6.b) y 63.6 de la LCSP exigen la publicación de su formalización en la Plataforma de Contratación que corresponda (estatal o autonómica) y en el perfil de contratante, si bien no se indica un plazo límite para hacerlo, si bien el cumplimiento de la exigencia de publicación en la Plataforma se dispone como requisito de legalidad del propio encargo.

Si el recurso se interpone frente a alguno de los actos de trámite cualificados a que se refiere el artículo 44.2.b) de la LCSP, o contra un acto resultante de la aplicación del procedimiento negociado sin publicidad, el cómputo se inicia a partir del día siguiente a aquel en que se haya tenido conocimiento de la posible infracción.

El artículo 50.1 recoge una última letra a modo de cajón de sastre, en la que se hace referencia a cualquier otro supuesto no contemplado expresamente en el precepto, para el que se dispone que el *dies a quo* es el siguiente a su notificación de conformidad con la conocida disposición adicional decimoquinta y, por ende, de nuevo relacionado, siquiera indirectamente, con su publicación en el perfil de contratante en los términos ya examinados al hablar del acto de adjudicación.

Por último, como he dicho, la LCSP ha eliminado la cuestión de nulidad pero incluye, con algunas modificaciones, los supuestos que permitían interponerla en el nuevo recurso especial que son ahora los previstos en las letras c) a f) del artículo 39.2: falta de publicación del anuncio de licitación en el perfil de contratante alojado en la Plataforma, inobservancia del plazo mínimo para formalizar, haber formalizado el contrato cuando se ha interpuesto recurso especial sin respetar la suspensión, ya automática o ya adoptada como medida cautelar, o el incumplimiento de las normas de adjudicación de contratos basados en un acuerdo marco o en un sistema dinámico de adquisición. En lo que al plazo para recurrir y su cómputo se refiere, se dispone en primer lugar un plazo de treinta días (naturales) a contar desde la publicación de la formalización del contrato, incluyendo las razones justificativas por las que no se ha publicado la licitación o desde la notificación a los candidatos o licitadores afectados de los motivos del rechazo de su candidatura o de su proposición y de las características de la proposición del adjudicatario que determinaron la adjudicación. En el resto de los casos, el plazo es de seis meses a contar desde la formalización del contrato.

III. El innecesario y perturbador doble sistema de recursos en materia contractual: recurso especial vs. recursos ordinarios

Como se ha dicho, la LCSP, a pesar de haber rebajado notablemente los umbrales de admisibilidad del recurso especial, a la par que ha abierto el recurso a negocios jurídicos hasta ahora no contemplados normativamente (contratos administrativos especiales, encargos…), no ha dado sin embargo el paso definitivo de abrir el recurso a cualquier contrato, al margen de su importe. El resultado es que la mayoría de los contratos del sector público quedan aún al margen de las garantías que ofrece el recurso especial y que demanda la DR, en particular, la independencia y especialización del órgano encargado de resolverlo, pues los recursos administrativos ordinarios dejan en manos del propio órgano de contratación o de su superior jerárquico su resolución[109].

En definitiva, siempre que no se alcancen los umbrales previstos en el artículo 44.1 de la LCSP, así como cuando la entidad contratante carece de la consideración de poder adjudicador (con la excepción de los contratos subvencionados de los artículos 13 de la DCP y 23 de la LCSP), no será posible interponer recurso especial y habrá de acudirse, en su caso, a los recursos administrativos ordinarios de la LPA.

Estos recursos se caracterizan, en primer lugar, porque su tramitación y resolución se encomienda a un órgano de la propia Administración contratante. Dicho órgano será incluso el mismo que dictó el acto recurrido si, como es lo más habitual, agota la vía administrativa, procediendo entonces contra el mismo el recurso de reposición (así, contra el acto de adjudicación dictado por el órgano de contratación, por ejemplo el Alcalde, procede interponer recurso potestativo de reposición ante el mismo órgano de contratación). Y todo lo más, si no agotara la vía administrativa, la competencia correspondería a su superior jerárquico (recurso de alzada). Además, cuando la entidad contratante no es una Administración pública, como he dicho, las actuaciones realizadas en la preparación y en la adjudicación de sus contratos se consideran actos administrativos y pueden impugnarse por esta vía; en estos casos el recurso ordinario ha de interponerse ante el titular del departamento, órgano, ente u organismo al que esté adscrita la entidad contratante o al que corresponda su tutela; y si la entidad contratante estuviera vinculada a más de una Administración, ante el órgano correspondiente

---

[109]   Como afirma BERNAL BLAY (2016: pág. 491), "nos encontramos, pues, ante un sistema de recurso «fragmentado»".

de la que ostente el control o participación mayoritaria (artículo 321.5 de la LCSP). En estos supuestos la doctrina denomina al recurso de "alzada impropia" porque la relación entre ambos órganos no es propiamente jerárquica, sino de tutela y lo propio de la alzada es la jerarquía.

El recurso de reposición, como el especial, posee carácter potestativo por lo que puede acudirse directamente a la jurisdicción contenciosa; no así el recurso de alzada que debe interponerse necesariamente antes de la vía judicial.

En cualquier caso, como bien se observa, el control queda en manos básicamente del propio órgano de contratación que ejerce de "juez y parte" al mismo tiempo[110], lo que es tanto como decir que no existe verdadero control; y cuando el recurso procedente es el de alzada, o de alzada impropia, el órgano competente para resolverlo también carece de la nota de independencia respecto del que dictó el acto impugnado toda vez que los une una relación jerárquica o, en su caso, de tutela, de plena dependencia al fin.

Así las cosas no cabe duda de que este sistema de recursos no cumple con las exigencias derivadas de la DR tal y como han sido ya expuestas.

En segundo lugar, el plazo de interposición de estos recursos es siempre de un mes (para el recurso contencioso-administrativo son dos meses) y no producen en ningún caso (tampoco el recurso contencioso) efecto suspensivo automático alguno (artículo 117.1 de la LPA), sin perjuicio de que el recurrente pueda solicitar la suspensión de la eficacia del acto recurrido de conformidad con el citado artículo 117 (o de los artículos 129 y ss. de la LJCA, para el contencioso). Ello hace que no encajen bien con las reglas establecidas por la LCSP para la adjudicación de los contratos y su posterior formalización y perfección.

En efecto, el artículo 153.3 de la LCSP, al regular la formalización de los contratos, distingue entre los que son susceptibles de recurso especial y el resto. En estos últimos la formalización del contrato debe efectuarse no más tarde de los quince días hábiles siguientes a aquel en que se realice la notificación de la adjudicación a los licitadores y candidatos. En consecuencia, cabe formalizar el contrato, y comenzar su ejecución, a pesar de haberse presentado recurso contra el acto de adjudicación porque este carece de efecto suspensivo; incluso la formalización podría tener lugar el día siguiente a la notificación de la adjudicación (nótese que en este caso el plazo para formalizar es un plazo máximo, no mínimo de espera) sin dar tiempo a interponer recurso alguno y a solicitar la medida cautelar de suspensión del

---

[110]   VALCÁRCEL FERNÁNDEZ (2016: pág. 316).

acto de adjudicación. Así pues, cuando se resuelva el recurso no solo habrá podido comenzar la ejecución, sino que en muchas ocasiones, por hipótesis, ya se habrá completado. Aunque se demuestre la infracción cometida y se dicte una resolución estimando el recurso, no será posible ya depurar aquella infracción y otorgar una tutela restitutoria, todo lo más cabrá otorgar una indemnización —tutela resarcitoria—[111].

Lo paradójico es que esta falta de adecuación o encaje ya se daba en la legislación anterior y había sido advertida y denunciada por la doctrina[112], no obstante lo cual el legislador ha decidido mantener este estado de cosas en la nueva LCSP.

En definitiva, puede afirmarse, utilizando palabras del Profesor BAÑO LEÓN[113], que "con carácter general, el recurso administrativo no cumple con las finalidades que justificarían su mantenimiento: no es una garantía efectiva de defensa; no coadyuva al autocontrol de la Administración; no contribuye a descargar el número de asuntos del contencioso-administrativo". En materia de contratación pública se plantea además si nuestro sistema de recursos administrativos ordinarios, carente de las dos notas esenciales que caracterizan al especial, la independencia del órgano y la fuerza suspensiva automática, es compatible con el Derecho europeo de la contratación pública. En este debate la Comisión en su Comunicación Interpretativa de 2006 "sobre el Derecho comunitario aplicable en la adjudicación de contratos no cubiertos o solo parcialmente cubiertos por las Directivas sobre contratación pública"[114], ya

---

[111] GRACIA ROMERO (2018: en especial págs. 90 y ss.).

[112] BERNAL BLAY (2016: págs. 491 y ss.). Con anterioridad la Junta Consultiva de Contratación Administrativa de Aragón, en Informe 18/2008, de 21 de julio, había expresado que "en atención a nuestro régimen ordinario de recursos, no se conseguirá en estos casos de contratos no sujetos a regulación armonizada el objetivo que se persigue en la ley con el recurso especial [...], que es fundamentalmente la paralización del procedimiento en el caso de plantearse una impugnación de la adjudicación [...], evitando así que pese a la controversia sobre tal cuestión, se formalice la adjudicación del contrato y con ello se perfeccione y comience su ejecución; con las dificultades que ello entraña para un cumplimiento efectivo de la resolución que se dictase en su día estimando el recurso y por lo tanto anulando la adjudicación del contrato".

[113] BAÑO LEÓN (2016: 669); apunta asimismo que "la mejor alternativa al recurso administrativo es un buen recurso administrativo, entendiendo por tal el que garantiza una revisión de la actuación administrativa eficiente por un órgano funcionalmente independiente".

[114] Comunicación Interpretativa de la Comisión sobre el Derecho comunitario aplicable en la adjudicación de contratos no cubiertos o sólo parcialmente cubiertos por

expuso que, de conformidad con la jurisprudencia del Tribunal de Justicia, en los contratos no SARA, las personas tienen derecho a una protección judicial efectiva de los derechos que les confiere el ordenamiento jurídico de la Unión; y que "de conformidad con la jurisprudencia relativa a la protección judicial, los recursos disponibles no podrán ser menos eficaces que los aplicables a reclamaciones similares fundadas en el Derecho nacional (principio de equivalencia), y, en la práctica, no deberán imposibilitar o dificultar excesivamente la obtención de la protección judicial (principio de eficacia)". En la misma línea, la ya citada Sentencia *Orizzonte Salute*, recogiendo jurisprudencia bien consolidada, afirma que la regulación procesal de los procedimientos administrativos y judiciales destinados a asegurar la salvaguardia de los derechos que el Derecho de la Unión confiere a los justiciables no debe ser menos favorable que la relativa a los recursos semejantes establecidos para la protección de los derechos reconocidos por el ordenamiento jurídico interno (principio de equivalencia), ni hacer imposible en la práctica o excesivamente difícil el ejercicio de los derechos conferidos por el ordenamiento jurídico de la Unión (principio de efectividad)[115]. E insiste seguidamente en que este último principio implica una exigencia de tutela judicial, consagrada en el artículo 47 de la CDFUE, que el juez nacional debe observar y que el artículo 1 de la DR debe interpretarse necesariamente a la luz de los derechos fundamentales recogidos en la CDFUE y, en particular, de dicho derecho a la tutela judicial efectiva.

Pero, ¿el principio de equivalencia constituye un obstáculo a sistemas como el español que otorgan una menor protección a determinados contratos no cubiertos por las Directivas sustantivas? Literalmente el principio exigiría que el sistema diseñado para tutelar los derechos que el Derecho de la Unión consagra, en el caso español el recurso especial en materia de contratación, sea menos favorable que el previsto para proteger los derechos reconocidos por el Derecho nacional, es decir, los recursos administrativos ordinarios. Y de esto actualmente no hay ningún peligro pues el problema que se plantea es justamente el contrario. La pregunta que cabe hacerse entonces es si el principio de equivalencia alcanza a exigir también que en una misma materia, aquí la contratación pública, el sistema de tutela deba ser uniforme, o al menos a impedir que el nivel de garantía de ciertos contratos que por su cuantía (u otras razones) carecen de interés europeo sea inferior al resto.

---

las Directivas sobre contratación pública (2006/C 179/02), DOUE de 1 de agosto de 2006.

[115] Apartado 46, con cita de las SSTJ citadas 247/2010, *Club Hotel Loutraki AE y otros*, apartado 74, y 166/2015, *eVigilo*, apartado 39.

Nótese, por otra parte, que tras la rebaja de los umbrales del recurso especial operada por la nueva LCSP, se da la paradoja de que el problema de la distinta tutela ya no se produce únicamente entre contratos SARA y los que no lo son, sino entre estos últimos. ¿Qué puede justificar que un operador económico cuente con mayores garantías al participar en una licitación de un contrato de obras cuyo valor estimado es de más de tres millones de euros, y otro operador económico cuente con menos porque lo hace en otra licitación de "solo" tres millones de euros?; ¿acaso la diferencia de un euro puede justificar esta distinta posición ante el Derecho? No parece que este estado de cosas sea coherente con el principio de igualdad que consagra la Constitución Española. Principio de igualdad cuya inobservancia no puede justificarse con argumentos tales como el alto coste que tendría la extensión del recurso especial a todos los contratos públicos o en los problemas que podrían derivarse para la eficacia de la Administración de la aplicación del efecto suspensivo automático a todos los contratos, problemas a los que puede y debe darse solución sin menoscabo del principio.

Volviendo al Derecho europeo, que tanto ha ayudado a mejorar el español especialmente en materia de contratación pública, se observa como el artículo 1.2 de la DR obliga literalmente a los Estados miembros a velar "para que entre las empresas que deban alegar un perjuicio en el marco de un procedimiento de adjudicación de contrato no se produzcan discriminaciones" derivadas de la distinción que la propia DR efectúa entre las normas nacionales que transponen el Derecho de la Unión y las demás normas nacionales. En esta línea, BERNAL BLAY propone con acierto acudir al apartado 67 de la repetida Sentencia *Orizzonte Salute* en el que puede leerse que el principio de equivalencia "implica que reciban el mismo tratamiento los recursos basados en la infracción del Derecho nacional y aquellos, similares, fundados en una infracción del Derecho de la Unión[116]". Ambos tipos de recurso, caso de que se estimara conveniente mantener la doble vía, deben otorgar a los justiciables un tratamiento equivalente, sin que la cuantía del contrato pueda justificar una disminución de garantías respecto de las exigidas por la DR. Y obviamente el mejor modo de evitar toda vulneración del principio de equivalencia consiste en extender el recurso especial al margen de la cuantía del contrato. Recuérdese, al fin, que el derecho a una buena administración impone, como advierte GIMENO FELIÚ[117], que todos los

---

[116] BERNAL BLAY (2016: pág. 494).
[117] GIMENO FELIÚ (2015: págs. 147-148) y (2019: pág. 203). El mismo autor subraya que "preservar la transparencia en la contratación pública es una necesidad, que debe "protegerse" con una estrategia del control preventivo que sea efectivamente

contratos, cualquiera que sea su importe, tengan un régimen equivalente en el nivel de eficacia, "lo que es evidente que no se cumple con los recursos administrativos ordinarios, que funcionan en la práctica como una consecuencia más del principio de autotutela de la Administración. Por ello, la distinción del régimen de recursos en contratos públicos en función del umbral es una clara patología".

Bibliografía

BALLESTEROS MOFFA, L. A., "Expansión sustantiva y procesal del régimen administrativo en la contratación del sector público", en *Revista General de Derecho Administrativo*, núm. 51, 2019.

BAÑO LEÓN, J. M., "El recurso administrativo como ejemplo de la inercia autoritaria del Derecho público español", en Fernando López Ramón (Coord.), *Las vías administrativas de recurso a debate*, AEPDA-INAP, Madrid, págs. 647-673, 2016.

BERNAL BLAY, M. A., "Hacia la unidad del sistema de recursos en materia de contratación pública", en Fernando López Ramón (Coord.), *Las vías administrativas de recurso a debate*, AEPDA-INAP, Madrid, 2016, págs. 489-498.

CANO CAMPOS, T., "La legitimación especial en el contencioso-administrativo de la contratación", *Revista General de Derecho Administrativo*, núm. 37, octubre, 2014, págs. 1-26.

CERRILLO I MARTÍNEZ, A., *El principio de integridad en la contratación pública*, Aranzadi-Thomson Reuters, Cizur Menor (Navarra), 2014.

DÍAZ SASTRE, S., "Análisis de la litigiosidad administrativa y contencioso-administrativa en materia de contratación pública", en Silvia Díaz Sastre (dir.), *Informe sobre la Justicia Administrativa 2019. Tributos, Contratos Públicos, Responsabilidad Patrimonial, Derechos Fundamentales, Personal de la Administración, Protección de Datos, Transparencia y Responsabilidad Contable*, Centro de Investigación sobre Justicia Administrativa de la Universidad Autónoma de Madrid (CIJA-UAM), Madrid, 2019, págs. 105-210.

FERNÁNDEZ ACEVEDO, R., "El recurso especial en materia de contratación: procedimiento y resolución. El nuevo reparto jurisdiccional", en *Revista Contratación Administrativa Práctica*, núm. 153, enero-febrero, 2018, págs. 148-158.

FERNÁNDEZ ACEVEDO, R., "Retos ambientales de las nuevas directivas. La contratación pública como herramienta", en Martín María Razquin Lizarraga (dir.), *Nueva contratación pública. Mercado y medio ambiente*, Aranzadi-Thomson Reuters, Cizur Menor (Navarra), 2017, págs. 77-127.

útil, rápido, e independiente, vinculado al derecho a una buena administración y no a las prerrogativas de la Administración. Principio exigible en cualquier tipo de contrato público al margen de su importe sin que resulte admisible una interpretación "relajada" por tal circunstancia. Debe evitarse que existan en la práctica ámbitos de la contratación pública exentos en función su umbral económico" [GIMENO FELIÚ (2016: pág. 10)].

FERNÁNDEZ ACEVEDO, R., "Sistema nacional de recursos en materia de contratación y efecto útil de las directivas", en Fernando López Ramón (Coord.), *Las vías administrativas de recurso a debate*, AEPDA-INAP, Madrid, 2016, págs. 511-522.

FERNÁNDEZ ACEVEDO, R., "El efecto útil de las Directivas de recursos y de contratos como límite a la caducidad del recurso contra los actos de la licitación: a propósito de la Doctrina *e Vigilo*", publicado en *Observatorio de Contratación Pública*, 8 de junio, 2015.

GALLEGO CÓRCOLES, I., "La prevención de la corrupción en la contratación pública", en *Public Compliance. Prevención de la corrupción en Administraciones públicas y partidos políticos*, UCLM, Cuenca, 2014, págs. 61-93.

GIMENO FELIÚ, J. M., *La Ley de Contratos del Sector Público 9/2017. Sus principales novedades, los problemas interpretativos y las posibles soluciones*, Aranzadi-Thomson Reuters, Cizur Menor (Navarra), 2019.

GIMENO FELIÚ, J. M., "Corrupción y contratación pública: las soluciones de la LCSP", en *Tratado de Contratos del Sector Público*, Tomo I, Tirant lo Blanch, Valencia, 2018, págs. 241-320.

GIMENO FELIÚ, J. M., "La nueva Ley de Contratos del Sector Público: hacia un modelo de contratación pública transparente y estratégica", en *Contratación Administrativa Práctica* núm. 153, enero-febrero, 2018, págs. 1-8.

GIMENO FELIÚ, J. M., "Reflexiones sobre la planta del sistema de tribunales administrativos de resolución del recurso especial desde la perspectiva de efecto útil de las previsiones europeas de control eficaz y el modelo de la Ley 9/2017, de 8 de noviembre, de contratos del sector público. Hacia un modelo independiente y profesionalizado", en Marcos Vaquer Caballería, Ángel Manuel Moreno Molina y Antonio Descalzo González (coords.), *Estudios de Derecho Público en homenaje a Luciano Parejo Alfonso. Capítulo II Estado social y Administración pública*, vol. 2, 2018, págs. 1775-1790.

GIMENO FELIÚ, J. M., "El Informe sobre España 2018 y su incidencia en la contratación pública: a propósito del control previo mediante órganos de recursos contractuales", en *Observatorio de Contratación Pública*, 12 de marzo, 2018.

GIMENO FELIÚ, J. M., "El necesario *big-bang* contra la corrupción en materia de contratación pública y su modelo de control", en *Revista Internacional de Transparencia e Integridad*, núm. 2, septiembre-diciembre, 2016, págs. 1-12.

GIMENO FELIÚ, J. M., "Informe especial. Sistema de control de la contratación pública en España (Cinco años de funcionamiento del recurso especial en los contratos públicos. La doctrina fijada por los órganos de recursos contractuales. Enseñanzas y propuestas de mejora), en *Observatorio de Contratación Pública*, http://www.obcp.es/index.php/mod. documentos/mem.descargar/fichero.documentos_INFORME_ESPECIAL_OBPC__RE-CURSO_ESPECIAL_Y_DOCTRINA_2015_0f8f25d8%232E%23pdf/chk.13f88f1fcc7 d3864e48c973df4e880f7 (última consulta: 10 ago. 2019).

GIMENO FELIÚ, J. M., "Los Tribunales Administrativos Especiales de Contratación Pública y su principal doctrina (en especial la de Aragón). ¿Hacia un control efectivo de los contratos públicos?", en Rafael Fernández Acevedo y Patricia Valcárcel Fernández (dirs.), *La contratación pública a debate: presente y futuro*, Civitas-Thomson Reuters, Cizur Menor (Navarra), 2014, págs. 25-138.

GRACIA ROMERO, L., "Las fisuras del sistema especial de protección de los candidatos y licitadores en la nueva Ley de Contratos del Sector Público", en *Revista Jurídica de Castilla y León*, núm. 46, septiembre, 2018, págs. 65-99.

HERNÁEZ SALGUERO, E., "El nuevo objeto del recurso especial en materia de contratación", en José María Gimeno Feliú (dir.), *Estudio Sistemático de la Ley de Contratos del Sector Público*, Aranzadi-Thomson Reuters, Cizur Menor (Navarra), 2018, págs. 639-666.

MIRANZO DÍAZ, J., "El necesario cambio de paradigma en la aproximación a la corrupción en la contratación pública europea: propuestas para su sistematización", en *Revista General de Derecho Administrativo*, núm. 51, http://laadministracionaldia.inap.es/noticia.asp?id=1509776#nota1 (última consulta: 10 ago. 2019).

MORENO MOLINA, J. A., "La Ley 34/2010 y la adaptación en España del derecho de la Unión Europea en materia de recursos en los procedimientos de adjudicación de contratos públicos", en *Revista General de Derecho Administrativo*, núm. 25, 2010.

MORENO MOLINA, J. A., "«Un mundo para SARA». Una nueva categoría en el Derecho español de la contratación pública: los contratos sujetos a regulación armonizada", en *Revista de Administración Pública*, núm. 178, 2009, págs. 175-213.

PONCE SOLÉ, J., "Ciencias sociales, Derecho Administrativo y buena gestión pública. De la lucha contra las inmunidades del poder a la batalla por un buen gobierno y una buena administración mediante un diálogo fructífero", en *Gestión y Análisis de Políticas Públicas*, nueva época, núm. 11, enero-junio, 2014, págs. 23-42; DOI: http://dx.doi.org/10.24965/gapp.v0i11.10176.

PONCE SOLÉ, J., "La prevención de la corrupción mediante la garantía del derecho a un buen gobierno y a una buena administración en el ámbito local (con referencias al Proyecto de Ley de transparencia, acceso a la información pública y buen gobierno)", en *Anuario del Gobierno Local 2012*, 2013, págs. 93-140.

SANTAMARÍA PASTOR, J. A., *Los recursos especiales en materia de contratos del sector público*, Aranzadi-Thomson Reuters, Cizur Menor (Navarra), 2015; consultado en recurso electrónico sin paginar.

SANTIAGO FERNÁNDEZ, M. J., "Procedimiento del recurso especial en materia de contratación", en José María Gimeno Feliú (dir.), *Estudio Sistemático de la Ley de Contratos del Sector Público*, Aranzadi-Thomson Reuters, Cizur Menor (Navarra), 2018, págs. 667-687.

TORNOS MAS, J., "Los órganos administrativos independientes de resolución de recursos administrativos como complemento del control judicial de la Administración. La *proportionate dispute resolution*", en Fernando López Ramón (coord.), *Las vías administrativas de recurso a debate*, INAP, Madrid, 2016, págs. 801-812.

VALCÁRCEL FERNÁNDEZ, P., "El reconocimiento de legitimación para interponer el recurso especial en materia de contratación a los licitadores excluidos", en *Contratación Administrativa Práctica*, núm. 150, julio-agosto, 2017; consultado en recurso electrónico sin paginar.

VALCÁRCEL FERNÁNDEZ, P., "El recurso especial en materia de contratos públicos: en la senda del derecho a una buena Administración", en Fernando López Ramón (coord.), *Las vías administrativas de recurso a debate*, INAP, Madrid, 2016, págs. 303-367.

VALCÁRCEL FERNÁNDEZ, P., con FERNÁNDEZ ACEVEDO, RAFAEL: "Reivindicación de la competencia del orden contencioso-administrativo para el control jurisdiccional de la contratación del sector público", en José María Gimeno Feliú (dir.), *Observatorio de los Contratos Públicos 2014*, Aranzadi-Thomson Reuters, Cizur Menor (Navarra), 2015, págs. 237-278.

LA EXPERIENCIA PERUANA EN ARBITRAJE OBLIGATORIO Y EN LA JUNTA DE SOLUCIÓN DE DISPUTAS EN LA CONTRATACIÓN ESTATAL

JUAN CARLOS MORÓN URBINA
Profesor de Derecho Administrativo
Pontificia Universidad Católica del Perú

JUAN CARLOS MEDINA FLORES
Abogado
Universidad San Martín de Porres

I. Introducción

El artículo 63[1] de la Constitución Política del Perú establece que las entidades del Estado pueden someter las controversias derivadas de sus re-

---

[1] *"Artículo 63. La inversión nacional y la extranjera se sujetan a las mismas condiciones. La producción de bienes y servicios y el comercio exterior son libres. Si otro país o países adoptan medidas proteccionistas o discriminatorias que perjudiquen el interés nacional, el Estado puede, en defensa de éste, adoptar medidas análogas. En todo contrato del Estado y de las personas de derecho público con extranjeros domiciliados consta el sometimiento de éstos a las leyes y órganos jurisdiccionales de la República y su renuncia a toda reclamación diplomática. Pueden ser exceptuados de la jurisdicción nacional los contratos de carácter financiero.*

laciones contractuales a arbitraje nacional o internacional, en la forma en que disponga la ley.

En atención a esta habilitación constitucional, el artículo 4[2] del Decreto Legislativo N.º 1071, "Decreto Legislativo que Norma el Arbitraje", establece que el Estado Peruano puede someter a arbitraje nacional o internacional las controversias derivadas de los contratos y convenios que celebre con sujetos nacionales o extranjeros.

El artículo 1 del Texto Único Ordenado de la Ley N.º 30225, Ley de Contrataciones del Estado, aprobado mediante Decreto Supremo N.º 082-2019-EF (en adelante, el "TUO de la LCE"), norma que rige el régimen general de contratación pública peruano, establece que su finalidad es la de "*establecer normas orientadas a maximizar el valor de los recursos públicos que se invierten y a promover la actuación bajo el enfoque de gestión por resultados en las contrataciones de bienes, servicios y obras, de tal manera que estas se efectúen en forma oportuna y bajo las mejores condiciones de precio y calidad, permitan el cumplimiento de los fines públicos y tengan una repercusión positiva en las condiciones de vida de los ciudadanos*".

Asimismo, el artículo 2 de dicho cuerpo normativo regula los principios que rigen toda contratación con el Estado, entre los cuales se encuentra el

---

El Estado y las demás personas de derecho público pueden someter las controversias derivadas de relación contractual a tribunales constituidos en virtud de tratados en vigor. Pueden también someterlas a arbitraje nacional o internacional, en la forma en que lo disponga la ley".

[2] "*Artículo 4. Arbitraje del Estado Peruano.*
1. Para los efectos de este Decreto Legislativo, la referencia a Estado Peruano comprende el Gobierno Nacional, los Gobiernos Regionales, los Gobiernos Locales y sus respectivas dependencias, así como las personas jurídicas de derecho público, las empresas estatales de derecho público, de derecho privado o de economía mixta y las personas jurídicas de derecho privado que ejerzan función estatal por ley, delegación, concesión o autorización del Estado.
2. Las controversias derivadas de los contratos y convenios celebrados entre estas entidades estatales pueden someterse también a arbitraje nacional.
3. El Estado puede someter a arbitraje nacional las controversias derivadas de los contratos que celebre con nacionales o extranjeros domiciliados en el país.
4. El Estado puede también someter a arbitraje internacional, dentro o fuera del país, las controversias derivadas de los contratos que celebre con nacionales o extranjeros no domiciliados en el país.
5. En caso de actividades financieras, el arbitraje podrá desarrollarse dentro o fuera del país, inclusive con extranjeros domiciliados en el país".

Principio de Competencia[3], según el cual las disposiciones de los procesos de contratación pública deben encontrarse orientados a establecer condiciones de participación efectiva de la mayor cantidad de proveedores posibles, a efectos de que las Entidades puedan satisfacer sus necesidades bajo las mejores condiciones de calidad y precio.

Dentro de las normas que promueven la participación de proveedores en las contrataciones del Estado y la eficiencia de los procesos de contratación se encuentran aquellas que regulan los mecanismos de solución de controversias, que han sustraído de la competencia del Poder Judicial las controversias que surjan durante la ejecución de los contratos que se rigen por el TUO de la LCE. Ello, debido a que los procesos judiciales en Perú tardan años en ser resueltos, lo que genera una serie de sobrecostos que, por un lado, podrían desincentivar la inversión o, por el otro, generar que las ofertas de los proveedores del Estado se encarezcan.

La Ley N.° 26850, antigua Ley de Contrataciones y Adquisiciones del Estado, fue la primera norma en la materia que estableció que las controversias en contrataciones del Estado no se sometieran a la competencia de los jueces. Así, esta norma establecía en su artículo 41 lo siguiente: "*cuando en la ejecución o interpretación del contrato surja entre las partes una discrepancia, ésta será definida mediante el procedimiento de conciliación extrajudicial o arbitraje, según lo acuerden las partes*".

Esta norma marcó el inicio de la aplicación extensa del arbitraje como mecanismo obligatorio para resolver las controversias derivadas de los contratos que celebren las Entidades bajo el ámbito de la normativa de contrataciones del Estado, posición que se ha mantenido en las sucesivas leyes que han regulado la contratación pública peruana, habiéndose incorporado en la última gran reforma normativa el mecanismo de la Junta de Resolución

---

[3]   "*Las contrataciones del Estado se desarrollan con fundamento en los siguientes principios, sin perjuicio de la aplicación de otros principios generales del derecho público que resulten aplicables al proceso de contratación.*
Los principios sirven de criterio de interpretación para la aplicación de la presente norma y su reglamento, de integración para solucionar sus vacíos y como parámetros para la actuación de quienes intervengan en dichas contrataciones:
(...).
e) Competencia. Los procesos de contratación incluyen disposiciones que permiten establecer condiciones de competencia efectiva y obtener la propuesta más ventajosa para satisfacer el interés público que subyace a la contratación. Se encuentra prohibida la adopción de prácticas que restrinjan o afecten la competencia. (...)".

de Disputas como otro medio para resolver controversias en obras de gran envergadura.

Adicionalmente, cabe señalar que el artículo 56[4] del Decreto Legislativo N.° 1362, "Decreto Legislativo que regula la Promoción de la Inversión Privada mediante Asociaciones Público Privadas y Proyectos en Activos" (en adelante, "Ley de APP"), establece que, independiente de la posibilidad de resolver las controversias mediante trato directo, los contratos de Asociación Público Privadas (en adelante, "APP") deben incluir una cláusula arbitral. Asimismo, la citada disposición establece que los Contratos de APP

---

4   *"Artículo 56. Solución de controversias.*

56.1 Los contratos de Asociación Público Privada incluyen una cláusula referida a la vía arbitral como mecanismo de solución de controversias. Los laudos arbitrales se publican en el portal institucional de la entidad pública titular del proyecto.

56.2 Los contratos de Asociación Público Privada pueden incluir una cláusula que permita la intervención, dentro de la etapa de trato directo, de un tercero neutral denominado Amigable Componedor, quien propone una fórmula de solución de la controversia que, de ser aceptada de manera parcial o total por las partes, produce los efectos jurídicos de una transacción.

56.3 La entidad pública titular del proyecto garantiza la participación oportuna de los organismos reguladores en los procesos arbitrales, para coadyuvar al debido patrocinio del Estado. El árbitro o Tribunal Arbitral respectivo tiene la obligación de permitir la participación de los organismos reguladores en los procesos arbitrales en los que se discutan decisiones y materias vinculadas a su competencia, conforme a la normativa vigente.

56.4 Asimismo, las partes pueden someter sus controversias a una Junta de Resolución de Disputas, conforme a lo dispuesto en el respectivo contrato, siendo su decisión vinculante para las partes, lo cual no limita la facultad de recurrir al arbitraje.

56.5 Los procedimientos, instituciones elegibles, plazos y condiciones para la elección, designación y/o constitución del Amigable Componedor y de las Juntas de Resolución de Disputas se establecen en el Reglamento.

56.6 Lo dispuesto en los numerales precedentes, no se aplica a las controversias internacionales de inversión que se sometan al mecanismo internacional de solución de controversias a que se refiere la Ley N° 28933, Ley que establece el Sistema de Coordinación y Respuesta del Estado en Controversias Internacionales de Inversión.

56.7 No se encuentran dentro del ámbito de aplicación de la Ley N° 30225, Ley de Contrataciones del Estado, los servicios a ser brindados por el Amigable Componedor, por los miembros de la Junta de Resolución de Disputas y por los centros ni las instituciones que administren los citados mecanismos alternativos de resolución de conflictos, siempre que dichos servicios sean requeridos dentro de la ejecución de los contratos de Asociación Público Privada".

pueden establecer que las partes someten sus controversias a una Junta de Resolución de Disputas, lo cual no limita la facultad de recurrir al arbitraje.

El presente artículo describirá en líneas generales el diseño actual de los mecanismos de solución de controversias en la normativa de contrataciones del Estado peruana vigente, con especial énfasis en el arbitraje y la Junta de Resolución de Disputas.

II. El Esquema de los mecanismos de solución de controversias durante la ejecución contractual

El esquema regular del proceso de contratación pública peruano comprende tres fases: (i) la fase de programación de las contrataciones y las actuaciones preparatorias necesarias para llevar a cabo la contratación, (ii) la fase de selección del proveedor con el que contratará la Entidad y (iii) la fase de ejecución contractual.

Durante la fase de selección las Entidades deben elaborar el proyecto de contrato que se incluirá en los documentos del procedimiento de selección y que será suscrito por el postor adjudicatario. Al respecto, el artículo 32.3 del artículo 32[5] del TUO de la LCE establece que todos los contratos que se encuentren bajo el ámbito de la normativa de contratación pública peruana deben incluir necesariamente y bajo responsabilidad del servidor público correspondiente cláusulas referidas a solución de controversias.

Por su parte, el artículo 45[6] del TUO de la LCE establece que todas las controversias que surjan entre las partes durante la fase de ejecución contractual se resuelven necesariamente mediante conciliación o arbitraje,

---

[5] *"Artículo 32. El contrato.*
(...) 32.3 Los contratos regulados por la presente norma incluyen necesariamente y bajo responsabilidad las cláusulas referidas a: a) Garantías, b) Anticorrupción, c) Solución de controversias y d) Resolución de contrato por incumplimiento, conforme a lo previsto en el reglamento. (...)"

[6] *"Artículo 45. Medios de solución de controversias de la ejecución contractual.*
45.1 Las controversias que surjan entre las partes sobre la ejecución, interpretación, resolución, inexistencia, ineficacia o invalidez del contrato se resuelven, mediante conciliación o arbitraje, según el acuerdo de las partes. En el reglamento se definen los supuestos para recurrir al arbitraje Ad Hoc. Las controversias sobre la nulidad del contrato solo pueden ser sometidas a arbitraje. (...).
45.3 Las partes pueden recurrir a la Junta de Resolución de Disputas en las contrataciones de obras, de acuerdo al valor referencial y demás condiciones previstas

según acuerdo de las partes. Adicionalmente, prevé la posibilidad de que las partes sometan sus controversias a la Junta de Resolución de Disputas en contrataciones de obras de gran envergadura.

Es preciso indicar que, en los casos específicos en que las controversias entre las partes versen sobre la nulidad del contrato, la resolución del contrato, las ampliaciones de plazo contractual, la recepción y conformidad de las prestaciones del contratista, las valorizaciones y metrados o la liquidación del contrato, la norma ha previsto un plazo de caducidad de treinta días hábiles para iniciar el mecanismo de solución de controversias correspondiente. En los demás tipos de controversias, estos mecanismos pueden ser iniciados en cualquier momento antes del pago final en favor del contratista, salvo el caso de las controversias referidas a vicios ocultos y a las obligaciones a cargo del contratista que deban ejecutarse con posterioridad al pago final.

Finalmente, es importante indicar que el procedimiento de solución de controversias que se inicie no suspende o paraliza la ejecución de las obligaciones de las partes, salvo que la Entidad disponga lo contrario o que, por ejemplo, se trabe una medida cautelar que tenga esos efectos. Esto, pues, toda vez que los contratos que celebran las Entidades tienen como función atender una necesidad pública, la normativa favorece su continuidad para no afectar los intereses públicos comprometidos.

1. La Conciliación Extrajudicial

De acuerdo a la normativa de contrataciones del Estado, las partes pueden pactar acudir a un procedimiento conciliatorio como mecanismo previo al arbitraje. Esta conciliación es de tipo extrajudicial y se lleva a cabo ante un Centro de Conciliación Extrajudicial que debe encontrarse acreditado por el Ministerio de Justicia y Derechos Humanos y llevado a cabo por un conciliador certificado por dicho ministerio.

Cuando las partes acuerden la aplicación de la conciliación extrajudicial como mecanismos de solución de controversias y se sometan determinadas controversias a dicho mecanismo, el Titular de la Entidad o el servidor correspondiente al que se le haya delegado la facultad, deben evaluar la decisión de conciliar o de rechazar la propuesta de acuerdo conciliatorio, con-

---

en el reglamento, siendo sus decisiones vinculantes. El reglamento puede establecer otros medios de solución de controversias. (…)".

siderando criterios de costo beneficio y ponderando los costos en tiempo y recursos del eventual proceso arbitral, la expectativa de éxito en el arbitraje y la conveniencia de resolver la controversia a través de la conciliación. Asimismo, deben evaluar los riesgos que generaría un eventual proceso arbitral en la ejecución del propio contrato, de manera tal que perjudiquen la atención de la necesidad pública que sustentó la contratación. Este análisis debe encontrarse plasmado en informe técnico y legal.

La razón de ser de esta obligación es que, históricamente, las Entidades no solían llegar a acuerdos conciliatorios para resolver sus controversias con sus contratistas, por lo que la conciliación se constituía únicamente como un paso previo, formal y protocolar para acudir al arbitraje.

El motivo por el cual las Entidades se mostraban renuentes a conciliar sus controversias se debía a que los funcionarios y servidores no querían asumir la responsabilidad de adoptar una decisión que ponga fin a la controversia, prefiriendo que sea el árbitro o el Tribunal Arbitral quien imponga una solución final. Por ello, ahora la normativa de contrataciones del Estado exige a los funcionarios y servidores correspondientes de la Entidad elaborar un informe en el que analice bajo diferentes parámetros si resulta más eficiente conciliar o si, por el contrario, resulta más eficiente para la Entidad acudir a un arbitraje, considerando los diferentes costos de transacción que se ven involucrados con esta última opción.

Al respecto, hemos dicho en un anterior trabajo que *"el Estado tiende a no conciliar con los contratistas, pese a que la controversia les vaya a ser claramente desventajosa en la vía arbitral. Para ello se aducen algunas posiciones adversas que en verdad son expresiones de temores o prejuicios. Por ejemplo, se suele decir que la posición de supremacía del Estado le impide conciliar, se afirma que la no negociabilidad de prerrogativas públicas (como prerrogativas exorbitantes) o la indisponibilidad de la legalidad de los actos administrativos, según la cual no podrían conciliar sobre si su acto contractual ha sido ilegal (por ejemplo, una resolución de contrato o una denegatoria de ampliación de plazo), o se dice también que los recursos públicos no son objetos disponibles, por lo que sería imposible comprometer fondos públicos mediante el acuerdo conciliatorio. En verdad, ninguno de estos argumentos es cierto. Si las partes han dispuesto de manera explícita la realización de una conciliación, cualquiera de ellas, o ambas, puede solicitar dicha realización al amparo de la normativa en materia de contrataciones"*[7].

----

[7]   MORÓN URBINA, Juan Carlos. *La Contratación Estatal. Análisis de las diversas formar y técnicas contractuales que utiliza el Estado.* Editorial Gaceta Jurídica.

Es importante tener en cuenta que el numeral 45.13[8] del artículo 45 del TUO de la LCE precisa que el funcionario o servidor correspondiente incurre en responsabilidad administrativa por impulsar o proseguir el proceso arbitral cuando el análisis costo-beneficio mencionado anteriormente determine que razonablemente la posición de la Entidad no será acogida en dicha sede jurisdiccional.

Finalmente, puede señalarse que, cuando el procedimiento conciliatorio concluya por acuerdo parcial entre las partes, es decir, cuando no todas las controversias sometidas a conciliación hayan sido comprendidas dentro del acuerdo, o sin acuerdo alguno, las partes pueden someter las controversias pendientes a arbitraje. Evidentemente, solo se podrán someter a arbitraje aquellas controversias respecto de las cuales no se ha logrado acuerdo conciliatorio.

2. El Arbitraje

En principio, debemos indicar que, conforme al artículo 139[9] de la Constitución Política del Perú, el arbitraje constituye una vía jurisdiccional para resolver controversias. En este sentido, conforme ha establecido el Tribunal Constitucional, *"el arbitraje no puede entenderse como un mecanismo que desplaza al Poder Judicial, ni tampoco como sustitutorio, sino como una alternativa que complementa el sistema judicial puesta a disposición de la sociedad para la solución pacífica de las controversias"*[10].

Por su parte, el artículo 63 de la Constitución Política del Perú establece que *"El Estado y las demás personas de derecho público pueden someter las controversias derivadas de relación contractual a tribunales constituidos en virtud de tratados en vigor. Pueden también someterlas a arbitraje nacional o internacional, en la forma en que lo disponga la ley"*.

Lima, 2016, pág. 788.

[8]   *"Artículo 45. Medios de solución de controversias de la ejecución contractual.* (...) *45.13 Constituye responsabilidad funcional impulsar o proseguir la vía arbitral cuando el análisis costo-beneficio determina que la posición de la entidad razonablemente no será acogida en dicha sede. El reglamento establece otros criterios, parámetros y procedimientos para la toma de decisión de conciliar".*

[9]   *"Artículo 139°. Son principios y derechos de la función jurisdiccional: 1. La unidad y exclusividad de la función jurisdiccional. No existe ni puede establecerse jurisdicción alguna independiente, con excepción de la militar y la arbitral. No hay proceso judicial por comisión o delegación (...)".*

[10]   Sentencia recaída en el Expediente STC 6167-2005-PHC/TC.

En este contexto, como mencionamos anteriormente, el Perú ha adoptado un sistema de arbitraje obligatorio en materia de contratación pública. La normativa de contrataciones del Estado ha sustraído de la jurisdicción ordinaria, esto es, de la competencia natural de los jueces, a las controversias en materia de contratación pública durante la fase de ejecución contractual. Así, toda controversia que surja durante la ejecución de un contrato que se encuentre bajo el ámbito del TUO de la LCE puede ser sometido a arbitraje, mas no al poder judicial, salvo casos específicos de materias que no pueden ser arbitrables.

Esta tendencia, en palabras de Díaz Madrera no es extraña, pues *"la contratación administrativa, como se ha señalado reiteradamente por la doctrina, dado su carácter convencional, se manifiesta como una de las materias más idóneas para el arbitraje, y por tanto, como uno de los campos en los que preferentemente debiera incentivarse la solución de conflictos a través de medios arbitrales y de la conciliación"*[11].

Esta característica de nuestro sistema de solución de conflictos en la fase de ejecución contractual ha generado, en palabras de Castillo Freyre y Sabroso Minaya, *"una verdadera transformación en la administración de justicia, en la medida que, como todos sabemos, es muy grande la cantidad de procesos arbitrales que se derivan de los conflictos relacionados con contratos que celebran los particulares con el Estado y sus entidades. Asimismo, los montos en controversia son bastante altos. Los arbitrajes en donde —por lo menos— una de las partes es el Estado, representan alrededor del 70% del total de procesos arbitrales que están en curso en nuestro país"*[12].

Esta decisión adoptada por la normativa de contrataciones del Estado, respecto de la solución de controversias en la fase de ejecución contractual, *"fue fundada en múltiples motivos, desde la celeridad frente a la lentitud judicial, hasta la independencia y tecnicismo de los árbitros especializados antes que la burocratización y desconocimiento judicial sobre estos temas. A ello se sumó el interés de dar una garantía mayor al contratista del Estado en el sentido de que sus pretensiones serían analizadas por instancias técnicas, especializadas y con mayor celeridad"*[13].

---

[11] DÍAS MADRERA, Beatriz. *El arbitraje y el derecho de la contratación pública*. En: El Arbitraje en las Distintas Ramas del Derecho. Biblioteca de Arbitraje, Vol 6, pág. 156.

[12] CASTILLO FREYRE, Mario y SABROSO MINAYA, Rita. *El Arbitraje en la Contratación Pública*. Ed. Palestra Editores. Limas, 2009, pág. 16.

[13] MORÓN URBINA, *op. cit.*, pág. 790.

De esta manera, la normativa peruana ha previsto que cualquiera de las partes tiene derecho a someter a arbitraje las controversias derivadas de la ejecución del contrato dentro del plazo de caducidad correspondiente al que nos hemos referido anteriormente (treinta días hábiles).

Ahora bien, el arbitraje regulado en la normativa de contrataciones del Estado peruana tiene las siguientes características distintivas:

A) Tipo de Arbitraje

Una primera característica del arbitraje en contratación pública es que este es un **arbitraje de derecho**. Esta característica implica que los árbitros deben resolver las controversias sometidas por las partes basando su decisión necesariamente en la aplicación del ordenamiento jurídico correspondiente, predominantemente las reglas del derecho administrativo. El arbitraje de derecho se contrapone al arbitraje de conciencia, que es aquel en el que los árbitros resuelven las controversias conforme a su leal saber y entender.

Respecto de esta característica, Kundmüller ha señalado que: "*En primer lugar el hecho de exigir que el arbitraje sea de derecho constituye una grave limitación a la libertad de las partes para determinar el tipo de arbitraje que convenga a sus intereses, significando también una gravísima limitación para la libre determinación de las partes respecto del modo apropiado de gestión de sus conflictos en sede arbitral. En el caso de los temas regulados por el Reglamento y la Ley esto cobra relevancia, ya que básicamente estamos hablando de asuntos que se refieren a temas de ingeniería o concernientes a otras especialidades no necesariamente del campo del derecho*"[14]

Entendemos que la normativa de contrataciones del Estado ha buscado que, por la importancia de los intereses públicos involucrados en los contratos regulados por esta, las controversias sean resueltas necesariamente conforme al ordenamiento jurídico, evitándose con ello cualquier atisbo de arbitrariedad. Si bien es cierto que las materias que se discuten en los arbitrajes en contratación pública son de carácter técnico en una gran medida, no menos cierto es que las normas sobre contratación pública buscan proteger la correcta satisfacción de necesidades públicas de la población, por lo que no pueden ser obviadas por los árbitros.

---

[14]   KUNDMÜLLER CAMINITI, Franz. *Obligatoriedad del Arbitraje y Otros Temas de Gestión de Conflictos en la Ley de Contrataciones y Adquisiciones del Estado y su Reglamento.* En: Themis N.° 39. Lima, 1999, pág. 218.

Claro está, por el propio carácter técnico involucrado en los diferentes objetos contractuales, aun en el arbitraje de derecho, los árbitros tienen discrecionalidad técnica para decidir respecto de aquellos aspectos que no se encuentran reglados en el marco normativo aplicable.

De otro lado, el artículo 225[15] del Reglamento del TUO de la LCE, aprobado mediante Decreto Supremo 344-2018-EF, establece como regla general la aplicación del **arbitraje institucional,** en cuyo caso la parte que inicia el arbitraje deberá acudir a la institución arbitral elegida en el contrato y someterse a los reglamentos de dicha institución arbitral.

El arbitraje solo podrá ser **Ad hoc** cuando las controversias deriven de contratos cuyo monto original (esto es, sin considerar cualquier adicional que incremente el precio) sea menor o igual a cinco millones de Soles (S/ 5'000,000.00[16]).

Como se advierte, la regla general en el arbitraje en contratación pública es que este sea institucional, por lo que, ante la ausencia de acuerdo de las partes respecto del tipo de arbitraje correspondiente, el arbitraje institucional se aplicará supletoriamente.

---

[15]   *"Artículo 225. Arbitraje.*
225.1. Cualquiera de las partes tiene el derecho a iniciar el arbitraje dentro del plazo de caducidad correspondiente. El arbitraje es nacional y de derecho.
225.2. La responsabilidad funcional prevista en el numeral 45.13 del artículo 45 de la Ley, se aplica a la decisión de: i) no impulsar o proseguir con la vía arbitral cuando en el informe técnico legal se recomienda acudir a dicha sede; o, ii) impulsar o proseguir la vía arbitral cuando el informe técnico legal determine que la posición de la Entidad no puede ser acogida en el arbitraje.
225.3. Las partes pueden recurrir al arbitraje ad hoc cuando las controversias deriven de contratos cuyo monto contractual original sea menor o igual a cinco millones con 00/100 Soles (S/ 5 000 000,00).
225.4. De haberse pactado en el convenio arbitral la realización de un arbitraje institucional, corresponde a la parte interesada recurrir a la institución arbitral elegida en aplicación del respectivo Reglamento arbitral institucional. De haberse pactado el arbitraje ad hoc, la parte interesada remite a la otra la solicitud de inicio de arbitraje por escrito.
225.5. En caso haberse seguido previamente un procedimiento de conciliación, sin acuerdo o con acuerdo parcial, el arbitraje respecto de las materias no conciliadas se inicia dentro del plazo de caducidad contemplado en el numeral 45.5 del artículo 45 de la Ley.
225.6. Si las partes han convenido que las controversias se sometan previamente a una Junta de Resolución de Disputas (JRD), el inicio del arbitraje y su plazo se rige por lo dispuesto en el artículo 251".
[16]   Aproximadamente USD 1'515,515.00 para el año 2019.

Conforme a ello, el artículo 226 del Reglamento del TUO de la LCE establece que las partes pueden acudir a cualquier institución arbitral cuando:

a) No se ha incorporado un convenio arbitral expreso en el contrato.

b) El convenio arbitral previsto en el contrato señala que el arbitraje es institucional pero no se ha designado una institución arbitral determinada.

c) Cuando se ha previsto que el arbitraje es Ad Hoc, pero el contrato supera la cuantía máxima de cinco millones de Soles (S/ 5'000,000.00).

d) Cuando el convenio arbitral no haya precisado el tipo de arbitraje.

e) Cuando en el convenio arbitral encargue las controversias al arbitraje al Sistema Nacional de Arbitraje administrado por el Organismo Supervisor de las Contrataciones del Estado (OSCE), sin que se cumplan las condiciones para ello.

f) Cuando se trate de controversias que se deriven de órdenes de compra o servicios correspondientes a contrataciones mediante el método especial de contratación de Acuerdo Marco, siempre que se haya incluido convenio arbitral en las mismas.

Al respecto, resulta importante acudir a la Exposición de Motivos del Decreto Legislativo

N.° 1341, norma que modificó la Ley de Contrataciones del Estado e introdujo la preeminencia del arbitraje institucional sobre el arbitraje ad hoc. Así, la citada Exposición de Motivos señala que "*La opción por el arbitraje institucional se explica por las ventajas de esta clase de arbitraje con respecto al arbitraje ad hoc. Así, por ejemplo, en temas organizativos y operativos, un arbitraje institucional garantiza de mejor manera que el proceso arbitral se realice de forma más rápida y eficiente. Por otro lado, en el arbitraje institucional se cuenta con una institución arbitral, con una administración del arbitraje y con normas reglamentarias que permiten asegurar un mayor impulso del proceso, así como una mayor vigilancia del cumplimiento de principios y estándares éticos*".

Como puede advertirse, el legislador ha optado por preferir el arbitraje institucional debido a que este da mayor seguridad a los procesos arbitrales, en la medida que, de alguna manera, las instituciones arbitrales buscan mantener un buen prestigio, por lo que se reduce el riesgo de que estas incurran en prácticas antiéticas. Además, mediante este tipo de arbitrajes se garantiza de mejor manera la preservación de los expedientes arbitrales en los que obren todas las actuaciones. Ciertamente, esta disposición surge como una reacción a los escándalos de corrupción surgidos en las contrataciones del Estado, principalmente por casos como los de las constructoras brasileñas.

Ahora bien, si bien entendemos que esta disposición tiene buenas intenciones y podría contribuir a reducir la corrupción y a promover la transparencia en los arbitrajes en las contrataciones del Estado, debe ir acompañada de otras medidas que coadyuven a que se alcance esta finalidad.

Así, por ejemplo, la consecuencia de esta disposición es que se incremente la creación de instituciones arbitrales, por lo que se requiere asegurar que estas tengan la calidad, reglas y políticas necesarias para que se alcance la finalidad que se busca con el arbitraje institucional. Además, resulta necesario que se promueva la creación de estas instituciones arbitrales, pues, de otra manera, se estaría concentrando el mercado de arbitrajes en solo un grupo de instituciones, en perjuicio del sistema de contratación estatal.

Finalmente, el arbitraje puede ser resuelto por un **Árbitro Único** o por un **Tribunal Arbitral,** según el acuerdo de las partes. En caso exista duda respecto de lo acordado por las partes o estas no hayan establecido el número de árbitros, el arbitraje será resuelto por árbitro único. Cuando se elija un Tribunal Arbitral, este se encontrará conformado por tres (3) árbitros, actuando uno de ellos como Presidente del Tribunal.

Es importante precisar que, cuando se trate de un árbitro único, este debe ser necesariamente abogado y, cuando se trate de un Tribunal Arbitral, el Presidente debe ser necesariamente abogado, pudiendo ser los demás miembros del Tribunal de otras profesiones, siempre que tengan conocimiento en contrataciones del Estado.

B) El orden normativo para resolver las controversias

Como se ha mencionado anteriormente, el arbitraje en las contrataciones del Estado es de derecho, por lo que las controversias deben resolverse aplicando el ordenamiento jurídico nacional. Para estos efectos, el numeral 45.10 del artículo 45 del TUO de la LCE establece específicamente el orden de prelación normativa que deben observar los árbitros para resolver las controversias que sean sometidas por las partes.

Así, dichas controversias se resuelven mediante la aplicación de:

a) La Constitución Política del Perú,

b) La normativa de contrataciones del Estado,

c) Las demás normas de derecho público y

d) Las normas de derecho privado.

Los árbitros deben observar necesariamente este orden de prelación normativa, pues esta es una norma de orden público cuyo incumplimiento puede derivar en la nulidad del laudo que se emita.

Sobre este aspecto, debe tenerse presente que las normas sobre contratación pública —a la que los contratistas se someten al participar en los procesos de contratación convocados por las Entidades— tienen por finalidad última que las contrataciones que realizan las entidades del Estado contraten de la manera más eficiente para que puedan cumplir sus finalidades públicas para mejorar las condiciones de vida de los ciudadanos[17].

Es justamente por esta finalidad que buscan custodiar las normas sobre contratación pública, que difiere de las normas de orden civil o comercial, que el TUO de la LCE ha establecido un orden normativo que los árbitros deben observar obligatoriamente, lo cual resulta acertado, a fin de evitar que se trastoquen los principios esenciales que rigen las contrataciones del Estado, en perjuicio del interés general.

C) Las Controversias Arbitrables

De acuerdo a nuestro sistema de arbitraje, pueden someterse al conocimiento de los árbitros las controversias que versen sobre la ejecución, interpretación, resolución, inexistencia, nulidad, ineficacia o invalidez del contrato.

Como se puede advertir, en principio, la normativa de contrataciones del Estado ha establecido un criterio positivo para determinar las controversias que pueden ser sometidas a arbitraje; no obstante, de acuerdo con el numeral 45.4[18] del artículo 45 del TUO de la LCE, la decisión de la Entidad o

---

[17] Por ello, el literal h) del artículo 2 del TUO de la LCE regula al principio de sostenibilidad ambiental y social, conforme a lo siguiente:
"*h) Sostenibilidad ambiental y social. En el diseño y desarrollo de la contratación pública se consideran criterios y prácticas que permitan contribuir tanto a la protección medioambiental como social y al desarrollo humano*".

[18] *Artículo 45. Medios de solución de controversias de la ejecución contractual.*
(...) 45.4 La decisión de la Entidad o de la Contraloría General de la República de aprobar o no la ejecución de prestaciones adicionales, no puede ser sometida a conciliación, ni arbitraje ni a la Junta de Resolución de Disputas. Las pretensiones referidas a enriquecimiento sin causa o indebido, pago de indemnizaciones o cualquier otra que se derive u origine en la falta de aprobación de prestaciones adicionales o de la aprobación parcial de estas, por parte de la Entidad o de la Contraloría General de la República, según corresponda, no pueden ser sometidas a

de la Contraloría General de la República de aprobar la ejecución de prestaciones adicionales no puede ser sometida a arbitraje, así como tampoco a conciliación ni a la Junta de Resolución de Disputas. De igual manera, las controversias sobre enriquecimiento sin causa o indebido, pago de indemnizaciones o cualquier otra que se derive por la aprobación o falta de aprobación de adicionales no pueden ser sometidos a los métodos de solución de controversias. En consecuencia, estas controversias deben ser sometidas a la competencia del Poder Judicial.

Para entender estas prohibiciones, resulta importante señalar que, de conformidad con el artículo 34[19] del TUO de la LCE, los contratos públicos

---

conciliación, arbitraje, ni a otros medios de solución de controversias establecidos en la presente norma o el reglamento, correspondiendo en su caso, ser conocidas por el Poder Judicial. Todo pacto en contrario es nulo. (...)".

[19] *"Artículo 34. Modificaciones al contrato.*

34.1 El contrato puede modificarse en los supuestos contemplados en la Ley y el reglamento, por orden de la Entidad o a solicitud del contratista, para alcanzar la finalidad del contrato de manera oportuna y eficiente. En este último caso la modificación debe ser aprobada por la Entidad. Dichas modificaciones no deben afectar el equilibrio económico financiero del contrato; en caso contrario, la parte beneficiada debe compensar económicamente a la parte perjudicada para restablecer dicho equilibrio, en atención al principio de equidad.

34.2 El contrato puede ser modificado en los siguientes supuestos: i) ejecución de prestaciones adicionales, ii) reducción de prestaciones, iii) autorización de ampliaciones de plazo, y (iv) otros contemplados en la Ley y el reglamento.

34.3 Excepcionalmente y previa sustentación por el área usuaria de la contratación, la Entidad puede ordenar y pagar directamente la ejecución de prestaciones adicionales en caso de bienes, servicios y consultorías hasta por el veinticinco por ciento (25%) del monto del contrato original, siempre que sean indispensables para alcanzar la finalidad del contrato. Asimismo, puede reducir bienes, servicios u obras hasta por el mismo porcentaje.

34.4 Tratándose de obras, las prestaciones adicionales pueden ser hasta por el quince por ciento (15%) del monto total del contrato original, restándole los presupuestos deductivos vinculados. Para tal efecto, los pagos correspondientes son aprobados por el Titular de la Entidad.

34.5 En el supuesto que resulte indispensable la realización de prestaciones adicionales de obra por deficiencias del expediente técnico o situaciones imprevisibles posteriores al perfeccionamiento del contrato o por causas no previsibles en el expediente técnico de obra y que no son responsabilidad del contratista, mayores a las establecidas en el numeral precedente y hasta un máximo de cincuenta por ciento (50%) del monto originalmente contratado, sin perjuicio de la responsabilidad que pueda corresponder al proyectista, el Titular de la Entidad puede decidir autorizarlas, siempre que se cuente con los recursos necesarios. Adicionalmente, para la ejecución y pago, debe contarse con la autorización previa de la Contralo-

pueden modificarse luego de su perfeccionamiento en supuestos específicamente regulados en la normativa de contrataciones del Estado, siempre que con estas modificaciones se alcance la finalidad del contrato y no se altere el equilibrio económico del mismo.

Entre estos supuestos específicos de modificación contractual se encuentra la ejecución de prestaciones adicionales. Así, las Entidades del Estado

---

ría General de la República. En el caso de adicionales con carácter de emergencia dicha autorización se emite previa al pago. La Contraloría General de la República cuenta con un plazo máximo de quince (15) días hábiles, bajo responsabilidad, para emitir su pronunciamiento. Dicha situación debe ponerse en conocimiento de la Comisión de Presupuesto y Cuenta General de la República del Congreso de la República y del Ministerio de Economía y Finanzas, bajo responsabilidad del Titular de la Entidad. Alternativamente, la Entidad puede resolver el contrato, mediante comunicación escrita al contratista.

34.6 Respecto a los servicios de supervisión, en los casos distintos a los de adicionales de obras, cuando se produzcan variaciones en el plazo de la obra o variaciones en el ritmo de trabajo de la obra, autorizadas por la Entidad, y siempre que impliquen prestaciones adicionales en la supervisión que resulten indispensables para el adecuado control de la obra, el Titular de la Entidad puede autorizarlas, bajo las mismas condiciones del contrato original y hasta por un monto máximo del quince por ciento (15%) del monto contratado de la supervisión, considerando para el cálculo todas las prestaciones adicionales previamente aprobadas. Cuando se supere el citado porcentaje, se requiere la autorización, previa al pago, de la Contraloría General de la República.

34.7 El Titular de la Entidad puede autorizar prestaciones adicionales de supervisión que deriven de prestaciones adicionales de obra, siempre que resulten indispensables para el adecuado control de la obra, bajo las mismas condiciones del contrato original y/o precios pactados, según corresponda. Para lo regulado en los numerales 34.6 y 34.7 no es aplicable el límite establecido en el numeral 34.3.

34.8 Para el cálculo del límite establecido en el numeral 34.6, solo debe tomarse en consideración las prestaciones adicionales de supervisión que se produzcan por variaciones en el plazo de la obra o variaciones en el ritmo de trabajo de la obra, distintos a los adicionales de obra.

34.9 El contratista puede solicitar la ampliación del plazo pactado por atrasos y paralizaciones ajenas a su voluntad debidamente comprobados y que modifiquen el plazo contractual de acuerdo a lo que establezca el reglamento.

34.10 Cuando no resulten aplicables los adicionales, reducciones y ampliaciones, las partes pueden acordar otras modificaciones al contrato siempre que las mismas deriven de hechos sobrevinientes a la presentación de ofertas que no sean imputables a alguna de las partes, permitan alcanzar su finalidad de manera oportuna y eficiente, y no cambien los elementos determinantes del objeto. Cuando la modificación implique el incremento del precio debe ser aprobada por el Titular de la Entidad".

pueden ordenar al contratista que ejecute prestaciones adicionales a las inicialmente contratadas hasta por el límite porcentual previsto en la norma de contrataciones del Estado.

En el caso de los contratos de bienes y servicios este porcentaje es del 25% del monto del contrato original. De otro lado, en el caso de los contratos de obra, la Entidad puede ordenar directamente la ejecución de prestaciones adicionales hasta por el límite del 15% del monto del contrato original. Cuando se requiera la ejecución de adicionales de obra por un monto superior al 15% del monto del contrato original y hasta el límite del 50% del monto del contrato original, debe contar previamente, para su aprobación y ejecución, con la autorización de la Contraloría General de la República.

Conforme a ello, en estos casos, la decisión de la Entidad o de la Contraloría General de la República de aprobar la ejecución de prestaciones adicionales no puede ser sometida a arbitraje, toda vez que nos encontramos ante una facultad exorbitante de la Entidad.

Al respecto, en un anterior trabajo hemos señalado que *"La potestas variandi o ius variandi, consiste en la prerrogativa ordinaria de los contratos públicos por la cual la entidad contratante posee la capacidad suficiente —apreciando eventos sobrevinientes objetivamente valorados— para disponer la modificación necesaria y a su solo criterio de algunos de los términos pactados, cambiando —en el modo, el plazo o la forma— las prestaciones convenidas originalmente con el contratista privado con el objeto de adaptarse y perseguir de mejor manera el interés público aspirado con la colaboración del contratista"*[20].

Otra materia que no puede ser sometida a arbitraje, ni a ningún otro mecanismo de solución de controversias previsto en el TUO de la LCE, es el enriquecimiento sin causa, por lo que estas controversias deben ser sometidas al Poder Judicial, sin que se admita pacto en contrario.

Para entender este supuesto, resulta importante señalar que, de conformidad con el artículo 1954 del Código Civil, *"Aquel que se enriquece indebidamente a expensas de otro está obligado a indemnizarlo"*.

Al respecto, el Tribunal de Contrataciones del Estado, mediante la Resolución N° 176/2004. TC-SU, ha establecido lo siguiente: *"(…) nos encontramos frente a una situación de hecho, en la que ha habido —aún sin contrato válido— un conjunto de prestaciones de una parte debidamente*

---

[20] MORÓN URBINA, *op. cit.*, pág. 599.

aceptadas y utilizadas por la otra, hecho que no puede ser soslayado para efectos civiles. En este sentido, cabe señalar que, conforme al artículo 1954 del Código Civil, el ordenamiento jurídico nacional no ampara en modo alguno el enriquecimiento sin causa. En efecto, no habiéndose suscrito el contrato correspondiente, no ha existido fundamento legal ni causa justa para dicha atribución patrimonial que sustente el enriquecimiento indebido en el que ha incurrido la Entidad, circunstancias que deberá ser ventilada por las partes en la vía correspondiente".

Adicionalmente, debemos señalar que el OSCE en diferentes Opiniones ha señalado que *"para que se verifique un enriquecimiento sin causa, en el marco de las contrataciones del Estado, es necesario determinar que: (i) la Entidad se haya enriquecido y el proveedor se haya empobrecido; (ii) exista conexión entre el enriquecimiento de la Entidad y el empobrecimiento del proveedor, la cual estará dada por el desplazamiento de la prestación patrimonial del proveedor a la Entidad; (iii) no exista una causa jurídica para esta transferencia patrimonial, como puede ser la <u>ausencia de contrato</u>, o de la autorización correspondiente para la ejecución de prestaciones adicionales; y (iv) que las prestaciones hayan sido ejecutadas de buena fe por el proveedor"*[21].

A efectos de entender cómo se configura el enriquecimiento sin causa en el ámbito de las contrataciones del Estado, podemos identificar algunos supuestos típicos, tales como las prestaciones realizadas en ejecución de contratos administrativos invalidados y antes de que se notifique su nulidad sin que sea posible la restitución de las prestaciones; las prestaciones realizadas en la creencia de estar cumpliendo un contrato que aún no se ha perfeccionado o prestaciones posteriores a un contrato que ya se extinguió; las prestaciones de un contratista superiores a las que estaba obligado contractualmente; claro está, en todos estos casos, debe mediar la buena fe del proveedor.

En estos casos, si el proveedor que se ve perjudicado por un enriquecimiento indebido de la Entidad desea hacer valer su derecho mediante un mecanismo de solución de controversias, deberá acudir al poder judicial.

D) La limitación para revisar el laudo arbitral

De conformidad con el numeral 45.21 del artículo 45 del Código Civil, el laudo arbitral es inapelable, definitivo y obligatorio para las partes desde que les es notificado mediante el Sistema Electrónico de Contrataciones del

---

[21]   Por ejemplo, ver la Opinión N.° 112-2018/DTN.

Estado (SEACE). Sin perjuicio de ello, contra el laudo cabe la interposición del recurso de anulación ante el Poder Judicial.

Al respecto, debe acudirse al artículo 62 del Decreto Legislativo N.° 1071, Decreto Legislativo que rige el arbitraje, que establece que, contra el laudo, solo procede la interposición del recurso de anulación, siendo este la única vía de impugnación posible, y tiene por objeto la revisión de su validez por las causales taxativamente establecidas en dicha norma.

Sobre este recurso, Castillo Freyre señala lo siguiente:

"Así, el recurso de anulación (entendido como control de la actividad arbitral) tiene como finalidad evitar un posible exceso por parte de los árbitros, por lo que no debe estar dirigido a revisar el fondo de la controversia, en tanto que lo decidido por los árbitros tiene calidad de cosa juzgada.

En efecto, el fundamento propio del recurso de anulación no es el de corregir errores, sino garantizar el derecho constitucional a la tutela judicial. Por ello, el artículo 62 de la Ley de Arbitraje establece que dicho recurso tiene por objeto la revisión de su validez, sin entrar al fondo de la controversia.

Es aquí donde radica la diferencia central entre el recurso de apelación y el recurso de anulación. Mientras que el recurso de apelación sí permite la revisión de los fundamentos de las partes, de la prueba y de la aplicación e interpretación del derecho (es decir, del análisis del fondo de la controversia resuelta en el laudo), el recurso de anulación sólo tiene por objeto la revisión de la validez formal de los laudos"[22].

Para que el contratista pueda solicitar el recurso de anulación del laudo debe presentar una garantía en forma de carta fianza solidaria, incondicional, irrevocable y de realización automática en favor de la Entidad por una cantidad equivalente al 25% del valor de la suma que ordene pagar el laudo recurrido. Cuando el laudo sea declarativo o no sea valorizable o requiera de liquidación o determinación que no sea únicamente matemática, el valor de la carta fianza es equivalente al 3% del monto del contrato original. Si el recurso de anulación es desestimado, la carta fianza se ejecuta en favor de la Entidad. Mediante esta medida se busca evitar que los contratistas presenten recursos temerarios contra los laudos, a fin de prolongar las controversias, evitando dar cumplimiento a los mismos.

Por su parte, las Entidades solo pueden iniciar la acción judicial de anulación del laudo previa autorización de su máxima autoridad administrati-

---

[22] CASTILLO FREYRE y SABROSO MINAYA, *op. cit.*, pág. 238.

va mediante resolución debidamente motivada, bajo responsabilidad. Para ello, la motivación de la resolución debe basarse en el análisis costo-beneficio, considerando el costo en tiempo y recursos del proceso judicial y la expectativa de éxito.

El recurso de anulación del laudo se resuelve declarando la validez o la nulidad del laudo, encontrándose impedido el juez de pronunciarse sobre el fondo de la controversia o sobre el contenido de la decisión o calificar los criterios, motivaciones o interpretaciones expuestas por el tribunal arbitral.

Al respecto, Cantuarias señala que: "*En ningún caso (sea un laudo nacional, internacional o extranjero), el poder judicial podrá reexaminar el fondo de la controversia, ya que lo que hayan decidido los árbitros tiene la calidad de cosa juzgada (...) En otras palabras, aun cuando los jueces encuentren que los árbitros han incurrido en errores de apreciación de los hechos o han aplicado erróneamente el Derecho, por ningún motivo podrán modificar lo decidido en el laudo, simplemente porque dicha función, para bien o para mal, fue asignada libremente por las partes de manera exclusiva a los árbitros*"[23].

De acuerdo con el artículo 53 del citado Decreto Legislativo, son causales de anulación del laudo las siguientes:

"*a. Que el convenio arbitral es inexistente, nulo, anulable, inválido o ineficaz.*

b. Que una de las partes no ha sido debidamente notificada del nombramiento de un árbitro o de las actuaciones arbitrales, o no ha podido por cualquier otra razón, hacer valer sus derechos.

c. Que la composición del tribunal arbitral o las actuaciones arbitrales no se han ajustado al acuerdo entre las partes o al reglamento arbitral aplicable, salvo que dicho acuerdo o disposición estuvieran en conflicto con una disposición de este Decreto Legislativo de la que las partes no pudieran apartarse, o en defecto de dicho acuerdo o reglamento, que no se han ajustado a lo establecido en este Decreto Legislativo.

d. Que el tribunal arbitral ha resuelto sobre materias no sometidas a su decisión.

---

[23] CANTUARIAS SALAVERRY, Fernando. *Cuestiones generales aplicables a las causales de anulación de laudos arbitrales dictados en el foro y a las causales para no reconocer y ejecutar laudos arbitrales dictados en el extranjero.* En: Themis N° 53, págs. 91-92.

e. Que el tribunal arbitral ha resuelto sobre materias que, de acuerdo a ley, son manifiestamente no susceptibles de arbitraje, tratándose de un arbitraje nacional.

f. Que, según las leyes de la República, el objeto de la controversia no es susceptible de arbitraje o el laudo es contrario al orden público internacional, tratándose de un arbitraje internacional.

g. Que la controversia ha sido decidida fuera del plazo pactado por las partes, previsto en el reglamento arbitral aplicable o establecido por el tribunal arbitral".

Es preciso señalar que no procede la anulación del laudo cuando la causal que se invoca en el recurso pudo haber sido subsanada mediante rectificación, interpretación, integración o exclusión del laudo, pero ello no fue solicitado por el recurrente en la oportunidad debida.

Adicionalmente a las causales mencionadas, el laudo puede ser anulado a solicitud de parte si la composición del árbitro único o del tribunal arbitral o si las actuaciones arbitrales no se han ajustado a lo establecido en la normativa de contrataciones del Estado, siempre que tal circunstancia haya sido objeto de reclamo expreso en su momento ante el árbitro único o tribunal arbitral por la parte afectada y fue desestimado. En caso de que dicha circunstancia haya constituido causal de recusación, la anulación solo resulta procedente si la parte afectada formuló, oportunamente, la recusación respectiva y esta fue desestimada.

De otro lado, debemos indicar que, si bien la normativa de contrataciones del Estado y en materia de arbitraje han establecido que contra el laudo solo cabe la interposición del recurso de anulación, el Tribunal Constitucional ha indicado que *"la naturaleza de la jurisdicción independiente del arbitraje no significa que establezca el ejercicio de sus atribuciones con inobservancia de los principios constitucionales que informan la actividad de todo órgano que administra justicia, tales como el de independencia e imparcialidad de la función jurisdiccional, así como los principios y derechos de la función jurisdiccional. En particular, en tanto jurisdicción, no se encuentra exceptuada de observar directamente todas aquellas garantías que componen el derecho al debido proceso"*[24].

Por ello, el Tribunal Constitucional ha emitido diferentes sentencias en las que se refieren al recurso de nulidad del laudo y a la procedencia del amparo arbitral. En este escenario, es preciso indicar que, mediante Re-

---

[24]   Sentencia recaída en el Expediente STC 6167-2005-PHC/TC.

solución Recaída en el Expediente N.° 00142-2011-PA/TC, el Tribunal Constitucional ha establecido como precedente vinculante que el recurso de anulación constituye vía procedimental específica igualmente satisfactoria para la protección de los derechos constitucionales, por lo que determina la improcedencia del amparo, aun cuando se trate de la protección de derechos constitucionales que forman parte del debido proceso o de la tutela procesal efectiva. Asimismo, establece que es improcedente el amparo para cuestionar la falta de convenio arbitral, pues la vía idónea es el recurso de anulación.

Sin embargo, dicha sentencia también ha establecido que procede el amparo arbitral cuando:

a) se invoca la vulneración directa de los precedentes vinculantes establecidos por el Tribunal Constitucional.

b) cuando en el laudo arbitral se ha ejercido control difuso sobre una norma declarada constitucional por el Tribunal Constitucional o el Poder Judicial.

c) cuando el amparo sea interpuesto por un tercero que no forma parte del convenio arbitral y se sustente en la afectación directa de derechos constitucionales a dicho tercer como consecuencia del laudo.

Así, el Tribunal Constitucional ha reconocido que, en supuestos excepcionales, se puede recurrir el laudo arbitral por la vía de la acción de amparo.

E) Los árbitros

Si bien se ha regulado la figura del arbitraje en la contratación pública peruana, ello no quiere decir que los árbitros formen parte del aparato administrativo del Estado ni que sean servidores o funcionarios públicos, pues ello afectaría gravemente su imparcialidad e independencia.

Así, en un anterior trabajo hemos señalado que *"Los árbitros no son funcionarios públicos, sino personas naturales de reconocido prestigio y con especialidad en contratación estatal, Derecho Administrativo y arbitraje, que resuelven, conforme a derecho, mediante laudo definitivo e inapelable y con valor de cosa juzgada cualquiera de las controversias que le sean sometidas"*[25]. No obstante, el TUO de la LCE establece condiciones,

---

[25]   MORÓN URBINA, *op. cit.*, pág. 791.

deberes, derechos y sanciones a los árbitros que participan en procesos arbitrales en materia de contrataciones del Estado, a efectos de garantizar su idoneidad.

En este contexto, los árbitros deben permanecer independientes e imparciales durante todo el desarrollo del arbitraje; asimismo, deben cumplir con la obligación de informar oportunamente si existe alguna circunstancia que les impida ejercer el cargo con independencia, imparcialidad y autonomía. Este deber de informar se mantiene a lo largo de todo el arbitraje, pues puede ocurrir que la circunstancia que afecte su imparcialidad, independencia o autonomía, surja con posterioridad a su instalación. El incumplimiento de estas obligaciones puede llevar a la imposición de una sanción que puede consistir en:

a) Amonestación.

b) Suspensión temporal de hasta cinco (5) años.

c) Inhabilitación permanente.

De otro lado, los árbitros deben encontrarse inscritos en el Registro Nacional de Árbitros administrado por el Organismo Supervisor de las Contrataciones del Estado (OSCE) para poder ser designados por la Entidad tanto en los arbitrajes institucionales o ad hoc.

Otro tema importante a resaltar es que la normativa de contrataciones del Estado regula un régimen de impedimentos para los árbitros[26], por lo que aquellos árbitros que se encuentren incursos en alguno de estos supues-

---

[26]   El artículo 231 del Reglamento del TUO de la LCE establece el régimen de impedimentos aplicable a los árbitros en contratación pública, conforme a lo siguiente:
"Artículo 231. Impedimentos para ser árbitro.
231.1. Se encuentran impedidos para ejercer la función de árbitro:
a) El Presidente y los Vicepresidentes de la República, los Congresistas de la República, los Ministros de Estado, los Viceministros, los titulares y los miembros del órgano colegiado de los Organismos Constitucionales Autónomos.
b) Los Magistrados, con excepción de los Jueces de Paz.
c) Los Fiscales y los Ejecutores Coactivos.
d) Los Procuradores Públicos y el personal que trabaje en las procuradurías, o de las unidades orgánicas que hagan sus veces, cualquiera sea el vínculo laboral.
e) El Contralor General de la República y el Vice Contralor.
f) Los Titulares de instituciones o de organismos públicos del poder ejecutivo.
g) Los gobernadores regionales y los alcaldes.
h) Los directores de las empresas del Estado.
i) El personal militar y policial en situación de actividad.

tos no podrán ejercer sus funciones en los arbitrajes en materia de contratación pública.

Además, los árbitros deben cumplir con el Código de Ética para el Arbitraje en Contrataciones con el Estado, que desarrolla los principios rectores que deben observar todos aquellos que participen en arbitrajes en contratación pública. Asimismo, dicho Código recoge los deberes éticos que deben observar los árbitros, las infracciones en que estos pueden incurrir y las sanciones respectivas.

La determinación de comisión de infracciones y correspondiente aplicación de sanciones, conforme al Código de Ética, se encuentra a cargo del

---

j) Los funcionarios y servidores públicos en los casos que tengan relación directa con la Entidad o Sector en que laboren y dentro de los márgenes establecidos por las normas de incompatibilidad vigentes.

k) Los funcionarios y servidores del OSCE hasta seis (06) meses después de haber dejado la institución.

l) Los sometidos a proceso concursal.

m) Los sancionados con inhabilitación o con suspensión de la función arbitral establecidas por el Consejo de Ética, en tanto estén vigentes dichas sanciones, sin perjuicio de la culminación de los casos en los que haya aceptado su designación previamente a la fecha de imposición de la sanción.

n) Los sancionados por los respectivos colegios profesionales o entes administrativos, en tanto estén vigentes dichas sanciones.

o) Los sancionados con condena que lleve aparejada la inhabilitación para ejercer la profesión, en tanto esté vigente dicha sanción.

p) Los sancionados por delito doloso, en tanto esté vigente dicha sanción.

q) Los que tengan sanción o suspensión vigente impuesta por el Tribunal.

r) Las personas inscritas en el Registro de Deudores de Reparaciones Civiles (REDERECI), sea en nombre propio o a través de persona jurídica en la que sea accionista u otro similar, con excepción de las empresas que cotizan acciones en bolsa, así como en el Registro Nacional de Abogados Sancionados por mala práctica profesional, en el Registro Nacional de Sanciones de Destitución y Despido por el tiempo que establezca la Ley de la materia y en todos los otros registros creados por Ley que impidan contratar con el Estado.

s) Las personas inscritas en el Registro de Deudores Alimentarios Morosos (REDAM).

t) Las personas sancionadas por el Consejo de Ética según lo dispuesto en este Reglamento.

u) Las personas a las que se refiere el literal m) del numeral 11.1 del artículo 11 de la Ley.

231.2. En los casos a que se refieren los literales h) y j) del numeral precedente, el impedimento se restringe al ámbito sectorial al que pertenecen esas personas".

Consejo de Ética, que es un ente colegiado conformado por tres miembros independientes de reconocida solvencia ética y profesional.

F) Algunas experiencias negativas del arbitraje en la contratación administrativa

Con el establecimiento del arbitraje obligatorio durante la ejecución contractual se han generado algunas distorsiones en el sistema de compras públicas peruano.

Así, por ejemplo, debido a los plazos de caducidad previstos en la normativa de contrataciones del Estado a lo que nos hemos referido anteriormente, los contratistas ejecutores de obra inician arbitrajes por cada solicitud de ampliación de plazo que les es denegada por la Entidad, a efectos de no perder sus derechos aunque ellas sean parciales, generándose con ello diferentes arbitrajes sucesivos. En estos casos, es común que las ampliaciones de plazo invocadas por el contratista se traslapen entre estas. Es decir, que una sola ampliación de plazo puede subsumir los plazos reclamados en las demás solicitudes de ampliación de plazo. En suma cuenta, al final las partes iniciaron diferentes arbitrajes por solicitudes de ampliación de plazo que podían subsumirse en una sola, generando altos costos arbitrales innecesarios.

De igual forma, el sometimiento obligatorio a arbitraje, que es un mecanismo de solución de controversias costoso, genera que los contratos de menor cuantía no puedan acceder a este, debido a que las pretensiones reclamadas no justificarían los costos arbitrales involucrados.

Para paliar esta situación, la normativa de contrataciones del Estado ha establecido el Sistema Nacional de Arbitraje administrado por el OSCE, al que pueden someterse las controversias que deriven de la ejecución de contratos de bienes y servicios en general cuyos valores sean iguales o menores a 10 Unidades Impositivas Tributarias (UIT)[27]. Los arbitrajes que se lleven a cabo bajo este sistema solo pueden ser resueltos por un árbitro único.

Sobre el particular, debemos indicar que, aunque la medida mitiga la situación de indefensión en que se encuentran las partes en un contrato del Estado de menor cuantía, al no poder acceder al arbitraje, esta dista mucho de ser una solución perfecta, pues su ámbito de aplicación es limitado y es-

---

[27] Aproximadamente USD. 12,800.00 para el año 2019 (el valor de la UIT varía cada año).

tablecido de una manera objetiva. Así, por ejemplo, aquellos contratos que superen las 10 UIT, pero en los que el contratista no perciba una utilidad importante, difícilmente podrán acceder al arbitraje.

3. La Junta de Resolución de Disputas

La Junta de Resolución de Disputas es un mecanismo de solución de controversias durante la ejecución contractual de los contratos de obra que promueve que las partes logren prevenir y/o resolver eficientemente las controversias que surjan desde el inicio del plazo de ejecución de la obra hasta la recepción total de la misma. En caso de resolución del contrato, la Junta de Resolución de Disputas es competente para conocer y decidir las controversias que surjan hasta que la Entidad reciba la obra. No pueden someterse a Junta de Resolución de Disputas pretensiones de carácter indemnizatorio por conceptos no previstos en la normativa de contratación pública.

Hemos señalado anteriormente que este es *"el medio de solución de controversias aplicable para proyectos de ingeniería y construcción de relevancia, por el que una o más personas denominadas panelistas o adjudicadores son designados desde el inicio del proyecto hasta su conclusión con la obligación de conocer física y documentalmente el proyecto durante su ejecución, y con base a solicitudes expresas de las partes, proceden a emitir una decisión sobre la controversia"*[28].

Entre las ventajas de la Junta de Resolución de Disputas frente a otros medios de solución de controversias se encuentran la celeridad, la inmediatez, la reducción de costos, el favorecimiento de la continuidad de la ejecución del proyecto y la resolución del conflicto por personas idóneas según la materia contractual de que se trate.

Como señala Paredes, la Junta de Disputas *"ayuda a que las partes actúen de forma más profesional y razonable en la toma de decisiones, presentación de reclamaciones y en cualquier discusión en general, ya que la mera presencia de un dispute board suele actuar como freno de posturas infundadas o comportamiento estratégico de las partes"*[29].

---

[28]   MORÓN URBINA, *op. cit.*, pág. 793.
[29]   PAREDES CARBAJAL, Gustavo. *Dispute Boards y Arbitraje en Construcción: ¿Compiten o se Complementan?* En: Revista Arbitraje PUCP N.° 3. Lima, 2013, pág. 86.

Por su parte, Hernández señala lo siguiente respecto de las principales características de este mecanismo de solución de controversias:

"Entre sus particularidades se encuentra el hecho de que tales miembros se nombran desde el principio de un proyecto para que lo conozca, visite el sitio regularmente y sepa de su desarrollo día a día. No tiene que estar en el sitio, pero las partes se obligan a hacerle notar los elementos importantes de la ejecución, al grado que permita saber efectivamente qué está sucediendo. Cuando una disputa surge, la parte interesada activa el mecanismo que tiene un procedimiento flexible y poco rígido, tendiente a encontrar la verdad de los hechos que permita una solución efectiva en un plazo corto, que permita la solución del tema en beneficio del proyecto. La solución puede tener como efecto, como meros ejemplos, el reconocimiento o no de un trabajo adicional o extraordinario, el reconocimiento o no de una extensión de plazo, el reconocimiento o no de un incumplimiento, o el reconocimiento o no de un cambio de ley. ¿Cuál es la gran ventaja? Que la solución se dicta dentro del plazo de ejecución del proyecto y no a posteriori con los beneficios que ello conlleva"[30].

A) Pacto sobre Junta de Resolución de Disputas

Las partes pueden acordar en el contrato la aplicación de la Junta de Resolución de Disputas. No obstante, si no se previó la intervención de la Junta de Resolución de Disputar en el contrato original, las partes pueden acordar incorporar a la cláusula de solución de controversias del contrato que las soluciones de estas estén a cargo de una Junta de Resolución de Disputas, en aquellos contratos de obra cuyos montos sean iguales o superiores a cinco millones de Soles.

Debe resaltarse que con la última modificación a la normativa de contrataciones del Estado se ha reforzado este mecanismo de solución de controversias estableciendo su obligatoriedad para obras cuyos montos sean iguales o superiores a veinte millones de Soles. Al respecto, la Exposición de Motivos del nuevo Reglamento de la Ley de Contrataciones del Estado establece lo siguiente:

"No obstante, si bien las Juntas de Resolución de Disputas ya se encontraban incorporadas en la normatividad, no han tenido el desarrollo

---

[30] HERNÁNDEZ GARCÍA, Roberto. *Dispute Boards en Contratos Administrativos de Infraestructura: un reto necesario*. En: Revista OSCE Al Día N.° 3. Lima, 2014, pág. 81.

esperado por el hecho de que su uso era opcional (...) Cabe precisar que la decisión de incorporar la obligación de recurrir a la Junta de Resolución de Disputas en obras a partir de veinte millones de soles responde a su enverga- dura, siendo que los conflictos contractuales de tales proyectos de ingeniería y construcción por su complejidad requieren de soluciones técnicas rápidas que generen un eficiente balance costo-beneficio en el uso de los recursos públicos".

B) Composición sobre Junta de Resolución de Disputas

La Junta de Resolución de Disputas puede estar integrada por uno o por tres miembros, según acuerden las partes. A falta de acuerdo entre las partes o en caso de duda, la Junta de Resolución de Disputas se integra por un (1) miembro cuando el monto del respectivo contrato de obra tenga un valor igual o superior a cinco millones con 00/100 Soles (S/ 5 000 000,00) y menor a cuarenta millones con 00/100 Soles (S/ 40 000 000,00); y, por tres (3) miembros, cuando el respectivo contrato de obra tenga un valor igual o superior a cuarenta millones con 00/100 Soles (S/ 40 000 000,00).

Cuando la Junta de Resolución de Disputas esté integrada por un (1) solo miembro, este debe ser un ingeniero o arquitecto con conocimiento de la normativa nacional aplicable al contrato, así como en contrataciones del Estado. En caso esté integrada por tres (3) miembros, el Presidente cuenta con las mismas calificaciones que se exigen para el miembro único de la Junta de Resolución de Disputas, los demás miembros son expertos en la ejecución de obras.

C) Funciones de la Junta de Resolución de Disputas:

Los miembros de la Junta de Resolución de Disputas cumplen con las siguientes funciones:

a) Emitir decisiones vinculantes respecto a controversias planteadas por las partes.

b) Absolver consultas planteadas por las partes respecto de algún aspec- to contractual y/o técnico, las cuales previamente son consultadas al super- visor de la obra y al proyectista, según corresponda.

c) Efectuar visitas periódicas a la obra en ejecución.

d) Otras que se establezca en el contrato respectivo, así como en la Di- rectiva correspondiente.

D) Las Decisiones de la Junta de Resolución de Disputas

La decisión que emita la Junta de Resolución de Disputas es vinculante y de inmediato y obligatorio cumplimiento para las partes desde su notificación, desde el vencimiento del plazo para su corrección o aclaración, o una vez corregida o aclarada la decisión, de ser pertinente. Ninguna autoridad administrativa, arbitral o judicial puede impedir el cumplimiento de las decisiones que emita la Junta de Resolución de Disputas.

Las partes están obligadas a cumplir la decisión sin demora, aun cuando cualquiera de ellas haya manifestado su desacuerdo con la misma y/o desee someter la controversia a arbitraje. Cuando la decisión de la Junta de Resolución de Disputas implique el surgimiento de obligaciones de pago a cargo de la Entidad, estas se sujetan a los plazos y procedimientos establecidos en el contrato y/o normativa pertinente, según corresponda. El cumplimiento de la decisión de la Junta de Resolución de Disputas es una obligación esencial. Su incumplimiento otorga a la parte afectada la potestad de resolver el contrato.

Sin embargo, estas decisiones pueden ser sometidas a arbitraje dentro del plazo de treinta (30) días hábiles de recibida la obra. Las controversias que surjan con posterioridad a dicha recepción pueden ser sometidas directamente a arbitraje dentro del plazo de treinta (30) días hábiles. Si al momento de la recepción total de la obra aún quedara pendiente que la Junta de Resolución de Disputas emita y notifique su decisión, el plazo de treinta (30) días hábiles para cuestionarla mediante arbitraje se computa desde el día siguiente de notificada la misma a las partes.

Respecto de la relación entre la Junta de Resolución de Disputas y el Arbitraje, Paredes ha señalado que, aunque parezca que estos son mecanismos de solución de controversias que compiten entre sí o sin incompatibles, "*Sin embargo ello no es así, los Dispute Boards no fueron creados propiamente para competir con el arbitraje, los Dispute Boards nacieron para sustituir la tradicional y muy antigua forma de manejar los conflictos en obra, es decir sustituir la decisión del "ingeniero" en obra. El ingeniero como agente del propietario además de la función supervisora y controladora del cumplimiento del contrato, tuvo una función decisoria de reclamos al interior de la obra; sin embargo, graves cuestionamientos a su imparcialidad e independencia fueron determinantes para la eliminación de esta función y la aparición inmediata de este método.*

De esta manera la relación ingeniero-arbitraje fue sustituida por la relación Dispute Boards-Arbitraje, dotando de mayor fortaleza al sistema de gestión de conflictos en la industria de la construcción".

Por otro lado, el arbitraje tiene atributos que los Dispute Boards carecen, como su reconocimiento jurisdiccional (en el caso peruano) y la ejecutabilidad de sus laudos bajo la Convención de Nueva York. En efecto, los Dispute Boards no cuentan con regulación legislativa en la región, sino que su regulación es resultado de la voluntad contractual. Si bien sus decisiones son obligatorias y vinculan inmediatamente a las partes, a diferencia del arbitraje, esta decisión no es acogida bajo el reconocimiento constitucional de un laudo arbitral ni está sujeta a los alcances de las prerrogativas de las convenciones internacionales, como es el caso de la Convención sobre el Reconocimiento y Ejecución de las Sentencias Arbitrales Extranjeras de 1958, mejor conocida como la Convención de Nueva York. Por otro lado, las decisiones de los Dispute Boards son susceptibles de ser abiertas, examinadas, revisadas e inspeccionadas en un arbitraje, salvo que adquieran la calidad de final y vinculante; mientras que los laudos arbitrales no pueden ser revisables en cuando al fondo, garantía legal que soporta su eficacia jurídica"[31].

E) Experiencia con Junta de Resolución de Disputas

Recientemente, en el Perú hemos tenido una importante experiencia con la aplicación de las Juntas de Resolución de Disputas (Dispute Boards) en la ejecución de las más importantes obras para los Juegos Panamericanos y Parapanamericanos de Lima del 2019.

Si bien los contratos empleados para la ejecución de las principales obras de los Juegos Panamericanos no se rigieron por la normativa de contrataciones del Estado, la experiencia adquirida durante la ejecución de los mismos, incluida la gestión de las Juntas de Resolución de Disputas, resulta relevante para comprender mejor este mecanismo y aplicar correctamente nuestra normativa nacional.

En estos contratos se optó por incluir una cláusula sobre Junta de Resolución de Disputas permanente con decisión vinculante (Dispute Adjudication Boards). Así, por cada contrato se designó una Junta compuesta por tres adjudicadores que acompañarían a la obra desde su inicio. En este escenario, los adjudicadores hacen visitas periódicas a las obras en las que aprovechan para consultar sobre el avance de las mismas, las incidencias que se hubieran reportado, las discrepancias entre las partes, los riesgos advertidos, entre otros aspectos.

---

[31] PAREDES CARBAJAL, Gustavo. *Op. Cit.*, pág. 84.

Las Juntas designadas tienen la facultad de emitir opinión sobre las consultas que se les formulen, así como emitir decisiones vinculantes. De esta forma, se evita que las obras se paralicen por desavenencias entre las partes sobre la correcta interpretación del contrato, pues oportunamente pueden resolver las mismas antes de que surja formalmente una controversia, reduciéndose también con ello las fricciones en la relación entre las partes.

Estas Juntas de Resolución de Disputa aún se encuentran activas para el momento en que se elabora el presente artículo, por lo que, al cierre de los contratos en las que estas se constituyeron, resultará importante realizar un balance de los beneficios obtenidos mediante la aplicación de este mecanismo, así como compartir las lecciones aprendidas.

4. Los mecanismos de solución de controversias en el Régimen de Asociaciones Público Privadas

Las Controversias en los contratos de APP se resuelven, en primer orden, mediante el trato directo entre las partes. La normativa de APP ha previsto la posibilidad de que, durante el trato directo, las partes acuerden la intervención de un tercero neutral, imparcial e independiente[32] denominado "Amigable Componedor", el mismo que propone una fórmula de solución

---

[32] *"Artículo 129. Impedimentos del Amigable Componedor.*
129.1 Son impedimentos para ser designado o aceptar el encargo de Amigable Componedor:
1. Ser pariente dentro del cuarto grado de consanguinidad o segundo de afinidad con los representantes de las partes, con los administradores de sus empresas, o con quienes les presten servicios.
2. Tener, personalmente o a través del cónyuge o algún pariente dentro del cuarto grado de consanguinidad o segundo de afinidad, interés en el asunto de que se trate o en otro semejante, cuya resolución pueda influir en la situación de aquél.
3. Tener amistad íntima, enemistad manifiesta o conflicto de intereses objetivo con cualquiera de las partes, que se hagan patentes mediante actitudes o hechos evidentes.
4. Tener o haber tenido en los últimos dos (02) años, relación de servicio o de subordinación con cualquiera de las partes o terceros directamente interesados en el asunto, o tener en proyecto una concertación de negocios con alguna de las partes, aun cuando no se concrete posteriormente.
129.2 La persona que se encuentre en cualquiera de estos supuestos debe rechazar el encargo de Amigable Componedor.
129.3 Cuando las partes hayan sometido la o las controversias al procedimiento de Amigable Componedor, no pueden pactar en contra de estos impedimentos.

para la controversia, la misma que puede ser aceptada por las partes con calidad de cosa juzgada.

La normativa de Asociaciones Pública Privadas ha establecido que los contratos de APP deben contener cláusulas arbitrales. Al respecto, el artículo 132[33] del Reglamento la Ley de APP, aprobado mediante Decreto Supremo N.° 240-2018-EF, ha establecido, a diferencia de lo que ocurre en la normativa de contrataciones del Estado, que las controversias de naturaleza técnica se someten a "arbitraje de conciencia", mientras que las controversias de naturaleza no técnica se someten a arbitraje de derecho o de conciencia, cuando esto último sea conveniente.

129.4 Al aceptar el encargo, el Amigable Componedor asume la obligación de mantener en reserva todos los documentos presentados y las declaraciones realizadas durante el procedimiento por las partes y por él mismo".

[33]   *"Artículo 132. Cláusulas arbitrales.*
132.1 Las cláusulas arbitrales a ser incluidas en los Contratos de APP se rigen por las siguientes disposiciones:
1. Puede someterse a arbitraje las controversias sobre materias de libre disposición de las partes, conforme a lo señalado en el artículo 2 del Decreto Legislativo N° 1071, Decreto Legislativo que norma el Arbitraje.
2. Deben contemplar el arbitraje como mecanismo de solución de controversias.
3. En caso se distinga entre controversias de naturaleza técnica y no técnica, las primeras son sometidas a arbitraje de conciencia y las segundas a arbitraje de derecho, pudiendo estas últimas ser sometidas a arbitraje de conciencia cuando ello resulte conveniente.
132.2 Las entidades, para efectos de conformar el Tribunal Arbitral para las controversias de los Contratos de APP, eligen preferentemente a profesionales con experiencia mínima de cinco (05) años en la materia controvertida o a abogados con el mismo tiempo de experiencia en materia de regulación o Concesiones, según la naturaleza de la controversia.
132.3 De acuerdo al artículo 56 de la Ley, las disposiciones sobre el Amigable Componedor, la Junta de Resolución de Disputas, Arbitraje y sus procedimientos, instituciones elegibles, plazos y condiciones que sean establecidos en el presente Reglamento, no son de aplicación cuando se trate de controversias internacionales de inversión conforme a la Ley N° 28933, Ley que establece el Sistema de Coordinación y Respuesta del Estado en Controversias Internacionales de Inversión.
132.4 Conforme con lo establecido en el párrafo 56.1 del artículo 56 de la Ley, los laudos arbitrales son publicados en el portal institucional de la entidad pública titular del proyecto, dentro de los quince (15) días hábiles de recibida la notificación correspondiente, sin perjuicio de las acciones legales que las partes puedan adoptar conforme con la normativa vigente".

En los contratos de APP con un costo total de inversión[34] mayor a 80,000 UIT[35] puede establecerse que las controversias entre las partes sean sometidas al mecanismo de la Junta de Resolución de Disputas, la que emite una decisión con carácter vinculante y ejecutable, sin perjuicio de poder acudir al arbitraje. Asimismo, la Junta de Resolución de Disputas puede absolver consultas y emitir recomendaciones respecto de los temas que sometan a su conocimiento las partes.

La Junta de Resolución de Disputas en los contratos de APP está conformada por uno o tres expertos designados por las partes, quienes ejercen sus funciones de manera imparcial e independiente.

III. Conclusiones

Como se ha visto, la normativa peruana ha sustraído de la competencia del Poder Judicial a las controversias derivadas de los contratos públicos, a fin de lograr eficiencia en la solución de dichas controversias. Estos mecanismos de solución de controversias tienen las siguientes características:

1. La normativa de contratación pública peruana ha ido modificándose, a efectos de buscar que las Entidades contratantes evalúen correcta y realmente la opción de conciliar las controversias durante la fase de ejecución contractual. Así, las Entidades deben efectuar un análisis de costo-beneficio sobre la posibilidad de conciliar, considerando las posibilidades de éxito en el eventual proceso arbitral. Pese a ello, debido al temor que tienen los funcionarios de asumir responsabilidad, el Estado no suele conciliar sus controversias, por lo que las mismas normalmente culminan en arbitraje. Por ello, resulta necesario que la normativa y los órganos de control adopten medidas que viabilicen la utilización de este mecanismo de solución de controversias, pues se ahorrarían importantes recursos invertidos actualmente en procesos arbitrales.

---

[34] De conformidad con el artículo 5 del Reglamento de la Ley de APP, el Costo Total de Inversión (CTI) es *"el valor presente de los flujos de inversión estimados en la identificación del proyecto o en el último estudio de preinversión, incluyendo el IGV. El CTI no incluye los costos de operación y mantenimiento. La tasa de descuento a ser utilizada para el cálculo del valor presente es aquella que el OPIP defina en función al riesgo del proyecto, la misma que debe contar con el sustento respectivo"*.

[35] Aproximadamente USD 101'818,181.82 para el año 2019.

2. Las controversias de los contratos sometidos al TUO de la LCE solo tienen como vía jurisdiccional al arbitraje, el mismo que es de derecho, resuelto por árbitro único o tribunal arbitral, preeminentemente institucional, y debe resolverse privilegiando a la normativa de contratación pública y las demás normas de derecho público por encima de las normas de derecho privado.

3. El régimen de arbitraje obligatorio en los contratos bajo el ámbito del TUO de la LCE, sumado al corto plazo de caducidad previsto en dicha normativa, ha generado importantes distorsiones en la ejecución de los contratos públicos, de manera tal que se perjudica la eficiencia que inicialmente se buscaba lograr. Así, actualmente toda controversia que surja entre las partes es arbitrada, por lo que se inician en paralelo y de forma sucesiva distintos arbitrajes con cada controversia surgida. Así, sin perjuicio de que los árbitros pueden acumular los arbitrajes en un solo proceso, este alto nivel de litigiosidad genera importantes sobrecostos en los contratos públicos.

4. En los contratos de obra de gran envergadura sometidos al TUO de la LCE se puede pactar como mecanismo de solución de controversias a la Junta de Resolución de Disputas, la misma que emite decisiones vinculantes para las partes, pudiendo emitir opiniones y acompañar a la obra efectuando visitas periódicas, a fin de favorecer la correcta ejecución de la obra. En este caso, es importante que se recojan las experiencias adquiridas en las Juntas de Resolución de Disputas establecidas en los contratos de las principales obras de los Juegos Panamericanos el 2019.

5. En los contratos de asociación público privada, los contratos pueden ser sometido a arbitraje de derecho o de conciencia, según la naturaleza de las controversias involucradas. Asimismo, puede pactarse en los contratos la aplicación de la Junta de Resolución de Disputas; no obstante, a la fecha no se tiene experiencia de este mecanismo en los contratos de APP, por lo que resultará importante la experiencia adquirida en el régimen de contratación pública para enriquecer el empleo de este mecanismo en este tipo de contratos.

Bibliografía

MORÓN URBINA, J.C., *La Contratación Estatal. Análisis de las diversas formar y técnicas contractuales que utiliza el Estado.* Editorial Gaceta Jurídica. Lima, 2016, pág. 788.

DÍAS MADRERA, B., *El arbitraje y el derecho de la contratación pública.* En: El Arbitraje en las Distintas Ramas del Derecho. Biblioteca de Arbitraje, Vol. 6, pág. 156.

CASTILLO FREYRE, M. y SABROSO MINAYA, R., *El Arbitraje en la Contratación Pública.* Ed. Palestra Editores. Limas, 2009, pág. 16.

KUNDMÜLLER CAMINITI, F., "Obligatoriedad del Arbitraje y Otros Temas de Gestión de Conflictos en la Ley de Contrataciones y Adquisiciones del Estado y su Reglamento". En: *Themis* N.° 39. Lima, 1999, pág. 218.

CANTUARIAS SALAVERRY, F., "Cuestiones generales aplicables a las causales de anulación de laudos arbitrales dictados en el foro y a las causales para no reconocer y ejecutar laudos arbitrales dictados en el extranjero". En: *Themis* N° 53, págs. 91-92.

PAREDES CARBAJAL, G., "Dispute Boards y Arbitraje en Construcción: ¿Compiten o se Complementan?" En: *Revista Arbitraje PUCP* N.° 3. Lima, 2013, pág. 86.

HERNÁNDEZ GARCÍA, R., "Dispute Boards en Contratos Administrativos de Infraestructura: un reto necesario". En: *Revista OSCE Al Día* N.° 3. Lima, 2014, pág. 81.

EL TRIBUNAL DE CONTRATACIÓN PÚBLICA CHILENO: EXAMEN DE SU REGULACIÓN

Enrique Díaz Bravo
Profesor de Derecho Administrativo y Contratación Pública
Facultad de Derecho
Universidad Santo Tomás, Chile

I. Antecedentes

El Tribunal de Contratación Pública, en adelante TCP, es un órgano contencioso administrativo especial creado por la Ley N° 19.886, de bases sobre contratos administrativos de suministro y prestación de servicios, en adelante LBCA, para conocer y resolver de las ilegalidades y/o arbitrariedades ocurridas dentro de ciertos procedimientos de contratación pública.

Este órgano *jurídico-técnico especializado*, como lo ha identificado la Iltma. Corte de Apelaciones de Santiago[1], fue instalado el 27 de septiembre de 2005, y tiene como objetivos, por una parte, la protección de los sujetos afectados por acciones u omisiones, arbitrarias y/o ilegales, de la Administración del Estado, y por la otra, la protección, al mismo tiempo, del interés público para que el procedimiento de contratación sea llevado adelante en conformidad al ordenamiento jurídico. Ambos objetivos, se presentan con miras a verificar que las contrataciones públicas sometidas a su conocimiento se sujeten al principio de juridicidad para dar plena satisfacción de una necesidad pública, seleccionando la oferta más conveniente a los intereses

---

[1] Causa Rol N° 10856/2016 (Civil). Iltma. Corte de Apelaciones de Santiago, 27 de diciembre de 2016.

de la Administración, con pleno respeto de los derechos e intereses legítimos de los participantes e interesados, promoviendo el buen gobierno y la eficiencia en las contrataciones públicas[2].

En este orden de ideas, el TCP conoce de las reclamaciones que puedan presentarse, cumpliendo ciertas condiciones objetivas y subjetivas, a través de la acción de impugnación, mecanismo jurisdiccional que la LBCA ha establecido para que el Tribunal pueda intervenir, respecto de dos materias: 1. Reclamaciones respecto de acciones u omisiones, arbitrarios o ilegales, ocurridos en procedimientos de contratación pública, regulados por dicha ley; y, 2. Reclamaciones respecto de toda decisión de la Dirección de Compras y Contratación Pública, relativa a la aprobación o rechazo de las inscripciones en el Registro de Contratistas de la Administración.

Para efectos de este trabajo, se analizarán las bases orgánicas del Tribunal, las que comprenden las normas que regulan su existencia, organización y atribuciones.

II. Síntesis legislativa de la creación del TCP

El 27 de octubre de 1999, por medio del Mensaje N° 9-341, del Presidente de la República Eduardo Frei Ruiz-Tagle, se remitió el Proyecto de ley[3] de bases sobre contratos administrativos de suministro y prestación de servicios. Dicho proyecto de ley consideraba "una serie de principios propios e inherentes a la función pública y a la actividad contractual de la Administración en particular"[4], entre ellos el principio de control de la Administración.

Dicho principio de control consideraba dos mecanismos, uno de legalidad y otro de mérito, el primero de competencia de la Contraloría General

---

[2]   Sobre la materia véase: José María GIMENO FELIÚ, "Informe especial. Sistema de control de la contratación pública en España. (Cinco años de funcionamiento del recurso especial en los contratos públicos. La doctrina fijada por los órganos de recursos contractuales. Enseñanzas y propuestas de mejora)". (2015): P. 10 y sgtes.

[3]   Mensaje del Presidente de la República, con el que inicia un proyecto de Ley de bases sobre contratos administrativos de suministro y prestación de servicios. N° 9-341 de 27 de octubre, 1999 en: Biblioteca del Congreso Nacional, "Historia de la Ley N° 19.886, Ley de bases sobre contratos administrativos de suministro y prestación de servicios" (2003).

[4]   Biblioteca del Congreso Nacional, "Historia de la Ley N° 19.886, Ley de bases sobre contratos administrativos de suministro y prestación de servicios". P. 7.

de la República, y el segundo de la propia Administración del Estado. No obstante, se complementaba este principio de control con el régimen ordinario de reclamaciones respecto del particular con la Administración, pero únicamente referidos a las materias de ocurrencia durante la ejecución de los contratos, y no durante el procedimiento de contratación previo a la suscripción del mismo.

Así las cosas, el proyecto del Gobierno, no contemplaba la creación de un tribunal especial para las materias que regulaba, sino que, por el contrario, contemplaba la creación de un recurso de reclamación, contenido en el capítulo VIII del proyecto. Dicho recurso, sería de competencia de la Dirección de Compras y Contratación Pública, en adelante "Dirección de Compras", fijando la competencia para todas aquellas acciones u omisiones de la Administración que hayan sido estimadas como arbitrarias o ilegales, y que *se ejecuten en el desarrollo de tales procedimientos*, fijándose un plazo de diez días para que toda persona que participaré en el procedimiento de contratación pudiera presentar el recurso en comento.

Es decir, se contemplaba un recurso de tipo administrativo especial para objetar las posibles arbitrariedades o ilegalidades ocurridas en los procedimientos de contratación, estableciéndose que dicho recurso administrativo especial, no obstaba a los particulares para *interponer las acciones judiciales que procedieran*. Y del mismo modo, se limitaba la esfera competencial de la Dirección de Compras, atendido que todas las controversias relativas a la ejecución o terminación de un contrato serían conocidas por los tribunales ordinarios de justicia.

En mayo de 2001, el Poder Ejecutivo formuló una indicación sustitutiva a su Proyecto de ley, conservando en lo sustancial la propuesta, pero incorporando, entre otras materias, la creación del Tribunal de Contratación Pública en el nuevo capítulo V del Proyecto.

Este nuevo Tribunal fallaría en conciencia y estaría integrado por tres miembros titulares quienes desempeñarían sus funciones *ad honorem*, cuya integración estaría conformada por un ministro de la Iltma. Corte de Apelaciones de Santiago, quien sería su presidente; por un integrante designado por el Ministerio de Hacienda; y por un miembro designado por el Presidente de la República, elegido de entre una quina elaborada por la organización de comercio de mayor representatividad del país. Se establecía, por una parte, como secretaría técnica del Tribunal a la Dirección de Compras, la que sería la encargada de designar al secretario del Tribunal, y por otra, sería el propio Tribunal el que, por medio de un auto acordado, regularía las cuestiones relativas a su funcionamiento, suplencias, nombramientos y organización.

A partir de la propuesta de creación de un Tribunal, es que el Proyecto de ley contemplaba una somera regulación del procedimiento, manteniendo la denominación de recurso de reclamación y el plazo para interponerlo, incorporando como requisito un contenido mínimo que debería contener el recurso relativo a la indicación de las normas que se invocaren y las peticiones concretas formuladas; la obligación de requerir un informe al organismo público reclamado; la posibilidad de un periodo de prueba si el tribunal lo estimase conveniente; y, finalmente, contemplaba un recurso de apelación ante la Corte de Apelaciones respectiva, con un plazo para su interposición de diez días[5].

En este contexto, la Excma. Corte Suprema de Justicia informó[6], durante el mes de julio de 2001, respecto del proyecto de creación del TCP donde formuló una serie de observaciones: a) falta de requisitos de idoneidad de los miembros del tribunal designados por el ejecutivo, al menos indica la Corte, quienes deberían ser abogados y experiencia en el área de la contratación administrativa, y del mismo modo indica que no se justifica la participación en el tribunal de un ministro de Corte de Apelaciones, a lo sumo un juez en lo civil; b) falta de autonomía del tribunal tanto respecto de la designación del secretario y de los funcionarios, la que debería ser efectuada por el tribunal *y no por un órgano público que pudiera verse afectado por sus decisiones*; y falta de autonomía presupuestaria, debiendo los miembros del tribunal, como sus funcionarios ser remunerados y tener un local de funcionamiento propio; c) la restricción en la legitimidad activa[7] para concurrir al tribunal no justifica su creación, de modo que se deberían ampliar a toda persona que sea lesionada en sus derecho en el marco de la LBCA; y d) inconveniencia del recurso de apelación que debe ser revisado por un

---

[5]   Ello, sin perjuicio que, en el Informe de la Comisión de Hacienda en la sala de la Cámara de Diputados, el diputado García sostuvo que "Es importante dejar constancia de que los artículos 23 al 26 del capítulo V del proyecto, relativos al Tribunal de Contratación Pública, deben aprobarse con quórum de ley orgánica constitucional, por tratarse de normas sobre la organización y atribuciones de los tribunales", pág. 76. Lo que da cuenta de la confusión, o diferente consideración, por parte de los diputados de la naturaleza inicial del Tribunal de Contratación, cuestión que afortunadamente se resolvió luego en el sentido de considerarlo como un órgano jurisdiccional.

[6]   Oficio N° 001538, Corte Suprema de Justicia. Biblioteca del Congreso Nacional, "Historia de la Ley N° 19.886, Ley de bases sobre contratos administrativos de suministro y prestación de servicios", P. 85.

[7]   "Artículo 25. Cualquier persona que participe en los procedimientos de contratación, podrá interponer un recurso de reclamación…".

tribunal de derecho respecto de las actuaciones de un tribunal de primera instancia que resuelve en conciencia, es decir con criterios de equidad.

En mayo de 2002 la Cámara de Diputados aprobó en primer trámite constitucional el proyecto de ley, donde hace constar una nueva indicación del Ejecutivo, el que sustituyó íntegramente el capítulo V del proyecto, sobre el TCP, el que consideró modificaciones al proyecto originario, en lo relevante, de acuerdo con las siguientes características del Tribunal:

a) **Integración del Tribunal**: Estará integrado por dos ministros de cortes de apelaciones de la Región Metropolitana, designados por sorteo por la Corte Suprema, y un profesional letrado experto en contratación pública, designado por el Ministerio de Hacienda, a través de concurso público, quienes permanecerán en sus cargos por dos años, pudiendo ser reelegidos;

b) **Superintendencia**: El Tribunal se encontrará sometido a la superintendencia directiva, correccional y económica de la Corte Suprema;

c) **Delimitación de su competencia**: Se delimita la competencia temporal del recurso de reclamación, siendo procedente respecto de cualquier acto u omisión ilegal o arbitrario que tenga lugar entre la aprobación de las bases de la respectiva licitación y su adjudicación, ambos inclusive;

d) **Legitimación**: Se amplía la legitimación activa a toda persona natural o jurídica que acredite tener un interés actual comprometido en el respectivo procedimiento administrativo de contratación;

e) **Plazos y procedimiento**: Se consideran plazos diversos para el recurso dependiendo el acto impugnado, así, como regla general, se considera un plazo de 10 días hábiles, desde que se tome conocimiento o desde la publicación del acto u omisión reclamado, para accionar. En el caso que el recurso se dirija contra la adjudicación el plazo será de cinco días hábiles, y de tres días hábiles para aquellas impugnaciones que se refieran a la apertura de las propuestas;

f) **Normas procesales aplicables**: El procedimiento se regirá por las normas del procedimiento incidental del Código de Procedimiento Civil;

g) **Sometimiento a Derecho**: El Tribunal fallará de acuerdo a Derecho;

h) **Medidas suspensivas**: La Ilma. Corte de Apelaciones podrá dictar orden de no innovar por un plazo máximo de 30 días, renovables, cuando conozca del recurso de apelación;

i) **Inhibición reciproca**: Se fija la improcedencia del recurso cuando el acto objeto de impugnación haya sido tomado de razón por la Contraloría General de la República, y en el mismo sentido, la CGR deberá inhibirse de conocer cuando el acto u omisión sometido a su conocimiento, cuando el mismo esté siendo conocido por el TCP, hasta que se resuelva, con autoridad de cosa juzgada, la controversia.

Ahora bien, en el segundo trámite constitucional del Proyecto de ley, efectuado por el Senado de la República, la Excma. Corte Suprema emitió un nuevo oficio[8] informando su parecer sobre el proyecto aprobado por la Cámara de Diputados, donde sostuvo, en lo relevante y pertinente sobre el procedimiento, que:

a) Reiteró la improcedencia de la integración del TCP por parte de un Ministro de Corte de Apelaciones, atendido que el nivel de carga de trabajo de las Cortes de Apelaciones *es abrumador*, de modo que una nueva integración en calidad de titulares en un nuevo órgano *resentiría su trabajo ordinario,* además de la consideración que sería una Corte de Apelaciones la que conocería en segunda instancia. Por lo anterior, se recomendó la integración de dos jueces civiles de Santiago, quienes, según expresó la Corte Suprema: "...tienen la idoneidad y experiencia profesional necesaria para asumir esa función"[9].

b) Estimó, además, improcedente la limitación de competencia del TCP respecto de no poder conocer de actos que hayan sido objeto de toma de razón por parte de la CGR, atendido que: "ese pronunciamiento solo se refiere a la legalidad del respectivo decreto o resolución y no a su posible arbitrariedad como ocurre con el recurso por vía jurisdiccional. Por otra parte, la vía administrativa debe agotarse antes de recurrir a la jurisdiccional"[10].

c) Que el procedimiento adecuado es el del juicio sumario, y no el procedimiento incidental, atendida que resultaría *poco garantístico dada su sumarísima tramitación.*

d) Y, que a juicio del máximo Tribunal, no corresponde que se solicitaré informe el organismo público respecto de la propia reclamación, puesto que dicho organismo tendrá la calidad de reclamado en el mis-

---

[8] Oficio N° 001417, de 17 de junio de 2002, Corte Suprema de Justicia. En: Biblioteca del Congreso Nacional, "Historia de la Ley N° 19.886, Ley de bases sobre contratos administrativos de suministro y prestación de servicios", págs. 189 y ss.

[9] Ídem.

[10] Íbid. P. 192.

mo procedimiento y que "...al contestar la pretensión deberá acompañar los antecedentes pertinentes, siendo obligación de las partes justificar sus peticiones. Sin perjuicio de lo anterior, el tribunal podría decretar como medida para mejor resolver que el órgano público emita un informe respecto de la reclamación.

Finalmente, el proyecto de Ley fue aprobado en mayo de 2003 por el Congreso Nacional con diversas modificaciones respecto del Proyecto original, pasando el examen del Tribunal Constitucional, el que no objetó la constitucionalidad de lo pertinente en el Proyecto, siendo promulgado, finalmente, como Ley de la República, bajo el número 19.886, con fecha 11 de julio y publicada en el Diario Oficial con fecha 30 de julio de 2003, de acuerdo a las condiciones que se analizan en los números siguientes.

III. Naturaleza y características del TCP

A continuación, se analizarán la naturaleza y las características del TCP a la luz de las distintas normas reguladoras que le afectan, tanto a nivel constitucional, legal y reglamentario.

a) **Es un tribunal.** Atendido que ejerce jurisdicción, ello en conformidad a lo fijado por el artículo 76 de la Constitución y el art. 1° del Código Orgánico de Tribunales, en adelante COT, los que establecen que el conocimiento de las causas civiles y criminales en el país corresponderá únicamente a los tribunales creados por la ley. Se encuentra sometido a la superintendencia directiva, correccional y económica de la Corte Suprema, y los jueces del TCP son personalmente responsables de toda prevaricación, en conformidad con el art. 79 de la Constitución.

Así, le resultan aplicables una serie de normas orgánicas de los tribunales de justicia, entre ellas su independencia, inexcusabilidad y la publicidad de sus actuaciones. Las cuestiones relativas a su *funcionamiento administrativo interno* son reguladas por un Auto Acordado de la Corte Suprema, en adelante AATCP[11-12], ratificando la super-

---

[11] Auto Acordado sobre funcionamiento del Tribunal de Contratación Pública, texto refundido, Excma. Corte Suprema. Acta N° 165 - 2018.

[12] Sobre los Auto Acordados, Zúñiga ha sostenido que se pueden concebir "como normas procesales administrativas fruto del acuerdo que adoptan tribunales colegiados y superiores de justicia en ejercicio de una potestad normativa emanada de

intendencia directiva por parte de ésta sobre el Tribunal, lo que se desarrollará más adelante.

b) **Es especial.** La Constitución en su art. 76, inc. 3°, y el COT en su art. 5°, clasifican a los tribunales de la República en ordinarios y especiales, siendo estos últimos clasificados a su vez en tribunales especiales que forman parte del Poder Judicial, y otro grupo que no forma parte de aquel, que se encuentra regulados por las leyes que los establecen, quedando el TCP en esta segunda categoría, regulándose por la propia ley que lo crea, sin perjuicio de quedar, igualmente, sujeto a dicho cuerpo normativo, aplicándosele por tanto todas aquellas normas de carácter general contenidas en el Título I y demás aplicables. En el mismo sentido, la Ley N° 20.285, sobre Acceso a la Información Pública, señala expresamente que el TCP es un tribunal especial[13].

Es un tribunal especial atendido que, su competencia es específica, solo conocerá de los asuntos que la ley ha colocado en la esfera de sus atribuciones atendida la especial naturaleza del conflicto, conflicto que se ventila a través del procedimiento referido a una única acción, la de impugnación (art. 24 LBCA), la que se extiende, tal como lo sostiene la LBCA (art. 22) y le atribuye competencia (art. 24), sobre las materias propias de los procedimientos administrativos regulados por dicha ley, tal como ha sostenido la Iltma. Corte de Apelaciones de Concepción "...el Tribunal de Contratación Pública es contencioso administrativo, de carácter especial, creado exclusivamente para conocer de ilegalidades y/o arbitrariedades en actos administrativos específicos en materia de procedimiento de licitación pública y privada"[14].

Lo dicho por la Iltma. Corte de Concepción, se condice con la necesidad que la actuación del Tribunal sea lo más expedita y eficaz posible, ya que la especial naturaleza de la acción de que conoce requiere que la resolución de un asunto sea lo más ágil posible, ya que la velocidad de los procedimientos administrativos concursales suele ser breve, de modo que la resolución de una cuestión ante el Tribunal no puede

---

una función administrativa asignada por la Constitución o la ley a estos órganos". Francisco ZÚÑIGA URBINA, "Corte Suprema y sus competencias. Notas acerca de su potestad normativa (Autos Acordados)" *Ius et Praxis* 4, no. 1 (1998): P. 228.

13   Art. Octavo, inciso segundo: "Los demás tribunales especiales de la República, tales como el Tribunal de Contratación Pública...".

14   Causa Rol N° 6250/2013. Resolución N° 76571 de Corte de Apelaciones de Concepción, de 19 de noviembre de 2013.

encontrarse temporalmente disociada, porque ello provocaría la pérdida de eficacia de la acción, haciéndola inútil y afectando el derecho a defensa y debido proceso de los afectados, volveremos sobre este punto.

c) **Es un tribunal colegiado y especialista.** Se encuentra conformado por tres jueces titulares, los que duran cinco años en sus cargos, además de tres jueces suplentes, todos quienes deben cumplir con una serie de requisitos taxativos y copulativos fijados en el art. 22 de la LBCA. Debiendo cumplir sus integrantes las siguientes condiciones: i. Ser abogados, ii. con no menos de 10 años de ejercicio de la profesión[15]; iii. chilenos; iv. que cuenten con un destacado ejercicio de la profesión o actividad universitaria; y, v. que acrediten experiencia en las materias de contratación reguladas por la LBCA.

La determinación del alcance de dos de los requisitos para los jueces del TCP, *destacado en la actividad profesional o universitaria* y *que acrediten experiencia en la materia*, es de primera importancia, atendida la propia naturaleza del Tribunal y de las materias que debe conocer. Tal como se ha sostenido en la doctrina nacional, la mayor especialización de sus integrantes permitirá *una mayor capacidad de razonabilidad técnica* y, en consecuencia, *mayor certeza jurídica* para los operadores del sistema[16].

En este sentido, la Ley N° 20.600, que crea lo Tribunales Ambientales, estableció como requisito para los ministros que lo integran el contar con especialización en materias de Derecho administrativo o medioambiental[17]. El alcance del término especialización ha sido

---

[15]   O bien, según dispone el inciso tercero del artículo 22 de la LBCA, "hayan pertenecido al Escalafón Primario del Poder Judicial, siempre y cuando hubieran figurado durante los últimos cinco años en Lista Sobresaliente".

[16]   Ezio COSTA CORDELLA, "Los Tribunales Administrativos especiales en Chile," *Revista de Derecho (Valdivia)* XXVII, no. 1 (2014): P. 162. En el mismo sentido, véase: Alejandro Vergara Blanco, "Tribunal de Contratación Pública: bases institucionales, organización, competencia y procedimiento," *Revista de derecho (Valparaíso)* (2016): P. 356.

[17]   Se distingue entre la experiencia requerida a los ministros abogados, *ejercicio de la profesión a lo menos diez años y haberse destacado en la actividad profesional o académica especializada en materias de Derecho Administrativo o Ambiental*; mientras que, para el ministro licenciado en Ciencias, se requiere de *especialización en materias medioambientales y con, a lo menos, diez años de ejercicio profesional.* Art. 2°, Ley N° 20.600.

tratado por la Contraloría General, la que ha dicho es se considerará como especialista en una materia determinada a "aquél que ha cultivado esta especialidad y que posee conocimientos o destrezas adquiridos por medio de la práctica, el desarrollo profesional, la experiencia laboral o los estudios formales"[18].

Ahora bien, la acreditación de la experiencia en la materia es una cuestión que debe lograr evidenciarse en el proceso de postulación y nombramiento de los jueces para asegurar su cumplimiento, en dicho sentido el Ente Contralor, ha sostenido que "...la indicada experiencia profesional no puede ser acreditada con la mera posesión de un título profesional, pues se requiere comprobar el ejercicio efectivo de la profesión en cuestión"[19].

Así las cosas, el Tribunal debería estar conformado por abogados especialistas en Derecho administrativo, expertos en materias de contratación pública, con experiencia acreditada en contratos públicos, siendo éste último requisito uno de carácter esencial y excluyente para el nombramiento, con miras a permitir dotar al Tribunal de un cuerpo de integrantes que, al conocer de las materias especializadas, le otorguen, por una parte, mayor eficiencia y eficacia para resolver los asuntos sometidos a su conocimiento, y, por otra parte, de mayor legitimidad en la comunidad jurídica.

Por su parte, la nominación de los integrantes del Tribunal se efectúa por el Presidente de la República, quien designará a los miembros de entre aquellos que formen parte de las ternas propuestas por la Excma. Corte Suprema, las que a su vez son elaboradas por la Iltma. Corte de Apelaciones de Santiago, a través de un concurso público de antecedentes, debiendo, igualmente designar a los miembros suplentes. Los miembros suplentes ejercerán sus funciones cuando no pueda ejercer el titular, encontrándose limitado temporalmente para ejercer por más de seis meses continuos su cargo en dicha calidad, atendido que la falta de un miembro titular por un periodo superior a seis meses provoca que se deba nombrar dicho cargo con un miembro titular, por el periodo que reste por cumplir.

Los miembros del Tribunal, al menos en cuanto su escala de remuneraciones, se asimilan a un ministro de Corte de Apelaciones, recibien-

---

18 Dictamen N° 40.677 de 2012, Contraloría General de la República.
19 Dictamen N° 2586 de 2018, Contraloría General de la República.

do una treintava parte de la renta de estos, por cada sesión en la que participen, con un tope de veintiuna sesiones mensuales.

La duración en los cargos de los integrantes del Tribunal es de cinco años, sin limitación para ser renovados, de la misma forma en que fueron nombrados. El TCP contará con un presidente elegido por y entre sus miembros titulares, por un periodo de dos años, quien podrá ser reelegido en el cargo. Igualmente, el TCP contará con un ministro de fe, quien deberá ser abogado con al menos cinco años de ejercicio profesional, y se elegirá por medio de concurso público, quien tendrá la calidad de funcionario contratado de la *exclusiva confianza y subordinación del Tribunal*[20].

d) **Imperio de sus decisiones.** Se encuentra dotado de imperio, de modo que puede hacer cumplir sus decisiones (art. 76, inc. 3°, Constitución) a través de diversos medios, ello proveniente de su calidad de órgano jurisdiccional, siendo sus decisiones obligatorias para los particulares y para la Administración del Estado.

No obstante, lo anterior, el ámbito decisional respecto del cuál tiene imperio el TCP, es insuficiente, puesto que su competencia se encuentra limitada únicamente a aquellas materias que comprenden que ocurran entre la aprobación de los pliegos o bases de licitación y el acto administrativo de adjudicación, quedando fuera de su competencia todas las materias de ejecución del contrato, se tratará con mayores detalles en los puntos siguientes.

IV. Funcionamiento del Tribunal

La regulación del *funcionamiento administrativo interno* del TCP se encuentra entregada por la LBCA (art. 22, inc. final) a la Corte Suprema, la que, por medio del Auto Acordado sobre el funcionamiento del Tribunal, texto refundido de 2018, en adelante AATCP, aborda cuestiones propiamente orgánicas del tribunal, pero también cuestiones funcionales relativas a la sustanciación del procedimiento, como se verá. Dicho Auto Acordado por disposición de la propia LBCA (art. 22, inc. final) tiene por objeto velar "por la eficaz expedición de los asuntos que conozca el Tribunal". Las principales son:

---

[20] Inc. 2°, art. 5°, Auto Acordado sobre funcionamiento del Tribunal de Contratación Pública, texto refundido, Excma. Corte Suprema. Acta N° 165 - 2018.

a) **Sede**. El AATCP reitera la disposición relativa a su asiento o domicilio, contenida en la LBCA (art. 22), cuando señala que el Tribunal tendrá su sede y domicilio en la ciudad de Santiago, funcionando en el recinto que le *habilite y destine* la Dirección de Compras y Contratación Pública (art. 1º AATCP).

b) **Régimen aplicable a los jueces**. Los integrantes del Tribunal, tanto titulares como suplentes, se encuentran sujetos a las normas del Código Orgánico de Tribunales en materias relativas a *nombramientos, requisitos, implicancias, recusaciones, prohibiciones, inhabilidades e incompatibilidades, suspensión y expiración de funciones de los jueces* (art. 2º, inc. 3º AATCP). La misma disposición indica que los jueces se encuentran exceptuados "de las normas contenidas en los artículos 311 a 317 de dicho cuerpo legal (COT) y de aquellas que sean inconciliables con la naturaleza y características de sus funciones".

Esta regulación es de importancia atendido el régimen de dedicación de los jueces del TCP, ya que es el propio Código Orgánico de Tribunales el que dispone la existencia de un régimen de incompatibilidades entre el ejercicio de una función judicial con cualquier otra funciones remunerada con fondos fiscales o municipales, exceptuándose aquellas funciones de cargos docentes con un límite máximo de doce horas semanales[21-22].

c) **Comparecencia**. Toda comparecencia ante el TCP deberá contar con el patrocinio de abogado habilitado para el ejercicio de la profesión, y efectuarse en conformidad a las normas sobre comparecencia en juicio que fija la Ley Nº 18.120.

d) **Horario y días de funcionamiento**. El TCP funcionará en los mismos días y horario que la Dirección de Compras (art. 9º AATCP), es decir de lunes a viernes en horario de funcionamiento de la Administración

---

[21]   Al respecto, véanse los dictámenes Nº 8427 de 1994 y Nº 3386 de 2020 de la Contraloría General de la República.

[22]   En dicho orden de cosas, se debe tener presente que el art. 86 del Estatuto Administrativo (DFL 29, fija texto refundido, coordinado y sistematizado de la Ley Nº 18.834) establece que: "Todos los empleos a que se refiere el presente Estatuto serán incompatibles entre sí. Lo serán también con todo otro empleo o toda otra función que se preste al Estado, aun cuando los empleados o funcionarios de que se trate se encuentren regidos por normas distintas de las contenidas en este Estatuto. Se incluyen en esta incompatibilidad las funciones o cargos de elección popular".

Pública[23], de las que destinará diariamente cinco horas para atender al público, entre las 08:30 y las 13:30 horas.

e) **Audiencias, procedimiento e integración.** El AATCP establece que el Tribunal celebrará sus audiencias de lunes a viernes, con un máximo de veintiuna audiencias mensuales. (art. 7° AATCP).

Las audiencias, de acuerdo al AATCP, se organizarán en una primera parte donde el TCP se pronunciará, primero sobre la admisibilidad de las acciones de impugnación que le corresponde conocer; segundo, resolverá sobre las solicitudes de suspensión de los procedimientos solicitados en acciones admitidas a tramitación; y finalmente, conocerá y resolverá toda cuestión de carácter urgente. Luego, el TCP conocerá sobre todas las presentaciones que se hayan formulado e ingresado en la secretaría del Tribunal hasta las diecisiete horas del día anterior a la audiencia. Excepcionalmente el presidente podrá ordenar, con acuerdo del Tribunal, que se agregue extraordinariamente a la tabla del día una cuestión atendida la naturaleza o urgencia de la misma, para su conocimiento.

Respecto de la integración de los jueces y de los integrantes suplentes, se ha fijado por medio de una modificación de la LBCA[24] (art. 22, inc. 7°), cuyo texto reproduce a la letra el AATCP (art. 7°, inc. 2°) al disponer que "En el caso de convocarse a más de doce sesiones en un mismo mes calendario, dichas sesiones se celebrarán preferentemente por los integrantes del Tribunal suplentes".

Finalmente, respecto de la precedencia en las audiencias integradas por miembros suplentes únicamente, presidirá el juez más antiguo de acuerdo a su nombramiento, y en caso de integrar un juez titular junto con miembros suplentes, le corresponderá a aquel presidir la audiencia.

f) **Tramitación electrónica de las causas.** El AATCP ha establecido la utilización del sistema informático de tramitación de causas, por medio del cual se deberán registrar en el expediente de cada causa todas las resoluciones, actuaciones, presentaciones y actas de las audiencias, sin perjuicio de la existencia del expediente físico de cada una en soporte

---

[23] De 08:30 a 17:30 horas, con excepción del viernes que terminará la jornada a las 16:30 horas.

[24] Modificación incorporada por la ley N° 20883, art. 41, de 02 de diciembre de 2015.

papel, debiendo agregarse todos los archivos que consten en el expediente digital. En el mismo sentido, se ha establecido que todas las actuaciones, resoluciones y actuaciones del Tribunal utilizarán firma electrónica avanzada.

Con relación a las actuaciones de las partes, ellas podrán ser realizadas por vía digital a través del sistema electrónico que el TCP ha habilitado para tal efecto, por medio de la utilización de firma digital, sin perjuicio de la posibilidad de seguir presentado los escritos y documentos en papel físico, todos los que serán debidamente escaneados e incorporados en el expediente digital.

Respecto de las actuaciones que deban ser remitidas a tribunales que integran el Poder Judicial, se ha establecido que ello será realizado por medio de la interconexión de los sistemas informáticos existentes, todo con el objeto de lograr una *remisión expedita* de los recursos de reclamación (art. 11°, letra g, AATCP), o bien de los exhortos que se soliciten (art. 14°, AATCP).

La utilización de los sistemas electrónicos por parte del TCP se hace en el marco de lo dispuesto en la Ley.

g) **Notificaciones y exhortos**. El régimen general de notificaciones ante este Tribunal establece dos formas de notificación, la primera por cédula, y la segunda, por el Estado diario.

La notificación del primer tipo, por cédula, consiste en que tanto las resoluciones que contengan las sentencias definitivas, como aquellas que ordenen recibir la causa a prueba, o toda aquella que contenga la orden de comparecencia personal de una de las partes en el procedimiento, deberán ser notificadas por cédula, tal como dispone el artículo 48 del Código de Procedimiento Civil[25]. Ahora bien, el reciente AATCP, consigna la posibilidad de notificación por vía electrónica de

---

[25] Art. 48: Las sentencias definitivas, resoluciones en que se reciba a prueba la causa, o se ordene la comparecencia personal de las partes, se notificarán por medio de cédulas que contengan la copia integra de la resolución y los datos necesarios para su acertada inteligencia.
Estas cédulas se entregarán por un ministro de fe en el domicilio del notificado, en la forma establecida en el inciso 2° del artículo 44.
Se pondrá en los autos testimonio de la notificación con expresión del día y lugar, del nombre, edad, profesión y domicilio de la persona a quien se haga la entrega. El procedimiento que establece este artículo podrá emplearse, además, en todos los casos que el tribunal expresamente lo ordene.

la resoluciones que tradicionalmente debían notificarse por cédula, provocando los mismos efectos, para lo cuál cualquiera de las *partes o intervinientes*, podrá solicitarlo, proponiendo para sí que se le notifiquen electrónicamente las resoluciones indicadas, a lo cuál el Tribunal podrá acceder para que durante todo el proceso se notifique por ésta vía, siempre que, a su juicio, estas resulten eficaces y no causaren indefensión.

Por su parte, el resto de las resoluciones serán notificadas por medio de la publicación que efectuará el TCP a través de su sitio electrónico, del Estado diario, el que estará disponible diariamente, todo ello en la forma dispuesta por el Código de Procedimiento Civil, art. 50[26]. El art. 11, letra a), del AATCP, establece que este tipo de resoluciones se mantendrán durante al menos tres días en su página web, debiendo contenerse en un formato que no admita alteraciones.

El anterior Auto Acordado sobre funcionamiento del Tribunal de Contratación Pública de 2011, respecto de las notificaciones por el Estado diario, disponía en el inc. 2° de su art. 11, que "exclusivamente como medio de publicidad, el Tribunal publicará en su página web todas las resoluciones que se dicten en las respectivas causas". Producto de la modificación en 2015 del CPC (Ley N° 20.886, art. 12, N° 8. 18 de diciembre) se estableció en el nuevo artículo 50, que todas las notificaciones que no sean de aquellas que se efectúen por cédula "se

---

[26] Art. 50: Las resoluciones no comprendidas en los artículos precedentes se entenderán notificadas a las partes desde que se incluyan en un estado que deberá formarse electrónicamente, el que estará disponible diariamente en la página web del Poder Judicial con las indicaciones que el inciso siguiente expresa.

Se encabezará el estado con la fecha del día en que se forme y se mencionarán por el número de orden que les corresponda en el rol general, expresado en cifras y en letras y, además, por los apellidos del demandante y del demandado o de los primeros que figuren con dicho carácter si son varios, todas las causas en que se haya dictado resolución en aquel día y el número de resoluciones dictadas en cada una de ellas.

Estos estados se mantendrán en la página web del Poder Judicial durante al menos tres días en una forma que impida hacer alteraciones en ellos. De las notificaciones realizadas en conformidad a este artículo se dejará constancia en la carpeta electrónica el mismo día en que se publique el estado.

La notificación efectuada conforme a este artículo será nula en caso que no sea posible la visualización de la resolución referida en el estado diario por problemas técnicos del sistema de tramitación electrónica del Poder Judicial, lo que podrá declararse de oficio o a petición de parte.

entenderán notificadas a las partes desde que se incluyan en un estado que deberá formarse electrónicamente, el que estará disponible diariamente en la página web del Poder Judicial". Dicha remisión no era concordante con la regulación del sistema de notificaciones determinado para el TCP. Afortunadamente, el contenido del nuevo AATCP de 2018 vino a armonizar la notificación electrónica de los estados diarios, con la nueva disposición del CPC, de modo de establecer con claridad la modalidad con que se comunicará el estado diario, ya sea materialmente en el Tribunal, o bien por medio de la página web del mismo. Esto es de gran importancia respecto de la modernización del TCP y la utilización de medios electrónicos, ya que como se establecía en 2011, la utilización de dichos medios era meramente referencial, señalando expresamente que: "Las omisiones u errores que se contenga en dicha página no afectarán la validez de la respectiva notificación a que haya dado lugar la resolución dictada".

Por su parte, en materia de exhortos, es decir de actuaciones probatorias, trámites o diligencias que se deban realizar fuera del lugar de asiento del Tribunal, la Excma. Corte Suprema establece que dichas actuaciones deberán ser realizadas por el juez de letras en lo civil que corresponda, remisión que deberá realizarse por medio del sistema de tramitación electrónica del Poder Judicial.

h) **Dotación y funciones de apoyo.** La dotación del Tribunal está formada por un conjunto de personal que incluye al Secretario, como Ministro de Fe, los profesionales, administrativos y auxiliares, que son provistos por la Dirección de Compras, todos los que prestarán servicios bajo dependencia y dirección del Secretario del TCP. En el caso de los profesionales, administrativos y auxiliares su calificación será efectuada por la Dirección de Compras, previo informe del Tribunal.

V. La acción de impugnación

La acción de impugnación es el medio procesal que provee la LBCA para que todo afectado por una acción u omisión, arbitraria o ilegal, cometida por la Administración del Estado en un procedimiento de contratación pública, regulado por la LBCA o por normas especiales que establezcan esta acción como medio de impugnación, pueda exigir el restablecimiento del Derecho, mediante un procedimiento contencioso administrativo especial, para que se deje sin efecto el actuar contrario a Derecho de la Administración.

A partir de dicho concepto, es que se debe analizar el ámbito subjetivo y objetivo de la LBCA, a efectos de determinar cuáles organismos y cuales actos pueden ser objeto de impugnación, ello a partir de la premisa que fija la LBCA, art. 1°, inc. 1, respecto a que contratos regula dicha norma y a que órganos afecta: "Los contratos que celebre la Administración del Estado, a título oneroso, para el suministro de bienes muebles, y de los servicios que se requieran para el desarrollo de sus funciones…".

1. Ámbito subjetivo de aplicación de la LBCA

La determinación del ámbito subjetivo de aplicación se refiere a los organismos que se encuentran regulados por la LBCA, y que, por consiguiente, pueden dictar actos objeto de la acción de impugnación ante el TCP.

La LBCA regula, como se ha indicado, un tipo específico de acto (ámbito objetivo) que celebre la Administración del Estado (ámbito subjetivo), y para conocer quienes forman parte de la Administración debemos remitirnos a la propia Constitución.

La Constitución chilena establece en su título IV, denominado del Gobierno, un título especial dedicado a la organización de la Administración del Estado, denominado Bases generales de la Administración del Estado, el que cuenta con un único artículo, 38, el que hace una remisión al legislador orgánico para que, mediante una ley orgánica constitucional, determine la organización básica de la Administración Pública[27], dicha norma es la Ley

---

[27]　Respecto de los términos Administración Pública y Administración del Estado que utiliza el artículo 38 de la Constitución, ellos deben entenderse como sinónimos. Tal como sostenía PANTOJA BAUZA, quien explicaba el proceso evolutivo de los términos y su determinación a partir del fallo N° 39/1986 del Tribunal Constitucional: "…en Chile, hoy día, las expresiones Administración Pública y Administración del Estado deben ser consideradas como sinónimas desde el punto de vista constitucional, aunque jurisprudencial y doctrinalmente se utilice con mucha frecuencia la primera para referirse a la Administración desde el punto de vista funcional, y la segunda para aludir a la Administración desde una perspectiva orgánica. Por supuesto, tanto en uno como en el otro caso, esto es, tratándose de una u otra expresión, ella comprende a toda la actividad o a la organización administrativa *in toto*, en una visión global y omnicomprensiva que comprende todos sus matices y modalidades, y desde luego los dos grandes sectores reconocidamente constitutivos de lo administrativo: el sector de la Administración central, constituido por los servicios dependientes o fiscales, y el de la Administración descentralizada, formado por los servicios públicos descentralizados, esto es, por todos aquellos que tienen personalidad jurídica, como lo establece la Ley Orgánica Constitucional de

Nº 18.575, Orgánica Constitucional de Bases Generales de la Administración del Estado[28]. La cual establece en su art. 1º, inc. final, que la Administración del Estado está constituida por "los Ministerios, las Intendencias, las Gobernaciones y los órganos y servicios públicos creados para el cumplimiento de la función administrativa, incluidos la Contraloría General de la República, el Banco Central, las Fuerzas Armadas y las Fuerzas de Orden y Seguridad Pública, los Gobiernos Regionales, las Municipalidades y las empresas públicas creadas por ley".

A partir de dicha delimitación de los organismos que forman parte de la Administración del Estado[29], la propia LBCA hace una remisión (art. 1º, inciso final) para la determinación de los organismos objeto de su regulación, indicando que se deberán ajustar a su regulación los órganos y servicios que formen parte de la Administración del Estado, indicados en el artículo 1º de la Ley Nº 18.575, excluyendo, sin embargo, a "las empresas públicas creadas por ley y demás casos que señale la ley".

De este modo, encontramos que los organismos públicos que se encuentran bajo la regulación de la LBCA son: los Ministerios, las Intendencias, las Gobernaciones y los órganos y servicios públicos creados para el cumplimiento de la función administrativa, incluidos la Contraloría General de la República, el Banco Central, las Fuerzas Armadas y las Fuerzas de Orden y Seguridad Pública, los Gobiernos Regionales y las Municipalidades, algunos de ellos, como veremos, atendida circunstancias especiales producto de factores objetivos de la contratación, como en el caso de las Fuerzas Armadas, con una sumisión muy escueta a la LBCA[30].

Bases Generales de la Administración del Estado". Rolando PANTOJA BAUZÁ, *El Derecho administrativo. Concepto, características, sistematización, prospección* (Editorial Jurídica de Chile, 2010). P. 40.

[28] Tiene texto refundido, DFL Nº 1/2000.

[29] Dicha delimitación no solo importa desde el ámbito funcional u orgánico, sino que, además, para determinar su sujeción al ordenamiento jurídico en la forma prescrita por la Constitución. En este sentido se ha pronunciado la CGR respecto de si un organismo (FAMAE) formaba parte o no de la Administración del Estado, reiterando el efecto propio de la respuesta afirmativa: "En tal calidad, al tenor del artículo 1º, inciso segundo, de la ley Nº 18.575, FAMAE integra la Administración del Estado y, por ende, debe someter su acción a la Constitución Política y a las normas dictadas conforme a ella, según lo preceptúan los artículos 6º y 7º de la Carta Fundamental y 2º de dicho texto legal". Dictamen Nº 73.347/2016 CGR.

[30] En el caso de las universidades públicas, de acuerdo a la jurisprudencia administrativa, se ha despejado y determinado su sumisión a la LBCA, en virtud de su

2. Ámbito objetivo de aplicación de la LBCA

En primer lugar, para determinar el ámbito objetivo de la acción de impugnación, se debe determinar, como presupuesto, el ámbito objetivo de regulación general de la LBCA (art. 1°, inc. 1°), ya que ella viene a regular los procesos de contratación relativos a los "contratos que celebre la Administración del Estado, a título oneroso, para el suministro de bienes muebles, y de los servicios que se requieran para el desarrollo de sus funciones". Cuando se verifiquen dichos contratos, celebrados por dichos organismos, tanto estos como aquellos se someterán a las normas y principios, establecidos en la LBCA y su Reglamento[31], fijándose además una norma especial relativa a la aplicación de las fuentes de la contratación pública, cuando se establece que supletoriamente se aplicarán las normas de derecho público, y en defecto de estas se aplicarán las normas de derecho privado.

Así, el primer elemento objetivo general es que la regulación afecta a todos los contratos onerosos que celebre la Administración del Estado, de modo que, siguiendo la definición del Código Civil chileno, art. 1440, por oneroso se entenderá a todo contrato que tenga *por objeto la utilidad de ambos contratantes, gravándose cada uno a beneficio del otro.*

Delimitado, el primer elemento, se deben examinar los tipos específicos de contratos que regula la LBCA. Específicamente ella viene a regular dos tipos de contratos que celebre la Administración, ambos determinados por su objeto. El primero de ellos es aquel que tiene por objeto el suministro de bienes muebles, mientras que el segundo tiene por objeto el suministro de servicios requeridos para el desarrollo de sus funciones.

Respecto de los primeros, los contratos de suministro, la LBCA los define (art. 2°, inc. 1°) como aquellos que tienen "por objeto la compra o el arrendamiento, incluso con opción de compra, de productos o bienes muebles"[32], lo que es complementado por el Reglamento de Compras (Art. 2°, N° 9) al

---

carácter de servicio público de aquellos comprendidos en el artículo 1° de Ley N° 18.575. Véase Dictamen N° 9.889/2004 CGR.

[31] Decreto N° 250 de 2004, Ministerio de Hacienda, que aprueba Reglamento de la Ley N° 19.886 de bases sobre contratos administrativos de suministro y prestación de servicios.

[32] La misma disposición y solo a modo ejemplar indica que, se entenderán, entre otros, como contratos de suministro:
"a) La adquisición y arrendamiento de equipos y sistemas para el tratamiento de la información, sus dispositivos y programas y la cesión de derecho de uso de estos últimos.

indicar que igualmente se considerará como contrato de suministro a aquel que, aun cuando contemple servicios estos tengan una cuantía inferior al cincuenta por ciento del valor total o estimado del contrato.

Por su parte, los contratos de servicios, de acuerdo al Reglamento de Compras (art. 2°, N° 10), *son aquellos a través de los cuales la Administración del Estado encomienda a una persona, ya sea natural o jurídica, la ejecución de tareas, actividades o la elaboración de productos intangibles.* Del mismo modo que en los contratos de suministro, se considerarán igualmente como contratos de servicios a aquellos que, aun cuando contemplen suministro de bienes, tengan una cuantía inferior al cincuenta por ciento del valor total o estimado del contrato. Los contratos de servicios pueden ser clasificados en generales[33] y personales[34], y estos últimos, a su vez, pueden subclasificarse en servicios de carácter personal propiamente tal y en servicios personales especializados[35-36].

No obstante, lo expresado, la adquisición de programas de computación a medida se considerará contratos de servicios;

b) Los de mantenimiento de equipos y sistemas para el tratamiento de la información, sus dispositivos y programas cuando se contrate conjuntamente con la adquisición o arrendamiento, y;

c) Los de fabricación, por lo que las cosas que hayan de ser entregadas por el contratista deben ser elaboradas con arreglo a las características fijadas previamente por la Administración, aun cuando ésta se obligue a aportar, total o parcialmente, los materiales".

[33] Se entiende por contrato de servicios generales a: "Aquellos que no requieren un desarrollo intelectual intensivo en su ejecución, de carácter estándar, rutinario o de común conocimiento". Art. 2°, N° 11. Reglamento de Compras.

[34] Por contrato de servicios personales se entienden "aquellos que en su ejecución demandan un intensivo desarrollo intelectual. Art. 2°, N° 12. Reglamento de Compras.

[35] Por contratos de servicios personales especializados se entienden "Aquéllos para cuya realización se requiere una preparación especial, en una determinada ciencia, arte o actividad, de manera que quien los provea o preste, sea experto, tenga conocimientos, o habilidades muy específicas. Generalmente, son intensivos en desarrollo intelectual, inherente a las personas que prestarán los servicios, siendo particularmente importante la comprobada competencia técnica para la ejecución exitosa del servicio requerido. Es el caso de anteproyectos de Arquitectura o Urbanismo y proyectos de Arquitectura o Urbanismo que consideren especialidades, proyectos de arte o diseño; proyectos tecnológicos o de comunicaciones sin oferta estándar en el mercado; asesorías en estrategia organizacional o comunicacional; asesorías especializadas en ciencias naturales o sociales; asistencia jurídica especializada y la capacitación con especialidades únicas en el mercado, entre otros". Art. 105, N° 2, Reglamento de Compras.

Ahora bien, la determinación de qué tipo de servicio es el que se requiere es potestad exclusiva de la entidad licitante de la Administración Pública, sin perjuicio que debe fundar su decisión de calificar a un servicio como especializado, y necesariamente, por mandato del Reglamento (art. 106, inc. final), debe expresar las razones por la cuales dichos servicios no pueden ser desempeñados por personal de la propia entidad pública que contrata.

A) Actos exceptuados de la aplicación de la LBCA

La LBCA, en su art. 3°, excluye una serie de actos y contratos de su ámbito de aplicación, los que se regirán por normas especiales, no obstante, el deber de publicar de la información básica de sus contrataciones en los sistemas de información de la Dirección de Compras, con excepción de aquellas contrataciones calificadas como secretas, reservadas o confidenciales, de acuerdo a la ley.

Los actos exceptuados son los siguientes:

a) Las contrataciones de personal de la Administración del Estado reguladas por estatutos especiales y los contratos a honorarios que se celebren con personas naturales para que presten servicios a los orga-

---

[36] La importancia respecto de estos últimos es que tienen una regulación extraordinaria y especial, establecida en los artículos 107 y 107 bis del Reglamento de Compras. Destacan especialmente la existencia de dos grandes etapas, la primera denominada *preselección* donde la entidad licitante verifica, una vez recibidos los antecedentes, la idoneidad técnica del proponente, debiendo considerar, entre otros criterios, la revisión de antecedentes relacionados al servicio, tales como cualificaciones académicas, trayectoria laboral, referencias de servicios similares, encuestas a clientes que recibieron servicios comparables, pruebas técnicas y/o entrevistas para medir conocimientos y habilidades. Y una segunda etapa, denominada *presentación de ofertas, selección y negociación*, a la que acceden solo aquellos que hayan sido seleccionados con los mejores puntajes, de acuerdo a una metodología prefijada, en la etapa anterior, todos los que podrán presentar ofertas técnicas y económicas en esta segunda etapa, de entre quienes, luego de la evaluación, se seleccionará al que haya obtenido el puntaje más alto. Con este proveedor se podrá negociar respecto de su oferta, no alterando el contenido esencial de la misma, pudiéndose modificar el precio hasta un 20% al alza, y de no alcanzarse acuerdo se podrá negociar seguidamente, en orden, con las ofertas siguientes. De igual interés, resulta la regla excepcional de contratación directa para este tipo de servicios especializados, cuando el monto del servicio sea inferior a 1.000 UTM, cumpliendo con ciertos procedimientos especiales, para garantizar la idoneidad del proveedor.

nismos públicos, cualquiera que sea la fuente legal en que se sustenten;

b) Los convenios que celebren entre sí los organismos públicos enumerados en el artículo 2º, inciso primero, del decreto ley Nº 1.263, de 1975, Ley Orgánica de Administración Financiera del Estado, y sus modificaciones;

c) Los contratos efectuados de acuerdo con el procedimiento específico de un organismo internacional, asociados a créditos o aportes que éste otorgue;

d) Los contratos relacionados con la compraventa y la transferencia de valores negociables o de otros instrumentos financieros;

e) Los contratos relacionados con la ejecución y concesión de obras públicas. Asimismo, quedan excluidos de la aplicación de esta ley, los contratos de obra que celebren los Servicios de Vivienda y Urbanización para el cumplimiento de sus fines, como asimismo los contratos destinados a la ejecución, operación y mantención de obras urbanas, con participación de terceros, que suscriban de conformidad a la ley Nº 19.865 que aprueba el Sistema de Financiamiento Urbano Compartido. No obstante, las exclusiones de que se da cuenta en esta letra, a las contrataciones a que ellos se refieren se les aplicará la normativa contenida en el Capítulo V de la Ley Nº 19.886, sobre el TCP, como, asimismo, el resto de sus disposiciones en forma supletoria; y,

f) Los contratos que versen sobre material de guerra; los celebrados en virtud de las leyes números 7.144, 13.196 y sus modificaciones; y, los que se celebren para la adquisición de las siguientes especies por parte de las Fuerzas Armadas o por las Fuerzas de Orden y Seguridad Pública: vehículos de uso militar o policial, excluidas las camionetas, automóviles y buses; equipos y sistemas de información de tecnología avanzada y emergente, utilizados exclusivamente para sistemas de comando, de control, de comunicaciones, computacionales y de inteligencia; elementos o partes para la fabricación, integración, mantenimiento, reparación, mejoramiento o armaduría de armamentos, sus repuestos, combustibles y lubricantes. Asimismo, se exceptuarán las contrataciones sobre bienes y servicios necesarios para prevenir riesgos excepcionales a la seguridad nacional o a la seguridad pública, calificados por decreto supremo expedido por intermedio del Ministerio de Defensa Nacional a proposición del Comandante en Jefe que corresponda o, en su caso, del General Director de Carabineros o del Director de Investigaciones.

3. Procedimientos de contratación susceptibles de la acción de impugnación

Encontrándose determinados los ámbitos objetivos y subjetivos de regulación de contratos por la LBCA, corresponde considerar el ámbito objetivo especial para la concurrencia de la acción de impugnación, atendido que no todas las fases del proceso de contratación pueden ser objeto de la misma, ello porque la norma del inciso segundo del art. 24 delimita la acción de impugnación, de que conoce el TCP, solo contra aquellos actos u omisiones, que ocurran en el espacio temporal que abarca los límites externos acaecidos entre la aprobación de las bases de la licitación y su adjudicación, incluyendo ambos actos, solo de este modo podremos determinar cuáles son los actos objeto de la acción de impugnación. Esto tiene relevancia atendido que se excluyen dos de los cuatro procedimientos de contratación pública regulados por la LBCA, los convenios marco y los tratos o contrataciones directas, y, además de una serie de contratos específicos que se verán a continuación.

Como se ha indicado, no todos los procedimientos de contratación que prevé la LBCA son de competencia del TCP. De acuerdo al artículo 5° de la LBCA, ubicado en el párrafo 1, denominado *De los procedimientos de contratación*, del capítulo III denominado, *De las actuaciones relativas a la contratación*, la Administración del Estado adjudicará los contratos que celebre mediante procedimientos de licitación pública[37], licitación privada[38] o contratación directa[39], cuestión que viene a delimitar la competencia del TCP al fijar cuales son los procedimientos administrativos en que podrá intervenir, ya que como se ha visto, el art. 24 de la LBCA fija que el TCP

---

[37]　Licitación o propuesta pública: el procedimiento administrativo de carácter concursal mediante el cual la Administración realiza un llamado público, convocando a los interesados para que, sujetándose a las bases fijadas, formulen propuestas, de entre las cuales seleccionará y aceptará la más conveniente. Art. 7°, letra a). LBCA.

[38]　Licitación o propuesta privada: el procedimiento administrativo de carácter concursal, previa resolución fundada que lo disponga, mediante el cual la Administración invita a determinadas personas para que, sujetándose a las bases fijadas, formulen propuestas, de entre las cuales seleccionará y aceptará la más conveniente. Art. 7°, letra b). LBCA.

[39]　Trato o contratación directa: el procedimiento de contratación que, por la naturaleza de la negociación que conlleva, deba efectuarse sin la concurrencia de los requisitos señalados para la licitación o propuesta pública y para la privada. Tal circunstancia deberá, en todo caso, ser acreditada según lo determine el reglamento. Art. 7°, letra c). LBCA.

será competente para conocer respecto de la acción de impugnación sobre actos u omisiones ocurridos en *los procedimientos administrativos de contratación con organismos públicos regidos por esta ley*, procedimiento que como se ha indicado son los del art. 5°.

Sin perjuicio de lo anterior, se debe afirmar que los procedimientos de contratación directa se encuentran excluidos de la competencia del TCP, atendido que la regla especial de competencia del Tribunal, art. 24, inc. 2°, fija que la acción de impugnación procederá respecto de los actos u omisiones que tengan lugar *entre la aprobación de las bases de la respectiva licitación y su adjudicación, ambos inclusive*. Ahora bien, los procedimientos de contratación directa no contemplan los trámites de aprobación de bases, ni de adjudicación, por lo que no constituyen una licitación, de forma tal que no se encuentran dentro de la órbita de competencia del TCP.

Además, es posible afirmar que todos los conflictos que surjan a propósito de la ejecución de un convenio marco, que previamente fuera objeto de una licitación pública, se encuentran excluidos de la competencia del TCP, ya que los conflictos que se ventilen en un convenio marco responden a conflictos de la ejecución de un contrato resultante de una licitación, de modo que el tribunal carece de competencia para conocer, atendido que excede uno de sus límites externos como es la resolución de adjudicación, tal como lo ha sostenido el propio tribunal en su resolución en la causa Rol N° 125-2011:

> "3.- Que la acción u omisión supuestamente ilegal y/o arbitraria ocurrida durante la ejecución de un convenio marco no puede ser conocida y juzgada por este Tribunal, ya que la adquisición vía convenio marco no se encuentra incluida dentro de los procedimientos administrativos de contratación enumerados en los artículos 5 y 7 de la Ley N°19.886, esto es, licitación pública, licitación privada y trato directo, por lo que el Tribunal carece de competencia para ello. En efecto, la competencia de este órgano jurisdiccional se encuentra establecida en el artículo 24 de la citada ley exclusivamente respecto de los mencionados procedimientos administrativos de contratación".

Esta materia ha sido objeto de mención por parte del propio TCP, el que a través de su presidente, en la cuenta pública de 2018, a dicho en lo relativo a los tratos directos que: "...las limitaciones propias de nuestra competencia que no nos permiten conocer de la ejecución del contrato o de la adquisición vía contratación directa, todos procedimientos en que puede eventualmente obviarse lo fallado por esta judicatura"[40].

---

[40]   TRIBUNAL DE CONTRATACIÓN PÚBLICA. Cuenta pública 2018. https://www.tribunaldecontratacionpublica.cl/cuenta-publica/, 2018.

Por otra parte, aun cuando la LBCA excluye, como se ha visto, a una serie de actos y contratos, existen algunos que, no obstante, para efectos de impugnar los procedimientos de contratación, ellos si se someterán a la competencia del TCP, debiendo ventilarse las impugnaciones mediante la regulación que al efecto establece la LBCA. Es el caso de los contratos relacionados con la ejecución y concesión de obras públicas, y de los contratos de obra que celebren los Servicios de Vivienda y Urbanización para el cumplimiento de sus fines, como asimismo los contratos destinados a la ejecución, operación y mantención de obras urbanas, con participación de terceros, que suscriban de conformidad a la ley N° 19.865.

En definitiva, la competencia del TCP para conocer de la acción de impugnación se encuentra determinada para aquellas acciones u omisiones, arbitrarias o ilegales que ocurran entre la aprobación de las bases y la adjudicación, ambos actos inclusive, y que se susciten en procedimientos de licitación pública o privada regulados por la LBCA y en aquellos en que, no obstante, no encontrarse regulados por la LBCA, como fuente primaria, se encuentran sometidos a la competencia del TCP.

4. Actos u omisiones objeto de acción de impugnación

La LBCA establece que el TCP será competente para conocer de la acción de impugnación la que puede recaer respecto de dos materias. La primera (art. 24, incisos 1° y 2°)[41] contra actos u omisiones, ilegales o arbitrarios, que tengan lugar en procedimientos licitatorios regulados por dicha ley; y la segunda (art. 16, inc. 6°) respecto de la decisión que apruebe o rechace la inscripción en el registro electrónico oficial de contratistas a cargo de la Dirección de Compras. La materia objeto de estudio de este capítulo es sobre la primera de las materias competencia del TCP[42].

---

[41]   Art. 24, incisos 1° y 2°: "El Tribunal será competente para conocer de la acción de impugnación contra actos u omisiones, ilegales o arbitrarios, ocurridos en los procedimientos administrativos de contratación con organismos públicos regidos por esta ley.
La acción de impugnación procederá contra cualquier acto u omisión ilegal o arbitrario que tenga lugar entre la aprobación de las bases de la respectiva licitación y su adjudicación, ambos inclusive".

[42]   Algunos, como VERGARA, han sostenido que el TCP tiene una competencia general, art. 24. LBCA, y otra especial, respecto de "i) los conflictos en los contratos de obra pública y otros de Vivienda y Urbanización (actos que menciona el art. 3 letra e) LBCA), y ii) los conflictos en la contratación y concesiones de servicio públi-

La competencia del TCP, y por consiguiente de la propia acción especial de impugnación de que conoce, se encuentra restringida a un ámbito temporal y determinado de los procedimientos de contratación pública, ya que la norma que le atribuye y fija su competencia, circunscribe el actuar del Tribunal solo a aquel espacio que va desde la aprobación de las bases del procedimiento concursal y su adjudicación, ambos inclusive. Dicha competencia se encuentra dentro de la fase jurídico-técnica de un procedimiento licitatorio público, abarcando todos los actos u omisiones que puedan ocurrir en sus diversas etapas, incluidas: 1. La resolución que contiene la aprobación de Bases y el llamado a licitación; 2. Los actos u omisiones acaecidos en la etapa de evaluación; y, 3. La resolución de Adjudicación.

Es decir, respecto de lo anterior es posible sostener que: a) Frente a todo acto u omisión, arbitrario o ilegal de la Administración del Estado, acaecidos en procedimientos concursales de contratación pública regulados por la LBCA, el afectado puede impetrar la denominada acción de impugnación; y, b) Que la acción de impugnación fija la competencia temporal del TCP en un procedimiento de contratación, y a la vez fija el espacio temporal sobre el cual un individuo puede accionar contra la Administración, esto es, solo frente a actos u omisiones, arbitrarios o ilegales, ocurridos entre el acto que aprueba las bases o pliegos de la licitación hasta el acto que adjudica

---

co de las municipalidades (art. 66 LOCM)". VERGARA BLANCO, "Tribunal de Contratación Pública: bases institucionales, organización, competencia y procedimiento". P. 360. Sin embargo, a mi juicio, ello no representa la existencia de reglas especiales de competencia, atendido que la acción y el procedimiento general corresponden al de impugnación consagrado en el artículo 24 de la LBCA, por el contrario, son dichos contratos los que a pesar de estar excluidos de la aplicación de la LBCA, según lo dispuesto en su art. 3º, son incorporados en el procedimiento de competencia general por la misma LBCA, fijando la competencia para la acción de impugnación sobre dichas materias, o bien al encontrarse establecidos en una ley diversa, como la Ley Orgánica Constitucional de Municipalidades, hace una remisión específica a la LBCA, así en su artículo 66 sostiene que: "La regulación de los procedimientos administrativos de contratación que realicen las municipalidades se ajustará a la Ley de Bases sobre Contratos Administrativos de Suministro y Prestación de Servicios y sus reglamentos". Así las cosas, las denominadas *competencias especiales* se remiten a la regla general para la impugnación de actos u omisiones en procedimientos de contratación pública de bienes y servicios, de modo que procesalmente la acción de impugnación no tiene competencias especiales, a lo sumo podría sostenerse que su competencia se encuentra dividida en dos materias, una general, la impugnación de actos u omisiones, arbitrarias o ilegales en procedimientos de contratación que la Ley señale, y otra especial, la impugnación contra la decisión de la Dirección de Compras relativa al registro de contratistas.

el concurso, siendo aquellos dos actos los límites externos de la acción de impugnación, y pudiendo acometerse incluso contra dichos actos.

VI. Algunas consideraciones críticas sobre la actual regulación del TCP

Es posible observar del análisis efectuado a las normas que regulan la naturaleza, características y el funcionamiento del TCP que existen una serie de disposiciones, por una parte, que afectan su autonomía y, consecuencialmente que podrían afectar su independencia, y por otra, disposiciones que afectan la normal y eficiente administración de justicia.

a. **Falta de autonomía.** El principal cuerpo normativo del TCP es la LB-CA que lo crea y regula en general, remitiendo, como se ha visto, a la Corte Suprema la regulación de las cuestiones administrativas de funcionamiento interno, la que ha dado cumplimiento al mandato legal por medio del AATCP, es decir que ratifica la superintendencia del máximo órgano del Poder Judicial sobre el TCP, aplicándosele, además, una serie de principios y reglas propias de los tribunales especiales, con énfasis en lo referido a la independencia de todo tribunal dentro de un Estado democrático de Derecho.

Tal como ha sido observado en la doctrina y regulación comparada, la posibilidad de un órgano que tenga facultades jurisdiccionales, para resolver las controversias que se sometan a su conocimiento en materia de contratación pública, pueden ser llevadas, muchas veces, de mejor manera por órganos que no formen parte del Poder Judicial, y que tengan el carácter de independientes y especializados, con mayor experiencia y especialización técnica, cumpliendo con que siempre sus decisiones sean expresadas por escrito y debidamente fundadas, y que sus decisiones puedan ser sometidas a revisión de un órgano parte del Poder Judicial[43].

Ahora bien, dicha independencia se ve afectada por una serie de disposiciones que afectan en normal desempeño de la función jurisdiccional del TCP al provocar una dependencia de éste órgano judicial especial a la Administración del Estado, específicamente haciéndolo

---

43   Véase: Peter TREPTE, *Public procurement in the EC* (Bicester: CCH Editions, 1993). P. 229.

depender, en diversas materias como se verá, de la Dirección de Compras y Contratación Pública, órgano creado por la LBCA (art. 28) como un órgano descentralizado sometido a la supervigilancia del Presidente de la República, en su calidad de Jefe de Gobierno, la que será ejercida a través del Ministerio de Hacienda, de cuyo director será de exclusiva confianza del Presidente de la República.

La falta de autonomía del TCP se hace patente cuando depende de la Administración del Estado, específicamente de la Dirección de Compras y Contratación Pública, siendo ésta como sostiene el art. 23, inc. final, LBCA, la que "...deberá proveer la infraestructura, el apoyo técnico y los recursos humanos y materiales necesarios para el adecuado funcionamiento del Tribunal". Esto obsta al funcionamiento autónomo e independiente del Tribunal, especialmente al depender respecto de infraestructura, apoyo técnico de recursos humanos y materiales necesarios para funcionar de un órgano de la Administración del Estado que regularmente debe concurrir a sus estrados en calidad de demandado[44], al ser una entidad licitante o poder adjudicador de los regulados por la LBCA y, aún más importante, es en la encargada de la administración del sistema de contratación electrónica del Estado, lo que pudiera y no necesariamente afectar sus decisiones, pero en el Estado democrático de Derecho, un tribunal de la República no puede verse en la tesitura ni siquiera remota de ver afectada su imparcialidad o independencia[45] producto de cuestiones presupuestarias, como es del caso en comento.

Ahondando en la materia, se ordena a la Dirección de Compras proveer de medios materiales[46] y de dotación de personal al TCP, sus-

---

[44] V.gr.: Causa Rol 91-2008, Centro de Diálisis Renca Ltda. y Otros con Dirección de Compras y Contratación Pública; Causa Rol 152-2011, Consultores en Estrategia y Diseño de Interacción Amable Ltda. con Dirección de Compras y Contratación Pública; y, Causa Rol 50-2015, PH Consultoría y Servicios Limitada con Dirección de Compras y Contratación Pública.

[45] Sobre la materia, en el derecho español, véase: MIRANZO DÍAZ, Javier. "La Ley 9/2017 y la prevención de los conflictos de intereses: consideraciones y propuestas de aplicación". Contratación administrativa práctica: Revista de la Contratación Administrativa y de los Contratistas, N° 159 (2019).

[46] El art. 14, del antiguo AATCP de 2011, señalaba que: "La Dirección proveerá el equipamiento y apoyo técnico, administrativo y financiero que requiera el adecuado funcionamiento del Tribunal, incluyendo servicios vigilancia, aseo, estafeta y otras acciones similares, así como la mantención y reparación de sus instalaciones, equipos y demás elementos necesarios a ese objeto".

trayendo, inclusive la calificación del personal del Tribunal, el que solo emitirá informe sobre el funcionario, atribuyendo la facultad de calificar a los funcionarios a la propia Dirección, restando autonomía al Tribunal, una vez más sobre una materia propia de un órgano autónomo, como es la provisión y la calificación de su personal. En la actualidad tanto el secretario del Tribunal como los abogados (5) y asistentes administrativos (4) destinados al mismo, forman parte de la dotación de funcionarios públicos, contratados bajo modalidad de contrata[47] de la Dirección de Compras. Del mismo modo, previo a la supresión del feriado judicial, el anterior AATPC ordenaba que durante dicho periodo de feriado era la propia Dirección de Compras la que se hacía cargo de las funciones de la Secretaría del Tribunal.

El propio TCP se ha pronunciado respecto del alcance del art. 23. inc. final, en la sentencia de la Causa Rol 02-2005 en el siguiente sentido:

"13°. Que conviene precisar, además, que el alcance y sentido del inciso final del artículo 23 de la Ley N° 19.886, en cuanto establece como obligación de la Dirección de Compras y Contratación Pública la de proveer la infraestructura, el apoyo técnico y los recursos humanos y materiales necesarios para el adecuado funcionamiento de este Tribunal, se encuentra restringido por sus propios términos. En efecto, del claro tenor literal de dicha disposición se infiere que el sentido real, natural y obvio del mismo no es otro que imponer a dicho servicio las obligaciones que ese precepto menciona, en lo que dice relación, únicamente, con el suministro de los medios que requiere este Tribunal para desarrollar su actividad jurisdiccional. Por lo tanto, la cabal interpretación de dicho precepto solo permite extender su aplicación a las materias comprendidas en su contenido. En consecuencia, de ningún modo la norma en examen confiere, faculta o delega en esa institución la realización de actos que son propios, privativos e inherentes de órganos del Estado que por disposición de la Constitución y las leyes están facultados para administrar justicia".

Dicha argumentación aborda solo el contenido formal de la disposición, más no el contenido y alcance material de la misma, no permitiendo desvirtuar la afirmación relativa a que la dependencia administrativa del TCP a la Dirección de Compras le resta autonomía, y afecta el carácter propio de un órgano que ejerce la función jurisdiccional, más aún con un órgano de la Administración del Estado que se encuentra sometido a su competencia respecto de la acción de impugnación.

---

[47] Según lo informado en: http://www.chilecompra.cl/transparencia/per_contrata.html.

El juicio anterior es coincidente con el del propio secretario del Tribunal, quien ha sostenido que "…es inadecuado que el legislador haya entregado (a) la Dirección de Compras y Contratación Pública la función de proveer materialmente al Tribunal, si se considera que la Dirección como organismo público integrante de la Administración del Estado es justiciable ante el Tribunal de Contratación Pública"[48].

Estas situaciones que restan autonomía al TCP, son diametralmente opuestas respecto de otros tribunales contencioso administrativos especiales que existen en el país, así y solo para ilustrar la situación, el caso del Tribunal de Defensa de la Libre Competencia (TDLC)[49] el que tiene una planta de funcionarios fijada por la norma que lo crea (art. 13), quienes son nombrados por concurso de antecedentes o de oposición por el propio Tribunal (art. 14), disponiendo de presupuesto asignado año a año, en forma directa al Tribunal por la Ley de Presupuestos del Sector Público (art. 17). Idéntica regulación de los Tribunales Ambientales[50], los que cuentan con una planta de personal propia, establecida por la Ley que los crea (art. 13), y es el propio tribunal el que realiza el nombramiento de sus funcionarios, previo concurso de antecedentes o de oposición (art. 14), y, desde luego que cuenta con un presupuesto propio (art. 16), provisto anualmente por la Ley de Presupuestos del Sector Público.

Por otra parte, si la relación de dependencia del TCP con un otro órgano fuese con uno que no concurriera bajo ninguna circunstancia a sus estrados, y ello se expresare únicamente por la disposición de

---

[48] Felipe OLMOS CARRASCO, "Aspectos orgánicos y competencia del Tribunal de Contratación Pública" en *Procedimiento administrativo y contratación pública: Estudios a diez años de la entrada en vigencia de las leyes N° 19.880 y N° 19.886*, ed. Gabriel Bocksang Hola y José Lara Arroyo (Santiago, Chile: LegalPublishing 2013), ág. 457.

[49] Artículo 5°: "El Tribunal de Defensa de la Libre Competencia es un órgano jurisdiccional especial e independiente, sujeto a la superintendencia directiva, correccional y económica de la Corte Suprema, cuya función será prevenir, corregir y sancionar los atentados a la libre competencia". DFL N° 1/2005, Ministerio de Economía, fija el texto refundido, coordinado y sistematizado del Decreto Ley N° 211, de 1973.

[50] Artículo 1°: Concepto. "Los Tribunales Ambientales son órganos jurisdiccionales especiales, sujetos a la superintendencia directiva, correccional y económica de la Corte Suprema, cuya función es resolver las controversias medioambientales de su competencia y ocuparse de los demás asuntos que la ley somete a su conocimiento". Ley N° 20.600, crea los Tribunales Ambientales. 2012.

medios materiales para el ejercicio de las funciones del Tribunal, ello sería una medida de salida para garantizar su independencia[51], despojándose de las preocupaciones de los suministros materiales, dedicando su atención a las soluciones de las controversias jurídicas que le competen

b. **Sede del Tribunal.** En la misma línea que el punto anterior, la existencia de una sola sede del Tribunal, con asiento en la capital del país, no afecta el acceso a su jurisdicción, ni el derecho de acceso a la justicia, atendido que aquellos sujetos con domicilio ubicado fuera del territorio de asiento del tribunal pueden presentar la acción de impugnación en las intendencias o gobernaciones provinciales, todo ello, además, considerando los mecanismos de tramitación electrónica, que facilitan el acceso a la jurisdicción.

Sin embargo, la presencia de un solo Tribunal, obsta a un ejercicio expedito de los mecanismos de defensa y acción jurídicos por parte de los interesados en los procedimientos ventilados ante el Tribunal, ya que, por ejemplo, para la rendición de pruebas si deben desplazarse ante del Tribunal implicando un coste económico adicional que todos los litigantes que se encuentren fuera de la ciudad de Santiago deben soportar, por la sola condición de residir en lugares distintos del país, coste que es considerado al momento de evaluar la presentación de una impugnación ante del TCP por un sujeto que se siente afectado por la Administración del Estado en un procedimiento de aquellos regulados por la Ley N° 19.886.

Una solución para ello es la creación de tribunales de contratación pública por macrozonas, contándose con a lo menos tres tribunales a lo largo del país, lo que permitiría, además, aumentar la eficiencia, especialización y eficacia de la actuación del Tribunal, lo que conllevará una mayor efectividad de la acción de impugnación al resolverse con mayor dedicación de tiempo los procedimientos impugnatorios, y del mismo modo, la función de dedicación exclusiva en las funciones de juez titular.

c. **Extensión competencial:** Aun cuando rebasa del objeto del presente trabajo, considero necesario destacar que la competencia que tiene

---

[51] Véase en este sentido: Juli PONCE SOLÉ y Oscar CAPDEFERRO VILLAGRA-SA, "El Órgano administrativo de Recursos Contractuales de Cataluña: un nuevo avance en la garantía del derecho a una buena administración," *Documentación Administrativa*, N. 288 (2010), pág. 204.

el Tribunal es del todo limitada para los tiempos que corren en la contratación pública chilena, que representa, únicamente en las denominadas compras públicas, un 4,8% del PIB[52], cuestión que ha sido ampliamente criticada por la reducida doctrina nacional que ha dedicado estudios sobre la materia.

El ámbito de competencia del TCP es especialmente limitado, al no tener facultades para conocer las materias relativas a la ejecución del contrato, pero además es especialmente débil, al no contar con competencia para pronunciarse respecto de los daños y perjuicios ocurridos en los procedimientos de que conoce[53], generando una instancia que no resulta completamente eficaz para lo que los operadores del sistema de contratos públicos requieren, incluso se ha llegado a decir que esto "...genera incerteza y ausencia de control"[54].

---

[52]   De acuerdo a la Dirección de Compras, el monto total transado en 2018 fue de U$13.099 millones.

[53]   LARA y GARCÍA-HUIDOBRO han sostenido que: "...dada su competencia, resulta más bien un Tribunal de la *Precontratación* o de la formación de la voluntad contractual, desde el momento que carece de competencias para conocer la ejecución del contrato, materia de competencia de los tribunales ordinarios de justicia..." Lara José LARA ARROYO y Luis GARCÍA-HUIDOBRO HERRERA, "Aspectos críticos de la solución de controversias en la contratación administrativa bajo la Ley N° 19.886: El caso del Tribunal de Contratación Pública," en *Procedimiento administrativo y contratación pública: Estudios a diez años de la entrada en vigencia de las leyes N° 19.880 y N° 19.886*, ed. Gabriel Bocksang Hola y José Lara Arroyo (Santiago, Chile: Legal Publishing, 2013), págs. 410-411. Por su parte ESCANILLA ha afirmado al respecto que: "...subsisten materias y organismos excluidos de su competencia, lo que no parece consistente respecto de la denominación que se mantuvo y que, a nuestro juicio, no refleja la realidad jurídica de la regulación dispuesta por la normativa... Su denominación calzaría más bien como la de un "Tribunal para las Licitaciones de la Administración", pues tampoco comprende al Estado en su totalidad, sino sólo a la Administración". Eduardo S. ESCANILLA ABARZA, "El Tribunal de Contratación Pública en Chile: un análisis crítico propositivo," *Revista Derecho Público Iberoamericano*, N° 2 (2013), pág. 112. Otros, como VERGARA han manifestado que: "Curiosa es entonces la denominación que recibió el TCP en razón de su acotada competencia, la cual no comprende todos los conflictos a que dé lugar la contratación administrativa en todas sus fases, desde su gestación hasta su término y ejecución, sino que la competencia del TCP únicamente comprende la primera etapa de tal contratación: la licitación..." VERGARA BLANCO, "Tribunal de Contratación Pública: bases institucionales, organización, competencia y procedimiento", pág. 359.

[54]   Dirección de Compras y Contratación Pública, "Informe Final. Mesa de Trabajo para la Modificación de la Ley N° 19.886". Santiago, abril de 2016, pág. 12.

Por ello resulta urgente, no solo la ampliación de la competencia del TCP, tanto temporal como sobre los convenios marco y tratos directos[55], sino que la mejora de su procedimiento, el fortalecimiento de la doctrina del TCP en lo referido a las suspensiones del procedimiento, entre otras importantes materias, ya que no se debe perder de vista que los infracciones que ocurren en la etapa de selección y adjudicación, son la esencia de la competencia —y de su existencia— del Tribunal de Contratación Pública chileno, y que ello es de extraordinaria importancia pero no suficiente, ya que, como lo ha sido sostenido por la Comisión Europea "…los más efectivos remedios disponibles en los procedimientos de contratación pública —ellos tienen el potencial de prevenir o corregir rápidamente las infracciones a las directivas de contratación pública, antes de que sea demasiado tarde. (p.j. antes de la firma del contrato)"[56], pero no resultan completos para la protección integral del sistema de contratación pública.

VII. Consideraciones finales

El Tribunal de Contratación Pública ha venido a llegar un importante vacío en el ordenamiento chileno, destinado restablecer el Derecho en los procedimientos de contratación pública, frente a la ocurrencia de infracciones durante el procedimiento de contratación, por medio de un procedimiento especial. No obstante, no es suficiente su competencia para dar resolución eficaz y rápida a todo el *iter* de la contratación pública, que incluye tanto las fases de preparación y de adjudicación, como también de la ejecución del contrato, y no únicamente precontractuale, como se ha denominado en Chile al TCP.

En dicho sentido, resulta relevante efectuar un breve comentario sobre el Derecho comunitario europeo[57], donde la principal crítica que existía a mediados de los años 80, y que luego continuó hasta la Directiva 2007/66,

---

[55]   VERGARA BLANCO, Alejandro y Daniel BARTLETT BURGUERA, "Propuestas para la regulación del Tribunal de Contratación Pública. Organización, competencia y procedimiento". Estudios Públicos 147. (2017). Pág. 68.

[56]   COMMISSION OF THE EUROPEAN COMMUNITIES, *Impact assessment report - Remedies in the field of public procurement* (Brussels, 2006), pág. 578.

[57]   Véase: MORENO MOLINA, José Antonio, "El derecho europeo de los contratos públicos como marco de referencia de la legislación estatal". Cap. 2, en: Estudio sistemático de la Ley De Contratos del Sector Público, editado por José María

era que los ordenamientos nacionales y el ordenamiento supranacional no contemplaban medidas suficientes para la protección de los intereses y derechos de los afectados en los procedimientos de licitación pública previos a la firma del contrato, puesto que ese es el momento en que aún puede proveerse un remedio efectivo contra la infracción a la normativa regulatoria en materia de contratos públicos y cuando ocurren la gran mayoría de las infracciones[58], de modo que la gran parte de los mecanismos inicialmente introducidos en la primera generación de recursos del año 1989, y luego a través de la modificación de los mismos en el año 2007, fueron dirigidos hacia establecer herramientas efectivas para que los afectados en un procedimiento licitatorio pudieran recurrir previo a la firma del contrato, es decir en el instante más importante del procedimiento de contratación pública, para efectos de la protección a los sujetos, cual es el objeto del TCP.

El establecimiento del Tribunal de Contratación permitió, además, dar cumplimiento a los compromisos internacionales suscritos por Chile en el marco del Tratado de Libre Comercio con los Estados Unidos de Norteamérica[59] y del Acuerdo de Asociación con Europa[60], ya que en ambos instrumentos

---

Gimeno Feliú. Cizur Menor: Thomson Reuters Aranzadi (versión digital Proview), 2018.

[58] En dicho sentido, véase: Friedl WEISS, *Public procurement in European community law*, European community law series, (London: The Athlone Press, 1993), págs. 103-04.

[59] "Artículo 9.13: Revisión nacional de impugnaciones presentadas por los proveedores. Autoridades de revisión independientes: Cada Parte establecerá o designará al menos una autoridad administrativa o judicial imparcial, independiente de sus entidades, para recibir y revisar las impugnaciones presentadas por los proveedores en relación con las medidas de una Parte que implementan este Capítulo, en conexión con una contratación pública cubierta por este Capítulo, y formular las conclusiones y recomendaciones pertinentes. Cuando una impugnación de un proveedor sea inicialmente revisada por un órgano distinto de dicha autoridad imparcial, la Parte garantizará que el proveedor pueda apelar la decisión inicial ante una autoridad administrativa o judicial imparcial que sea independiente de la entidad que es objeto de la impugnación". Tratado de Libre Comercio Chile - Estados Unidos, suscrito el 6 de junio de 2003 y vigente desde el 1 de enero de 2004.

[60] Artículo 155. Procedimiento de impugnación: "3. Las impugnaciones serán atendidas por una autoridad imparcial e independiente encargada de la revisión. Las actuaciones de una autoridad revisora distinta a un tribunal deberán estar sujetas a revisión judicial o contar con garantías procesales similares a las de un tribunal. Acuerdo de Asociación Chile - Unión Europea, suscrito el 18 de noviembre de 2002 y vigente desde el 1 de febrero de 2003. Sobre el Acuerdo de Asociación y la Contratación Pública véase: Enrique DÍAZ BRAVO, "Los principios de la contra-

internacionales se contemplan capítulos o títulos especiales dedicados a la regulación de la contratación pública, en los que se considera la existencia una instancia de revisión nacional, con carácter independiente e imparcial para la revisión de las impugnaciones presentadas por los proveedores sobre dicha materia, de modo que la apertura de los mercados, especialmente el chileno, fuera acompañado de garantías para los proveedores extranjeros.

En el marco del debate parlamentario durante la tramitación del proyecto de la LBCA, resulta destacable que en la discusión en la sala de la Cámara de Diputados, el diputado Ortiz sostuviera que la inclusión de un tribunal de contratación pública como mecanismo de impugnación de los procedimientos licitatorios respondía a una exigencia de los tratados de libre comercio que Chile se encontraba en proceso de aprobación o negociación, en particular con EEUU y con Europa, a pesar que no cumpliera a cabalidad con los requerimientos de dichos tratados, al menos en dicho momento, por ser considerado el tribunal como una instancia administrativa, lo que no resultaba coherente con el requerimiento de una instancia de impugnación independiente que asegurase la imparcialidad, de acuerdo a lo requerido por los acuerdos internacionales en comento. Así Ortiz sostuvo que: "El proyecto consagra el derecho de impugnación a los procesos de licitación, a través de la constitución de una primera instancia administrativa de reclamo, como es el Tribunal de Contratación Pública, haciéndolo compatible con las exigencias de los acuerdos de libre comercio"[61].

De este modo, la configuración institucional en el ordenamiento jurídico chileno de la acción de impugnación, la considera como mecanismo procesal que resulta de la convergencia de dos factores, por una parte, de la necesidad de dar protección y cumplimiento al principio de legalidad, a mi juicio bidireccionalmente tanto para el particular como para la Administración del Estado; y, por otra parte, como un mecanismo que promueva y garantice la eficiencia y el buen gobierno en las actuaciones de la Administración del Estado[62].

---

tación administrativa: El Acuerdo de Asociación Chile-Unión Europea" *Revista de Derecho Administrativo Económico*, N° 22 (2016).

[61] Biblioteca del Congreso Nacional, "Historia de la Ley N° 19.886, Ley de bases sobre contratos administrativos de suministro y prestación de servicios", pág. 78.

[62] Sobre el recurso en los procedimientos de contratación pública y su articulación en los sistemas administrativos, puede verse un desarrollo en: DIAZ BRAVO, E., El recurso en materia de contratación pública en Europa y su aplicación en España. (Valencia: Tirant lo Blanch, 2019).

Resulta innegable que la introducción del Tribunal de Contratación al ordenamiento jurídico, ha contribuido al esquema de la contratación pública en Chile, aun cuando se debe avanzar hacia una importante mejora de competencias del propio Tribunal, y que amplíen su competencia hacia la ejecución del contrato, y le confiera, además competencia en materia de daños y perjuicios.

Bibliografía

BIBLIOTECA DEL CONGRESO NACIONAL, *Historia de la Ley N° 19.886, Ley de bases sobre contratos administrativos de suministro y prestación de servicios*, 2003.

COMMISSION OF THE EUROPEAN COMMUNITIES, *Impact assessment report - Remedies in the field of public procurement* (Brussels, 2006).

COSTA CORDELLA, E., "Los Tribunales Administrativos especiales en Chile," *Revista de Derecho (Valdivia)* XXVII, no. 1 (2014).

DÍAZ BRAVO, E., *El recurso en materia de contratación pública en Europa y su aplicación en España* (Valencia: Tirant lo Blanch, 2019).

DÍAZ BRAVO, E., "Los principios de la contratación administrativa: El Acuerdo de Asociación Chile-Unión Europea" *Revista de Derecho Administrativo Económico*, N° 22 (2016).

DIRECCIÓN DE COMPRAS Y CONTRATACIÓN PÚBLICA, *Informe Final. Mesa de Trabajo para la Modificación de la Ley N° 19.886*. Santiago, abril de 2016.

ESCANILLA ABARZA, E., "El Tribunal de Contratación Pública en Chile: un análisis crítico propositivo," *Revista Derecho Público Iberoamericano*, N° 2 (2013).

GIMENO FELIÚ, J. M., "Informe especial. Sistema de control de la contratación pública en España. (Cinco años de funcionamiento del recurso especial en los contratos públicos. La doctrina fijada por los órganos de recursos contractuales. Enseñanzas y propuestas de mejora)". (2015).

LARA ARROYO, J. y GARCÍA-HUIDOBRO HERRERA, L., "Aspectos críticos de la solución de controversias en la contratación administrativa bajo la Ley N° 19.886: El caso del Tribunal de Contratación Pública," en *Procedimiento administrativo y contratación pública: Estudios a diez años de la entrada en vigencia de las leyes N° 19.880 y N° 19.886*, ed. Gabriel Bocksang Hola y José Lara Arroyo (Santiago, Chile: Legal Publishing, 2013).

MIRANZO DÍAZ, J., "La Ley 9/2017 y la prevención de los conflictos de intereses: consideraciones y propuestas de aplicación". Contratación administrativa práctica: *Revista de la Contratación Administrativa y de los Contratistas*, No 159 (2019).

MORENO MOLINA, J. A., "El derecho europeo de los contratos públicos como marco de referencia de la legislación estatal". Cap. 2, en: *Estudio sistemático de la Ley De Contratos del Sector Público*, editado por José María Gimeno Feliú. Cizur Menor: Thomson Reuters Aranzadi (versión digital Proview), 2018.

OLMOS CARRASCO, F., "Aspectos orgánicos y competencia del Tribunal de Contratación Pública" en *Procedimiento administrativo y contratación pública: Estudios a diez años de la entrada en vigencia de las leyes N° 19.880 y N° 19.886*, ed. Gabriel Bocksang Hola y José Lara Arroyo (Santiago, Chile: LegalPublishing, 2013).

PANTOJA BAUZÁ, R., *El Derecho administrativo. concepto, características, sistematización, prospección* (Editorial Jurídica de Chile, 2010).

PONCE SOLÉ, J. y CAPDEFERRO VILLAGRASA, O., "El Órgano administrativo de Recursos Contractuales de Cataluña: un nuevo avance en la garantía del derecho a una buena administración," *Documentación Administrativa*, N. 288 (2010).

TRIBUNAL DE CONTRATACIÓN PÚBLICA. Cuenta pública 2018. https://www.tribunaldecontratacionpublica.cl/cuenta-publica/, 2018.

TREPTE, P., *Public procurement in the EC* (Bicester: CCH Editions, 1993).

VERGARA BLANCO, A., "Tribunal de Contratación Pública: bases institucionales, organización, competencia y procedimiento," *Revista de Derecho de Valparaíso* (2016).

VERGARA BLANCO, Alejandro y Daniel BARTLETT BURGUERA, "Propuestas para la regulación del Tribunal de Contratación Pública. Organización, competencia y procedimiento". *Estudios Públicos* 147. (2017).

WEISS, F., *Public procurement in European community law*, European community law series, (London: The Athlone Press, 1993).

ZÚÑIGA URBINA, F., "Corte Suprema y sus competencias. Notas acerca de su potestad normativa (Autos Acordados)" *Ius et Praxis* 4, N° 1 (1998).

Jurisprudencia

Contraloria General de la República
–   Dictamen N° 3.386/2020.
–   Dictamen N° 2.586/2018.
–   Dictamen N° 73.347/2016.
–   Dictamen N° 40.677/2012.
–   Dictamen N° 9.889/2004.
–   Dictamen N° 8.427/1994.

Poder Judicial
–   Causa Rol N° 10856/2016 (Civil). Iltma. Corte de Apelaciones de Santiago, 27 de diciembre de 2016.
–   Causa Rol N° 6250/2013. Resolución N° 76571 de Corte de Apelaciones de Concepción, de 19 de noviembre de 2013.

Tribunal de Contratación Pública
–   Causa Rol 50-2015, PH Consultoría y Servicios Limitada con Dirección de Compras y Contratación Pública.
–   Causa Rol 152-2011, Consultores en Estrategia y Diseño de Interacción Amable Ltda. con Dirección de Compras y Contratación Pública.
–   Causa Rol 91-2008, Centro de Diálisis Renca Ltda. y Otros con Dirección de Compras y Contratación Pública.